L'INNOCENCE PERDUE

NEIL SHEEHAN

L'INNOCENCE PERDUE

Un Américain au Vietnam

TRADUIT DE L'AMÉRICAIN PAR ROLAND MEHL
ET DENIS BENEICH

ÉDITIONS DU SEUIL
27, rue Jacob, Paris VIe

Titre original : *A Bright Shining Lie*.
Éditeur original : Random House Inc., New York, 1988.
ISBN original : 0-394-48447-9.
© original 1988, Neil Sheehan.
© 1988, Jean-Paul Tremblay pour les cartes.

ISBN : 2-02-012189-1.

© Mai 1990, Éditions du Seuil pour la traduction française.

Avant-propos

Ce livre m'a contraint à affronter intellectuellement la tragique réalité de la guerre du Vietnam et à constater que nous ne l'aurions jamais gagnée. Dans le passé, la guerre avait toujours été une expérience « positive » de la culture américaine, une croisade morale qui renforçait l'unité des participants

Mais celle-ci, qu'on la considère comme mal conduite ou moralement condamnable, était de toute façon menée en vain. Ce fut la première guerre « négative » de l'histoire de l'Amérique et le pays a eu beaucoup de difficultés à l'accepter.

Au cours de la Seconde Guerre mondiale, nos chefs étaient en symbiose avec la réalité. Mais, ensuite, nous sommes devenus si riches et si puissants que notre commandement a perdu sa faculté de penser d'une façon créatrice. L'arrogance a remplacé le réalisme. Au Vietnam, nos chefs militaires et civils ne pouvaient tout simplement pas admettre que nous puissions perdre. Les administrations successives s'illusionnaient et se complaisaient dans le phantasme que nous pourrions maintenir éternellement une présence des États-Unis dans ce pays. Le soldat américain devint ainsi la victime de son propre commandement, plus que de l'ennemi. Quelle amère leçon, difficile à admettre !

Si nous étions restés au Vietnam nous n'aurions pu le faire qu'au prix d'une ponction lourde et permanente sur notre économie. Mais, surtout, nous aurions souffert d'une plaie morale persistante en essayant de dominer un peuple qui ne nous aurait à aucun moment acceptés. Car les Vietnamiens n'ont jamais toléré une domination étrangère. Toute leur histoire montre qu'ils n'ont cessé de repousser victorieusement les envahisseurs, qu'ils soient chinois, mongols, mandchous, français et, bien entendu, américains.

Neil Sheehan.

NOTA : Toutes les notes de bas de page sont du traducteur Roland Mehl, lui-même ancien correspondant de guerre au Vietnam pour France-Inter, en 1968.

Le dernier hommage

Ils étaient tous venus à ses funérailles, tous réunis dans la chapelle en brique rouge à côté de la porte du cimetière. Six chevaux gris étaient attelés au caisson qui transporterait le cercueil jusqu'à la tombe. La fanfare militaire attendait. La garde d'honneur du plus ancien régiment, dont les annales remontaient à la Révolution, était alignée devant le portique blanc de la chapelle. Les soldats portaient leur uniforme de parade, bleu marine brodé d'or, les couleurs de cette armée de l'Union qui avait préservé l'intégrité de la nation. Une tenue trop chaude pour la température et l'humidité de ce vendredi matin d'été à Washington, mais ces funérailles officielles justifiaient bien ce désagrément. John Paul Vann, soldat de la guerre du Vietnam, était enterré à Arlington le 16 juin 1972.

Cette guerre avait déjà duré plus longtemps qu'aucune autre de l'histoire des États-Unis et avait plus divisé les Américains qu'aucun autre conflit depuis la guerre de Sécession. De ces combats sans héros, l'homme qu'on enterrait avait été une des personnalités les plus fascinantes. La force et l'originalité de son caractère, le courage dont il avait fait preuve dans les drames de sa vie semblaient résumer toutes les qualités que les Américains vénèrent. Sa dévotion à la guerre, inflexible jusqu'à l'obsession, en faisait le symbole de l'engagement américain au Vietnam. Il en était devenu l'exemple type par ses chimères, ses bonnes intentions avortées, son orgueil et sa volonté de vaincre. Alors que d'autres avaient été vaincus et découragés au cours des années, ou avaient perdu leurs illusions et s'étaient opposés à cette guerre, il avait persévéré dans sa croisade pour sauver l'irrémédiable, pour ressaisir la victoire dans cette entreprise condamnée. Après dix ans de luttes, il avait été tué une semaine plus tôt lorsque, une nuit, son hélicoptère s'était écrasé et avait brûlé dans la pluie et le brouillard des hauts plateaux du Sud Vietnam. Il venait juste d'enrayer, près de la ville de Kontum, une offensive de l'armée nord-vietnamienne qui aurait pu se terminer en désastre pour les États-Unis.

Tous ceux qui étaient réunis pour ses obsèques symbolisaient les divisions et les blessures que cette guerre avait infligées à la société américaine. Mais, en même temps, ils avaient, presque tous, été attirés par lui. Certains étaient venus parce qu'ils l'avaient admiré et qu'ils partageaient toujours son idéal ; d'autres avaient divergé au cours des années mais le considéraient toujours comme un ami ; d'autres à qui il avait fait du mal mais qui l'aimaient pour ce qu'il aurait pu être. Alors que la guerre devait durer encore presque trois ans et continuer à faire de nombreux morts, ceux qui se trouvaient à Arlington en ce matin de juin 1972 avaient l'impression que, avec John Vann, ils enterraient la guerre et dix années du Vietnam. Vann mort, le reste ne serait plus qu'un post-scriptum.

Il était arrivé à Saigon en mars 1962, lieutenant-colonel de trente-sept ans, volontaire pour servir de conseiller militaire auprès d'une division d'infanterie sud-vietnamienne dans le delta du Mékong. A cette époque, la guerre était encore une aventure. Au mois de décembre précédent, le président John F. Kennedy avait assigné aux forces des États-Unis la tâche d'écraser une rébellion communiste et d'assurer la protection du Sud Vietnam, État indépendant dirigé à Saigon par un gouvernement patronné par les Américains.

Vann avait les qualités d'un meneur d'hommes. C'était un enfant miséreux du Sud, né pendant la grande dépression qui avait suivi la crise de 1929 dans un quartier blanc pauvre de Norfolk en Virginie. Pendant son premier séjour au Vietnam, ses amis et subordonnés se moquaient de lui parce qu'il ne bronzait jamais. Il avait beau marcher au soleil chaque fois qu'il accompagnait en opérations, comme il le faisait souvent, les fantassins sud-vietnamiens, sa peau de rouquin ne faisait que rougir un peu plus.

Au premier abord, il avait une allure plutôt malingre, avec un mètre soixante-dix et soixante-sept kilos. Mais une vitalité physique et une autorité tout à fait exceptionnelles compensaient largement son apparence chétive. Il avait une constitution qui lui permettait de faire en un jour ce qui aurait demandé le double à un autre. Il n'avait besoin que de quatre heures de sommeil par nuit, qu'il pouvait réduire à deux pour des périodes prolongées avec autant d'efficacité. S'il devait, et il le fit couramment, travailler seize heures sur vingt-quatre, il gardait encore suffisamment de temps pour se reposer et se distraire.

Son ascendant sur les autres venait de la dureté de sa voix nasale et de son ton vif et tranchant. Il savait toujours ce qu'il voulait et comment il fallait le faire. Il avait le talent de résoudre les problèmes quotidiens qui se posent dans des situations difficiles, particulièrement en temps de guerre. Son génie venait de son esprit pragmatique et de son instinct à évaluer les talents et les motivations des autres pour les utiliser à son profit. Les détails le fascinaient, et il privilégiait les faits. Il en assimilait aisément des quantités et en recherchait sans cesse d'autres, convaincu que, lorsqu'il serait en possession de tous les éléments du problème, il serait en mesure de l'analyser correctement pour y apporter ensuite la solution juste. Son caractère et l'éducation qu'il avait reçue de l'armée à l'école et à l'université avaient formé un esprit à la fois totalement impliqué dans la tâche immédiate et en même temps suffisamment détaché pour discerner les raisons profondes du problème. Il témoignait de la foi et de l'optimisme de l'Amérique d'après-guerre qui voulait que tout défi puisse être relevé par la volonté et par l'utilisation méthodique de l'intelligence, de la technologie, de l'argent et, éventuellement, de la force armée.

Vann n'avait peur de rien. Il passait souvent la nuit dans des avant-postes tenus par la milice sud-vietnamienne ; ces petits fortins isolés faits de briques, de sacs de sable et de torchis étaient souvent attaqués, et il prenait lui-même un fusil pour aider les miliciens à repousser l'agresseur. Il roulait sur des pistes que personne n'osait emprunter, simplement pour prouver qu'on pouvait le faire, au risque d'être blessé au cours d'embuscades. Il se posait en hélicoptère en plein cœur d'une cité assiégée pour venir en aide à la garnison, sans se soucier des bombardements et des tirs de la défense antiaérienne, comme un défi à la mort. Pendant ces dix années, il acquit une réputation d'invulnérabilité. Il ne cessait jamais d'affronter des dangers qui en auraient tué bien d'autres et il survécut toujours. La chance, disait-il, est toujours de mon côté.

Il n'hésitait pas à prendre des risques qui compromettaient sa carrière. Ce fut le cas dès la première année qu'il passa au Vietnam, de mars 1962 à avril 1963. Alors qu'il était conseiller militaire d'une division sud-vietnamienne dans le delta du Mékong, Vann comprit très vite que la guerre allait être perdue. L'ambassadeur américain et le commandant en chef, eux, informaient l'administration Kennedy que tout allait pour le mieux et qu'ils allaient gagner. Vann estimait alors, et n'a jamais varié ensuite, qu'on ne pouvait vaincre qu'en appliquant une stratégie et une tactique rigoureuses. Lorsqu'il se rendit compte que le commandant en chef et son état-major de Saigon ne l'écoutaient pas et que ses rapports les indisposaient, il confia ses évaluations méthodiquement documentées aux correspondants de guerre américains. Affecté au Pentagone après sa première année au Vietnam, il y lança une campagne pour essayer de convaincre les grands chefs militaires du pays qu'il fallait changer de méthode pour éviter une défaite des États-Unis. Il subit un échec complet. Comme il avait effectué vingt années de service actif, il décida de prendre sa retraite le 31 juillet 1963, geste que la plupart de ses amis interprétèrent comme un acte de protestation qui lui permettrait d'exprimer ouvertement ses vues sur la guerre. C'est exactement ce que fit Vann dans des journaux, des magazines, à la télévision et dans des discours publics.

Il repartit pour le Vietnam en mars 1965 comme civil de l'Agence de développement international (AID), pour être en charge d'un programme de pacification. Il ne devait plus jamais retourner aux États-Unis, sauf pour de courtes permissions. Il commença à travailler dans une des plus dangereuses provinces à l'ouest de Saigon et devint, à la fin de 1966, responsable du programme civil de pacification pour les onze provinces entourant la capitale. Au cours de ces années, Vann ne cessa de dénoncer la cruauté autodestructrice des bombardements massifs et aveugles des villages que le haut commandement américain avait planifiés pour essayer de priver les Vietcongs du soutien de la population. Les paysans étaient déportés en masse et regroupés dans des taudis urbains ou dans des camps de réfugiés situés à proximité des villes. Si Vann n'hésitait jamais à employer toute la force nécessaire pour atteindre son but, il considérait en revanche que cogner sur des innocents avec une violence inutile était non seulement moralement condamnable, mais militairement stupide.

En 1967, son franc-parler lui attira à nouveau des ennuis avec les autorités. Il les avertit que la guerre totale voulue par le général William Westmoreland avec son armée de 475 000 soldats américains était un échec, que la sécurité était de plus en plus menacée dans les campagnes, et que les communistes vietnamiens étaient de plus en plus forts. Cette critique trouva sa justification le 31 janvier 1968 lorsque les communistes choisirent le jour de la fête du Têt pour lancer une offensive surprise dans toutes les villes du pays, réussissant même à pénétrer à l'intérieur du périmètre de l'ambassade des États-Unis, en plein cœur de Saigon. La guerre d'usure avait bien été un échec, et Westmoreland fut relevé de son commandement.

Même si Vann devait, dans sa vie privée, faire souffrir sa famille et ses proches, sa loyauté envers ses amis, ses collaborateurs et ses subordonnés ne faiblit jamais au cours des années. Après l'offensive du Têt, le Vietnamien dont il avait été très proche, ancien lieutenant-colonel et chef de province, qui avait quitté l'armée pour faire de la politique, monta une machination complexe en vue de négocier un règlement du conflit et lança une campagne contre le régime de Saigon. Les autorités militaires américaines soupçonnèrent l'ami de Vann de chercher à former avec les communistes un gouvernement de coalition où il occuperait une position de premier plan. Vann n'était pas d'accord avec le projet de son ami, mais il risqua une fois de plus sa carrière pour essayer en vain de lui éviter la prison. Il faillit ainsi être limogé et renvoyé aux États-Unis. Vann se trouva également en désaccord sur la guerre avec son meilleur ami américain, Daniel Ellsberg, qui avait dans les débuts lutté avec lui pour la réussite de la tentative vietnamienne. Ellsberg se lança dans une croisade pacifiste aux États-Unis tandis que Vann continuait à se battre pour gagner la guerre au Vietnam. Mais leur amitié resta toujours intacte. Lorsque Vann fut tué, Ellsberg était sur le point d'être jugé par la cour fédérale de Los Angeles pour avoir copié et publié des documents secrets du Pentagone. Vann lui avait fait savoir qu'il viendrait témoigner en sa faveur. Ellsberg pleura la perte de celui qui avait été son plus proche ami.

En dépit de son non-conformisme, Vann avait peu à peu progressé dans le système. Ses qualités de chef et son zèle guerrier avaient facilité sa promotion, d'autant plus que ceux qui détenaient le pouvoir à Saigon et à Washington réalisaient maintenant que son désaccord sur la tactique et la stratégie avait pour but d'accroître l'effort de guerre et non de l'entraver. En mai 1971, il fut nommé conseiller pour toute la zone des hauts plateaux ainsi que des provinces voisines de la côte. Il avait autorité sur toutes les forces américaines de la région, ainsi que sur tous les civils et les militaires du programme de pacification. Sa position équivalait en fait à celle d'un général de division, fait sans précédent dans l'histoire militaire des États-Unis, puisqu'en réalité Vann n'était qu'un civil employé par l'Agence pour le développement international. En outre, il entretenait des relations privilégiées avec le général vietnamien de la région, ce qui lui permettait de partager officieusement avec lui le commandement de ses 158 000 soldats. L'influent pouvoir qu'il exerçait au sein de l'administration américaine, tant civile que militaire, ainsi qu'au gouvernement de Saigon, en faisait l'Américain le plus important du pays après l'ambassadeur et le commandant en chef. Par ses connaissances et ses qualités guerrières, il était devenu l'Américain irremplaçable au Vietnam.

Le credo politique de Vann synthétisait un ensemble de convictions caractéristiques des États-Unis qui s'étaient élevés, au lendemain de la guerre, au rang de plus grande puissance mondiale. C'est cette vision d'elle-même par rapport au reste du monde qui avait conduit l'Amérique à se battre au Vietnam dans la plénitude de sa force. Vann considérait que les autres peuples étaient mineurs et qu'il était donc naturel qu'ils acceptent le *leadership* américain. Il était convaincu que les États-Unis conserveraient toujours la position éminente qui leur revenait. Il ne pensait pas que l'Amérique agissait par orgueil mais, au contraire, qu'elle exerçait une ferme mais bienveillante autorité pour maintenir la paix et apporter la prospérité aux peuples des nations non communistes, en partageant avec générosité les bienfaits de son esprit d'entreprise et de sa technologie avec ceux qui étaient privés d'une vie prospère par la pauvreté, l'injustice sociale et un mauvais gouvernement. Il avait pour principe que la cause de l'Amérique était toujours juste, et que, même si elle commettait des erreurs, ses intentions étaient toujours bonnes. Son anticommunisme était simpliste : pour lui, tous les communistes étaient les ennemis de l'Amérique, et par conséquent les ennemis de l'ordre et du progrès.

Il voyait bien les erreurs commises dans la guerre du Vietnam, mais ce n'est pas pour autant qu'il en concluait que la guerre elle-même était un mal et qu'elle ne pourrait jamais être gagnée. L'admettre eût été accepter que la défaite est inéluctable ; à ce point, il se produisait un blocage dans son esprit, et l'instinct reprenait le dessus. Il ne pouvait physiquement pas accepter la défaite pour lui-même ou pour sa vision de l'Amérique. Il croyait que les États-Unis avaient mis leur image en jeu au Vietnam et il savait qu'il s'y était complètement investi lui-même. Ce dernier printemps, alors que beaucoup autour de lui désespéraient devant l'ampleur de l'offensive de l'armée nord-vietnamienne, il avait dit : non, nous ne battrons pas en retraite, nous tiendrons et nous lutterons. Il s'était battu, avait gagné, et avait été tué. C'est pourquoi certains de ceux qui étaient assemblés au cimetière d'Arlington en ce 16 juin 1972 se demandaient si, avec le mort, ils n'enterraient pas quelque chose de plus que la guerre et dix années de Vietnam. Peut-être était-ce aussi la fin de cette vision et de cette foi en une Amérique éternellement innocente.

L'homme qui avait participé activement à la naissance du Sud Vietnam, le général Edward Lansdale, se tenait sur les marches sous le portique et saluait les amis et connaissances qui entraient dans la chapelle. Il avait pris sa retraite depuis quatre ans et vivait seul après la mort de sa femme quelques mois plus tôt. Un homme lui serra la main en disant : « Toutes mes condoléances pour votre femme, Ed. » Avec son habituel sourire, Lansdale répondit « Merci » de sa voix gutturale devenue maintenant plus fatiguée par l'âge.

Il était difficile d'imaginer que cet homme de soixante-quatre ans, d'apparence quelconque, avait été le légendaire artisan clandestin de la CIA aux Philippines. Il y avait manipulé Ramon Magsaysay, le futur président de la République pro-américain, durant la campagne qui s'était terminée par l'écrasement de la rébellion communiste des Huks en 1954. Qui aurait cru que cet homme banal dans son complet marron clair avait été le célèbre missionnaire de la démocratie américaine pendant les années de la guerre froide, le fameux « colonel Hillandale » du roman à succès de l'époque : *The Ugly American,* qui racontait comment des Américains imaginatifs, imbus des idéaux de leur propre Révolution, réussissaient à ce que les Asiatiques fissent échouer la sinistre idéologie communiste en Orient.

Lansdale était arrivé à Saigon huit ans avant Vann, en 1954, aussitôt après son succès aux Philippines. A cette époque, les États-Unis essayaient ouvertement d'étendre leur pouvoir au Vietnam pour remplacer les Français, brisés par leur défaite de Diên Biên Phu [1]. Le nouvel espoir des Américains à Saigon, le mandarin catholique Ngô Dinh Diêm, était confronté à tant d'ennemis qu'il semblait inconcevable d'en venir à bout. Déployés contre lui, on trouvait des politiciens rivaux, des dissidents pro-français de l'armée vietnamienne, deux sectes religieuses et une confrérie de criminels organisés. Les sectes religieuses et les criminels disposaient également de leur armée privée. Lansdale avait réussi à les vaincre tous. Il avait ainsi évité le chaos qui aurait permis aux Vietnamiens communistes du Nord de franchir le 17e parallèle pour s'emparer du Sud sans combattre. Il avait convaincu l'administration Eisenhower que Diêm pouvait gouverner et le Vietnam du Sud devenir une nation alliée de l'Amérique.

Sous le portique de la chapelle, juste derrière Lansdale, se tenait le lieutenant-colonel Lucien Conein, qui avait collaboré avec lui lors de la création du Sud Vietnam. Conein, à la fois rude et sentimental, était un aventurier né à Paris et élevé au Kansas. Il s'était engagé dans l'armée française dès le début de la Seconde Guerre mondiale. Après la défaite de la France en 1940 et l'entrée en guerre des États-Unis, il était entré à l'Office des services stratégiques, l'ancêtre de la CIA. Il avait sauté en parachute en Indochine en 1945 sous le pseudonyme de « lieutenant Laurent » pour commander des coups de main contre l'armée japonaise. Dix ans plus tard, il avait considérablement aidé Lansdale en combinant ce qu'on appelle dans les services secrets des « coups tordus ». Après le retour aux États-Unis de Lansdale en 1956, Conein était resté à Saigon. En 1963, il avait réussi ce qui est, pour un homme ayant une telle vocation, la plus haute aspiration professionnelle : monter un coup d'État réussi. Il avait servi d'agent de liaison aux généraux sud-vietnamiens qui avaient été poussés à renverser l'homme dont Lansdale avait eu tant de mal à consolider la position. Ngô

---

1. Diên Biên Phu, à trois cents kilomètres à l'ouest d'Hanoi, fut occupé en novembre 1953 par 10 800 hommes en majorité légionnaires parachutistes français. Le Viet Minh encercla la cuvette du camp retranché avec 35 000 hommes équipés d'artillerie lourde et ravitaillés en armes et en nourriture par 75 000 coolies poussant à la main leurs bicyclettes chargées. Le siège dura du 13 mars au 7 mai 1954 et se termina par la capitulation française.

Dinh Diêm avait perdu toute utilité pour les États-Unis au cours des années précédentes. Avec sa famille, il avait entravé l'action de l'administration Kennedy contre la rébellion communiste. Diêm et son frère Ngô Dinh Nhu furent assassinés dans le coup d'État.

Joseph Alsop, le célèbre journaliste, était déjà entré dans la chapelle. Il était assis sur un des bancs de gauche, et portait un sobre costume bleu fait sur mesure par son tailleur anglais, avec un nœud papillon bleu à pois blancs sur une chemise blanche. John Kennedy lui avait témoigné son estime pour ses conseils, et son amitié en s'arrêtant dans sa maison de Georgetown à Washington à minuit passé, la nuit de son investiture en 1961, pour partager avec lui un bol de soupe à la tortue. La présence d'Alsop aux funérailles de Vann était tout à fait justifiée. Il était le petit-neveu de Theodore Roosevelt qui, au début du siècle, avait été un instigateur et un combattant de la guerre hispano-américaine. Cette « superbe petite guerre », comme l'avait qualifiée à l'époque un ami et collaborateur de Roosevelt, avait donné les Philippines aux États-Unis, fait de l'Amérique une puissance du Pacifique et amorcé la marche vers le Vietnam. Alsop était un héritier typique de cette élite anglo-saxonne de la côte Est qui avait fixé pour l'ensemble du pays les règles de bon goût, de moralité et de respectabilité intellectuelle. Il avait consacré sa vie professionnelle à soutenir publiquement la politique expansionniste que ses ancêtres avaient conçue. Il considérait le Vietnam comme un test de la volonté et de la capacité des États-Unis de poursuivre cette politique et il n'avait jamais cessé de se faire l'avocat de cette guerre. A soixante et un ans, il restait l'homme des contrastes qu'il avait toujours été. Sa tête de bulldog était en opposition avec sa frêle constitution, et les nombreuses rides de son visage étaient amplifiées exagérément par ses grosses lunettes rondes d'écaille sombre. Cet esthète collectionnait les meubles français, les vieilles porcelaines de Chine et les laques japonaises · amateur accompli en histoire de l'art et archéologie, il connaissait parfaitement les anciennes civilisations de la Grèce et du Moyen-Orient ; bon et loyal avec ses amis et relations, il était le parrain d'une trentaine de leurs enfants. En revanche, dans sa vie professionnelle, il avait la même combativité féroce que son grand-oncle. Il ne considérait pas que ceux qui étaient en désaccord avec lui se trompaient ou manquaient de jugement ; il les décrivait comme des individus stupides qui n'agissaient que pour des motifs mesquins ou égoïstes. Au cours des dernières années de la vie de Vann, Alsop avait constamment soutenu sa cause dans la presse. Il en était venu à ressentir une affection singulière pour ce paumé de Virginie si différent de lui par ses origines et sa personnalité. Il éprouvait à son égard un sentiment de camaraderie.

Avec les trois étoiles argent de général de corps d'armée[1] sur sa tunique vert foncé était assis à côté d'Alsop un autre guerrier pour lequel il avait également beaucoup d'admiration : William DePuy. Mince, cinquante-deux

1. L'insigne du grade des généraux américains comporte une étoile de moins que celui des Français. Une seule étoile pour le général de brigade US, deux pour le général de division, trois pour le général de corps d'armée et quatre étoiles pour le général d'armée. La cinquième étoile est pour les généraux en chef.

ans, bronzé, bien bâti, c'était l'image même du soldat qui aime son métier et se maintient en forme pour l'exercer, le prototype de cette génération de commandants et de lieutenants-colonels qui avaient mené leurs hommes au combat pendant la Seconde Guerre mondiale et étaient ensuite partis au Vietnam comme généraux coutumiers des victoires. Son intelligence s'accompagnait d'une aptitude particulière pour exprimer ses vues avec courage et assurance. Il était convaincu que les méthodes de combat adoptées par l'armée américaine pendant la Seconde Guerre mondiale étaient invincibles et universelles : mettre en place une machine de mort qui écrase l'ennemi sous la prodigieuse puissance de feu que la technologie américaine était capable de produire. DePuy avait construit cette machine au Vietnam. Chef des opérations de Westmoreland en 1965, lorsque Lyndon Johnson avait amplifié l'engagement de Kennedy jusqu'à la guerre totale, il avait planifié la stratégie de guerre d'usure qui devait aboutir à l'écrasement des communistes vietnamiens. Elle consistait à décimer les guérillas vietcongs et à anéantir les troupes de l'armée nord-vietnamienne plus rapidement que les autorités de Hanoi ne pouvaient en envoyer vers le sud par la piste Hô Chi Minh. Ainsi, les soldats vietnamiens communistes seraient massacrés jusqu'à ce que soit brisée la volonté des survivants et de leurs chefs. Westmoreland avait récompensé DePuy pour ses talents de stratège en lui confiant le commandement de la 1re division d'infanterie, « the Big Red One ». DePuy s'était différencié des autres généraux en déchaînant sa puissance de feu avec une prodigalité supérieure à la leur et en renvoyant les officiers subordonnés qui rechignaient à appliquer ses normes d'agressivité au combat. Il avait été en conflit avec Vann qui n'avait que mépris pour cette stratégie et estimait que cette guerre d'usure causait des morts et des destructions inutiles ainsi que des pertes de soldats américains et le gaspillage des munitions. Cependant, en 1972, DePuy avait suivi de Washington l'utilisation par Vann de la puissance de l'artillerie, des hélicoptères, des chasseurs bombardiers et des forteresses volantes B-52 pour s'opposer à l'armée nord-vietnamienne à Kontum. Quand Vann avait été tué, DePuy lui avait rendu hommage à sa façon : « Il est mort en soldat. » C'est pourquoi il était assis dans la chapelle à côté de son meilleur défenseur, Joseph Alsop.

Le sénateur Edward Kennedy arriva en retard, juste avant que le service religieux ne commençât à 11 heures. Il entra dans la chapelle aussi discrètement qu'un Kennedy puisse le faire et alla s'asseoir sur un banc du fond. Le dernier des Kennedy était maintenant opposé à cette guerre dans laquelle son frère aîné avait entraîné la nation. Il n'avait plus foi, à la différence de Vann, dans l'engagement qu'avait pris son frère dans son discours d'investiture et qui était gravé dans le granit de sa tombe : « Que chaque nation sache, qu'elle nous veuille du bien ou du mal, que nous paierons n'importe quel prix, supporterons n'importe quel fardeau, endure-rons n'importe quelle épreuve, soutiendrons n'importe quel ami, nous opposerons à n'importe quel ennemi, pour assurer le maintien et le succès de la liberté. » La liberté définie par John Kennedy et ses collaborateurs avait consisté à imposer au-delà des mers l'ordre américain de la « Nouvelle

Frontière ». Le prix à payer pour essayer d'organiser le monde avait été la guerre au Vietnam, et ce prix était devenu trop élevé pour Edward. Son frère Robert avait également commencé à s'opposer à cette guerre avant d'être lui aussi assassiné et enterré dans une modeste tombe à côté du monument de son frère. Edward Kennedy et John Vann étaient devenus amis, car Edward partageait la sollicitude de Vann pour la détresse des paysans vietnamiens. Il avait, comme Vann, essayé de persuader le gouvernement de mener cette guerre avec raison et modération. Il s'était donné comme mission d'essayer d'atténuer les souffrances des blessés de la guerre civile et des paysans chassés de leur foyer. Il s'était rendu au Vietnam pour constater leur détresse, avait témoigné devant les commissions du Sénat, et avait exercé une pression politique pour obtenir des conditions de vie plus humaines dans les camps de réfugiés et dans les hôpitaux et pour que cessent les bombardements aveugles des campagnes. Il avait eu une correspondance suivie avec Vann qui lui avait communiqué toutes les informations nécessaires pour exercer plus d'influence sur l'administration de Washington.

Daniel Ellsberg, le chevalier renégat de la croisade, était assis sur le deuxième banc à droite, juste derrière la famille de Vann. Il venait de descendre de l'avion de Los Angeles, où ses avocats se livraient aux dernières manœuvres juridiques avant son procès. Il était devenu un paria pour la société fermée des officiels du secret, qui l'avaient dans le passé considéré comme un des leurs, et voyaient maintenant en lui un traître qui avait violé leur code de morale et de loyauté. Certains étaient choqués de la place ostensible qu'il occupait dans la chapelle. Il n'avait pas l'air d'un paria. Il continuait à s'habiller comme eux, comme on lui avait appris à Harvard. Il portait un costume trois pièces tout à fait classique, avec des filets bleus, chemise assortie et un foulard noué serré. A quarante et un ans, il portait les cheveux plus longs que la coupe en brosse du temps où il avait rencontré Vann pour la première fois au Vietnam, sept ans plus tôt. Les boucles de ses cheveux gris foncé encadraient son front haut et adoucissaient les traits anguleux de son visage maigre et bronzé.

Ellsberg était un personnage très complexe. Fils de parents juifs de classe moyenne, convertis à la Science chrétienne, il était à la fois intellectuel et homme d'action. Il était doué d'un don d'analyse exceptionnel. Son ego était si violent qu'il échappait parfois à tout contrôle. Ses émotions étaient perpétuellement en conflit. Il pouvait être à la fois un romantique brillant et un ascète douloureusement complexé. Quand il croyait à quelque chose, ce ne pouvait être que totalement, et il s'en faisait le propagandiste avec une ferveur missionnaire. Il avait profité des avantages sociaux que procure l'*establishment* pour faire de longues études qui lui permettaient d'occuper une position éminente au sein de cette équipe de fonctionnaires militaires et civils, au service du gouvernement, mise en place pendant la Seconde Guerre mondiale. Une bourse de la Fondation Pepsi-Cola l'avait fait entrer à Harvard d'où il était sorti en 1952 avec la mention élogieuse *summa cum laude*. Une bourse universitaire lui avait ensuite permis de continuer ses études pendant un an à Cambridge en Angleterre. Il avait alors fait la démonstration de son esprit militant en servant pendant près de trois ans comme lieutenant dans le corps des Marines. Harvard l'avait choisi alors qu'il était encore militaire pour devenir membre de la *Society of Fellows* qui regroupe l'élite des jeunes étudiants américains, ce qui lui avait permis de passer son doctorat. Puis il avait été engagé à Santa Monica en Californie par la Rand Corporation, véritable *braintrust* de l'aviation militaire, où il avait travaillé sur les plans de guerre nucléaire contre l'URSS, la Chine et les autres pays communistes. Il y avait ainsi eu connaissance des secrets les plus brûlants de la nation. Sa réussite chez Rand l'avait fait contacter par le Pentagone où il avait été nommé assistant spécial du sous-secrétaire à la Défense pour les Affaires de sécurité internationale, qui était en fait le chef de la politique étrangère de l'armée.

En 1965, son vif désir d'action pour la cause américaine l'avait fait porter volontaire pour servir au Vietnam comme commandant de compagnie dans les Marines. On lui objecta que le rang qu'il occupait dans l'administration était trop élevé pour un poste aussi banal. Il tourna alors la difficulté en rejoignant la nouvelle équipe qu'avait constituée Lansdale lorsqu'il était retourné au Vietnam en 1965 pour essayer de réformer le gouvernement de Saigon et mettre sur pied un programme de pacification efficace. Deux années plus tard, Ellsberg retournait à la Rand Corporation, déprimé par un chagrin d'amour, affaibli par une hépatite virale. Mais il était surtout découragé par la violence sans cesse renouvelée de la guerre d'usure menée par Westmoreland, et par le refus des autorités américaines d'adopter une autre stratégie qui eût été la seule façon de justifier les morts et les destructions et de gagner la guerre. L'offensive du Têt de 1968 avait transformé son découragement en totale désillusion. Son impuissance à faire changer le cours des choses avait détruit sa foi dans la sagesse du système qu'il servait. Il en avait conclu que la violence au Vietnam était insensée, par conséquent immorale. En son âme et conscience, il estimait qu'il devait arrêter cette guerre. A l'automne de 1969, il entreprit de photocopier clandestinement les 7 000 pages ultra-secrètes des archives du Pentagone sur le Vietnam. Il commença sa croisade contre la guerre avec une lettre ouverte à la presse réclamant le retrait des troupes américaines du Vietnam d'ici à un an. Le *New York Times* publia l'histoire des « Dossiers du Pentagone » dans une série d'articles en juin et juillet 1971. Ellsberg fut alors inculpé sur l'ordre du président Richard Nixon qui avait bien l'intention de l'envoyer en prison le plus longtemps possible. Ellsberg, qui avait joué sa vie dans une carrière au service d'une puissance dont il pensait au départ qu'elle était foncièrement bonne, était venu enterrer l'ami que la guerre aussi lui avait pris.

Ellsberg était assis avec la famille à la demande de Mary Jane, épouse de Vann pendant vingt-six ans jusqu'à leur divorce huit mois plus tôt. Elle éprouvait le besoin de la force de leur amitié dans un tel moment et elle appréciait l'influence apaisante qu'il avait sur Jesse, son fils de vingt et un ans assis à côté d'Ellsberg sur le banc du deuxième rang. Mais elle avait voulu qu'il soit là auprès d'eux aussi comme un défi. Elle voulait que ce geste fasse comprendre à ceux qui, dans la chapelle, étaient irrités de sa présence, qu'elle admirait son action contre la guerre et partageait ses idées. Elle avait déjà dit la même chose l'année précédente aux deux agents du FBI qui étaient venus chez elle, à Littleton, dans la banlieue de Denver, pour l'interroger sur les relations entre Vann et Ellsberg.

Mary Jane se considérait comme la veuve de Vann en dépit de son divorce qui avait été un geste de frustration, une tentative autodestructrice de rendre coup pour coup dans un mariage qui n'était plus que formel après le retour, cette fois définitif, de Vann au Vietnam en 1965. Il avait été l'amour de sa jeunesse, le premier homme qu'elle ait connu, le père de ses cinq enfants — quatre fils qui étaient auprès d'elle dans la chapelle et une fille mariée empêchée de venir par la naissance de la première petite-fille de Vann. Mary Jane s'était accrochée à ce mariage aussi longtemps qu'elle avait pu. Elle ne pouvait imaginer aimer un autre homme comme elle l'avait aimé, lui. Élever ses enfants et préserver son mariage avaient été, compte tenu de son éducation et de son caractère, une vocation aussi impérieuse pour elle que la guerre l'avait été pour lui.

Son père, greffier au tribunal de Rochester, dans l'État de New York, avait par-dessus tout le sens de la famille. Sa mère avait une notion de la respectabilité qui frisait la passion. Quand Mary Jane avait épousé John à dix-huit ans, un an après sa sortie du lycée, elle était un peu rondelette mais très séduisante, avec ses cheveux bruns ondulés, ses yeux noisette et sa bouche bien dessinée. Famille, Église et Patrie étaient les valeurs que lui avaient inculquées ses parents et les autres membres de la classe moyenne qui constituaient son univers. C'est ainsi que, jeune fille, elle avait rêvé d'un mariage serein et d'une famille chaleureuse. Comme sa jeunesse s'était déroulée dans un climat de sécurité, elle avait espéré retrouver le même dans le mariage et la maternité. Elle n'y avait certainement pas réussi en dépit de tous ses efforts. La guerre et le besoin de la présence d'un père quand il en avait besoin avaient également profondément perturbé son deuxième fils, Jesse. Le conformisme patriotique et social qu'elle n'aurait jamais pensé remettre en question, mal ressenti par Jesse, entrait en conflit avec sa vocation de mère.

A quarante-quatre ans, Mary Jane Vann gardait son apparence agréable, quand elle prenait la peine de bien s'habiller, de se maquiller et d'arranger ses cheveux, comme elle l'avait fait ce matin-là pour l'enterrement. Quelle ironie, pensa-t-elle, que Vann soit venu pour la dernière fois à la maison justement à Noël, le moment où elle souhaitait le plus l'avoir près d'elle, car c'était pendant les fêtes qu'ils s'étaient connus, et c'était également ce jour-là qu'était né son fils aîné, John Allen. Elle se souvenait de tous les Noëls où il n'avait pas été là et où elle avait eu besoin de lui. Le jour où elle avait appris sa mort, elle avait recherché dans ses armoires son uniforme de parade, le bleu foncé brodé d'or que portaient aujourd'hui les soldats de la garde d'honneur. Il lui avait dit un jour que c'était ainsi qu'il souhaitait être enterré. Mais elle ne l'avait pas trouvé. Peut-être l'avait-il emporté au Vietnam. Quand elle était arrivée à Washington, on lui avait dit que le cercueil était scellé et que de toute façon elle n'aurait pas pu le lui mettre.

Elle se souvenait qu'en partant à ce dernier Noël, il l'avait embrassée sur la joue, bien qu'ils aient été divorcés, au lieu de lui serrer la main en lui disant au revoir, comme il avait coutume de le faire les années précédentes.

L'organiste s'arrêta de jouer et le silence se fit dans la chapelle. Le service allait commencer. Mary Jane entendit dehors les cris de commandement et le claquement des crosses de fusils sur les mains gantées de blanc de la garde d'honneur qui présentait les armes. Bien que ce fût la première fois qu'elle assistât à ce genre de cérémonie militaire, elle avait été femme de soldat et savait ce que ces commandements et ces bruits signifiaient : ils allaient amener le cercueil de John dans la chapelle. Il est vraiment mort maintenant, pensa-t-elle en pleurant doucement.

Le cercueil, recouvert du drapeau, était posé sur un chariot que deux soldats de la garde d'honneur firent rouler lentement dans l'allée centrale. Les cordons du poêle étaient tenus par huit personnalités officielles qui suivaient en deux files de quatre. Ellsberg en reconnut cinq. Les trois autres étaient deux représentants de l'Agence de développement international et un colonel sud-vietnamien, attaché militaire de l'ambassade, qui représentait son gouvernement. Dans sa peine et son amertume, Ellsberg constata que les cinq autres étaient bien les hommes qui convenaient pour accompagner le cercueil du Vietnam.

Trois étaient des généraux dans leur uniforme d'été blanc. Tout d'abord Westmoreland, maintenant chef d'état-major de l'armée, poste où il avait été promu par le président Johnson, après qu'il l'eut relevé de son commandement au Vietnam. Il marchait en tête de la file de droite, place d'honneur voulue par le protocole. Lorsque les États-Unis avaient déployé leurs forces dans la guerre du Vietnam en 1965, Westmoreland, avec son élégance et son allure fière, semblait personnifier l'orgueil et la réussite de l'armée. Aujourd'hui, sept ans plus tard, resté en apparence le prototype d'un général de cinquante-huit ans, il représentait, comme chef d'état-major, l'institution même de cette armée qui, maintenant qu'il était mort, revendiquait Vann comme un des siens. Une armée qui pressentait sa défaite sans en voir les raisons. Westmoreland, lui en tout cas, ne comprendrait jamais. L'armée avait investi tant de fierté au Vietnam qu'elle ne pouvait s'empêcher d'espérer une ultime justification de ses objectifs. C'est ce que Vann avait implicitement tenté de faire. Au cours de sa dernière bataille dans les montagnes, il avait essayé, avec les soldats sud-vietnamiens sous la protection de l'armée des États-Unis, de réussir ce que les Américains n'avaient pas pu accomplir. L'armée savait aussi que Vann ne s'était jamais séparé d'elle en esprit. Il était finalement devenu ce général combattant qu'il avait toujours souhaité être, bien qu'il ait eu un statut de civil ; et, dans son refus d'accepter la défaite, il avait incarné l'idéal du chef.

Le général Bruce Palmer Jr., chef d'état-major adjoint et contemporain de Westmoreland, son condisciple à l'école militaire de West Point en 1936, marchait en tête de la file de gauche. Il avait servi au Vietnam comme adjoint de Westmoreland, après avoir commandé le corps expéditionnaire envoyé par le président Johnson en 1965 en république Dominicaine pour empêcher ce petit territoire des Caraïbes de suivre l'exemple du Cuba de Fidel Castro. Les parachutistes et les Marines commandés par Palmer avaient permis à Ellsworth Bunker, maintenant ambassadeur à Saigon, d'imposer à la république Dominicaine un gouvernement pro-américain. Palmer avait été un des supérieurs de Vann dans les années cinquante, lorsqu'il commandait comme colonel le 16ᵉ régiment d'infanterie en Allemagne et que Vann y était capitaine de la compagnie de mortiers. Palmer se souvenait que Vann avait été le meilleur de ses commandants de compagnie, même s'il était le plus difficile à manier. Quatre jours avant la mort de Vann, Palmer lui avait envoyé une note de félicitations pour l'opération de Kontum, qu'il avait reçue juste avant de mourir.

Le troisième officier en uniforme blanc était le général de corps d'armée Richard Stilwell, chef des opérations militaires à l'état-major. Il était de ceux qui n'avaient pas regretté la démission de Vann en 1963. Il était arrivé à Saigon en avril, juste au moment où Vann partait pour Washington et le Pentagone où il allait essayer de persuader l'élite de l'armée que les États-Unis faisaient fausse route au Vietnam et qu'il fallait changer de stratégie. En 1963, Stilwell était général de brigade, chef des opérations pour le général Paul Harkins, prédécesseur de Westmoreland. Stilwell avait consacré sa brillante intelligence à réfuter les arguments de Vann et des autres militaires des unités combattantes qui pensaient également que la guerre allait être perdue. Le comportement de Stilwell n'avait rien d'étonnant pour ceux qui le connaissaient. Sa confiance inébranlable dans l'autorité l'amenait à placer la loyauté à l'égard de ses supérieurs au-dessus de toute autre préoccupation. Il aspirait à atteindre à l'apogée de sa carrière le poste de chef d'état-major qu'il n'obtint jamais. Sorti dans les premiers de West Point, deux ans après Westmoreland et Palmer, il avait choisi la voie traditionnelle pour un brillant élève qu'est le corps du Génie. Son ambition et sa compétence l'avaient conduit à se faire muter dans l'infanterie pendant la Seconde Guerre mondiale. Il avait servi en Europe dans la même division d'infanterie que DePuy, qui était assis dans la chapelle à côté d'Alsop. Plus tard, en 1964, Stilwell avait été envoyé à Saigon, où il était devenu chef d'état-major de Westmoreland, le nouveau commandant en chef. DePuy était venu à son tour au Vietnam pour reprendre l'ancien poste de Stilwell comme chef des opérations. Stilwell avait ainsi supervisé DePuy qui mettait au point la stratégie de guerre d'usure qui devait leur apporter la victoire. Stilwell avait progressivement réalisé qu'il s'était trompé sur Vann et en était venu à l'admirer. C'est pourquoi, comme il n'était pas dépourvu de sentiment, il avait demandé à tenir les cordons du poêle à son enterrement.

Derrière Westmoreland marchait un civil, mince et droit dans son costume bleu marine. Ses lunettes, aux montures de plastique, accentuaient la simplicité de sa physionomie maigre et banale. Il fallait discerner derrière les lunettes la fermeté du regard de ses yeux pâles de myope pour comprendre la dureté de son caractère. Ce civil était William Colby, de la CIA, combattant clandestin, qui allait y être prochainement nommé chef adjoint de la planification, un euphémisme pour opérations clandestines, pour finalement devenir l'espion en chef en tant que directeur de la CIA.

Si William Colby était né au XVIe siècle, son caractère et sa tournure d'esprit l'auraient probablement conduit à entrer dans la Compagnie de Jésus pour y mener la vie d'un soldat de la contre-réforme. Au XXe siècle, il avait rejoint la CIA pour devenir soldat de la guerre froide. Le besoin de servir et le désir du secret constituaient les traits dominants de sa personnalité. Parachuté en France occupée en août 1944 comme commandant de vingt-quatre ans, après avoir été initié en Angleterre à l'art du sabotage et du terrorisme en compagnie de Lucien Conein, il avait dirigé un groupe de résistants français contre les nazis. Mais la guerre ne devait pas se terminer pour lui par la reddition de l'Allemagne neuf mois plus tard. L'humanité était menacée par le communisme athée, un terme qui exprimait bien ce que cela voulait dire pour Colby, un nouveau fascisme. Sa foi de catholique romain, héritée de son père, un colonel converti, et de sa mère irlandaise, l'avait rendu, depuis ses études à Princeton, aussi fervent anticommuniste qu'il avait été antifasciste. La question était de savoir lequel devait être combattu en premier.

A la différence de Lansdale, Bill Colby n'avait pas été une personnalité célèbre de la clandestinité. Il s'était comporté avec discrétion et persévérance. Il avait appliqué les directives du gouvernement des États-Unis au Vietnam pendant la plupart des douze années précédentes. Au début de 1959, adjoint, puis chef du poste de la CIA à Saigon, il était devenu ensuite adjoint puis chef de toutes les opérations clandestines d'Extrême-Orient. Il avait dirigé les premiers plans de contre-guérilla dans le Sud. Sur l'ordre du président Kennedy, il avait repris la guerre secrète contre les communistes du Nord qui avait été abandonnée après la période de Lansdale. Il avait infiltré par parachutages et par bateaux des équipes de terroristes et de saboteurs vietnamiens, entraînés par la CIA, pour commencer contre les autorités de Hanoi une guérilla semblable à celle que le Vietcong menait dans le Sud. En 1967, il avait aidé Robert Komer, ancien membre de la CIA qu'Ellsberg reconnut parmi ceux qui accompagnaient le cercueil, à mettre sur pied le programme Phoenix dont le but était de tuer, emprisonner ou contraindre à la reddition les membres du gouvernement communiste secret que la guérilla vietcong avait installé dans les zones rurales du Sud. Des dizaines de milliers de Vietnamiens avaient ainsi été tués ou jetés en prison. Le mouvement pacifiste avait condamné Colby comme assassin et criminel de guerre. Des affiches avec sa photo et l'inscription « Recherché pour meurtre » avaient été placardées sur les bâtiments des universités de Washington. Mais aucune des accusations portées contre lui n'avait ébranlé la foi de Colby dans la légitimité de sa cause et dans sa conviction que son action était nécessaire et juste. Son comportement était resté aussi doux, affable et, non sans calcul, aussi désarmant que par le passé. En 1968, Komer avait quitté le Vietnam, et Colby avait pris la tête de tout le programme de pacification, devenant ainsi le supérieur de Vann. Il avait apprécié son talent. Ainsi Vann, qui recherchait les projecteurs et le devant de la scène, et Colby, qui préférait agir dans l'ombre, en étaient venus à se respecter mutuellement.

Les deux soldats placèrent le cercueil recouvert du drapeau à l'extrémité de l'allée centrale devant l'autel. Les personnalités qui l'avaient accompagné allèrent s'asseoir sur le premier banc de gauche où les attendaient déjà le secrétaire d'État William Rogers et le secrétaire à la Défense Melvin Laird [1]. Après que l'aumônier militaire eut lu les Écritures et prononcé son sermon, Robert Komer se leva et se dirigea vers l'autel pour prononcer l'éloge funèbre.

Komer avait été le général de la campagne de pacification, que les journaux avaient baptisée « l'autre guerre du Vietnam ». De taille moyenne avec une calvitie naissante, il s'était fait remarquer dans la file des porteurs de cordons du poêle, à la différence des autres civils vêtus de sombre, il portait un costume gris clair fait sur mesure par un tailleur de Londres dans les années cinquante. Il y avait été contraint car il estimait que, pour prononcer un éloge funèbre, l'étiquette exigeait le gilet, et c'était son seul costume d'été qui en comportât un.

Le président Johnson considérait que Komer avait un don exceptionnel pour résoudre les problèmes. Il l'avait envoyé au Vietnam en 1967 pour fondre en une organisation unique et cohérente les divers programmes de pacification des nombreux organismes militaires et civils. Komer avait mené cette tâche à bien et avait fait de son mieux pour pacifier le Vietnam. Il se comportait comme un chien de chasse. Il s'était jeté dans son travail avec fougue, confiance et même une certaine virulence. Il avait pris un malin plaisir à violer les formalités bureaucratiques et aimait son surnom de « Lampe à souder », dont le qualifiaient aussi bien ses amis que ses ennemis. Vann avait très efficacement conseillé Komer pour la mise sur pied de son organisation et avait été son plus fidèle subordonné pour appliquer ses plans.

Les communistes vietnamiens avaient sérieusement compromis la carrière de Komer par leur offensive du Têt de 1968. Avant l'attaque, il avait commis l'erreur de croire que les États-Unis étaient en train de gagner la guerre ; il l'**avait** dit au président et avait publiquement déclaré que la victoire était certaine et imminente. Après l'offensive, sa présence était devenue gênante pour l'administration Johnson, et il avait quitté Saigon fin 1968. Il avait néanmoins continué à agir depuis Washington, à accomplir périodiquement des voyages au Vietnam et à rédiger des rapports. Il y expliquait que Vann et ses camarades engagés au cœur du combat pouvaient encore gagner ; ainsi le Sud Vietnam tiendrait le coup suffisamment longtemps pour que les communistes s'épuisent et abandonnent. Ce matin-là, les trois cents personnes assemblées dans la chapelle écoutaient la voix ténue de Komer le vieux dur, debout à côté du cercueil pour vanter les mérites de Vann.

Il exalta « le courage, le caractère, l'énergie débordante, la vitalité terrienne, le cran du John Vann que nous avons connu ». L'éloge était prononcé avec autant d'exaltation que le vieux Komer s'était jeté dans la guerre.

---

1. Dans la Constitution américaine, seul le président détient le pouvoir exécutif. Il est assisté de *secrétaires* (ministres) dont les plus importants sont le secrétaire d'État chargé essentiellement des relations avec les gouvernements étrangers et le secrétaire à la Défense, équivalent du ministre de la Défense nationale.

« Pour nous qui avons travaillé avec lui, qui avons reçu de lui enseignement et inspiration, il a été ce petit rouquin maigre et effronté à la voix nasillarde de paysan de Virginie, perpétuellement en mouvement comme une dynamo humaine, ne dormant que quatre heures par nuit, faisant sauter les plombs au moins deux fois par jour. Il savait mieux qu'aucun de nous ce qui se passait réellement et nous en informait toujours. Et tous ceux d'entre nous qui avions la tête sur les épaules, nous l'écoutions toujours.

» Voilà le John Vann dont nous gardons le souvenir. Il était fier d'être un personnage controversé, et il assuma ce rôle à fond.

» Je n'ai jamais connu un homme d'un esprit critique aussi inlassable et d'une honnêteté aussi absolue. Il disait toujours ce qu'il pensait, dans la défaite comme dans la victoire. A cause de cela, et de sa longue expérience, il a été plus respecté par la presse qu'aucun autre personnage officiel. Il avait son franc-parler, pas seulement avec les journalistes ou ses collaborateurs, mais aussi avec les présidents, les ministres, les ambassadeurs et les généraux, sans se préoccuper de savoir où retomberaient les éclats. Un jour, j'ai reçu l'ordre, et ce n'était pas une plaisanterie, de sacquer Vann. J'ai répondu que je ne voulais et ne pouvais pas le faire, parce que si je trouvais trois autres hommes comme Vann, nous écourterions la guerre de moitié. »

Mary Jane, qui n'avait rien suivi de ce qu'avait dit l'aumônier, écoutait maintenant Komer. Sa voix et ses paroles lui faisaient retrouver son calme. Ce n'était pas tant le sens qui importait que le plaisir d'entendre l'éloge de John prononcé par un homme qui parlait avec la même hardiesse que lui.

« Si John avait peu d'illusions, continua Komer, il n'était torturé par aucun doute sur les raisons de son action au Vietnam : il devait aider à défendre le droit du peuple sud-vietnamien, qu'il aimait, à vivre en liberté. Il connaissait probablement mieux les Vietnamiens, collaborait plus étroitement avec eux, partageant leurs épreuves aussi bien que leur joie, qu'aucun autre Américain. Il se sentait chez lui dans leurs villages, où il passait souvent la nuit, mieux que dans les bureaux de Saigon.

» En uniforme ou en civil, il était un meneur d'hommes né. Il ne reculait devant aucun danger et ne demandait jamais à personne de faire ce qu'il n'aurait pas fait lui-même. Pour lui, le chef devait être à la tête, quels qu'en soient les risques. Il était l'incarnation même du type pour qui rien n'est impossible. Et je n'ai jamais rencontré, parmi les milliers de ceux qui ont servi avec lui ou sous ses ordres, un seul qui ne l'ait admiré. Il a instruit et inspiré toute une génération de combattants vietnamiens et américains, en étant notre maître, notre frère d'armes, notre mémoire, notre aiguillon et notre ami. »

Komer se laissait emporter par son sujet et par ses paroles. Son ton se fit plus aigu comme chaque fois qu'il était ému. Il parlait d'une voix nette et cinglante. Il expliqua pourquoi il était juste que Vann fût enterré à Arlington.

« Car il a été le modèle le plus achevé du soldat de métier, dont son dernier séjour au Vietnam a satisfait le secret désir de se retrouver à la tête de troupes américaines. Mais John était plus qu'un soldat. Car il avait parfaitement compris que la puissance de feu seule n'était pas la solution pour réussir l'enfantement de ce pays.

» Espérons, continua Komer dans son effort d'être positif même en un tel jour, que son véritable monument sera ce Vietnam dans la liberté et la paix, pour lequel il a si bien combattu.

» Et cependant, que ce tragique conflit se termine comme il l'avait souhaité ou autrement, tous ceux qui ont servi avec Vann se souviendront longtemps de lui. Ce n'est pas un homme qu'on peut oublier facilement. C'est pourquoi nous saluons aujourd'hui un des plus authentiques héros d'une guerre sinistre et impopulaire, qui a tout donné de lui-même pour la cause qu'il servait, jusqu'à sa vie. Non, nous ne t'oublierons pas, John. Tu as été le meilleur que nous ayons eu à sacrifier. »

Ellsberg, qui avait travaillé dans le passé avec Komer et qui avait eu de bonnes relations avec lui, ne ressentait plus aucune sympathie pour lui, en dépit des louanges que Komer prodiguait à leur ami commun. Il n'avait plus rien de commun avec Komer et avec tous ceux qui, dans cette chapelle, continuaient à soutenir cette guerre. « Oui, se disait-il en déformant rageusement les derniers mots de Komer, il a été le meilleur que nous ayons eu à trahir ! »

L'aumônier prononça les dernières prières puis la bénédiction, et le maître de cérémonie demanda que tout le monde se lève. L'organiste commença à jouer un hymne tandis que le cercueil était roulé vers la porte, précédé par les porteurs de cordons du poêle qui s'alignèrent sur une double file de chaque côté du dais de toile verte qui prolongeait le portique. Les généraux et le colonel vietnamien firent le salut militaire et les civils placèrent leur main droite sur leur cœur, tandis que le cercueil était hissé sur le caisson drapé de noir et attelé aux six chevaux gris qui avaient attendu sous le soleil. Le tambour-major éleva haut dans le ciel sa canne d'argent puis l'abaissa rapidement. La fanfare commença à jouer pour la procession qui allait parcourir les neuf cents mètres qui séparaient la chapelle de la tombe.

La fanfare marchait en tête et jouait la marche que Mary Jane avait demandée parce que c'était l'air favori de Vann : *La Marche du colonel Bogie*, dans le film *Le Pont de la rivière Kwaï*. Il avait acheté le disque aussitôt après avoir vu le film et semblait ne jamais s'en lasser. Après la fanfare, marchait la garde d'honneur. Puis les porteurs du drapeau, les porteurs de cordons du poêle en deux files et l'aumônier devançaient le caisson. Derrière suivait la famille dans des Cadillac noires prêtées par la firme d'armements dans laquelle Vann avait brièvement travaillé entre sa retraite de l'armée et son retour au Vietnam. En dépit de la chaleur et de la distance, la plupart des assistants avaient choisi, par respect pour Vann, de suivre à pied le cortège derrière les limousines plutôt que de prendre leur voiture.

Ils passèrent ainsi, sans probablement y prêter attention, devant les monuments élevés à la gloire de cette « superbe petite guerre » contre l'Espagne en 1898 qui avait repoussé la frontière occidentale des États-Unis à travers le Pacifique, de San Francisco jusqu'à Manille, et inauguré l'ère de l'impérialisme américain dont l'enthousiasme confiant était symboliquement mis au tombeau ce jour-là. Le premier monument était élevé à la mémoire des 385 soldats tués au combat pendant toute cette guerre de 1898, moins que les morts d'une seule semaine au Vietnam. Une haute colonne de marbre jaune était surmontée d'un globe terrestre qui exprimait les ambitions de ces prémices. Le globe de 1898 était entouré d'un cercle d'étoiles de bronze évoquant celles de la bannière nationale. Un aigle était perché dessus et surveillait la terre, étreignant dans ses serres les flèches de la guerre, prêt à les décocher à la moindre menace. Un peu plus loin, sur la gauche, se dressait un autre monument, le mât du cuirassé *Maine,* sauvé de l'épave du bâtiment qui avait mystérieusement explosé et coulé dans le port de La Havane en causant la mort de 266 officiers et hommes d'équipage donnant ainsi à une Amérique impatiente l'occasion de s'emparer de ce qu'une Espagne usée et corrompue était incapable de défendre. Un peu plus loin, en descendant la route du cimetière, la procession passa devant un autre monument en forme de pointe et taillé grossièrement dans la pierre grise, le mémorial aux morts du 1er régiment de cavalerie, ces volontaires que le grand-oncle d'Alsop avait recrutés et conduits à la gloire dans ce prélude guerrier trop facile.

Autour de la tombe de Vann ne se voyait aucune terre fraîchement remuée qui eût pu rappeler les champs de bataille du Vietnam. Elle était creusée dans un bouquet d'érables sur une pente orientée vers l'amphithéâtre du Mémorial et le tombeau du Soldat inconnu où se retrouvaient ceux de la Première Guerre mondiale, de la Seconde et de celle de Corée. Cette succession de conflits avait rendu la hiérarchie militaire américaine experte dans le cérémonial pour les vivants et pour les morts. Lorsque les cérémonies se déroulaient en hiver sur les pelouses du Pentagone, l'herbe brunie par le gel était colorée en vert. Les autorités avaient veillé soigneusement à ce qu'à Arlington les choses fussent tout aussi présentables. Les fossoyeurs avaient recouvert la terre excavée d'un tapis vert, de cette pelouse synthétique qu'on emploie sur les terrains de sport. Une double rangée de chaises métalliques pliantes, recouvertes d'une housse verte, était alignée sur le côté droit de la tombe pour la famille et les parents proches.

Mary Jane était assise à l'arrière de la première limousine noire. Lorsque Edward Kennedy s'était approché de la porte de la Cadillac à air conditionné à la sortie de la chapelle pour la saluer, Mary Jane avait baissé sa vitre pour lui parler. Elle ne l'avait pas remontée et elle put ainsi entendre l'air que commença à jouer la fanfare lorsque le caisson s'arrêta devant la tombe. Elle ne s'y attendait pas. Dans l'avion entre Denver et Washington, deux jours plus tôt, elle l'avait demandé à l'officier qui l'accompagnait et avait renouvelé sa requête à plusieurs reprises, et en particulier le matin même. Elle pensait que les autorités considéreraient ce chant comme incongru pour les funérailles officielles d'un héros de guerre et qu'elles l'interdiraient. Et pourtant, le tambour-major l'attaqua au moment où huit sergents en uniforme bleu se saisissaient, quatre de chaque côté, des poignées du cercueil pour l'enlever du caisson. Mary Jane l'entendit avec émotion. Elle se demanda si le tambour-major et les musiciens éprouvaient les mêmes sentiments qu'elle à l'égard de cette guerre et de ses conséquences et si c'était pour cela qu'ils avaient accédé à son désir. Elle pensa que tous les assistants qui écoutaient cette musique et en connaissaient le sens comprendraient le message qu'elle avait voulu leur transmettre.

Le chant *Que sont les fleurs devenues?* avait pris naissance chez les militants pacifistes. Puis, il avait gagné les soldats américains au Vietnam et y était devenu un des plus populaires de l'époque, peut-être le plus célèbre, parce qu'il évoquait pour chacun la guerre, où qu'il fût joué. La fanfare ne cessa d'interpréter cette musique simple et répétitive pendant que les sergents portaient le cercueil vers la tombe.

> Que sont les fleurs devenues?
> Le temps a passé.
> Que sont les fleurs devenues?
> Le temps est loin.
> Que sont les fleurs devenues?
> Les jeunes filles les ont reçues.
> Quand sauront-elles jamais?
> Quand sauront-elles jamais?

C'était le chant de Mary Jane, comme *La Marche du colonel Bogie* avait été celui de John. Un chant qui exprimait tant de choses pour elle : la tristesse d'une mère pour tous les jeunes hommes qui étaient morts au Vietnam, les ravages que le régime autoritaire responsable de ce conflit avait faits chez son fils Jesse opposé à l'autorité et à la guerre, les espoirs anéantis du mariage dont elle avait rêvé dans sa jeunesse, la mort d'un homme qu'elle aurait voulu garder parce qu'elle l'avait aimé en dépit de tout ce qui s'était passé entre eux.

> Que sont les jeunes filles devenues?
> Le temps a passé.
> Que sont les jeunes filles devenues?
> Le temps est loin.
> Que sont les jeunes filles devenues?
> Des garçons elles ont connus.
> Quand sauront-elles jamais?
> Quand sauront-elles jamais?
>
> Que sont les garçons devenus?
> Le temps a passé.
> Que sont les garçons devenus?
> Le temps est loin.
> Que sont les garçons devenus?
> A la guerre ils ont combattu.
> Quand sauront-ils jamais?
> Quand sauront-ils jamais?

L'aumônier se dirigeait maintenant vers la tombe, précédant le cercueil porté par les quatre sergents après qu'ils l'eurent descendu du caisson. Les plaques de métal fixées au talon et à la pointe de leurs chaussures noires claquaient sur le pavé jusqu'à ce qu'ils aient atteint l'herbe. Le lieutenant qui commandait la garde d'honneur se tenait au garde-à-vous avec son sabre dégainé, la pointe dirigée vers la tombe. Derrière lui, les soldats présentaient les armes en tenant leur fusil haut et droit devant eux. Le porte-drapeau inclina l'étendard de l'armée pour saluer le cercueil. La fanfare continuait à jouer.

> Que sont les soldats devenus ?
> Le temps a passé.
> Que sont les soldats devenus ?
> Le temps est loin.
> Que sont les soldats devenus ?
> Ils sont en terre descendus.
> Quand sauront-ils jamais ?
> Quand sauront-ils jamais ?

Le drapeau qui recouvrait le cercueil fut donné à Peter Vann, plié en triangle avec les étoiles sur le dessus. Peter avait demandé à sa mère s'il pouvait le prendre, et sa mère avait accepté parce que, à seize ans, il était le plus jeune des enfants. Il se leva pour le recevoir. L'aumônier le lui remit à la fin du service, après que la garde d'honneur eut tiré trois salves, les culasses claquant brutalement, métal contre métal, dans le silence entre les salves ; puis le clairon avait fait entendre la sonnerie aux morts, l'aumônier avait prononcé la dernière prière puis la bénédiction.

Peter avait six ans lorsque son père était parti la première fois pour le Vietnam. Il n'avait pas vraiment éprouvé de chagrin jusqu'à ce qu'il reçoive le drapeau, car il avait très peu connu son père, et encore moins ce qu'il avait fait. Peter n'était pas un intellectuel. Il aimait surtout bricoler les voitures. La guerre avait duré si longtemps qu'il avait oublié de quel côté était l'ennemi. Quand la famille avait été conduite la veille à l'ambassade vietnamienne pour y recevoir à titre posthume la plus haute distinction du gouvernement de Saigon, Peter s'était demandé si c'était l'ambassade du Sud ou du Nord. En recevant le drapeau, ses larmes commencèrent à couler. Il espérait que son père n'était pas mort en le haïssant à cause de toutes les disputes qu'ils avaient eues quand Vann était en permission. Il espérait aussi que son père n'aurait pas honte de lui parce qu'il pleurait. Son père s'était toujours moqué des larmes de ses fils, en leur disant que c'était un signe de faiblesse.

L'aîné des fils de Vann, John Allen, vingt-quatre ans, ne s'était volontairement pas levé, comme c'est la coutume, pour recevoir à l'issue du service les condoléances du secrétaire d'État Rogers, qui représentait le président Nixon, du secrétaire à la Défense Laird, de Westmoreland et des autres dignitaires qui défilèrent devant la rangée de chaises où la famille était restée assise. John Allen savait que, s'il ne se levait pas, le reste de la famille ne le ferait pas non plus. Il ne connaissait ces hommes que par la télévision et les journaux. Il avait accepté des funérailles officielles à Arlington parce qu'il pensait que ce serait l'occasion de faire l'apologie de son père qui aurait été heureux de cet apparat. Certains de ces hommes, ou d'autres semblables, pensait-il, avaient probablement eu leur part de responsabilité lorsque son père avait été forcé de prendre sa retraite en 1963. Il estimait qu'il rétablirait un peu l'équilibre en les obligeant tous à s'incliner pour serrer la main de sa mère, la sienne et celle de ses frères, et leur faire ainsi honorer son père.

Ellsberg se tenait debout à droite de la tombe près de la famille. Sa présence y était aussi incongrue qu'à la chapelle. Les officiels ne pouvaient manquer de passer tout près de lui après avoir salué la famille. Rogers lui jeta un regard de simple curiosité. Laird l'ignora en regardant droit devant lui. Ellsberg ne les vit pas. Il avait les yeux fixés sur le cercueil, en pensant à cette nuit du début de mars 1971 : Vann était en permission à Washington, et Ellsberg avait attendu en vain jusqu'à plus de minuit qu'il rentre à son hôtel pour lui parler. Il avait finalement abandonné et était venu chez moi pour passer la nuit. J'étais à l'époque journaliste au *New York Times*. Jusqu'à l'aube nous avions alors parlé pour la première fois des dossiers du Pentagone qu'Ellsberg photocopiait clandestinement. Il avait accepté de m'en communiquer un exemplaire pour être publié dans mon journal[1]. Et c'est ainsi qu'il devait être inculpé et que sa vie allait être définitivement bouleversée.

Jesse pensait à nouveau à la guerre. La mort de son père lui avait fait réaliser qu'elle était plus présente que jamais, au point que lui et d'autres avaient commencé à en admettre l'existence. Et Jesse pensait que l'acceptation passive de cette guerre était une faute et qu'il ne devait pas continuer à tolérer plus longtemps cette complicité. Jesse était bien le fils de son père dans son refus de supporter quoi que ce soit qui lui interdît la liberté de mener sa vie comme il l'entendait. Pour l'enterrement, il avait dénoué sa queue de cheval habituelle et sa chevelure blonde s'étalait jusqu'à ses épaules comme une provocation. Il avait appris à rassembler ses cheveux sous un filet pour les dissimuler sous une perruque lorsqu'il se présentait pour trouver du travail et gagner sa vie. Aujourd'hui, il les affichait ostensiblement, et, de surcroît, il ne s'était pas rasé. Un an et demi plus tôt, son père lui avait envoyé de Hong Kong un costume bleu en polyester. Son frère aîné John Allen lui avait demandé de le porter aux funérailles, mais Jesse détestait les costumes qu'il considérait comme des uniformes. Il ne portait que la veste, avec un pantalon de polyester violet qu'il avait choisi dans un magasin de Denver et que sa mère lui avait acheté avant de prendre l'avion pour Washington. Il était chaussé des mocassins blanc et noir avec lesquels feu son grand-père allait jouer au golf. Sa grand-mère les lui avait donnés pour remplacer les tennis marron sale à semelle de crêpe qu'il portait d'habitude.

Jesse avait décidé qu'il ferait à son père un cadeau d'adieu, le présent de son intégrité et de sa volonté d'adopter une attitude qu'il croyait juste. Il déposerait sur le cercueil la moitié de sa carte militaire. Puis il compléterait ce don en remettant la seconde moitié au président Nixon quand la famille se rendrait, aussitôt après la cérémonie, à la Maison-Blanche pour y recevoir du

1. L'auteur Neil Sheehan devait recevoir son premier prix Pulitzer de journalisme pour avoir fait publier les « Dossiers du Pentagone » dans le *New York Times*.

présiden sa décoration à titre posthume. Jesse avait toujours refusé la conscription, mais son insoumission ne risquait plus maintenant de le faire condamner et prouvait simplement son honnêteté et la fermeté de son attitude. Il n'était plus menacé d'être appelé sous les drapeaux. Quelques années plus tôt, il avait failli aller en prison pour rébellion. Le bureau de recrutement du Colorado l'avait classé parmi les délinquants pour son refus de se soumettre. Cela signifiait qu'il aurait très rapidement à choisir entre la prison et l'incorporation. Il n'avait pas envisagé, comme beaucoup d'autres, de se réfugier au Canada. Son frère aîné John Allen avait alors mis son uniforme du collège des officiers de réserve et s'était rendu au bureau de recrutement. Il avait dit à la femme d'âge mûr qui servait de secrétaire que leur père occupait au Vietnam une position importante. Il l'avait persuadée de changer le statut de Jesse en 1-Y, c'est-à-dire temporairement inapte au service, parce qu'il consultait un psychiatre. John Allen avait agi de sa propre initiative sans en référer ni à son père ni à son frère, assumant son rôle de chef de famille en l'absence du père. Il savait que Jesse continuerait à refuser la conscription et que son père n'apprécierait pas l'argument de Jesse suivant lequel sa conscience lui interdisait de servir au Vietnam. Quelques mois avant la mort de son père, Jesse avait reçu par courrier une nouvelle affectation : il était classé 4-F, c'est-à-dire définitivement inapte au service armé. Jesse n'avait pas compris pourquoi le bureau de recrutement l'avait ainsi exempté. Il y avait longtemps qu'il ne voyait plus son psychiatre et il n'avait aucune invalidité physique ou mentale.

Quelqu'un remit à Jesse une rose pour la déposer sur le cercueil. Il sortit sa carte militaire, la déchira en deux, remit la moitié pour Nixon dans sa poche et glissa l'autre moitié, celle destinée à son père, entre la fleur et la tige, en essayant de se cacher. Il la plaça sur le couvercle gris argent à côté de celles de sa mère, de ses frères et des parents de son père. « Voilà, c'est tout ce que je peux te donner maintenant, c'est tout ce que je peux faire », dit-il à son père. Puis il se détourna et alla parler avec Ellsberg en attendant de partir pour la Maison-Blanche. Jesse pensait à ce qu'il allait faire lorsqu'ils se trouveraient dans le Bureau ovale pour la cérémonie et que Nixon tendrait la main pour serrer la sienne. Au lieu de cela, il lui présenterait la moitié de sa carte. Ce serait assez clair. C'était un premier crime puni par la loi de la refuser et un deuxième de la mutiler. Jesse se demanda si c'en serait un troisième d'en offrir les restes au président des États-Unis. Il ne tenait pas particulièrement à aller en prison, mais il croyait que son geste de protestation en valait la peine. Un de ses amis avait déjà été dans une prison fédérale pour avoir refusé d'être incorporé.

Un jeune frère de Jesse, Tommy, âgé de dix-huit ans, le vit déchirer sa carte en deux et lui demanda ce qu'il faisait. Avec réticence, Jesse lui expliqua ce qu'il projetait de faire avec Nixon. Tommy ne put pas garder le secret et en parla à Peter tandis qu'ils se rendaient à la Maison-Blanche. Les deux motocyclettes de la police ouvraient la voie à coups de sirène pour brûler les feux rouges, car la cérémonie était prévue pour midi et il ne fallait pas faire attendre le président. Tommy approuvait le geste de Jesse. Il estimait que Nixon n'était pas personnellement affecté par les morts, les mutilés et les autres victimes de cette guerre qui ne l'avait pas directement touché ni personne de ses proches. Il n'avait pas éprouvé les conséquences de la guerre de la même façon que les Vann ou les autres familles que Tommy connaissait et qui avaient perdu un fils ou un père, ou craint les mutilations d'un parent, ou déploré le sort d'un fils en prison ou en exil pour s'être opposé à la guerre. Aucun des gendres de Nixon n'était allé combattre au Vietnam comme l'avaient fait ceux du président Johnson. Il imaginait l'expression sur le visage de Nixon lorsque Jesse lui tendrait sa carte déchirée. Peut-être que cette fois la guerre entrerait dans sa vie, pensa-t-il.

Peter lui dit que le projet de Jesse était stupide. Il se réjouissait d'avance de rencontrer le président.

A la Maison-Blanche, la famille fut conduite dans la salle Roosevelt, à quelques pas du Bureau ovale, celui du président, pour y attendre quelques minutes. Nixon terminait une réunion consacrée aux réformes sociales qui avait commencé pendant que se déroulaient les funérailles d'Arlington. La demi-sœur de Vann, Dorothy Lee, de Norfolk en Virginie, et ses demi-frères, Frank, contremaître dans une entreprise de construction, et Eugene, sergent-chef dans l'aviation, étaient également présents pour assister à la remise de la décoration.

Jesse s'efforçait de retrouver son calme en examinant la moquette couleur rouille de la pièce. Il gagnait lui-même sa vie à genoux en posant des moquettes au Texas. Il était en train de penser que le travail dans la salle Roosevelt avait été mal fichu et qu'il aurait fait mieux lorsque John Allen s'approcha de lui. Le frère aîné de Jesse avait également remarqué son comportement curieux sur la tombe, et la conversation entre Tommy et Peter dans la voiture l'avait éclairé.

« Ne fais pas cela, Jesse, lui dit-il.

— Et pourquoi pas ? demanda Jesse.

— Parce que ce jour ne t'appartient pas, répondit son frère d'une voix basse pour éviter d'être entendu par d'autres. C'est la journée de Papa. C'est pour cela qu'il a vécu et qu'il est mort. Ne le rabaisse pas en faisant cela. »

Cette journée, que John Allen considérait comme la glorification de son père, allait être réduite à néant. La presse attachée à la Maison-Blanche allait couvrir l'événement. Quelle belle histoire ce serait pour eux que le spectacle de ce garçon aux cheveux trop longs, fils d'un légendaire combattant au Vietnam, tendant au président sa carte militaire déchirée, après en avoir laissé l'autre moitié sur le cercueil de son père !

Tommy devina ce qui se passait et s'approcha pour défendre Jesse :

« Mais c'est sa conviction ! »

Les trois entamèrent une discussion pour savoir si le droit qu'avait Jesse d'exprimer son opposition à la guerre était plus important que la glorification officielle de la carrière de son père. Les oncles de Jesse se joignirent au groupe pour essayer de le dissuader.

« Si tu as l'intention d'agir comme cela, je n'assisterai pas à la cérémonie, dit Frank, l'oncle trapu et chauve.

— Eh bien, tu te conduiras comme tu voudras, répondit Jesse. Moi, je sais ce que je dois faire. »

L'oncle Eugene, qu'on appelait Gene dans la famille, le sergent-chef de l'aviation avec ses galons sur les manches de sa tunique, avait en commun avec le père de Jesse de devenir rouge lorsqu'il était en colère :

« Jesse, ton père était mon frère et je l'ai connu depuis foutrement plus longtemps que toi. Il croyait si fermement à ce pour quoi il s'est battu que lui faire cela serait le gifler en pleine figure.

— Laissez-moi tranquille, leur répondit Jesse. Je sais ce que ma conscience me dit de faire. »

John Allen se dirigea vers sa mère. Après s'être remaquillée dans les lavabos, elle bavardait dans un coin de la pièce avec Dorothy Lee. Elle avait pris une petite dose de Valium à l'hôtel avant les funérailles pour contrôler ses émotions, mais la drogue n'avait eu qu'un effet relatif. Elle semblait calme dans sa simple robe bleu ardoise, mais elle portait des lunettes pour dissimuler ses yeux rouges.

« Maman, lui dit John Allen, Jesse veut remettre à Nixon la moitié de sa carte militaire. On ne peut pas le laisser agir ainsi. »

Mary Jane réprima un sanglot comme dans la chapelle lorsqu'on avait amené le cercueil. Elle se dirigea vers Jesse :

« Je t'en prie, Jesse, pour ton père, je t'en prie, ne fais pas cela. Cette journée lui appartient, et non pas à toi, ni à moi, ni à personne d'autre. Tu vas le déshonorer. »

Le plaidoyer de sa mère troubla Jesse, mais il ne se laissa pas fléchir.

Le représentant civil du ministère de la Défense, qui supervisait la cérémonie avec un capitaine, se précipita hors de la pièce à la recherche d'un officiel de la Maison-Blanche. Ils trouvèrent dans le hall le général Brent Scowcroft, attaché militaire du président. Il se dirigeait vers la salle Roosevelt pour voir si la famille était prête. Il avait un peu connu Vann et l'aimait bien. Ils informèrent le général de ce qui se passait et on alla chercher John Allen qui les informa des intentions de Jesse.

« C'est impossible ! dit Scowcroft.

— Nous ne savons absolument pas comment l'en empêcher, dit John Allen. Il est décidé à le faire. »

Scowcroft entra dans le Bureau ovale pour informer brièvement le président de ce qui se passait et lui dire qu'il y aurait un léger retard, le temps qu'il résolve ce problème. Scowcroft, officier d'état-major confirmé, avait la réputation d'affronter pragmatiquement les crises.

Il entra dans la salle Roosevelt et attira Jesse dans un coin pour lui parler très calmement :

« Écoutez, quoi que vous pensiez de la guerre et de l'action que vous souhaitez mener, cette cérémonie est destinée à honorer votre père. Vous ne pouvez pas faire ce que vous avez en tête sans la gâcher complètement. A moins que vous ne nous promettiez que vous ne donnerez pas votre carte au président, nous serons contraints d'annuler la cérémonie. »

Jesse avait déjà été ébranlé par le plaidoyer de sa mère et par son oncle

Frank qui, à la différence des autres, avait essayé de le raisonner calmement. Le ton posé du général l'impressionna encore plus. Il comprit qu'il allait exploiter dans son propre intérêt une situation qu'il ne devait qu'à son père et qu'il n'en avait probablement pas le droit moral. Et puisqu'il ne pouvait pas agir avec la conscience tranquille, alors il s'abstiendrait. De toute façon, il n'avait pas d'autre choix.

« Okay, okay, répondit-il à Scowcroft, je promets de ne pas le faire. »

Scowcroft lui serra le bras avec un regard d'approbation complice, puis se tourna vers John Allen :

« Il le fera ou pas ? demanda-t-il.

— S'il l'a dit, il tiendra parole », répondit John Allen.

Scowcroft retourna dans le Bureau ovale pour informer le président que la cérémonie pouvait commencer.

John Allen escorta sa mère chez le président, suivi par ses frères, sa tante et ses deux oncles. Le président était assis à son bureau vide de tout papier à l'exception d'un dossier qu'il consultait. Il referma le dossier, se leva, fit un détour pour les accueillir au centre de la pièce. Le bureau nu, le dossier urgent qu'il consultait jusqu'à la dernière minute, la marche au-devant des invités, tout cela constituait le cérémonial rituel avec lequel Richard Nixon recevait ses visiteurs. Il exprima sa sympathie à Mary Jane et à John Allen, puis serra la main des autres. Quand ce fut le tour de Jesse, Tommy entendit Nixon murmurer : « Merci. » Mais Jesse était tellement impressionné de serrer la main de Richard Nixon qu'il ne remarqua pas cette expression de la gratitude présidentielle. Il constata seulement que Nixon avait une grande main.

Rogers et Laird les suivirent dans le bureau. Mary Jane fut surprise d'y trouver aussi Alsop car elle connaissait mal sa position dans la constellation de Washington et elle se demanda pourquoi un journaliste était traité comme un membre de la famille. Connaissant son amitié pour Vann, Nixon avait invité Alsop à participer à la cérémonie avant les autres membres de la presse pour entendre ce qu'il allait dire en privé à la famille.

Le photographe de la Maison-Blanche fit mettre tout le monde en ligne, sauf Alsop, pour la photographie officielle. Il les plaça en demi-cercle derrière le bureau, devant les tentures des grandes fenêtres ornées des deux drapeaux, la bannière étoilée et l'emblème présidentiel, surmontés des aigles dorés. Le président était encadré par Mary Jane et John Allen. Lorsque le photographe appuya sur le déclencheur, Richard Nixon eut un léger sourire. Mais il avait l'air nettement plus mal à l'aise sur la photo suivante.

Lorsque l'opérateur eut terminé, Richard Nixon s'adressa brièvement à la famille. Il avait, dit-il, ressenti la mort de Vann comme une perte personnelle aussi bien que pour la nation. Il leur exprima sa sympathie au nom du pays tout entier. Il avait éprouvé de l'amitié pour Vann, ainsi qu'un profond respect pour son œuvre au Vietnam qu'il avait particulièrement appréciée. Il avait vu Vann pour la dernière fois ici même, dans ce bureau, au cours d'une brève permission. Nixon précisa qu'au cours de cette réunion il avait constaté qu'ils partageaient une compréhension mutuelle de la guerre et que Vann lui avait apporté des éléments nouveaux pour la perception de ce conflit et pour les espérances du peuple du Sud Vietnam.

Peter avait lu le livre de Dale Carnegie *Comment se faire des amis*. Carnegie y prônait la sincérité dans les relations humaines. Sur ce point, Peter n'attribua pas une note très élevée à Nixon. Richard Nixon s'efforçait d'être agréable aux Vann, mais sa nervosité apparente à propos de Jesse et son maniérisme naturel s'y opposaient. Il souriait trop pour une circonstance aussi peu réjouissante. Son regard se déplaçait sans cesse, sans se fixer jamais sur quelqu'un en particulier. John Allen avait hérité de son père l'habitude de regarder son interlocuteur droit dans les yeux. Le regard du président évitait toujours le sien et se détournait dès qu'ils se croisaient. Son manque de sincérité était encore aggravé par le maquillage qu'il portait pour cacher sa barbe drue en prévision des caméras de télévision qui allaient entrer. Les Vann n'avaient jamais vu d'homme maquillé, sauf au théâtre, et étaient surpris d'être reçus à la Maison-Blanche par un président à la figure couverte de fard. La famille eut l'impression d'assister à une représentation théâtrale, où la mort de Vann fournissait à Richard Nixon le prétexte d'une opération de relations publiques où il jouerait le principal rôle en décernant une médaille à un héros national.

Le président les irrita encore plus en insistant deux fois, dans le cours de son allocution, sur le désir qu'il avait eu de donner à Vann la plus haute distinction nationale, la médaille d'Honneur du Congrès, mais il en avait été empêché par la loi parce que Vann était juridiquement un civil. Par conséquent, expliqua Nixon, il avait dû, à contrecœur, se résoudre à décerner à Vann la seconde décoration nationale, la médaille présidentielle de la Liberté. Personne dans la famille n'estimait que Vann méritait moins que la plus haute décoration. Peter se dit que le président aurait dû, soit trouver un biais pour attribuer à son père la médaille d'Honneur du Congrès, soit avoir le bon goût de se taire.

Les assistants du président firent entrer les reporters et cameramen de la télévision. John Allen reçut la médaille pour son père, car Mary Jane n'était plus légalement la femme de Vann. Il avait pris place en face du président, à droite du bureau, devant les drapeaux et fanions des diverses armes de la nation dont les hampes se dressaient côte à côte, surmontées de l'aigle doré.

Scowcroft gardait les yeux fixés sur Jesse.

Avant de remettre la médaille à John Allen, le président lut la citation :

« Soldat de la paix et patriote de deux nations, le nom de John Paul Vann sera honoré aussi longtemps que les hommes libres se souviendront de la lutte menée pour préserver l'indépendance du Sud Vietnam.

» Il a servi comme soldat et comme civil au Vietnam pendant dix ans qui furent marqués par sa force de caractère, sa valeur professionnelle et un courage sans égal ; par son dévouement suprême et son sacrifice personnel.

» Grand Américain, chef incomparable, continua à lire le président, il figure aux côtés de La Fayette dans cette galerie de héros qui ont épousé la cause d'un autre peuple courageux. »

Mary Jane voyait tout cela de l'extérieur. Mais elle n'appréciait pas le côté théâtral de la cérémonie, et moins encore la médaille de second ordre que Nixon avait décernée à Vann.

« C'est une honte, John, lui dit-elle silencieusement, comme elle lui avait dit qu'elle l'aimait en déposant la rose sur le cercueil. C'est un enterrement de deuxième classe. Toute cette bande de salauds continue de te rabaisser. »

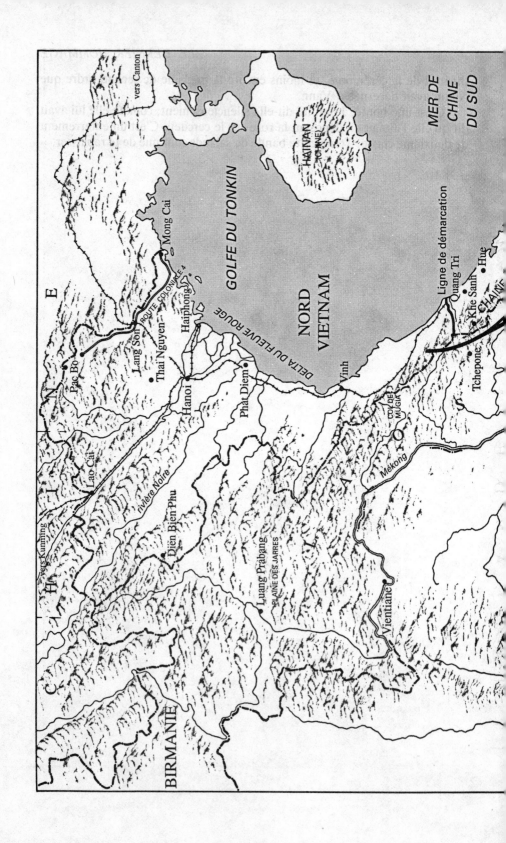

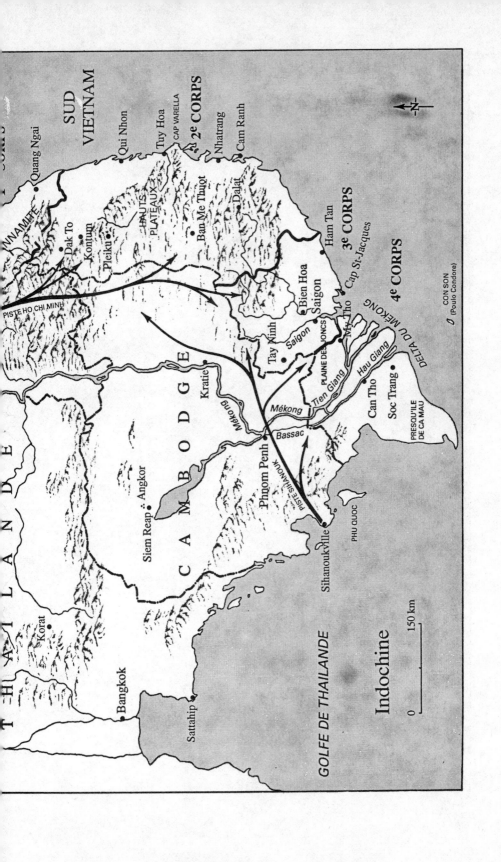

Indochine

I

Le départ
pour la guerre

Lorsque dix ans plus tôt, juste avant midi, le 23 mars 1962, il avait franchi à grandes enjambées la porte battante du bureau du colonel Daniel Boone Porter à Saigon, il n'avait pas l'air de quelqu'un facile à abattre. En voyant entrer ce jeune lieutenant-colonel en kaki amidonné avec sa casquette verte, Porter eut l'impression que, si le général en chef lui disait qu'il lui confiait la conduite de la guerre, John Vann aurait répondu : « Bien, mon général » et aurait pris le commandement. Compte tenu de la figure légendaire que Vann allait devenir, l'ironie du sort voulut qu'il ait bien failli ne jamais arriver au Vietnam. L'avion qu'il aurait dû prendre en mars 1962 pour Saigon en compagnie de 93 autres soldats avait disparu dans le Pacifique. Il avait raté le départ, car il était tellement impatient de partir pour la guerre qu'il en avait oublié de renouveler son passeport. Lors de l'ultime vérification, un bureaucrate avait remarqué que le document était périmé et l'avait obligé à rester à terre. Peu de temps après, l'avion se perdit corps et biens, et la Croix-Rouge avait téléphoné à Mary Jane pour l'informer que son mari avait disparu dans le Pacifique. Mary Jane leur avait répondu que tout allait bien, qu'il lui avait téléphoné et qu'il prendrait un autre avion. Elle se trompait sûrement, insista le représentant de la Croix-Rouge, son mari était porté manquant, et les listes de passagers étaient toujours fiables.

A cette époque-là, tout baignait dans l'agitation et la confusion du début. Le président Kennedy venait de créer à Saigon, en février 1962, le nouveau Commandement de l'aide militaire américaine au Vietnam (MACV) avec à sa tête le général Paul Harkins qui s'était fait remarquer comme chef d'état-major de George Patton, ce génie guerrier de la Seconde Guerre mondiale. Le président se préparait à quadrupler au cours de l'année le nombre des militaires américains au Sud Vietnam, de 3200 en début d'année pour atteindre 11 300 à Noël. Le colonel Porter devait consacrer beaucoup plus de son temps qu'il ne l'aurait voulu à interroger les nouveaux venus et leur trouver une affectation. Son bureau était installé dans une ancienne caserne française de cavalerie cachée derrière les arbres du large boulevard bruyant qui reliait le centre de Saigon au quartier chinois de Cholon. La caserne constituait le quartier général d'un des corps de l'armée du gouvernement de Saigon, officiellement désignée comme l'Armée de la République du Vietnam (ARVN), surnommée « Arvin » par les Américains qui avaient l'habitude de transformer les initiales en noms. Porter agissait en tant que conseiller du général de brigade vietnamien qui commandait le corps d'armée, et les autres officiers sous ses ordres assuraient la liaison avec les diverses unités d'état-major. En 1962, au Vietnam, les appareils d'air conditionné n'étaient pas aussi courants que les machines à écrire dans les bureaux de l'armée américaine. Porter et ses adjoints s'étaient installés, comme les Français avant eux, dans des pièces hautes de plafond qui ouvraient sur des galeries extérieures qui longeaient à chaque niveau les deux étages de brique et de plâtre des bâtiments. Elles donnaient sur un ancien terrain de manœuvres, abandonné maintenant aux herbes et à la poussière, mais leur raison d'être n'était pas justifiée par la vue du paysage. Elles servaient de couloir et de capteurs pour le rare filet d'air frais qui, après avoir franchi les portes battantes comme celles des saloons dans les films de cowboys, était brassé par les énormes ventilateurs électriques suspendus au plafond.

Le petit lieutenant-colonel qui se tenait devant Porter avait le don de communiquer aux autres la confiance en soi. Il avait réussi à ce que son pantalon et sa chemise n'aient aucun faux pli, en dépit de la chaleur, et il salua avec plus de vivacité que la plupart des officiers avant de s'asseoir à l'invitation de Porter. A part cela, il n'avait rien d'impressionnant. Porter croyait voir un de ces jeunes coqs agressifs fonçant au milieu des poules dans les fermes des environs de Belton, au Texas, où son père tenait un magasin de grains et fourrages. Après qu'il eut enlevé sa casquette en s'asseyant, on se rendait mieux compte à quel point il avait une allure banale. Son nez droit était trop gros pour son visage mince. Ses narines s'évasaient au-dessus d'une bouche large et rectiligne. Ces traits étaient accentués par son front dégarni et ses cheveux roux taillés court suivant la tradition des soldats américains des années cinquante et soixante. Mais ses yeux gris-bleu attiraient l'attention et révélaient son caractère. C'étaient des yeux de faucon, étroits et enfoncés sous des sourcils épais. Son corps souple, tout d'os et de muscles, était étonnamment vif. Il avait été un des meilleurs gymnastes et athlètes à l'école et à l'armée. Il attachait beaucoup d'importance à sa forme physique : il ne fumait pas, buvait rarement et se maintenait en forme en jouant au basket, au volley et au tennis. A trente-sept ans, il était encore capable de faire un saut périlleux arrière.

Vann répondit avec beaucoup d'assurance aux questions de Porter sur son expérience militaire. Lorsqu'il s'était porté volontaire pour le Vietnam, il avait demandé une des affectations les plus recherchées, celle de conseiller militaire auprès d'une division d'infanterie sud-vietnamienne. Sur les neuf divisions du pays, trois se trouvaient dans le corps d'armée dont Porter était conseiller. Vann n'était lieutenant-colonel que depuis dix mois, et sa nomination dépendait du bon vouloir de Porter, car d'autres officiers avaient plus d'ancienneté que lui.

Il se montra très sûr de lui en discutant avec Porter de ses capacités à occuper le poste. L'assurance de ce petit coq n'était pas pour rebuter le vieux colonel d'infanterie de cinquante-deux ans, aux cheveux blancs et à la silhouette massive, dont le comportement réservé masquait les connaissances professionnelles et la fermeté de caractère. Depuis le début de sa carrière, trente ans plus tôt, comme sous-lieutenant de la Garde nationale du Texas, il avait appris que le culot est utile dans cette profession à condition que l'officier sache également ce qu'il doit faire. Il cherchait un non-conformiste audacieux pour remplacer le lieutenant-colonel Frank Clay, fils de l'ancien proconsul en Allemagne occupée, le général Lucius Clay, et qui était actuellement le conseiller de la 7ᵉ division d'infanterie, la plus importante, dans le nord du delta du Mékong. Clay devait être relevé cet été.

Porter avait étudié très soigneusement les antécédents de Vann et remarqué qu'il avait commandé une compagnie de Rangers au cours d'incursions derrière les lignes ennemies en Corée. Il avait également fait preuve de qualités certaines d'organisation dans des postes d'état-major. C'était un spécialiste en logistique, phénomène assez rare chez un officier d'infanterie réputé pour entraîner ses hommes au combat, et il avait obtenu un diplôme d'administration à l'université de Syracuse. Porter recherchait justement un officier qui fût à la fois un organisateur et un combattant, car ces deux qualités étaient nécessaires pour coordonner l'effort de guerre au nord du delta du Mékong. Plus ils échangeaient leurs points de vue et plus Porter était convaincu que Vann ferait l'affaire par son audace et sa capacité à adopter une attitude constructive. Bien que Porter fût au Vietnam depuis moins de trois mois, il avait largement sillonné son secteur et avait participé à plusieurs opérations contre la guérilla communiste. Son expérience l'avait convaincu que les dirigeants vietnamiens de Saigon, pour pouvoir l'emporter, avaient besoin des Américains pour leur montrer comment mener leur guerre mais également pour les pousser à se battre.

Porter informa Vann qu'il le considérait comme le successeur éventuel de Clay, mais qu'il ne prendrait une décision définitive qu'à la dernière minute. En attendant, Vann serait à l'essai, après une période d'adaptation dans des occupations diverses.

Aussitôt après le déjeuner, Vann se vit assigner son premier travail. Porter lui expliqua qu'un imbécile qui l'avait précédé, avec la mentalité d'un bureaucrate du Pentagone où il était vraisemblablement retourné, avait institué un système de fiches informatisées pour l'intendance des divisions de l'armée sud-vietnamienne et des forces territoriales. Le lieutenant-colonel vietnamien chargé de la logistique du corps d'armée et ses officiers n'avaient pas la moindre idée de la façon de procéder pour envoyer une demande d'approvisionnement à un ordinateur. Pas plus d'ailleurs que le lieutenant-colonel américain qui leur servait de conseiller d'intendance. Au lieu de recevoir des pièces détachées ou l'équipement dont ils avaient besoin, ils étaient submergés par un tas de paperasse incompréhensible que Porter remit à Vann. Vann pourrait-il essayer d'en tirer quelque chose ? Il conduisit Vann dans les bureaux de l'intendance, le présenta aux officiers américains qui y travaillaient et lui fit attribuer un bureau.

En fin d'après-midi, Vann retourna voir Porter avec un mémorandum de plusieurs pages, qu'il avait lui-même tapé. Il y avait transcrit le charabia de l'ordinateur en langage profane, décrit en termes simples le principe du

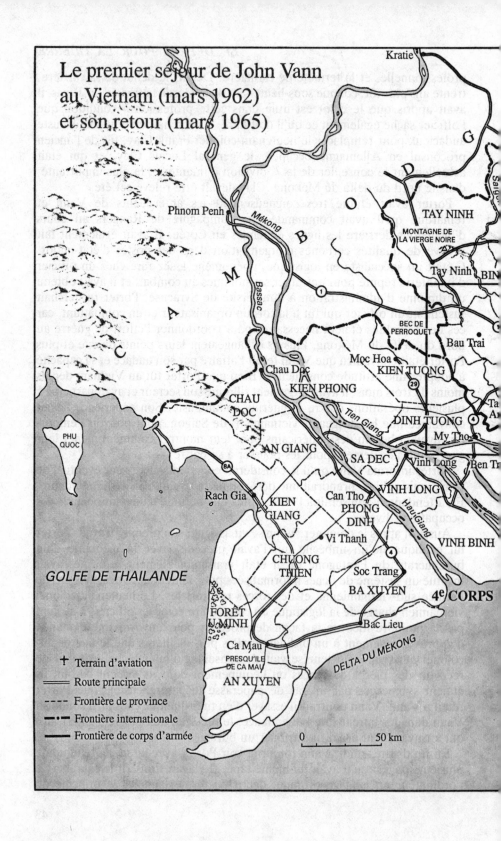

Le premier séjour de John Vann
au Vietnam (mars 1962)
et son retour (mars 1965)

Kratie

Phnom Penh

Mékong

TAY NINH

MONTAGNE DE
LA VIERGE NOIRE

Tay Ninh

BIN

C A M B O D G

Bassac

BEC DE
PERROQUET

Bau Trai

Chau Doc

Moc Hoa
KIEN TUONG

KIEN PHONG

CHAU
DOC

DINH TUONG

PHU
QUOC

Tien Giang

My Tho

Ta
A

AN GIANG

SA DEC

Vinh Long

Ben Tr

Rach Gia

KIEN
GIANG

Can Tho
PHONG
DINH

VINH LONG

HauGiang

VINH BINH

Vi Thanh

CHUONG
THIEN

Soc Trang

GOLFE DE THAILANDE

BA XUYEN

4e CORPS

Bac Lieu

FORÊT
U MINH

Ca Mau
PRESQU'ILE
DE CA MAU

DELTA DU MÉKONG

+ Terrain d'aviation

══ Route principale

---- Frontière de province

─·─· Frontière internationale

── Frontière de corps d'armée

AN XUYEN

0   50 km

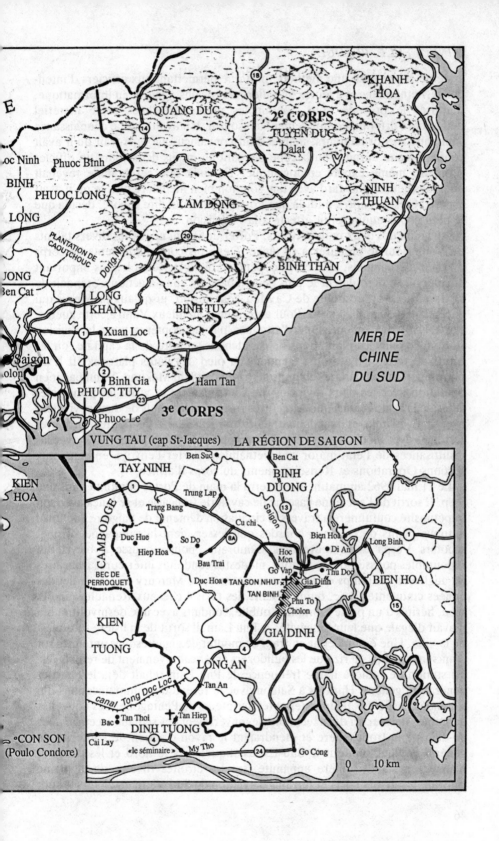

système et présenté une méthode pratique permettant aux officiers d'intendance vietnamiens et à leurs conseillers américains, ignares en informatique, d'utiliser le procédé pour obtenir les pièces détachées et le matériel demandé. Porter fut complètement abasourdi. Il n'avait qu'une connaissance sommaire des ordinateurs, mais il était convaincu que le travail qu'il avait confié à Vann aurait tenu occupé pendant au moins deux jours un officier ordinaire même expert en logistique. Et voilà que cet homme revenait quelques heures plus tard avec une solution bien meilleure que ce qu'il avait espéré ! C'est cet après-midi-là que Porter, sans le lui dire encore, décida que le petit coq rouquin serait affecté à la 7e division.

Au cours des deux mois suivants, Porter utilisa au mieux les divers talents de Vann pour le préparer à sa tâche. Des trois commandements de corps d'armée vietnamiens, le 3e corps dépendant de Porter était le plus important et celui où se déroulaient le plus de combats. Sa zone d'action s'étendait de l'extrémité de la presqu'île de Ca Mau, tout au sud, jusqu'aux provinces qui encerclaient Saigon au nord. Pour accoutumer au mieux Vann à cette guerre, Porter l'envoya en missions d'attaques par hélicoptères avec la division stationnée dans les plantations de caoutchouc au nord de la capitale, où les forêts de teck et d'acajou s'étendent au pied des hauts plateaux. Il le fit patrouiller au sud dans les champs de riz du delta du Mékong. Vann partit en opération avec les deux divisions qui s'y trouvaient et visita les principales villes de la région, ainsi que les centres ruraux où les chefs de district vivaient avec leur famille et installaient leurs bureaux dans de petites enceintes fortifiées avec blockhaus et fil de fer barbelé. Pour familiariser Vann avec les insuffisances de l'état-major sud-vietnamien, Porter l'envoya en stage aux sections Opérations et Renseignements du corps d'armée.

Le 21 mai 1962 au matin, Vann serra la main de Porter et monta dans une jeep. Il sortit de l'ancienne caserne de cavalerie française et se lança avec son impétuosité coutumière à travers la circulation démente de Saigon : camions, autobus peints de couleurs criardes qui desservaient la campagne voisine, scooters Vespa et motocyclettes Lambretta, pousse-pousse à bicyclette, redoutables pousse-pousse à moto, modestes conduites intérieures françaises ou anglaises, de temps en temps une ostentatoire Mercury ou Chevrolet des années cinquante, avec, omniprésents, les taxis 4 chevaux Renault jaune et bleu, hérités d'un passé lointain et oublié, conduits avec une désinvolture qui n'avait d'égale que leur longévité. A Phu Lam, il sortit de la lisière sud-ouest de la ville. Une équipe était en train de monter de gigantesques antennes sur d'anciens champs de riz que les bulldozers américains venaient de remblayer. La station de radio à haute fréquence de Phu Lam reliait déjà le quartier général du général Harkins à Saigon avec le réseau de communications qui s'étendait jusqu'aux téléphones et téléscripteurs du Pentagone. Les nouvelles antennes, dernier cri de la technologie, enverraient des signaux électroniques au-delà de la troposphère et étendraient le rayon d'action de l'autorité du général en chef sur tout le Sud-Est asiatique, vers le nord et les cimes et plateaux de la Cordillère annamite, sur les étroites rizières de la plaine centrale jusqu'aux ports et terrains d'aviation du Sud Vietnam et vers le sud, au-delà des montagnes, jusqu'à la base d'aviation militaire de Ubon en Thaïlande, ce second allié que l'Amérique s'était engagée à protéger dans cette partie du monde.

Vann poussa à fond le moteur de la jeep et fonça en direction du sud sur la route goudronnée à deux voies qui conduisait au delta du Mékong. Le vent qui lui fouettait le visage ajoutait à son exaltation. Il était en route pour rejoindre le quartier général de la 7ᵉ division d'infanterie à My Tho à cinquante-six kilomètres de là. Porter l'avait affecté au meilleur poste de la région en lui confiant le commandement de l'effort américain en plein cœur de la guerre.

La zone de la 7ᵉ division recouvrait la plus grande partie de la moitié nord du delta, où allait se décider le sort du conflit : 9 600 kilomètres carrés s'étendaient sur cinq provinces depuis les marécages de la plaine des Joncs à la frontière du Cambodge à l'ouest jusqu'à la mer de Chine à l'est. Les 2 millions d'habitants qui y vivaient, un septième de la population totale de 14 millions de Vietnamiens en 1962, produisaient plus du septième de la nourriture du pays. Le gouvernement de Saigon avait déjà abandonné la majeure partie de la zone sud du delta aux partisans communistes. En revanche, le Nord, où 38 000 soldats de Saigon affrontaient près de 15 000 combattants vietcongs, était toujours l'objet de conflits entre les deux adversaires. Le gouvernement que les Américains soutenaient au Vietnam du Sud ne pourrait survivre s'il perdait une région si riche en potentiel humain et en ressources à proximité immédiate de sa capitale.

Le défi lancé et la responsabilité qu'il impliquait n'effrayaient pas Vann qui les assumait avec une satisfaction joyeuse, mêlée d'une certaine arrogance. Avec la mentalité des Américains en cette année 1962, il considérait que rien ne leur était incompréhensible ou irréalisable. Ce qu'il ne savait pas, il le découvrirait. Il n'avait aucune expérience de la guérilla en dehors des opérations subversives qu'il avait menées en Corée avec sa compagnie de Rangers, mais il avait, à trente-sept ans, passé dix-neuf années de sa vie à se préparer à faire la guerre. La contre-guérilla n'était qu'une autre forme de guerre, et il allait apprendre à la mener avec succès. L'année précédente, sur instructions du président Kennedy, l'armée avait commencé à diffuser parmi ses officiers les théories pour venir à bout de la guérilla. Porter avait développé, d'après ses observations sur le terrain, quelques idées précises sur la façon d'appliquer ces doctrines abstraites à la situation au Vietnam. Et Vann avait pu en confirmer la justesse d'après ce qu'il avait observé depuis deux mois.

Vann ignorait tout des Vietnamiens, de leur culture et de leur histoire. Mais il ne considérait pas plus cette insuffisance comme un obstacle à une action efficace que sa méconnaissance de la contre-guérilla. Son expérience d'officier subalterne en Corée et au Japon l'avait convaincu que les Asiatiques n'étaient pas des Orientaux impénétrables. C'est pourquoi Lansdale était un de ses héros. Il avait lu et beaucoup aimé *The Ugly American*. Lansdale savait comment procéder en Asie. Il avait senti que les Asiatiques étaient des êtres humains dont on pouvait comprendre les aspirations pour s'en servir à son avantage. Vann était convaincu qu'il pourrait connaître ce qui motivait les officiers vietnamiens avec lesquels il allait collaborer et qu'il saurait les persuader d'agir dans leur propre intérêt et dans celui des États-Unis. Le fait que les Français aient été vaincus en Indochine n'avait pour lui rien à voir avec la question. Les Américains n'étaient pas des colonialistes, comme l'avaient été les Français, qui, de toute façon, étaient un peuple décadent appartenant maintenant au passé. Leur armée n'avait jamais surmonté l'humiliation d'être battue par les Allemands dans la Seconde Guerre mondiale. Vann avait vu l'armée américaine perdre des batailles en Corée, mais jamais perdre une guerre. On ne trouvait pas dans l'Histoire que les Américains aient commis des fautes, comme les autres peuples. Les Américains étaient différents des autres. L'Histoire ne s'appliquait pas à eux.

Vann n'avait aucun scrupule moral à tuer des communistes vietnamiens ou ceux qui combattaient pour eux, pas plus qu'il ne se souciait de voir des Vietnamiens, luttant aux côtés des États-Unis, se faire tuer pour réaliser les objectifs américains au Vietnam. Il avait été entraîné à tuer des Allemands et des Japonais pendant la Seconde Guerre mondiale, même si l'armistice était intervenu avant qu'il ait pu passer à la pratique. Pendant la guerre de Corée, il avait tué des Coréens communistes, et, sans aucun remords de conscience, avait envoyé à la mort ceux qui combattaient à ses côtés. Il considérait que lui et ses compatriotes avaient le droit, à condition d'agir avec prudence et discernement, de vie et de mort sur les autres lorsque le combat le rendait nécessaire. Ce postulat était étayé par la fierté d'être un des meilleurs officiers de l'armée des États-Unis, la plus belle armée du monde, mais il était également conscient que lui et cette armée représentaient une plus grande entité qui amplifiait encore son orgueil : il était un des gardiens de l'empire américain.

Lorsque John Vann arriva au Vietnam en 1962, l'Amérique avait édifié le plus grand empire de l'Histoire. Les États-Unis disposaient de 850 000 soldats et fonctionnaires civils au-delà des frontières dans 106 pays. Du quartier général du commandant en chef pour le Pacifique, situé dans la montagne au-dessus de Pearl Harbor, jusqu'à la base navale de Subic Bay dans les Philippines et aux blockhaus bétonnés de la ligne de démarcation de Corée, 410 000 hommes étaient déployés dans l'armée, la flotte et les forces aériennes du Pacifique. En Europe et au Moyen-Orient, depuis les bases de fusées nucléaires enfouies dans la paisible campagne anglaise, jusqu'aux terrains de manœuvres de chars à Grafenwöhr à la frontière de la Tchécoslovaquie, aux porte-avions de la 6e flotte en Méditerranée, aux stations d'écoute électronique le long de la frontière soviétique en Turquie et en Iran, 410 000 autres soldats, marins et aviateurs montaient la garde. Si on ajoutait à cela les diplomates, les agents de la CIA et les représentants officiels des diverses agences civiles, avec leurs femmes et leurs enfants, environ 1 400 000 Américains étaient au service de leur pays à l'étranger en 1962. John Vann se considérait comme un des chefs du corps expéditionnaire de conseillers, pilotes d'hélicoptères et de bombardiers, comme un des membres de ces équipes de Forces spéciales que le président Kennedy avait décidé en novembre 1961 d'envoyer au Vietnam du Sud, ce poste avancé menacé de son empire en Asie du Sud-Est. Tandis que le vent lui fouettait le visage sur la route de My Tho, il était plus que jamais résolu à ne pas laisser les communistes gagner la bataille au nord du delta du Mékong.

Le delta du Mékong avait un aspect trompeur en cette fin de mai 1962. Il ressemblait à un paradis d'abondance. L'arrivée brutale de la mousson au début du mois avait accéléré la germination des graines de riz, et les petites pousses vertes seraient bientôt prêtes pour le second événement de la vie du paysan vietnamien : la transplantation dans la terre recouverte par l'eau grisâtre des rizières qui s'étendaient à perte de vue de chaque côté de la route. Les étroites digues qui retenaient l'eau quadrillaient les rizières dont le damier était sillonné par les lignes droites et les angles abrupts des canaux d'irrigation, interrompus parfois par les larges méandres de la rivière qui les approvisionnait. Des bosquets de bambous et de palmiers d'eau, dont les frondaisons s'élevaient jusqu'à six mètres de haut, bordaient les rives où se dressaient aussi de grands palmiers dattiers solitaires ou en massifs. On trouvait également, en groupes ou isolés, les arbres portant les fruits courants au Vietnam : bananes et papayes, ainsi que mangues, pamplemousses, citrons, mandarines, oranges, pêches et jaquiers de Malaisie. La variété en était si grande qu'un horticulteur aurait eu du mal à identifier toutes les espèces. De jeunes paysans, portant un chapeau de paille conique pour se protéger du soleil, marchaient derrière les buffles qui tiraient les charrues et les herses pour préparer la rizière au repiquage. Des cochons noirs erraient en fouillant la terre de leurs groins entre les maisons des villages. Aussi fragiles qu'elles puissent paraître, ces demeures convenaient bien au climat : un assemblage de rondins et de perches de bambou était dressé sur un sol de terre battue. De grandes feuilles de palmier séchées recouvraient le toit à forte pente et servaient de murs extérieurs et de cloisons intérieures. La toiture débordait largement des murs pour éloigner les torrents de pluie de la mousson et protéger du soleil. Les poulets se disputaient le terrain avec les cochons. Les canards, avec leurs ailes rognées pour ne pas s'envoler, étaient en général maintenus en troupeau. Ils étaient surveillés par des enfants ou des vieillards inactifs pour les empêcher d'aller dans les rizières ou les jardins potagers des voisins. Les canaux et les rivières regorgeaient de poissons, crevettes, crabes et anguilles. Lorsque la mousson était la plus forte en juillet et août, les poissons envahissaient les rizières qui devenaient de véritables viviers.

La jeep de Vann était souvent arrêtée par un soldat à un pont pour laisser passer un convoi dans l'autre direction. Les ponts à une voie avaient été construits par les Français avec des poutres métalliques d'Eiffel en forme d'arches qui dominaient le tablier. Des enfants attendaient à ces points de contrôle pour vendre pour quelques centimes des morceaux de noix de coco, du sucre de canne ou des tranches d'ananas saupoudrées de grains de sel pour en atténuer la douceur. Les besoins matériels ne semblaient pas la préoccupation majeure de ce pays.

Mais les blockhaus de béton qui se dressaient près des ponts contredisaient cette image trop idyllique. Tout en achetant un morceau d'ananas à un enfant obstiné, Vann examinait le poste fortifié, entouré de barbelés rouillés, et les soldats qui patrouillaient le long du pont. Cinq minutes plus tôt, en franchissant un canal, il avait eu le temps de penser que, des grandes palmes vertes qui le bordaient, pouvaient brusquement jaillir les flammes de la gueule d'une arme automatique tirant sur sa jeep. Il se rendait compte que les pluies allaient faire pousser les plants de cannes à sucre qui deviendraient assez hautes et denses pour y camoufler un bataillon. Il se demandait si, sur la route de l'autre côté de la rivière, un Vietcong n'attendait pas une jeep comme la sienne. Les jeeps étaient une cible privilégiée, car elles transportaient généralement des officiers. Si un Vietcong l'attendait, il était probablement accroupi derrière une tombe d'un de ces petits cimetières dressée sur une butte au milieu des rizières. Ce serait un homme très patient, soucieux de ne pas gaspiller une chance s'il pouvait l'éviter. Il resterait en alerte, le doigt sur le détonateur relié par fil à la bombe enfouie dans la route la nuit précédente et sur laquelle avait été soigneusement replacée la plaque de goudron qui la dissimulait. Il attendait pour expédier dans les airs la jeep et ses occupants.

Cela faisait dix-sept ans que le pays connaissait la guerre. Les plus vieux des enfants qui vendaient leurs noix de coco et leurs ananas aux points de contrôle se rappelaient probablement les dernières années du premier conflit. Il avait commencé en 1945 lorsque les Français avaient essayé d'imposer à nouveau leur domination coloniale au Vietnam ainsi qu'au Cambodge et au Laos. Cette première guerre s'était terminée par l'humiliation des Français et de leurs troupes vietnamiennes en 1954 dans la cuvette de Diên Biên Phu. Puis trois années seulement de paix intermittente avaient suivi. La guerre avait repris en 1957 entre les Vietcongs et le régime de Saigon de Ngô Dinh Diêm, le mandarin que Lansdale avait mis au pouvoir. En 1961, l'opposition communiste était devenue si puissante que le président Kennedy avait été contraint d'engager les forces des États-Unis pour empêcher le gouvernement Diêm d'être renversé. Les Américains et le gouvernement de Saigon appelaient leurs adversaires les Vietcongs, une abréviation pour Vietnamiens communistes, que les conseillers avaient simplifiée en VC qui devenait dans le jargon des transmissions radio « Victor Charlie ». Mais eux-mêmes s'identifiaient comme Armée de libération et avaient qualifié cette seconde guerre Guerre de libération. Ils considéraient que les deux conflits constituaient les étapes de la Libération vietnamienne et que le second n'était que la continuation du premier pour atteindre les buts fondamentaux de la guerre contre les Français.

En ce 21 mai 1962, il n'y avait aucun Vietcong et aucune mine sur la route de My Tho. Vann atteignit sans incident le quartier général de la mission de conseillers militaires de la 7ᵉ division d'infanterie situé sur la route principale à cinq cents mètres au nord de la ville. Le soldat vietnamien qui gardait la grille l'ouvrit pour laisser la jeep entrer. Les bâtiments avaient d'abord été une école religieuse puis un orphelinat avant d'être reconvertis dans le métier profane de la guerre. Les conseillers américains l'appelaient d'ailleurs « le séminaire » en souvenir de sa destination première, et les deux croix blanches qui ornaient la chapelle à l'extrémité de la cour rappelaient aux visiteurs ses origines religieuses. Les autorités militaires américaines qui étaient devenues les principaux actionnaires de l'immobilier au Vietnam louaient le bâtiment à un diocèse catholique exilé du Nord Vietnam qui manquait de ressources financières. Lorsque Frank Clay, à qui Vann allait succéder, était arrivé à My Tho l'année précédente, le détachement américain se limitait à un sergent et sept officiers dont trois vivaient avec les régiments de la division dans d'autres localités. Une grande maison de My Tho était alors tout à fait suffisante. Mais lorsque Clay apprit que l'effectif allait être multiplié par vingt au printemps 1962 et continuerait à croître (il allait dépasser deux cents officiers et soldats à la fin de 1962), il avait loué et rénové le séminaire qui convenait le mieux à sa mission.

Le bâtiment d'un étage, d'une agréable mais banale architecture coloniale française, était fait de briques enduites de plâtre et couvert de tuiles rouges. Il avait la forme d'un L dont la plus longue branche longeait une étroite rivière. Le rez-de-chaussée du plus petit bâtiment avait été installé en bureaux. Le reste avait été rénové en chambres pour les officiers, douches, toilettes, bar, club et un mess assez grand pour servir de cinéma tous les deux jours. Les films, les steaks grillés au charbon de bois le dimanche et les alcools à bas prix chaque soir constituaient les privilèges de la vie militaire américaine à l'étranger. Vann et quelques-uns des officiers supérieurs avaient l'avantage de se voir attribuer de petites chambres au premier étage au-dessus des bureaux. Le reste était transformé en dortoirs pour les simples soldats. La cour servait de parking pour les jeeps et les camions, mais également de terrain de volley-ball que Vann installa dès son arrivée en montant un filet sur l'ancien terrain de basket des séminaristes.

Quelques nuits après que les conseillers se furent installés au séminaire au début mai, ils avaient reçu la visite des Vietcongs pour leur faire comprendre qu'ils n'étaient pas hors d'atteinte. Un petit groupe s'était infiltré à travers la plantation de bananiers de l'autre côté de la route et avait tiré dans le mess pendant la projection du film. Les sergents, dont certains étaient assez âgés pour avoir fait la Seconde Guerre mondiale ou la Corée, avaient bien ri en voyant des capitaines, qui n'avaient jamais connu le feu, courir en caleçon, tee-shirt et casque sur la tête en brandissant leur pistolet de service calibre 45, avec lequel il était déjà très difficile d'atteindre quelqu'un en plein jour. Les Viets recommençaient périodiquement cet exercice, en se cachant en général derrière une rangée de palmiers de l'autre côté de la rivière derrière le bâtiment. Certains s'amusaient à lancer une rafale sur le générateur de filtrage de l'eau et s'évanouissaient dans la nuit. Ils ne firent jamais aucun dégât sérieux, sauf quelques impacts dans le plâtre. Le matin suivant, les conseillers découvraient un drapeau vietcong, étoile d'or sur deux bandes horizontales bleu et rouge, qui flottait dans un arbre.

51

Une unité vietcong déterminée aurait probablement pu s'emparer du séminaire en quelques minutes. La vingtaine de territoriaux vietnamiens de la Garde civile, qui avaient la responsabilité de défendre le cantonnement, étaient amicaux mais se montraient très désinvoltes dans la défense de leurs conseillers étrangers. Les Américains n'étaient pas en mesure d'assurer eux-mêmes cette protection, car ils ne disposaient pas d'un effectif suffisant pour servir de conseillers à la 7ᵉ division pendant le jour et monter la nuit une garde efficace pour contenir les attaquants, pendant que les autres se précipitaient sur leurs armes pour courir à leur poste de combat. D'autant que plus de la moitié d'entre eux ne vivaient pas en permanence au séminaire : ils étaient dispersés à travers toute la zone de la division avec les bataillons et les régiments, ou restaient dans les principales villes auprès des chefs de province, ou travaillaient dans les centres d'entraînement des forces territoriales. Vann prit le plus de précautions qu'il put sans interférer avec les tâches de conseillers, mais il accepta le risque d'une attaque afin de pouvoir remplir la mission du détachement. Le comportement des Vietcongs lui montrait d'ailleurs qu'ils n'avaient pas l'intention de massacrer les conseillers dans leur lit. Au début des années soixante, les Américains étaient encore des privilégiés au Sud Vietnam. A cette époque, les communistes restreignaient leurs attaques terroristes contre eux parce qu'ils ne voulaient pas provoquer une intervention massive de leur part. Ils espéraient que leur longanimité finirait par attirer à leur cause la sympathie du peuple américain.

Le quartier général de la 7ᵉ division de l'ARVN était installé dans une ancienne caserne française, en plein cœur de My Tho. La ville, avec ses 40 000 habitants en 1962, était la plus importante du nord du delta, un chef-lieu de province pour les Vietnamiens, et une grande cité aux yeux des Américains. Comme la plupart des grandes villes du delta, elle était située à proximité d'une voie d'eau pour la commodité des transports par sampans ou péniches. My Tho était devenue sous l'occupation française une garnison et un centre administratif, en même temps qu'un nœud commercial pour l'exportation du riz. La cité avait matériellement peu changé quand Vann y arriva et présentait toujours l'aspect d'une communauté active qui s'engraissait du travail des paysans des alentours. La plus grosse partie du riz produit dans le delta servait à la consommation du Sud Vietnam. Les entrepôts ne cessaient de stocker puis d'expédier le riz vers Saigon et les autres provinces.

Pour les Américains, la ville était leur distraction du soir ou du dimanche après-midi. Les conseillers allaient souvent manger au restaurant chinois le long de la rivière, ou s'asseoir pour boire en plein air aux tables des échoppes qui vendaient de la bière ou des boissons non alcoolisées. Ils y appréciaient la brise légère qui rafraîchissait le delta au crépuscule, comparaient les filles qui passaient dans la rue et regardaient le chargement des bateaux sur les quais de la rivière. Les Chinois entreprenants vendaient de tout dans leurs petites boutiques, aussi bien des coupons de coton bon marché pour les paysans qui en faisaient des blouses et des pantalons flottants appelés *ao babas,* que des aphrodisiaques. Le marché central était imprégné de toutes les odeurs épicées du pays. A côté des étals de poissons et de fruits, on trouvait des acupuncteurs dont les aiguilles effaçaient la douleur, des sorciers qui faisaient trafic des anciennes herbes médicinales et des cures magiques pour crédules ingénus. Les commerçants chinois et vietnamiens vivaient dans de solides maisons de pierre. Les pauvres se contentaient de baraques en bois. Une des demeures les plus impressionnantes était la villa que les Français avaient bâtie pour leur gouverneur local. Située sur l'avenue principale, elle était entourée de beaux jardins, bien qu'un peu négligés, et disposait d'un court de tennis que les officiers américains avaient le droit d'utiliser. Elle était occupée par un commandant de l'armée sud-vietnamienne que le président Diêm avait nommé chef de district. L'homologue de Vann, le colonel Huynh Van Cao, commandant la 7ᵉ division, était contraint, par manque de définition des prérogatives, de se contenter d'une maison plus modeste, sévèrement gardée, dans une rue d'un quartier voisin. Il y vivait seul, ayant laissé sa femme et ses sept enfants à Saigon

Vann estimait qu'il était urgent de renverser l'orientation de la guerre dans le nord du delta. En mars 1962, les Vietcongs avaient l'initiative stratégique et tactique : c'est eux qui déterminaient le cours de la guerre en décidant quand, où et comment combattre. Les militaires de Saigon restaient sur la défensive et se contentaient de réagir aux actions de guérilla plutôt que de porter la guerre chez l'ennemi. Seule la grande route du sud de Saigon à My Tho, qui se divisait ensuite en deux voies ouest et sud pour s'enfoncer dans le delta, pouvait être utilisée le jour avec une seule jeep, mais il était prudent de rouler à deux la nuit. Dans les cinq provinces, les Vietcongs avaient neutralisé les routes secondaires en obligeant les paysans à creuser des fossés en travers et en démantelant les ponts. Ils n'en étaient pas encore à les faire démolir complètement par les habitants des environs qui les défonçaient et allaient répandre la terre du remblai dans les rizières voisines, comme ils l'avaient fait au sud du delta. Mais c'est ce qu'ils feraient, s'ils n'étaient pas arrêtés à temps. Pour circuler sur les routes secondaires encore utilisables, les officiers de Saigon estimaient qu'une escorte d'au moins une section était une nécessité, sans pour cela être assurés que les véhicules ne tomberaient pas dans une embuscade. Même si toute la population rurale du nord du delta ne sympathisait pas avec les Vietcongs, la majorité d'entre eux, soit approuvait la cause qu'ils défendaient, soit les aidait tacitement par un silence d'une neutralité qui minait les efforts des dirigeants de Saigon. Que cette neutralité soit due à la crainte du terrorisme ou à la sympathie ne changeait rien au fond du problème : le gouvernement du Sud Vietnam ne pouvait pas compter sur la coopération de la classe paysanne, alors qu'elle était indispensable pour venir à bout de l'insurrection communiste. En 1962, au Sud Vietnam, 85 % de la population vivaient à la campagne. Avec la formation qu'il avait reçue en statistique, Vann était frappé par les chances potentielles qu'une telle société offrait au développement de la puissance de la guérilla communiste.

Les 2 millions d'habitants de la zone couverte par la 7ᵉ division, à l'exception des 15 % qui vivaient à My Tho ou dans les autres villes, étaient effectivement ou potentiellement à portée de main du Vietcong. La question ne se posait pas de savoir lequel des deux adversaires disposait de la puissance militaire. Vann estimait que deux compagnies de 180 hommes de l'armée régulière sud-vietnamienne, avec l'équipement militaire américain, l'artillerie et l'appui des chasseurs-bombardiers, pouvaient se déplacer n'importe où dans la région. Et cependant, suivant une métaphore qu'il utilisa devant ses officiers au cours de l'été, le passage des soldats de Saigon à travers le pays faisait l'effet d'un bateau en mer : lorsque les troupes de l'ARVN se trouvaient quelque part, elles mettaient en fuite les Vietcongs, comme le sillage du bateau déplace l'eau de la mer. Mais, après leur passage, les VC revenaient aussitôt.

Avant de quitter Saigon, Vann avait mis au point avec Porter les objectifs pour servir de base à une nouvelle stratégie destinée à renverser cette tendance défaitiste et à gagner la guerre. En tant que soldats, il leur fallait en priorité développer les opérations offensives pour acculer et détruire les forces combattantes de la guérilla. La technique habituelle de l'ARVN s'appelait à juste titre « le ratissage » et consistait à faire avancer plusieurs bataillons en colonnes dispersées. Mais Porter avait constaté que cette manœuvre, efficace pour faire progresser une division blindée à travers l'Allemagne, ne convenait pas contre des partisans isolés dans les rizières. Il souhaitait que Vann se servît de la mobilité qu'offre l'hélicoptère pour déplacer rapidement et amener en position des unités d'assaut qui provoqueraient la panique chez les Vietcongs et les contraindraient à se battre et à être annihilés. Pour lancer ce genre d'opérations peu conventionnelles, Vann devait persuader le colonel Cao d'accepter une formule qui, sans lui faire perdre la face, donnerait en fait aux Américains les pleins pouvoirs sur son unité. Sous l'euphémisme de « coplanification », Vann et Cao seraient censés préparer les opérations en commun, alors qu'en fait Cao ne ferait qu'exécuter ce que Vann et ses adjoints auraient conçu.

Vann devait en principe faire fonction d'adjoint pendant un mois afin de s'accoutumer à son poste avant le départ de Clay prévu pour la fin juin. Mais il n'eut pas à attendre aussi longtemps la relève. Clay partit en opération dans la plaine des Joncs le 23 mai, deux jours après l'arrivée de Vann. De son hélicoptère, il s'efforça de chasser en les mitraillant une vingtaine de Vietcongs en direction des fantassins de l'ARVN. Mais les partisans communistes tirèrent sur l'appareil où se trouvaient Clay et un autre lieutenant-colonel de son état-major. Le pilote reçut une balle dans le pied tandis que les autres occupants, dont Clay, étaient superficiellement blessés par des fragments de Plexiglas et d'aluminium brisés par les balles qui avaient traversé le cockpit et le tableau de bord. Clay fut envoyé à Saigon pour se faire soigner, puis huit jours en permission à Hong Kong. Vann prit donc le commandement et il continua à l'exercer pendant le mois de juin alors que Clay partait en inspection sur les hauts plateaux et la plaine côtière au nord de Saigon. Il avait en effet été désigné pour être le spécialiste de la guérilla au

National War College de Washington et il voulait se familiariser avec les différentes conditions de combat dans ces régions.

La prise de pouvoir officielle par Vann à la fin du mois de juin dans la cour du séminaire se déroula sans cérémonie, sans salut aux couleurs ni revue des troupes, comme il est de coutume à chaque passation de pouvoir dans l'armée américaine. Clay n'aurait pas autorisé cette cérémonie, car il était très émotif et il aurait été gêné de se présenter la larme à l'œil devant ses hommes. De toute façon, il n'avait pas le choix car, en 1962, les conseillers n'avaient pas le droit de dresser la bannière étoilée dans leurs cantonnements. De même qu'ils ne pouvaient recevoir aucune décoration militaire. Clay et les autres rescapés de l'hélicoptère ne reçurent même pas la *Purple Heart*, la médaille attribuée automatiquement à tous les blessés de guerre, et leur famille ne l'aurait pas obtenue non plus à titre posthume. Le président Kennedy espérait qu'en minimisant au maximum la présence américaine au Vietnam, il limiterait les conséquences politiques que pourrait avoir dans le pays la prise de conscience que les États-Unis étaient en guerre.

A la fin mai, Clay avait élevé son détachement de conseillers à un niveau opérationnel. Vann consacra son extraordinaire énergie à concrétiser ces débuts prometteurs. La bataille au cours de laquelle Clay avait été blessé le 23 mai fournit à Vann un début propice pour sa « coplanification » avec Cao. Le succès en avait été dû à l'opiniâtreté et à la chance de Clay, ainsi qu'au talent tactique du capitaine Richard Ziegler, trente ans, ancien avant-centre de l'équipe de football de l'école militaire de West Point en 1954. Clay avait été exaspéré par le refus de Cao, toujours exprimé avec la plus grande urbanité, de laisser les Américains jouer un rôle dans la planification des opérations. Et il était encore plus furieux des échecs successifs de Cao. A la mi-mai, il lui avait refusé les hélicoptères qu'il lui demandait à moins qu'il n'accepte de coopérer avec les Américains. Porter, qui poursuivait le même but, avait approuvé Clay et obtenu l'accord du général Harkins. Cao avait cédé et accepté de faire un essai. Clay avait maintenant besoin d'un officier capable de dresser des plans d'attaque détaillés. Le seul officier qui eût quelque connaissance dans ce domaine était Ziegler. Il avait entraîné des compagnies de Rangers depuis son arrivée au séminaire au début avril. Son expérience était limitée à trois mois comme adjoint du chef d'opérations d'un bataillon d'infanterie au Japon. Pour planifier l'opération, il reçut des cartes d'état-major françaises qui dataient de 1954 et un rapport du bureau de renseignements vieux de plusieurs semaines et probablement dépassé. Ce rapport annonçait qu'un bataillon vietcong s'entraînait quelque part dans un secteur de dix kilomètres carrés de la plaine des Joncs.

Il se révéla que Ziegler avait le don de faire coïncider un plan général de manœuvres avec un problème militaire particulier. Mais, surtout, il savait matérialiser ses idées en dessinant les détails de l'opération sur le plastique recouvrant une carte, avec larges flèches, symboles militaires indiquant les horaires, les positions des unités, la direction et les objectifs de leur avance. Avec ce document, les commandants sur le terrain savaient exactement comment manœuvrer.

Dans ce cas précis, Ziegler fournit la réponse logique à leur insuffisance d'informations. Pour avoir le plus de chance de trouver des Vietcongs dans ces dix kilomètres carrés, il leur fallait donner une série de coups de sonde dans toutes les directions. Dès qu'une unité de reconnaissance obtenait le contact avec les Vietcongs, les hélicoptères seraient aussitôt envoyés pour y déposer les troupes de réserve de la division tandis que les autres unités déjà au sol seraient dirigées vers eux pour repousser l'ennemi vers ce que les instructeurs de Fort Benning appelaient : « la zone d'élimination ».

Le rapport du 2e bureau était périmé. Le bataillon vietcong qu'il signalait avait quitté la région. Il devait y retourner le 23 à 2 heures du matin. Mais un second bataillon, qui n'était pas mentionné dans le rapport, s'était attardé dans le secteur. Une des unités de reconnaissance de Ziegler tomba ainsi sur un nombre considérable de Vietcongs à découvert que les chasseurs-bombardiers vinrent immédiatement massacrer. 95 Vietcongs furent tués et 24 faits prisonniers, y compris le commandant communiste d'un des bataillons. L'autre commandant fut tué. 33 armes, plus importantes pour la guérilla que les vies humaines, furent prises. Parmi elles, une mitrailleuse américaine, un mortier de 60 et plusieurs mitraillettes Thompson. L'autre unité de guérilla, qui revint à 2 heures du matin, subit également des pertes considérables.

Cao était transporté de bonheur par cette première réelle victoire de sa division. D'autant que le rôle semi-clandestin des conseillers lui permettait d'en revendiquer seul ouvertement le crédit.

Vann fut aussi très impressionné. Il avait étudié les adjoints de Clay pour décider de leur affectation. Il prit Ziegler à part dans le quartier général provisoire que la division avait installé près d'une piste d'aviation.

« C'est vous qui ferez mes plans d'opérations », lui dit-il.

Il expliqua à Ziegler qu'il allait se servir de ce succès et de la vanité personnelle de Cao pour institutionnaliser la « coplanification » et prendre le contrôle sur la division.

« On va mettre de l'ordre dans tout cela et la faire marcher comme si c'était une unité américaine. Nous aurons un Américain sur le terrain avec chaque unité. Je travaillerai personnellement avec Cao, et vous avec son chef des opérations. Comme cela nous leur ferons faire ce que nous voulons. »

Quand Vann lui suggéra que Ziegler et le capitaine vietnamien en charge des opérations planifient ensemble les actions futures, Cao lui répondit que c'était une excellente idée. Il fut également d'accord pour les autres étapes qu'envisageait Vann pour incorporer les conseillers américains si complètement dans les structures de la division qu'on ne saurait plus qui avait dit quoi à qui. Cao approuva de même que le conseiller de Vann responsable du renseignement, le capitaine James Drummond — un homme réservé de trente-quatre ans, qui, comme Ziegler, semblait fait sur mesure pour ce poste — travaille en collaboration avec l'officier vietnamien en charge du 2e bureau. Or, jusqu'à présent, Cao lui avait interdit de communiquer aux Américains la moindre information.

Cao accepta également que les conseillers américains soient intégrés aux différents services, administration et logistique. Il donna son accord à la proposition de Vann d'organiser un Centre d'opérations tactiques dont le rôle serait de suivre l'activité militaire dans les cinq provinces, d'informer Cao et Vann de tout événement urgent, de maintenir la liaison avec les états-majors de chaque district et de coordonner les demandes d'intervention de chasseurs-bombardiers pour assister les avant-postes assiégés. Ce centre devait fonctionner vingt-quatre heures sur vingt-quatre. Les cartes et les postes de radio étaient installés dans un grand bureau au rez-de-chaussée de la résidence de Cao. Comme sa famille était restée à Saigon, Cao n'avait besoin pour lui-même que d'une chambre et d'une cuisine et avait transformé le reste de la maison en un petit état-major. Ziegler et son homologue vietnamien s'y étaient installés pour planifier les opérations, ouvrant ainsi aux Américains une nouvelle source d'informations.

Le *briefing* quotidien avec le général en chef constitue un rituel de l'armée américaine. Vann suggéra qu'il ait lieu chaque jour à 16 heures, quand la division n'était pas en opérations. Cao proposa qu'il se déroulât dans la salle de guerre qu'il avait installée au premier étage de sa résidence en l'équipant, avec plus de raffinement que les bureaux du Centre d'opérations du rez-de-chaussée, d'un podium pour l'orateur sur fond de cartes. Ziegler et son homologue vietnamien feraient leurs rapports sur toutes les opérations qui se déroulaient dans la zone. Drummond et le capitaine du 2ᵉ bureau parleraient pour le service de renseignements, et les autres responsables du personnel et de la logistique interviendraient chaque fois que ce serait nécessaire. Cao prendrait place au premier rang face au podium avec Vann à côté de lui, et Faust et Dam assis derrière. Avant que Ziegler et l'officier d'opérations mettent au point entre eux une attaque par hélicoptères sur les Vietcongs, Vann insista pour qu'on en parlât avant au *briefing* afin que Cao puisse donner ses directives à chacun sur ce qu'il souhaitait voir accompli.

Au début, Ziegler douta de l'efficacité de ces *briefings* quotidiens, qui lui semblaient aussi artificiels dans leur formalisme que ceux de l'école d'infanterie de Fort Benning. Mais il se rendit rapidement compte que Vann s'en servait pour cultiver la vanité de Cao qui souhaitait oublier qu'il n'était que colonel et aimait se comporter en général. Au cours de ces *briefings,* il prenait plaisir à exprimer ses conceptions en termes de haute stratégie. Alors que Cao se laissait emporter par son éloquence au cours d'une des premières sessions, Vann murmura à Ziegler :

« Ne vous occupez pas de ce qu'il dit. Je vous expliquerai ce qu'il faut faire lorsque nous serons rentrés au séminaire. »

Et c'est ainsi que les choses se passèrent. Vann exposa son plan d'attaque par hélicoptères sur la carte qui occupait tout le mur du bureau des opérations du séminaire. La carte était recouverte d'un film plastique transparent sur lequel on pouvait écrire avec un crayon gras. Ziegler fusionna les idées de Vann avec les siennes dans le plan final que Vann approuva et que Cao accepta. Ils tuèrent beaucoup de Vietcongs, et Cao fut ravi. Ziegler se demanda si Cao n'était pas comme le joueur qui va au casino en portant une certaine cravate et qui gagne gros. A partir de ce moment, et à moins d'une impérieuse raison qui l'en empêchât, le joueur porterait la même cravate chaque fois qu'il retournerait au casino. Le plan conçu par Vann et Ziegler était la cravate porte-chance de Cao.

Cao réagit également favorablement aux propositions de Vann qui voulait entraîner les unités de Saigon en tactique de tir et de mouvement par pelotons et sections, préalable indispensable pour dominer les Vietcongs dans cette lutte entre petites unités, caractéristique de cette guerre. Les 10 000 soldats (1 500 Rangers compris) de l'armée sud-vietnamienne de la zone avaient un entraînement suffisant... pour le temps de paix. Ils étaient capables de défiler à peu près correctement, ce qui n'était pas le cas des 28 000 territoriaux. Vann devait rapidement découvrir qu'en dépit des 1,65 milliard de dollars versés par les Américains au titre d'aide militaire entre 1955 et le milieu de 1961, et de la formation qu'étaient censés apporter les 650 conseillers, très peu de soldats réguliers ou de territoriaux savaient utiliser le viseur de leur fusil avec assez de précision pour atteindre un objectif, à plus forte raison un Vietcong. L'Armée sud-vietnamienne et les territoriaux avaient été formés par les Français, et les Américains s'étaient efforcés de rafistoler cette organisation. L'armée était un amalgame d'officiers et de soldats vietnamiens venu de l'armée coloniale française et de l'ancienne armée vietnamienne que la France avait créée en 1948 pour Bao Dai, l'ancien empereur qui avait collaboré avec la puissance coloniale. L'armée était organisée sur le modèle triangulaire des anciennes divisions d'infanterie américaines : trois régiments par division, trois bataillons par régiment, trois compagnies par bataillon.

Parallèlement, existaient deux forces territoriales, dont la meilleure, la Garde civile (*Bao An* en vietnamien), provenait de la Garde indigène, une formation coloniale d'avant-guerre et d'une milice créée sous autorité japonaise vers la fin de la guerre. Constituée au niveau des provinces, elle était formée de compagnies et de bataillons placés directement sous l'autorité des chefs de province. La zone de la division comptait environ 10 000 gardes civils. L'autre force territoriale, une milice en guenilles, avait été recrutée par les Français pour occuper les tours d'observation en brique et les avant-postes de torchis qu'ils avaient édifiés pendant leur guerre pour imposer la domination coloniale, et que le gouvernement de Saigon s'efforçait maintenant de conserver. Organisée en pelotons et sections à l'échelle du district, elle était intitulée Corps d'autodéfense et disposait du plus fort effectif (18 000 hommes) et du plus faible armement dans les cinq provinces. Les miliciens devaient se contenter des vieux fusils à culasse que les Français leur avaient donnés. Les hommes étaient recrutés parmi les résidents locaux et ne portaient pas d'uniforme. Ils étaient vêtus des mêmes blouses et pantalons de pyjama noirs que les paysans mettaient pour travailler. Mais le Corps d'autodéfense ainsi que la Garde civile se battaient pour de l'argent.

Pour pallier ce manque d'entraînement, Vann institua un « cours de perfectionnement » de trois semaines pour les troupes régulières dans un ancien camp militaire que Clay avait rénové près du village de Tan Hiêp à neuf kilomètres sur la route de Saigon près de la piste d'aviation de My Tho.

Cao fut d'accord pour que les neuf bataillons de la division suivent le cours l'un après l'autre. Lorsqu'ils n'étaient pas en opération, ils devaient continuer à leur base les exercices de tir et d'entraînement par petites unités. Les sessions de perfectionnement pour les territoriaux, que Clay avait déjà commencées, furent développées par Vann.

Mais Cao n'écouta pas d'une oreille favorable les arguments que Vann, en accord avec Porter, lui exposa pour freiner le développement de l'insurrection communiste, en contestant aux Vietcongs l'initiative du combat dans l'obscurité. Le visage de Cao pâlit et il se renfrogna lorsque Vann lui expliqua qu'il fallait apprendre aux soldats à patrouiller et à monter des embuscades pendant la nuit.

« C'est dangereux de sortir la nuit ! » lui répondit Cao.

Il n'était pas seul à avoir peur de l'activité nocturne, que craignaient aussi les cinq chefs de province. Les rapports qu'ils faisaient sur les patrouilles et les embuscades de nuit n'étaient destinés qu'à duper les Américains. Aucun soldat ne quittait la base après le coucher du soleil, et si l'un s'y risquait, il n'allait pas plus loin que le plus proche canal pour piquer un somme sur la digue.

Comme il ne pouvait réussir par la persuasion, Vann utilisa la bravade : il lança un ordre imposant à tout officier ou sergent américain responsable de l'entraînement de sortir en patrouille au moins une nuit par semaine. Cao et les chefs de province auraient pu ignorer cet ordre et ridiculiser Vann ; en effet, les conseillers ne pouvaient pas partir seuls à l'aventure. Mais Cao savait que Porter soutenait Vann sur ce point, et que Harkins avait également insisté auprès du président Diêm sur la nécessité de l'activité nocturne. Au mois de novembre précédent, un conflit était survenu lorsque l'administration Kennedy avait essayé de l'inciter à procéder à des réformes politiques et administratives, en contrepartie de l'intervention militaire américaine. Mais, depuis, les relations de Diêm avec le haut commandement américain s'étaient améliorées. Les instructions du palais présidentiel prônaient une attitude conciliante avec les Américains lorsque cela ne présentait pas de risques. Cao et les chefs de province donnèrent donc leur accord, et les patrouilles de nuit commencèrent sur un rythme restreint mais régulier. Vann donna lui-même l'exemple en se rendant dans les unités pour participer au moins une fois et quelquefois deux fois par semaine à un raid nocturne. Comme il n'avait besoin que de deux heures de sommeil, cela ne le gênait pas de rester en éveil pendant la nuit.

Pour répondre aux objections de Cao, qui craignait qu'il ne fût tué ou fait prisonnier, Vann accepta le principe de ne sortir qu'avec des unités d'une douzaine d'hommes. Il savait qu'avec une petite formation il aurait plus de chances de réussir une embuscade et moins de risques d'être attaqué. A son grand regret, il ne réussit jamais à surprendre les Vietcongs. Et pourtant, il sentait qu'ils étaient là et se déplaçaient autour dans l'obscurité. Il avertit Porter qu'ils allaient avoir du mal avec cette armée sud-vietnamienne. Les soldats, réguliers ou territoriaux, avaient un complexe d'infériorité à l'égard des Vietcongs. Ils avaient peur de les affronter au corps à corps. Il avait remarqué que chaque fois que dans la nuit il entendait un bruit qui pouvait être celui de Vietcongs marchant sur la piste en direction du piège qu'il leur avait tendu, un des soldats vietnamiens faisait tout échouer en toussant ou en manœuvrant la culasse de son arme, ou en faisant n'importe quel bruit. Cela se produisait trop souvent pour être accidentel. Porter avait décelé ce sentiment d'infériorité des Sud-Vietnamiens, et il était heureux que, pour la première fois dans cette guerre, les États-Unis aient un officier d'infanterie doté d'expérience et de clairvoyance prêt à travailler sur le fil du rasoir. Pour résoudre tous ces problèmes, il fallait des informations et des explications. Vann lui fournissait les deux avec l'autorité de son grade et de son pouvoir. Ses conclusions ne pouvaient être ignorées par les généraux et les colonels d'état-major comme s'il s'était agi des élucubrations d'un jeune capitaine.

Vann mit à exécution la promesse qu'il avait faite à Ziegler que chaque unité participant à une opération serait accompagnée d'un conseiller américain. Son but n'était pas seulement d'exercer un plus grand contrôle. Il estimait que les troupes de Saigon se comporteraient avec plus d'agressivité si le commandant vietnamien avait toujours auprès de lui un officier ou un sergent américain pour l'encourager et l'assister. Il espérait ainsi que l'élan américain serait contagieux.

En tout cas, l'impétuosité de Vann agissait sur son équipe de conseillers militaires. L'ambiance avait déjà été enthousiaste sous le commandement de Clay, officier courageux, réfléchi et travailleur, qui aurait été admiré et aimé dans toutes les armées. Il avait reçu à deux reprises la *Silver Star*, la troisième plus haute distinction de la nation, à la tête de ses blindés contre les Allemands en Afrique du Nord et en Italie. Avec Vann, l'atmosphère devint encore plus survoltée. Lorsque les conseillers revenaient au séminaire, épuisés d'avoir marché pendant deux jours sous le soleil et dans la bouillasse des rizières, ils entendaient la voix aiguë et familière :

« Allez ! Les équipes de volley-ball en place ! »

Il s'était reposé moins qu'eux, et en quelques minutes ils étaient tous là sur le terrain devant le filet. Si son équipe commençait à perdre, il se mettait à hurler et à frapper le poteau de ses poings pour inciter ses partenaires à plus de pugnacité. Il ne cessait de contrer le jeu d'un capitaine hawaiien d'un mètre quatre-vingt-deux et quatre-vingt-douze kilos, Peter Kama, qui devait dix ans plus tard servir sous ses ordres dans les hauts plateaux.

La guerre au Vietnam était encore une aventure en 1962, « les plus grandes manœuvres ininterrompues que nous ayons jamais connues », comme disait un officier — quels qu'aient pu être les problèmes que Vann et son détachement devaient affronter pour améliorer la combativité des troupes de Saigon. La présence constante du danger et les tirs occasionnels recréaient la tension et le piquant de la guerre sans le désagrément d'y mourir, qui était réservé presque exclusivement aux Vietnamiens. Moins de vingt Américains avaient perdu la vie au Vietnam à la fin mai 1962 quand Vann arriva à My Tho et aucun des conseillers de la 7ᵉ division n'avait eu cette malchance. Les plus anciens d'entre eux espéraient retrouver l'excitation des conflits qu'ils avaient connus dans le passé, tandis que les jeunes étaient impatients de faire leurs preuves. Le général de division Charles Timmes avait été à la tête du premier Groupe consultatif d'assistance militaire (MAAG) au Sud Vietnam, devenu depuis un service annexe pour les programmes d'entraînement et d'équipement. Timmes avait gagné la *Distinguished Service Cross* en sautant en Normandie le jour du débarquement à la tête d'un bataillon de parachutistes. Il résuma un jour au séminaire l'opinion générale en disant :

« C'est pas vraiment une guerre, mais c'est la seule que nous ayons. Alors, amusons-nous ! »

Cette remarque impliquait plus de choses que la simple excitation de l'aventure. Ces hommes étaient les soldats professionnels d'une Armée de terre qui s'était usée pendant les huit ans de stratégie de « représailles massives » du président Eisenhower. La mission qui lui avait été confiée alors semblait la destiner simplement à occuper les décombres radioactifs de l'Europe de l'Est, de la Russie et de la Chine après que l'Aviation et la Marine auraient gagné la Troisième Guerre mondiale en déchaînant leurs avions et leurs missiles dans un holocauste thermonucléaire. Le budget militaire avait été réparti en conséquence et l'Armée de terre était devenue une mendiante. Maintenant, elle avait un président, John Kennedy, qui voulait faire d'elle « l'épée... instrument efficace de la politique étrangère », suivant la formule de son mentor, le brillant général Maxwell Taylor. Kennedy voulait que l'institution militaire lui permette d'employer le degré de pression nécessaire pour réaliser sa politique en quelque endroit que ce fût. Il envisageait une Armée de terre plus développée, revigorée par les dernières techniques de mobilité et d'armement, pour être cette épée nécessaire à sa stratégie de « riposte graduée ». Taylor avait inventé ce terme pour opposer l'apparente cohérence de cette politique à l'irrationalité des représailles massives d'Eisenhower. Cette conception stratégique était l'application logique de sa doctrine de « guerres limitées », qu'il avait exposée dans son livre à succès *The Uncertain Trumpet* après qu'il eut pris sa retraite de chef d'état-major en 1959. Kennedy avait adopté ses thèses avec enthousiasme, et les avait utilisées pendant sa campagne présidentielle de 1960. Après son élection il en avait fait la doctrine de sa stratégie nationale et avait choisi Taylor comme conseiller militaire de la Maison-Blanche.

Le nouveau président et les hommes qui l'entouraient considéraient que cette révolte de guérilla, que Vann était déterminé à écraser dans le nord du delta, constituait la forme la plus insidieuse de défi que les communistes eussent jusqu'à présent imaginée. Fidel Castro avait pris le pouvoir à Cuba à la suite d'une révolution, et des insurrections semblables étaient à craindre à travers tout le tiers monde, ces pays pauvres d'Asie, d'Afrique et d'Amérique latine. C'est pour cela que Kennedy avait donné pour instruction à l'Armée de terre d'utiliser le Vietnam comme un laboratoire pour y développer les techniques de contre-insurrection. Nikita Khrouchtchev avait exposé cette stratégie de guérilla à la Conférence des partis communistes à Moscou en janvier 1961. Il avait déclaré que l'Union soviétique voulait éviter un conflit nucléaire avec les États-Unis mais qu'elle soutiendrait « les guerres de libération et les soulèvements populaires », dans les nations défavorisées du tiers monde. Les Chinois s'y étaient associés. Kennedy avait condamné de telles révolutions en les qualifiant de « guerres subversives et agressions clandestines ». La guerre du Vietnam était ainsi beaucoup plus qu'un test du réalisme de la doctrine de Taylor sur la guerre limitée. En 1962, il s'agissait de savoir qui prévaudrait du « Monde libre » ou du « Monde communiste ».

Au début des années soixante, les Américains attachaient peu d'attention à l'animosité entre l'Union soviétique et la Chine pas plus qu'aux autres craquements qui se faisaient sentir dans ce monolithe qu'ils appelaient « le communisme international ». Et pourtant, l'hostilité entre Moscou et Pékin était patente depuis un certain temps. Au cours de l'été 1960, Khrouchtchev avait supprimé toute aide à la Chine et avait rappelé les milliers de techniciens soviétiques qui y travaillaient sur de grands programmes de développement. Les Américains n'avaient pas non plus compris les implications de la rupture de la Yougoslavie avec la Russie en 1948, qui montrait pourtant qu'un mouvement nationaliste pouvait être conduit par des communistes natifs du pays. Vann et les Américains de cette époque étaient habitués à considérer que le globe était divisé en deux : d'un côté blanc, de l'autre noir. Leur mentalité était dominée par leur idéologie, et cette vision du monde s'y adaptait bien en la renforçant. Les formulaires de l'armée reflétaient cette vision du monde en groupant tous les pays communistes dans la formule « bloc sino-soviétique ».

Même si personne dans le détachement n'avait autant de foi que Vann dans cette aventure qu'il menait avec la ferveur morale d'une croisade, ils étaient tous des hommes de confiance. Les capitaines provenaient tous du même moule. La plupart d'entre eux portaient sur leur chemise les ailes des parachutistes avec l'écusson doré des Rangers. Ziegler en était un exemple type. Il servait depuis deux ans comme instructeur des Rangers à Fort Benning lorsqu'on lui apprit un matin que le service du personnel du Pentagone avait sélectionné 150 capitaines d'élite pour être conseillers militaires sur le terrain au Vietnam et qu'il était l'un d'eux. Fils de commerçant, il était devenu une vedette du football du lycée d'East Greenville en Pennsylvanie. Il était entré à l'école militaire de West Point parce qu'il avait voulu, disait-il, « être un gros poisson dans une grande mare » à l'équipe de football et surtout pour continuer gratuitement ses études. Deux célèbres entraîneurs de l'époque, Earl « Red » Blaik et Vince Lombardi avaient eu assez d'estime pour son mètre quatre-vingts de muscles pour en faire un des piliers de l'équipe de West Point, dès qu'il eut fini sa première année d'initiation.

Le charisme de Vann accroissait encore le culot de ces hommes et donnait une saveur particulière à cette aventure. Le respect des soldats pour la compétence de leur supérieur devient admiration lorsque le chef est de surcroît intrépide. Mais si, en plus de ses connaissances et de son audace, il prend plaisir à jouer avec sa propre vie, il devient un mythe. Les officiers pusillanimes se méfient de cet amour du danger chez ceux qu'ils considèrent, souvent à juste titre, comme des têtes brûlées. Mais ils les admirent en secret en souhaitant avoir autant confiance dans leur propre chance et être capables de mener les hommes avec le même magnétisme. Vann était un personnage mythique qui avait beaucoup de chance.

Vann savait quelles pistes secondaires avaient été coupées par le Vietcong et celles qui étaient toujours utilisables, car il ne cessait de les sillonner en jeep au cours de ses visites fréquentes aux centres de district, aux avant-postes et dans les hameaux isolés. Pour surveiller les routes, la méthode habituelle américaine consistait à les survoler par hélicoptère ou avion de reconnaissance. C'était moins dangereux. Dans le ciel, il n'y avait ni mines ni embuscades. Vann soutenait que cette méthode ne valait rien. Pour savoir combien d'étendue de terrain était contrôlée par le Vietcong et combien était encore accessible, il était nécessaire d'aller voir sur place. « Bon Dieu, il suffit de faire carburer un peu sa cervelle, et on peut circuler sur ces pistes avec 95 % de chances de s'en tirer », disait-il avec son penchant pour les statistiques. Il évitait les circuits classiques et s'efforçait de ne pas revenir par le même itinéraire. Il ne traînait pas sur place pour ne pas laisser aux Vietcongs le temps de le repérer et d'organiser une embuscade. Il refusait de se faire accompagner par la section de protection considérée comme l'escorte minimum, pour ne pas ralentir sa progression. Il prenait lui-même le volant et conduisait très vite. Le soldat vietnamien que Cao lui avait donné comme chauffeur était assis derrière avec une mitraillette. En effet, s'il se produisait un accrochage et que le chauffeur soit blessé ou perde la tête, il serait peut-être obligé de s'arrêter. Il voulait être sûr que cela n'arriverait jamais, car il était convaincu que le salut dépendait de la mobilité et il était déterminé à n'être jamais fait prisonnier.

Porter n'essaya pas de le freiner. Il savait que s'il donnait l'ordre à Vann de ne pas prendre de risques, il le ferait quand même sans le lui dire. Les patrouilles de nuit de Vann lui fournissaient des informations qu'il n'aurait jamais eues autrement et qui provenaient d'un homme d'expérience en qui il avait une totale confiance. Au lieu de le retenir, il se moquait de sa témérité lorsqu'il rendait visite au détachement et que Vann lui parlait d'un endroit qu'il voulait inspecter en invitant Porter à l'accompagner : « Encore un de vos commandos suicides ! » lui disait-il.

Les conseillers du séminaire attendaient avec jubilation les officiers d'état-major qui venaient de Saigon pour voir de près la guerre et à qui Vann réservait un tour à sa façon. Le bureaucrate arrivait en général avec toute la panoplie du parfait petit combattant, chapeau de brousse à larges bords et couteau de chasse dans la botte. Il annonçait qu'il ne se contenterait pas de *briefings* au séminaire et qu'il voulait « aller là où il y avait de l'action ». Vann souriait alors en lui disant que, justement, il se préparait quelque chose dans le secteur et lui demandait d'être prêt à partir à 4 h 30 du matin pour une « petite mission de reconnaissance ».

A 4 h 20, tandis que le visiteur en était encore à lacer ses chaussures dans une des chambres à coucher des officiers au premier étage du séminaire, Vann avait déjà pris son café et se tenait au pied de l'escalier en lui criant de se dépêcher :

« Magnez-vous le train, on est prêt à partir ! »

A la lueur d'une lampe torche dans l'obscurité de la cour, Vann le faisait monter dans la jeep en lui expliquant qu'ils allaient tous les deux « contrôler la sécurité » sur la route de Ben Tre, à quinze kilomètres au sud, d'où ils continueraient vers l'opération en cours. Vann s'installait derrière le volant en plaçant à portée de main sur le siège voisin un nouveau fusil à tir rapide, l'Armalite, et quelques grenades. Pendant ce temps, il expliquait à son protégé comment faire le mort s'ils tombaient dans une embuscade et qu'il eût la chance d'être blessé au lieu d'être tué ; en effet, les Vietcongs avaient l'habitude d'exécuter d'une balle dans la nuque les prisonniers trop gravement blessés pour marcher. Après cette mise en condition, il faisait rugir le moteur, criait au garde vietnamien d'ouvrir le portail et s'engageait à vive allure sur la route de Ben Tre.

L'officier d'état-major s'était attendu à ce qu'ils soient escortés par une section ou un peloton de soldats vietnamiens, ou au moins un autre véhicule avec des conseillers. Et il se trouvait dans une jeep solitaire qui fonçait à travers la masse sombre du feuillage, percée de loin en loin par la lumière d'une bougie ou d'une lampe de kérosène dans une hutte de paysans, avec ce fou au volant qui lui criait dans le vent de se tenir prêt à ouvrir le feu avec son arme s'ils se trouvaient devant un barrage vietcong, parce que lui, Vann, avait l'intention de foncer dedans ; il ne voulait pas être pris vivant pour être exhibé dans une cage comme un singe. La route était coupée par une rivière qu'on franchissait avec un bac, ce qui tendait encore plus les nerfs du visiteur. Le bac était gardé militairement, et les Vietnamiens qui traversaient étaient de simples paysans se rendant au marché. Mais le novice ne remarquait pas les gardes et il ne s'était probablement encore jamais trouvé dans une foule de paysans vietnamiens. En général, cette expérience était suffisante pour l'officier d'état-major qui préférait rester à Ben Tre pour y attendre un hélicoptère qui le ramènerait à Saigon. Mais si le visiteur était de la même race que les hommes de Vann et s'amusait de cette initiation, il était le bienvenu lors de sa prochaine visite au séminaire. En fait, ce voyage juste avant l'aube n'était pas sans danger. Vann se fit tirer dessus à plusieurs reprises par un franc-tireur aux aguets. Mais il avait constaté qu'en général les Vietcongs qui gardaient un barrage routier étaient partis dormir à 4 h 30 du matin.

Le commandant Herbert Prevost était le seul homme du détachement qui semblât aimer le danger autant que Vann, avoir une chance aussi phénoménale et retrouver la nostalgie et l'excitation des guerres passées. Prevost, pilote de trente-huit ans à l'air malicieux, était l'aviateur de liaison pour la 7e division. L'institution que représentait l'Armée de l'air pouvait bien avoir décidé que le bombardement stratégique était la meilleure façon de gagner les guerres, Herb Prevost était un individualiste. Il était resté l'homme des petits avions qui aimait mener sa guerre personnelle. Pendant le second conflit mondial, il s'était fait tirer dessus à plusieurs reprises dans les chasseurs-bombardiers P-47 Thunderbolt avec lesquels il attaquait les Allemands qui entravaient l'avance des Alliés. Il avait été décoré le jour où il avait repéré une colonne de chars allemands cachés dans un bois pour attendre une colonne américaine. Il les avait arrosés avec une arme incendiaire nouvelle, le napalm, mais son coéquipier avait été tué par le tir des mitrailleuses des chars. L'avion de Prevost avait reçu tant de balles que les mécaniciens l'envoyèrent à la ferraille après qu'il eut réussi à rentrer miraculeusement au terrain. Mais l'embuscade allemande avait été déjouée et cinq chars et leurs équipages avaient grillé vifs.

Au Vietnam, il semblait que Prevost se fût assagi. Il s'était vu confier par l'Armée de l'air le plus petit avion qu'ils aient eu, un Cessna d'observation. Monomoteur à deux places, une devant pour le pilote et l'autre pour l'observateur, le Cessna n'était pas équipé d'armement. La mission de Prevost consistait à coordonner les demandes d'assistance de chasseurs-bombardiers et d'appareils de transport pour la 7e division et les forces territoriales des cinq provinces avec le commandement de la 2e division aérienne de Saigon, sous les ordres du général Harkins. Il s'était vu attribuer le Cessna pour faire la liaison avec les trois capitaines d'aviation qui travaillaient pour lui dans les provinces.

Prevost était un gladiateur du ciel à l'esprit inventif. Il persuada Vann de lui donner deux de ces nouveaux fusils légers, l'Armalite qui devait devenir le M-16 lorsqu'il aurait été adopté comme l'arme standard de l'infanterie. L'armée était en train de l'expérimenter et en avait doté une compagnie de la 7e division pour voir comment il était apprécié par les soldats et pour juger de son efficacité dans la guérilla. L'Armalite était équipé d'un bouton sélecteur pour tir semi ou entièrement automatique et utilisait des balles beaucoup plus petites, mais beaucoup plus rapides que l'ancien M-1. L'extrême vélocité causait de vilaines blessures quand ce n'était pas la mort. Prevost fixa les deux armes aux entretoises des ailes du Cessna et inventa un dispositif de câbles qui lui permit d'actionner la détente depuis le cockpit pour mitrailler les Vietcongs. Il pouvait également les bombarder à coups de grenade. Il se servit même parfois de bombes antipersonnel de 10 kilos, quand il pouvait s'en procurer auprès de relations qu'il avait dans une escadrille stationnée dans l'ancienne base aérienne française de Biên Hoa à vingt-deux kilomètres de la capitale.

L'escadrille était composée d'avions à hélice de la Seconde Guerre mondiale et de la guerre de Corée, les bimoteurs A-26 Invaders, conçus pour le bombardement à basse altitude et pour le mitraillage avec plusieurs calibre 50 dans le nez du fuselage. Elle disposait également d'avions-école T-28 Trojan convertis en chasseurs-bombardiers en y arrimant sous les ailes des mitrailleuses de 50, des bombes, des rockets et des réservoirs de napalm. Bien que ces appareils fussent la propriété de l'US Air Force, ils avaient été repeints aux couleurs de l'Armée de l'air vietnamienne. L'opération était facile, car les Vietnamiens, par déférence pour leur nouveau protecteur, avaient abandonné le marquage inspiré des Français avec des cocardes aux couleurs nationales sur le fuselage. Les aviateurs de Saigon avaient adopté l'étoile blanche dans un rond bleu de leurs nouveaux alliés. Mais alors que chez les Américains ce signe se détachait sur des rayures rouges, blanches et bleues, les Vietnamiens affichaient les couleurs du gouvernement de Saigon, rouge et jaune. Il suffisait de quelques pots de peinture pour que les avions américains deviennent vietnamiens. Les pilotes des États-Unis ne volaient jamais sans un jeune officier ou sous-officier de l'Armée de l'air de Saigon sur le siège arrière. Ainsi, si un de ces avions était abattu, l'administration Kennedy pouvait soutenir, comme elle le fit en plusieurs occasions, que le pilote américain effectuait simplement une « séance d'entraînement » avec son élève. D'autres aviateurs américains étaient assignés directement à l'Armée de l'air vietnamienne pour entraîner et conseiller les pilotes de Saigon au maniement de leurs chasseurs-bombardiers, T-28 et Skyraiders datant de la guerre de Corée. Ces instructeurs devenaient pilotes en cas de raid contre les Vietcongs, toujours avec un Vietnamien sur le siège arrière. Les quelques journalistes qui se trouvaient à Saigon ne furent jamais autorisés à entrer dans la base de Biên Hoa pour voir comment fonctionnait le système.

Sauf pendant les périodes critiques des opérations où il était retenu au poste de commandement pour coordonner l'appui aérien pour la division, Prevost aimait emmener Vann, ou Ziegler, ou le conseiller du 2e bureau Jim Drummond en mission de reconnaissance dans son avion miniature. Vann aimait voler bas pour mieux étudier la situation au sol et Prevost préférait descendre encore plus bas, pratiquement au ras des pousses de riz, quitte à se redresser pour franchir une rangée d'arbres. Quelques mois plus tard Prevost changea d'affectation, et son remplaçant ne connaissait pas la région. Il demanda à Vann si Prevost volait à l'altitude de cinq cents mètres, considérée comme raisonnable pour échapper au tir des armes légères. Vann lui répondit :

« En additionnant tous ses vols, le commandant Prevost n'a jamais totalisé cinq cents mètres d'altitude pendant tout le temps qu'il a passé ici. »

L'attrait de l'aventure dans cette guerre était amplifié par l'attachement sentimental que beaucoup de conseillers ressentaient à l'égard des Vietnamiens : c'était pour eux et pour leur pays qu'ils étaient venus se battre. Les capitaines conseillers des commandants de bataillon restaient avec eux au camp ou en déplacement, mangeant la nourriture vietnamienne et acceptant les conditions de vie des officiers qu'ils étaient venus aider. Il en était de même pour les sergents qui apprenaient le maniement des armes aux soldats. Les conseillers de la Garde civile et des milices vivaient également dans les camps d'entraînement et accompagnaient les troupes territoriales dans leurs actions quotidiennes contre les Vietcongs. Ces contacts réciproques avaient développé un sentiment d'affection chez les Américains.

Les soldats vietnamiens tiraient par curiosité sur les poils des avant-bras des Américains, spectacle inhabituel pour eux dont le corps est parfaitement lisse. Ils quémandaient des cigarettes. Ils gloussaient de rire quand un Américain reculait en faisant la grimace à l'odeur forte de la sauce *nuoc mam* qu'ils utilisaient partout et qui ajoutait des protéines concentrées à leur alimentation. Ils éclataient de rire quand un de ces grands gaillards d'étrangers vacillait et tombait d'un de ces rondins dont les paysans se servaient pour franchir les canaux.

Vann s'était pris particulièrement d'affection pour ces soldats, de l'armée régulière ou territoriaux, qui étaient des paysans comme leurs adversaires vietcongs. Peut-être aussi que sa silhouette relativement menue et le fait qu'il ne dépassât pas de beaucoup leur taille moyenne d'un mètre cinquante-cinq les rapprochaient encore. L'équipement américain était toujours trop gros et trop lourd pour eux. Leur casque engloutissait leur tête ; le fusil semi-automatique M-1 de cinq kilos était trop pesant ainsi que la mitrailleuse légère Browning de huit kilos qui devait être portée pendant toute une journée par des hommes de cinquante kilos. Mais ce que Vann admirait le plus en eux était leur gaieté et leur endurance. Leur apparence était trompeuse comme l'était celle de leur pays. Ils étaient forts en dépit de leur sveltesse, car leur régime alimentaire était meilleur que celui des autres Asiatiques. Mais cela ne se voyait pas, car les treillis américains dissimulaient leur corps nerveux. Leurs origines paysannes les avaient psychologiquement endurcis aux efforts physiques, et ils ne se plaignaient jamais des longues marches dans la chaleur. Ils souriaient souvent et plaisantaient entre eux, et ils ne criaient pas lorsqu'ils étaient blessés. Cette capacité de supporter stoïquement la souffrance semblait faire partie de leur culture. Ils restaient étendus et immobiles, gémissaient doucement ou serraient les dents contre la douleur. Ils avaient les qualités potentielles des bons soldats, concluait Vann, et ils méritaient de gagner cette guerre et de ne pas voir leurs vies gâchées.

Au cours de sa première année au Vietnam, John Vann voyait essentiellement la solution du conflit en termes militaires. C'est pourquoi il concentra son action sur la priorité établie avec Porter : la destruction des forces assaillantes du Vietcong par des attaques surprises d'hélicoptères. Les troupes ennemies étaient l'équivalent communiste de l'armée sud-vietnamienne et de la Garde civile. Elles étaient constituées en premier par les bataillons d'élite appelés la Force principale par les communistes, et les « réguliers » par les Américains, ainsi que par les bataillons et compagnies recrutés localement sous le nom de « régionaux ». Les bataillons de la Force principale étaient formés d'environ 250 à 300 hommes fin mai 1962 et couvraient un territoire de deux à trois provinces, tandis que les régionaux restaient en général dans leur province d'origine. Les conseillers avaient tendance à les regrouper en les appelant « chapeaux durs » car ils portaient des casques en forme de tortue, à l'image des casques coloniaux utilisés par les Français en Indochine. Ils les fabriquaient en tendant un tissu vert ou du plastique sur une armature de bambou. La Force principale et les régionaux étaient tous des soldats à plein temps. Leurs uniformes, fabriqués localement par leur famille ou les femmes des hameaux de paysans sympathisants, se modifièrent au cours des premières années. Ils combattaient généralement dans le *ao baba* noir des paysans ou avec une chemise et des pantalons kaki, mais les réguliers portaient également un équipement de combat vert. L'uniforme de parade des Vietcongs, qu'ils transportaient dans leur sac à dos en prévision d'éventuelles cérémonies, était généralement unifié : chemise et pantalon d'un tissu bleu foncé qu'on trouvait couramment en vente sur les marchés. La Force principale se distinguait par un très haut degré d'efficacité au combat et de motivation politique, et disposait des meilleures armes prises à l'ennemi. Tous les officiers et la plupart des sous-officiers, qu'on appelait « les cadres », étaient membres du Parti. Certains des bataillons régionaux rivalisaient de combativité avec les réguliers.

Dans les cinq provinces qui constituaient le secteur de la division, Jim Drummond avait estimé fin mai, en fonction des renseignements recueillis, qu'opéraient environ 2 000 Vietcongs réguliers et 3 000 régionaux. Mais il était évident que la stratégie communiste était un succès. Les Vietcongs s'emparaient de plus en plus d'armes, ce qui leur permettait de lancer des attaques plus nombreuses et plus violentes. Il en résultait que la Garde civile et les milices du gouvernement de Saigon devenaient plus pusillanimes, se cantonnaient dans leurs postes fortifiés et dans les centres, abandonnant de plus en plus la campagne aux Vietcongs. Vann était convaincu que, pour enrayer cette dynamique de la révolution, la méthode la plus rapide consistait à en briser le fer de lance. Si les réguliers et les régionaux étaient tués ou dispersés, les communistes ne seraient plus en mesure d'amasser les forces nécessaires pour monter de grosses embuscades contre les convois et les troupes de Saigon qui sillonnaient le pays de jour pour essayer d'y faire respecter l'autorité du régime. Les Vietcongs ne pourraient plus lancer des incursions de nuit sur les avant-postes avec autant de facilité. La sécurité se rétablirait petit à petit et il serait possible de progresser vers une pacification durable. « La sécurité représente peut-être 10 % du problème, ou bien 90 %, en tout cas ce sont les premiers 10 % des premiers 90 % qui comptent, disait Vann. Sans sécurité, rien de ce que nous pourrons faire d'autre ne durera. »

Il pensait qu'au fur et à mesure que se développerait le processus d'anéantissement de la Force principale et des régionaux, le cycle de la guerre tournerait au désavantage des Vietcongs. Cette conclusion était basée sur la conviction, commune à presque tous les Américains au Vietnam à cette période, que les paysans vietnamiens étaient essentiellement apolitiques. Le fait que la majorité d'entre eux dans la zone aient semblé être soit sympathisants du Vietcong, soit neutres, ne signifiait pas qu'ils exprimaient un jugement de valeur politique, estimaient les Américains : la paysannerie manquait pour cela de formation doctrinale. A l'exception d'une minorité qui nourrissait des griefs particuliers contre les autorités locales de Saigon, les paysans étaient simplement sensibles au clan qui était localement le plus fort. Vann en était d'autant plus convaincu qu'il avait observé en Corée avec sa compagnie de Rangers que les paysans coréens qu'il interrogeait semblaient n'avoir aucun sens des valeurs politiques. Ils se contentaient de réagir en faveur de ceux qui dominaient à ce moment-là. Vann était persuadé que tous les paysans asiatiques désiraient avant tout la paix et la sécurité pour pouvoir cultiver leur terre. Il leur importait peu de savoir si ceux qui établissaient les lois et faisaient régner l'ordre étaient communistes ou capitalistes.

Lorsque les paysans verraient la destruction progressive des compagnies et bataillons des combattants vietcongs, ils comprendraient que les communistes ne gagneraient pas. Et si Saigon cessait également de les tromper, ils commenceraient à pencher en faveur du régime. Les renseignements parviendraient en plus grand nombre, car les paysans parleraient plus volontiers. Il serait ainsi plus facile de cibler et de détruire le reste des forces vietcongs. Les communistes perdraient également la base de leur puissance de combat ; les partisans isolés répartis dans les hameaux et les villages. Le Vietcong les appelait l'Armée populaire de guérilla. Ils étaient paysans pendant la journée et combattants la nuit, suivant les ordres reçus d'en haut ou leur inspiration du moment. Drummond les évaluait à environ 10 000 dans la zone. Ils représentaient une valeur considérable pour les réguliers, les régionaux et le gouvernement clandestin du Vietcong. Ces partisans locaux constituaient une réserve de main-d'œuvre, un réseau omniprésent de renseignements, une source d'éclaireurs et de guides connaissant le terrain et informés du comportement de leurs voisins, une masse disponible de porteurs pour transporter les munitions et pour évacuer les blessés et les morts pendant la bataille, et des représentants omniprésents pour appliquer les volontés de l'administration communiste clandestine.

Ces insurgés locaux à mi-temps redeviendraient de paisibles paysans à plein temps, estimait Vann. Les autorités de Saigon, aidées par les Américains, pourraient alors entreprendre progressivement l'étape suivante : l'identification et l'arrestation des agents secrets communistes qui avaient fomenté cette insurrection et dirigé le gouvernement clandestin pour enrôler la paysannerie au service des unités de guérilla. L'aide économique et sociale des États-Unis contribuerait à faciliter le ralliement des paysans. Le financement du forage de puits pour l'eau potable et la construction de latrines contribueraient à éliminer les parasites et les maladies intestinales. Des dispensaires seraient bâtis pour les soins médicaux, et des écoles élémentaires pour lutter contre l'analphabétisme des enfants. Des porcs du Yorkshire remplaceraient les cochons noirs, des graines améliorées et des engrais augmenteraient la production de riz. Vann estimait qu'il faudrait probablement dix ans pour créer une société rurale de paysans prospères et un gouvernement local rebelle à toute tentative communiste de recommencer une insurrection. Et il pensait qu'il ne lui faudrait pas plus de six mois pour écraser la guérilla des forces vietcongs dans le nord du delta et commencer ce nouveau cycle de pacification dans cette région vitale du pays.

Vann avait eu autant de chance avec l'affectation de Jim Drummond comme officier de renseignements qu'il en avait eu avec Ziegler comme chef des opérations. Mais il avait à nouveau montré ses qualités de commandement en reconnaissant la valeur de Drummond et en lui lâchant la bride pour qu'il puisse l'exercer. En même temps, il avait veillé à ce que son travail soit coordonné avec celui de Ziegler, et ainsi ces deux hommes constituaient l'équipe dont Vann avait besoin pour mener sa campagne de six mois.

Le mystère protégeait les combattants vietcongs ainsi que les activités de l'administration communiste. Tant que leur position géographique et leurs déplacements restaient secrets, ils pouvaient s'entraîner et se préparer en toute sécurité pour attaquer par surprise. Or, pour la première fois au cours de cette guerre, cette protection n'existait plus. Drummond les avait privés de ce bouclier grâce à la compétence des services de renseignements que les États-Unis avaient acquise au cours des deux guerres mondiales et du conflit de Corée.

Drummond était passionné par la connaissance de son gibier. Tout ce qui touchait à la guérilla l'intéressait. Il collectionnait les fusils de chasse que le Vietcong fabriquait artisanalement dans des arsenaux au toit de chaume pour les insurgés locaux, ainsi que les copies rudimentaires mais efficaces d'armes aussi sophistiquées que la mitraillette Thompson. Il allait même jusqu'à examiner la coupe et les coutures des uniformes pour voir si elles différaient d'une province ou d'une région à une autre. Vann était frappé de cette fascination. Il comprit que ce n'était pas nécessaire de rappeler à Drummond, comme il l'aurait fait à d'autres officiers de renseignements, qu'il ne suffisait pas d'interroger les prisonniers et de lire les traductions des documents ennemis qu'ils trouvaient, mais qu'il fallait aller sur le terrain pour comprendre l'ennemi et amasser la myriade de petits détails qu'on n'obtient jamais d'un bureau. Drummond, qui avait reçu deux fois l'Étoile de bronze comme fantassin en Corée, était parti en opérations dès son arrivée fin avril, et Vann le rencontrait souvent sur le terrain.

En dépit de leur habileté, les Vietcongs avaient un point faible : ils étaient devenus routiniers. La doctrine leur avait appris à ne jamais commettre l'erreur des actions prévisibles, mais c'étaient des êtres humains et, comme tels, victimes des habitudes acquises. Ces hommes menaient la même guerre contre le même ennemi dans les mêmes rizières depuis trop longtemps pour ne pas succomber à cette humaine faiblesse de l'accoutumance. Drummond l'avait constaté depuis le début et il en avait parlé avec Vann. Et si Vann avait tellement insisté auprès de Cao pour que son officier de renseignements coopère avec Drummond, c'était autant pour exploiter au maximum cette faiblesse des Vietcongs que pour mieux contrôler la division. Depuis ce moment, Drummond avait mis sur pied une organisation de renseignements qui permettrait à Vann de remporter la victoire en six mois.

Avec son adjoint, un sergent spécialiste du renseignement, Drummond avait expliqué au 2e bureau de Cao comment constituer le « profil » de chaque bataillon et compagnie ennemis. Avec une grande patience, le sergent apprit aux Vietnamiens comment classer par unité les rapports, messages, journaux de marche, lettres, cartes et autres matériaux divers pour en extraire tout ce qui pouvait être utile. Toutes les informations étaient alors rassemblées et triées par catégorie avec dossiers, cartes et fiches de référence. Grâce à cette organisation, toute information nouvelle était aussitôt ajoutée pour accroître la connaissance d'une unité et être en mesure de prévoir son comportement. Les caractéristiques distinctives étaient soigneusement notées pour servir en quelque sorte d'empreintes digitales qui permettaient à Drummond de suivre un détachement avec des informations fragmentaires, autrement sans signification.

A cette époque, la puissance de feu des bataillons vietcongs était très inférieure à celle de l'armée sud-vietnamienne ; ils ne disposaient que d'un bric-à-brac d'armes françaises ou américaines prises aux troupes de Saigon. Certains bataillons étaient pourvus d'un mortier, d'autres pas ; deux seulement possédaient deux mitrailleuses de calibre 30 ; les autres, lorsqu'ils avaient de la chance, en avaient une seule. L'inventaire de leur armement permettait de mesurer la menace qu'ils représentaient et servait de fiche signalétique. Drummond et son sergent établirent un tableau des effectifs de chaque bataillon ainsi que des fiches biographiques pour les officiers et sous-officiers. Les cadres vietcongs utilisaient des noms d'emprunt pour se protéger, mais comme ils étaient de la région et non pas du Vietnam communiste du Nord, il était possible avec le temps de connaître leur identité, leur personnalité et leur comportement. Leurs pseudonymes servaient également à identifier leurs unités. Drummond fut même parfois en mesure de disposer de photos prises sur les morts ou au cours de raids dans leurs camps. Les Vietnamiens sont sentimentaux et, en dépit du risque, ils aiment garder des souvenirs de leurs camarades. Des sections entières s'étaient alignées pour se faire photographier comme une classe de lycée. Un dossier spécial fut constitué pour délimiter la zone d'opérations habituelle de chaque bataillon ou compagnie. Leurs déplacements étaient notés pour connaître leurs itinéraires habituels et les hameaux dans lesquels ils faisaient halte au cours de leurs patrouilles. Drummond était également intéressé par le chemin qu'ils avaient des chances d'utiliser pour la retraite s'ils étaient attaqués.

Drummond découvrit que son homologue vietnamien, le capitaine Le Nguyên Binh, un catholique du Nord qui s'était réfugié au Sud après la défaite française de 1954, était un officier scrupuleux dont les qualités avaient été sous-estimées par Cao et les Américains. Il était cordial et ne demandait qu'à partager ses connaissances. Si on avait peu tenu compte de lui dans le passé, même si Cao ne s'était pas opposé à la coopération, c'était parce qu'il n'y avait pas d'officier américain spécialiste du renseignement auprès de lui. Personne, en qui Cao aurait pu avoir professionnellement confiance, ne lui avait signalé les qualités de Binh. Les informations que Drummond et son sergent partagèrent avec Binh étaient rudimentaires et comportaient de graves lacunes. Mais Drummond fut surpris de la pertinence de ce que contenaient les dossiers de Binh. Il fut également surpris d'apprendre que le Vietnamien disposait d'un réseau efficace d'informateurs clandestins. Binh l'avait constitué depuis un an et le gérait seul, de crainte qu'un membre de son équipe ne fût un agent communiste infiltré. Il payait ses espions avec les fonds d'une caisse noire, suivant le système en vigueur dans l'armée coloniale française. Son informateur le plus efficace était un négociant en buffles, qui avait ainsi une raison parfaitement valable pour circuler à travers tout le nord du delta afin d'acheter et de vendre ses animaux aux paysans vietnamiens. Il entrait et sortait ainsi des zones tenues par les Vietcongs sans soulever le moindre soupçon. Il pouvait également etre envoyé en mission pour vérifier les rapports d'autres informateurs ou pour rechercher un renseignement précis.

Vann utilisait une autre source d'information : le missionnaire protestant américain installé à My Tho. Comme la plupart de ses collègues, il croyait devoir propager l'anticommunisme en même temps que le christianisme. Il était heureux de transmettre à Vann, qui le contactait régulièrement, ce qu'il avait pu savoir par les pasteurs vietnamiens des villes périphériques.

Dans leur souci de sécurité, les Vietcongs se trahissaient eux-mêmes. Lorsqu'ils se rassemblaient dans un hameau pour se reposer, endoctriner les paysans ou lancer une attaque, ils avaient coutume de réduire les mouvements de population. Si les autorités de Saigon étaient vigilantes, la diminution du nombre de paysans se rendant au marché était une indication de la présence vietcong dans la région.

Comme toute bonne organisation militaire, les Vietcongs recherchaient l'efficacité. Au cours des années, ils avaient arrangé le pont de leurs sampans pour utiliser au mieux l'espace disponible. Leurs paquets, poêles, sacs de riz, réserve de bois et cruches de *nuoc mam* étaient disposés à l'avant pour laisser à l'arrière le plus de place possible pour s'asseoir ou s'allonger. Ainsi, il n'était pas difficile de voir que ces sampans n'appartenaient pas à des paysans.

Les camps d'entraînement et hôpitaux permanents étaient soigneusement camouflés dans des bois de la plaine des Joncs près de la frontière du Cambodge à l'ouest de la zone. D'autres étaient situés à l'est dans des marais et des jungles de palétuviers et de palmiers très difficiles d'accès. Ils pouvaient également se cacher dans les bois ou les marécages lorsqu'ils s'arrêtaient pour dormir au cours d'une marche, car chaque Vietcong emportait avec lui un hamac qu'il tendait entre deux arbres. Mais ce n'était ni sain ni confortable de dormir en plein air dans un pays de mousson infesté de malaria et d'innombrables insectes en plus des moustiques. D'autant plus que, selon la doctrine communiste, ils ne pourraient survivre qu'en cohabitant avec les paysans. C'est pourquoi ils dormaient dans les hameaux chaque fois que c'était possible. Pour ne pas trop peser sur les habitants des régions très peuplées, ils y construisaient des maisons relais et des abris sûrs. Les pistes bordées de fossés indiquaient le regroupement de population sous leur contrôle, et il était ainsi facile de voir où ils faisaient étape. Au premier abord, les cabanes qu'ils construisaient ressemblaient à celles des paysans. Mais, avec un peu d'attention, on découvrait qu'il n'y avait aucun animal autour, ni aucune culture à l'exception parfois d'un petit jardin.

Bien que le Vietcong l'ignorât, la trace invisible de ses mouvements était également captée par les policiers du ciel. Le service d'espionnage électronique de l'armée américaine avait commencé à fonctionner à plein au Vietnam en 1962 sous le nom de code innocent de « 3ᵉ unité de recherche radio ». Au mois de juin, l'effectif de l'unité se montait à 400 techniciens dont la majorité opérait en dehors de la zone militaire de l'aéroport de Tan Son Nhut près de Saigon. Ils utilisaient des avions De Havilland conçus pour se déplacer en brousse. Leur nom de code, « Loutre de mer » était aussi innocent que leur apparence de monomoteur long et lourd. Mais ils transportaient toute une équipe de spécialistes équipés d'un matériel très sophistiqué d'écoute des transmissions et de repérage directionnel. Ils tournaient pendant des heures haut dans le ciel au-dessus des régions suspectes pour capter et enregistrer le trafic radio ennemi. Les Vietcongs se servaient de vieux émetteurs américains datant de la Seconde Guerre mondiale qu'ils avaient pris aux forces de Saigon ou aux Français. Ils émettaient vocalement pour les relations locales, mais utilisaient le morse, avec traits et points, pour les longues distances. Comme leurs transmissions, toutes codées, étaient limitées au minimum, ils se croyaient en sécurité.

Ils n'avaient pas réalisé, jusqu'à ce qu'une « Loutre de mer » avec toute son équipe s'écrase un an plus tard, que non seulement les Américains avaient déchiffré leur code, mais que les transmissions elles-mêmes les trahissaient. Chaque opérateur en morse manipule sa clef sur un rythme différent, qui lui est caractéristique. Les voix aussi, une fois enregistrées, peuvent être comparées et identifiées. D'autre part, les transmissions électroniques varient également d'un poste émetteur à un autre. Les méthodes très sophistiquées des Américains permettaient d'intercepter, d'analyser et de trier ce genre d'informations. Les résultats étaient communiqués à Drummond par pli spécial. En comparant les données de cet espionnage électronique avec ses autres informations, il était souvent en mesure de savoir qu'un certain poste de radio appartenait à une compagnie ou à un bataillon précis. Comme les espions du ciel pouvaient la plupart du temps localiser le lieu d'où les messages étaient émis, il était facile de suivre les mouvements d'une unité et de les retracer sur la carte.

Avec tous ces renseignements venus de sources diverses, Drummond commença à éclaircir la situation et à fournir à Vann des informations tactiques fraîches sur la localisation et les intentions apparentes d'un certain nombre d'unités de réguliers ou de régionaux. Même si tout cela restait parfois limité, Vann en savait assez pour commencer dès le mois de juin une offensive systématique.

La technologie américaine, qui permettait de suivre la piste des Vietcongs depuis le ciel, fournissait également à Vann les moyens d'attaquer efficacement. Les communistes vietnamiens ne bénéficiaient plus de la protection du temps et de l'espace que la géographie de leur pays leur avait accordée au temps de la guerre contre les Français et contre le régime Diêm avant l'intervention américaine de Kennedy. Dans le passé, ils avaient pu se réfugier dans des forteresses naturelles imprenables par attaques surprises. En particulier la plaine des Joncs, dans la zone de Vann, constituait la plus grande et la plus célèbre de ces cachettes. Cette vaste étendue de marécages, de roseaux à hauteur de la taille, de bosquets, de broussailles et de bois couvrait la plus grande partie des deux provinces au nord-ouest du delta du Mékong à proximité du Cambodge. Cette plaine dénuée de voies d'accès était faiblement peuplée car le sol acide d'argile noire ne convenait pas à la culture du riz en dépit des débordements annuels du Mékong. Pour atteindre un des refuges vietcongs de la plaine, deux à trois jours de marche exténuante étaient nécessaires. Les repaires que le Vietcong avait installés dans les zones peuplées étaient eux aussi à l'abri des surprises. Grâce aux pistes et au réseau d'alerte des paysans sympathisants, ils étaient prévenus plusieurs jours, ou en tout cas plusieurs heures à l'avance de la venue des troupes de Saigon.

L'hélicoptère permettait de sauter cette barrière géographique et de réduire le temps et l'effort de journées épuisantes en minutes exaltantes. Presque tous les refuges vietcongs étaient à moins de trente kilomètres à vol d'oiseau d'une capitale de province ou d'un centre de district tenu par le gouvernement de Saigon. Les hélicoptères H-21 Shawnee que l'armée avait envoyés au Vietnam étaient des engins disgracieux, hérités de la guerre de Corée, qui ressemblaient à un gros tuyau coudé avec deux grands rotors à l'avant et à l'arrière, et que les équipages appelaient « banane volante ». C'était tout de même un hélicoptère qui pouvait embarquer une douzaine de soldats et les transporter à cent vingt kilomètres à l'heure dans un rayon de trente kilomètres en quinze minutes. Le modèle plus récent, H-34 Choctaw des Marines, baptisé « hippocampe » et qui ressemblait à un têtard, parcourait avec le même nombre de soldats la même distance en treize minutes à cent quarante à l'heure. Quatorze hélicoptères suffisaient pour transporter l'unité classique d'attaque d'un demi-bataillon, soit 165 hommes, avec leurs armes, leurs munitions et leur ravitaillement pour quelques jours. Une demi-heure plus tard, les appareils pouvaient être de retour avec une seconde force d'intervention et la déposer le long de la route que les Vietcongs en retraite espéraient utiliser pour se mettre à l'abri. Ils ne seraient alertés par le bruit qu'à la dernière minute si les pilotes volaient les derniers kilomètres au ras des arbres, ce qu'ils faisaient chaque fois que c'était possible, car le grondement des moteurs était dirigé vers le sol par les pales des appareils.

L'industrie américaine avait fourni à Vann une autre machine qui terrifiait les Vietcongs chaque fois qu'ils s'y trouvaient opposés. C'était une caisse rectangulaire mobile, blindée par un alliage d'aluminium, avec panneaux ouvrants et portes, équipée d'un puissant moteur qui actionnait les chenilles de chaque côté. Ce transport de troupes blindé M-113 était équipé d'une mitrailleuse lourde de 50 montée à l'avant. La douzaine d'engins qui avaient été affectés à la division en juin pouvait transporter une compagnie de 140 hommes. Ce monstre amphibie de 10 tonnes traversait les rizières inondées à quinze ou même trente kilomètres à l'heure, écrasant de ses chenilles les petites digues des champs ou rebondissant sur les gros obstacles. A défaut d'armes antichars que les Vietcongs ne possédaient pas, aucune balle de leurs fusils ou de leurs mitrailleuses ne pouvait percer le blindage. La compagnie de fantassins était entraînée à sauter au signal par le panneau arrière et à attaquer sous la protection formidable des douze mitrailleuses lourdes.

Le colonel Cao devenait de plus en plus satisfait et coopératif au fur et à mesure qu'augmentait régulièrement le nombre de Vietcongs tués et d'armes capturées. Vann était convaincu de pouvoir mettre en place les derniers éléments de son plan pour mener la 7e d'infanterie « exactement comme une division américaine » pour la lancer dans une campagne d'extermination sans merci contre tous les bataillons réguliers et régionaux au nord du delta. Il restait à transformer Cao en un chef combatif. Pour réussir une campagne de cette envergure, il fallait que Vann réussît à faire de Cao, suivant ses propres termes, un « tigre du Vietnam ».

Mais le problème était que Cao n'avait rien d'un tigre. Il ne ressemblait à un félin que par l'onctuosité grassouillette de sa silhouette et par son caractère rusé. Il manquait de griffes. Vann pensait avoir un moyen de surmonter cette déficience. Il serait l'émule de son héros, Lansdale.

The Ugly American, le roman d'Eugene Burdick et de William Lederer, qui avait enjolivé la légende de Lansdale et impressionné Vann, était en fait un tract politique, « écrit comme une fiction, mais basé sur les faits », pour avertir les Américains que les États-Unis étaient en train de perdre au profit du communisme la bataille idéologique qu'ils menaient chez les Asiatiques Publié en 1958, le livre fut aussitôt un best-seller, puis un film, pour être considéré dans les années soixante comme un exemple de sérieuse pensée politique. Le personnage principal du roman a remarqué, en se promenant dans les rues, que les astrologues sont autant respectés dans le pays que les savants en Amérique et que personne parmi les dirigeants ne prend une décision importante sans avoir consulté son astrologue. Ainsi, il réussit à manipuler les événements politiques en convainquant le Premier ministre qu'il est le plus grand astrologue du monde. De même que le héros du livre s'était servi de l'astrologie, Vann allait utiliser l'orgueil pour métamorphoser Cao en tigre et en faire subir les conséquences aux communistes vietnamiens.

Huynh Van Cao était âgé de trente-quatre ans à l'été de 1962 et avait été promu à la tête d'une division à vingt-neuf ans, ce qui représente un avancement très rapide dans n'importe quelle armée. Interrogé par un journaliste américain sur son ascension étonnante, il s'était désigné lui-même de son stick en disant : « Sens du commandement ! » Sa « salle de guerre » au premier étage de sa résidence était la réplique de la salle des cartes de Napoléon. Avec cette réserve que, pour que l'imitation fût parfaite, il eût fallu que la porte s'ouvrît au milieu de la carte qui couvrait le mur à l'endroit de la plus importante province de la zone de la division. Il avait écrit une autobiographie à peine déguisée sous la forme d'un roman intitulé *Il grandit sous le feu.* Il aimait se pavaner et ne quittait jamais son stick en bois exotique sombre soigneusement poli.

Le titre du roman autobiographique de Cao était quelque peu trompeur. Il n'avait pas participé à beaucoup de combats et n'aurait jamais dû choisir la profession de militaire car il n'avait aucune vocation. Il lui manquait le courage et le sang-froid. Au cours d'une opération, la tension nerveuse étant trop forte pour lui, il était sorti de la tente de commandement pour vomir et avait ordonné à l'artillerie de cesser le feu d'un tir de barrage destiné à appuyer une unité d'infanterie engagée contre les Vietcongs. Le bruit le rendait malade, dit-il. Il avait, à la suite de sa formation superficielle dans les armées française et américaine, un semblant de compétence militaire, qui n'avait rien à voir avec la combativité. Son intelligence et son bagout lui permettaient de faire illusion auprès des généraux américains en inspection, car ils ne le voyaient jamais sous tension.

De toute façon, la compétence n'avait rien à voir avec sa promotion éclair et le fait qu'il s'était vu confier le commandement de la 7ᵉ division des deux côtés de la route principale à cinquante kilomètres de la capitale. Il avait été désigné parce qu'il était originaire du Vietnam central et qu'il était catholique, né et élevé dans l'ancienne capitale de Huê, la ville natale de Diêm, où ses parents entretenaient de bonnes relations avec les Ngô Dinh, la famille du président. Comme la plupart des enfants des familles de mandarins qui s'étaient ralliées aux Français au cours de la Première Guerre, il avait choisi la carrière militaire parce que c'était la seule qui offrît une situation dans un pays marqué par le sous-emploi, et non parce qu'il voulait se battre.

Il avait gravi rapidement les échelons de l'armée sud-vietnamienne sous l'autorité française pour devenir commandant de compagnie et officier d'état-major d'un bataillon. Mais ces fonctions étaient plus formelles que réelles en termes de commandement et d'expérience du combat, car les Français, pressés par les États-Unis de constituer rapidement une armée locale, n'avaient pas le temps d'aguerrir ou de tester ces jeunes officiers.

Cao avait été remarqué par Diêm en 1954 alors qu'il était affecté dans les bureaux d'un bataillon qui avait adopté sa cause quand il luttait, guidé par Lansdale, contre ses rivaux non communistes. Diêm avait pris Cao avec lui au palais dans son état-major militaire particulier et l'en avait nommé chef en quelques mois. Diêm considérait que deux ans à son service au palais et les antécédents de la famille de Cao étaient la meilleure préparation pour prendre la responsabilité d'une division. Il lui avait d'abord confié en 1957 des unités mineures ; puis, après que Cao eut suivi un stage de formation de trois mois aux États-Unis au collège militaire de Fort Leavenworth, il l'avait nommé à la tête de la 7ᵉ division d'infanterie.

Cao avait pour responsabilité essentielle de se tenir prêt à tout instant à se précipiter à Saigon pour sauver le président et sa famille, si des groupes dissidents de l'armée tentaient un coup d'État comme celui que des officiers parachutistes avaient monté sans succès en novembre 1960. Diêm disposait d'un réseau spécial de communication par radio-téléphone qui le reliait directement à Cao et aux autres commandants de division ainsi qu'aux chefs de province. Ce n'était pas uniquement parce qu'il avait laissé sa famille à Saigon que Cao avait transformé sa résidence en un véritable quartier général équipé d'un second réseau de communications identique à celui de la division dans l'ancienne caserne française ; sa maison devait pouvoir servir de poste de commandement au cas où des subordonnés trahiraient et s'empareraient de l'état-major officiel.

En théorie, Cao recevait ses ordres du général de brigade homologue de Porter à l'état-major de Saigon. En réalité, Cao était en relations directes avec Diêm et ne tenait aucun compte des instructions qui ne convenaient pas au président. « Il est mon roi ! » disait-il pour expliquer la dévotion qu'il lui portait. Le roi de Cao était un individu roublard qui avait mis en place toute une série de dispositifs de sécurité. Même si Cao était un officier de confiance, à la différence du général de brigade qui n'avait aucun contrôle direct sur les troupes des trois divisions qui composaient son corps d'armée, il n'en était pas pour autant incontesté par d'autres officiers d'un rang inférieur. Le commandant qui faisait fonction de chef de province à My Tho était également à la tête du régiment blindé de la division. Diêm l'avait nommé pour se couvrir au cas où Cao nourrirait des idées inquiétantes ou en viendrait à lui manquer pour une raison ou une autre. Les tanks pourraient être les protecteurs ou les assassins du président. Le commandant appartenait à une famille de propriétaires terriens du delta du Mékong alliée aux Ngô Dinh. Il était le cousin éloigné mais très ami d'un autre commandant de division qui était venu avec ses troupes au secours de Diêm en 1960. Comme les autres chefs de province, le commandant de My Tho rendait compte directement au président, en principe à titre de gouverneur civil.

Pendant l'été de 1962, Vann était convaincu que les faiblesses de Cao, autant qu'il pût les percevoir, ainsi que le volontaire imbroglio de l'autorité, ne l'empêcheraient pas de transformer Cao en un chef militaire agressif. Il croyait que, s'il réussissait à ce que Cao ait l'air d'un tigre, sa vanité le contraindrait à en jouer le rôle, même s'il n'était qu'un gros matou.

Pendant les mois de juin et de juillet, chaque fois que la division tuait une vingtaine de Vietcongs, Vann flattait Cao et ses remarquables qualités de chef. Il fit également son éloge devant moi et les autres journalistes qui avions été envoyés pour couvrir ces opérations, tandis que Cao écoutait en souriant. J'étais arrivé au Vietnam comme jeune correspondant en avril 1962, environ un mois après Vann, pour être chef du bureau de Saigon d'United Press. Et depuis la fin mai, l'administration Kennedy avait levé l'interdiction pour les journalistes d'accompagner les attaques d'hélicoptères et les conseillers en opérations. Jamais Vann ne dit en public quoi que ce soit qui pût trahir son jeu. Au contraire, au cours du dîner au mess du séminaire la nuit précédant l'opération, il nous conseilla d'« insister sur le côté positif » dans nos papiers pour encourager notre allié. Faust, Ziegler et les autres officiers s'amusaient bien en voyant Vann manœuvrer Cao pendant une opération. Pour obtenir que Cao dirige l'action comme il le souhaitait, il avait recours à des stratagèmes du genre : « Je sais ce que vous allez faire ensuite, car vous êtes ce genre de chef. » Avant que Cao ait eu le temps de lui demander ce qu'il voulait dire par là, Vann enchaînait en prétendant qu'il avait entendu Cao décrire la suite de l'attaque. La plupart du temps, Cao souriait et approuvait : oui, c'était bien ce qu'il avait pensé, et il donnait l'ordre que Vann souhaitait. Si Cao n'approuvait pas la suggestion de Vann, il souriait avec la même amabilité et disait qu'il avait une meilleure idée. Vann ne les approuvait pas toutes, mais il prenait bien soin de ne pas le contredire devant des officiels américains ou vietnamiens. Il se réservait de le faire plus tard en privé.

Vann ne tirait pas les ficelles de sa marionnette en vain. L'attitude de Cao en montrait l'efficacité. Il devenait plus prétentieux et plus suffisant, mais il se rendait également compte de l'avancement dont pourrait bénéficier sa carrière grâce à l'image de héros que Vann projetait de lui et grâce au fai. que sa division tuait beaucoup plus de Vietcongs que les autres. Vann avait confié à Ziegler qu'il était convaincu que sa manœuvre porterait bientôt ses fruits lors du grand coup qu'il frapperait pour écraser la guérilla. Au rythme où les Vietcongs étaient harcelés, le jour viendrait où ils commettraient une grave erreur en essayant d'échapper à une attaque par hélicoptères. Ce jour-là, il prévoyait de tuer ou de capturer un bataillon entier en exterminant les diverses compagnies regroupées pour le combat.

Il envisageait la possibilité d'une telle victoire grâce à une attaque originale que son esprit novateur avait conçue en juin et qu'il avait progressivement réussi à persuader Cao de déclencher en juillet. Il se préparait à montrer aux Vietcongs que les ténèbres n'étaient pas leur domaine réservé. Il lancerait pour la première fois dans cette guerre une attaque de nuit par hélicoptères pour surprendre l'ennemi dans son sommeil avant les premières lueurs de l'aube.

Vann croyait d'autant plus à la réussite de cette opération que Cao avait maintenant suffisamment confiance en lui pour prendre des risques qu'il n'aurait d'habitude jamais acceptés. Quand Vann lui avait soumis son projet au début de juillet, Cao, dont l'exhortation habituelle était « Il faut être prudent ! », l'avait approuvé mais avait insisté pour qu'une alternative fût trouvée à l'objectif choisi par Vann. Piloté par Prevost, Vann alla examiner la contre-proposition de Cao. Il n'y trouva que quelques huttes où une douzaine de miliciens vietcongs pouvaient se rassembler de temps en temps. Il put ainsi en privé embobiner Cao pour le faire changer d'avis et dominer ses craintes que les unités d'attaque ne subissent de lourdes pertes. L'appréhension de Cao était plus vive que d'habitude parce que les sites choisis par Vann pour l'atterrissage nocturne et ceux qui suivraient de jour étaient hors de portée de son artillerie. Les troupes devraient se contenter du soutien des chasseurs-bombardiers. Les espérances de Vann montèrent encore de quelques degrés lorsqu'il eut finalement fait accepter par Cao ce degré de risques inhabituellement élevé.

Vann espérait attaquer, et cette fois-ci annihiler, le 504e bataillon de l'armée régulière vietcong, une des deux unités qui avait été sévèrement touchée au cours de la première opération planifiée par Ziegler le 23 mai. Un groupe de Vietcongs du 504e, qui avaient survécu à la terreur de l'attaque, avait offert fin mai de se rendre et demandé l'amnistie. Diêm n'accordait aucune amnistie aux communistes et à leurs alliés, et l'offre resta sans réponse. Drummond avait suivi la trace du bataillon jusqu'à l'extrémité de la plaine des Joncs. Selon certaines informations, des éléments de l'autre bataillon taillé en pièces le 23 mai pouvaient se trouver avec le 504e. Drummond avait appris que toutes ces unités étaient en réorganisation et en période d'entraînement, mais qu'une des compagnies du 504e était hébergée par des paysans sympathisants dans plusieurs villages situés au confluent de deux petites rivières à une quinzaine de kilomètres de la frontière du Cambodge. Ils se préparaient une nuit prochaine à quitter leur cantonnement pour attaquer un avant-poste qui protégeait une grande exploitation agricole de catholiques, réfugiés du Nord Vietnam. Drummond estimait vraisembla-ble qu'une deuxième compagnie de réguliers et de régionaux se trouvait à proximité de ces villages, en renfort pour l'attaque, et qu'il y avait de fortes chances pour qu'on en découvrît d'autres au fur et à mesure que les atterrissages de jour se succéderaient.

Vann choisit le confluent comme point d'atterrissage de nuit, car les renseignements sur la compagnie qui s'y trouvait étaient les plus récents et les plus complets que Drummond eût obtenus, mais aussi parce que le Y que formaient les deux rivières était plus facile à repérer pour les pilotes dans la semi-obscurité de l'aube. Pour le vérifier, Vann effectua la dernière reconnaissance en hélicoptère avec Drummond et donna l'ordre aux autres pilotes de faire deux passages à cinq cents mètres de haut à dix minutes d'intervalle pour que les Vietcongs pensent qu'il s'agissait d'un vol de routine et ne réalisent pas qu'ils étaient sous surveillance. Drummond s'accroupit dans l'ouverture de la porte et tint fermement son Leica pour résister contre le vent en prenant des photos, tandis que Vann demandait aux pilotes si les aviateurs distingueraient bien la jonction des deux rivières en dépit de la faible lumière. Ils furent tous affirmatifs.

Le capitaine Binh, l'homologue de Drummond à la division, connaissait bien un photographe de My Tho. Il obtint que le film soit développé et tiré en clichés de 25 centimètres sur 20 qui furent distribués aux pilotes, au responsable de la force d'intervention et aux commandants de compagnies pour les aider à reconnaître leur objectif. Ce premier débarquement de nuit devait être suivi de cinq autres dont l'objectif était de prendre au piège tout Vietcong qui chercherait à s'échapper vers le nord et ensuite d'explorer les points suspects le long d'un canal qui coulait vers l'ouest et le Cambodge. Le poste de commandement de Cao serait situé à soixante kilomètres au nord-ouest de My Tho dans un hangar d'une petite piste d'atterrissage de Moc Hoa, assemblage de quelques misérables huttes et baraques de bois autour d'une église, d'une pagode et de la résidence du chef de province. C'était là que Vann garderait trois compagnies en réserve.

Vann et Cao étaient d'accord pour que, dès que le gibier aurait été levé, les réserves soient lancées en avant des Vietcongs pour les anéantir. Avec la trentaine d'hélicoptères dont ils disposaient, ils auraient la souplesse nécessaire pour déplacer leurs troupes dans ce terrain degagé de joncs et de marécages. Il était évident que certains des débarquements se révéleraient infructueux. Leurs hommes feraient alors office de réserves et seraient repris par les hélicoptères pour être déplacés vers des secteurs où ils serviraient à traquer les Vietcongs en fuite. Le premier débarquement serait effectué avec le nouvel appareil H-34 Choctaw qui disposait d'instruments pour le vol de nuit.

A 5 heures du matin, le 20 juillet 1962, seize H-34 tournèrent dans la nuit avant de se poser, l'un après l'autre, dans un champ de Moc Hoa délimité par des points lumineux. Vann et ses conseillers avaient disposé des seaux de sable imbibé d'essence autour du terrain et y avaient mis le feu. Les appareils venaient de la base des Marines installée sur l'ancien terrain des chasseurs japonais de la Seconde Guerre mondiale à Soc Trang dans le delta inférieur. Deux compagnies de soldats vietnamiens, dont une équipée du nouveau fusil à tir rapide Armalite, avaient été rassemblées sur le terrain un jour plus tôt. Réorganisés en trois sections d'assaut, les soldats attendaient alignés à intervalles réguliers par groupes de douze par hélicoptère. Après un dernier *briefing* des pilotes avec les conseillers, les moteurs furent lancés et les flammes bleu et or des échappements trouèrent à nouveau la nuit.

Avec leurs bras repliés sur leur visage pour se protéger des gravillons et de la poussière que les pales faisaient voltiger, les petits fantassins vietnamiens montèrent dans les massifs appareils. L'intérieur était faiblement éclairé par le panneau des instruments de bord et les lumières jaunes de la cabine. Les soldats s'assirent sur le sol et libérèrent une de leurs mains pour se tenir entre eux ou saisir la sangle de nylon qui courait le long de la paroi. De l'autre, ils essayaient d'empêcher leur fusil de tomber ou de leur cogner la tête tandis que les pilotes poussaient les moteurs à plein régime. Le bruit réverbéré par la cabine faisait vibrer les mâchoires. Après un choc et un balancement, les hélicoptères s'inclinèrent vers l'avant pour décoller l'un après l'autre en ligne avec leurs feux de position qui clignotaient dans la nuit.

Les soldats vietnamiens étaient effrayés. On pouvait voir la peur sur leur visage. En revanche, les capitaines américains étaient excités par l'imminence de l'action. Comme Vann et ses collègues du Vietnam au cours de cette première année, ils pensaient que maintenant ils allaient combattre et qu'un jour ils triompheraient pour le bien de ce pays.

Quarante-cinq minutes plus tard, ils repérèrent le reflet verdâtre en forme de Y qui se détachait à travers la masse sombre des arbres entourant les maisons le long de la rive. Les appareils plongèrent vers les trois emplacements choisis à la jonction des deux rivières, en éteignant leurs feux de position pour ne pas servir de cible à un éventuel Vietcong en alerte. Les officiers de Saigon et les capitaines américains hurlèrent pour couvrir le bruit des moteurs, et les soldats se levèrent pour se placer devant la porte. Les roues firent gicler l'eau des rizières inondées à 6 h 3 précises, quinze minutes avant l'aube, et 200 hommes sautèrent dans l'eau qui leur montait jusqu'aux genoux et commencèrent à patauger vers les cabanes. Les pilotes décollèrent et repartirent vers l'est et le terrain de Moc Hoa, vingt-cinq kilomètres plus loin, pour refaire le plein et retrouver treize « bananes volantes » venues de Tan Son Nhut pour les transports suivants. Pendant ce temps, un bi-moteur C-47 survolait les assaillants et lâchait une fusée lumineuse par parachute comme un soleil artificiel illuminant les dernières ombres de la nuit.

Vann semblait jouer de malchance. Les hameaux n'hébergeaient plus que des femmes, des enfants et des vieillards. Sur le siège arrière de son avion d'observation Cessna où il devait passer le début de la matinée à la recherche des Vietcongs et d'où il parlait par radio avec ses conseillers, Vann jurait en pensant que cette première attaque de nuit par hélicoptères, exécutée avec tant de subtilité par les Marines, n'aboutissait à rien. La compagnie du 504ᵉ bataillon, que Drummond croyait à la jonction des deux rivières, en était partie la veille. Une section de miliciens régionaux qui se trouvait dans un des hameaux réussit à s'échapper vers le nord le long de la rivière ; en effet, les hélicoptères de l'armée avaient pris une demi-heure de retard en venant de Saigon, décalant ainsi le débarquement de la compagnie de Rangers qui devait leur barrer la route. Vann retourna à Moc Hoa pour essayer de résoudre ce problème imprévu tout en refaisant le plein de son appareil. Il ne trouva pas de solution et l'attaque suivante fut retardée de deux heures et demie. On s'orientait, à sa grande fureur, vers un zéro pointé.

Le quatrième débarquement avait pour objectif deux hameaux situés à onze kilomètres plus haut le long du canal qui partait de la rivière vers l'ouest et le Cambodge. Vann avait choisi ce lieu car il supposait que les Vietcongs pouvaient y avoir établi des bases à cause des facilités de transport qu'offrait le canal. Utilisant les vingt-neuf hélicoptères dont il disposait, il lâcha simultanément deux forces d'intervention au nord des hameaux à 9 h 50 du matin. Elles y trouvèrent un groupe de 150 rebelles. Pour cette attaque, Vann était resté au poste de commandement. Les liaisons radio l'informèrent que certains Vietcongs tiraient avec des armes automatiques et que la plupart étaient vêtus d'uniformes kaki, ce qui en faisait presque certainement des soldats de l'armée régulière. En définitive, l'information de Drummond était correcte. Vann en avait compensé le manque de précision en se servant de la configuration du terrain pour découvrir où les Vietcongs pouvaient se trouver et en s'inspirant de la technique d'investigation de Ziegler pour vérifier son pressentiment.

Les Vietcongs avaient vu les fusées éclairantes de l'attaque de nuit et avaient observé les hélicoptères pendant les débarquements de jour. Leur première réaction avait été de penser que le filet ne s'étendrait pas assez loin pour les atteindre et qu'ils seraient plus en sûreté s'ils restaient sur place plutôt que de se disperser immédiatement en petits groupes en direction de la frontière du Cambodge, située à sept kilomètres de là vers le nord et seulement à trois ou quatre vers l'ouest le long du canal. Ils aggravèrent cette première faute en commettant une des erreurs impardonnables de la guerre : se précipiter vers le lieu du massacre que l'ennemi a préparé.

En les attaquant si près de la frontière, Vann savait quelle tentation ce serait pour les Vietcongs de fuir en direction du Cambodge. Ils avaient creusé des abris individuels bien camouflés dans le sol des pistes qui sillonnaient entre les bosquets d'arbres et de broussailles où les forces de Saigon avaient été déposées au-dessus des villages. Au lieu d'utiliser ces fortifications pour s'y retrancher et s'y défendre jusqu'à ce que la nuit leur donne la possibilité de s'échapper, ils furent pris de panique après les premiers tirs comme Vann l'avait prévu, abandonnèrent le couvert des bois et des buissons, et s'enfuirent en désordre vers l'espoir d'un sanctuaire.

Cinq minutes après le quatrième débarquement, un observateur vietnamien dans un Cessna repéra une bande d'environ 100 Vietcongs qui couraient à découvert à travers les champs de roseaux, hauts de soixante centimètres à deux mètres, et à moitié inondés en cette période de mousson par près d'un mètre d'eau. Ces imprudents essayaient de patauger au milieu des roseaux tandis que d'autres manœuvraient à la perche de petits sampans contenant une douzaine d'hommes. L'observateur demanda l'autorisation de faire appel aux chasseurs-bombardiers. C'était le moment que Vann avait attendu depuis le mois de mai. Il suggéra à Cao de laisser faire les avions jusqu'à ce que les hélicoptères aient refait le plein de carburant et soient en mesure de lâcher la première unité de réserve devant les Vietcongs pour commencer l'encerclement et l'annihilation. Cao n'était jamais opposé à une attaque aérienne, et il en donna l'ordre.

L'observateur prit contact par radio avec les avions et piqua du nez avec son engin miniature pour survoler les fuyards et marquer leur emplacement avec une grenade fumigène. Ce n'était pas vraiment nécessaire. Les pilotes vietnamiens entraînés en France ou aux États-Unis, et les Américains de l'escadrille de Biên Hoa, pouvaient facilement repérer les sampans et les petites silhouettes affolées qui se débattaient dans les roseaux. Le soleil était maintenant haut dans le ciel et avait dissipé la brume qui aurait pu quelque temps plus tôt masquer les mouvements des hommes terrorisés. Les rayons firent étinceler les fuselages argentés lorsque les pilotes commencèrent à piquer vers le sol.

Les projectiles des mitrailleuses de 50 et des canons de 20 mm des appareils volant en rase-mottes faisaient gicler l'eau. Les roquettes explosaient sur les sampans qui volaient en éclats. Les réservoirs de napalm en aluminium étincelant tombaient l'un après l'autre pour s'éventrer dans les roseaux, engloutissant les Vietcongs dans une grande fleur orange. Vue du ciel, la scène avait une étrange beauté. Dans la clarté sereine d'un ciel matinal, on n'avait aucune conscience de la terreur qui régnait en bas dans la fournaise. Dans ces avions qui répondaient bien aux commandes, avec leur armement invincible, on éprouvait une impression de plaisir et de toute-puissance. Rarement les pilotes avaient connu plus belle partie de chasse. Les fréquences radio de cette aviation hybride vibraient des voix excitées qui s'interpellaient en vietnamien, français et anglais, ou parlaient avec l'observateur qui dirigeait le tir. Leurs avions à hélice Skyraiders et Trojan convenaient mieux que les jets à ce genre d'opération car ils permettaient au pilote de piquer plus lentement et de mieux viser son objectif. Pendant la descente, le vent gémissait sur le Plexiglas de l'habitacle, le fuselage frémissait au recul des canons, les rockets sifflaient en jaillissant de dessous les ailes. On se serait cru dans un film de la Seconde Guerre mondiale quand les héros de l'Air Force donnaient une leçon méritée aux Allemands et aux Japonais. Les petites silhouettes sautaient hors des sampans pour fuir les rafales de balles. Sur ce terrain découvert, il y avait très peu d'échappatoire. Bientôt, les corps en mouvement s'immobilisèrent pour flotter au milieu des roseaux. Les conseillers de Vann comptèrent là une quarantaine de cadavres. Les fantassins tirèrent aussi avec leurs fusils et leurs armes automatiques sur les Vietcongs paniqués, mais c'est l'aviation qui avait fait le plus de morts.

Tandis que les avions continuaient leurs attaques et que les hélicoptères refaisaient le plein, Vann incita Cao à organiser la récolte finale de cette moisson qui avait demandé tant de préparation. Deux forces supplémentaires d'intervention de réserve furent créées en plus de celle qui existait déjà. Avec ces trois unités, ils pouvaient couper la retraite des Vietcongs quelle que soit la direction qu'ils prennent. Lorsque les hélicoptères eurent fait le plein, la première unité de réserve composée de deux compagnies décolla de la piste de Moc Hoa pour être déposée au nord entre les Vietcongs et la frontière cambodgienne. Les troupes d'assaut qui avaient été débarquées dans le début de la matinée à 9 h 50 reçurent l'ordre de s'arrêter en « position de barrage ». Les deux compagnies au nord devaient marcher vers elles suivant la tactique classique du « marteau et de l'enclume ». Les Vietcongs qui auraient réussi à échapper au mitraillage des avions en se cachant dans les roseaux seraient tués ou capturés par le « marteau » qui descendait du nord vers eux ou s'écraseraient sur l' « enclume » s'ils cherchaient à s'échapper vers le sud. Vann monta dans un hélicoptère pour encourager les commandants de Saigon et pour se rendre compte par lui-même de ce qui se passait afin de pouvoir guider efficacement Cao, maintenant que l'action entrait dans sa phase critique.

Les pilotes d'hélicoptère qui transportaient les réserves repérèrent des Vietcongs qui se dirigeaient vers la frontière beaucoup plus loin vers l'ouest Cela ne préoccupait pas Vann qui avait prévu ce mouvement et en avait parlé avec Cao avant de décoller. Pour s'assurer que tout allait bien, il appela par radio Faust, qui le remplaçait au poste de commandement en son absence, et lui dit de rappeler à Cao d'envoyer la deuxième unité de réserve au nord-ouest de ces Vietcongs avec l'instruction de les rabattre vers l' « enclume ». Faust le rassura : il avait déjà fait cette recommandation, et Cao était d'accord.

La transformation du triomphe prévu de Vann en un cauchemar inattendu commença d'une façon troublante. Il alla survoler le lieu de l'attaque aérienne et put constater les preuves de son efficacité en voyant les corps parmi les roseaux. Il s'arrêta ensuite pour voir le commandant du bataillon des premières troupes d'assaut qui occupaient maintenant le terrain en faisant fonction d' « enclume ». Tout le monde jubilait. Ils avaient découvert un mortier de 81 qui s'ajoutait aux nombreuses armes légères prises aux Vietcongs terrorisés. Il les félicita et s'envola pour vérifier la progression vers le sud de la force d'intervention de réserve déposée au nord. Dès qu'il eut pris de l'altitude, il constata avec surprise qu'ils n'avaient pas bougé de l'endroit où ils avaient été déposés. Il atterrit pour savoir pourquoi. Le capitaine de l'armée vietnamienne lui dit qu'il avait reçu l'ordre du commandant du régiment de rester sur place « en position de barrage ». Cela n'a pas de sens, lui répondit Vann. Les premières troupes d'assaut faisaient déjà barrage, et le colonel Cao lui avait dès le départ donné l'ordre de progresser vers le sud aussi rapidement que possible. Oui, mais le commandant du régiment venait de lui donner l'ordre par radio de bloquer et non d'avancer, répondit le capitaine.

« Mais, nom de Dieu ! s'exclama Vann, depuis quand un commandant de régiment peut-il outrepasser les ordres du colonel Cao ? »

Le capitaine, le regard vide, ne dit rien.

« Est-ce qu'il se rend compte, hurla Vann, que les Vietcongs qu'il était censé tuer ou capturer sont en train de s'échapper pendant qu'il traînasse ? »

Le capitaine haussa les épaules. Vann lui demanda d'appeler le quartier général du régiment, d'expliquer la situation et de demander l'autorisation de se mettre en marche. Vann repartit vers les premières troupes d'assaut pour savoir si le commandant du régiment ne leur avait pas en revanche donné à eux l'ordre d'attaquer vers le nord. Non, ils étaient censés tenir le terrain. Vann retourna vers les troupes de réserve. Le capitaine lui dit qu'il avait contacté le régiment comme il le lui avait demandé et qu'il avait à nouveau reçu l'ordre de rester sur place. Vann appela son conseiller au quartier général du régiment ainsi que Faust pour que Cao dissipe immédiatement cette confusion. Sans résultat. Il essaya de persuader le capitaine d'attaquer sous sa responsabilité à lui, Vann. Le capitaine refusa. Vann retourna voir la première vague pour essayer de persuader le capitaine d'attaquer vers le nord. Sans succès. Quarante minutes s'écoulèrent ainsi en exaspérantes palabres, pendant que les Vietcongs se rapprochaient de la frontière du Cambodge. Quant aux hélicoptères qui devaient déposer la seconde force de réserve vers l'ouest, ils ne vinrent jamais. Quand Vann appela le quartier général pour une explication, Faust lui répondit que Cao semblait renier l'engagement qu'il avait pris. Il ne donnerait pas l'ordre de décoller. Vann retourna alors à Moc Hoa pour essayer de redresser la situation.

Dès son arrivée, il sauta de l'hélicoptère, courut au hangar du quartier général et dit à Cao qu'il devait faire avancer la première unité de réserve et envoyer immédiatement la seconde à l'ouest dans les appareils qui attendaient sur le terrain, sinon les Vietcongs allaient tous s'échapper. Cao répondit qu'il ne pouvait pas faire cela.

« Et pourquoi ? demanda Vann.

— Parce que le commandant du 10e régiment ne veut pas partager son triomphe avec un autre régiment. »

Ce commandant du 10e régiment était celui qui avait donné l'ordre aux forces de réserve de ne pas bouger. C'était un de ses bataillons qui avait effectué le premier largage, tandis que les unités de réserve appartenaient à d'autres régiments.

Vann était tellement stupéfait qu'il n'arrivait pas à trouver ses mots, phénomène rare chez lui.

« Quoi ? » dit-il en fixant Cao dans les yeux.

Cao répéta calmement et en souriant ce qu'il venait de dire.

Vann dut lutter pour se dominer. Il entraîna Cao à l'écart pour éviter de l'embarrasser en présence de ses subordonnés. Il lui dit qu'il ne pouvait laisser la vanité d'un quelconque officier l'empêcher de gagner la guerre. C'était lui qui commandait la division. Il n'avait qu'à passer au-dessus de son subordonné et donner l'ordre. Il ne courait aucun risque. Leur effectif était très supérieur à celui du Vietcong Cao n'avait eu que deux hommes tués et une douzaine de blessés. Et il y avait probablement actuellement 200 Vietcongs vivants qui se dirigeaient vers le Cambodge. Cao ne pouvait pas se permettre de laisser ainsi échapper des communistes qui reviendraient combattre plus tard. Il avait une réputation de commandant agressif à soutenir. Il avait aujourd'hui l'occasion d'accomplir un exploit sans précédent. Il pouvait cueillir un bataillon entier de Vietcongs. S'il n'agissait pas, il aurait l'air d'un lâche.

Cao resta impassible et dit qu'il se refusait à indisposer son commandant de régiment.

Vann réussit toutefois à persuader Cao de faire enfin progresser l'unité de réserve vers le sud, mais ils ne se mirent pas en route avant 2 heures de l'après-midi, soit trois heures après leur débarquement. L'insistance de Vann rapporta à Cao une belle capture. Les soldats trouvèrent une mitrailleuse lourde de 50 abandonnée par les Vietcongs. Ils découvrirent aussi 7 rebelles cachés sous l'eau et respirant avec des tiges de roseau. Ils furent abattus tandis qu'ils essayaient de fuir, et d'autres armes légères furent saisies. Cao ne perdit pas de temps pour rassembler ce butin. Il avait déjà envoyé des hélicoptères pour rapporter le mortier et les armes saisis au cours du premier assaut et avait alerté le quartier général de Saigon pour se vanter de son trésor. Vann regretta presque la mitrailleuse lourde que Cao avait gagnée grâce à lui lorsqu'il vit le général chef d'état-major de l'armée vietnamienne et un colonel s'exclamer avec des oh! et des ah! devant le mortier, la mitrailleuse et les vingt-sept armes légères, dont la plupart étaient des fusils à culasse français. Cao les avait disposés devant le hangar sur des tables couvertes d'un drap blanc, comme des trophées.

Le quartier général de la division entra en léthargie, car Cao, dans son ravissement, avait abandonné la direction des opérations, imité en cela par la plupart de ses adjoints. « Ce fut avec la plus grande difficulté que l'intérêt du commandant et de son état-major put être concentré à nouveau sur la poursuite des opérations », devait déclarer plus tard Vann dans le style protocolaire d'un rapport officiel. Il était sidéré de voir que le général de Saigon ne trouvait rien de répréhensible dans le comportement de Cao et ne se conduisait pas mieux lui-même. Cao avait également laissé s'échapper de 80 à 100 Vietcongs à l'extrémité est du secteur pendant que Vann s'éreintait inutilement pour essayer de faire avancer les réserves. Ces Vietcongs étaient probablement la compagnie du 504e bataillon qu'ils avaient manqué d'une journée à la jonction des deux rivières. Aucun des deux bataillons de Saigon qui les avaient découverts ne les avaient poursuivis en dépit de l'insistance de leurs conseillers américains. Cao non plus n'avait pas bougé quand Vann le lui avait demandé. Un Invader A-26 les survolait et Cao, avec son enthousiasme naturel pour les attaques aériennes, avait envoyé les chasseurs-bombardiers. Les pilotes prétendirent avoir tué 25 Vietcongs. Vann alla inspecter soigneusement le lieu en hélicoptère. Cette fois-ci les avions avaient anéanti des roseaux et des buissons. Il n'y avait aucun corps.

Le lendemain, Vann devait recevoir des nouvelles encore plus mauvaises. Cao avait gâché une occasion de détruire quelque chose qui avait infiniment plus d'importance pour la cause communiste qu'un bataillon. Dans les bois situés au-dessus du hameau se trouvait camouflé le plus important camp d'entraînement du nord du delta. L'interrogatoire de 11 prisonniers vietcongs révéla qu'une des deux unités qui s'y trouvaient était une compagnie d'instructeurs dont Drummond ignorait l'existence. L'autre était une compagnie du 504ᵉ bataillon chargée de la protection du camp. Le reste était constitué de jeunes élèves des différentes milices régionales qui avaient été sélectionnés pour être incorporés dans les bataillons réguliers. Installés depuis quatre mois dans le camp, ils y avaient reçu une formation intensive en armes, tactique, camouflage et autres techniques de guerre subversive. Drummond découvrit sous les arbres quatre classes équipées de tableaux noirs ainsi que deux autres huttes destinées à la formation médicale.

Les pilotes eurent un frisson de crainte en voyant la lourde mitrailleuse américaine de 50 qui pouvait devenir une arme antiaérienne mortelle entre des mains expertes. Il était évident que les Vietcongs avisés commençaient à s'entraîner à la lutte contre les hélicoptères. Cette impression devait être rapidement confirmée. Dans son ardeur à accroître son butin d'armes, Cao envoya le lendemain deux équipes avec détecteurs de mines. Ils découvrirent au fond de l'eau le tripode d'une autre arme identique, mais pas le tube ni le mécanisme. Les prisonniers révélèrent que la compagnie d'entraînement disposait de trois mitrailleuses 50 et avaient appris à des jeunes recrues à tirer sur un avion. Drummond et son homologue vietnamien Binh trouvèrent dans le camp des manuels d'instruction expliquant comment le tireur devait viser en avant de l'appareil pour compenser sa vitesse de déplacement. Un autre document indiquait les numéros de série des trois mitrailleuses, qui avaient probablement été perdues par les Français ou capturées à une unité de l'armée sud-vietnamienne dans une autre région, car Binh savait qu'aucune ne manquait à la 7ᵉ division. Les prisonniers racontèrent que quelques courageux Vietcongs avaient essayé d'abattre les chasseurs-bombardiers avec les mitrailleuses avant d'être tués ou de s'enfuir.

Le fiasco fut d'autant plus pénible pour Vann qu'il était inattendu. Il n'aurait jamais pu imaginer vingt-quatre heures plus tôt après une préparation aussi minutieuse, unissant les talents de Ziegler et de Drummond et tous les autres moyens à sa disposition, que Cao réduirait tout à néant. Il était aussi inconcevable pour lui que Cao puisse remettre en cause sa conception de la nature humaine en esquivant la charge du rôle qu'il lui avait assigné. Selon Vann et son code d'honneur des officiers, il était impensable de sacrifier la vie de ses hommes en laissant l'ennemi s'échapper comme Cao l'avait fait. Les Vietcongs avaient été durement touchés, mais comme environ 300 d'entre eux s'étaient échappés, il restait beaucoup de survivants pour reconstituer les unités. Les cadres reviendraient pour renforcer la guérilla, et le 504ᵉ bataillon pourrait à nouveau attaquer d'autres avant-postes et monter d'autres embuscades.

Un scandale public aurait mis fin au jeu qu'il menait avec Cao et qu'il voulait poursuivre, en dépit de sa défaite. D'autant qu'il aurait été destitué par le général Harkins responsable d'appliquer la politique officielle de rapports cordiaux entre les conseillers américains et leurs homologues vietnamiens. Quand Malcolm Browne, journaliste d'Associated Press, se fit prendre en stop par un hélicoptère de Saigon pour venir à Moc Hoa, Vann lui donna l'impression que tout s'était déroulé d'un bout à l'autre exactement selon les plans établis. Le débarquement nocturne par les Marines avait été « un remarquable boulot », dit-il.

« Ils se sont posés exactement à l'heure prévue et, pour une fois, il semble que nous ayons pris les Vietcongs complètement par surprise. »

Lorsque Cao eut annoncé que ses troupes et les avions avaient tué le chiffre record de 131 Vietcongs au cours d'une des opérations les plus réussies de la guerre, et qu'un des 11 prisonniers était le représentant du parti communiste du district, Vann se garda bien de rectifier l'information auprès des journalistes. Il devait rétablir la vérité dans son rapport confidentiel à Porter et à Harkins en précisant que le nombre de Vietcongs tués « ne dépassait pas 90 ». Il se contenta de regarder, avec une irritation rentrée, tandis que Cao recevait les lauriers du héros, car il ne voulait pas que la vérité vînt ternir son œuvre.

Diêm était tellement satisfait qu'il offrit à Cao la parade de la victoire la plus spectaculaire donnée à Saigon depuis celle de 1955 qui avait célébré le coup de grâce donné par les parachutistes à l'armée privée de la société du crime, les Binh Xuyen, rivaux de Diêm. Radio Saigon et les journaux gouvernementaux de la capitale glorifièrent « la plus grande victoire de la guerre ». Le défilé eut lieu un samedi pour que le plus grand nombre possible de fonctionnaires et leurs familles puissent gonfler les rangs de la foule. De jolies filles, en costume vietnamien traditionnel, le *ao dai,* une tunique moulante qui s'ouvrait de chaque côté à la taille sur les pantalons, accueillirent Cao et ses officiers à la périphérie de la ville pour les parer de guirlandes d'orchidées. Cao entra dans Saigon debout dans une jeep, saluant la foule de chaque côté de la route jusqu'au point de rassemblement du défilé. Marchant à la tête de ses officiers, il remonta la principale avenue jusqu'à l'ancien Opéra français devenu l'Assemblée nationale de Diêm. Tous les soldats étaient en tenue de combat, avec bottes et casque, sauf Cao qui, avec les prérogatives d'un général et pour mieux attirer l'attention sur lui, portait la casquette style base-ball qui était devenue à la mode dans l'armée américaine. Il avait son stick à la main et un colt 45 dans un étui de cuir à la hanche. Une estrade avait été montée sur la place devant l'Opéra pour y exposer au public toutes les armes capturées. Des décorations furent distribuées en grand nombre à des officiers et à des soldats, et le ministre de la Défense épingla une médaille sur l'étendard de la 7e division. Cao fut conduit au palais pour y être décoré par Diêm.

Le contraste entre cette équivoque populaire et l'honnêteté du rapport confidentiel de Vann à Porter et à Harkins ne donnait que plus de résonance au signal d'alarme qu'il avait secrètement tiré pour ses supérieurs. Il connaissait suffisamment maintenant les imperfections du commandement des forces de Saigon, qu'il avait signalées au fur et à mesure dans ses rapports précédents, pour commencer à comprendre la dimension des problèmes qui se posaient à la mission des conseillers. Ses collègues et lui étaient chargés de mener une guerre de fantassins avec une armée qui n'avait fondamentalement aucune envie de se battre. Vann l'avait pressenti dès son arrivée au séminaire. Clay avait été abattu et blessé dans son hélicoptère parce que le lieutenant de l'armée vietnamienne, qui commandait la compagnie avec laquelle il se trouvait, avait refusé de poursuivre ou même d'ouvrir le feu sur une section de Vietcongs qui fuyaient à découvert dans les rizières. Et Clay les avait lui-même pris en chasse avec deux hélicoptères. Cette fois-ci, le commandant de la division avait laissé échapper quinze fois plus de rebelles. Cette pusillanimité aboutissait à une véritable phobie des risques et des pertes encourus. « Une situation déplorable s'est instaurée, écrivit Vann, car les chefs, à quelque niveau que ce soit, qui ne font rien conservent leur commandement et ont même de l'avancement, tandis que ceux qui prennent des risques peuvent se voir rétrogradés s'ils essuient un échec ou de lourdes pertes. » D'autre part, les officiers de l'armée sud-vietnamienne ne comprenaient pas l'enjeu de leur existence. « Des jalousies mesquines entre commandants de bataillon et de régiments ont priorité sur la mission essentielle de contacter et de détruire l'ennemi, et les en détournent. Les chefs obéissent aux ordres qui leur conviennent et ignorent ou modifient les autres. » Si les conseillers américains devaient accomplir leur mission de gagner la guerre avec l'armée vietnamienne, il fallait être conscient de l'importance de ces manquements et prendre les mesures adéquates pour y remédier. Vann avertit Porter et Harkins : « A moins de recycler la totalité de l'ARVN pour qu'elle fonctionne sur une hiérarchie du commandement, où l'obéissance aux ordres *devra être* la base, on ne pourra jamais atteindre un degré acceptable d'efficacité au combat. »

Un officier de l'armée des États-Unis est formé pour se battre de son mieux avec ce qu'on lui donne. Reconnaître la possibilité d'un échec ne signifie pas l'accepter mais est au contraire une incitation à persévérer en présumant que, avec de l'imagination, l'échec ne se produira pas. Cette attitude était plus marquée chez Vann que chez la plupart des officiers, car il s'enorgueillissait de ne jamais se laisser vaincre par un défi. Il admettait en partie l'excuse de Cao expliquant que c'était le commandant du 10e régiment qui l'avait empêché de traquer les Vietcongs. Il n'en absolvait pas Cao pour autant, mais il savait qu'il avait des problèmes avec les chefs de province et pensait que le commandant était peut-être un autre favori de Diêm.

En outre, Cao avait une saine conception de cette guerre. Il ne cachait pas son désir d'empêcher les communistes d'imposer une sévère tyrannie au sud. Dès qu'ils auraient pris le pouvoir, disait-il, ils renieraient leurs promesses de distribuer la terre et d'autres avantages aux paysans. Ils massacreraient tous les opposants réels ou potentiels dans un bain de sang, instaureraient le collectivisme agricole, supprimeraient la religion, détruiraient les traditions vietnamiennes et banniraient les quelques libertés individuelles, dont les Vietnamiens du Sud jouissaient sous le régime de Diêm, pour enrégimenter la société avec leur totalitarisme marxiste.

Vann croyait aussi que les communistes commettraient tous ces crimes s'ils gagnaient la guerre. Il en conclut que Cao, en dépit de ses fautes, était un patriote vietnamien, un nationaliste sincère qui voulait donner à son pays l'alternative convenable d'un gouvernement anticommuniste à Saigon se modernisant graduellement avec l'aide des États-Unis. Il présumait que le Sud Vietnam représentait autant pour Cao que les États-Unis pour lui et qu'il pourrait, avec le temps, en flattant son amour-propre, l'amener à se comporter comme le chef militaire dont son pays avait besoin.

Le fiasco du 20 juillet devint ainsi pour Vann un revers et non un échec. En août, il envoya à Mary Jane une photo où Cao et lui étaient côte à côte devant la tente au cours d'une opération. Dans une boutique de My Tho, il avait fait colorier le cliché noir et blanc pour lui donner plus de réalisme. Vann regardait la caméra, et Cao regardait Vann. Au dos, Vann avait écrit avec un stylo à bille :

VANN et CAO

Août 1962

La meilleure équipe US-Vietnam pour battre les communistes.

Même si Vann avait voulu abandonner Cao, en aucun cas il n'aurait pu le faire. Au début de l'automne 1962, il était devenu prisonnier de son jeu « Cao le tigre » à cause du nombre de Vietcongs qui avaient été tués grâce à la qualité de la planification et du renseignement ainsi qu'à l'effet de choc de la technologie américaine : hélicoptères, véhicules blindés et chasseurs-bombardiers. Vann était en fait pris au piège de son succès apparent. Au cours des quatre mois qui avaient suivi son arrivée, autant de Vietcongs avaient été tués par attaque terrestre ou aérienne dans le secteur de la 7e division que dans le reste du pays : 4 056, y compris les auxiliaires des villages et hameaux. Ces chiffres étaient fournis par les officiers de Saigon et comprenaient également les bilans des opérations menées localement par la Garde civile et les milices, où les Américains n'étaient pas toujours présents pour vérifier les statistiques. Même en tenant compte de 50 % d'exagération — un pourcentage que les conseillers américains considéraient comme raisonnable au Sud Vietnam —, 2 000 morts en quatre mois constituaient un taux de pertes sévère pour le Vietcong dans le nord du delta. Il est vrai qu'aucun bataillon des forces régulières ou régionales n'avait été détruit, c'est-à-dire n'avait eu un tel nombre de morts qu'il ne restait plus assez de survivants pour reconstituer l'unité. Mais le chiffre était suffisamment élevé pour qu'ils soient momentanément hors d'état de combattre. Vann commençait à espérer que, s'il pouvait maintenir le rythme actuel des opérations, l'impact cumulatif réussirait à briser la force vive du Vietcong, en dépit du refus de Cao de payer le prix de l'engagement de l'infanterie. Six opérations menées en août et en septembre se soldèrent par une centaine de pertes vietcongs. Le 18 septembre, une autre attaque dans la plaine des Joncs contre le 502e bataillon de réguliers fut en fait un succès plus considérable que ne l'avait été sur le papier la « grande victoire » du 20 juillet. Une compagnie vietcong et la centaine de combattants locaux qui les accompagnait furent littéralement exterminées par les engins blindés.

Les Vietcongs s'efforcèrent d'organiser une ligne de défense derrière les petites digues d'une rizière inondée, mais les lourds monstres à chenilles les écrasèrent et les chargèrent tandis que les balles des rebelles ricochaient inutilement sur le blindage. A l'intérieur des engins, les soldats debout devant les sabords ouverts tiraient à bout portant. La grosse mitrailleuse de 50 montée à l'avant fauchait tous ceux qui essayaient follement de courir dans l'eau jusqu'à la ceinture en pataugeant dans la boue qui collait à leurs pieds. Ceux qui avaient gardé la tête droite essayèrent d'échapper en se cachant dans l'eau et en respirant avec des roseaux creux ou en gardant leurs narines juste au-dessus de la surface. Mais les conducteurs des engins blindés déjouèrent cette ruse en secouant leurs 10 tonnes d'avant en arrière pour faire des vagues. Les grenades lancées par les fantassins de Saigon débusquaient aussi les Vietcongs. Dès que l'un d'eux était repéré, le conducteur pivotait dans sa direction et fonçait sur lui pour l'écraser s'il n'avait pas été déjà tué par les rafales de balles.

Ce jour-là, 158 Vietcongs furent tués et 60 capturés. Vann envoya à Mary Jane une coupure de l'article paru en première page du journal en langue anglaise de Saigon, *Times of Vietnam*. Il avait écrit en travers du titre en gros caractères : « Le plus grand massacre de toute la guerre du Vietnam. » Diêm décora la 7e division de la fourragère de l'armée du Sud Vietnam, une tresse multicolore portée à l'épaule gauche par tous les soldats, suivant la coutume française imitée ensuite par les États-Unis et les autres armées occidentales. C'était la première fois que la fourragère était décernée à toute une division de l'ARVN. Diêm informa Cao qu'il avait l'intention de le nommer général et de lui confier le commandement d'un corps d'armée.

De son côté, Vann était devenu le conseiller favori du général Harkins. Ce n'était pas parce que ses rapports étaient devenus plus optimistes. Ils étaient toujours rédigés avec la sincérité brutale qui caractérisait celui du 20 juillet. Alors qu'un quelconque lieutenant-colonel aurait peut-être présenté les événements d'une façon plus positive, en harmonie avec la volonté de succès de l'armée, Vann n'adoucissait pas les angles. Le thème qui revenait toujours était celui de l'impossibilité dans laquelle il se trouvait avec ses conseillers de progresser vers cet objectif à long terme : transformer l'ARVN en une armée capable de combattre et de gagner la guerre contre la guérilla. Harkins ne semblait pas perturbé par cet aspect négatif des rapports que Vann amassait. Le général et son état-major estimaient que, dans cette guerre sans front défini, la meilleure mesure des progrès accomplis était le nombre de Vietcongs tués, « la comptabilité des cadavres » suivant le jargon des bureaucrates. « Dans une guerre où n'existe aucune ligne de front, le meilleur indice des progrès réalisés est celui des pertes », expliquait dans un style moins macabre l'officier de l'état-major de Saigon chargé de l'exposé habituel aux nouveaux arrivants et aux visiteurs.

Les officiers du service de presse de Harkins encourageaient les correspondants de guerre à visiter les détachements de Vann et à suivre les opérations de la 7ᵉ division. Les représentants du Congrès, les généraux et les personnalités civiles du Pentagone étaient invariablement envoyés pour écouter un exposé de l'équipe Vann-Cao, les champions du nombre de tués. Suivant sa stratégie, Vann avait appris à Cao à être expert en communication, rayonnant d'esprit offensif sur l'estrade de la salle de guerre de sa résidence. Vann avait également fait réaliser pour Cao des cartes et des graphiques en couleurs, ainsi que des diapositives qui ne déparaient pas avec le matériel utilisé au Pentagone. Si Cao était toujours le personnage central de ces spectacles, Vann les présentait avec une courte introduction à sa façon. Il avait appris l'art du *briefing* alors qu'il était, à Heidelberg, jeune commandant au quartier général des Forces américaines en Europe. Il s'y était entraîné jusqu'à ce qu'il réussît à maîtriser ce mélange de gestes, de statistiques et d'anecdotes personnelles qui communique l'effet dramatique et gagne la conviction de son auditoire. Longtemps après son départ de Heidelberg, on se souvenait encore de lui comme le meilleur officier de presse. Il en était de même au Vietnam où il impressionnait invariablement son auditoire. S'il en avait le temps, ce qui était rarement le cas, Vann prenait à part le général ou l'officiel du Pentagone dans le salon du premier étage du séminaire pour un entretien privé, mais d'un tout autre ton. Sinon, il laissait à l'état-major de Harkins le soin de transmettre ce qu'il exposait confidentiellement dans ses rapports. Mais les hommes politiques et les journalistes ne bénéficiaient jamais de ce privilège exceptionnel.

Cao se délectait des acclamations et de la perspective d'arborer des étoiles de général. « J'ai tué 50 Vietcongs aujourd'hui ! » annonçait-il aux journalistes venus à son quartier général. Il commençait à connaître trop bien le métier de relations publiques. Chaque fois que « la comptabilité des cadavres » atteignait un chiffre relativement élevé, l'état-major de Harkins ou le palais présidentiel se mettaient en quatre pour s'assurer que toute la presse — y compris les correspondants français et vietnamiens — attribuerait bien la vedette à celui qui était en train de gagner cette guerre. Horst Faas, photographe d'Associated Press d'origine allemande, qui devait recevoir deux fois le prix Pulitzer pendant les dix années qu'il passa au Vietnam, arriva un jour en avance sur les autres journalistes. Il trouva Cao en train de reconstituer le champ de bataille. Les soldats vietnamiens traînaient les corps des Vietcongs pour les replacer en position de combat avec les armes capturées devant eux. Cao marchait à grands pas, son stick à la main, pour diriger la mise en scène.

Plusieurs adjoints de Vann étaient choqués du chapeau de brousse que Cao s'était mis à porter hors de sa tente. Ils commençaient à penser que Cao en faisait un peu trop ; il se frottait les mains lorsque les chasseurs-bombardiers ou les engins blindés réalisaient un beau score et se vantait du piège qu'il avait tendu aux Vietcongs.

Mais il ne refermait jamais le piège. Chaque fois, Vann et lui en arrivaient au même désaccord qu'au moment décisif de l'opération du 20 juillet. Les unités de réserve étaient prêtes, les hélicoptères avaient fait le plein et attendaient, et Cao refusait toujours de s'opposer à la retraite de l'ennemi. Il ne se défendait même plus avec l'étrange explication du 20 juillet sur le commandant de régiment qui n'avait pas voulu partager sa victoire. Il jouait maintenant au général, suivant l'expression de Ziegler. Il écoutait Vann, parlait de la nécessité d'être prudent, le laissait encore un peu s'expliquer, puis, avec une moue d'ennui, déclarait qu'il ne voulait pas discuter plus longtemps. Si Vann insistait, il se redressait en disant : « Vous êtes un conseiller. Je suis le chef et c'est moi qui prends la décision. »

Vann se maîtrisait, mais ses adjoints se rendaient compte à quel point il lui devenait difficile de se contrôler. Il rougissait et sa voix nasale se faisait encore plus rauque. De retour au séminaire, il laissait exploser son sentiment de frustration en insultant Cao avec des jurons hérités de sa jeunesse de pauvre de la banlieue de Norfolk.

Au cours d'une de ces discussions, il fit signe à Faust et aux autres conseillers de s'éloigner, puis saisit Cao par le bras et l'amena devant la carte. De loin, ses adjoints le virent désigner à plusieurs reprises la brèche par où les Vietcongs s'échappaient. Ils l'entendirent parler à Cao d'une voix basse en refoulant sa fureur. Cao devait assumer sa responsabilité morale d'officier et de soldat. Il devait fermer l'issue et anéantir ce bataillon pour que les Vietcongs ne puissent pas survivre et apprendre à mieux se battre pour revenir et tuer son peuple. Les conseillers attendaient que Cao donne l'ordre de faire monter les fantassins dans les hélicoptères. Vann s'était mis en colère et son avis allait certainement prévaloir. Mais Cao ne joua pas cette fois au général. Il se contenta de sortir de la tente sans dire un mot. Faust commença à se demander si Cao n'était pas un agent secret communiste.

Grâce au taux de pertes qu'il avait infligées aux Vietcongs, Vann était en si bons termes avec le général Harkins que, lorsque Maxwell Taylor revint en septembre au Sud Vietnam pour une brève inspection, il fut un des officiers invités à déjeuner avec lui à la résidence de Harkins à Saigon. Près d'une année s'était écoulée depuis que la mission de Taylor à l'automne de 1961 avait hâté la décision de Kennedy de faire intervenir les forces américaines dans cette guerre. Cette fois-ci, Taylor venait se rendre compte s'il y avait eu des progrès depuis un an. Vann avait été choisi à ce déjeuner pour représenter les conseillers à l'échelon de la division, avec trois autres de grade inférieur, un commandant et deux capitaines. Ils étaient censés faire connaître à Taylor leur appréciation franche de la situation sur le terrain où se déroulaient les combats.

Vann était très exalté par cette chance qui lui était donnée de faire état de ses préoccupations à un homme qui avait le pouvoir d'influencer la politique au plus haut niveau et de redresser la situation. Kennedy avait sorti Taylor de sa retraite en 1961 pour en faire son conseiller militaire. En juillet, il lui avait confirmé sa confiance en le nommant chef de l'état-major général. Lorsqu'on lui donnerait la parole, Vann avait l'intention d'exposer à Taylor un point de vue aussi sincère et brutal que l'étaient ses rapports confidentiels à Harkins.

Il avait été déçu de constater que ses appréhensions n'avaient pas fait naître chez Harkins le sentiment d'urgence qu'il avait espéré. Porter y avait été sensible, mais n'avait pas réussi à influencer son supérieur. Le John Vann qui, au mois de mai, avait pris la route de My Tho, confiant qu'il allait gagner la guerre, n'était plus certain en septembre de pouvoir accomplir la mission qui lui avait été confiée dans le cadre des restrictions imposées, et il redoutait l'avenir.

Son apparent succès atténuait ses préoccupations, mais sans les anéantir ou même les diminuer pour autant. Il espérait toujours détruire les bataillons vietcongs en dépit de Cao, mais il eût été irresponsable de compter pouvoir le faire. Il y avait toutes les chances pour que les rebelles communistes apprennent tôt ou tard à ne plus paniquer et à se battre plus intelligemment, et ce serait alors la fin du massacre facile. En attendant, il n'arrivait même pas à atteindre les objectifs minimums qu'il s'était fixés avec Porter. Après avoir montré quelque enthousiasme au début, Cao n'était plus coopératif sur des sujets aussi élémentaires que l'instruction de ses hommes au tir et en tactique d'infanterie. Il ne permettait jamais à aucun de ses bataillons d'aller jusqu'au bout des trois semaines de cours que Vann avait organisées au centre de Tan Hiêp et aucun de ses soldats ne faisait quoi que ce soit qui ressemblât à de l'entraînement lorsqu'il était à sa base. Les rapports mensuels de ses conseillers mentionnaient régulièrement que les unités passaient la majeure partie de leur temps « au repos ». Quand un bataillon allait à Tan Hiêp, Cao le faisait revenir au bout de quelques jours, la plupart du temps pour poursuivre une bande de Vietcongs qui s'étaient emparés d'un poste avancé ou avaient monté une embuscade. Vann était certain que Cao savait aussi bien que lui qu'il était impossible dans ce cas d'obtenir un résultat, car les Vietcongs préparaient soigneusement leur retraite à l'avance. Mais Cao ne voulut jamais le reconnaître. Vann le soupçonnait de partir à la chasse d'un gibier introuvable uniquement pour donner au palais présidentiel l'impression qu'il était constamment en alerte. Ensuite, il donnait l'ordre au bataillon de rentrer à la base « au repos » au lieu de retourner au centre d'exercices. La formation de ses hommes au combat n'était pas une des priorités de Cao. Il prétendait qu'ils étaient déjà très bien entraînés.

Cao contrecarrait également les efforts de Vann pour développer les patrouilles et les embuscades nocturnes destinées à freiner le développement de l'insurrection en privant le Vietcong de la liberté de la nuit. Cao n'avait donné son accord au début que parce que Diêm avait recommandé de s'entendre avec les Américains quand cela ne coûtait rien et parce qu'il voulait se montrer aimable avec son nouveau conseiller. Une fois ce geste accompli, il en était revenu à ce qu'il considérait comme une attitude raisonnable. Un matin, alors qu'il venait de terminer son petit déjeuner, il apprit que Vann était sorti toute la nuit avec une patrouille de cinq hommes seulement. Cao en fureur avait convoqué Vann et hurlé qu'à moins que Vann ne cesse ces imbécillités, il allait demander un autre conseiller. Est-ce que Vann réalisait que si un officier américain d'un grade aussi élevé que lieutenant-colonel se faisait prendre ou était tué, le président Diêm le

93

tiendrait, lui, Cao, pour responsable et ne lui pardonnerait jamais l'embarras dans lequel il mettrait le gouvernement ? Sa carrière serait brisée et Diêm le jetterait peut-être même en prison ! Vann avait répondu qu'il exécutait les ordres de Porter de déclencher les actions de nuit et qu'il fallait bien que quelqu'un entraînât les troupes. Il avait rappelé à Cao qu'il n'était pas un amateur et qu'il avait appris en Corée qu'on risque beaucoup moins la nuit avec un petit groupe qu'avec un gros détachement. Cao était dans un tel état de colère et de crainte que Vann avait jugé préférable de trouver un compromis s'il voulait continuer à envoyer des officiers et sous-officiers américains en patrouille de nuit. Il passa un accord avec Cao suivant lequel les officiers supérieurs du détachement ne sortiraient pas la nuit avec moins de l'effectif d'une compagnie. Quant aux officiers subalternes et sous-officiers, ils continueraient avec de petites unités. Lorsque Cao eut ainsi remis les Américains au pas, il exerça une pression d'une autre manière. Les jeunes officiers et les sous-officiers de Vann eurent beaucoup de mal à rassembler des hommes acceptant de les accompagner. Cao avait passé des consignes.

Mais Vann avait d'autres préoccupations que l'entraînement et les patrouilles de nuit. Il était impressionné par le ressort dont faisaient preuve les Vietcongs. Il avait appris par Drummond que certains des bataillons qu'il avait décimés avaient déjà reçu le remplacement en personnel dont ils avaient besoin. Drummond avait également découvert qu'en dépit du nombre de rebelles tués dans la zone de la division depuis le début de la guerre, l'effectif total des forces vietcongs régulières et régionales dans les cinq provinces n'avait pas varié. Les unités qui avaient échappé à Vann avaient accru leurs effectifs et compensaient ainsi les pertes numériques qu'il avait fait subir aux autres. Plus grave encore, Drummond avait appris qu'il y avait beaucoup plus de rebelles locaux dans les villages et les hameaux de la région que les 10 000 estimés au début. Sans en connaître exactement le nombre, il savait que la différence était importante. Cela signifiait que les communistes disposaient d'une plus grande réserve de renforts pour compenser leurs pertes que Vann ne l'avait pensé.

Dans la jeep qui le conduisait de My Tho à Saigon en ce matin du 11 septembre 1962, Vann répétait, avec la même intensité qu'il mettait à Heidelberg en 1956 lorsqu'il s'adressait aux VIP, ce qu'il allait dire à Taylor au cours du déjeuner pour attirer et retenir son attention pendant qu'il exposerait son point de vue. Il devait faire très attention de ne pas se montrer alarmiste. On n'influence pas les généraux en jouant les Cassandre ; ils vous considéreraient comme un amateur. D'ailleurs, Vann ne se sentait pas défaitiste. Il était à la fois encouragé et préoccupé, et c'était ce mélange d'espoir et d'appréhension qu'il voulait faire partager à Taylor. Quand le chef d'état-major des forces armées saurait la vérité, il en parlerait à Kennedy, et lorsque le président aurait compris ce qui se passait au Vietnam, il ferait pression sur Diêm, tandis que Taylor ferait de même sur Harkins, et les inquiétudes de Vann prendraient fin.

Quand il franchit les marches du porche de la résidence, quelques minutes avant 12 h 30, il avait la même silhouette assurée, dans son uniforme kaki avec sa casquette à visière, que lorsqu'il s'était présenté à Porter au début mars. Son invitation était écrite à la main sur une carte ornée d'un fanion de général d'armée à quatre étoiles sur fond rouge. La résidence était un bâtiment blanc situé dans le quartier chic de Saigon anciennement occupé par les hauts dignitaires français. Une allée circulaire entourait une pelouse bien entretenue. Le maître d'hôtel était un sergent américain, et le reste du personnel vietnamien. Un haut mur assurait l'intimité et la sécurité, mais non loin de là se trouvaient la piscine et les courts de tennis du Cercle sportif, où se retrouvaient les membres de la communauté étrangère et de la haute société vietnamienne.

Maxwell Taylor retourna aux États-Unis deux jours après ce déjeuner. Le matin de son départ, il donna une conférence de presse dans le salon d'honneur du terrain d'aviation de Tan Son Nhut. Il écarta les questions de certains journalistes sur la possibilité de tension entre les conseillers américains et leurs homologues de Saigon.

« Il faut être sur place, dit-il, pour sentir la force du sentiment national, la résistance du peuple vietnamien à la menace de l'insurrection subversive. L'impression que j'ai recueillie est celle d'un grand mouvement national, aidé dans une certaine mesure, bien entendu, par les Américains, mais essentiellement un mouvement des Vietnamiens pour défendre leur pays contre un ennemi dangereux et cruel. »

Vann était reparti pour My Tho avec ses craintes intactes. Il s'en expliqua dans un résumé du déjeuner qu'il griffonna au dos de l'invitation avant de la classer dans ses papiers :

Occasion donner point de vue au Gén. Taylor comme un des quatre conseillers (2 cap., 1 com. et moi). Déjeuner dura 1 h 15. Contenu général conversation : Harkins présenta son point de vue et écarta points importants que je voulais exposer.

Dans l'immédiat, Vann était surtout préoccupé parce que, en dépit du nombre croissant de pertes vietcongs, les États-Unis ne s'attaquaient pas au problème de base : le ravitaillement de l'adversaire en armes prises par les rebelles. La mission américaine équipait, par inadvertance, le Vietcong en matériel américain. Depuis le printemps de 1962, les 28 000 territoriaux de Saigon dans la zone de la division avaient échangé leurs vieux fusils français à culasse contre des armes automatiques américaines. Les 10 000 gardes civils étaient équipés avec tout l'arsenal de l'infanterie US, depuis le M-1 jusqu'aux mitrailleuses et aux mortiers. Les 18 000 hommes de la milice du Corps de défense avaient touché plus modestement des carabines semi-automatiques de 30, des mitraillettes Thompson et la mitrailleuse légère BAR. Mais Harkins et son état-major, avant d'accélérer ce programme de modernisation de l'armement, n'avaient pas prévu qu'aucune arme nouvelle n'aurait dû être distribuée tant que les petits avant-postes, tenus par les territoriaux, n'auraient pas été supprimés ou renforcés. Sinon, ils serviraient à faire directement profiter les rebelles des largesses américaines. C'est exactement ce qui se produisait. Les gardes civils et les milices qui tenaient les 776 avant-postes du nord du delta étaient l'objectif principal des Vietcongs. Le plus grand nombre d'entre eux, hérités des Français (il y en avait 2 500 sur le territoire du 3e corps d'armée), étaient facilement repérables : les tours de guet en maçonnerie, que Vann appelait les « cercueils de brique », étaient gardées par une demi-douzaine de miliciens, et les petits fortins triangulaires de murs de torchis entourés d'un fossé n'étaient pas tenus par plus d'une escouade. L'élimination de ces « centres de ravitaillement des Viets », comme les qualifiaient Vann et ses conseillers, était une autre des priorités qu'il avait en commun avec Porter. Vann avait ordonné une inspection complète de tous ces postes, et il en avait lui-même visité plusieurs. Il avait ensuite recommandé à Cao et aux chefs de province de transformer ces 776 petits avant-postes en 216 camps de l'effectif d'au moins une compagnie capable de se défendre elle-même jusqu'à l'arrivée des renforts. Ces camps pourraient alors servir également de base pour lancer des patrouilles et des opérations locales. Cao et les chefs de province avaient tous répondu qu'il était impossible d'éliminer ces avant-postes, symboles de l'autorité gouverne-mentale, et que Diêm ne l'autoriserait jamais. Vann avait discuté pour qu'ils disent à leur président qu'il était irrationnel de maintenir ces symboles qui, en réalité, ébranlaient le gouvernement. Non seulement ce système d'avant-postes était militairement stupide, mais il était en outre cruel. La plupart des miliciens avaient fait venir leur famille dans ces fortins, car, si elles étaient restées au-dehors, les Vietcongs s'en seraient emparés pour obliger par le chantage la garnison à se rendre. Les cadavres et les corps mutilés des femmes et des enfants au cours des attaques constituaient un excellent matériel de propagande pour les photographes travaillant pour l'Agence d'information américaine, mais il y avait certainement suffisamment d'atro-cités commises par les Vietcongs sans qu'on eût besoin d'en rajouter. Aucun des arguments de Vann ne porta. Il constata que Cao et les chefs de province avaient le même attachement irrationnel à ces fortins que Diêm. Les seuls avant-postes détruits le furent par les Vietcongs qui, après s'en être emparés, les firent abattre par les paysans avant de se retirer. Mais les chefs de province les firent reconstruire aussitôt après.

Les communistes vietnamiens étaient incontestablement en mesure de recruter autant de paysans qu'ils avaient d'armes à leur fournir. Cette modernisation de leur équipement se traduisait également par une diversifi-cation et un accroissement de la puissance de feu du Vietcong, qu'on commençait à constater par le nombre de carabines et de mitraillettes US prises aux rebelles des unités régulières et régionales. Non seulement rien n'était fait pour arrêter cette évasion de matériel américain par les avant-postes, mais Harkins ne cessait de stimuler les conseillers pour accélérer la distribution des nouvelles armes en dépit des avertissements de Vann et des autres conseillers. Ils allaient ainsi avoir à affronter un Vietcong de mieux en mieux armé. Et si la campagne hésitante qu'ils menaient pour la destruction de l'ennemi devait se trouver, pour une raison ou une autre, interrompue ou ralentie, les communistes seraient en mesure de reconstituer pleinement leur force, de repartir à l'attaque avec impunité, de capturer encore plus d'armes américaines et de devenir un adversaire infiniment plus redoutable que Vann n'osait l'imaginer.

Cette guerre comportait un aspect odieux allant bien au-delà de l'éternel problème du comportement des troupes de Saigon qui traitaient les paysans comme une population occupée, volaient les poules et les canards et molestaient les femmes. Vann avait vu en Corée brutaliser et tuer des prisonniers. Au cours des premiers mois de la guerre, les Nord-Coréens avaient fréquemment tué les Américains qu'ils avaient capturés. Les Américains, de leur côté, s'étaient vengés quand ils le pouvaient. Vann avait toujours considéré que c'était stupide de tuer un homme qui, s'il était interrogé adroitement, pouvait fournir des informations permettant de capturer d'autres ennemis. Mais il avait compris que les fantassins, indignés au-delà de toute raison par le combat et la mort de leurs camarades, commettent de telles atrocités. Mais rien de ce qu'il avait vu ou entendu en Corée ne l'avait préparé au sadisme raffiné avec lequel les troupes de Saigon traitaient leurs captifs.

Le pire qu'il eût connu était, curieusement, un officier courageux, un capitaine d'origine cambodgienne nommé Thuong, qui commandait la compagnie de Rangers. Les hommes de Thuong, eux aussi en majorité cambodgiens, étaient les soldats les plus compétents de la 7e division. La position de Thuong était en fait équivalente à celle d'un commandant de bataillon, car on lui adjoignait souvent pour les combats une seconde compagnie de Rangers sous ses ordres. Cao avait une confiance particulière en Thuong et ses hommes et n'hésitait pas à les envoyer seuls en opération, ce que Vann n'avait jamais pu obtenir pour une compagnie d'infanterie ordinaire.

Le capitaine Thuong voulait avoir l'air menaçant, et il l'était. Ziegler, qui avait au début travaillé à l'entraînement de sa compagnie de Rangers, et qui continuait à partir de temps en temps en opération avec lui, se souvenait d'un homme fort et relativement grand pour ses origines, avec la peau foncée d'un Cambodgien, le nez plat et large et les lèvres épaisses. Il portait des lunettes de soleil avec de lourdes montures de plastique foncé et de métal. Son colt 45 était logé dans un étui de cuir suspendu à l'épaule et sa poitrine était barrée par un baudrier garni de balles de rechange. Thuong avait appris le métier des armes avec les parachutistes français bien avant que les Américains aient persuadé Diêm de constituer des compagnies de Rangers pour combattre la guérilla. Il était très fier de ses antécédents. La tête de tigre à la mâchoire ouverte que les Américains avaient inventée comme insigne des Rangers était cousue sur l'épaule gauche de sa chemise, mais il portait à droite sur la poche les ailes des parachutistes français. Il avait également gardé des paras le treillis de camouflage et le béret rouge ou le calot à petite visière. Mais, dans une gaine de sa ceinture, il portait toujours une arme typiquement américaine qui était son instrument favori : le couteau Bowie, une lourde lame de 35 centimètres de long, que James Bowie avait rendue célèbre, avant de se faire tuer à Alamo.

Ziegler avait répertorié les techniques utilisées par Thuong et ses Rangers et en avait trouvé douze. Il en avait intitulé la liste « méthodes dures », un euphémisme pour torture :

1. Entortiller dans du fil de fer barbelé.
2. Découper la peau du dos.
3. Écraser avec un véhicule ou un buffle.
4. Maintenir la tête dans la boue pendant 1 minute 30.
5. Tirer dans l'oreille.
6. Électriser au téléphone. (Les deux fils du téléphone de campagne fonctionnant sur batteries étaient fixés aux parties génitales de l'homme ou au vagin et aux seins de la femme. En tournant la manivelle du téléphone on envoyait du courant à volonté.)
7. Asseoir sur une bêche. (La lame de l'outil pliant fourni par l'armée américaine pour creuser les trous individuels était fermement plantée dans le sol. Le prisonnier nu était assis sur l'extrémité du manche sur lequel on l'enfonçait de force.)
8. Planter le couteau dans le dos. (Thuong liait les mains du prisonnier parderrière avec le couteau Bowie fixé aux poignets et pointé vers le dos. La victime était traînée contre un arbre. Thuong posait ses mains sur sa poitrine et appuyait en le questionnant.)
9. Étouffer par l'eau. (On faisait ingurgiter de force au prisonnier de l'eau jusqu'à ce que l'estomac gonfle douloureusement. Ou on lui bouchait la narine avec un chiffon mouillé pour le faire suffoquer en versant l'eau dans la gorge.)
10. Frapper violemment les jambes.
11. Maintenir la tête au sol en pressant sur le dos avec les genoux et disloquer les épaules.
12. Frapper à l'estomac jusqu'à ce que le prisonnier vomisse et s'évanouisse.

Ziegler avait marqué d'un astérisque le numéro 11 qui correspondait à deux photos qu'il avait prises et collées avec du scotch sur la page opposée de son journal. On y voyait un Ranger disloquant les épaules d'un prisonnier, puis le frappant dans les testicules alors qu'il était au sol. Trois autres captifs, les mains liées, gardés par d'autres Rangers, attendaient leur tour. Ils gardaient étonnamment leur sang-froid pendant le supplice de leurs camarades. Ils détournaient stoïquement leurs regards comme si, jusqu'à ce que les soldats s'en prennent à eux, ils voulaient rassembler leur courage pour l'épreuve qui les attendait. Chaque fois que Ziegler avait essayé d'arrêter Thuong et ses Rangers, ils l'avaient ignoré. Mais son sentiment d'impuissance et d'angoisse était le plus fort lorsque des suspects étaient trouvés dans leur propre village. Car les femmes et les enfants s'accrochaient aux pères suppliant les Rangers de ne pas les emmener, jusqu'à ce qu'ils soient écartés à grands coups de taloches. Et si la torture et l'assassinat se déroulaient devant les familles, comme c'était souvent le cas, les cris et les gémissements des femmes et des enfants spectateurs écœuraient encore plus Ziegler que la vue des sévices.

Dick Ziegler avait informé Vann de ce qui se passait. Mais les Rangers n'étaient pas une exception. Vann avait entendu des récits identiques d'autres conseillers de bataillons et des capitaines et lieutenants qui travaillaient avec la Garde civile et les miliciens. Il avait été troublé en apprenant que des prisonniers, dont la capture avait été annoncée, disparaissaient avant d'être conduits aux officiers de renseignements de la division, Drummond et Binh. Comme il avait tendance à douter de ce qu'il n'avait pas constaté par lui-même, il se demandait si ces histoires horribles n'étaient pas des exagérations de jeunes gens qui voyaient la guerre pour la première fois. Une nuit de juillet, il accompagna avec Ziegler la compagnie de Thuong pour monter une embuscade dans le district de Cai Lay à vingt-cinq kilomètres à l'ouest de My Tho. Ils avaient de grandes chances de succès car la région était une place forte de la guérilla où la majorité des paysans avaient sympathisé avec les communistes depuis la guerre avec les Français.

A l'aube, sept Vietcongs, pensant être en sécurité, s'avancèrent à travers la rizière juste devant la compagnie. Thuong attendit jusqu'à ce qu'ils se trouvent à moins de cent mètres avant de donner l'ordre de tirer, puis de les encercler et de les capturer. Ils étaient légèrement blessés.

Thuong fit aligner les prisonniers, dégaina son couteau Bowie et commença son jeu de prédilection. Il marchait de long en large devant les captifs, leur parlant doucement pour leur dire qu'il voulait la vérité et qu'il ne tolérerait pas qu'on lui mente. Il agitait la grande lame en l'air d'un mouvement du poignet. Brusquement, son bras se détendit. Il empoigna un jeune paysan par les cheveux, lui rejeta la tête en arrière et lui trancha la gorge. Puis il reprit sa marche en répétant à voix douce qu'il voulait la vérité tandis que sa victime se tordait sur le sol la main sur la gorge dans un dernier spasme de vie. Les autres prisonniers commencèrent à trembler, comme le voulait Thuong. Vann n'aurait jamais cru qu'il aurait massacré des prisonniers en sa présence. Il pensait qu'il se contenterait de les menacer, jusqu'à ce qu'il donne son premier coup de couteau.

« Dites-lui d'arrêter cette merde ! hurla Vann, tellement surpris qu'il s'adressa à Ziegler au lieu de Thuong.

— C'est sa façon d'interroger, répondit Ziegler avec un frisson tandis que Thuong frappait pour la seconde fois.

— Nom de Dieu ! cria Vann bondissant cette fois vers Thuong. J'ai dit d'arrêter cette merde ! »

Thuong trancha rapidement une troisième gorge pour montrer que les cris de Vann ne l'intimidaient pas. Il brandit son couteau vers les quatre survivants et cria en regardant Vann en face :

« Vous les voulez ? Prenez-les ! »

Il ignora les insultes de con, d'assassin et d'ordure que Vann lui jeta au visage, essuya le sang de son couteau sur son pantalon, remit l'arme dans son étui et s'éloigna.

Un des quatre survivants avait été blessé à la jambe. L'hélicoptère que Vann avait commandé pour évacuer les prisonniers se balançait au-dessus de la rizière inondée au lieu d'atterrir. En effet, à cause du manque de pièces de rechange à cette époque les pilotes évitaient la tension imposée au moteur pour décoller les roues de la boue. Vann avait pris le Vietcong blessé dans les bras pour le hisser dans la machine lorsque le pilote fit un écart qui rejeta les deux hommes dans l'eau. Le Vietcong se releva en dépit de sa jambe blessée, agrippa Vann pour le faire monter et grimpa derrière lui. Ziegler et les trois autres suivirent.

Après cet épisode, Vann en conclut que les autres histoires n'étaient pas exagérées et que la torture et le meurtre étaient choses courantes. Comme officier américain, il avait hésité à porter un tel jugement sur un allié. A la réunion suivante des conseillers, il leur demanda de ne jamais discuter de cette saloperie avec des gens de l'extérieur, mais de l'en informer chaque fois et d'essayer toujours de les empêcher.

Il fit part de ses conclusions à Cao et le raisonna pour qu'il prenne des mesures disciplinaires afin de montrer à ses officiers et à ses hommes qu'il condamnait leurs actes. Un soldat devait apprendre que sa fonction était de faire respecter la loi, et non de la violer. La torture et le crime gratuit n'étaient pas seulement moralement dépravants, ils corrompaient la discipline dans une institution militaire. Si un commandant autorisait ses officiers et ses hommes à se laisser aller à de tels vices, des individus comme Thuong les commettraient pour eux-mêmes, pour le plaisir sadique qu'ils en tiraient. Il fallait que tout le monde sache que ces perversions étaient d'une totale stupidité. Les Vietcongs que Thuong avait tués étaient peut-être ceux qui détenaient les renseignements les plus utiles.

Cao écouta Vann et reconnut qu'il devait faire quelque chose, mais il ne prit aucune mesure disciplinaire contre Thuong ou quelqu'un d'autre et n'édicta aucune instruction nouvelle sur le traitement correct des prisonniers. Le seul résultat que put constater Vann fut que Cao fit savoir à ses officiers qu'il ne souhaitait pas que les Américains assistent à ces actes regrettables. Certaines unités prirent l'habitude de commettre les atrocités lorsqu'ils pensaient que les conseillers ne les voyaient pas. Mais la plupart, en particulier Thuong et ses hommes, continuèrent comme par le passé.

Vann avait rendu compte de cette écœurante affaire à Porter et à Harkins dans l'espoir que Harkins interviendrait au niveau du gouvernement de Saigon. Mais il avait prévu de ne pas insister avec Taylor, car une autre attitude aurait eu des résultats inverses : un général en inspection n'aime pas les histoires de tortures et de meurtres. Il craint toujours un scandale dans la presse. Vann avait prévu de se concentrer plutôt sur une autre horreur qui l'affectait plus car elle concernait beaucoup plus de monde : le bombardement aveugle par l'aviation et l'artillerie des villages de paysans. En tuant et blessant de nombreux non-combattants, en détruisant leurs habitations et leur bétail, les forces de Saigon s'aliénaient la population civile. Vann avait également une raison particulière de soulever ce problème devant Taylor. Il était convaincu que la solution ne pouvait venir que de Washington, car Harkins et les officiers supérieurs de l'aviation étaient impliqués dans ce problème.

Porter avait alerté Vann sur ce massacre de civils au mois de mars. Il avait lui-même, dès son arrivée au Vietnam en janvier, découvert la réalité de ces morts inutiles. Il avait participé à un raid en hélicoptère contre un groupe de cabanes dans la plaine des Joncs. On lui avait dit que le hameau était un

« village vietcong ». Avant que les hélicoptères ne se posent, les chasseurs-bombardiers avaient attaqué pour démoraliser les Vietcongs et les empêcher de résister. Cette tactique du « bombardement préliminaire » était classique et avait été remise en vigueur vers la fin de la guerre de Corée.

Quand Porter sauta de l'hélicoptère avec les troupes d'assaut, il ne découvrit aucun Vietcong pour déverser son trop-plein d'adrénaline. Il ne vit que des corps de vieillards et de femmes au milieu des ruines incendiées au napalm. Il entendit un son qu'il crut reconnaître au milieu du craquement et du grésillement du bois en feu : c'était un petit enfant couché dans la boue et qui réclamait sa mère en pleurant. Porter ne put jamais la trouver ; elle était probablement morte ou cachée quelque part et le bébé fut envoyé dans un orphelinat. Il n'y avait aucun Vietcong dans le voisinage, ni trou individuel ou autre indice indiquant que les rebelles y étaient récemment. L'endroit était certainement sous le contrôle des communistes, qui tenaient toute la région ; d'autre part, il ne découvrit aucun homme jeune. Mais il était aussi évident qu'aucun Vietcong ne se trouvait dans le hameau lors du bombardement aérien, ou bien qu'ils avaient suffisamment d'expérience pour avoir fui en sécurité dès qu'ils avaient vu l'avion de reconnaissance les survoler. Le bombardement avait tué justement ceux pour lesquels Porter croyait être venu au Vietnam afin de les protéger des communistes.

Vann partageait l'idéal de Porter et son image du soldat champion des faibles. Un militaire soucieux de son honneur et conscient de la finalité de sa profession ne tuait pas ou ne blessait pas délibérément des individus ordinaires. Vann avait appris au cours de ses inspections dans le secteur de la division, avant même de prendre le commandement au séminaire, que Porter n'avait pas exagéré. Au cours de sa première année au Vietnam, Vann devait constater, à au moins quinze reprises, que des vieillards, des femmes et des enfants étaient tués au cours de bombardements. Chaque fois, ces morts avaient été inutiles.

Le capitaine Binh, l'homologue de Drummond, se souvenait d'un incident qui s'était produit dans la province de Kiên Hoa au sud de My Tho. Un certain nombre de paysans avaient été tués au cours d'une attaque aérienne et une vieille femme grièvement blessée. Vann avait aussitôt réclamé un hélicoptère pour l'évacuer sur un hôpital. Binh le vit prendre la femme dans ses bras, la porter jusqu'à l'appareil, la lever doucement vers la porte pour que les deux hommes d'équipage la déposent sur une civière. Quand le pilote lança ses moteurs pour décoller et que Vann se retourna pour s'éloigner des pales, Binh remarqua que sa chemise et son pantalon étaient maculés du sang de la blessée. « Voilà un Américain qui se soucie vraiment des autres, pensa Binh. Aucun officier vietnamien n'aurait fait cela. » Il s'avança vers Vann pour lui dire combien lui aussi était désolé, mais ils se regardèrent simplement dans les yeux car Binh était trop ému pour dire quoi que ce soit.

Ces morts et ces mutilations, de gré ou de force, rendaient Vann furieux : non seulement elles étaient en contradiction avec son idéal, mais elles étaient également pour lui la pire des façons de mener cette guerre. La contre-guérilla exigeait justement le plus strict contrôle possible de l'aviation et de l'artillerie. Il se demandait comment n'importe quel Américain pouvait imaginer que des paysans vietnamiens, qui avaient perdu des membres de leur famille, des amis et leur maison, ne seraient pas aussi en colère que des paysans américains dans des circonstances semblables. Mais ces Vietnamiens avaient, eux, une alternative : un autre gouvernement et son armée qui leur demandaient l'allégeance en leur offrant la revanche.

Vann avait du mal à croire au total manque de discrimination et à la fantaisie avec lesquels on lâchait la bride aux chasseurs-bombardiers et à l'artillerie. Un simple coup de feu d'un tireur isolé était suffisant pour qu'un bataillon entier s'arrêtât tandis que le capitaine réclamait une attaque aérienne ou un barrage d'artillerie sur le hameau d'où on avait tiré. Vann s'en prenait au capitaine, puis à Cao pour expliquer qu'il était ridicule de laisser un seul tireur immobiliser un bataillon et qu'il était criminel que ce simple coup de feu entraînât la destruction d'un village. Pourquoi n'envoyaient-ils pas un peloton pour prendre le tireur à revers, l'effrayer ou le tuer pendant que les autres continuaient leur progression ? Ils courraient simplement le risque de perdre un soldat de temps en temps, mais la mort était le lot prévisible d'un fantassin. Les peuples engageaient une armée pour les protéger et non pour les exterminer.

Les chefs de province et de district disposaient leur artillerie de mortiers et de canons de 105 de façon que les pièces puissent pivoter à 360 degrés et tirer dans toutes les directions. Au cours d'une opération, Vann était resté plus tard dans la tente de commandement pour mettre à jour quelques notes sur les événements de la journée. Il s'y trouvait seul avec l'officier de permanence vietnamien et quelques soldats. Une voix se fit entendre sur le poste de radio. L'officier prit le combiné et après un bref échange avec celui qui appelait, alla vers la carte, vérifia quelque chose puis retourna à la radio pour une brève réponse.

« Qu'est-ce qui se passe ? demanda Vann.

— C'est le chef de district. Il voulait savoir si nous avions des troupes dans ce hameau, répondit l'officier en montrant un point sur la carte. Un de ses agents lui a appris qu'il y avait des Viets et il voudrait tirer dessus.

— Qu'est-ce que vous lui avez répondu ?

— Je lui ai dit qu'on n'avait personne de chez nous.

— Et les paysans qui habitent ce hameau, ils ne comptent pas ? »

L'officier haussa les épaules. A quelques kilomètres de là un mortier commença à tonner dans la nuit.

Vann découvrit que c'était une pratique courante dans toute la zone de la 7ᵉ division. Les chefs de province ou de district avaient le droit d'envoyer des obus dans toutes les directions à n'importe quelle heure du jour ou de la nuit. Ils n'avaient même pas besoin d'un rapport incontrôlé d'un agent clandestin signalant que la veille ou l'avant-veille quelques Vietcongs s'étaient rassemblés dans un hameau voisin. Vann remarqua d'ailleurs que ces agents, que les chefs de province recrutaient sur leurs fonds secrets et payaient pour chaque rapport, ne provoquaient jamais de bombardements sur les villages où vivait leur famille. En outre, les officiers de Saigon appliquaient leur version personnelle de la tactique de harcèlement et d'interdiction instituée pendant la guerre des tranchées de 14-18. Suivant leur humeur du moment, les chefs de province ou les commandants de l'armée sud-vietnamienne choisissaient un emplacement sur la carte, le gué d'un canal ou d'un cours d'eau, un carrefour de pistes, un bouquet de palmiers, n'importe quel endroit où ils estimaient que des Viets pouvaient se trouver à ce moment-là. Et ils bombardaient ces objectifs. Aucun observateur ne réglait ou ne corrigeait le tir. Les artilleurs calculaient la direction et la portée d'après les coordonnées de la carte. Or il est très difficile d'atteindre un objectif uniquement d'après des données cartographiques, d'autant que les vieux documents de l'armée française que les Vietnamiens utilisaient étaient en général périmés et que les hameaux ou les objectifs choisis ne se trouvaient peut-être plus où la carte les indiquait. L'irrationalité totale de ce genre de tirs ne semblait pas préoccuper les officiers de Saigon, car aucune mesure ne fut prise après que Vann eut signalé cette faute.

A l'exception de quelques hommes comme Binh, personne ne semblait éprouver de remords lorsque, comme c'était souvent le cas, les obus et les bombes atteignaient des non-combattants au lieu de Vietcongs. Vann avait toutefois réussi à persuader Cao de renoncer aux bombardements avant une attaque par hélicoptères : ils annuleraient l'effet de surprise tout en étant inutiles, car les Vietcongs seraient de toute façon traumatisés par l'arrivée soudaine des machines volantes. A part cela, il eut beau raisonner, plaider, crier, ce fut sans effet. Cao et les autres officiers répondaient à Vann que les victimes étaient des mauvaises gens, des familles de Vietcongs. Les commandants de bataillon, que Vann insultait parce qu'ils avaient rasé un village et ses habitants, l'emmenaient voir un arbre où était cloué un fanion vietcong ou un slogan de propagande peint sur le mur d'une maison encore intacte. John Vann était venu au Vietnam pour se battre contre d'autres combattants et non pas contre leurs pères, leurs mères, leurs femmes ou leurs enfants. Le fait que ces gens étaient des parents des rebelles — et sans aucun doute sympathisaient avec eux et les aidaient — ne les privait pas pour autant de leur statut de non-combattants. Le gouvernement de Saigon aurait dû plutôt essayer de les gagner à sa cause par un traitement équitable pour qu'ensuite ils s'efforcent de convaincre leurs fils ou leurs maris de déserter les rangs des communistes.

Vann en conclut que Cao et les autres officiers de Saigon voulaient tuer ces gens, détruire leurs maisons et abattre leur bétail, non pas systématiquement, mais le plus souvent possible pour les intimider. Leur théorie de pacification consistait apparemment à terroriser les paysans pour les induire à ne plus aider les rebelles. C'est pour la même raison que Cao et les chefs civils ne faisaient rien pour arrêter les tortures et les assassinats. Ils les estimaient utiles. Leur attitude revenait à dire : « On va donner à ces gens une leçon. On va leur montrer comme nous sommes forts et durs. » La seule réponse cohérente que Vann put obtenir de Cao lorsqu'il critiquait les bombardements aveugles fut que les avions et l'artillerie démontraient la puissance du gouvernement et suscitaient le respect de la population. Après avoir été troublé par l'indifférence de Cao et des autres devant cette boucherie et ce sadisme, Vann en était venu à comprendre qu'ils considéraient les paysans comme une espèce inférieure. Ils ne détruisaient pas des vies et des habitations humaines. Ils exterminaient des animaux perfides et écrasaient leur tanière.

Lorsque Porter et Vann firent appel à Harkins pour s'opposer à ce massacre autodestructeur, ils le trouvèrent aussi borné que les Vietnamiens. Au lieu d'user de son influence pour arrêter les bombardements, il les favorisa. Vann et Porter furent consternés de leur échec.

Le général en chef venait souvent dans le delta pour des *briefings* au quartier général ou dans les capitales de province. Il se déplaçait dans un bimoteur Beechcraft réservé aux officiers de haut rang. Le fuselage était peint en blanc pour contraster avec le vert de l'Armée de l'air. La cabine était équipée de huit sièges avec tables repliables pour travailler ou déjeuner, et un petit bar à l'arrière. Harkins observait scrupuleusement le code de courtoisie militaire. Porter était presque toujours du voyage en tant qu'officier américain du grade le plus élevé de la région. Le plus souvent Harkins emmenait également un officier vietnamien de Saigon ; lorsqu'il se rendait dans la zone de la 7e division, Vann et Cao étaient priés de les accompagner.

En volant au-dessus d'une région contrôlée par le Vietcong, Vann et Porter attiraient l'attention de Harkins sur les signes distinctifs de leur présence : pistes creusées dans les champs, digues coupant les canaux, ruines d'un poste avancé. Lorsqu'ils déployaient la carte entre les sièges de l'avion ou après l'arrivée, Cao et l'officier vietnamien de Saigon pointaient la position d'un « village vietcong », ou d'une « fabrique d'armes », et ajoutaient : « Il faut les bombarder. »

Connaissant les protestations de Vann et de Porter, Harkins demandait alors s'il ne s'y trouvait pas des gens ordinaires.

« Non, non, ils sont tous vietcongs, répondait Cao.

— Absolument, ils sont tous corrompus par les communistes », renchérissait l'officier de Saigon.

Lorsqu'ils se retrouvaient seuls ensuite, Vann et Porter expliquaient à Harkins que le prétendu « village vietcong » était semblable à tous ceux des paysans du delta. Les Vietcongs les utilisaient de temps en temps pour y passer la nuit, et on y trouverait peut-être quelques maudits rebelles qui donnaient du souci au chef de district. Mais si on bombardait, il y avait des chances pour qu'ils s'échappent sans risques. Ils disposaient de caches dans le sol où ils sauteraient dès que les avions apparaîtraient. Mais les centaines d'autres habitants, moins bien préparés, paniqueraient et seraient probablement tués à découvert. Le Vietcong avait appris aux paysans à creuser des caves sous le plancher recouvert de paillasses qui leur servaient de lits. Ils disposaient ainsi d'un abri sûr à domicile, à moins que leur hutte ne soit embrasée par le napalm ou le phosphore. Alors, la famille n'aurait ni le temps ni l'entraînement nécessaires pour évacuer l'abri et serait asphyxiée. Pour ce qui était de la « fabrique d'armes » que Cao avait désignée sur la carte, Vann et Porter expliquaient que, d'après les informations qu'ils avaient reçues, le Vietcong bricolait bien dans ce village des fusils avec des tuyaux galvanisés, mais que la « fabrique » se trouvait dans une hutte semblable aux autres. Ce serait un pur coup de chance si précisément cette maison-là était détruite dans le bombardement du village.

Harkins avait du mal à admettre ce qu'ils lui disaient. Il les regardait avec incrédulité lorsqu'ils lui affirmaient que Cao et l'officier de Saigon mentaient. Ils avaient l'impression que les mots « village vietcong » et « fabrique d'armes » évoquaient pour lui des images de la Seconde Guerre mondiale avec une grande caserne allemande et une vaste usine à munitions. Comme Harkins, lors de ses déplacements hors de Saigon, n'accompagnait jamais l'infanterie au sol, il ne pouvait pas constater à quel point ces images étaient fausses. De même que Vann et Porter ne pouvaient le convaincre que, suivant les termes de Vann, les bombardements « tuaient beaucoup, beaucoup plus de civils que de Vietcongs et avaient pour résultat de renforcer les rangs des rebelles ». Harkins passait en général outre à leurs objections, et les villages étaient bombardés. Il ne refréna pas non plus les abus de l'artillerie, ce qu'il aurait facilement pu faire en rationnant les munitions aux militaires de Saigon.

Les conseillers américains des deux autres divisions du corps d'armée estimaient également, comme Porter et Vann, que les bombardements étaient politiquement néfastes et militairement inutiles. L'un d'eux était une forte personnalité dont l'opinion avait en général du poids pour ses supérieurs : le lieutenant-colonel Jonathan « Fred » Ladd, conseiller de la 21e division d'infanterie de l'armée sud-vietnamienne, au sud du delta. Son père, général de brigade, avait été dans le passé l'ami et le supérieur d'Eisenhower et de Westmoreland. Fred Ladd lui-même avait été chef d'état-major de MacArthur au début de la guerre de Corée et avait été décoré de la *Distinguished Flying Cross*. Harkins avait tenu compte des jugements de Ladd sur d'autres problèmes, mais pas sur celui des victimes civiles des bombardements.

Les discussions se terminaient toujours de la même façon. Lorsque Cao ou un autre officier de Saigon soulevaient le problème d'une « fabrique d'armes vietcong » ou d'un objectif similaire, Harkins donnait son consentement *de facto* en demandant avec une intonation plus comminatoire qu'interrogative : « Alors, qu'est-ce que vous attendez pour les rayer de la carte ? » Il fit comprendre à Porter et à Vann qu'il en avait assez de ces plaintes sur les pertes civiles, mais n'en continua pas moins à les écouter avec courtoisie.

Ce n'était pas le cas du général de brigade Rollen « Buck » Anthis, le sémillant pilote qui commandait l'ensemble des forces aériennes US. Le nom de Porter était honni au quartier général de la 2e division aérienne à Tan Son Nhut. L'aviation américaine avait acquis beaucoup plus d'influence que les autres armes sur leurs homologues de Saigon pour constituer une armée de l'air américano-vietnamienne. Le centre d'opérations de Tan Son Nhut, qui contrôlait toutes les missions du Sud Vietnam, était entièrement, pour des raisons pratiques, entre les mains des officiers américains. Le général Anthis avait répondu aux premières plaintes de Porter qu'il s'agissait d'exagérations et de quelques incidents isolés. Bien que colonel, Porter n'avait pas craint d'être très direct avec le général. Il avait invité Anthis à venir voir sur le terrain les corps des femmes et des enfants que ses pilotes tuaient. Chaque fois que Vann reprenait sa litanie sur le sujet, Porter renouvelait son invitation à Anthis. Le général réagit la première fois avec irritation, puis avec de plus en plus d'hostilité. Ils tournaient toujours en rond avec les mêmes arguments. Bon, d'accord, peut-être que quelques innocents ont été touchés, reconnaissait Anthis, mais c'était l'inévitable tragédie de la guerre, et de toute façon tout le monde sait que la guerre est dégueulasse ! Porter répliquait qu'il ne s'agissait pas de *quelques* non-combattants, mais du *plus grand nombre,* et que ce conflit n'était pas une guerre ordinaire. Anthis répondait que Porter exagérait : le commandant de l'aviation vietnamienne et les officiers de l'armée lui disaient que les morts étaient en majorité des rebelles et que les bombardements faisaient beaucoup de mal aux communistes. On le trompait, reprenait Porter, qui essayait de le convaincre avec le dernier rapport de Vann qui expliquait comment ces bombardements jetaient « ces gens dans les bras du Vietcong ». Anthis refusait d'admettre que ses bombes soient un bienfait pour les communistes. Si Anthis n'avait pas peur de la vérité, continuait Porter, pourquoi n'allait-il pas constater sur place qui étaient les victimes de ses avions ? Alors Anthis se retranchait derrière un argument légal : ni lui ni ses officiers n'avaient l'initiative des bombardements. Les attaques aériennes étaient toutes exécutées à la demande des autorités légales du pays, les officiers responsables de l'armée vietnamienne et les chefs de province et de district.

« Mais vous ne donneriez pas suite à ces demandes si vous pensiez que les victimes seraient des femmes, des enfants et des vieillards ? N'est-ce pas ? insistait Porter.

— Non. Mais ce n'est pas nous qui réclamons ces attaques. Ce sont les Vietnamiens », répondait Anthis.

Il s'en tenait à cette absolution juridique, et restait inébranlable lorsque Porter essayait de l'en faire sortir, jusqu'à se mettre en colère pour terminer la discussion. Mais il n'avait toujours pas accepté l'invitation de Porter.

Porter avait suffisamment de poids comme colonel et conseiller de corps d'armée pour tenir tête à un général d'aviation et s'en tirer sans dommage. Ce n'était pas le cas de Vann. Il est heureux pour lui qu'il n'ait jamais eu l'occasion d'affronter Anthis, car il ne serait pas resté longtemps conseiller de la 7e division. Il avait compris le fond du problème. Chacune des forces armées voulait jouer le plus grand rôle possible au Vietnam dès que le président Kennedy eut engagé les États-Unis dans la guerre. Plus l'Armée de l'air bombardait, plus son rôle était important. Si on avait réduit sa puissance de feu comme elle aurait dû l'être, elle n'aurait plus eu grand-chose à faire dans ce conflit. L'intérêt personnel d'Anthis, comme celui de l'institution à laquelle il appartenait, était donc de croire que les bombardements favori-saient l'effort de guerre, et c'est pourquoi il le croyait. Le confronter aux cadavres des femmes et des enfants aurait inhibé son enthousiasme. Vann ne rejetait pas la responsabilité sur l'Armée de l'air. Le fautif était le général

Harkins qui n'avait pas compris la nature de cette guerre et qui n'avait pas refréné les tendances naturelles des institutions.

Les bombardements s'aggravaient chaque mois au fur et à mesure qu'Anthis et son état-major augmentaient la puissance de leur aviation hybride américano-vietnamienne. A la fin de 1961, l'Armée de l'air de Saigon possédait 70 appareils. En septembre 1962, le nombre en avait doublé, même si les pilotes pouvaient être aussi bien américains que vietnamiens. L'US Air Force, quant à elle, en avait 70 à l'escadrille de Biên Hoa et dans d'autres unités. Le nombre d'aviateurs américains dans le pays avait également augmenté au même rythme : ils étaient 400 en décembre 1961, 2 000 en septembre 1962, soit environ le tiers de l'effectif de leur protégé de Saigon, qui était de 6 500. Le subterfuge qui consistait à peindre les appareils B-25 et les T-28 aux armes vietnamiennes camouflait cette croissance de la puissance aérienne américaine. Les journalistes ne pouvaient la constater puisque l'entrée sur le principal terrain d'aviation militaire de Biên Hoa leur était interdite sous prétexte qu'il s'agissait d'une « base vietnamienne », et que le gouvernement de Saigon s'y opposait. Vann surveillait cette progression d'après le nombre rapidement croissant des « sorties » et du tonnage en augmentation continuelle de bombes, rockets, napalm que les avions déversaient. Le nombre de sorties avait pratiquement quadruplé pour passer de 251 en janvier 1962 à 955 en août, et il n'y avait aucun signe que cette courbe dût s'infléchir.

Suivant la coutume bureaucratique classique, Anthis et son état-major inventaient des objectifs pour maintenir l'activité de la flotte aérienne en expansion. Comme les occasions d'attaque aérienne contre des unités vietcongs dûment identifiées étaient limitées en raison de la nature de la guerre, une catégorie extensible d'« objectifs planifiés à l'avance » fut imaginée : « concentrations vietcongs connues, quartiers généraux, zones de stockage de matériel, installations de fabrication d'armes », en fait tout ce que Cao appelait plus simplement « villages vietcongs ». Dans les rapports de chaque opération, tout ce qui était construit était dénommé « bâtiment », ce qui évitait de faire la distinction entre l'abri édifié par les Vietcongs, l'habitation familiale des paysans ou son étable à cochons. En même temps, le terme satisfaisait le besoin de la bureaucratie de démontrer que les bombardements aériens donnaient des résultats tangibles, d'après le nombre de « bâtiments » détruits ou incendiés. Bien entendu, les rapports officiels les présentaient tous comme des « bâtiments vietcongs ». En septembre, les chasseurs-bombardiers en pulvérisaient une moyenne de 100 par semaine, dont, d'après les observations que put faire Vann dans son secteur, la majorité était des habitations paysannes.

Les règlements officiels, qui précisaient où et quand une attaque aérienne pouvait avoir lieu, permettaient à l'observateur aérien dans son L-19 de décider que toute personne qui courait était un Vietcong. L'impression menaçante que causait la présence vrombissante de l'avion au-dessus de leur tête incitait la plupart des paysans des deux sexes et de tout âge à prendre la fuite. L'observateur appelait par radio les chasseurs-bombardiers : « Vietcong en vue. » Puis il les guidait vers l'objectif. Après avoir mitraillé les fuyards en rase-mottes, l'observateur et les pilotes comptaient les morts, ou considérés comme tels, et établissaient un rapport. Le compte des « tués par air », *ipso facto* des Vietcongs, venait s'ajouter au nombre des morts qui, pour l'état-major de Harkins, constituait la mesure fondamentale de l'évolution favorable de la guerre. Vann avait inventé un terme méprisant pour les observateurs : « les rois des tueurs ».

Il considérait, ainsi que tous ceux de son bord, qu'ils auraient gagné à étudier le Vietcong. Les communistes vietnamiens lui avaient semblé cruels et sans pitié. On lui avait dit au début qu'ils torturaient et massacraient les prisonniers d'une façon aussi arbitraire que les forces de Saigon. Il découvrit que ce n'était pas vrai et que, s'ils étaient assez hypocrites pour violer souvent leur propre doctrine interdisant la torture, ils le faisaient d'une façon sélective. Leur philosophie concernant les prisonniers était simple. Ils abattaient les blessés graves parce que leurs possibilités médicales étaient limitées. Les hommes valides ou légèrement blessés étaient emmenés et séparés en deux groupes après un interrogatoire : ceux que le Vietcong pensait pouvoir convertir à leur cause ou au moins convaincre de rester neutres, et ceux dont ils avaient décidé qu'ils leur seraient toujours hostiles. Ces derniers, en général officiers ou sous-officiers, étaient abattus, certains d'entre eux après avoir été torturés. Les autres étaient rééduqués dans des camps de concentration clandestins dans des régions éloignées. Les régimes d'endoctrination consistaient en travail, lectures, études politiques et alimentation minimum. L'emprisonnement durait en moyenne de trois à six mois, puis les prisonniers étaient libérés.

Les Vietcongs pratiquaient la terreur avec une relative discrimination. Ils pouvaient frapper aveuglément : jeter des grenades dans une foule de spectateurs des films de propagande fournis par les services d'information américains au gouvernement de Saigon, tuer et blesser des passants en faisant sauter des bureaux, abattre délibérément les femmes et les enfants de miliciens lors de l'attaque d'un avant-poste. Mais le type même du terrorisme vietcong consistait à assassiner d'une façon sélective les représentants officiels dans les villages et les sympathisants du régime de Saigon. Là encore, les Vietcongs étaient suffisamment hypocrites pour enfreindre souvent la règle qui voulait que personne ne soit mis à mort à la façon de Thuong. Une des directives typiques précisait qu'il était « interdit de tuer sauvagement les accusés ». Toute sentence de mort devait être « exécutée correctement », c'est-à-dire fusillés ou décapités. Mais les policiers et les espions, hommes ou femmes, risquaient de périr à coups de couteau, ou d'être battus à mort ou éviscérés. Les Viets étaient cohérents avec eux-mêmes en essayant d'expliquer ces exécutions à la population. Ils épinglaient un « Avis de mort » sur le corps de la victime avec la liste de ses « crimes » présumés en précisant qu'en commettant ces crimes le condamné avait « accumulé des dettes sanglantes à l'égard du peuple » qui justifiaient son traitement. La note provenait d'une entité d'apparence juridique portant incontestablement la marque du Vietcong, mais parfaitement introuvable :

« Tribunal du peuple du district de Cai Lay. » Les services de propagande vietcong explicitaient ensuite les raisons de cette mort au cours de réunions nocturnes dans les hameaux et sur des prospectus et feuilles d'information locales ronéotypées. Les communistes vietnamiens cherchaient à convaincre les paysans que les représentants réels de la loi et de l'ordre, c'étaient eux et non le gouvernement de Saigon. Les condamnations à mort étaient destinées à ressembler à des exécutions et non à des assassinats. Cette application du terrorisme vietcong avait le double objectif de démoraliser leurs opposants de Saigon tout en montrant que les communistes ne feraient pas de mal à ceux qui ne s'opposeraient pas à eux, et qu'ils menaient une politique sage en ne recourant à la mort que lorsque la persuasion était inefficace. Ce code tendait à la fois à créer un lien avec les paysans et à leur donner en même temps une impression de sécurité quand le Vietcong était là. Lorsqu'une unité des forces régulières ou régionales stationnait dans un village, les soldats se conduisaient impeccablement, ne volaient jamais ni ne molestaient les femmes comme les soldats de Saigon, payaient leur nourriture et aidaient les paysans dans les rizières.

John Vann aurait voulu que son pays dénonçât les cruautés vietcongs tout en adoptant leurs limites. Il avait insisté pour que Herb Prevost et les trois capitaines aviateurs sous ses ordres, qui assuraient la liaison dans les capitales de province, aillent se rendre compte sur le terrain. Ainsi Prevost et ses capitaines étaient probablement les seuls aviateurs du Sud Vietnam à savoir « où il était nécessaire de frapper et où on perdait de l'argent », suivant la formule de Vann combinant les principes et le pragmatisme. Ils essayèrent d'aider Vann à rationaliser les attaques aériennes dans le nord du delta. Mais un commandant et trois capitaines ne constituaient pas l'Armée de l'air américaine. Et le nombre de missions de bombardement qu'ils réussirent à empêcher, sans être saqués, fut très limité.

Avant le déjeuner avec Taylor, Vann avait espéré que Harkins, bien qu'il eût virtuellement laissé entendre qu'il considérait le problème comme résolu, le laisserait parler loyalement des bombardements, de l'évasion des armes par les avant-postes et des difficultés qu'il rencontrait pour que l'armée vietnamienne se batte réellement. Les rapports qu'il envoyait après chaque opération étaient d'une franchise irritante proche du désaccord. Et cependant Harkins l'avait invité au déjeuner. Vann voulait profiter de cette marque de bonne volonté à son égard, mais n'avait bien entendu pas l'intention de critiquer personnellement Harkins. Il avait simplement présumé que Harkins se sentait obligé de soumettre au nouveau chef de l'état-major général toute une palette de points de vue différents. Il s'attendait donc à ce que ce déjeuner soit l'occasion d'une discussion sérieuse, et non pas une de ces « démonstrations bidon » qu'il donnait avec Cao à My Tho pour les visiteurs.

Paul Harkins était l'homme de Maxwell Taylor. A cinquante-huit ans, il n'avait que trois ans de moins que son mentor. Cavalier et ancien joueur de polo, Harkins était de grande taille avec une personnalité marquée. Porter, qui avait une crainte respectueuse à son égard, trouvait qu'il ressemblait à

John Wayne. Harkins s'était institué comme un des protégés de Taylor aussitôt après la mort de son patron de la Seconde Guerre mondiale, George Patton. Sa carrière avait alors suivi la progression de Taylor qui avait obtenu pour lui la quatrième étoile de général d'armée en le faisant nommer par Kennedy à la tête du commandement militaire de Saigon qui allait être créé.

Suivant le code militaire tel que Vann le concevait, Harkins se devait de témoigner d'une particulière franchise dans leurs rapports. D'où sa surprise de voir Harkins transformer le déjeuner en un spectacle de fantoche. Il avait été encore plus étonné de l'attitude de Taylor, réputé pour son esprit incisif. Or Taylor avait laissé Harkins abuser de son rang et monopoliser la conversation. Il aurait pu l'arrêter et donner une chance à Vann en lui posant une question sans laisser Harkins intervenir dans la réponse.

Vann avait mal interprété l'intention de Harkins en l'invitant à ce déjeuner. Il s'était mépris sur la curiosité de Taylor à connaître les réalités de cette guerre. Il n'avait pas été invité pour inquiéter avec ses problèmes le chef d'état-major général. Il n'était assis à cette table, le 11 septembre 1962, que comme une preuve vivante de la façon dont le général Harkins anéantissait les communistes vietnamiens.

Cet optimisme de façade devait être rapidement tempéré. Les ennuis commencèrent le 5 octobre 1962, trois semaines après que Taylor fut retourné à Washington, impressionné par les progrès accomplis depuis un an. La division déclencha ce jour-là une opération dans une région contrôlée par la guérilla à la lisière de la plaine des Joncs à l'ouest de My Tho, contre le 514e bataillon vietcong.

Les débarquements par hélicoptères se déroulèrent sans incident. Une section de 40 hommes appartenant à la compagnie de Rangers du capitaine Thuong avança dans la rizière inondée en direction d'un hameau suspect. Cette opération faisait partie du plan de Ziegler pour sonder le terrain, semer la panique chez l'adversaire et l'amener à fuir à découvert. Thuong avait divisé sa compagnie en sections pour couvrir le plus de terrain possible. L'objectif vers lequel se dirigeait la section était un hameau typique du delta, construit derrière un canal d'irrigation qui amenait l'eau aux rizières. La digue de belle taille qui longeait le canal pour protéger le village des inondations était couronnée d'une rangée d'arbres et d'épais bosquets. Lorsque les éléments de tête de la section de Rangers se trouvèrent à trente mètres de la digue, une fusillade éclata. Les Rangers ne pouvaient pas voir les Vietcongs qui leur tiraient dessus. Cachés dans des trous individuels creusés dans la digue sous les arbres et camouflés, ils étaient invisibles de la rizière et de l'avion d'observation qui les survolait.

Les quarante Rangers furent en majorité tués ou blessés par la première fusillade. Les Vietcongs sortirent alors de la ligne des arbres pour exterminer la section en se cachant derrière les étroites petites digues qui sillonnaient la rizière. Seule la bravoure du conseiller américain de la compagnie, le capitaine James Torrence, solide gaillard de vingt-neuf ans, fils de colonel, permit d'éviter l'anéantissement complet. Il rassembla derrière une petite digue les survivants et les blessés encore en état de tirer et repoussa plusieurs tentatives ennemies.

Vann arriva aussitôt avec des renforts par hélicoptères, mais d'autres éléments du 514ᵉ bataillon entrèrent en action en tirant sur les hélicoptères. Deux des appareils reçurent tant de balles qu'ils furent contraints d'atterrir en catastrophe. Vann était dans l'un d'eux. Les rafales d'armes automatiques abattirent le soldat américain qui manœuvrait la mitrailleuse, et tuèrent ou blessèrent la plupart des douze soldats vietnamiens qui étaient à bord. Vann s'en tira avec une éraflure faite par un fragment de métal. Il vida le chargeur de son Armalite sur les Vietcongs, cria aux quelques soldats indemnes de l'aider à sortir les blessés. Tandis qu'un Vietcong essayait de l'abattre en trouant le fuselage autour de lui, il dut remonter dans l'appareil pour arrêter le moteur que le pilote novice avait laissé tourner dans son affolement pour sauter à terre et s'enfuir. Plus tard, il envoya à Mary Jane une coupure de presse parue dans le *Pacific Stars and Stripes,* le journal de l'armée pour l'Extrême-Orient, sur lequel il avait griffonné à côté de l'article sur les hélicoptères : « 31 balles. J'étais dans le premier abattu. » Quand il eut rejoint la section, il ne trouva que Torrence et six Rangers indemnes : quatorze étaient morts et vingt autres blessés. Plus tard, Vann devait proposer Torrence pour l'Étoile de bronze pour la bravoure. Mais elle fut refusée, car le président Kennedy avait interdit les décorations au Vietnam en 1962. Vann réussit tout de même au bout de trois ans à lui obtenir cette récompense. Torrence devait mourir neuf ans plus tard comme lieutenant-colonel, lorsque son hélicoptère s'écrasa dans ce même delta du Mékong, alors qu'il travaillait à nouveau pour Vann.

Les chasseurs-bombardiers attaquèrent avec bombes, napalm et rockets. Mais, cette fois, les Vietcongs ne furent pas pris de panique. Ils restèrent dans l'abri de leurs trous jusqu'à ce qu'ils puissent se retirer en bon ordre, en se cachant sous d'autres bosquets d'arbres. Ils emportèrent avec eux leurs morts et leurs blessés, après avoir soigneusement ramassé les cartouches de cuivre vides pour en fabriquer des neuves plus tard en les remplissant de poudre et de balles.

Vann trouva leur performance très inquiétante. Certains chefs vietcongs avaient appris à leurs hommes à ne pas laisser leur frayeur dominer leur jugement, à manœuvrer et à tirer avantage du terrain. L'époque de la guerre facile était révolue. La 7ᵉ division allait devoir se mettre au combat d'infanterie. Le journaliste David Halberstam, qui venait d'arriver au Vietnam comme correspondant du *New York Times,* se trouvait avec un autre bataillon de la division assez proche pour entendre la mitraillade et voir les avions piquer. Ce soir-là, au séminaire, Vann lui expliqua que l'engagement qui venait de se produire démontrait que les Vietcongs savaient maintenant comment réduire l'avantage que la technologie américaine avait apporté aux troupes de Saigon. Des déserteurs vietcongs leur avaient appris que les officiers insistaient sur le fait que, s'ils tiraient tous en même temps sur les hélicoptères, ils arriveraient à les abattre. Leur argument avait porté. Dans l'avenir, les simples combattants en auraient moins peur. Ce comportement accroîtrait en même temps leur prestige auprès des paysans qui craignaient « les grands oiseaux de fer », comme ils les appelaient.

Au total, vingt hommes de la division avaient été tués et quarante blessés. Ces pertes étaient relativement faibles à côté de ce qu'elles seraient dans l'avenir et n'étaient pas trop graves, au vu du bilan des combats d'infanterie dans n'importe quelle guerre. Mais elles étaient sérieuses en comparaison des chiffres négligeables des précédentes opérations de la division où les Vietcongs s'étaient jetés à l'abattoir.

Cao réagit mieux que Vann n'aurait cru. Il l'assura que cet incident ne ralentirait pas le rythme des opérations offensives. Il faudrait simplement être « plus prudent » à l'avenir. Vann reconnut la nécessité de prendre des précautions, en particulier dans les zones boisées. A partir de maintenant, chaque unité devrait être précédée d'éclaireurs pour explorer le terrain. Vann se dit que Cao avait dû maintenant acquérir de l'expérience et qu'il serait moins nerveux la prochaine fois qu'ils se trouveraient dans une situation difficile. Il se souviendrait que sa carrière n'avait pas été compromise par cet échec. D'autre part, il s'écoulerait vraisemblablement un certain temps avant que les autres bataillons vietcongs aient appris à combattre aussi bien que le 514ᵉ. En outre, le massacre par les engins blindés le 18 septembre, seulement deux semaines et demie auparavant, ralentirait l'évolution des Vietcongs en portant un coup sérieux à leur moral.

Trois jours après l'embuscade dans laquelle étaient tombés les Rangers, une compagnie de la Garde civile d'une autre province tomba sur une unité de réguliers vietcongs et eut dix-huit tués. Ils se défendirent de leur mieux et comptabilisèrent ensuite dix-huit cadavres vietcongs. Cao ne réagit pas : il ne s'agissait pas d'une opération de sa division et il n'était par conséquent pas responsable.

Puis ce fut le désastre. Le lendemain, Cao fit venir Vann d'urgence. Il était terrorisé. Il lui apprit qu'il avait été convoqué par Diêm ce matin au palais pour s'expliquer des pertes dans les deux engagements. Ils préparèrent ensemble des explications que Cao apprit par cœur avant de prendre l'avion pour Saigon à l'aube. Vann estimait que Cao serait capable de se défendre convenablement. L'embuscade faisait partie de ce genre de leçons pénibles que les soldats doivent apprendre. Et Diêm ne pourrait rien lui reprocher dans le cas de la Garde civile.

Cao raconta ensuite à Vann qu'il n'avait jamais eu la possibilité de s'expliquer. Il était arrivé dans l'antichambre du bureau de Diêm avant qu'il n'ait son premier rendez-vous. Un aide de camp lui dit d'attendre. D'autres entrèrent pour voir le président puis ressortirent. Cao resta assis dans son coin toute la journée. Personne ne lui proposa de déjeuner. Tard dans l'après-midi, l'aide de camp l'introduisit en présence de celui qu'il appelait « mon roi ».

Diêm ne répugnait pas à la discussion quand il la jugeait à son avantage. Mais il était célèbre pour ses monologues. Il utilisait cette technique avec les subordonnés qui lui causaient des problèmes et avec les officiels américains susceptibles de lui poser des questions embarrassantes. Il parlait pendant des heures, ignorant toute tentative de son visiteur de l'interrompre, tout en fumant à la chaîne l'équivalent local des Gauloises bleues. De cette façon, il ne pouvait pas être contredit. Cao eut droit à ce pénible monologue. Diêm lui reprocha d'écouter beaucoup trop ses conseillers américains et de prendre trop de risques dans des opérations offensives. Il en résultait un trop grand nombre de pertes. S'il voulait devenir général et obtenir le commandement d'un corps d'armée, comme la possibilité en avait été évoquée, il devrait faire preuve de beaucoup plus de prudence. Cao fut congédié sans souper.

Dès son retour à My Tho, Cao mit fin au système conçu minutieusement par Vann d'une planification conjointe. Il ne s'intéressait absolument plus aux talents de Ziegler, pas plus qu'à la mascarade des *briefings* qu'il avait tant appréciée. Il préparait lui-même toutes les opérations jusqu'au moindre détail, et Vann ne les découvrait qu'à la dernière minute. Cao déployait une telle prudence qu'au cours des quatorze attaques qui suivirent, de la mi-octobre jusqu'à décembre, trois soldats seulement de la division furent tués, et encore, selon le rapport, le furent-ils « accidentellement ». Il utilisa le service de renseignements dans un but que Vann et Drummond n'auraient jamais pu prévoir quand ils en avaient fait un service vraiment opérationnel : les informations lui servaient à attaquer là où il était sûr qu'il n'y aurait pas de Vietcongs. Pour éviter tout ennui, il prévoyait dans son plan d'attaque une ouverture facilement décelable par où les Vietcongs pourraient s'échapper au cas où quelques-uns se trouveraient accidentellement dans la région. Faust appelait cela « le trou ». Quant au problème potentiel des pertes ennemies, Cao le résolut en multipliant encore plus le nombre de tués par air que dans le passé.

Vann comprit enfin pourquoi Cao avait toujours refusé de faire intervenir les troupes de réserve pour encercler et annihiler un bataillon vietcong. Cao savait que, lorsque les rebelles seraient cernés, ils passeraient à l'attaque contre le secteur du piège qui leur semblerait le plus favorable à la fuite. On en viendrait alors au combat au corps à corps. Un bataillon des meilleures troupes communistes serait anéanti ou fait prisonnier, car si les troupes sud-vietnamiennes fléchissaient sous l'assaut, Cao et Vann pourraient toujours envoyer des renforts par hélicoptères, ce que les communistes ne pouvaient faire. Mais Cao aussi aurait des pertes. Et, s'il avait des pertes, il aurait des ennuis avec Diêm. Il ne serait jamais promu général et serait peut-être même cassé. Après que les hélicoptères et les engins blindés eurent effrayé les Vietcongs et que l'aviation eut mitraillé pour lui offrir quelques cadavres, il n'avait plus intérêt à prendre de risques. Son bilan était bon, et il n'avait besoin que de cela pour être félicité et promu. L'ordre donné aux troupes de réserve de ne pas bouger le 20 juillet émanait de Cao, et non pas du commandant de régiment, qui avait été contraint de le donner lui-même pour que Vann en ignorât l'origine. Il y avait une explication simple à cette déconcertante attitude, ainsi que pour beaucoup d'autres actions vietnamiennes que les Américains naïfs mettaient souvent sur le compte de la stupidité, de l'ignorance ou de ce concept mystérieux appelé la « mentalité orientale ».

Vann approfondit le problème et découvrit que Diêm avait depuis longtemps donné secrètement à Cao et aux autres commandants l'ordre verbal de ne jamais se lancer dans des opérations offensives qui entraîneraient de lourdes pertes, particulièrement dans l'armée régulière, comme cela avait été le cas le 5 octobre avec les Rangers. Vann ne connaissait pas encore suffisamment bien l'histoire du régime pour en discerner les causes. La raison en était au fond relativement simple.

Diêm et sa famille considéraient que les pertes subies au cours des opérations offensives contre le Vietcong avaient été la raison essentielle du coup d'État avorté de novembre 1960. Pour les Ngô Dinh, les officiers parachutistes de l'armée sud-vietnamienne, instigateurs de cette rébellion, avaient comploté, avec des hommes politiques de l'opposition, parce qu'ils étaient mécontents des pertes subies. Pour eux, comme pour les politiciens, la famille des Ngô Dinh créait les conditions permettant aux Vietcongs de faire des progrès. Ils avaient également été écœurés en voyant que la vie de leurs officiers et de leurs troupes était sacrifiée par des hommes comme Cao que le président et sa famille avaient promus à des postes de responsabilité. Les Ngô Dinh n'avaient jamais recherché les raisons profondes du coup d'État de 1960, et ils n'en auraient jamais admis les raisons si quelqu'un avait eu l'audace de les confronter avec les faits. La famille régnante du Sud Vietnam combinait la mentalité des Bourbons après la Révolution française avec celle du roi d'Angleterre George III qui réussit à faire perdre à l'Empire britannique les treize colonies d'Amérique. Ils n'avaient rien appris, ils n'avaient rien oublié et ils étaient profondément convaincus que tout ce qu'ils entreprenaient était fondamentalement juste et vertueux. Ils ne voulaient pas d'une nouvelle tentative de coup d'État, et s'opposaient par conséquent à ce que l'armée subisse des pertes importantes dans des opérations offensives.

Le président et sa famille ne souhaitaient pas non plus engager dans une guerre l'armée sud-vietnamienne, principal soutien de leur autorité. Les Américains considéraient que l'ARVN était destinée à défendre le Sud Vietnam, tandis que pour les Ngô Dinh son rôle essentiel était de protéger leur régime, dont la survivance était leur priorité majeure. Faire courir des risques à l'ARVN dans une guerre, c'était en faire courir à leur gouvernement. Impensable ! Le contrôle sur l'armée leur avait permis d'écraser leurs opposants non communistes peu de temps après leur arrivée au pouvoir. Ils pensaient que, même si la majorité du Sud Vietnam était conquise par les communistes, une ARVN intacte leur permettrait de tenir assez longtemps à Saigon et dans les autres grands centres pour que Washington envoie l'armée américaine et les Marines à leur secours. Ils tenaient pour acquis que les États-Unis, la première puissance mondiale, ne pouvaient se permettre de laisser leur gouvernement anticommuniste tomber entre les mains des dirigeants de Hanoi. John Stirling, correspondant à Saigon du *Times* de Londres en 1962, qui, comme les Anglais, jugeait plus subtilement que les

Américains ces problèmes, avait parfaitement compris l'attitude de Diêm et de sa famille : « La principale exportation de ce pays, aimait-il répéter, c'est l'anticommunisme. » Que leur attitude coûtât très cher en sang vietnamien ne venait même pas à l'esprit des Ngô Dinh. Ils étaient prêts à accepter des pertes dans des actions défensives, car c'était le seul moyen de conserver le système des avant-postes, base même de leur autorité sur la campagne. Les plus importantes pertes étaient causées aux miliciens qui les gardaient. Mais les Ngô Dinh ne se souciaient pas de la mort de ces paysans. La stabilité du régime n'était pas menacée et les vies de ces campagnards ne coûtaient pas cher. Ils pouvaient être remplacés par d'autres mercenaires pour l'équivalent en piastres d'une centaine de francs par mois. Diêm avait si peu d'estime pour eux qu'il leur avait interdit les hôpitaux militaires lorsqu'ils étaient blessés. Ils devaient aller dans les établissements de province, sortes de charniers où la chirurgie gratuite pour les miliciens était primitive. On y manquait de médicaments, volés et revendus par les médecins vietnamiens et le personnel. La vermine et les latrines en plein air développaient l'infection. En revanche, une armée régulière était, pour le président et sa famille, l'assurance qu'ils pourraient faire face à toute situation.

Vann essaya de convaincre Cao que l'interdiction de Diêm était militairement absurde, que les communistes allaient gagner la guerre si l'armée vietnamienne ne combattait pas, et que le devoir de Cao était de le dire à son président. Vann ne tenait pas suffisamment compte de l'adresse de son interlocuteur à rendre rationnel tout ce qui l'avantageait et il croyait encore trop à la vanité de Cao. Cao métamorphosa son refus de combattre en une apparence de génie militaire. Il adressa un message à toute la division le 31 octobre 1962, pour le septième anniversaire de sa création, dans lequel il compara son commandement au nord du delta avec celui de Vô Nguyên Giap à Diên Biên Phu. Giap était le grand perdant après la proclamation de Cao : « A Diên Biên Phu, en 1954, la tactique mise en œuvre par Vô Nguyên Giap était si médiocre et si mal conçue que des milliers de civils et de militaires furent tués inutilement pour obtenir la victoire ! »

Lorsque Vann alerta Porter et Harkins sur l'ordre secret de Diêm, Harkins alla voir le président pour lui en demander confirmation. Diêm était prêt à lui répondre. Il connaissait les arguments des Américains sur l'agressivité au combat. C'était leur philosophie. Diêm était convaincu que cette façon d'aborder le problème était mauvaise. Il refusait d'admettre l'alternative entre faire courir des risques à son armée ou voir les communistes gagner la guerre. Il considérait que les bombardements par l'artillerie ou l'aviation étaient infiniment plus efficaces contre la guérilla que les combats d'infanterie. Le fait qu'aucun de ses officiers ne lui eût jamais tenu le raisonnement des Américains le renforçait dans sa conviction. Il est vrai que ceux qui étaient d'accord avec les conseillers ne se risquaient bien entendu pas à le dire. Il était également convaincu qu'il avait déjà commencé à gagner la guerre avec une sage stratégie qui s'accordait bien avec sa conception sur la façon de maîtriser les paysans. Il les regroupait dans des « hameaux stratégiques[1] ». On construisait dans toute la campagne des milliers de ces places fortifiées entourées de barbelés. Les Américains finançaient ce programme de pacification et fournissaient les barbelés. Diêm pensait qu'en séparant ainsi les habitants isolés des communistes, il asséchait l'eau dans laquelle le poisson rebelle devait circuler à l'aise, suivant la métaphore de Mao. Avec le programme des « hameaux stratégiques », il n'y avait plus besoin de combats d'infanterie.

Diêm et sa famille avaient perfectionné leur roublardise dans leurs relations avec les Américains. Ils n'hésitaient pas à exprimer leur désaccord lorsque la confrontation tournait à leur avantage. Ils avaient découvert que les Américains étaient sensibles à l'intimidation et au chantage. Ils avaient également compris que la meilleure façon de manipuler les ambassadeurs américains, les généraux et les agents de la CIA était souvent d'être d'accord avec eux, de leur dire ce qu'ils souhaitaient entendre, même si c'était un mensonge. Les Ngô Dinh avaient appris que ces importantes personnalités se retireraient la plupart du temps satisfaites, rapporteraient à Washington ce qu'on leur avait dit, et ne chercheraient pas à savoir si c'était la vérité.

Lorsque Harkins demanda à Diêm s'il était vrai qu'il eût donné l'ordre à ses officiers de ne prendre aucun risque de pertes, Diêm mentit. Bien entendu, ce n'était pas vrai, affirma-t-il. Au contraire, il avait insisté auprès des commandants de l'ARVN et des chefs de province, pour qu'ils montrent plus d'agressivité. Il leur avait donné l'ordre d'attaquer sans hésitation le Vietcong chaque fois qu'ils en avaient la possibilité. Harkins n'insista pas. Il commença à accepter les faux bilans de pertes communistes de Cao et les transmit à Washington, sans mise en garde. Vann demanda à Porter l'autorisation de refuser à Cao l'utilisation des hélicoptères américains pour essayer de mettre fin à cette farce. Porter lui dit que Harkins s'y opposait.

Les relations entre manipulé et manipulateur sont à double sens. Vann pensait qu'il avait manipulé Cao, mais Cao n'en avait fait qu'à sa tête. Deux présidents américains, Eisenhower et Kennedy, avaient envoyé à Saigon des hommes de valeur pour manipuler Diêm dans l'intérêt des États-Unis, et les Ngô Dinh n'en avaient fait qu'à leur tête.

Pendant les mois de novembre et de décembre, Vann constata avec colère et frustration la progression des communistes : ils s'emparèrent de plus d'avant-postes, capturèrent toujours plus d'armes modernes américaines, reconstituèrent leurs bataillons dans le nord du delta. Vann avait commis la même erreur avec Cao que son héros, Lansdale, avec Diêm, au début de cette aventure qui avait amené Vann au Sud Vietnam.

---

1. Hameaux stratégiques : le président Diêm imitait en cela les Français. En Algérie, en effet, avait commencé dès 1956 le déplacement obligatoire de quelque 1 250 000 ruraux. Expulsés de leurs douars isolés, ils étaient installés dans des « villages de regroupement » qu'ils devaient en général construire eux-mêmes.

II

L'héritage amer

« Regardez ! Ils m'ont marché sur les pieds ! » dit Diêm avec émerveillement dans l'avion qui le ramenait à Saigon en regardant ses chaussures éraflées et poussiéreuses, qui avaient été d'un noir si brillant le matin.

Il n'était venu qu'avec réticence, satisfait de se contenter de gouverner depuis le bureau de son palais. Mais maintenant, il était content d'avoir écouté Lansdale et les Américains qui l'entouraient. Parmi eux, Everet Bumgardner, originaire d'une petite ville de Virginie comme Vann, qui avait commencé sa guerre psychologique au Vietnam dans les années cinquante comme photographe de l'Agence d'information US. Il était enthousiaste de ce voyage en avion, en cette année 1955, une des premières visites de Diêm dans ce qui avait été une région contrôlée par les communistes, ou « libérée », pour parler comme eux. L'avion avait volé le matin même jusqu'au petit port de Tuy Hoa, sur la côte centrale, que les Français, par manque d'effectifs, n'avaient pas occupée, la laissant au Viet Minh de Hô Chi Minh pendant les neuf années de la première guerre. Les rebelles venaient seulement de se retirer vers le port de Qui Nhon, d'où des bateaux polonais et russes allaient les emmener au nord du 17e parallèle suivant les accords de Genève.

Comme le Viet Minh avait détruit le terrain d'aviation, les pilotes de la CIA durent poser le vieux bimoteur C-46 dans un champ. Dès l'arrêt de l'appareil, des paysans se précipitèrent en masse avec tant d'impétuosité que Bumgardner eut peur qu'ils ne soient tués par les hélices avant que les pilotes n'aient coupé le contact. Dès que Diêm apparut, la foule déborda ses gardes et faillit piétiner la petite silhouette grassouillette, habillée comme toutes les personnalités officielles d'un costume de lin blanc avec cravate noire. Dans leur ardeur à le voir et à le toucher, les paysans écrasèrent ses chaussures de leurs pieds nus, y laissant l'empreinte de leur accueil frénétique.

Personne à Saigon ne s'attendait à cela, même si Ngô Dinh Nhu, le frère de Diêm et son conseiller politique, avait envoyé plusieurs jours plus tôt des organisateurs à Tuy Hoa. La traversée de la ville ne fut qu'une succession d'acclamations. Les enfants agitaient des petits drapeaux de papier, répliques de l'emblème de Saigon : trois bandes horizontales rouges sur fond jaune. A la stupéfaction de Bumgardner, 50 000 au moins, et probablement 100 000 personnes étaient massées sur le terrain de football où Diêm devait prendre la parole. Il parla des maux du communisme, qualifia Hô et le Viet Minh de marionnettes russes et chinoises, accusa Hô de vouloir détruire les

119

traditions vietnamiennes pour imposer une tyrannie athée au pays. Son ton guindé d'originaire de Huê ne semblait pas gêner sa faculté de communiquer. La foule hurlait son approbation et applaudissait chaque fois qu'il marquait une pause. Bumgardner photographiait les visages enthousiastes et prenait des notes pour l'article à paraître dans le *Free World,* un magazine publié et distribué gratuitement par les services d'information américains dans tous les pays et les langues des pays non communistes d'Asie. Les documents étaient également à la disposition des journaux amis au Vietnam et ailleurs.

En revenant vers Saigon après cette réception enthousiaste, Bumgardner en conclut que les paysans et les citadins vietnamiens étaient transportés de joie d'être libérés de l'oppression communiste et saluaient cet homme comme leur libérateur. Il était convaincu que les Américains au Vietnam réussiraient à imposer Diêm comme un héros national face au chef de l'autre bord.

Lansdale voulait faire de Diêm un autre Ramon Magsaysay, ce responsable asiatique progressiste, modèle philippin de l'anticommunisme. Ainsi le Sud Vietnam serait transformé, comme les Philippines des années cinquante, en ce modèle de démocratie efficace que l'empire américain préférait pour l'Asie.

Les artisans de ce système étaient Dean Acheson, secrétaire d'État de Truman, et les deux frères Dulles dans l'administration Eisenhower, John Foster au département d'État et Allen à la CIA. Ils n'étaient pas assez naïfs pour croire pouvoir exporter la démocratie dans toutes les nations du globe. Les États-Unis l'avaient déjà instaurée en Allemagne de l'Ouest, au Japon et dans leur ancienne colonie des Philippines. Leur choix se portait sur un État démocratique ou une dictature réformiste. Leur stratégie avait pour but d'organiser l'ensemble du monde non communiste en un réseau de pays alliés ou dépendants des États-Unis, protégés par leur puissance militaire, reconnaissant leur suprématie dans les affaires internationales, intégrés dans un système économique où le dollar était la principale monnaie d'échange et où le monde américain des affaires avait un rôle prédominant.

Les États-Unis ne cherchaient pas à avoir de « colonies » à la mode européenne, notion qui choquait la conscience politique des Américains. Ils étaient convaincus que leur système impérial ne causait aucun tort aux peuples étrangers. Un « intérêt personnel éclairé » était la seule forme d'égoïsme national qu'ils admettaient. Les commentateurs politiques à la mode impliquaient plus qu'un simple retour à la grandeur impériale de Rome et de la Grande-Bretagne lorsqu'ils inventèrent le terme de *Pax Americana.* Les Américains concevaient leur régime comme une nouvelle forme bienveillante de conduite des affaires internationales. Elle ne devait ni exploiter les peuples, comme le colonialisme des empires européens du XIXe siècle, ni détruire la liberté individuelle et les autres valeurs humaines, comme le totalitarisme de l'Union soviétique, de la Chine et de leurs alliés communistes. Au lieu de colonies, les États-Unis recherchaient des gouvernements locaux dociles aux souhaits américains, si possible soumis à un contrôle indirect, qui agiraient en substituts de la puissance américaine. Le but final était d'imposer aux alliés et dépendants cette domination dont toute nation impériale a besoin pour faire prévaloir sa volonté dans le monde, tout en évitant la structure du colonialisme désuet.

Les communistes et les gens de gauche en général soutenaient que cet impérialisme américain était une forme beaucoup plus insidieuse de colonialisme que le système européen. C'est ce qu'ils appelaient le « néocolonialisme ». Mais pour la majorité des Américains des années cinquante et début soixante c'étaient les communistes qui étaient les véritables néocolonialistes. Leurs chefs, en particulier en Asie, avaient trahi leur pays d'origine. Ils étaient convertis à la philosophie européenne du marxisme-léninisme et agents d'une puissance étrangère, l'Union soviétique. Lansdale comparait Hô Chi Minh au grand traître de la révolution américaine, Benedict Arnold[1]. « La tragédie de la guerre d'indépendance révolutionnaire du Vietnam, écrivit-il, a été que leur " Benedict Arnold " a réussi. Hô Chi Minh, aidé par une petite équipe de membres du Parti, entraîné par les Russes et les Chinois, a secrètement changé les objectifs de la lutte. Au lieu de se battre pour l'indépendance contre la puissance coloniale française, il a mené la guerre pour battre les Français et incorporer le Vietnam au sein de l'empire néocolonial communiste. »

Les Philippines de 1954 étaient le plus parfait exemple de l'**impérialisme** américain. Après avoir été une colonie, elles acquirent leur indépendance en 1946. En contrepartie, les États-Unis obtinrent un bail de quatre-vingt-dix-neuf ans pour vingt-trois bases militaires, en particulier le port de Subic Bay et le terrain d'aviation de Clark. Les services de l'armée et du renseignement continuèrent à fonctionner comme auxiliaires des Américains ; le gouvernement était plus anticommuniste que les frères Dulles, et les îles fournissaient aux États-Unis un potentiel humain entraîné pour lutter contre les mouvements communistes dans le reste de l'Asie.

Et pourtant, quelques années plus tôt, l'avenir avait été bien compromis. Le mécontentement des paysans contre les propriétaires terriens et le ressentiment général de la population contre la corruption d'un gouvernement réactionnaire avaient provoqué la rébellion Hukbalahap dirigée par les communistes. A la fin de 1949, les Huks avaient levé 15 000 combattants armés et se prévalaient d'un million de sympathisants. Leur politburo fonctionnait clandestinement en plein cœur de Manille ; dans l'île principale de Luçon, les maires et chefs de police étaient de connivence avec les rebelles

---

1. Benedict Arnold : général américain de la guerre d'Indépendance. Humilié des réprimandes méritées que lui avait adressées le général Washington, il tenta de livrer West Point aux Anglais en 1780. Découvert, il passa dans les rangs anglais pour combattre ses compatriotes.

par peur ou par sympathie ; l'armée et la police étaient inefficaces ; les élections n'étaient qu'une farce tellement marquée par la fraude et l'intimidation que les Huks proclamaient logiquement qu'il fallait des balles et non des bulletins de vote pour changer le gouvernement. Ils prédisaient qu'ils s'empareraient de toutes les îles des Philippines en deux ans.

Dans ces périodes de crise où se font et se défont les réputations, Lansdale construisit la sienne. Il fut le catalyseur et le meneur en coulisses de l'opération de sauvetage. Il reconnut en Ramon Magsaysay le genre de chef charismatique et honnête capable de rallier ceux qui ne voulaient pas d'un gouvernement communiste, mais se trouvaient sans meneur et à la dérive. Fils d'un fermier forgeron qui était également instituteur, Magsaysay avait commencé pendant la Seconde Guerre mondiale en conduisant des autobus, transports de fortune pour les défenseurs américains et philippins de Bataan. A la fin de la guerre, il s'était retrouvé à la tête de quelques milliers de résistants contre les Japonais. En 1950, en plein cœur de la rébellion huk, et alors que le poste était peu recherché, il avait accepté d'être secrétaire à la Défense. Extraverti, doué d'une énergie abondante mais souvent mal dirigée, d'un esprit curieux avec une tendance à prendre des tangentes, d'une conscience des problèmes sociaux, il avait besoin de conseillers experts.

Ce fut le rôle de Lansdale. Il s'était forgé quelques idées sur la façon de mater une rébellion au cours d'une tournée précédente dans les îles comme officier de renseignements de l'aviation pour étudier les Huks. Il était retourné ensuite aux Philippines au titre de la CIA. Homme affable qui se faisait facilement des amis, Lansdale se trouva très vite suffisamment proche du nouveau secrétaire à la Défense pour partager sa demeure dans le camp militaire américain. Ils passaient ainsi leurs soirées ensemble pour étudier les problèmes en cours. A eux deux, ils constituaient une équipe magnifique, et les Huks eurent à souffrir des conséquences d'une contre-révolution brillamment menée. Avec Lansdale comme entraîneur, Magsaysay mit sur pied un excellent service de renseignements, réforma l'armée et la police pour en faire des organisations disciplinées avec esprit de corps et sens de leur mission. Il renvoya les officiers paresseux et corrompus et promut les chefs dynamiques qui comprenaient l'importance de convaincre les habitants que les militaires étaient là pour les protéger et non pour les piller. Les soldats commencèrent à se conduire avec la population avec courtoisie et gentillesse. Les civils blessés au cours d'affrontements recevaient le même traitement que la troupe dans des hôpitaux militaires. Magsaysay veilla à ce que les paysans exploités obtiennent justice devant les tribunaux et désigna des avocats de l'armée pour les défendre contre leurs propriétaires. N'importe qui aux Philippines pouvait envoyer pour quelques centimes une lettre au secrétaire à la Défense, et son cas était pris en considération. Il fit comprendre à tous que le gouvernement s'occupait d'eux. Il appliqua la loi électorale et rendit à ses concitoyens le droit de changer leur gouvernement. Il offrit également aux Huks un choix : se rendre pour être amnistiés, ou courir le risque toujours plus grand de la prison et de la mort. En 1953, la rébellion était écrasée et les rebelles réduits à de petites bandes isolées vite balayées par la police. Cette année-là, Magsaysay fut élu président des Philippines.

Lansdale rentra au quartier général de la CIA à Washington en grand homme. L'Agence n'était pas encore installée dans les bâtiments modernes de Langley en Virginie, mais occupait près du State Department un bâtiment victorien en brique pain-d'épice avec, sur la porte, l'inscription anodine « Département de la Marine. Recherches médicales ». Lansdale, avec sa réputation de faire des miracles, devint l'expert de l'Agence en guérilla et guerre subversive.

Il fut envoyé au Vietnam dans l'atmosphère de désespoir qui régnait après la chute de Diên Biên Phu, le 7 mai 1954. Au cours d'une réunion à Washington, quatre mois plus tôt, quand il fut décidé qu'il irait à Saigon, il avait demandé à John Foster Dulles ce qu'il devrait y faire. « La même chose que vous avez faite aux Philippines », avait répondu le secrétaire d'État. Lansdale se vit accorder les privilèges spéciaux que le gouvernement réserve aux faiseurs de miracles. Il devait coopérer avec l'ambassadeur US et le général commandant le groupe d'assistance militaire, tout en ne dépendant pas d'eux. Il disposerait de sa propre équipe et devrait rendre compte directement à Washington par l'intermédiaire de la CIA.

La nuit de son arrivée, le 1er juin 1954, le Viet Minh célébra sa victoire sur les Français en faisant sauter le dépôt de munitions de Tan Son Nhut « ébranlant Saigon pendant toute la nuit », devait-il écrire plus tard. Ce n'était pas un début prometteur pour un homme féru d'astrologie, mais il ne se laissa pas déprimer par la tristesse croissante qui gagnait Saigon. Lorsque les Français acceptèrent d'abandonner le Nord au Viet Minh à la conférence de Genève du 21 juillet 1954[1], il avait déjà décidé des mesures concrètes pour atteindre son but et rééditer sa réussite des Philippines : il allait implanter dans le Nord des groupes de résistance pour gêner les communistes dans le gouvernement et la reconstruction de leur moitié de pays, retardant ainsi l'intérêt qu'ils porteraient au Sud. Simultanément, il ferait tout son possible pour consolider la position de Diêm.

En juin 1954, la CIA avait manœuvré Bao Dai pour qu'il propose le poste de Premier ministre à Diêm. Bien que l'ancien empereur soit allé, dès le mois d'avril, se mettre à l'abri sur la Côte d'Azur, il était toujours chef d'État en titre. Diêm fut officiellement désigné le 7 juillet 1954, cinq semaines après l'arrivée de Lansdale et deux semaines avant les accords de Genève. L'administration Eisenhower était pressée de trouver un chef vietnamien en qui elle pourrait avoir confiance maintenant que l'Amérique allait avoir à

---

1. Conférence et accords de Genève : commencée le 26 avril 1954, la conférence de Genève qui réunissait dix-neuf puissances devait régler les problèmes coréens et indochinois. Après la chute de Diên Biên Phu, le 7 mai 1954, Pierre Mendès France, nouveau président du Conseil, accéléra les négociations pour aboutir aux accords du 21 juillet. Le Cambodge et le Laos devenaient indépendants. Le Vietnam était provisoirement coupé en deux à hauteur du 17e parallèle : au Nord devaient se regrouper toutes les forces du Viet Minh ; au Sud, les forces françaises et l'armée vietnamienne de Bao Dai, mais tous les Vietnamiens avaient la possibilité d'émigrer librement d'une zone vers l'autre. Les accords prévoyaient aussi la réunification future du Vietnam, qui devait se faire par élections libres et à bulletin secret au plus tard en juillet 1956.

intervenir directement au Vietnam pour prendre la relève des Français démoralisés. Il n'y avait pas beaucoup de candidats possibles, et Diêm semblait le meilleur. Son catholicisme ardent était, pour les Américains, un impeccable certificat d'anticommunisme. A la différence de la plupart des autres politiciens non communistes que les Américains connaissaient, il était aussi considéré comme un patriote, exempt du péché de collaboration avec les Français, puisqu'il n'avait servi dans aucun gouvernement de Bao Dai. Il avait fait une excellente impression sur les personnalités américaines qu'il avait rencontrées : le sénateur Mike Mansfield, le cardinal Spellman, John Kennedy, alors sénateur du Massachusetts, et le père de John, l'influent Joseph. Le juge de la Cour suprême, William O. Douglas, avait été suffisamment frappé par lui pour écrire, en 1953 : « Diêm est un héros... vénéré par les Vietnamiens parce qu'il est honnête, indépendant et qu'il a tenu tête à l'influence française. » Un tel jugement fut accepté comme argent comptant. Les Américains ne connaissaient pas assez le pays pour avoir une perspective moins sommaire sur les antécédents de Diêm. Même s'ils avaient été enclins à mieux s'informer sur lui, ce qui n'était pas le cas, le temps manquait pour faire une enquête : dans cette période menaçante, il semblait que les communistes ne fissent qu'une pause momentanée pour consolider leur pouvoir au Nord avant de s'emparer de la totalité du Sud.

Everet Bumgardner se souvenait du voyage apparemment triomphal à Tuy Hoa comme une des tentatives de Lansdale et son équipe pour transformer Diêm en un autre Magsaysay et le Vietnam en Philippines. Bumgardner était également arrivé à Saigon peu de temps après Diên Biên Phu. Bien qu'il ne fît pas partie de l'équipe de Lansdale, il le voyait souvent car les membres du Service d'information des États-Unis (USIS) avaient pour instruction de l'assister ; ce qu'ils faisaient avec enthousiasme. Lansdale était constamment en mouvement, catalyseur et organisateur comme il l'avait été aux Philippines. Il portait quelquefois son uniforme d'aviateur, mais jamais le costume blanc avec cravate noire qui avait été de rigueur pour les officiels français, et que Diêm et les diplomates de l'ambassade avaient adopté. La plupart du temps, il était en pantalon de sport et chemise à manches courtes. Bumgardner remarqua que les Vietnamiens le respectaient parce qu'il se préoccupait de leur sort. Un de ces rares Américains à parler le langage de la guérilla et de la contre-guérilla, c'était un homme d'action qui obtenait des résultats. Si vous vouliez savoir ce qui se passait ou que vous ayez besoin de quelque chose d'inhabituel, vous n'aviez qu'à aller voir Lansdale ou un des membres de son équipe, comme par exemple Lucien Conein, « le Dur », d'origine française, agent de la CIA camouflé en commandant d'infanterie. « Lou » Conein venait d'Allemagne où il s'était occupé d'agents secrets dans les pays de l'Est. Il avait été muté en Indochine pour monter des réseaux de résistance au Nord Vietnam. Lansdale l'avait fait venir parce qu'il était le seul ancien officier des services spéciaux encore en activité qui avait combattu les Japonais en Indochine avec un commando de troupes coloniales françaises et vietnamiennes. Il s'était constitué un réseau parmi ceux qui étaient ensuite devenus officiers avec les Français. Les autres membres des services spéciaux, qui s'étaient trouvés en Indochine pendant la Seconde Guerre mondiale, avaient essentiellement travaillé avec Hô et le Viet Minh, et étaient par conséquent inutilisables pour Lansdale.

Bumgardner avait rencontré Lansdale pour la première fois à Haiphong, le grand port du Nord Vietnam. C'est là que devait commencer, pendant l'été de 1954, l'opération « Exodus » pour évacuer vers le sud 900 000 réfugiés. Cette migration de près d'un million d'hommes quittant le Nord appelé à devenir communiste était un événement capital pour l'avenir de Diêm et du Sud Vietnam. Lansdale en fut l'instigateur et le coordinateur. Diêm avait essayé de monter une organisation de réfugiés qui s'embourba rapidement dans la bureaucratie des réunions de commissions. Les ambassades française et américaine lambinaient en vain. Lansdale prit les choses en main : il amena Diêm, les Forces armées américaines et les Français à travailler ensemble, il obtint de la Marine américaine les engins amphibies de la 7e flotte pour l'évacuation par mer d'un tiers des réfugiés ; il fit signer par les Français un contrat pour l'évacuation par air avec la compagnie Civil Air Transport dirigée pour la CIA depuis Taiwan par le général Claire Chennault. La CIA en profita pour faire entrer en fraude au Nord, pour le compte de Lansdale, des agents secrets avec armes et munitions. Lansdale infiltra également des volontaires philippins payés par la CIA. Bumgardner se souvenait en particulier d'un prêtre métis américano-philippin qui monta une organisation pour aider les réfugiés à franchir les lignes viet-minhs qu'il ravitaillait à Haiphong jusqu'à ce qu'ils soient évacués vers le sud. Il utilisait de la fausse monnaie française et viet-minh pour payer leur nourriture et soudoyer les miliciens du Nord qui voulaient faire obstacle au départ des réfugiés. Il gêna tellement les communistes qu'ils essayèrent de l'assassiner en mitraillant son bureau de Haiphong.

Bumgardner avait été envoyé à Haiphong pour trouver la matière d'articles et de photos montrant que les réfugiés quittant le Nord, « en hommage au Monde libre et en condamnation des communistes », comme disait Washington, n'étaient pas tous des catholiques. Ce n'était pas facile à prouver, car, en réalité, les deux tiers, plus de 600 000, étaient vraiment des catholiques. La plupart des 300 000 autres avaient une raison particulière de fuir : familles d'officiers ou de soldats vietnamiens de l'ancienne armée coloniale française, Chinois qui craignaient qu'un État communiste ne confisque leur commerce, minorité de la tribu Nung qui avait pris le parti de la France, Vietnamiens ayant la nationalité française. Les catholiques avaient pris le parti des Français en échange de l'autonomie des évêchés de la zone sud-est du delta du fleuve Rouge. La plupart d'entre eux craignaient des représailles et préféraient l'abri d'un État gouverné par un coreligionnaire.

Lansdale prit des mesures pour que les catholiques encore hésitants choisissent la bonne voie. Diêm fut envoyé dans le Nord pour convaincre les évêques. Les prêtres commencèrent à endoctriner leurs paroissiens. Ils expliquaient dans leurs sermons que la Sainte Vierge était partie pour le Sud et qu'ils devaient la suivre. Lansdale lança une campagne de propagande pour noircir les conditions de vie qui les attendaient sous le régime viet-minh.

125

Ses hommes distribuaient des tracts qui semblaient provenir du gouvernement révolutionnaire de Hô Chi Minh, répandaient des rumeurs et distribuaient des almanachs du genre populaire au Vietnam. Lansdale précisa dans son rapport secret : « De célèbres astrologues vietnamiens furent embauchés pour rédiger des prédictions sur les désastres qui allaient frapper les responsables viet-minhs. » Le lendemain de la distribution d'un prospectus truqué particulièrement sinistre, le nombre des inscriptions de réfugiés tripla. Suivant une rumeur soigneusement entretenue, les Américains allaient lâcher des bombes atomiques sur le Viet Minh après la date limite d'évacuation fixée à mai 1955 par les accords de Genève. Des réfugiés arrivèrent à Haiphong avec des tracts, prétendument imprimés par le Viet Minh, qui montraient trois cercles concentriques de destructions nucléaires sur un plan de la ville de Hanoi.

Les bâtiments de la 7e flotte évacuèrent des villages entiers. Au total, 65 % des catholiques du Nord émigrèrent vers le Sud. Le gouvernement des États-Unis consacra 93 millions de dollars pour leur installation en 1955 et 1956. Cet exode fournit à Diêm un solide noyau de partisans fanatiques. Les premières troupes de confiance affectées à la garde de son palais à Saigon, en septembre 1954, étaient entièrement composées de miliciens catholiques du Nord Vietnam.

L'œuvre de Lansdale durant ces années cruciales de 1954 et 1955 montre à quel point la personnalité et la vision d'un homme peuvent modifier le cours de l'Histoire. Sans lui, l'aventure américaine au Vietnam aurait sombré dès le début. Même si Diêm avait été le choix de Washington pour Saigon, il n'aurait pas pu survivre sans Lansdale à ses côtés. Les Français étaient hors jeu. Ils n'auraient pas laissé indéfiniment leur corps expéditionnaire au Sud, même si les États-Unis en assumaient la charge financière. Ils étaient moralement à bout, et la population arabe d'Algérie, où vivaient 1 million de colons européens, commençait à se rebeller en 1954, entraînant la France dans une nouvelle guerre coloniale. Il est vraisemblable que les Français auraient tenu les engagements qu'ils avaient pris à Genève de faire des élections générales dans la partie sud du Vietnam en juillet 1956, pour déterminer qui, du gouvernement de Saigon soutenu par les Français, ou du gouvernement de Hô Chi Minh à Hanoi, prendrait la tête d'un Vietnam réunifié. La déclaration finale de la conférence de Genève précisait bien que les accords ne signifiaient pas une division permanente du pays et que « la ligne de démarcation du 17e parallèle était provisoire et ne devrait en aucun cas être considérée comme constituant une frontière politique ou territoriale ». Personne n'avait jamais contesté que les communistes gagneraient ces élections, soit loyalement, soit en les truquant plus adroitement que leurs opposants du Sud ; ils disposaient en effet d'une meilleure organisation et d'une plus forte densité de population au Nord. Eisenhower reconnut en 1954 que, si les élections libres étaient organisées dans les deux parties, Hô Chi Minh gagnerait avec 80 % des voix. Aux yeux de beaucoup de Vietnamiens, il était le père du pays. (De toute façon, il n'y avait jamais eu et il n'y aurait jamais d'élections honnêtes dans aucun des deux Vietnams !)

Une victoire communiste en 1956 aurait permis aux Français de sauver les apparences en retirant leur corps expéditionnaire. Ils auraient emmené avec eux leurs nationaux et la plupart des Vietnamiens qui s'étaient rangés à leurs côtés. Même si les élections de 1956 n'avaient pas été suffisantes, la France aurait sans aucun doute trouvé une autre excuse pour abandonner le Sud. Aussi pénible qu'ait pu être cette issue, les États-Unis n'auraient eu d'autre alternative que d'accepter un Vietnam uni et communiste. Eisenhower avait déjà décidé qu'il n'allait pas envoyer de troupes américaines pour remplacer les Français. Le général Matthew Ridgway, chef d'état-major de l'armée, l'avait convaincu qu'une intervention n'était pas réalisable en raison de la nature du pays et des problèmes politiques, et qu'ils allaient envoyer les soldats américains se perdre dans un bourbier. D'autre part, avec la guerre de Corée qui venait juste de se terminer, l'opinion publique américaine était vivement opposée à l'implication des États-Unis dans une nouvelle guerre en Asie.

Lansdale empêcha que le conflit du Vietnam ne se terminât par une victoire totale de Hô Chi Minh en 1956, ou plus tôt si les Français avaient abandonné avant. Le Sud Vietnam fut vraiment la création d'Edward Lansdale. Il berna les officiers pro-Bao Dai de l'armée nationale vietnamienne lorsqu'ils tentèrent de renverser Diêm à l'automne de 1954, et organisa leur destitution. Il dirigea brillamment la campagne du printemps 1955 pour écraser les armées, payées par les Français, des deux sectes religieuses, les Cao-Dai et les bouddhistes Hoa-Hao, ainsi que les troupes de la société du crime des Binh Xuyen. Ces bandits, anciens pirates de la rivière, avaient obtenu une franchise sur tous les rackets de Saigon et le contrôle de la police ; en contrepartie, ils s'étaient engagés à faire cesser le terrorisme viet-minh dans la ville, ce dont ils s'étaient d'ailleurs acquittés avec beaucoup d'efficacité.

Le général J. Lawton Collins, surnommé « Lightning Joe », le nouvel ambassadeur qui prit ses fonctions à l'automne de 1954, avait dit à Diêm de progresser doucement et de transiger avec les sectes. Lansdale, au contraire, l'encouragea à suivre son penchant naturel, à les écraser et à affirmer l'autorité du gouvernement central, en utilisant la corruption et la tromperie pour neutraliser certains des chefs, et à tuer ceux qui ne se laisseraient ni tromper ni corrompre. Grâce aux relations qu'il avait chez les officiers, Conein aida Lansdale à rallier l'Armée nationale vietnamienne aux côtés de Diêm. Son argument était simple et convaincant : dans l'avenir, ce seraient **les États-Unis qui allaient les financer et les ravitailler directement**, et non plus par l'intermédiaire des Français. S'ils voulaient conserver leur armée et avoir des promotions, ils feraient mieux de suivre Diêm et Lansdale, qui avait l'oreille de tous les gros bonnets de Washington. Le courage de Conein et son entraînement dans les services spéciaux en firent un atout capital du groupe d'action que Lansdale mit sur pied pour monter quelques « coups tordus » au nom de Diêm contre les Binh Xuyen. Du début de mars 1955 jusqu'en mai, Lansdale était au palais presque tous les jours et passait de nombreuses nuits avec Diêm pour l'encourager, planifier leur action avec le talent tactique qu'il avait acquis dans la lutte contre les Huks, et qui manquait à Diêm. Sans la ruse de Lansdale, son sens des coups d'audace et la réputation que le « miracle » des Philippines lui avait acquise à Washington, Diêm aurait été balayé.

Il s'en fallut de peu que cela ne se produisît. L'ambassadeur Collins considérait que Lansdale était un visionnaire romantique et Diêm un maniaque. Il s'envola pour Washington en avril 1955 et réussit presque à persuader John Foster Dulles de se débarrasser des deux hommes et de recommencer à coopérer avec les Français qui méprisaient Diêm et Lansdale et encourageaient à la résistance les sectes et les Binh Xuyen. Si l'avis de Collins avait prévalu, il y a de fortes chances pour que les Français aient suivi le cours prévisible des événements qui aurait abouti à la mainmise des communistes sur le Sud. Allen Dulles organisa une réunion avec son frère John Foster, Collins et Frank Wisner, le chef des opérations clandestines de la CIA, supérieur de Lansdale. Lorsqu'il était officier des services spéciaux pendant la Seconde Guerre mondiale, Wisner avait assisté à la conquête de la Roumanie par l'Armée rouge et la police secrète de Staline. Cette sinistre expérience en avait fait un combattant anticommuniste aussi convaincu que Lansdale.

Collins expliqua que Lansdale était fou de prétendre pouvoir constituer un gouvernement solide autour de Diêm. Diêm n'avait absolument aucune compétence pour gouverner, il s'aliénait tout le monde et refusait de se comporter d'une façon raisonnable avec les sectes et d'élargir son régime en s'appuyant sur d'autres hommes politiques. Le seul espoir pour l'Amérique était de remplacer Diêm par un autre non-communiste acceptable pour les Français et de prier pour qu'il réussisse à mettre sur pied un gouvernement quelconque. Les probabilités de succès étaient limitées, compte tenu du chaos qui régnait, mais au moins il y avait quelque espoir de réussite. Avec Diêm et Lansdale, il n'y en avait aucun.

Wisner prit la défense de Lansdale. Il ne savait presque rien du Vietnam et guère plus de l'Asie, mais les Américains avaient réussi ailleurs, alors pourquoi pas également au Vietnam ? Il expliqua qu'il avait été aux Philippines ; il y avait rencontré Magsaysay et vu ce que Lansdale y avait accompli. Les perspectives au Vietnam étaient certainement très médiocres ; Lansdale lui-même l'admettait dans ses rapports. Mais il y avait tout de même une chance, et Lansdale avait montré son talent et son intuition dans des situations insolubles pour les autres. Il fallait donc le soutenir.

John Foster Dulles ne partageait pas la confiance de Wisner. Il envoya un télégramme à l'ambassade de Saigon, le 27 avril, donnant au chargé de mission instruction de trouver un autre chef de gouvernement. Le lendemain, avant que l'ambassade ait eu le temps de commencer à agir, Diêm, qui avait été informé de la décision de Dulles par son ambassade de Washington, interrogea Lansdale sur le message. Lansdale l'assura que, quoi qu'il ait pu entendre, le Vietnam avait besoin d'un chef et que les États-Unis étaient derrière lui. Il persuada Diêm de lancer l'après-midi même une attaque contre les Binh Xuyen qui avaient commencé à tirer au mortier sur le palais et à tuer des soldats de l'armée vietnamienne. Mais les 2 500 hommes de la société du crime n'étaient pas de taille devant les bataillons que Lansdale avait rassemblés avec l'aide de Conein. En neuf heures de combat, les Binh Xuyen qui occupaient le centre de Saigon furent taillés en pièces et durent se réfugier dans la banlieue chinoise de Cholon. Après cette défaite, les sectes religieuses ne semblèrent plus aussi redoutables. Dulles s'empressa d'annuler ses instructions et l'ambassade brûla le télégramme. A partir de ce moment, il n'y eut plus d'éclipses dans la confiance dont jouissait Lansdale. Les États-Unis avaient fait leur choix. Comme disait Dulles : « on plonge » avec Diêm.

En octobre 1955, Lansdale mit le sceau définitif à l'engagement américain. Il aida Diêm à truquer un plébiscite pour déposer le chef d'État Bao Dai et désigner Diêm comme président de la nouvelle République du Vietnam. Puisque c'était pour une juste cause, la fraude électorale était admissible ! Diêm ramassa 98,2 % des suffrages ; beaucoup plus que ce que Hô Chi Minh revendiquait pour lui dans le Nord. Et même si les groupes de résistance que Conein avait implantés au Tonkin furent balayés par le Viet Minh, Lansdale avait rempli sa mission dans le Sud. Il avait consolidé la position de Diêm et de sa famille et mis en place une apparence de gouvernement central stable. C'est cette réussite qui devait provoquer la seconde guerre du Vietnam pour laquelle Vann devait combattre sept ans après.

En se souvenant beaucoup plus tard de la réception de Diêm à Tuy Hoa, en 1955, Bumgardner comprit brusquement l'erreur d'interprétation qu'il avait commise. Il se souvenait que la foule sur le terrain de football ne semblait pas faire très attention à ce que disait Diêm lorsqu'ils l'applaudissaient et l'acclamaient. Leurs visages étaient souriants, leurs démonstrations bruyantes, mais leurs regards restaient vides. Il comprit : la foule n'écoutait pas.

La cérémonie n'était pour les spectateurs qu'une journée de vacances. Ils avaient assisté à suffisamment de rassemblements viet-minhs pendant la première guerre pour savoir que, quand les cadres dans la foule donnent le signal, il faut applaudir. Les organisateurs que Nhu, le frère de Diêm, avait envoyés étaient dans la foule et donnaient le signal. Les paysans obéissaient avec docilité. A cette époque, le Vietnamien moyen ne connaissait pas Diêm ; à plus forte raison, ces habitants des campagnes isolées. Ils en avaient assez, et plus qu'assez, de ces années d'isolement du monde extérieur. Ils se réjouissaient de ce que la guerre fût finie. L'atterrissage d'un avion, amenant un personnage de haut rang pour leur parler les faisait vibrer de joie dans une atmosphère de fête. Ils auraient tout autant bousculé Diêm et lui auraient de la même façon marché sur les pieds s'il avait été Premier ministre du Népal.

La plupart de ces spectateurs-là avaient des parents parmi les rebelles viets qui étaient remontés vers le nord. Quand commença la seconde guerre, leur vallée de Tuy Hoa devait devenir une des plus fortes bases viet-minhs du Sud Vietnam, avec une population complètement opposée au gouvernement de Diêm. Bumgardner se rendit compte alors à quel point il avait été stupide, ainsi que les autres Américains, de penser qu'ils pouvaient faire de Diêm un héros national comparable à Hô Chi Minh. Diêm n'avait aucun partisan, à l'exception des catholiques, et sa personnalité, son comportement politique et social empêchaient qu'il pût jamais en gagner aucun. Sa domination ne pouvait être que destructrice.

Lansdale avait été au Vietnam la victime de son succès aux Philippines. Les hommes qui réussissent dans les grandes crises sont souvent pris au piège lorsqu'ils pensent avoir découvert une vérité universelle. Lansdale avait établi le postulat, comme la plupart de ses supérieurs, que son expérience des Philippines était aussi valable pour le Vietnam. Il n'en était rien. Les Philippins, ses amis des années quarante et cinquante, étaient un peuple unique, atypique des autres Asiatiques. Les Philippins de Lansdale étaient des Américains de couleur. A part quelques détails physiques, ils ressemblaient autant aux Vietnamiens que Lansdale. Ils célébraient leur fête de l'Indépendance le 4 juillet, comme les Américains. Ils parlaient anglais en utilisant un argot américain légèrement démodé. Ils aimaient le jazz et d'autres aspects de la culture américaine. On trouvait des noms comme celui du colonel « Mike » Barbero, adjoint de Magsaysay pour la guerre psychologique, à qui devait succéder le commandant « Joe » Crisol qui travaillaient tous deux avec un autre officier « Frisco Johnny » San Juan. Les opérations qu'ils montaient contre les Huks portaient des noms de code, comme « Four Roses », du nom de leur whisky préféré, ou « Omaha » en souvenir du débarquement de Normandie. La CIA avait la réputation d'engager des Philippins pour ses opérations dans les autres pays d'Asie justement parce qu'ils avaient la mentalité américaine. Quand on en trouvait un dans un bureau ou un dépôt de matériel, cela voulait dire que la CIA n'était pas loin.

Lansdale avait manœuvré un peuple dont la conception de la vie avait été déjà formée par près d'un demi-siècle de tutelle américaine et par l'influence occidentale de plus de trois cents ans de colonisation espagnole avant la guerre de 1898. Près de 95 % de la population étaient composés de chrétiens, en majorité catholiques, faisant des Philippines la seule nation chrétienne d'Asie. Pendant la guerre contre le Japon, Philippins et Américains s'étaient forgé des liens mutuels dont la force ne peut être comprise que par ceux qui ont affronté ensemble la mort dans les combats. Il y eut plus de héros philippins (65 000) que d'américains (15 000) dans la défense de la péninsule de Bataan. Au cours de la Marche de la Mort qui suivit, 2 300 Américains moururent et trois fois plus de Philippins (entre 5 000 et 7 600, sans qu'on puisse en connaître le nombre exact). Lorsque les troupes du général Mac-Arthur sautèrent de leurs barges de débarquement dans le golfe de Leyte, le 20 octobre 1944, pour libérer les îles, deux soldats de la 24ᵉ division d'infanterie brandirent chacun un étendard sur le sable de la plage : la bannière étoilée et le drapeau bleu et rouge avec un soleil doré dans un triangle blanc des Philippines. Le drapeau américain provoquait chez les Philippins la même émotion que le leur, car ils y voyaient l'esprit d'indépendance et la libération de la tyrannie. Les Philippins de Lansdale savaient quel but ils voulaient atteindre. Ils étaient comme onze très bons joueurs de football qui n'arrivaient pas à former une équipe parce qu'il leur manquait un entraîneur. Lansdale fut cet entraîneur, mais il ne gagna que parce que les autres pratiquaient le même jeu que lui.

Lorsque Diêm dit à Lansdale qu'il avait résisté aux Français et qu'il considérait le communisme athée comme une abomination, les préjugés de Lansdale l'amenèrent à des hypothèses erronées, comme Vann devait le faire plus tard avec Cao. Il pensait également qu'il était parfaitement normal qu'un chef vietnamien soit directement soutenu par les États-Unis et lié avec des Américains de haut rang. Après tout, il venait d'un pays d'Asie dans lequel le secrétaire à la Défense avait partagé sa demeure avec un agent de la CIA et n'en avait pas perdu pour autant son intégrité politique. Lansdale pensait que les catholiques réfugiés du Nord étaient des patriotes vietnamiens qui avaient « combattu pour libérer leur pays des Français » jusqu'à ce qu'ils découvrent qu'ils avaient été bernés et impliqués dans une conspiration communiste ; ils s'étaient alors enfuis vers le sud pour y créer un « Vietnam libre ». Il écrivit dans un rapport secret que Haiphong, dans les derniers mois de l'évacuation, « rappelait la grande époque des pionniers américains du xviie siècle ». Il ne voyait rien de mal à ce que les États-Unis choisissent ces catholiques pour les aider. Il trouvait tout à fait juste d'avoir un catholique comme président de ce qu'il concevait comme un « Vietnam libre ».

La minorité catholique au Vietnam était marquée d'une tare. Lansdale était très soucieux de bien faire la distinction entre les « colonialistes » américains et français. Mais cette distinction superficielle ne tenait pas compte d'une différence profonde. Il était confronté maintenant à l'histoire du Vietnam, et non plus à celle des Philippines. En décidant de s'appuyer sur les catholiques et d'en choisir un pour le gouvernement de Saigon, c'était exactement comme s'il annonçait que les Américains étaient venus remplacer les Français. Les convertis au catholicisme avaient été utilisés par les Français comme une cinquième colonne pour infiltrer les Vietnamiens traditionalistes et en avaient été récompensés par les colonisateurs. Ils étaient considérés par la population comme une secte religieuse d'inspiration étrangère. Après le départ des Français, ils avaient tout naturellement recherché un autre protecteur étranger. Ils tinrent à Lansdale le langage qu'à leur avis il souhaitait entendre.

Diêm ne croyait pas en un gouvernement parlementaire, bien que, durant les deux ans et demi passés en exil aux États-Unis, il eût appris à connaître suffisamment le système américain pour donner à Lansdale l'impression inverse. La justice sociale ne l'intéressait pas non plus. Il ne voulait pas modifier la structure traditionnelle que les Français avaient figée. Diêm était un fervent réactionnaire, décidé à fonder une nouvelle dynastie familiale dans un pays où beaucoup la considéraient comme un anachronisme. Au xe siècle, les Ngô avaient régné peu de temps. Diêm se voyait à la tête d'une seconde dynastie pour remplacer les Nguyên discrédités par un Bao Daï dégénéré. Sa famille l'aiderait à régner suivant la tradition. Il ne fit qu'une seule concession au modernisme en acceptant d'être appelé « président ». Son désaccord avec les Français avait été violent, mais portait sur des points mineurs, et sa revendication timide d'une reconnaissance politique avait été galvaudée par sa nomination de Premier ministre de Bao Daï. Diêm avait hérité de l'ancien empereur une administration de traîtres et de collabos vietnamiens, d'une armée, d'une police et d'une bureaucratie issues du colonialisme français. Il avait laissé les États-Unis faire de lui leur suppléant. Ce qui avait réussi aux Philippines avait l'effet exactement inverse au Vietnam, où il était antipatriotique de collaborer avec les Américains synonymes de colonialisme, oppression et injustice sociale.

Obsédé par les images de la Révolution américaine, Lansdale ne pouvait imaginer qu'il eût choisi le mauvais camp ou qu'il fût devenu le parti ennemi dans un pays asiatique en pleine révolution nationale. La force de l'idéologie américaine empêchait également des hommes comme Bumgardner et Vann d'envisager cette possibilité. Et c'était pourtant ce qui se passait au Vietnam. Une révolution nationale y était en cours, et les États-Unis n'y avaient aucune part. L'Amérique avait déjà rallié le mauvais côté en équipant et finançant les Français dans leur tentative de rétablir la domination coloniale. Elle recommençait la même erreur en installant au pouvoir Diêm et sa famille.

En janvier 1946, le lieutenant Alfred Kitts fut transféré à Haiphong. Soldat et cavalier, « Bud » Kitts était le fils d'un officier d'artillerie qui avait fait partie de l'équipe équestre des États-Unis aux jeux Olympiques de 1932 et 1936. Kitts s'était engagé dès sa sortie du lycée en 1943, puis avait servi aux Philippines avant d'être envoyé au Tonkin. Il s'y trouvait à la tête d'une petite troupe de vingt-six soldats chargés de renvoyer chez eux les prisonniers japonais qu'ils entassaient dans des Liberty Ships. Kitts parlait un peu français et pouvait ainsi communiquer avec les officiers et soldats viet-minhs qui contrôlaient la ville. Les Vietnamiens étaient très amicaux avec les Américains. Ils ne mentionnaient jamais le mot « communisme », et ne parlaient que de leur désir d'indépendance et de leur espoir dans l'aide des Américains pour la conquérir. A cette époque, Hô Chi Minh minimisait ses convictions communistes et le rôle capital du Parti dans la révolution nationale afin de constituer un large front politique dans le pays et gagner la protection des États-Unis pour éviter un retour des Français.

Kitts assista au débarquement à Haiphong des premières troupes françaises, le 6 mars 1946. Il crut voir arriver l'armée des États-Unis : casques, paquetages, treillis, bottes, tout était américain, y compris les barges de débarquement, l'armement lourd et les véhicules donnés à la France libre de

De Gaulle au titre de l'accord Prêt-Bail[1] pour lutter contre les Allemands et les Japonais.

Les officiers et soldats viet-minhs étaient furieux de l'arrivée des Français. Ils avaient accepté que les garnisons françaises de Haiphong, Hanoi et autres grandes villes du Nord restent en place pour se protéger éventuellement d'une invasion, et avaient obtenu en contrepartie la promesse d'une indépendance partielle. Mais les Français violèrent rapidement cette promesse. Des incidents avec coups de feu commencèrent aussitôt. Les officiers vietnamiens conservèrent des relations amicales avec Kitts et les autres Américains, à qui ils ne reprochaient pas encore, comme le Viet Minh le fit plus tard, d'armer et de ravitailler les Français. Ils semblaient continuer à considérer Kitts et ses hommes comme leurs alliés, différents des colonialistes. Ils croyaient aux déclarations des États-Unis sur les mobiles de leur combat dans la Seconde Guerre mondiale et n'avaient pas oublié l'alliance contre les Japonais. Les services spéciaux de l'OSS[2] avaient trouvé que le Viet Minh était le seul groupe de résistance suffisamment organisé et implanté dans tout le Vietnam pour fournir des informations sur les Japonais, sauver les pilotes américains abattus et mener des opérations de sabotage derrière les lignes ennemies. L'OSS avait parachuté une mission d'entraînement sur un des états-majors clandestins d'Hô Chi Minh caché dans la jungle au nord du delta du fleuve Rouge, sans compter la fourniture de milliers de fusils, mitraillettes et autre matériel pour armer les formations viet-minhs.

Les officiers vietnamiens du Nord avaient donné l'ordre à leurs troupes d'essayer de ne pas confondre les hommes de Kitts avec les Français et de ne pas tirer sur eux. Cela devenait de plus en plus difficile pour le soldat viet-minh au fur et à mesure que le nombre de Français grossissait, que leurs revendications augmentaient en proportion et que les incidents se multipliaient. « Comment reconnaître un Français d'un Américain quand il conduit la même jeep et porte le même uniforme ? » se demandait Kitts. Un soir, il rentrait avec deux autres officiers à leur cantonnement quand ils se firent tirer dessus à un barrage. Ils réussirent à se jeter à terre avant d'être touchés, mais la jeep fut complètement détruite. Kitts alla trouver le lendemain le jeune capitaine qui commandait le secteur et lui expliqua quelles rues il prenait pour aller au port et en revenir et suggéra que le capitaine ait la gentillesse de demander à ses hommes de faire un peu plus attention avant de tirer. Le capitaine présenta ses excuses et promit d'attirer l'attention de ses soldats sur l'itinéraire qu'empruntait Kitts. Il allait donner des instructions pour qu'ils soient plus prudents à l'avenir pour ne pas prendre les Américains pour des Français. « Mais vous savez, mes hommes

---

1. Loi Prêt-Bail *(Lend-Lease Act)* : promulguée le 11 mars 1941, avant que l'Amérique entre en guerre, la loi autorisait le gouvernement des États-Unis à vendre, louer ou prêter tout moyen de défense militaire à tout pays dont la défense serait vitale pour celle des États-Unis. La Grande-Bretagne et l'URSS en profitèrent le plus, mais la France aussi en fut un des bénéficiaires.
2. OSS (Office of Strategic Services), service de renseignements de l'armée, avant la CIA (Agence centrale de renseignements) qui ne fut créée qu'en 1947.

ont tellement envie de se battre ! » dit-il pour s'excuser. Kitts rit. Il n'avait aucune sympathie pour les Français. L'officier viet-minh rit également.

En juillet 1946, les escarmouches devinrent si fréquentes qu'il devenait dangereux de maintenir la petite équipe américaine à Haiphong. Kitts et ses hommes reçurent l'ordre de transmettre aux Français la responsabilité du rapatriement des Japonais, et furent évacués. Kitts devait toujours se souvenir des trois mots que des Vietnamiens connaissant l'anglais avaient peints sur les murs d'un bâtiment du port : « We want America. »

Mais si les Vietnamiens voulaient l'Amérique, l'Amérique ne voulait pas d'eux. Pour Hô Chi Minh, les années 1945 et 1946 virent se répéter les espoirs déçus et les frustrations qu'il avait déjà connus au lendemain de la Première Guerre mondiale. A cette époque, le président des États-Unis s'appelait Woodrow Wilson. Cette fois-ci, c'était Harry Truman. Les noms étaient différents, une nouvelle guerre avait éclaté et un quart de siècle s'était écoulé, mais leur comportement était le même.

Quand Wilson avait annoncé ses Quatorze Points, le 8 janvier 1918, Hô avait pris l'homme et sa déclaration au sérieux. Wilson avait dit que les peuples sous dépendance avaient le droit à l'autodétermination et que dans le règlement « de toute réclamation coloniale... les intérêts de la population concernée devaient avoir autant de poids » que ceux de la puissance coloniale. Le peuple américain s'était joint à la Grande-Bretagne, à la France et aux autres Alliés pour « cette guerre finale pour la liberté humaine ». Wilson avait défini ainsi le principe qui inspirait les Quatorze Points et avait été approuvé par les puissances alliées : « C'est le principe de justice pour tous les peuples et nationalités et leur droit de vivre les uns avec les autres dans des conditions égales de liberté et de sécurité, qu'ils soient forts ou faibles. » La Société des Nations qui allait être fondée veillerait à ce juste traitement de tous les peuples.

Hô avait été suffisamment impressionné pour s'offrir, avec le peu d'argent qu'il gagnait à Paris en peignant de fausses antiquités chinoises et en retouchant des photos, la location d'un costume décent pour se présenter à la Conférence de la paix de 1919. Wilson et les autres hommes d'État alliés y négociaient le traité de Versailles et le pacte de la Société des Nations. Dans le Paris de l'époque, ce Vietnamien de vingt-huit ans, aux yeux particulièrement vifs, avait un air grotesque dans son habit à queue de pie avec cravate blanche, singeant l'accoutrement d'un gentleman européen. Il apportait une pétition qu'il avait rédigée avec la liste des griefs des Vietnamiens contre le régime colonial français. Il y avait imité Wilson en la divisant en Huit Points qui donneraient aux Vietnamiens la chance de compenser les torts qu'ils avaient subis. Il ne réclamait pas l'indépendance, mais l'autonomie au sein de l'empire français. Aucun membre de la délégation américaine, ou d'une autre, n'accepta de le recevoir. Il comprit que l'autodétermination de Wilson ne s'appliquait qu'aux Tchèques, aux Polonais et aux autres peuples blancs de

l'Europe de l'Est qui avaient été sous la dom[...]
Austro-Hongrois, mais pas aux Bruns et aux [...]
Noirs d'Afrique. Le Cinquième Point de W[...]
coloniales » était en fait simplement destiné à [...]
vainqueurs des colonies allemandes d'Afrique et d'[...]

Vingt-six ans plus tard, le 15 août 1945, le jour où[s]
annonça la capitulation du Japon, Hô Chi Minh dem[...]
remplir ses engagements du temps de guerre et d'appliquer [...]
de son défunt prédécesseur Franklin Roosevelt. Le représe[...]
Minh à Kunming, en Chine, envoya un message à Truman pa[r ...]
diaire de la station de l'OSS. Il demandait que les États-Unis, « ch[...]
de la démocratie », transforment le Vietnam en un protectorat amé[...]
« avec le même statut que les Philippines pour une période indéterminé[...]
avant l'indépendance totale. Deux semaines plus tard, le 2 septembre 1945,
alors que les délégués japonais se penchaient sur une table recouverte d'un
tapis vert sur le pont du cuirassé *Missouri* pour signer les documents de la
reddition inconditionnelle de leur pays, Hô Chi Minh lut sa déclaration
d'indépendance et proclama la constitution de la République démocratique
du Vietnam. Il prit la parole devant une foule de 500 000 personnes
assemblées dans le square Ba Dinh de Hanoi. Il commença avec une citation
de la Déclaration d'indépendance des treize colonies d'Amérique rédigée par
Jefferson, le 4 juillet 1776 : « Tous les hommes naissent égaux... » Pendant
qu'il parlait apparurent haut dans le ciel des chasseurs P-38. Les pilotes
piquèrent par curiosité sur le square, et la foule interpréta ce mouvement
comme un salut de l'Amérique à la nation vietnamienne.

Hô Chi Minh ne reçut aucune réponse des États-Unis à sa demande de
protectorat, mais les déclarations publiques de Truman l'encourageaient à
continuer. La première déclaration importante consacrée aux problèmes
internationaux, le 27 octobre 1945, était en douze points dans la plus pure
tradition Wilson. « La politique étrangère des États-Unis est basée sur les
principes fondamentaux du droit et de la justice. » Puis il donna la liste des
douze points capitaux de cette politique. Trois d'entre eux semblaient
s'appliquer directement aux Vietnamiens :

— Nous croyons que tous les peuples qui en ont été privés par la force
retrouveront dans l'avenir leurs droits souverains et leur indépendance...
— Nous croyons que tous les peuples qui sont prêts à se gouverner eux-mêmes
doivent avoir le droit de choisir, en s'exprimant librement, leur propre forme de
gouvernement, sans interférence d'aucune source étrangère. Cela est vrai pour
l'Europe, l'Asie, l'Afrique, ainsi que pour l'hémisphère occidental.
— Nous nous refuserons à reconnaître tout gouvernement qui serait imposé à
une nation par la force d'une puissance étrangère.

En conséquence, Hô Chi Minh protesta auprès de Truman lorsque les
États-Unis décidèrent que la France représenterait le Vietnam, le Cambodge
et le Laos à la Commission consultative pour l'Extrême-Orient des Nations
unies qui venait d'être créée. La France, déclara Hô avait perdu tout droit

de souveraineté sur l'Indochine parce que, pendant la
e mondiale, le gouvernement de Vichy « avait ignominieuse-
l'Indochine au Japon et trahi les Alliés » dès 1940, en coopérant
aponais jusqu'à ce que les occupants évincent l'administration
française en mars 1945 et gouvernent directement. En revanche, le
nh avait « impitoyablement combattu le fascisme japonais » aux
des États-Unis. Hô envoya à Truman et à son secrétaire d'État James
es onze télégrammes et lettres en dix-huit mois. Il ne reçut aucune
onse. Il appela également à l'aide Clement Attlee, Premier ministre de
rande-Bretagne, le généralissime Chiang Kai-shek de la Chine nationaliste,
et Joseph Staline, dictateur de l'Union soviétique. Personne ne répondit.

En septembre 1946, avec l'armée française occupant le Tonkin, Hô Chi
Minh n'avait pour interlocuteur que le premier secrétaire de l'ambassade
américaine à Paris. Il y était venu pour négocier une dernière tentative de
compromis avec les Français pleins d'assurance et toujours plus belliqueux. Il
offrit aux Américains de transformer le Vietnam en « un domaine fertile
pour leurs capitaux et leurs entreprises ». Il laissa entendre que, si les États-
Unis protégeaient les Vietnamiens des Français, il mettrait à leur disposition
la base navale de Cam Ranh Bay, un des plus beaux ports naturels en eau
profonde du monde, où d'ailleurs plus tard l'armée américaine devait
installer une des plus grandes bases aériennes, navales et de ravitaillement de
la seconde guerre du Vietnam. Le 14 septembre 1946, Hô signa un *modus
vivendi* avec la France et retourna à Hanoi.

En octobre, les Français renièrent leur accord en reprenant en main
l'inspection des douanes et des finances à Haiphong. Ils voulaient ainsi
discréditer la souveraineté du gouvernement de Hô Chi Minh. En novembre,
lors d'un contrôle de marchandises chez un commerçant chinois, un conflit
éclata au cours duquel vingt soldats français furent tués. Le général français
Jean-Étienne Valluy décida de prendre prétexte de cet incident pour infliger
« une sévère leçon… et amener ainsi les chefs vietnamiens à une meilleure
compréhension de la situation ». Le colonel Debes, que le vice-consul
américain à Hanoi avait défini dans un rapport au département d'État
comme « célèbre pour ses malversations et sa brutalité », reçut l'ordre de
bombarder Haiphong. Le 23 novembre 1946, l'artillerie, les bateaux de
guerre français et les avions fournis par les Américains canardèrent toute la
journée. 6 000 civils vietnamiens furent tués. Le Viet Minh comprit la leçon.
Hô Chi Minh la résuma, en cette dernière année de la main tendue vers les
Américains, par un avertissement : « Nous sommes seuls ; nous ne devons
compter que sur nous-mêmes. »

A 20 h 4, le 19 décembre 1946, les commandos viet-minhs firent sauter la
centrale électrique de Hanoi et plongèrent la ville dans l'obscurité totale.
C'était le signal du déclenchement d'attaques de grande envergure contre les
garnisons françaises dans toutes les villes du Nord et du Centre Vietnam.
Rien n'arrêterait plus maintenant la première guerre d'indépendance.

Les lettres et les télégrammes de Hô Chi Minh étaient dès le début destinés à finir dans un classeur pour les historiens de l'avenir. Les États-Unis avaient abandonné les Vietnamiens et les autres peuples d'Indochine aux Français bien avant que Hô ait décrété l'indépendance dans le square de Hanoi. Le fait qu'il ait été communiste n'avait rien à y voir. L'histoire populaire veut que le gouvernement américain se soit opposé au colonialisme européen en Asie. C'est un mythe, inspiré par la rhétorique de Wilson, de Roosevelt et de Truman et par les conceptions de Roosevelt et l'antipathie personnelle de quelques grands chefs, comme Douglas MacArthur, à l'égard du colonialisme à l'ancienne mode. Mais les États-Unis, en tant que nation s'exprimant à travers son gouvernement, n'essayèrent pas de démanteler les empires coloniaux européens à la fin de la Seconde Guerre mondiale.

Franklin Roosevelt voulait libérer les peuples d'Indochine par un processus lent en commençant par mettre la colonie sous mandat pendant vingt-cinq ans après la guerre. En janvier 1944, il avait dit à Cordell Hull, son secrétaire d'État : « La France a eu ce pays pendant près d'un siècle, et la situation de ses 30 millions d'habitants est pire qu'il y a cent ans. Les peuples d'Indochine ont droit à mieux que cela. »

Churchill et la majorité des Britanniques influents ne pouvaient pas se rendre compte que le soleil commençait à se coucher aussi sur les terres de Rudyard Kipling. Ils craignaient que la mise sous mandat de l'Indochine ne sape leur autorité sur l'Inde et le reste de leur Empire, ce que, précisément, Roosevelt avait à l'esprit. De Gaulle, traumatisé par la défaite de 1940 et la collusion d'une partie de l'armée, des classes moyenne et supérieure avec les nazis et les Japonais sous le régime de Vichy, était obsédé par sa vision : restaurer la gloire de l'empire français et continuer la *mission civilisatrice* de la France en Indochine. L'opposition des Anglais et l'insistance de De Gaulle amenèrent Roosevelt à abandonner son plan. Le 5 janvier 1945, il informa Lord Halifax, ambassadeur de Grande-Bretagne à Washington, qu'il ne s'opposerait pas à ce que les Britanniques réinstallent les Français en Indochine. Il souhaitait simplement ne pas avoir à approuver publiquement la réoccupation française. Un mois plus tard, à la conférence de Yalta, il alla encore plus loin en acceptant officiellement une proposition du département d'État en faveur de la remise en place de l'administration française.

Après la mort de Roosevelt, le 12 avril 1945, Harry Truman facilita l'entreprise française de reconquête. Le nouveau président et ses conseillers avaient des raisons suffisantes pour sacrifier les Vietnamiens, les Cambodgiens et les Laotiens à la conception française du fardeau de l'homme blanc. Les États-Unis cajolaient l'Union soviétique pour qu'elle les aide à écraser définitivement le Japon ; ils n'en considéraient pas moins la Russie comme une menace future. Averell Harriman, un autre de ces architectes de la politique étrangère d'après-guerre, alors ambassadeur à Moscou, rentra précipitamment à Washington dans un bombardier B-24 aménagé pour lui, pour alerter Truman et lui dire qu'ils risquaient de se trouver menacés d'une « invasion barbare de l'Europe ». Pour construire l'Europe de l'après-guerre, d'où serait exclue la puissance soviétique et où s'établirait fermement celle des États-Unis, Truman et ses conseillers avaient besoin de la coopération de la France. Ils voulaient utiliser ses ports, ses terrains d'aviation et ses bases militaires pour s'opposer à la prétendue menace de l'Armée rouge de Staline. Ils étaient convaincus que le colonialisme français à la mode du xixᵉ siècle serait impraticable dans le monde d'après-guerre. Ils se sentaient moralement mal à l'aise d'être complices de ce retour en Indochine, et étaient préoccupés de voir que la France risquait de s'engager dans un conflit d'une durée et d'un coût illimités. Cependant, Truman confirma la décision de Roosevelt. En mai 1945, quatre mois avant que quiconque ait pu savoir quel genre de gouvernement vietnamien allait s'installer à Hanoi, il fit savoir à Georges Bidault, ministre des Affaires étrangères de De Gaulle, que les États-Unis n'avaient jamais remis en question, « même implicitement, la souveraineté française sur l'Indochine » Truman avait suivi Roosevelt et avait laissé les Britanniques assumer publiquement la charge du retour des Français. Les Anglais étaient ravis de le faire dans l'espoir de stabiliser leurs propres possessions. Une plaisanterie avait cours parmi les officiers américains du théâtre d'opération d'Extrême-Orient : le commandement de l'Asie du Sud-Est du vice-amiral Lord Louis Mountbatten (*South East Asia Command*) avait pour initiales SEAC qui pouvaient servir aussi à *Save England's Asian Colonies* (Sauver les colonies anglaises d'Asie). Ce qui était en fait le but réel de l'opération.

Le général de division britannique Douglas Gracey arriva à Saigon le 13 septembre 1945, avec une force d'intervention mixte composée de Gurkhas, de soldats de l'armée des Indes et de parachutistes français. Il libéra les militaires vichystes désarmés et emprisonnés par les occupants nippons au mois de mars après quatre ans et demi de collaboration. Il renforça son détachement en enrôlant les 17 000 soldats japonais dont le désarmement au Sud Vietnam fut ainsi retardé de plusieurs mois pour qu'ils puissent se battre contre les Vietnamiens avec un seul objectif : « Restaurer l'ordre. » Au début d'octobre, d'autres soldats français arrivèrent, transportés depuis Ceylan par des unités de la Royal Navy et accompagnés par le cuirassé *Richelieu* et un destroyer au nom bien choisi pour inspirer confiance le *Triomphant*. Le général Philippe Leclerc, le libérateur de Paris, arriva par avion à Saigon pour prendre le commandement du corps expéditionnaire. Avec l'aide des troupes indiennes et des Japonais, il chassa les Viet Minhs hors de la ville et s'enfonça suffisamment loin dans le delta du Mékong pour s'emparer de My Tho le 25 octobre. Quelques jours plus tard, Can Tho, la principale ville du delta, tombait également. Au début de décembre 1945, Leclerc avait sous ses ordres 21 500 soldats français dans le Sud, y compris la 2ᵉ DB et ses chars américains. Truman accepta, sur une demande des Britanniques, de mettre à la disposition des Français huit cents jeeps et camions. Il s'en expliqua en disant qu'il eût été trop compliqué de les évacuer du Vietnam. Les Français obtinrent également au titre du Prêt-Bail les engins de débarquement et les bateaux de guerre avec lesquels ils allaient reconquérir le pays. Le premier porte-avions français qui bombarda le

Tonkin, le *Dixmude,* était un vaisseau américain, et les aviateurs pilotaient des bombardiers en piqué Douglas. A l'automne de 1945, la Marine US prépara le débarquement français à Haiphong en déminant, avec l'aide d'équipes japonaises, le port qu'ils avaient eux-mêmes bouché pendant la guerre pour en interdire l'accès aux Français de Vichy et à leurs ennemis du Japon.

Les avions et autre matériel pris aux Allemands s'ajoutant à l'équipement américain permettaient aux Français d'être assez bien armés pour tenir jusqu'à la fin de l'année 1946. Trois semaines après que la guerre eut commencé à Hanoi en décembre, le département d'État informa le gouvernement français qu'il pourrait acheter toutes les armes qu'il désirait aux États-Unis, « sauf pour des actions qui seraient liées à l'Indochine ». Cela signifiait en fait que la France pouvait expédier en Indochine tout le matériel qui se trouvait en Europe, pour ensuite reconstituer ses stocks avec de l'armement américain neuf. En 1947, Truman accorda à la France un crédit de 160 millions de dollars pour acheter des véhicules destinés clairement à l'Indochine. La même année, les centaines de millions de dollars d'aide du plan Marshall commencèrent à ranimer l'économie française, allégeant ainsi le fardeau d'une guerre coloniale. Toutes les lettres et télégrammes de Hô Chi Minh ainsi que le mémorandum de sa dernière conversation à l'ambassade de Paris furent classés « Top Secret » par le département d'État. Ils ne devaient être rendus publics que vingt-cinq ans plus tard avec les dossiers du Pentagone.

Les impératifs de haute stratégie ne suffisaient pas à expliquer le comportement américain. Il y avait d'autres raisons moins nobles. Les hommes jaunes et bruns oubliaient, en écoutant la rhétorique des présidents, que les États-Unis étaient une puissance de fait et de droit douée d'une étonnante capacité à se justifier lorsque certains arrangements servaient ses intérêts. Le fait qu'ils soient devenus la première puissance mondiale après leur victoire dans la Seconde Guerre mondiale n'avait fait qu'accroître leur propension à excuser leur conduite souvent avec de mauvaises raisons. En outre, les Asiatiques optimistes qui comptaient sur les États-Unis pour les protéger n'avaient pas compris que les Américains étaient imprégnés d'un tel racisme qu'ils ne se rendaient eux-mêmes pas compte qu'ils jouaient en fait un double jeu en Asie. Sur les chaînes de montage des usines pendant la guerre, on entendait souvent cette chansonnette :

> Siffler en travaillant
> Hitler est un zéro
> Musso est un minus
> Mais les Japs sont bien pires.

Les Japs n'étaient pas les pires. C'étaient les Allemands les ennemis les plus dangereux et les plus démoniaques. Le Japon ne posséda jamais le potentiel militaire suffisant pour menacer l'existence des États-Unis. L'Allemagne l'avait. Le développement de la bombe atomique devint urgent lorsque des savants américains et européens immigrés réalisèrent que Hitler était peut-être en avance dans la course aux « super-bombes » qui ne laisseraient le choix aux États-Unis et à la Grande-Bretagne qu'entre la reddition et l'annihilation. Les capacités technologiques du Japon étaient si limitées que leurs bâtiments de guerre étaient aveugles dans les combats de nuit et par mauvais temps parce que le développement du radar — à plus forte raison les armes nucléaires — était hors de portée de leur science et de leur industrie. A côté de l'efficacité satanique avec laquelle les nazis utilisèrent les ressources d'une société industrialisée pour liquider 12 millions de personnes, dont 6 millions de juifs, dans les camps de concentration, les atrocités japonaises, aussi barbares et cruelles qu'elles aient été, n'étaient que du bricolage.

Les Américains craignaient et détestaient ces deux ennemis en proportion inverse de la menace qu'ils représentaient. Les sondages de marketing du ministère des Finances révélèrent qu'une campagne de publicité basée sur la haine des Japonais faisait vendre plus de Bons de la défense nationale qu'avec les Allemands. Les enquêtes montraient que l'Américain moyen jugeait les Japonais « impies, inhumains, bestiaux, sournois et perfides ». La propagande en faveur des Bons fut donc axée sur la férocité japonaise. Le FBI arrêta bien quelques-uns des principaux nazis américains, mais les Américains-Allemands ne furent en général pas inquiétés.

Après Pearl Harbor [1], une vague de rumeurs hystériques, encouragées par la presse et l'armée, gagna la Californie et les autres États de la côte Pacifique : les Américains d'origine japonaise communiquaient par signaux avec des sous-marins, envoyaient des messages radio secrets aux flottes d'invasion, volaient des armes et dessinaient des cartes pour guider les hordes nippones après leur débarquement. Le gouvernement envisagea un programme de regroupement volontaire à l'intérieur du pays, mais personne n'accepta de recevoir ces intrus. La réponse du gouverneur de l'Idaho était typique : « Les Japonais vivent comme des rats, se reproduisent comme des rats, se conduisent comme des rats. Nous n'en voulons pas. » Au printemps 1942, l'armée rassembla 110 000 Japonais-Américains, dont 60 000 étaient citoyens US de naissance, pour les parquer dans des camps de concentration implantés dans des réserves fédérales stériles et arides de l'ouest. La Cour suprême approuva ce qui a été depuis considéré comme la plus grande violation des libertés civiques de l'histoire de la République.

Et pourtant, on ne put jamais découvrir un seul acte d'espionnage ou de

---

1. Pearl Harbor : base navale américaine de l'escadre du Pacifique dans les îles Hawaii. A l'aube du dimanche 7 décembre 1941, une attaque brusquée de l'aviation japonaise mit hors de combat 8 cuirassés, 3 croiseurs, de nombreux contre-torpilleurs et 247 avions américains. Le lendemain à 12 h 30, dans la salle des séances du Capitole, le président des États-Unis, Franklin D. Roosevelt, déclara : « L'état de guerre est effectif entre les États-Unis d'Amérique et l'empire du Japon. »

conduite déloyale chez les Japonais-Américains. L'armée eut le culot de demander aux Nisei, comme on appelait les Japonais nés aux États-Unis, de combattre s'ils étaient en âge de le faire. Mais leur famille n'en resterait pas moins dans les camps pour la durée de la guerre. 1 200 Nisei se portèrent volontaires pour prouver leur patriotisme, et les autres se laissèrent incorporer sans se plaindre. Leur 442e régiment devint un des plus décorés de l'armée et reçut quatre citations du président pour des campagnes d'Italie et de France. La devise du régiment, que les soldats avaient eux-mêmes choisie, était : « Souvenez-vous de Pearl Harbor. » Mais l'armée avait séparé ces Japonais des autres combattants blancs, pratiquant la ségrégation comme pour les Noirs à cette époque.

Si les Vietnamiens avaient été des Européens blancs, Roosevelt et Truman ne les auraient pas livrés si facilement aux tortures de la conquête coloniale. Les considérations humaines auraient tempéré les impératifs stratégiques. Le noble avertissement de Truman dans son discours d'octobre 1945, dans lequel il affirmait que les États-Unis se refuseraient à « reconnaître un gouvernement qui serait imposé à une nation par une puissance étrangère » (le Douzième Point de la déclaration Wilson qui avait incité Hô Chi Minh à faire appel à lui pour se protéger des Français) montrait que le racisme ambivalent des hommes d'État américains n'avait pas changé depuis Wilson. La déclaration de Truman était dirigée contre l'Union soviétique qui imposait sa domination sur les nations blanches de l'Europe de l'Est. Si Truman était bouleversé par les atrocités qu'ils y commettaient, il ne l'était apparemment pas par celles dont les Français se rendaient coupables dans leur reconquête de Saigon et du delta du Mékong. Pas plus d'ailleurs que par le massacre, en novembre 1946, de 6 000 civils vietnamiens à Haiphong lorsque les Français s'attaquèrent au Nord Vietnam.

Hô et son Viet Minh communiste n'étaient qu'un élément fortuit qui ne présentait aucun intérêt pour les hommes d'État américains. La présence pré-éminente de communistes à la tête de la révolution vietnamienne apportait aux responsables des États-Unis une justification morale pour faire au Vietnam ce que Washington avait de toute façon l'intention de faire. Les responsables oublièrent rapidement les circonstances initiales et se justifièrent d'infliger aux Vietnamiens les souffrances d'une guerre qui devait durer encore sept ans et demi par la nécessité d'empêcher l'impérialisme soviétique (bientôt sino-soviétique) de s'étendre dans l'Asie du Sud-Est. Des générations successives d'hommes d'État américains, qui n'étudièrent jamais le passé parce qu'ils étaient trop sûrs de ce que serait leur avenir, ne cessèrent de tenir le même langage.

C'est à la suite d'un événement fortuit de la politique française que Hô Chi Minh et ses disciples devinrent communistes. Ces mandarins, aristocrates vietnamiens, étaient les chefs naturels d'un peuple que les étrangers n'avaient jamais cessé de vouloir conquérir et pacifier en vain. De tels exemples sont rares sur notre terre : les Irlandais en font partie, les Vietnamiens aussi. La violence de leur résistance engendra une légende et une histoire pour rappeler aux vivants qu'il ne faut jamais humilier les morts.

Le système de gouvernement vietnamien est dérivé des Chinois. La Chine était gouvernée par un empereur qui s'appuyait sur une hiérarchie de mandarins. L'empereur du Vietnam était la réplique en miniature du « Fils du Ciel » de Pékin ; ses mandarins étaient des administrateurs lettrés qui avaient acquis leur mandat en démontrant leur compétence dans l'étude classique de Confucius au cours d'un examen modelé sur le système chinois. Comme en Chine, les mandarins avaient fini par constituer une classe sociale, la bureaucratie intellectuelle devenant une aristocratie à laquelle les paysans pauvres ne pouvaient matériellement accéder.

Le colonialisme français corrompit la classe des mandarins vietnamiens. Pour conserver leur rang, ils se mirent au service des Français, se transformant ainsi en agents de l'étranger, et perdirent leur légitimité de dirigeants du pays. Ils devinrent également socialement dépravés. Les monopoles d'État, qui encourageaient la vente d'alcool et d'opium, les conditions de travail obligatoire dans les plantations de caoutchouc et d'autres abus transformaient le colonialisme français en un régime d'exploiteurs. Les mandarins collaborateurs participaient quotidiennement aux crimes contre leur peuple. Avec le temps, ils n'éprouvèrent même plus de sentiment de culpabilité. Une minorité seulement d'entre eux refusa de s'incliner devant les barbares européens. Leur résistance leur apporta d'abord l'humiliation et l'appauvrissement matériel pour devenir plus tard le salut de leur famille et de leur pays. Ils sauvèrent leur fierté et la conviction qu'ils étaient les héritiers spirituels des héros du passé. Aux yeux des paysans, qui gardaient le souvenir de la résistance aux puissances étrangères, ils conservèrent leur rang de chefs naturels de la société vietnamienne. Ils développèrent en eux-mêmes et transmirent à leurs descendants une indignation qui ne pourrait s'éteindre tant que la nation ne serait pas libérée de la domination extérieure. Les dirigeants du Parti communiste vietnamien venaient en majorité de ces familles de mandarins qui s'étaient divisées sous la colonisation, parce que certains collaboraient alors que les autres restaient dans le droit chemin.

Les antécédents familiaux et l'itinéraire politique de Hô Chi Minh étaient représentatifs des Vietnamiens qui devaient le suivre. Son père, né en 1890 dans la province côtière de Nghe An, au nord du Vietnam central, réputée pour son agitation antifrançaise, était un aristocrate lettré disciple de Confucius. Magistrat à Binh Dinh, province du Sud, il fut révoqué pour activités nationalistes. Le contexte politique de la nation occupante influait inévitablement sur les positions que prenaient les occupés. C'est ainsi que les Philippins de Lansdale prirent comme modèle la démocratie américaine, où les deux principaux partis étaient opposés au colonialisme. Jawaharlal Nehru et la plupart des chefs de l'indépendance de l'Inde étaient politiquement des socialistes britanniques. Tout naturellement, lorsque Hô Chi Minh s'établit à Paris, pendant la Première Guerre mondiale, il rejoignit les socialistes, car c'était le seul groupe politique en France qui soutînt sérieusement la cause de l'indépendance des colonies.

En 1920, le Parti socialiste français se trouva entraîné dans un des débats les plus importants de son histoire : rester dans la IIe Internationale formée à Paris en 1889, ou rejoindre la formation beaucoup plus révolutionnaire qu'était la IIIe Internationale constituée par Lénine à Moscou en 1919 pour appuyer la cause bolchevique. Hô raconte, dans un article publié quarante ans plus tard, qu'il assista aux débats, écouta avec attention, ne comprit pas tous les problèmes évoqués, mais constata que la question du colonialisme ne fut pas débattue. Or, ce qu'il voulait avant tout savoir, c'était, suivant ses propres termes, « laquelle des deux Internationales était aux côtés des peuples des nations colonisées ? ». On lui dit que c'était la IIIe. Un de ses amis français lui donna au printemps un exemplaire de l'article de Lénine publié dans *L'Humanité :* « Thèse sur les problèmes nationaux et coloniaux. » Hô décrit ainsi la réaction qu'il éprouva en le lisant dans sa minable petite chambre d'hôtel :

> Il y avait des termes politiques difficiles à comprendre dans cette thèse. Mais, à force de la lire et de la relire, je réussis finalement à en saisir l'essentiel. Quelle émotion, quel enthousiasme, quelle clairvoyance et confiance en moi j'en ai éprouvé ! J'en pleurais de joie. Assis seul dans ma chambre, je me suis mis à crier très fort, comme si je m'adressais à une foule : « Chers martyrs, mes compatriotes ! Voilà ce qu'il nous faut ! Voilà la voie de notre libération ! »

Au cours des débats qui suivirent, il ne resta pas silencieux. Il ridiculisa les opposants de Lénine avec cette simple question : « Si vous ne condamnez pas le colonialisme, si vous ne combattez pas aux côtés des peuples colonisés, quelle sorte de révolution faites-vous ? » Au congrès de Tours, en décembre 1920, il vota avec l'extrême gauche et devint un des fondateurs du Parti communiste français.

Le PCF le délégua à Moscou, pendant l'été 1923, au Congrès international des paysans. Élu au comité exécutif, il resta en URSS pour étudier pendant un an le marxisme-léninisme et les tactiques révolutionnaires à l'Université des travailleurs de l'Est. A la fin de 1924, le Komintern l'envoya à Canton comme interprète de la mission politique et militaire auprès du Parti de la révolution nationale chinoise, le Kuo-min-tang de Sun Yat-sen dans lequel les communistes chinois et la faction de Chiang Kai-shek étaient encore alliés. Peu de temps après son arrivée, il écrivit un rapport enthousiaste pour annoncer qu'il avait formé la première organisation communiste secrète de l'histoire du Vietnam : la Ligue de la jeunesse révolutionnaire vietnamienne. Elle se composait de lui-même et de huit autres compatriotes, originaires de sa ville natale et vivant à Canton. Il se rendit à Hang-Tchéou, à Shanghai et dans d'autres villes pour parler aux exilés vietnamiens et les convaincre de doter leur cause nationaliste d'une meilleure organisation.

Tandis que la rumeur de ses activités se répandait jusqu'au Vietnam, de jeunes compatriotes se présentaient à la maison de Wenming de sa Ligue. Certains trouvèrent ses positions trop extrémistes. Ceux qui adhéraient à ses conceptions économiques et sociales le faisaient pour la même raison qui l'avait fait suivre Lénine. A travers les leçons qu'il donnait sur la stratégie et la tactique révolutionnaire léniniste, ils comprirent son message : si la société communiste était le suprême salut, le moyen d'y parvenir passait par l'indépendance nationale. La plupart de ceux qui trouvèrent en Hô ce qu'ils recherchaient, soit à Canton, soit plus tard au Vietnam, étaient également des enfants de l'aristocratie intellectuelle dépossédée de ses privilèges. Un des premiers à le rejoindre à Canton était un étudiant de dix-sept ans, Pham Van Dong, dont le père mandarin avait été secrétaire personnel du jeune empereur Duy Tan. Le père de Dong avait été limogé lorsque les Français avaient déposé l'empereur de dix-huit ans pour l'exiler à la Réunion parce qu'il avait fomenté une révolte parmi les soldats vietnamiens recrutés par les Français pour aller se battre dans les tranchées de la Première Guerre mondiale. Dong devait devenir un des plus proches associés de Hô, conduire la délégation vietnamienne à la conférence de Genève de 1954 et devenir le Premier ministre du Nord Vietnam. Mais avant, il avait passé six ans de sa jeunesse dans l'île pénitentiaire de Poulo Condor. Les Français y avaient creusé des cellules dans le sol, recouvertes de barreaux au sommet, ces « cages à tigres » célèbres pendant la guerre des Américains qui y enfermaient les insurgés vietcongs.

Une organisation prolétarienne sous la conduite d'une aristocratie autochtone était tout à fait insolite chez les partis communistes. Alexander Woodside, l'historien canadien spécialiste du Vietnam, l'avait appelée la révolution des « mandarins marxistes ». Truong Chinh, le théoricien, Lê Duc Tho, l'habile négociateur que Henry Kissinger devait trouver devant lui à la table de la conférence de Paris en 1968, et Vô Nguyên Giap, le grand chef militaire du Vietnam moderne, étaient tous originaires de cette aristocratie intellectuelle. Les travailleurs manuels et les paysans étaient particulièrement absents de cette élite. Parmi les exceptions, on trouvait un des amis et protégés de Giap, Van Tiên Dung, à la tête d'une division dans la guerre contre les Français, puis chef d'état-major des armées du Nord : c'était un ancien ouvrier d'une usine textile de Hanoi. En 1963, le Parti reconnut officiellement que la majorité de ses membres étaient d'origine bourgeoise.

Ce noyau incorruptible de l'aristocratie vietnamienne entra en action pour répondre aux besoins de sa patrie le 8 février 1941, lorsque Hô Chi Minh franchit la frontière sud de la Chine après trente ans d'exil. La Seconde Guerre mondiale en cours et la rupture entre les Alliés et l'administration coloniale française, qui coopérait avec les forces japonaises d'autre part, lui semblaient une occasion propice pour fomenter une révolte victorieuse. Le comité central du Parti communiste vietnamien qu'il convoqua en mai 1941, dans le hameau isolé de Pac Bo, était composé d'hommes avisés et mûrs pour les combats. Ils acceptèrent d'adopter la stratégie sophistiquée qu'il proposa. On mettrait en veilleuse les propositions du Parti pour une révolution sociale afin de former une alliance aussi large que possible avec les non-communistes au sein d'un front national. La nouvelle organisation s'appellerait Ligue fraternelle d'indépendance vietnamienne, *Viêt Nam Doc Lap Dông Minh*

Hoi, connue depuis par son abréviation Viet Minh. Le rôle du Viet Minh, annoncé dans la proclamation de Hô, était de mener une guerre « de salut national en chassant les Japonais, les Français et leurs chacals vietnamiens ».

Au cours des quatre années suivantes, les « mandarins communistes » réussirent un prodige de préparation militaire. Leur héritage commun fut une des raisons majeures qui leur permit de réaliser autant de choses en si peu de temps et leur donna la cohésion nécessaire pour, en plongeant dans leur histoire, adapter les principes marxistes-léninistes de leur révolution aux conditions particulières de la société vietnamienne. A la différence d'autres petits peuples qui avaient été les victimes de puissants voisins, les Vietnamiens n'avaient pas que des martyrs. En imitant leurs ancêtres et les exemples historiques de leur résistance victorieuse à la domination étrangère, ils réussiraient comme eux.

Il avait fallu aux Vietnamiens mille ans de révolte et de sacrifices pour gagner leur indépendance sur la Chine en 938 après Jésus-Christ. Pendant les neuf cents ans qui suivirent, jusqu'à l'arrivée des Français en 1850, chaque nouvelle dynastie qui arrivait au pouvoir en Chine envahissait le Vietnam. L'obligation périodique de repousser les envahisseurs du Nord et l'état de guerre permanent avec leurs voisins moins menaçants, qu'ils affrontaient dans leur expansion vers le sud de la péninsule, ajoutèrent une caste militaire à la culture vietnamienne. La civilisation chinoise n'admirait pas le soldat. La Chine produisait des intellectuels qui étaient également des hommes d'action, les gouverneurs mandarins élèves de Confucius. Ils méritaient d'être imités pour leur savoir et la valeur éthique de leur conduite. Mais le guerrier était considéré comme un être inférieur, toléré lorsqu'il était nécessaire, mais jamais admiré. Il n'y avait rien de fondamentalement bon dans l'art de la guerre. Cet idéal chinois subit une mutation dans la société vietnamienne. Le héros devint l'intellectuel et l'homme d'action qui était également un grand soldat, un mandarin-combattant. Les Vietnamiens avaient peu de doux héros comme Lincoln. Les leurs, tels qu'on pouvait les voir sur les figurines de porcelaine qui décoraient leurs étagères ou leurs tables, étaient des hommes à cheval ou sur un éléphant, revêtus d'une armure et l'épée en main. Il en était de même pour leurs héroïnes légendaires, les sœurs Trung, qui se noyèrent en l'an 43 plutôt que de se soumettre après que leur armée eut été défaite par les Chinois. Le courage physique était très prisé dans la culture vietnamienne. Lê Loi, le mandarin qui se libéra de vingt ans de domination chinoise dans une guerre de neuf ans au xvᵉ siècle et fonda une nouvelle dynastie, fit une remarque souvent répétée : « Nous avons été faibles et nous avons été forts, mais nous n'avons jamais manqué de héros. »

Les guerres avec la grande puissance du Nord avaient également conduit les Vietnamiens à élaborer la théorie de base de leur doctrine militaire : une force nettement inférieure, si elle est correctement dirigée, peut battre une puissance supérieure. Ce concept unique dans la tradition militaire était devenu l'essence même de leur théorie. L'enseignement militaire vietnamien, basé sur l'histoire, expliquait que, pour réussir, il fallait épuiser la résistance de l'ennemi par une lente usure. Les forces vietnamiennes devaient utiliser la fuite après l'attaque éclair, les actions de retardement, les embuscades et le harcèlement par des bandes de guérilla. L'ennemi devait être attiré dans le piège des forêts, des montagnes et autres terrains redoutables où il épuiserait son énergie tandis que les Vietnamiens se serviraient de ces mêmes espaces pour s'y cacher et reconstituer leurs forces. Enfin, lorsque l'adversaire serait épuisé et désorganisé, il devait être achevé par des offensives brutales et violentes lancées avec souplesse, mais avec le maximum de surprise et de duplicité. Le plus fameux des anciens généraux vietnamiens, Tran Hung Dao, avait utilisé cette tactique contre les Mongols, jaillis du désert de Gobi pour terroriser le monde asiatique et soumettre la Chine à Gengis Khan, quand ils envahirent le Vietnam en 1284 et de nouveau en 1287. Le manuel sur l'art de la guerre, que Tran Hung Dao écrivit pour ses officiers, était devenu un classique de l'enseignement militaire vietnamien. Lê Loi utilisa les mêmes moyens cent cinquante ans plus tard pour venir à bout des généraux de la dynastie Ming.

Trois siècles et demi plus tard, la leçon n'était pas perdue. En 1789, l'année de la Révolution française, un général, particulièrement admiré par Giap et son disciple Dung comme le meilleur technicien de la manœuvre éclair et de l'attaque surprise, brisa la dernière invasion venue de Chine, cette fois par les Mandchous. Nguyên Huê, qui devait plus tard régner sous le nom d'empereur de Quang Trung, remonta à marches forcées le long de la côte du Vietnam jusqu'au delta du fleuve Rouge et viola le caractère sacré de la fête du Têt, le nouvel an lunaire observé aussi bien par les Vietnamiens que par les Chinois. Il prit par surprise et mit en pièces une armée mandchoue infiniment plus puissante qui avait établi son campement près de l'emplacement de l'actuel Hanoi. Il attaqua à minuit le cinquième jour des festivités, alors que les Mandchous dormaient après les bombances de la journée. Depuis, l'anniversaire de sa victoire est célébré chaque année le cinquième jour du Têt comme le plus remarquable fait d'armes de l'histoire du Vietnam. Il le fut aussi en 1968 !

Les prouesses martiales et la tradition de résistance à l'agression extérieure faisaient partie intégrante de l'histoire du Vietnam d'avant la colonisation. Elles imprégnaient le folklore et la mentalité de la paysannerie tout en étant un héritage de la classe des mandarins. Les fermiers-soldats furent un élément déterminant de l'expansion vietnamienne partie du Tonkin jusqu'au delta du Mékong. Cette « Avance vers le sud » (Nam Tien), une autre épopée victorieuse de l'histoire du Vietnam, s'étendit sur une période de plus de quatre cent cinquante ans, du début du xive siècle jusqu'à la fin du xviiie. Le culte des ancêtres, que les paysans pratiquent en même temps que l'animisme et le bouddhisme, inclut le respect des esprits des célèbres guerriers-mandarins. De nombreux temples leur étaient dédiés dans les centres agricoles, et les cérémonies du culte faisaient partie de la vie des paysans, pour qui un des plus prestigieux honneurs consistait à avoir une responsabilité dans leur célébration. A un étranger qui le voyait courbé sur la rizière, le paysan vietnamien pouvait sembler résigné, mais il ne fallait pas prendre sa réserve et sa discipline au travail pour de la soumission. Lorsqu'il s'exaltait pour une cause et était bien entraîné, il était un redoutable combattant, et il en fallait peu pour le transformer en soldat. La vie dure qu'il menait dans les champs le préparait aux rigueurs d'une campagne militaire, et la discipline de groupe nécessaire pour la culture dans les rizières inondées le prédisposait aux règles collectives du champ de bataille. Il était tenace et rusé au combat, et la place que tenait le courage physique dans sa tradition culturelle le poussait à faire preuve de bravoure pour gagner le respect de ses camarades.

Les Français avaient pu écraser ce peuple au XIXᵉ siècle avec une organisation européenne supérieure, une technologie et des armes plus modernes à une époque où la civilisation vietnamienne, comme sa parente la chinoise, était en stagnation. Mais ils n'avaient pu effacer leur histoire. Les rébellions qui se succédèrent prouvaient que les Français n'avaient jamais réussi à briser la volonté de ce peuple. Les symboles et les exemples du passé étaient latents en attendant qu'une nouvelle génération de Tran Hung Dao, Lê Loi et Nguyên Huê les réaniment et s'en servent pour soulever le pays.

Lorsque Hô Chi Minh et ses disciples ressuscitèrent le passé en le reliant au présent, les Vietnamiens purent faire face à cause des enseignements de l'histoire. Les Français n'étaient pas une race européenne supérieure, mais simplement un autre envahisseur venu d'ailleurs dont on pouvait venir à bout. Les mandarins et les autres groupes sociaux qui collaboraient avec les Français n'étaient plus des privilégiés à qui on devait obéissance, mais ces mêmes « chacals », comme Hô les appelait, qui avaient été les otages des conquérants chinois. Il y avait toujours eu des mandarins prêts à être les séides des agresseurs étrangers, soit par vénalité, soit parce qu'ils appartenaient à des factions dissidentes, soit parce qu'ils pensaient que la conquête durerait longtemps et qu'il était préférable d'y adhérer pour trouver des places pour eux et leur famille dans cet ordre nouveau. L'histoire vietnamienne ne manquait pas de ces « traîtres vendus », suivant la formule des communistes. Les paysans et les pauvres des villes qui torturaient et tuaient leurs compatriotes, pour le compte des Français, dans la police coloniale, la milice et l'armée, avaient aussi des ancêtres. Les Chinois avaient déjà recruté ce genre de fantoches pour compléter leurs effectifs. L'atmosphère de vice, d'intrigues mesquines et de pourriture qui régnait à Huê à la cour de Bao Dai et de ses hauts dignitaires était le symptôme classique d'une dynastie décadente qui ne pouvait plus protéger le pays et devait être balayée par les soldats-mandarins patriotes.

Au cours de la Seconde Guerre mondiale, ces hommes, qui vivaient dans les forêts tropicales et les montagnes qui bordent la frontière de Chine, développèrent le Viet Minh pour en faire un mouvement national. En souvenir de l'épique migration, Hô Chi Minh appelait « Avance vers le sud » cette progression dans les villages des rizières du delta du fleuve Rouge. Les bases de montagne étaient baptisées Lê Loi, Quang Trung et autres héros de la résistance passée. A la fin de 1944, le Viet Minh revendiquait un demi-million d'adhérents, dont les trois quarts au Nord et dans le Vietnam central. Ils étaient dirigés par un Parti communiste qui ne comptait pas plus de 5 000 membres. L'accent était toujours mis sur le patriotisme et sur quelques revendications sociales destinées à rassembler les paysans, sans pour autant effrayer les riches propriétaires terriens patriotes.

Au printemps de 1945, les Japonais estimèrent à juste titre que les Français de Vichy allaient retourner leur veste et devenir des « Français libres » maintenant que le Japon était en train de perdre la guerre. Les coups de force que l'armée impériale déclencha à travers toute l'Indochine, le 9 mars 1945 à 21 h 30, n'amenèrent pas seulement la dissolution de l'administration coloniale et le désarmement des troupes, mais portèrent un coup mortel au colonialisme français en Indochine. La crainte qu'éprouvaient de nombreux Vietnamiens à l'égard de leurs maîtres européens fut complètement dissipée lorsqu'ils les virent fusillés, battus et traînés dans des camps tandis que leurs femmes étaient violées par de petits hommes jaunes. La pression de l'autorité centrale sur les campagnes disparut brusquement, alors que les zones rurales du Tonkin étaient affligées de la pire famine de leur histoire. Entre la fin 1944 et l'été 1945, de 400 000 à 2 millions de paysans, femmes et enfants, moururent de faim. On ne put jamais en connaître le nombre exact, car l'administration n'était plus en mesure de tenir des statistiques, et les Japonais avaient abandonné la campagne pour se retrancher dans les villes. La famine était la conséquence de la réquisition du riz par les Français, sur ordre des Japonais, pour servir de carburant aux usines travaillant pour l'armée impériale, ou pour être expédié au Japon. Les fermiers, qui constituaient la majorité au Nord, furent d'abord ruinés puis condamnés à la famine, ne pouvant plus acheter de graines pour replanter, ni de nourriture pour leur famille. Les réquisitions étaient effectuées par les chefs de village et de canton, qui représentaient l'échelon le plus bas de l'autorité française, aidés par la milice coloniale. Ces Vietnamiens continuèrent à confisquer le riz au profit des étrangers, alors même que leurs compatriotes mouraient de faim, donnant ainsi un fascinant exemple de la corruption morale du colonialisme.

Lorsque les formations viet-minhs que Vô Nguyên Giap avait organisées pénétrèrent dans ce monde rural privé d'autorité centrale, la famine avait plongé les paysans dans un degré extrême de désespoir et de haine. Le Viet Minh lança un mot d'ordre aussi important que celui d'indépendance nationale : « Détruisez les entrepôts de riz pour combattre la famine. » Les combattants de Giap démolirent les bâtiments où était stocké le riz brut des propriétaires terriens pour le distribuer aux affamés. En contrepartie, les paysans les aidèrent à arrêter les chefs de village et de canton. Ils furent remplacés par l'autorité viet-minh des « Comités du peuple » soutenus par des unités d'autodéfense constituées de paysans armés de couteaux, de faux et de faucilles. Lorsque le Japon capitula le 15 août 1945, Giap avait plus de 5 000 combattants, la plupart équipés d'armes américaines fournies par l'OSS ; à cause de la famine ils s'étaient gagné l'obédience inconditionnelle de la grande majorité de la paysannerie du Nord Vietnam.

Puis ce fut le déferlement : le 17 août, le « Comité insurrectionnel » déploya le drapeau de la révolution viet-minh, l'étoile dorée à cinq branches sur fond rouge, au cours d'un grand rassemblement. Il avait été organisé au théâtre municipal de Hanoi par les fonctionnaires civils vietnamiens pour soutenir le gouvernement fantoche de Bao Dai mis en place par les Japonais. Le premier orateur avait à peine pris la parole que les drapeaux viet-minhs furent brandis dans la salle bondée et derrière la tribune. Un militant entouré de gardes armés de pistolets, se saisit du micro et appela à la révolte pour « reconquérir notre terre ancestrale ». La milice, qui devait protéger la réunion, se joignit à eux, et la séance se transforma en une tumultueuse manifestation pro-viet-minh suivie d'un défilé dans les rues qui dura toute la nuit. Au cours des jours suivants, des milliers de paysans arrivèrent en ville. Le représentant de Bao Dai s'enfuit. La garnison de la Garde fut faite prisonnière et ses armes distribuées aux insurgés. Les 30 000 soldats japonais en poste à Hanoi, qui auraient pu facilement écraser le Viet Minh, se refusèrent à défendre le régime fantoche. Ils se contentèrent de protéger les bâtiments de la Banque d'Indochine et leurs propres cantonnements.

A la fin du mois d'août, Bao Dai abdiqua dans la capitale impériale de Huê au cours d'une cérémonie d'une portée considérable pour les Vietnamiens. L'empereur, personnification de la nation jusqu'à ce que les Français en eussent corrompu le symbole, transféra son autorité et ses droits légitimes aux représentants de Hô Chi Minh. Revêtu de la robe impériale, coiffé d'un turban doré, il se tenait debout sur le rempart qui domine la porte du Zénith de son palais au cœur de la citadelle de Huê. Bao Dai remit aux délégués viet-minhs le sceau de la dynastie et l'épée impériale. Son étendard fut descendu du mât gigantesque qui se dressait au-dessus de la porte, et la bannière rouge à l'étoile d'or de la Révolution s'éleva à sa place. Le dernier des empereurs de la dynastie des Nguyên, devenu le citoyen Vinh Thuy, fut nommé « conseiller politique suprême » du gouvernement de Hô jusqu'à ce qu'il quitte le pays au début de 1946.

Contrairement à ce que devaient affirmer plus tard les hommes d'État américains, les autres partis communistes n'aidèrent pas les Vietnamiens au cours de leur combat contre la France. Les Chinois avaient d'autres préoccupations avec la guerre civile qu'ils menaient contre Chiang Kai-shek. Leurs alliés français des débuts les abandonnèrent aussi. Dans l'espoir d'un succès aux élections de 1945 et 1946, le Parti communiste français était en effet soucieux d'éviter toute action impopulaire et passa sous silence sa réclamation historique d'indépendance des colonies. Les anciens camarades de Hô Chi Minh conseillèrent de ne pas s'opposer au retour du pouvoir colonial, car une guerre d'indépendance gênerait la politique étrangère de l'Union soviétique.

Leur analyse était juste. Les Vietnamiens ne reçurent aucune aide de Moscou, parce que Staline n'avait aucun intérêt à favoriser leur révolution. Il ne partageait pas les espoirs électoraux des communistes français, car il avait eu la clairvoyance de comprendre que les États-Unis n'autoriseraient jamais un gouvernement communiste à Paris, qu'il soit légitimement élu ou autrement. Néanmoins, il souhaitait qu'augmente la popularité du PCF, à cause de l'avantage politique qu'il tirerait d'un bastion communiste fort en France. Il voulait également détourner l'attention des politiciens de droite, pendant qu'il consolidait l'emprise soviétique sur l'est de l'Europe, cette route des invasions allemandes pendant deux conflits et la première préoccupation de sécurité pour Staline.

En réalité, les communistes français firent plus que refuser leur aide. Ils furent les complices de la reconquête coloniale. Maurice Thorez, secrétaire général du PCF, était vice-président du Conseil du gouvernement tripartite qui devait s'engager dans la guerre contre le Viet Minh en décembre 1946. Il veilla à ce que ses députés à l'Assemblée nationale ne bloquent pas, comme ils auraient pu le faire, le vote des mesures d'urgence et des crédits militaires pour la guerre d'Indochine.

Ces conditions devaient changer en 1949, avec la guerre froide et l'arrivée des troupes de Mao Tsé-tung à la frontière du Nord. Mais, pendant les quatre premières années de la guerre contre la France, les Vietnamiens ont été, comme le disait Hô, « complètement seuls ». La création de leur armée fut un acte d'ingéniosité militaire, digne des exploits de leurs ancêtres. Ils avaient déjà fait des progrès considérables quand Hô, ayant perdu tout espoir de négocier un compromis avec les Français, avait fait sauter la centrale de Hanoi la nuit du 19 décembre 1946. En un an et quatre mois qui suivirent la révolte d'août 1945, Giap et ses adjoints avaient transformé leur petite troupe de 5 000 rebelles en une force de 100 000 hommes de valeur guerrière inégale, depuis les bandes de guérilla du delta du Mékong jusqu'aux bataillons réguliers du Tonkin et du Centre Vietnam. Leur armement aurait réjoui un collectionneur d'armes et désespéré un officier d'intendance de l'armée américaine, confondu par la diversité des munitions : armes françaises d'âges et de calibres divers provenant des arsenaux ; japonaises prises à l'armée impériale ; américaines sorties en fraude de Chine nationaliste. Ils utilisaient aussi de grossières copies de carabines américaines et de mitraillettes Sten anglaises fabriquées dans des arsenaux de fortune avec des machines provenant des usines françaises ou des ateliers des chemins de fer. Ils envoyèrent même des plongeurs rechercher des armes et de l'équipement dans les coques des bateaux japonais coulés dans le golfe du Tonkin. Plusieurs milliers d'officiers, soldats et techniciens japonais désertèrent plutôt que d'être renvoyés chez eux. Ils fournirent l'encadrement pour les ateliers et l'instruction des futurs combattants. Les déserteurs japonais étaient dirigés par Giap et les autres chefs viet-minhs qui avaient fait leur apprentissage dans l'armée communiste chinoise ou avaient été formés à l'académie militaire que le Komintern avait établie à Whampoa en Chine vers 1925. En dépit de cette diversité, les Vietnamiens avaient une armée nationale. Les Français durent se battre pendant trois semaines pour reprendre le contrôle de Hanoi, et il leur fallut près de trois mois pour libérer toutes leurs garnisons assiégées.

Le recrutement et l'entraînement devaient progresser sans cesse après la nuit décisive de Hanoi. Des armes plus nombreuses et de meilleure qualité étaient capturées aux Français ou achetées en Chine et en Thaïlande. Les seigneurs de la guerre nationalistes du sud de la Chine ou de l'île chinoise de Hainan dans le golfe du Tonkin étaient toujours prêts à échanger pour de l'argent les armes que leur donnaient les États-Unis pour combattre leurs communistes. Le Viet Minh entretenait jusqu'à la guerre de Corée une mission permanente d'achat d'armes à Bangkok dans la même rue que les services d'information américains. L'argent n'avait pas d'odeur politique pour les Thaïlandais. Il provenait du trafic de l'opium des montagnes du Laos avec les marchands chinois de Hanoi. Les armes étaient amenées à dos d'animaux, ou chargées sur des bicyclettes ou des chariots à bœufs jusqu'au réduit viet-minh dans les zones frontalières du Nord. D'autres étaient transportées en contrebande dans des jonques et des chalutiers depuis Hainan jusqu'aux innombrables petites criques de la côte nord ou sur la bande de trois cent cinquante kilomètres que le Viet Minh contrôlait au centre, là justement où Bumgardner devait assister quelques années plus tard à la visite de Diêm dans l'ancienne zone « libérée ». Giap avait déjà commencé à organiser ses partisans dans le Nord en unités de la taille d'une division avant que les communistes chinois ne s'installent sur la frontière à la fin de 1949, ouvrant ainsi les perspectives d'une aide accrue. L'homme qui avait gagné sa vie comme professeur d'histoire au lycée de Hanoi, où il avait enseigné la Révolution française et les campagnes de Napoléon, montrait qu'il était un général lettré classique, capable d'employer la stratégie vietnamienne traditionnelle contre les Français.

De la fin 1949 jusqu'à l'automne de 1950, Giap épuisa les forces françaises dans les montagnes qui encerclaient le delta du fleuve Rouge. Le général Marcel Carpentier, désorienté, s'affola et commit l'erreur que les Vietnamiens avaient prévue. Il ordonna l'évacuation d'urgence des villes frontières en octobre 1950. Les colonnes françaises s'engagèrent sur la route coloniale 4, une piste de terre battue à deux voies, qui serpente au milieu des roches calcaires et des forêts de la zone frontalière. Les troupes de Giap les y attendaient, et la route de l'empire français fut celle de la fin tragique de cet empire. 6 000 soldats des troupes coloniales françaises y disparurent. Le Viet Minh s'empara de suffisamment d'armes, de munitions, de camions, de véhicules blindés et de matériel divers pour équiper une division entière. La débâcle fut la pire de l'histoire française outre-mer depuis qu'une armée britannique, sous le commandement de James Wolfe, eut écrasé Louis Montcalm à Québec en 1759, entraînant la perte du Canada. Cette victoire de Giap était le prologue de Diên Biên Phu. Le choc psychologique de ce désastre aurait probablement précipité les négociations pour mettre fin à la guerre, si la France avait été abandonnée à ses seules ressources. Mais l'administration Truman, qui venait d'engager l'attribution d'une aide militaire directe et généreuse, encouragea les Français à continuer.

A partir de 1950, la tâche de Giap et de ses officiers consista essentiellement à équiper leur armée aguerrie avec de l'artillerie soviétique, des canons antiaériens et autre armement lourd qui arrivaient rapidement avec des instructeurs chinois, pour faire de son organisation une force combattante moderne. Plusieurs années furent nécessaires pour y parvenir, marquées par des erreurs et des échecs. Mais l'essentiel avait déjà été fait, car l'armée qui devait se signaler à l'attention du monde en 1954, et écrire une nouvelle épopée de l'histoire du Vietnam, avait été créée bien avant que le premier camion avec son chargement d'armes soviétiques ne franchisse la frontière de Chine.

La conduite de la guerre d'indépendance par Hô Chi Minh et ses disciples grava des images populaires dans l'esprit des Vietnamiens et précisa certaines équations fondamentales de la vie politique. Toute la population fut en fait impliquée, depuis les enfants assez âgés pour espionner et porter des messages, jusqu'aux grands-parents capables de mentir habilement avec la dignité des vieillards. Les Vietnamiens avaient à choisir entre trois attitudes : rejoindre les rangs des communistes pour libérer leur pays, collaborer avec les Français pour des raisons variées, ou s'abstenir de participer à ce conflit, le plus important moralement et politiquement de leur époque, comme le fit une minorité, en particulier Ngô Dinh Diêm. La guerre fit de Hô le père du Vietnam moderne : par conséquent, un patriote était un communiste ou un sympathisant. Celui qui avait choisi le parti de la France était un collaborateur, comme les pétainistes de Vichy. Celui qui refusait de participer, comme Diêm, était exclu de la lutte, et l'attentisme conduisait au néant.

Les responsables des États-Unis se révélèrent incapables d'accepter ces réalités vietnamiennes. Bien que Hô eût cessé de faire appel directement aux Américains, il avait pris soin de laisser la porte ouverte dans l'espoir d'arriver un jour à un accord. Au début de 1949, George Abbott, le diplomate qui avait eu avec Hô à Paris la dernière conversation pathétique de septembre 1946, essaya d'intéresser Dean Acheson à l'idée que Hô était peut-être un Tito asiatique. La rupture entre Tito et Staline était maintenant officielle et, en 1949, Washington avait accepté de reconnaître l'état d'hostilité, proche du conflit armé, entre l'Union soviétique et la Yougoslavie. Abbott avait relevé une singularité dans le comportement des communistes vietnamiens :

> Le communisme vietnamien offre cette particularité qu'il fait très peu de propagande anti-américaine. Il est évident que cela n'est pas dû à une ignorance de la ligne officielle du parti. C'est apparemment le signe que Hô Chi Minh conserve encore l'espoir d'obtenir l'appui des Américains pour un gouvernement viet-minh sous son autorité, ou au moins qu'ils l'acceptent s'ils ne l'aident pas.

Dean Acheson avait été impliqué dans la politique des États-Unis à l'égard de l'Indochine pratiquement depuis le début, comme secrétaire d'État de l'administration Truman. La remarque d'Abbott ne l'incita pas à modifier son analyse. Avec Truman et les autres personnalités des deux partis politiques, il tenait pour établi que tous les mouvements communistes étaient les pions d'un super-État centralisé dirigé du Kremlin, et que Joseph Staline était un nouvel Hitler tendu vers la conquête du monde. En dépit du comportement évident de Tito, ils n'arrivaient pas à croire qu'un chef communiste puisse avoir comme objectif principal l'indépendance de son pays. Les Américains aidaient Tito mais ils n'étaient pas à leur aise avec lui et le considéraient comme une aberration. Ils refusaient de prendre au sérieux l'existence d'un communisme nationaliste et ne comprenaient pas que Staline, aussi monstrueux soit-il et responsable de la mort de millions d'êtres humains en Union soviétique, était, en politique étrangère, un impérialiste russe avec des objectifs limités. Cette erreur de jugement semblait provenir de leur incapacité à concevoir la complexité du monde. Si Tito, Hô Chi Minh et Mao Tsé-tung étaient des nationalistes en même temps que des communistes, si des cultures et des histoires différentes pouvaient conduire les nations communistes à se développer dans des directions distinctes, alors le monde était infiniment plus complexe que ces Américains ne pouvaient l'imaginer. Leur tendance naturelle les poussait à envisager un univers manichéen simplifié, avec d'un côté le Bien et de l'autre le Mal.

Acheson avait l'intention de trouver une alternative anticommuniste à Hô. Il était convaincu que l'erreur fondamentale de la politique française venait d'un colonialisme à l'ancienne. Si la France avait installé un gouvernement d'autochtones et proclamé l'indépendance du Vietnam, les nouveaux dirigeants auraient eu une chance de gagner une adhésion populaire équivalente ou supérieure à celle de leur rival Hô. En réalité, Acheson voulait que les Français appliquent à l'Indochine le système américain. Cette recherche d'une alternative anticommuniste fut accélérée lorsque les forces de Mao Tsé-tung commencèrent à gagner la guerre civile en Chine. L'administration Truman appâta alors la France avec la promesse d'une aide directe économique et militaire pour la guerre, si elle abandonnait sa mystique du XIXe siècle pour adopter une politique raisonnable. Le résultat de cette initiative américaine, pour transformer un conflit colonial en une guerre juste contre le communisme, fut la prétendue solution Bao Dai.

Bao Dai revint au Vietnam en 1949, après un exil volontaire à Hong Kong, pour reprendre son rang d'empereur, sous le parrainage des Français et des Américains. Ce n'était pas facile pour un souverain discrédité, et qui avait abdiqué, de se comporter comme si rien ne s'était passé et de gagner le soutien populaire, particulièrement lorsqu'on avait le caractère de Bao Dai. Et pourtant, il ne remit pas en cause la cérémonie de 1945, si riche de symboles pour les Vietnamiens, lorsqu'il avait transmis les insignes de son pouvoir aux représentants de Hô. Il n'essaya jamais de réclamer officiellement son trône. Il employa le terme d'« État » du Vietnam, pour le différencier de l'« Empire » et prit comme titre officiel celui de chef d'État. Son gouvernement, dit-il, était le successeur *de facto* de la République du Vietnam que Hô avait proclamée en 1945.

Truman et Acheson reconnurent le régime de Bao Dai comme le gouvernement légal d'Indochine au début de 1950. Acheson déclara que Hô était « l'ennemi mortel de l'indépendance de l'Indochine » et que Bao Dai représentait « le véritable esprit nationaliste ». Mais ce chef national avait des difficultés avec la langue de son pays. Élevé par des précepteurs français à Huê et en France où il avait passé trois ans de sa jeunesse, Bao Dai ne pouvait ni parler, ni lire, ni écrire correctement le vietnamien. En mai 1950, Acheson annonça officiellement l'attribution de l'aide économique et militaire qui avait été promise aux Français en échange de Bao Dai.

Le nouveau chef d'État s'empressa de vendre une concession de jeux, prostitution et opium à Cholon à son ami Bay Viên, chef de la société du crime des Binh Xuyen, en échange d'un pourcentage sur les profits. Il nomma également Bay Viên général de l'Armée nationale vietnamienne que les Français mettaient sur pied et que les Américains équipaient pour le compte de Bao Dai. Ce « sybarite neurasthénique », comme l'avait défini un journaliste français, était beaucoup plus conscient qu'Acheson de son rôle dans la vie. On lui apprit un jour que sa favorite du moment, une plantureuse blonde platinée qu'il avait ramenée de la Côte d'Azur, avait été vue se débauchant en public avec des Français. « Oui, je sais, répondit-il. Elle ne fait qu'exercer son métier. Mais des deux, c'est moi la vraie putain. »

Il n'y avait aucune alternative anticommuniste possible en Indochine. Dès 1930, les Français et les insuffisances des nationalistes avaient préparé la voie pour Hô Chi Minh. A la suite d'un soulèvement désordonné, la Sûreté générale française avait décimé le plus grand parti nationaliste non communiste, le Kuo-min-tang, copié sur le parti chinois. Les chefs avaient été guillotinés, et les survivants s'étaient réfugiés en Chine. Les non-communistes ne reconstituèrent pas leurs mouvements face à la répression française, car ils faisaient tous partie de l'élite urbaine et ne s'intéressaient pas aux changements sociaux indispensables pour acquérir l'appui des masses. Les communistes furent aussi durement frappés à la même époque après une rébellion également mal organisée et qui se termina par l'écrasement des paysans par la Légion étrangère. Une seconde révolte paysanne dans le delta du Mékong, en novembre 1940, fut également anéantie avec une férocité exceptionnelle par les autorités de Vichy. Les communistes en tirèrent la leçon, car leur préoccupation des objectifs sociaux les ramenait toujours à la base mécontente sur laquelle s'appuyer.

Hô Chi Minh porta le coup final aux nationalistes non communistes en prenant le pouvoir à Hanoi. Il était entouré d'hommes tenaces et endurcis : Pham Van Dong n'était pas le seul à avoir connu les prisons françaises ; la première femme de Giap, elle aussi membre actif du Parti, était morte dans une prison française en 1943. Au cours de la période qui suivit la Seconde Guerre mondiale, les survivants du Kuo-min-tang et d'autres factions similaires essayèrent de monter une organisation rivale au Tonkin pour s'opposer au Viet Minh. Hô les écrasa. Une centaine de leurs responsables furent capturés et exécutés. Les communistes vietnamiens menèrent une campagne sélective d'assassinats à partir d'août 1945. Une quarantaine de personnalités politiques furent tuées. Parmi eux se trouvait Ngô Dinh Khoi, le frère aîné de Diêm, responsable catholique et gouverneur de la province de Quang Nam jusqu'à ce que les Français le destituent en 1942 parce qu'il intriguait contre eux avec les Japonais.

Les communistes ne cherchèrent pas à éliminer tous les politiciens opposés. Ils tuèrent leurs adversaires les plus actifs ou ceux qu'ils soupçon-naient de collaborer plus tard avec les Français, ce qui fut le cas de la plupart des survivants. La notion de démocratie était inconnue en Indochine, et les deux camps s'exterminaient réciproquement. Diêm racontait souvent aux Américains comment les communistes avaient assassiné son frère. Il oubliait de dire que son frère complotait avec les Japonais pour assassiner les chefs viet-minhs. Les communistes l'apprirent et s'empressèrent de le tuer avec son fils avant qu'il eût le temps d'agir. En plus de ces exécutions planifiées, les paysans viet-minhs massacrèrent sur une grande échelle ceux qui étaient soupçonnés de sympathie pour les Français, particulièrement dans la région de Saigon et le delta du Mékong lors de la reconquête coloniale de 1945-1946. On n'a aucun compte exact de ces victimes, mais elles se chiffrent par milliers.

Pour les nationalistes non communistes, qui avaient survécu aux ravages du régime colonial et des communistes, la collaboration avec les Français, encouragée par Truman et Acheson, à travers Bao Dai, représentait une déchéance sordide. Au cours des années, les journalistes américains et les officiels de l'ambassade continuèrent à prendre au sérieux ces carapaces vides. Les chefs de ces factions non communistes avaient des prétentions et savaient très habilement donner l'impression qu'ils comptaient pour quelque chose. Mais aucun de ces partis politiques ne représentait plus que ce que les Français appelaient « une douzaine de messieurs ».

Les États-Unis furent autant responsables que la France des souffrances de la première guerre, même si de temps en temps ils affirmaient se laver les mains de l'entêtement et de la stupidité des Français. Pendant ces neuf années, entre 250 000 et 1 million de civils indochinois périrent, 200 000 à 300 000 Viet Minhs furent tués en combattant, entraînant la mort de 95 000 membres des troupes coloniales : Vietnamiens, Français, Algériens, Marocains, Sénégalais, Cambodgiens, Laotiens, Allemands et autres origi-naires des pays de l'Europe de l'Est dans la Légion étrangère. Au moment de Diên Biên Phu, lorsque Eisenhower entra à la Maison-Blanche, les États-Unis finançaient à 80 % la guerre française en Indochine. Les hommes d'État américains ne reconnurent jamais leurs responsabilités dans ce massacre. Leur habileté à rejeter tous les torts sur les Français les dispensait d'assumer le fardeau moral qui leur incombait.

Après que les États-Unis et Edward Lansdale eurent confié à Ngô Dinh Diêm le reliquat indochinois du système colonial français, Diêm déposa Bao Dai, mais adopta pour la République son drapeau impérial de trois bandes rouges sur fond jaune. Il renvoya le chef de la police Binh Xuyen, mais garda la même police et la Sûreté nationale. Les changements qu'il apporta ne furent pas pour le meilleur. L'homme que Lansdale mit en place comme chef du « Vietnam libre » devait provoquer la seconde guerre du Vietnam.

Pendant les quatre années qui suivirent les accords de Genève de 1954, Hô et ses mandarins communistes se trouvèrent confrontés au Nord avec plus de problèmes qu'ils ne pouvaient résoudre : un pays dévasté à reconstruire, une population de 14 millions d'habitants à nourrir dans une région déficitaire en riz et coupée de ses importations traditionnelles du Sud, un manque de techniciens et une industrie modeste et vétuste qu'ils voulaient développer et moderniser. En même temps, ils devaient mettre sur pied une révolution sociale pour transformer le Nord en un État marxiste.

Les fautes qu'ils commirent ajoutèrent à leurs préoccupations. Truong Chinh, le secrétaire général du parti, terrorisa le pays en laissant, par fanatisme, la réforme agraire échapper à son contrôle. Des milliers de grands et de petits propriétaires moururent, y compris un nombre considérable de membres du Parti qui furent victimes des purges et exécutés après des procès truqués devant les tribunaux populaires de réforme agraire. L'armée avait mis fin, en novembre 1956, à une insurrection de paysans catholiques dans la province dont Hô était originaire. Ces catholiques, qui n'avaient pas fui au Sud comme les deux tiers de la communauté pro-française, étaient les martyrs préférés de la vengeance des cadres de Chinh. On ne connaît pas le chiffre exact de ces victimes de la réforme agraire et de la répression communiste. Le chiffre souvent avancé de 50 000 morts vient de la propagande de la CIA, mais il est certain qu'ils furent des milliers. Hô Chi Minh s'excusa de ces crimes, révoqua les tribunaux, ordonna que tous ceux qui avaient été emprisonnés soient relâchés et lança une « Campagne pour la rectification des erreurs » pour calmer les esprits. Chinh fut relevé de ses fonctions de secrétaire général du Parti. Giap reconnut que, parmi d'autres « erreurs, nous avons exécuté trop de gens honnêtes... et, en voyant des ennemis partout, nous avons recouru à la terreur, qui s'est étendue beaucoup trop loin... Pis encore, la torture a fini par être considérée comme une pratique normale ».

Les Soviets trahirent à nouveau les Vietnamiens, comme ils l'avaient fait en 1945, à cause de leurs intérêts primordiaux de grande puissance. L'administration Eisenhower avait l'intention de perpétuer la division du Vietnam, transformant la ligne provisoire de démarcation du 17ᵉ parallèle, fixée par la conférence de Genève, en une frontière internationale. Le Conseil national de sécurité des États-Unis avait secrètement décidé de saboter les accords de Genève aussitôt après leur signature. Washington se servit de Diêm, qui coopéra avec enthousiasme, pour empêcher les élections générales dans l'ensemble du Vietnam que la déclaration finale de la conférence avait fixées au mois de juillet 1956. Mais si Diêm était soucieux d'empêcher une élection qu'il savait devoir perdre, aucun des deux camps vietnamiens n'abandonna sa revendication de la souveraineté sur le pays tout entier. D'ailleurs, les trois bandes rouges sur le drapeau de Bao Dai, puis de Diêm, étaient l'image des trois Vietnams : Nord, Centre et Sud. L'Union soviétique avait siégé à Genève avec la Grande-Bretagne, mais à la fin des années cinquante, Khrouchtchev poursuivait sa politique de « coexistence pacifique ». Pour se concilier les États-Unis, il refusa de soutenir les demandes de Hanoi pour que les élections aient lieu. Au cours d'un débat du Conseil de sécurité au début de 1957, après que les Américains eurent demandé l'admission du Sud Vietnam aux Nations unies, le délégué soviétique proposa de résoudre le problème en admettant le Nord et le Sud, puisque « au Vietnam, il existe deux États séparés ».

Hô Chi Minh protesta sans beaucoup d'énergie. Les troubles intérieurs étaient si préoccupants et il était tellement dépendant de l'aide soviétique pour reconstruire le Nord qu'il semblait s'être résigné à la division du pays, en tout cas provisoirement. On en trouve une preuve, plus voyante peut-être qu'il ne l'aurait voulu, dans la lettre publique qu'il adressa en 1956 aux 130 000 soldats et cadres administratifs viet-minhs qui s'étaient repliés au Nord avec leur famille après la conférence de Genève. Le Parti leur avait dit qu'ils pourraient retourner chez eux après les élections de 1956. Hô essaya de leur expliquer pourquoi ce n'était pas possible : « Notre politique est de consolider le Nord en gardant le souvenir du Sud. » Diêm allait se charger de résoudre le dilemme de Hô Chi Minh.

Jean-Baptiste Ngô Dinh Diêm (les catholiques donnaient souvent à leurs enfants un prénom français en plus du vietnamien) avait cinquante-trois ans. Il était aussi étranger que Lansdale aux réalités politiques et sociales de son pays quand il y retourna le 7 juillet 1954 après presque quatre ans d'exil. Mais son ignorance était volontaire. C'était un mystique qui vivait dans le cocon mental de la nostalgie utopique du passé impérial. Son entrée à Saigon le jour de son arrivée est caractéristique. Il roula dans une voiture aux rideaux tirés et aucun des Vietnamiens rassemblés le long de la route pour regarder le nouveau Premier ministre ne put l'apercevoir, et lui-même n'était pas soucieux de les voir. « Il vient d'une autre planète », dit un jour de lui un membre de sa famille.

Aux Américains il prétendit que sa famille de hauts mandarins remontait au XVIᵉ siècle. En réalité, son grand-père était de modeste extraction, un pêcheur suivant certains, ce qui expliquait que Diêm en rajoutât pour devenir une caricature de mandarin. La famille devait sa fortune au père de Diêm, Ngô Dinh Kha, qui avait été sélectionné par des missionnaires français pour devenir prêtre et apprendre le français dans une de leurs écoles religieuses de Malaisie. Pendant que Kha s'y trouvait, presque tous les membres de sa famille restés en Indochine furent enfermés dans une église et brûlés vifs. Ce massacre était la conséquence des luttes entre missions catholiques et non-chrétiens qui devait amener l'intervention française en 1858 et une lutte de vingt-neuf ans jusqu'à la création de l'Union indochinoise.

La France utilisa le christianisme beaucoup plus systématiquement que les autres puissances européennes pour favoriser son expansion coloniale. Les missionnaires vinrent au Vietnam pour la plus grande gloire de Dieu et de la France, et leurs nouveaux convertis jouèrent un rôle essentiel pour la conquête du pays. Lorsque les empereurs persécutèrent les catholiques qu'ils considéraient comme une secte étrangère subversive, la France justifia son intervention militaire par la nécessité de faire respecter la « liberté religieuse ». Les expéditions entraînèrent encore plus de massacres, fournissant ainsi une excuse pour plus d'ingérence et finalement l'occupation permanente. La plupart des premiers convertis qui possédaient de la terre furent appauvris par les persécutions, et les plus récents étaient d'origine humble. L'arrivée des Français fut pour eux l'occasion de monter dans l'échelle sociale. Et, comme ils craignaient les conséquences en cas d'échec des Français, ils se mirent au service de l'étranger. Les nouveaux occupants les recrutèrent dans l'armée, prirent les plus éduqués comme interprètes et, parce qu'on pouvait leur faire confiance, les nommèrent à des positions de mandarinat, surtout ceux dont les études en confucianisme avaient été limitées. Les prêtres des paroisses aidèrent l'autorité coloniale en lui fournissant des petits fonctionnaires zélés. Individuellement, les catholiques résistèrent aux Français avec autant de patriotisme que les autres Vietnamiens, mais la communauté religieuse en tant que telle stigmatisa cette attitude comme subversive et donna en général aux catholiques un complexe d'insécurité et de dépendance vis-à-vis de l'étranger. La tradition folklorique veut que leurs églises et cathédrales aient été édifiées grâce à l'argent des terres volées aux patriotes et aux martyrs. Les catholiques étaient particulièrement honnis par les familles lettrées, privées de leurs droits, comme celle de Hô. Dans son célèbre réquisitoire contre le colonialisme, *Procès de la colonisation française,* publié à Paris en 1925, Hô Chi Minh décrit les prêtres catholiques vietnamiens comme des rapaces voleurs de terres.

Son baptême au sein de la Sainte Église romaine et sa connaissance du français valurent au père de Diêm une robe de mandarin, peu de temps après son retour de Malaisie. Il fut élevé ensuite au poste de ministre des Cultes à Huê, puis grand chambellan de l'empereur Thanh Thaï. Lorsque les Français déposèrent en 1907 l'empereur qu'ils soupçonnaient de comploter contre eux, Thaï fut contraint de se retirer, mais, grâce à ses relations à la cour et au sein de l'Église, il put assurer l'avenir de ses fils au sein de l'administration coloniale. Khoi fut nommé gouverneur de la province de Quang Nam ; un autre frère de Diêm, Thuc, fut ordonné prêtre et devint à la fin de la Seconde Guerre mondiale évêque de Vinh Long, le prélat le plus important du Sud. L'attitude ambivalente de la famille se caractérisa par le refus de Thuc de se joindre aux trois autres évêques du pays lorsque, en 1945, ils apportèrent leur soutien à la déclaration d'indépendance de Hô Chi Minh, dans la ferveur patriotique du début.

Diêm sortit un des premiers de l'École française d'administration de Hanoi et commença sa carrière comme chef de district. Il eut son premier accrochage avec les communistes en 1930 lorsque, gouverneur d'une petite province du Centre Vietnam, il aida les Français à écraser la première révolte de paysans que le Parti eût fomentée. Diêm avait pris la peine d'étudier le marxisme-léninisme, dont les doctrines de révolution sociale et d'athéisme le choquèrent comme un anathème, une manifestation de l'antéchrist. En 1933, âgé seulement de trente-deux ans, ses antécédents de travailleur rigoureux, son honnêteté et sa fiabilité politiques étaient si bien établis que les Français acceptèrent qu'il soit nommé ministre de l'Intérieur de Bao Dai, âgé alors de dix-huit ans. Le jeune empereur, qui n'était pas encore un débauché, s'intéressa à Diêm qui voulait réformer le mandarinat corrompu et persuader les Français d'accorder plus d'autonomie à la monarchie pour gouverner le pays avec une bureaucratie efficace et assainie. Les Français refusèrent de changer quoi que ce soit au *statu quo* qui les satisfaisait parfaitement. Bao Dai oublia les réformes pour se consacrer à l'hédonisme. Ce qui entraîna la démission de Diêm, réputé pour son manque de souplesse, et qui avait souvent été battu dans sa jeunesse par son père à cause de son entêtement.

Pendant les vingt et une années qui suivirent, il n'occupa aucun poste public ou même un emploi rémunérateur. Jusqu'aux dernières années de la Seconde Guerre mondiale, il vécut du revenu des modestes propriétés de sa famille. Il consacrait son temps à la chasse, au cheval, à la photo et à son jardin de roses. Il resta célibataire, allait à la messe et communiait tous les matins, écrivait et parlait de politique, mais sans jamais prendre part à une action quelconque. Les bouleversements de la Seconde Guerre mondiale le ramenèrent vers la politique, mais toujours sur la frange. Il négocia sans succès avec les Japonais pour être le Premier ministre du gouvernement fantoche de Bao Dai, se cacha du Viet Minh qui l'arrêta et l'emprisonna, refusa l'offre de Hô Chi Minh d'entrer dans le gouvernement de coalition et recommença à se cacher. Il négocia, à nouveau sans succès avec Bao Dai et les Français, et finalement choisit l'exil en 1950, d'abord aux États-Unis, puis en Belgique et en France, car il craignait les Viet Minhs dont les Français refusaient de le protéger. Ses vingt et une années d'attente accentuèrent encore les singularités de son caractère, endurcirent son entêtement et l'enfermèrent encore plus dans sa vision réactionnaire d'un passé impérial qui n'avait jamais existé. Au Vietnam, sauf dans le cercle étroit des nationalistes anticommunistes, il sombra progressivement dans l'oubli d'où les États-Unis allaient le tirer en 1954.

Tandis que Lansdale, convaincu qu'il serait le nouveau Magsaysay capable de former un gouvernement fort, conduisait Diêm au succès en écrasant les sectes, l'idée ne lui vint même pas qu'il éliminait ainsi les opposants les plus efficaces des communistes dans le Sud. Le Viet Minh était loin d'être aussi puissant dans la région de Saigon et le delta du Mékong qu'au Centre et au Nord Vietnam. Les Français avaient réussi à endiguer les communistes dans la région grâce aux factions qui prévalaient. L'organisation du crime Binh

Xuyen et les sectes religieuses Cao-Dai et Hoa-Hao étaient beaucoup plus intéressées par l'autonomie de leurs territoires respectifs que par l'indépendance nationale. En 1954, les Binh Xuyen avaient atteint un tel degré de pourriture que n'importe quel gouvernement décent se devait de les supprimer. Mais il en était tout autrement des sectes religieuses.

Le cao-daïsme était un mélange étrange de christianisme, de bouddhisme, de confucianisme et de taoïsme, de séances de spiritisme et divers autres rites occultes ; son panthéon des saints incluait Jeanne d'Arc, Victor Hugo et Sun Yat-sen. Sa cathédrale dans la ville de Tay Ninh au nord-ouest de Saigon aurait époustouflé Walt Disney. Mais la crédulité humaine semble sans limites dans le domaine religieux et les doctrines cao-daïstes n'étaient pas plus loufoques que certains cultes religieux qui attirent encore aujourd'hui des millions d'Américains soi-disant cultivés et à l'esprit éclairé. Quoi qu'il en fût de leur théologie et de leur architecture fantaisistes, la puissance politique et militaire de la secte était bien réelle. Avec leurs 1,5 à 2 millions d'adhérents paysans, leur armée de 15 000 à 20 000 hommes cautionnée par les Français, le pape Cao-Dai et sa hiérarchie de cardinaux et de généraux exerçaient leur autorité sur la majorité des zones de population du nord-ouest de Saigon et vers le sud sur de nombreuses enclaves du delta, en particulier la ville de My Tho.

Les Hoa-Hao étaient une secte militante bouddhiste fondée en 1939 par un guérisseur-prédicateur du nom de Huynh Phu So. Les communistes avaient commis la bêtise de l'assassiner en 1947 parce qu'il refusait d'allier sa secte avec le Viet Minh. En réponse, 1,5 million de ses adeptes paysans s'étaient mis à massacrer des Viet Minhs. L'armée Hoa-Hao de 10 000 à 15 000 hommes dominait les six provinces de l'ouest du delta du Mékong.

Un souverain avisé aurait cherché un compromis avec les Cao-Dai et les Hoa-Hao, car un accord était possible. En réalité, Diêm avait intrigué avec eux depuis l'exil, en utilisant sa famille au Vietnam comme intermédiaire. Il avait fait de même d'ailleurs avec les Binh Xuyen quand il avait essayé de se faire nommer Premier ministre par Bao Dai. Il avait d'ailleurs une dette à l'égard des Hoa-Hao, car Huynh Phu lui avait donné asile. Mais lorsqu'il fut au pouvoir, Diêm ne toléra plus la moindre source potentielle d'autorité indépendante. Sa suspicion était si morbide qu'il ne pouvait partager l'autorité qu'avec sa famille. En 1956, il écrasa les sectes au cours d'une série de campagnes de l'ARVN, financées cette fois directement par les Américains et non plus par l'intermédiaire des Français. Le pape Cao-Dai s'enfuit au Cambodge. Un des chefs Hoa-Hao fut capturé et guillotiné publiquement à Can Tho. Les portions de territoire que les sectes avaient contrôlées, et où ne s'exerçait plus aucune autorité, furent occupées par des paysans dissidents et les restes des armées des sectes qui continuèrent une guérilla sporadique. Si un gouvernement solide avait remplacé les théocraties brisées des sectes, leur élimination aurait pu être justifiée. Au lieu de cela, ce fut le règne des Ngô Dinh.

Ngô Dinh Nhu, le plus jeune frère de Diêm, avait le titre de conseiller du président. C'était un intellectuel avec un esprit corrosif, aussi mince et bien de sa personne que Diêm était grassouillet avec une démarche de canard. Son amour du pouvoir et de l'intrigue frisait parfois le délire. En plus des innombrables cigarettes qu'il fumait comme son frère, la pipe d'opium lui était familière. Sa peau avait cette particulière coloration jaune que les Vietnamiens repèrent comme la caractéristique des opiomanes. Si on lui pinçait la peau, disait-on, l'opium en jaillirait. Mais personne ne se risquait à pincer Nhu. Il était la seconde puissance du pays avec l'aide des treize agences de renseignement et de police qu'il avait créées et qu'il supervisait pour la protection de la famille. Elles avaient pleins pouvoirs pour arrêter, emprisonner et exécuter sans jugement. Nhu avait étudié le Moyen Âge en France à l'École des Chartes et avait travaillé jusqu'en 1945 aux Archives impériales de Huê. Vers 1950, il s'était lancé dans la politique anticommuniste en fondant un syndicat chrétien sur le modèle de la CFTC. Cette similitude fut capitale pour la famille Ngô Dinh : lorsque les frères Dulles commencèrent à perdre l'espoir que Bao Dai puisse jamais devenir une alternative anticommuniste à Hô Chi Minh, la CIA fit parvenir à Nhu, par l'intermédiaire de la CFTC, les fonds nécessaires pour que Diêm devienne Premier ministre.

Nhu était responsable de ce méli-mélo d'ersatz de techniques fascistes et communistes auquel le régime eut recours. Le totalitarisme le fascinait. Au temps de ses années d'études en France, on y trouvait de nombreux adeptes de Mussolini et de Hitler, et les organisations fascistes avaient prospéré sous le régime de Vichy. Nhu était devenu un admirateur de Hitler. Lou Conein qui était resté à Saigon après le départ de Lansdale, en décembre 1956, était l'agent de liaison de la CIA auprès du ministre de l'Intérieur de Diêm. Il avait surnommé Nhu « Smiley », à cause de son sourire grimaçant permanent, surtout quand il se moquait des autres. Lorsqu'ils parcouraient ensemble le pays en avion, Nhu pérorait sur la magnificence du charisme de Hitler pour ranimer le peuple allemand et le maintenir dans l'extase. Nhu avait également lu Marx et Lénine, comme Diêm, et il enviait la discipline des communistes vietnamiens et leur capacité à mobiliser les masses. Il en résulta que Nhu emprunta en vrac différentes formes de totalitarisme aussi bien à l'extrême droite qu'à l'extrême gauche. Le principal parti politique du régime, qu'il créa, était une société secrète, Can Lao, dont le but était d'infiltrer clandestinement, pour mieux les manipuler, le corps des officiers, la bureaucratie civile et les milieux d'affaires et intellectuels. Au cours de la cérémonie d'initiation, les nouveaux membres devaient se mettre à genoux et embrasser le portrait de Diêm.

Mais un véritable État se doit d'avoir une organisation de masse, et Nhu en fonda une, qu'il appela « Jeunesse républicaine », même si la plupart de ses membres étaient des fonctionnaires, pas toujours très jeunes. Il prit modèle sur les « Chemises brunes » de Hitler, mais il les habilla en bleu, chemises, bérets et pantalons. Pour la tenue, il copia également une autre de ses sources d'inspiration, le Kuo-min-tang de Chiang Kai-shek qui avait constitué une organisation similaire dans les années 1930 sous l'impulsion de ses conseillers militaires allemands. Nhu essaya d'utiliser ses « Chemises bleues », de la même façon que Hitler l'avait fait avec ses troupes d'assaut, comme un organisme en dehors de la légalité pour modeler le loyalisme de leur entourage, pour espionner et faire respecter l'ordre. Il adorait organiser de grands meetings de sa Jeunesse républicaine à Saigon et dans les grandes villes de province, avec l'accord de Diêm qui l'avait autorisé à jouer le rôle de grand chef national au sein de son organisation. Il faisait une entrée théâtrale au stade ou sur le terrain de football dans le petit hélicoptère Alouette que la famille lui avait acheté. Avant qu'il ne prononce son discours du haut d'une tribune monumentale, les « Chemises bleues » mettaient un genou en terre en signe de soumission, dressaient le bras en un salut fasciste et criaient leur obéissance à leur chef.

La femme de Nhu, Mme Nhu, ou plus royalement Mme Ngô, comme elle préférait être appelée, tenait son mari et son beau-frère sous sa domination. En allant l'interviewer dans le palais présidentiel, on entrait dans l'univers mental aussi bien que physique de la famille. Elle était connue pour sa beauté dans sa jeunesse au sein d'une famille fortunée. Son père, Tran Van Chuong, riche propriétaire terrien et juriste sous les Français, avait été ministre des Affaires étrangères dans l'éphémère gouvernement fantoche des Japonais. Elle avait des traits assez agressifs après ses années d'adulte consacrées à la quête passionnée de l'autorité, et son comportement était un peu guindé. Elle était encore très séduisante et aimait à le montrer. Elle entrait dans la pièce de réception où avait lieu l'interview vêtue d'un *ao dai* de soie brodée ouvert en V sur le devant au lieu d'être au ras du cou suivant la coutume. Elle portait des chaussures à talon aiguille pour paraître plus grande. Elle s'asseyait dans un fauteuil recouvert de brocart et discourait longuement sur la nécessité d'accepter des sacrifices pour vaincre les communistes. En parlant, ses doigts aux ongles vernis jouaient avec le crucifix incrusté de diamants accroché à la chaîne d'or qu'elle portait au cou. (Elle s'était convertie du bouddhisme au catholicisme après avoir épousé Nhu.) De temps en temps, un serviteur entrait pour apporter du thé ou pour répondre à un ordre sur un sujet quelconque. Les domestiques étaient tous des hommes. Ils entraient la tête baissée en glissant les pieds sur le sol, s'inclinaient encore plus bas et répondaient à ses ordres par un long « Daaa... » (le D se prononce comme un Z), forme servile pour dire « oui » pour les serviteurs des vieilles familles aristocratiques ; puis ils se retiraient le dos toujours courbé.

En public, Mme Nhu s'affirmait spectaculairement comme une féministe. Elle avait fondé une organisation similaire à celle de son mari, le Mouvement de solidarité féminine, où elle jouait également le rôle de chef suprême et se servait des femmes pour espionner et maintenir l'ordre. Les plus jeunes étaient incorporées dans une milice, armées de carabines américaines. Leur uniforme bleu était semblable à celui des partisans de son mari avec toutefois une coiffure plus spectaculaire : un chapeau bleu de brousse à large bord au lieu du béret. Mme Nhu se désigna elle-même comme censeur de la morale du Sud Vietnam. Dans un pays où la polygamie était courante, elle fit voter par l'Assemblée nationale docile de Diêm une « Loi sur la famille » qui rendait le divorce pratiquement impossible et en même temps instituait que seraient illégitimes les enfants des secondes femmes ou des concubines. Elle fit également adopter une « Loi pour la protection de la moralité » qui interdisait les danses et chansons d'amour « où que ce soit », le spiritualisme et l'occultisme du genre en vigueur chez les Hoa-Hao et les Cao-Dai, et autres formes pratiquées par la plupart des Vietnamiens ; l'utilisation d'un contraceptif était déclarée un crime sanctionné par cinq ans de prison en cas de récidive. Un député ambitieux suggéra même pour se faire bien voir que la loi devrait aussi interdire le port de faux seins par les femmes vietnamiennes, mais ses collègues lui firent remarquer que cela créerait un problème inutilement compliqué en obligeant à recruter des policiers supplémentaires. Le ressentiment qu'elle provoqua contre elle s'exprima souvent en rumeurs ordurières. Les femmes vietnamiennes laissaient entendre que ce n'était pas une coïncidence si les putains des bars de Saigon avaient aussi adopté l'échancrure en V sur leurs robes. Quant aux ragots suivant lesquels ses relations avec son beau-frère Diêm étaient d'ordre physique, on n'en a aucune preuve. Elle devint la cible préférée de la propagande communiste, qui l'appelait toujours par son nom de jeune fille, ce qui est, dans la tradition vietnamienne, une insulte pour la vertu d'une femme mariée. Elle était née Tran Lê Xuan, ce qui veut dire « Larmes de printemps ».

Les Ngô Dinh imposèrent au Sud Vietnam les membres étrangers de leur clan : les catholiques, leurs compatriotes du Centre Vietnam, ou les collabos du Nord. Les Tonkinois non catholiques, qui s'étaient réfugiés au Sud parce qu'ils avaient combattu aux côtés des Français, s'allièrent en effet avec les catholiques pour profiter des bienfaits du régime. Tous ces individus de confiance furent imposés en masse par Diêm et sa famille dans le corps des officiers, dans l'administration et la police. Les paysans du delta du Mékong se trouvèrent sous l'autorité d'étrangers du Nord, en général hautains et corrompus, nommés à la tête des provinces et des districts. Mais Diêm alla plus loin encore. Il élimina les oligarchies de village composées de paysans éminents qui avaient toujours exercé les responsabilités, collectant les impôts, arbitrant les contestations et assumant les fonctions d'administration de base. Les paysans les plus pauvres en général ne les aimaient pas, mais au moins ils les connaissaient, et ces gestionnaires municipaux savaient jusqu'où ils pouvaient aller. En 1956, pour essayer d'empêcher les sympathisants vietminhs et autres dissidents de contrôler clandestinement ces conseils municipaux, Diêm décréta que leurs membres seraient désignés à l'avenir par les chefs de province et de district. Ainsi les étrangers appartenant au clan de la famille commencèrent leur pénétration jusqu'au niveau du village, infligeant aux paysans du Sud des abus et des exactions dans leur vie quotidienne comme ils n'en avaient jamais connu jusqu'alors. Lansdale avait été tellement naïf qu'il avait constitué des équipes d'action civique de catholiques du Nord pour faire de la propagande contre le Viet Minh auprès des paysans du Sud. Il fut tout désappointé de l'échec. Mais il fut encore plus troublé lorsqu'il découvrit, juste avant de rentrer aux États-Unis à la fin de

1956, qu'au fur et à mesure que Diêm consolidait sa position, il agissait de plus en plus en contradiction avec les conseils qu'il lui avait donnés sur les problèmes sociaux et politiques.

Diêm s'attaqua ensuite à la terre. Dans les régions qu'il avait occupées avant les accords de Genève au sud du 17ᵉ parallèle, les trois cent cinquante kilomètres du Centre Vietnam et les enclaves dans le delta du Mékong, le Viet Minh avait réquisitionné les plantations de riz françaises et les propriétés des « traîtres vietnamiens » qui avaient collaboré avec le régime colonial. Ces terres avaient été redistribuées aux agriculteurs qui n'en possédaient pas. Les paysans avaient de leur côté fait eux-mêmes leur réforme agraire dans la majorité du reste du pays, y compris les régions qui avaient été sous la domination des sectes. La plupart des propriétaires terriens avaient abandonné leurs champs de riz pour se réfugier dans les villes. Les paysans se les étaient réparties ou avaient cessé de payer leurs baux pour celles qu'ils louaient. Dans un pays où 85 % de la population vit à la campagne et tire ses revenus de l'agriculture, il était difficile de trouver un problème d'une plus grande sensibilité sociale, économique et politique, que la terre.

Lansdale et les autres responsables américains firent pression sur Diêm pour qu'il lance son propre programme de réforme agraire afin de couper l'herbe sous le pied des communistes en mettant fin aux injustices de la propriété foncière dans le Sud. Ce souhait des Américains apparut dès le début comme une énigme pour Diêm, qui était opposé à toute modification de la structure sociale traditionnelle. Il voulait rendre aux grands propriétaires le plus de leurs terres possible pour qu'ils soutiennent ensuite son régime. Les paysans devaient rester des paysans. Le voyage à Tuy Hoa, en 1955, lui avait appris qu'il aimait se rendre dans la campagne, même pour s'y faire marcher sur les pieds. Il avait besoin d'un certain décorum et veilla à ce que, dans l'avenir, tout se passât dans l'ordre. Il conversait amicalement avec des groupes de fermiers en plus de ses discours officiels. Mais il ne posait jamais de questions sérieuses pour connaître leurs désirs. Il estimait que son devoir était de leur dire ce qu'ils devaient faire, et que le leur était d'obéir. Il résolut l'énigme en annonçant un plan de réforme agraire, tout en agissant à l'inverse.

Diêm retira aux paysans toutes les terres que le Viet Minh leur avait distribuées, en invalidant les titres de propriété qu'on leur avait donnés. Il confisqua ensuite les biens appartenant aux Français et les redistribua à des réfugiés catholiques du Nord plutôt qu'aux agriculteurs du Sud. Le reste fut rendu aux propriétaires d'origine qui avaient collaboré avec les Français ou à tout autre soutien du régime qui avait les moyens de l'acheter. La réforme de Diêm fixait un plafond de cent hectares par personne, ce qui était déjà beaucoup pour le Vietnam, mais les Ngô Dinh encouragèrent l'administration à fermer les yeux sur des subterfuges permettant de ne pas tenir compte du plafond. Ce fut d'autant plus facile que le ministre chargé de la réforme était lui-même un propriétaire terrien. Pour tourner la difficulté, il suffisait de diviser le terrain en lots répartis nominalement entre les membres d'une seule famille. Le régime confisqua également pour les rendre à leurs anciens possédants, les terres abandonnées que les paysans avaient prises. La petite minorité d'agriculteurs du Sud qui eurent la chance de conserver leurs biens découvrirent qu'ils devaient les payer par versements annuels alors que le Viet Minh leur avait dit qu'ils leur appartenaient légalement. Mais leur colère n'était rien à côté de celle des autres propriétaires redevenus métayers grâce à la « réforme ». En 1958, Diêm avait atteint son objectif. En s'appuyant sans réserve sur les forces armées et la police, il avait reconstitué dans le delta du Mékong la situation d'avant la guerre, où 2 % des propriétaires possédaient 45 % de la terre tandis que la moitié des cultivateurs ne possédaient rien.

Le désordre accompagna la perte des biens. Dans son ignorance et dans sa préoccupation de protéger son pouvoir à l'exclusion de tout le reste, Diêm négligea complètement la Garde civile et les milices. Quand il revint au pouvoir en 1954, Diêm pensait qu'il n'avait pas besoin d'infanterie, et lui substitua les chasseurs-bombardiers. D'ailleurs, jusqu'à la fin, il ne cessa de préconiser les bombardements à tort et à travers et d'insister auprès des Américains pour qu'ils fournissent plus d'avions et de canons. La guerre civile contre les Binh Xuyen et les sectes lui avait appris la valeur d'une armée régulière pour protéger son régime. C'est pourquoi il porta tous ses soins à cette ARVN pesante que les généraux des États-Unis, par l'intermédiaire de l'Assistance militaire, étaient en train de construire pour lui, selon le raisonnement, d'ailleurs peu plausible, que le Viet Minh se lancerait dans une invasion de type coréen au-delà du 17e parallèle. Il n'était pas venu à l'idée de Diêm que de solides formations territoriales étaient aussi importantes pour sa survie. Il laissa les forces qui étaient sensées assurer la sécurité locale devenir à l'inverse la principale source d'insécurité pour les habitants des campagnes, démontrant ainsi quotidiennement la « capricieuse anarchie » de son régime, comme disait à l'époque un observateur américain non conformiste. Les chefs de province s'occupaient un peu, parce qu'ils avaient besoin d'eux, des gardes civils, qui étaient néanmoins mal équipés et rarement payés. Ils se servaient de leurs armes pour extorquer leur salaire. Quant aux miliciens, ils étaient si piètrement traités qu'ils avaient l'air de bandits. Ils ne cessaient de voler, de violer les femmes et de tabasser les paysans qui avaient l'audace de protester. Les habitants des campagnes se souvenaient alors avec nostalgie que, la dernière fois qu'ils avaient connu la sécurité et un gouvernement correct, c'était sous le Viet Minh ou les théocraties des sectes.

En raison des souffrances occasionnées par la guerre contre les Français, la population du Sud aurait pu s'accommoder quelque temps des Ngô Dinh si Diêm n'avait pas lancé pendant l'été de 1955, avec l'encouragement et l'aide des États-Unis, sa campagne anticommuniste.

Les Viet Minhs ne s'étaient pas tous repliés au Nord après la conférence de

Genève. Hô Chi Minh et les dirigeants communistes avaient laissé au Sud 8 000 à 10 000 cadres militaires et civils clandestins. Les services de renseignements US les désignaient par le même terme que Lansdale utilisait pour les agitateurs anticommunistes qu'il avait infiltrés au Nord : les « résidus ». Nombre d'entre eux étaient membres du Parti. Ils avaient accès aux caches d'armes, mais avaient reçu l'ordre de ne pas utiliser la violence et de ne pas fomenter d'insurrection contre Diêm. Ils devaient au contraire garder leur couverture de paysans et de responsables de village dans la campagne, et leurs occupations dans les villes, qu'ils soient conducteurs de cyclo-pousse ou enseignants. En même temps, ils entretenaient une agitation secrète pour inciter la population à réclamer les élections dans tout le Vietnam en 1956. Ils devaient mener le « combat politique » dont Hô Chi Minh parlait dans sa lettre de juin 1956.

Ev Bumgardner avait pu constater qu'en 1955 les partisans viet-minhs avaient vraiment abandonné leurs bases dans les marécages et les forêts et avaient cessé toute résistance armée. Cette année-là, alors qu'il roulait en jeep vers Saigon avec un ami, ils décidèrent sur un coup d'audace de faire un détour par une des plus fameuses bases viet-minhs, la zone de guerre C, dans les forêts au nord de Tay Ninh. Avec seulement une vieille carte pour les guider, ils s'engagèrent sur la piste qui conduisait à la base avant même d'avoir mesuré l'imprudence de leur geste. L'expérience fut finalement plus stupéfiante qu'inquiétante. Bumgardner avait craint que la forêt ne soit un refuge de rebelles, tout en se disant qu'ils les laisseraient passer puisque la guerre était officiellement finie. Il trouva un endroit complètement désert mais où restaient tous les signes d'une présence viet-minh récente. Les ponts métalliques Eiffel étaient tous démantelés et les panneaux d'acier jetés dans la rivière pour entraver la marche des colonnes françaises. Comme on était en saison sèche, Bumgardner réussit avec sa jeep aux quatre roues motrices à contourner les ponts et franchir les cours d'eau. Les chemins, qui indiquaient la présence d'une base de guérilla, s'enfonçaient de la route dans la forêt où l'ombre des arbres à teck et des acajous de vingt mètres de haut empêchait la lumière du soleil d'atteindre les broussailles. Bumgardner et son ami ne virent personne pendant toute leur randonnée.

Les 10 000 cadres de confiance qui avaient reçu instruction de rester au Sud étaient loin d'être les seuls Viet Minhs en place. Le pays était rempli d'hommes et de femmes qui avaient combattu épisodiquement dans les villages à leurs côtés, avaient servi dans les organisations locales, ou travaillé comme agents de renseignements, messagers ou guides pour les forces révolutionnaires. On y trouvait également les sympathisants, en général les familles et parents de ceux qui étaient partis pour le Nord, ou qui étaient morts en combattant les Français. Ceux-là n'étaient pas communistes, mais constituaient la majorité non communiste qui les avait suivis par nationalisme. En outre la « Résistance », appelée ainsi en référence aux combattants antinazis de la France occupée, était toujours teintée de romantisme. C'est ainsi que la dernière nuit qui précéda la chute de Diên Biên Phu, le Viet Minh diffusait sur les haut-parleurs *Le Chant des partisans* de la Résistance française pour reprocher aux défenseurs encerclés de se battre cette fois pour une cause injuste. Même les gangsters Binh Xuyen, qui massacraient les Viet Minhs, passaient dans leurs tripots des disques de chants de la Résistance. Après Diên Biên Phu, l'appellation « Viet Minh » acquit une aura de fierté romantique. Les Vietnamiens qui s'étaient tenus sur la réserve par manque de courage se souvenaient brusquement qu'ils avaient été des « combattants de la Résistance ». Il était difficile de ne pas éprouver de fierté après l'humiliation que les hommes de leur race avait infligée aux Européens, leurs maîtres depuis si longtemps.

Diêm ne comprit pas que s'il persécutait le Viet Minh, il s'attaquerait aussi à la grande masse de Vietnamiens non communistes qui se souvenaient de leur passé avec l'émotion du patriotisme. Il ne réalisa pas non plus qu'il provoquerait un revirement en faveur des Viet Minhs chez ceux qui les considéraient comme des patriotes. Il avait passé toute la guerre contre les Français en se cachant ou en exil, et il ne partageait pas — ni les autres membres de sa famille — ces émotions. Dans son dégoût du communisme, tout ce qui était viet-minh était le mal. Ceux qui n'étaient pas membres du Parti avaient tous été contaminés. Comme disait Mme Nhu, ils avaient été « intoxiqués ». Les « résidus » allaient créer l'agitation pour réclamer les élections de 1956 et pourraient fomenter la guérilla dans l'avenir. Il fallait donc qu'ils soient identifiés, arrêtés et abattus. Ceux de leurs partisans qui sembleraient décidés à se repentir de leur collusion avec les communistes seraient autorisés à confesser publiquement leurs crimes. Le reste serait isolé dans des « camps de rééducation » jusqu'à ce que leurs esprits endoctrinés soient complètement nettoyés de toute pensée subversive. Quant aux sympathisants connus ou soupçonnés, comme les familles de ceux qui étaient partis au Nord ou avaient été tués, ils devaient être séparés des éléments non corrompus de la population et mis sous surveillance pour leur ôter la possibilité de provoquer des troubles.

Le gouvernement US était aussi impatient que son suppléant de Saigon de « nettoyer », suivant l'euphémisme de Lansdale, les « résidus » viet-minhs, et d'intimider les autres sympathisants jusqu'à la soumission permanente. Le raisonnement américain était analogue à celui des Ngô Dinh. Le Parti communiste vietnamien avait dirigé le Viet Minh ; *ipso facto,* tout Viet Minh était communiste. Ceux qui n'étaient pas membres du Parti étaient leurs « dupes » et devaient donc être traités comme leurs complices. Dans leur analyse de la situation de cette époque, la CIA et l'ensemble des services de renseignements US, reconnaissaient que les cadres viet-minhs du Sud se conduisaient correctement. Un des rapports précisait que « les communistes du Sud Vietnam étaient restés en général tranquilles. Ils avaient laissé passer, sans les exploiter, un grand nombre d'occasions de contrecarrer le régime de Diêm ». Et pourtant, ce comportement pacifique des « résidus » n'était pas pris en compte dans le raisonnement américain. « Le Viet Minh, en dépit de sa tranquillité relative, représente la plus grande menace potentielle pour Diêm », expliquait un autre rapport. Les intentions américaines étaient ensuite exprimées dans ce langage simple et neutre que toutes les bureaucraties du monde emploient pour décrire des actes de violence. Les États-Unis avaient besoin d'« un gouvernement anticommuniste fort et stable » à Saigon. Un des « problèmes fondamentaux » pour atteindre cet objectif était « la suppression de tout moyen d'action militaire et civil du Viet Minh au Sud Vietnam ».

Une équipe de spécialistes de la CIA, entraînés à résoudre ces « problèmes fondamentaux », arriva à Saigon en juin 1955. Ils constituaient la première cellule de conseillers civils du régime Diêm. Ils étaient envoyés sous couvert d'un groupe de l'université d'État du Michigan, notoirement financé par l'Administration de coopération internationale, qui devait devenir ensuite l'AID (Agence du développement international). Leur rôle était d'enseigner à la police et aux services de renseignements vietnamiens les méthodes américaines plus efficaces pour « démasquer et déraciner les communistes ».

L'équipe de la CIA n'eut pas besoin d'apprendre aux membres de la police régulière, de la sûreté et des autres agences de sécurité que Nhu avait formées, comment exercer la répression. Ils avaient été très bien formés par les Français. Avec leur brutalité fanatique et leur maladresse, ils pouvaient parfaitement se tromper de cible, prendre des innocents et laisser s'échapper d'authentiques communistes. D'ailleurs, les Américains ne réussirent jamais à les persuader de tenir des dossiers précis, et de partager les informations avec les différents services pour établir un profil encyclopédique de l'organisation du Parti communiste dans le Sud. Mais les policiers vietnamiens savaient très bien sévir. Les femmes arrêtées étaient généralement violées et torturées, car le viol était considéré comme le pourboire du bourreau. Grâce à la torture, on obtenait des noms. Les noms devenaient des êtres humains, à leur tour arrêtés et torturés. Ce qui donnait d'autres noms de futures victimes, et ainsi de suite, suivant une progression géométrique. Mais toutes les personnes arrêtées n'étaient pas torturées ; les bourreaux manquaient de temps pour s'occuper de tous. En tout cas, chacun courait le risque de recevoir une balle dans la tête. Diêm avait en effet autorisé les chefs de province à exécuter simplement les suspects sans même les interroger. Certains avaient la chance d'aller en camp de concentration. La libération était une exception, puisque toute arrestation était synonyme de culpabilité.

Personne ne sait combien d'authentiques cadres communistes, ou suspects d'appartenir au Parti, furent tués tandis que la campagne s'intensifiait dans la seconde moitié de 1955 pour atteindre le summum de la violence en 1956 et 1957. Les tueurs n'avaient pas l'habitude de garder un compte exact de leurs victimes, et, au bout d'un certain temps, le rythme s'accéléra au point que personne n'était plus en mesure d'en retrouver avec précision le nombre. Mais l'étendue du massacre s'est certainement chiffrée à plusieurs milliers. Les arrestations avaient souvent lieu la nuit. Des policiers en civil, accompagnés par la Garde civile ou la milice, entouraient la maison et s'emparaient des hommes et des femmes qu'ils recherchaient. Si la victime devait être exécutée sur-le-champ, ce qui était souvent le cas, le condamné était emmené sur une route ou un chemin proche du village et abattu. Le corps était laissé sur place pour que la famille le retrouve le lendemain. La vue du cadavre servait d'avertissement pour les autres.

Ils furent au moins 50 000 plus chanceux à être envoyés dans les camps de concentration. C'est en tout cas le chiffre que le régime reconnut officiellement avoir emprisonné pour « rééducation » à la fin de la campagne en 1960. Mais des estimations officieuses portent le nombre à environ 100 000. Personne ne saura jamais, par manque de statistiques fiables, combien de dizaines de milliers furent envoyés derrière les barbelés et combien d'entre eux périrent dans les camps. La police et les autres institutions du régime avaient servi les Français et appliquaient tout naturellement le même test de loyauté que dans le passé. Tous ceux qui s'étaient opposés aux Français étaient automatiquement suspects de trahison à l'égard de Diêm.

Les cérémonies d'abjuration, que Nhu avait modelées d'après ce qu'il savait des « tribunaux populaires » communistes, étaient organisées partout, en même temps que les fusillades et les envois en camp de concentration, comme un moyen psychologique de démontrer la clémence du régime à l'égard de ceux qui la méritaient. Dans les villages, les paysans, hommes et femmes, avec des antécédents viet-minhs, étaient autorisés, suivant les lubies des chefs de province ou de district, à sauver leur vie par la mortification. Pour que leurs rétractations fussent plus dramatiques, on les faisait souvent répéter avant. Les voisins étaient assemblés pour les écouter décrire les atrocités qu'ils avaient commises pour le compte de Hô Chi Minh et des démons communistes. On leur demandait d'implorer le pardon d'un président Diêm compatissant, de piétiner et de jeter au feu le drapeau rouge avec l'étoile d'or à cinq branches qui était devenu pour eux, pendant la longue guerre contre la France, l'emblème d'une nation vietnamienne renaissante. Dans les villes, les cérémonies avaient une allure plus grandiose avec des reniements en masse. Les portraits de Hô Chi Minh, les lettres de louanges, forme fréquente de félicitations dans les unités combattantes du Viet Minh, et tous les autres souvenirs de la Résistance étaient également brûlés. En février 1956, à Saigon, les fonctionnaires et leurs familles furent réunis en masse pour assister à une cérémonie collective d'abjuration de 2 000 anciens Viet Minhs.

Bumgardner se souvient qu'à cette époque les Services d'information américains (USIS) découvrirent que le terme « Viet Minh » avait une connotation patriotique et que Diêm rendait service aux communistes en identifiant tous les Viet Minhs aux Rouges. C'est pourquoi les Américains spécialistes de la guerre psychologique inventèrent le « Vietcong », abréviation de Vietnamiens communistes, et persuadèrent les journaux de Saigon de l'employer. Ils pensaient que le nouveau terme était péjoratif puisque dans leur dictionnaire « communisme » était synonyme du « mal ». Mais Diêm n'utilisa le nouveau terme qu'avec réticence. Il n'était pas le seul à avoir des difficultés à s'adapter à cette ruse de l'USIS. Au printemps de 1959, le général de division Samuel Myers, devant une commission du Sénat sur les relations internationales, exprima sa satisfaction de la campagne anticommuniste de Diêm. Il se vanta de ce que « les rebelles viet-minhs... étaient progressivement grignotés au point de ne plus être une menace majeure pour le gouvernement ». Ce n'est qu'au début de 1960, grâce aux efforts de Bumgardner et de ses collègues, que le terme « Vietcong » fut couramment employé au sein de la communauté américaine et du gouvernement de Saigon. Mais, comme tant de ces manipulations de chirurgie esthétique que les Américains tentèrent dans leur univers bien intentionné, cela ne pouvait pas modifier l'histoire des Vietnamiens. Qu'on l'appelât comme on voulait, le Viet Minh était toujours le Viet Minh.

Les Ngô Dinh ne se contentèrent pas d'emprisonner, torturer et assassiner les vétérans vivants de la Résistance ; ils s'attaquèrent aussi aux morts. Insulte suprême à la culture vietnamienne, Diêm ordonna la profanation de tous les monuments aux morts et cimetières du Viet Minh. Le respect des ancêtres, la piété filiale et les liens familiaux se sont combinés au Vietnam pour faire des funérailles et de l'entretien des tombes un rite sacré. Les paysans âgés, lorsqu'ils en ont les moyens, achètent de leur vivant leur cercueil qui leur assurera des funérailles dignes de respect. Vann et les autres conseillers américains en 1962 avaient supposé que, si les Viets emportaient leurs morts, chaque fois que c'était possible, c'était pour camoufler leurs pertes. Mais ce n'était pas la principale raison. Les vivants assumaient le risque de prendre avec eux les cadavres parce qu'ils savaient combien c'était important pour les morts d'être enterrés décemment. La plus infâme insulte qu'on puisse faire à un Vietnamien est de violer délibérément les tombes de ses ancêtres. La dynastie du héros Nguyên Huê fut écrasée par des rivaux après sa mort. Ils humilièrent son fils, avant de le torturer et de le tuer, en l'obligeant à regarder pendant qu'on exhumait les os de son père et que de simples soldats venaient uriner dessus. Les Français violèrent les tombes des ancêtres de Phan Dinh Phung, le plus tenace des rebelles monarchistes de la fin du XIXe siècle, et exhibèrent leurs restes pour essayer en vain de briser son courage.

Les accords de Genève avaient spécifié que des équipes mixtes du Viet Minh, de l'armée française et de l'armée du Sud Vietnam auraient le droit de circuler dans les deux zones pour rechercher les restes des hommes tombés au combat et rassembler leurs corps dans des cimetières permanents. Les Français transformèrent la vallée de Diên Biên Phu en une terre sainte pour les 8 000 Viet Minhs et les 3 000 soldats, en partie vietnamiens, de l'armée coloniale française, qui y étaient morts. En mai 1955, une équipe mixte franco-sud-vietnamienne se trouvait à Diên Biên Phu pour identifier les corps et préparer la construction, avec de la main-d'œuvre qui devait être fournie par Giap, d'un grand ossuaire en l'honneur des victimes des deux camps. Diêm avait en revanche choisi d'uriner symboliquement sur les tombes des Viet Minhs du Sud. Il interdit aux équipes du Nord de circuler dans le Sud et donna l'ordre de supprimer tous les monuments et cimetières viet-minhs qui s'y trouvaient. Dans le Nord, les chefs communistes ne rasèrent pas les cimetières, mais supprimèrent en représailles les permis de circuler des équipes françaises et sud-vietnamiennes. Les morts de Diên Biên Phu restèrent où ils étaient. Dans sa haine du communisme, Diêm avait refusé un enterrement honorable aux morts de sa propre armée dans le Nord.

Peu de choses furent écrites à l'époque aux États-Unis sur la campagne anticommuniste de Diêm, et rien pratiquement n'a été publié depuis. La presse américaine ne s'intéressait pas beaucoup au Vietnam dans ces années-là. Les officiels de la CIA à Saigon, les diplomates et les généraux auraient pu exprimer quelque dégoût s'ils avaient examiné sérieusement le problème de la torture. Ils feignirent de l'ignorer. Ils considéraient les tueries et les camps de concentration comme une épuration nécessaire de la société du Sud Vietnam et n'étaient pas disposés à attirer l'attention sur ses aspects déplaisants. En revanche, ils mettaient l'accent sur les atrocités commises dans le Nord, et utilisaient pour la propagande la franchise avec laquelle Giap et les autres chefs communistes reconnaissaient leurs crimes. Une telle sincérité n'avait plus cours chez les Américains après la Seconde Guerre mondiale, et elle fut interprétée comme une marque de faiblesse sans qu'on comprît que c'était en réalité un signe de force.

J'ai pris conscience de cette campagne anticommuniste lorsque j'ai accompagné en opérations, comme journaliste, des bataillons de l'armée sud-vietnamienne en 1962 et 1963. Dans les villages des régions sous contrôle communiste, on trouvait souvent des tombes érigées par les Vietcongs. C'était en général de simples plaques de pierre ou de bois plantées dans le sol, sur lesquelles était inscrit, à côté du nom et de la date : « Tué par l'armée fantoche. » J'ai remarqué que les premières dates remontaient à 1955 et 1956 qui étaient censées être des années de paix avant que Hanoi ne déclenchât la seconde guerre. Je me suis renseigné et j'ai appris alors que Diêm avait à cette époque lancé une campagne contre les cadres clandestins que le Nord avait laissés sur place après Genève pour fomenter une rébellion. On en savait peu de chose, sauf que les morts s'étaient comptés par milliers. Je ne m'appesantis pas alors sur ce sujet, car, à l'époque, comme presque tous les Américains, je ne voyais rien de mal à tuer des communistes et leurs complices. Ce n'est que beaucoup plus tard que j'ai eu suffisamment d'informations sur cette campagne pour comprendre la part qu'elle avait jouée dans la seconde guerre et les énormes conséquences de cette action commise par les États-Unis en complicité avec Diêm et sa famille.

Au début de 1957, il ne restait plus beaucoup de cadres communistes des origines dans le Sud. Les tueries, les camps de concentration et les désertions en avaient ramené le chiffre à 2 000 ou 2 500, sur les 8 000 ou 10 000 de 1955. L'histoire secrète du Parti, dont s'empara l'armée US en 1966, et les interrogatoires de Viet Minhs prisonniers ou qui avaient déserté pendant la seconde guerre devaient révéler ce qui s'était passé. Hô Chi Minh et ses responsables communistes, qui avaient à remettre sur pied le Nord ravagé par les Français et par le désastre de la réforme agraire, ne voulaient pas d'une autre guerre en 1957. Ils donnèrent à leurs cadres restés au Sud des instructions pour continuer à s'abstenir de l'insurrection armée et pour adopter une stratégie de « profil bas pour longtemps », tout en continuant l'agitation politique. Mais la campagne anticommuniste de Diêm les obligea à désobéir aux ordres et à « enfreindre la ligne du Parti », comme le disait le document secret. Pour leur survie physique, ils furent obligés de déclencher la rébellion contre les Ngô Dinh et les Américains. « Pour s'opposer à un tel ennemi, la simple lutte politique n'est plus possible. Il est nécessaire d'avoir recours à la lutte armée... L'ennemi ne nous accordera jamais de répit », expliquait le texte.

Les cadres communistes du Sud qui avaient décidé de se battre découvrirent que, grâce aux Ngô Dinh et aux Américains, le Sud était mûr pour la révolution. Ils prirent contact avec les nationalistes non communistes qui avaient été leurs camarades dans la guerre de Résistance et les trouvèrent prêts à prendre de nouveau leur part de ce nouveau combat, tant ils étaient traqués par Diêm. Les bandes de guérilla, vestiges des armées Cao-Dai et Hoa-Hao, étaient disposées à oublier le passé et à faire cause commune. Mais, plus important que tout, les paysans, dans leur majorité, étaient décidés à affronter les angoisses d'une nouvelle guerre pour débarrasser le pays de ces étrangers qui avaient remplacé les Français. Ce régime que les Américains leur avaient imposé était devenu insupportable. Les cadres du Sud, qui avaient pris la tête de la révolte, expliquèrent que les Américains, plus riches et plus puissants que les Français, pratiquaient une nouvelle forme de colonialisme encore plus rapace. C'est pourquoi ils avaient choisi ce « traître » particulièrement vicieux, Diêm, sa famille et sa clique d'exploiteurs agricoles comme leurs séides au Vietnam. Les cadres viet-minhs appelaient ce régime « My-Diêm » (*My* étant le mot vietnamien pour « américain »). La plupart des paysans les crurent, car l'explication avait un sens pour eux. Leur souvenir des Français s'estompait, mais ils se souvenaient qu'ils ne les avaient jamais harcelés comme « My-Diêm » le faisait.

Un après-midi de 1962, dans un camp des Forces spéciales de l'armée américaine, j'interrogeais un jeune rebelle qui avait été blessé et capturé au cours d'une embuscade. L'infirmier américain avait pansé sa blessure avec efficacité et douceur. Le jeune garçon était détendu, libéré momentanément de sa crainte d'être torturé et tué. Je lui ai demandé pourquoi il avait rejoint la guérilla :

« Pour libérer mon pays, répondit-il.

— De qui ?

— Des Américains et de Diêm. »

Mais comment pouvait-il libérer son pays de Diêm, puisque Diêm était indépendant et ne prenait pas ses ordres des Américains ?

« Non, Diêm est la même chose que les Américains. »

J'essayai de lui faire comprendre que ce n'était pas possible puisqu'il agissait souvent contre la volonté du gouvernement des États-Unis.

« Non, répéta-t-il, Diêm est la même chose que les Américains. »

Cette réponse me sembla la conséquence d'un lavage de cerveau, et je changeai de sujet

Les cadres viet-minhs du Sud, avec leurs vieux camarades de la Résistance et leurs nouveaux alliés des sectes, commencèrent leurs attaques de représailles contre la famille Ngô Dinh et les Américains au début de 1957, en assassinant des policiers et des chefs de village détestés que Diêm avait fait nommer. Au début de 1958, la campagne était lancée, et les unités de guérilla étaient systématiquement en formation. Bernard Fall, le spécialiste franco-américain du Vietnam, estimait que près de 700 responsables de village furent tués pendant la première année de la rébellion, entre le printemps 1957 et le printemps 1958, et que les assassinats doublèrent pendant l'année suivante. En septembre 1958, le chef d'un district voisin de My Tho, une région cao-daïste très sûre pendant la guerre française, tomba dans une embuscade et fut tué en plein jour sur la route de Saigon. A la fin de 1958, les cadres du Sud étaient en mesure de mettre Hanoi, à qui ils avaient désobéi, devant un fait accompli : la révolte du Sud Vietnam.

Hô Chi Minh et les dirigeants de Hanoi étaient maintenant prêts à en prendre la tête. Tandis que le Sud de Diêm évoluait vers une nouvelle guerre, le Nord de Hô se stabilisait. En 1959, le don qu'ils avaient de tirer la leçon de leurs erreurs avait permis aux mandarins communistes de restaurer la confiance en leur régime mise à mal par l'échec de la réforme agraire. La production de riz et des autres produits agricoles était toujours restreinte dans le Nord soumis à une pénurie chronique, mais il y en avait assez pour nourrir la population. Avec l'aide économique de l'Union soviétique et de la Chine, la reconstruction avait permis aux industries d'origine française de retrouver en 1957 leur niveau de production de la Seconde Guerre mondiale, et un plan de trois ans lancé en 1958 devait créer le noyau de l'industrie lourde du futur. Une nouvelle aciérie, la seule dans l'Asie du Sud-Est, serait construite en 1960 à proximité des mines de fer de Thai Nguyen, à soixante-quinze kilomètres au nord de Hanoi. Un gouvernement vietnamien qui commettait des erreurs vietnamiennes et les corrigeait à la vietnamienne bénéficiait d'une tolérance que le peuple aurait refusée à n'importe quel régime sous influence étrangère. Vann et les autres Américains, en regardant les photos du Nord, y voyaient un pays pauvre où la vie semblait morne et enrégimentée, et en déduisaient que le régime était détesté. Il est vrai qu'il y avait de la haine et de l'opposition, mais rien de comparable à ce qui existait au Sud. La majorité de la population du Nord était loyale à l'égard de son gouvernement. Sur les photos, un indice révélait le comportement des Vietnamiens du Nord, mais les Américains ne le remarquèrent jamais : l'absence de fils de fer barbelés. Les postes de police et les autres bâtiments officiels de Hanoi et des autres villes et villages du Nord n'étaient pas protégés par des réseaux de grillage et par des blockhaus, comme c'était le cas partout à Saigon et dans le reste du Sud. Les communistes vietnamiens n'avaient pas peur de leur peuple.

Vers la fin de 1958, Hô Chi Minh envoya secrètement au Sud Vietnam Lê Duan, qui devait bientôt devenir secrétaire général du Parti, pour vérifier si la rébellion était aussi générale et efficace que les rapports le prétendaient. Duan, né au Centre Vietnam, avait fait toute la guerre française dans le Sud pour devenir le responsable du Viet Minh dans la région de Saigon et le delta du Mékong. Il retourna à Hanoi au début de 1959 et recommanda au Parti d'inverser sa politique et de reprendre la révolution interrompue. Hô et l'ensemble du politburo furent d'accord. Le comité central fut réuni en mai et ratifia la décision des chefs. La seconde guerre était officiellement commencée.

A l'automne, après les pluies de la mousson et tandis que les pistes à travers le Laos commençaient à sécher, une centaine des premiers agents s'infiltrèrent vers le Sud. Ils constituaient l'avant-garde des milliers qui devaient suivre au cours des années, tous Viet Minhs originaires du Sud repliés au Nord après les accords de Genève. Les cadres qui étaient restés sur place, qui avaient désobéi au Parti et déclenché la révolte, se distinguaient eux-mêmes des nouveaux arrivants. Ils les appelaient les « cadres d'automne » tandis qu'ils étaient eux-mêmes les « cadres d'hiver ». Ces surnoms n'avaient aucun rapport avec les saisons. Ils exprimaient la fierté de ceux qui étaient restés et avaient survécu seuls pendant l' « hiver de la terreur de Diêm ». Plusieurs années plus tard, un ancien « cadre d'hiver » expliqua aux Américains qui l'interrogeaient pourquoi ses camarades et lui avaient pu si rapidement déclencher la seconde révolte :

« Ce n'est pas parce que les cadres étaient spécialement doués... Mais le peuple était comme un tas de paille. Il suffisait d'y mettre une allumette. »

La nouvelle guerre de Résistance commença à renaître dans le Sud sous la même forme que la première. L'ancien comité central du Sud, qui avait dirigé le Viet Minh depuis l'extrémité du delta jusqu'au-delà des plantations de caoutchouc au nord de Saigon, reprit sa mission ancienne sous un nouveau nom : Office central du Sud Vietnam. Le quartier général interzones refit son apparition pour assumer le commandement d'une seconde génération de combattants clandestins le long de la côte centrale. Les nouveaux venus rejoignirent les anciens pour constituer l'encadrement d'officiers et sous-officiers expérimentés des unités combattantes. Ils exerçaient aussi la fonction d'agitateurs politiques et d'administrateurs au sein du gouvernement révolutionnaire secret que le Parti commençait à mettre en place à l'image du gouvernement viet-minh de la période française.

Les unités de guérilla quintuplèrent leurs effectifs d'environ 2 000 survivants en 1947 à près de 10 000 combattants qui capturèrent 5 000 armes aux troupes de Saigon en 1960. Lorsque Kennedy décida d'intervenir en novembre 1961, ils étaient plus de 16 000 qui s'étaient emparés d'encore 6 000 armes supplémentaires. Cette progression rapide de l'insurrection amena Hô Chi Minh à annoncer publiquement, à la fin de 1960, la création d'une autre résurgence du passé : l'ancienne Ligue du Viet Minh devint, le 20 décembre, le Front de libération nationale du Sud Vietnam. La seule différence entre les deux était que les chefs officiels du Front étaient soigneusement choisis parmi des personnages insignifiants. Le président du comité central, Nguyên Huu Tho, un avocat saigonnais de gauche, avait coopéré avec le Parti dans le passé. Il avait été arrêté par Diêm, puis s'était évadé avec l'aide des communistes. Comme tous ceux dont les noms figuraient au comité central (y compris un représentant des Binh Xuyen rénovés), Tho n'avait aucune autorité. Le Front était dirigé en réalité par des membres du **Parti**, clandestins ou peu connus, infiltrés parmi les autres.

Leur expérience passée avait appris aux communistes la valeur d'une organisation de Front national, qui permettait plus facilement aux non-communistes d'y adhérer. Ils n'avaient pas besoin de s'inscrire au Parti. Le Front de libération nationale fonctionnait comme le Viet Minh du passé pour conduire la guérilla et entreprendre simultanément la révolution sociale. Mais, en même temps, c'était un trompe-l'œil derrière lequel les responsables de Hanoi se cachaient pour diriger eux-mêmes le conflit au sud du 17ᵉ parallèle. Les États-Unis avaient verbalement transformé la Ligne de démarcation provisoire des accords de Genève en une frontière nationale, et la voix de la plus grande puissance mondiale avait pesé lourd. Les pays non communistes, qui devaient ultérieurement reconnaître le Front national comme représentant officiel de la guérilla du Sud, auraient eu du mal à le faire si le Front avait été officiellement dirigé par Hanoi. Les intellectuels américains et européens, qui devaient participer plus tard au mouvement de la paix contre l'intervention américaine, auraient eu des problèmes de conscience s'ils avaient dû soutenir une rébellion dans le Sud contrôlée ouvertement par le Parti communiste du Nord. L'organisation créée par Hanoi permettait à chacun de croire ce qu'il, ou elle, voulait croire.

Au fil des années et de la multiplication des démentis, le Front finit par acquérir une crédibilité propre. Des auteurs européens et américains y consacrèrent des livres. Le gouvernement des États-Unis finit par reconnaître son existence et son indépendance en accordant à sa délégation de siéger à la table des négociations de Paris au même titre que Saigon. A sa tête se trouvait Mme Nguyên Thi Binh, membre secret du Parti communiste, dont le grand-père mandarin s'était battu contre les Français au début du siècle. Lorsque les faux-semblants ne furent plus nécessaires, Huynh Tan Phat, secrétaire général du Front de libération, un architecte de Saigon qui s'était inscrit secrètement au Parti après avoir rejoint le Viet Minh pendant la guerre mondiale, régla le dilemme avec cette candeur dont les révolutionnaires vietnamiens savent faire preuve autant que de mauvaise foi .

« Officiellement, nous étions séparés, Hanoi et le Front, mais en réalité nous avons été la même chose tout le temps ; un seul parti, un seul gouvernement, une seule capitale, un seul pays. »

Les Vietnamiens des deux camps dans le Sud n'étaient pas dupes de cette mise en scène. Ils savaient que le Viet Minh était revenu et qu'ils participaient à une reconstitution historique. Le drapeau du nouveau Front national était une copie légèrement modifiée de l'emblème viet-minh. Le fond était de deux couleurs, rouge et bleu, mais il y avait toujours l'étoile dorée à cinq branches au milieu. La crainte des officiers de renseignements américains des années cinquante s'était réalisée, mais comme une autre de ces prophéties sur le Vietnam qu'ils avaient eux-mêmes contribué à accomplir. Les États-Unis avaient cherché à détruire l'ancien Viet Minh en lui donnant le nom de Vietcong. Ils avaient ainsi créé un nouveau Viet Minh, infiniment plus redoutable que celui que les Français avaient dû affronter.

175

Au début de l'été 1962, j'ai suivi pour la première fois, une opération héliportée avec un bataillon de la 7ᵉ division de Vann. Comme tous les jeunes correspondants de guerre, j'espérais assister à un véritable combat entre l'ARVN et les Vietcongs. Dans mon esprit, comme dans celui des autres Américains arrivés récemment au Vietnam comme Vann, le Vietcong représentait une génération de combattants tout à fait différente de celle du Viet Minh. Le Viet Minh de la première guerre, tel que je me le représentais, avait été composé de patriotes, de révolutionnaires nationalistes qui se trouvaient être sous les ordres de Hô Chi Minh parce que les communistes avaient pris la tête du mouvement d'indépendance dans la lutte contre la France. La guerre était finie, et les Français étaient rentrés chez eux. Les États-Unis étaient intervenus au Sud Vietnam pour encourager le nationalisme. Les Vietcongs n'étaient donc que des paysans fourvoyés qui avaient été dupés et avaient rallié le mauvais côté, ces communistes qui étaient partout les ennemis des hommes de bien.

L'hélicoptère des Marines dans lequel je me trouvais était en quatrième ou cinquième position. Nous avions pour objectif une base vietcong dans la plaine des Joncs. J'entendis des rafales d'armes automatiques provenant de l'appareil qui était devant nous tandis que nous nous posions dans les roseaux hauts jusqu'à la taille. En regardant par-dessus l'épaule du mitrailleur, je vis une demi-douzaine de silhouettes qui bondissaient dans le champ à cent mètres de nous. Avec leur arme en main, ils avaient un sac à dos sur un uniforme vert et portaient un casque en forme de tortue, comme ceux que j'avais vus sur les photos des Viet Minhs de la guerre française. C'étaient des réguliers vietcongs d'un des bataillons de la Force principale. Les Marines ajustèrent mal leur tir. Tous les Vietcongs réussirent à s'échapper le long d'un canal vers les bois, à sept cents mètres de là.

Le capitaine sud-vietnamien qui commandait le bataillon traînassa pendant au moins un quart d'heure, en étudiant sa carte et en parlant à la radio avec le quartier général, avant de donner l'ordre à ses troupes d'avancer. C'était un officier d'un certain âge. Il parlait français et portait une canne, en imitation des anciens officiers coloniaux. Le bataillon s'arrêta à un groupe de huttes de paysans à une centaine de mètres des bois. Il n'y avait qu'un vieillard et quelques enfants. Les parents étaient certainement cachés. Le capitaine de l'ARVN commença à questionner le vieil homme, notoirement à propos des rebelles, en utilisant sans cesse le mot « Viet Minh ». Le paysan répondait dans les mêmes termes.

« Pourquoi les appelle-t-il Viet Minh ? ai-je demandé à un journaliste vietnamien d'une agence de presse internationale qui nous accompagnait.

— Pour les Américains et les gens du gouvernement de Saigon ce sont des Vietcongs, répondit-il, mais ici tout le monde dit toujours Viet Minh.

— Pourquoi ?

— Parce qu'ils ressemblent aux Viet Minhs, qu'ils agissent comme les Viet

Minhs, et c'est comme cela que tout le monde les a toujours appelés. »

Tout le monde savait que le Viet Minh était de retour. C'est pourquoi ils se comportaient ainsi : le capitaine qui avait été si prudent, Cao qui avait plus peur qu'il n'aurait dû, Diêm qui voulait garder son armée intacte. Seuls les Américains ne savaient pas. Ils ne connaissaient pas les Vietnamiens, ni les alliés sur lesquels ils comptaient pour appliquer leur volonté, ni les ennemis qu'ils affrontaient.

Dans son ignorance des antécédents de cette guerre où on l'avait envoyé pour vaincre, Vann pensait toujours à la fin de 1962 que la solution était militaire : forcer l'armée du Sud Vietnam à se battre et écraser les bataillons de réguliers que j'avais vus dans la plaine des Joncs. Il n'arrivait pas à se convaincre de changer son objectif de transformer Cao en un général combattant.

Le 22 décembre 1962, Diêm annonça une restructuration de l'organisation de l'ARVN. Auparavant, le pays avait été divisé en trois corps d'armée. Diêm sépara le troisième corps en deux. Saigon et la ceinture de provinces qui l'entourait de l'est à l'ouest par le nord restait affecté au 3e corps. Il créa un nouveau corps, le 4e, pour couvrir le delta du Mékong, avec son quartier général à Can Tho. Il nomma Cao général de brigade, pour le récompenser de la prudence avec laquelle il avait réduit les pertes, et lui confia le 4e corps. Ce changement affectait aussi Vann, car la 7e division englobait maintenant deux provinces de plus que les cinq initiales, c'est-à-dire toute la moitié nord du delta avec une population de 3 200 000 habitants.

Vann avait été informé de ce qui se passait et, quelques jours avant l'annonce de Diêm, il partit pour Saigon avec un mémorandum destiné au général Harkins. Il demanda un rendez-vous pour lui remettre personnellement le message, en expliquant qu'il était strictement destiné au commandant en chef. Son exposé était rédigé dans le style diplomatique qu'il savait très bien utiliser lorsque cela lui convenait. Il rappelait au général comment, avec son approbation, il avait manœuvré pour donner de Cao « une image de chef militaire » aux yeux des journalistes, des officiers et des personnalités américaines. Malheureusement, continuait Vann « le général Cao n'a pas fait preuve d'un comportement véritablement offensif. Il a besoin d'un conseiller énergique pour le stimuler ». Vann exposa alors son point de vue. Dan Porter, le Texan avisé et opiniâtre, devait accompagner à Can Tho le général Cao, comme son nouveau conseiller. Mais son tour de service prenait fin en février où il rentrerait aux États-Unis. Harkins avait désigné le colonel John Powers Connor, qui devait arriver prochainement, pour le remplacer. Le colonel Connor était un homme charmant mais conventionnel, et Vann ne pensait pas qu'il fût capable de « stimuler » Cao. D'autre part, son inexpérience du Vietnam le mettrait dans une position désavantageuse. C'est pourquoi Vann proposait un autre conseiller pour Cao, un officier sous les ordres duquel il avait été instructeur des Rangers à Fort Benning après la

Corée. « Au risque de paraître outrecuidant, je suggère, dans le but d'accroître l'efficacité de votre action ce printemps, que le colonel Wilbur Wilson devienne le conseiller du général Cao. Son expérience et sa personnalité conviennent parfaitement pour obtenir le maximum du général Cao, et la région du delta offre les meilleures chances de briser le Vietcong. »

L'idée de faire aiguillonner Cao par Wilson avait amusé Vann, mais sa suggestion n'en était pas moins sérieuse. Il admirait Wilson, comme Porter, mais pour des raisons différentes. Wilbur Wilson était une figure légendaire dans l'armée des États-Unis. C'était un officier parachutiste costaud aux joues creuses et à la mâchoire proéminente, âgé de cinquante-trois ans en 1962. Il était connu sous le surnom de « Coffre à charbon », à cause d'une de ses excentricités dans sa façon de faire respecter la discipline. Quand il passait l'inspection des chambrées, il exigeait que la pente du charbon dans les coffres soit d'une parfaite régularité et il n'admettait pas qu'un seul morceau ne fût pas à sa place. C'était un des nombreux trucs qu'il avait mis au point au cours des années pour obtenir une discipline impeccable. Mais, en dépit de ces bizarreries, ce n'était pas un garde-chiourme. Il avait ce don des grands chefs pour susciter l'orgueil chez ses hommes, à qui il témoignait gentillesse et considération. Il réservait sa rudesse et sa franchise brutale pour ses égaux ou ses supérieurs. Il venait de passer un an comme principal conseiller du corps d'armée qui couvrait les hauts plateaux et les provinces côtières du Centre Vietnam. On s'y était peu battu en 1962, et Wilson n'avait pas eu l'occasion de déployer à fond ses talents. Curieusement, son homologue de l'armée vietnamienne, un ancien parachutiste de l'armée française, grand amateur de whisky, ne supportait plus ces officiers américains hypocrites et trop gentils avec lui, et appréciait la rudesse de Wilson.

Harkins remercia Vann de son mémorandum et n'en tint aucun compte. L'insignifiant colonel Connor fut désigné comme conseiller de Cao.

Au cours des neuf premiers mois qu'il venait de passer, Vann avait été déçu par les Vietnamiens à qui il était censé apporter son aide. Deux semaines et demie plus tard, dans un hameau du nom de Bac, au cours de la première grande bataille de la guerre américaine, il devait découvrir l'ardeur et le courage de ces autres Vietnamiens qu'il avait pour mission de vaincre

III

La bataille de Bac

Trois jours après Noël 1962, la 7ᵉ division d'infanterie reçut de l'état-major mixte de l'ARVN, par l'intermédiaire du général Harkins, l'ordre de s'emparer d'un émetteur radio vietcong en service dans le hameau de Tan Thoi situé à une vingtaine de kilomètres au nord-ouest de My Tho. Les États-Unis apportaient le concours de leur technologie clandestine pour attaquer à nouveau la rébellion dans le Sud. La 3ᵉ unité de repérage radio des services de renseignements de l'armée à Tan Son Nhut, espionnant du ciel depuis un de ces lourds avions canadiens Otters, destinés au vol en brousse, avait intercepté et localisé le poste grâce à son équipement sophistiqué.

L'annonce de cette attaque enthousiasma Vann et son équipe. L'opération allait être la première de la nouvelle année, avec un nouveau commandant vietnamien et surtout la chance d'un nouveau début. Le chef d'état-major de Cao, le lieutenant-colonel Bui Dinh Dam, lui avait succédé après que son ancien chef eut été nommé général à la tête du corps d'armée récemment créé à Can Tho. Ce n'était pas de gaîté de cœur, car Dam, petit et d'un naturel doux, se considérait comme un administrateur compétent mais doutait de sa capacité à supporter le fardeau émotionnel d'un commandement. Cao avait réussi à le persuader d'accepter, car il ne voulait pas laisser la place à un rival potentiel et savait qu'il pouvait contrôler Dam. Bui Dinh Dam était un catholique du Nord Vietnam, et donc politiquement de confiance, ce qui détermina Diêm à approuver le souhait de Cao. Il promut Dam au grade de colonel et lui confia la 7ᵉ division.

Dam préférait pratiquer la loyauté dans les relations personnelles chaque fois que c'était possible et il voulait coopérer avec les Américains. C'est pourquoi il accepta la proposition de Vann de remettre en vigueur le système de planification en commun que Cao avait fait avorter après la défaite des Rangers en octobre. Vann envoya aussitôt un télégramme au capitaine Richard Ziegler, qui avait été son talentueux chef d'opérations, pour lui demander d'interrompre la permission de Noël qu'il passait à l'Hôtel de la Lune d'Août à Hong Kong et de revenir par le premier vol. Tout le monde, y compris Cao à qui le plan d'opérations de Ziegler avait été communiqué, l'approuva. Le complaisant Dam n'y apporta qu'un changement : il recula de vingt-quatre heures l'attaque prévue pour le matin du jour de l'an. Il ne serait pas raisonnable, expliqua-t-il, de réveiller les pilotes d'hélicoptères américains à 4 heures du matin après les festivités de la nuit.

C'est ainsi qu'au matin du 2 janvier 1963 se joua, sur la piste en terre battue de la division à Tan Hiêp, à dix kilomètres sur la route de Saigon, la scène qui devait se renouveler si souvent dans cette guerre. Le calme de l'aube et la fraîcheur de l'air du delta furent souillés par le vacarme, les gaz d'échappement et la poussière tourbillonnante des hélicoptères tandis que les pelotons de fantassins s'alignaient pour monter à bord. Vann décolla à 6 h 30 sur le siège arrière d'un avion de reconnaissance de l'armée L-19 pour observer l'atterrissage de la première compagnie au nord de Tan Thoi.

Le général Harkins et son état-major de Saigon considéraient le Vietcong avec ce mépris traditionnel qu'ont les soldats des grandes puissances à l'égard des guérillas des pays faibles. Ils les appelaient « ces petits salauds en guenilles ». En revanche, les combattants sur le terrain, comme Vann, éprouvaient du respect pour eux. Mais ils souhaitaient tous en commun la même chose. Ils espéraient qu'un jour leur adversaire serait assez stupide pour abandonner son système de lutte clandestine pour se battre à découvert. Ce n'était qu'un vœu pieux, car aucun officier américain, y compris Vann, ne s'attendait à ce qu'il se réalisât. L'élimination des Rangers en octobre n'avait été que la conséquence d'une embuscade, suivie d'une retraite réussie en dépit du mitraillage et du bombardement. Les Vietcongs n'avaient pas essayé d'échanger des coups avec les troupes de Saigon. Aussi frustré qu'il ait été par les refus répétés de Cao de refermer le piège, Vann ne pouvait s'empêcher d'espérer que les guérillas se laisseraient aller un jour à cette téméraire imprudence. C'était la seule façon de réussir à anéantir un bataillon entier. Vann et les autres officiers américains se prenaient à rêver avec compassion au sort de tout bataillon vietcong qui se risquerait à une bataille rangée. Le massacre que feraient de leurs adversaires faiblement armés les troupes de Saigon avec leurs M-113, l'artillerie et les chasseurs-bombardiers serait peu digne de la tradition chevaleresque de l'armée des États-Unis.

Tandis que Vann observait les dix « bananes volantes » H-21, qui transportaient la compagnie d'infanterie, descendre dans l'eau grisâtre des rizières à 7 h 3 et débarquer leurs troupes sans incident, il ne pouvait pas savoir qu'il allait avoir le privilège de voir se réaliser le souhait général. Dans ce conflit où se succédaient des engagements apparemment sans issue, dont aucun ne semblait avoir de valeur intrinsèque, un événement exceptionnel allait se produire ce jour-là : le Vietcong allait se dresser et se battre

De l'autre côté, le commandant du 261e bataillon vietcong avait terminé ses préparatifs à 10 heures du soir, la nuit précédant la bataille. Son nom ainsi que ceux des autres officiers et sous-officiers restent inconnus, suivant leurs traditions de clandestinité. Un compte rendu secret de la bataille et des événements qui la précédèrent fut saisi par l'ARVN deux mois plus tard au cours d'une inhabituelle opération de nuit : on n'y trouvait que le nom d'un officier subalterne qui avait effectué une sortie et de quelques soldats de grade inférieur dont le courage au combat avait mérité une mention spéciale.

Les communications radio interceptées par les espions du ciel et d'autres informations recueillies par Jim Drummond, l'officier de renseignements de Vann, et son homologue vietnamien, Lê Nguyên Binh, indiquaient que le hameau de Tan Thoi servait de quartier général local. L'émetteur était gardé par une compagnie renforcée de réguliers, environ 120 hommes. Ziegler avait combiné que Tan Thoi serait attaqué de trois directions différentes. Un bataillon d'environ 330 hommes serait déposé au nord par les hélicoptères pour progresser au sud vers le village. Simultanément, deux bataillons de la Garde civile avanceraient du sud en colonnes séparées. Une compagnie d'infanterie montée sur treize transports de troupe amphibies blindés M-113 s'enfoncerait également du sud vers le nord le long du flanc ouest. Les engins à chenilles seraient positionnés de façon à pouvoir être déplacés vers le point de contact lorsque les Vietcongs battraient en retraite. Chacun des trois bataillons était en mesure de l'emporter sur une compagnie de guérilla avec l'aide de l'artillerie et de l'aviation. En cas de difficultés, les M-113 et leur infanterie motorisée constituaient une réserve mobile ainsi qu'une force de frappe. Dam disposait de deux autres compagnies d'infanterie en réserve à Tan Hiêp qui pouvaient être expédiées en hélicoptère. Personne ne s'attendait de toute façon à trouver plus de 120 Vietcongs. Ziegler se demandait même s'ils seraient autant. Les informations dont il disposait semblaient suffisamment précises, jusqu'au moment où on découvrit après l'attaque que l'émetteur radio avait été déplacé deux jours plus tôt.

Cette fois-ci, tout était erroné. Il y avait trois fois plus de Vietcongs rassemblés dans le village de Tan Thoi et le hameau de Bac situé juste au-dessous. Le commandant du 261e bataillon et son quartier général y étaient défendus par environ 320 hommes de la Force principale et de la guérilla régionale. A ceux-là s'ajoutaient une trentaine de partisans locaux qui leur servaient d'éclaireurs, fournissaient les renforts et transportaient les munitions et les blessés.

Le commandant et le comité vietcong de la province, avec qui il était en contact radio, savaient qu'une attaque aurait lieu au matin du 2 janvier. Ils en ignoraient l'objectif précis parce qu'ils n'avaient pas compris que leur émetteur avait été localisé, mais ils savaient que ce serait dans la région de Tan Thoi et de Bac. Ils avaient prévu qu'une offensive aurait lieu, dès le début de la saison sèche, contre la ceinture de villages qu'ils contrôlaient le long de la lisière est de la plaine des Joncs. Les deux hameaux en faisaient partie et se trouvaient situés à trois kilomètres d'un grand canal qui formait la limite est de la plaine. Les agents de renseignements vietcongs de My Tho avaient alerté les responsables de la province sur l'imminence de l'opération dès qu'ils avaient appris que soixante et onze camions de munitions et de ravitaillement étaient arrivés de Saigon. Le 1er janvier, le comité de la province avait suffisamment d'informations pour en déduire que l'attaque aurait lieu le lendemain matin.

Vann aurait été satisfait des raisons qui avaient incité les chefs de la guérilla à décider de rester et de se battre. Ils estimaient qu'ils le devaient pour restaurer la confiance de leurs troupes et de leurs partisans paysans.

183

Vann avait considérablement perturbé leur révolution dans la moitié nord du delta au cours de l'été et de l'automne par les attaques qu'il avait infligées au Vietcong, grâce à l'effet de choc des hélicoptères et des engins blindés, et à la coordination judicieuse entre la planification compétente de Ziegler et l'efficacité du service de renseignements de Drummond. Les massacres avaient inquiété les combattants de base. Ils commençaient à se poser des questions sur les aptitudes de leurs chefs et leurs capacités à leur apprendre à survivre et à gagner contre la mortelle technologie américaine qui venait les surprendre dans leurs refuges jusque-là inviolés. Un certain nombre d'entre eux avaient demandé à être démobilisés pour retourner dans leur famille. Beaucoup de paysans constataient que les Américains étaient infiniment plus puissants et plus implacables que les Français et se demandaient si le nouveau Viet Minh pourrait jamais réussir contre eux. Le rapport secret sur la bataille reconnaissait que ces défaites, qui n'avaient pas été prévues, avaient mis en danger le contrôle du Parti sur ces « zones libérées », bases du développement de la révolution. Les paysans avaient besoin d'être convaincus que le gouvernement clandestin du parti était revenu pour de bon et que les forces de la guérilla pourraient les protéger des déprédations des troupes de Saigon et des machines de mort américaines.

Les commandants vietcongs et les responsables de province étaient des hommes dans la quarantaine avec des antécédents de service remontant à la Résistance contre l'administration coloniale française et contre les Japonais. Ils ne repartiraient pas, quelle que fût l'issue de la guerre. Ils n'auraient pas pu retourner au Nord, même s'ils l'avaient souhaité, car des cadres découragés n'y étaient pas les bienvenus. De toute façon, ils ne pensaient pas à s'enfuir, car ils se refusaient à admettre la possibilité d'un échec de leur révolution. Un de leurs écrits clandestins de l'époque expliquait la nécessité d'apprendre aux jeunes à ne pas se laisser abattre par une lutte prolongée et par ses épreuves, résumant en même temps leur propre attitude : « Nous devons leur apprendre à gagner sans arrogance et à perdre sans découragement jusqu'à ce que nous ayons achevé la libération du Sud et la réunification de notre terre ancestrale. »

Ils étudièrent les machines américaines, inventèrent des moyens qu'ils espéraient aptes à les maîtriser et s'appliquèrent à convaincre leurs jeunes officiers, sous-officiers et soldats que, s'ils ne cédaient pas à la panique, et utilisaient astucieusement les ressources des abris et du camouflage, le terrain du delta leur fournirait une protection suffisante pour manœuvrer et se battre. Leurs efforts avaient été couronnés de succès lors de l'embuscade des Rangers à quelques kilomètres au nord-ouest de Tan Thoi, au cours de laquelle ils avaient pu abattre deux des hélicoptères amenant des renforts, y compris celui de Vann. L'unité, qui avait été principalement responsable de ce petit mais significatif succès, la 1re compagnie du 514e bataillon, attendait maintenant à Tan Thoi en ce second jour de la nouvelle année.

La réaction de Diêm à la défaite des Rangers, l'acceptation servile par Cao de la stratégie autodestructrice de « son roi », le refus de Harkins de croire Vann et de s'opposer à Diêm, avaient donné au Vietcong deux mois et demi de répit. Les commandants de compagnies et de bataillons utilisèrent ce temps pour remplacer les pertes et entraîner leurs hommes dans les nouvelles tactiques et l'utilisation des armes américaines capturées. En janvier 1963, par l'intermédiaire des avant-postes, que Harkins n'avait pas démantelés avant sa distribution généreuse d'armes, la Force principale et la guérilla régionale disposaient de suffisamment d'armes américaines modernes pour distribuer leurs vieux fusils français aux miliciens locaux. La plupart des fantassins vietcongs étaient équipés de fusils semi-automatiques M-1 ou de mitraillettes Thompson. Chaque compagnie avait une mitrailleuse calibre 30, et dans presque toutes les sections on trouvait deux fusils automatiques Browning. Les balles et les grenades étaient en abondance. Les États-Unis et leurs adjoints de Saigon avaient ainsi considérablement accru la puissance de feu de leur ennemi.

Mais, ironiquement, les cadres du Parti dans le nord du delta n'avaient pas vu que Cao truquait les opérations. Ils croyaient toujours que les forces de Saigon cherchaient à les encercler et à les détruire, comme Vann l'avait essayé en vain. Ils avaient remarqué que les éléments d'assaut comportaient maintenant un effectif plus important et étaient passés de deux fractions de bataillon à un bataillon entier. Ils en avaient déduit que les commandants de l'ARVN et leurs conseillers américains étaient devenus plus prudents dans leur manœuvre d'encerclement.

Les villages de Tan Thoi et de Bac se trouvaient situés dans une des plus importantes « zones libérées » du delta. Pour y décourager les incursions des forces de Saigon, la meilleure façon consistait à rendre l'opération pénible et sans profit pour eux par une résistance efficace. Les chefs vietcongs n'avaient pas l'intention de se contenter de rester sur place pour tenir le terrain. Ils acceptaient la bataille en espérant pouvoir imposer leur technique de combats et de manœuvres. Ils considéraient qu'ils avaient fait assez de progrès pour en prendre le risque. De toute façon, ils y seraient contraints tôt ou tard, et cette occasion-là leur était aussi favorable qu'une autre. Le terrain était à leur avantage. En dépit de la saison sèche, la région était assez pourvue en ruisseaux et canaux pour que les paysans maintiennent les rizières inondées toute l'année.

Dans les deux villages, les Vietcongs avaient également l'avantage de combattre dans un environnement familier avec le courage de ceux qui défendaient leur propre terre. Ils étaient tous originaires du delta, y compris les officiers et sous-officiers membres du Parti communiste. C'était en particulier le cas pour le 514e bataillon, dont la 1re compagnie était à Tan Thoi, et près de la moitié des hommes de la 1re compagnie du 261e, qui attendaient à Bac, venaient de la région de My Tho.

Historiquement, le terrain était idéal pour une bataille décisive. Les paysans de cette ceinture de villages de la frange est de la plaine des Joncs avaient suivi les communistes depuis la première insurrection contre les Français en novembre 1940. Les Français avaient écrasé leur révolte sous les bombes en rasant la plupart des villages. Les prisonniers avaient été amenés à Saigon par bateaux et déchargés de nuit sur les docks à la lumière des projecteurs. Ils avaient été attachés ensemble en longues files avec des fils de fer qui leur transperçaient les paumes de la main. Mais la paysannerie locale n'en avait pas été terrorisée pour autant. Pendant les neuf années de la guerre de Résistance, elle avait toujours répondu à l'appel du Viet Minh.

A 4 heures du matin, les éclaireurs de la guérilla locale, dispersés sur plusieurs kilomètres autour des deux villages, entendirent des moteurs de camions. Les messagers partirent en courant prévenir le commandant du bataillon qui donna aussitôt l'ordre de se préparer au combat. Les soldats, qui avaient répété la nuit précédente, se saisirent de leurs armes et prirent les positions qui leur avaient été assignées dans des trous individuels que les paysans les avaient aidés à creuser et à camoufler sous les arbres.

Tan Thoi était relié à Bac par un ruisseau bordé sur les deux rives d'arbres qui cachaient les mouvements en plein jour. Les deux hameaux constituaient ainsi deux positions solidaires. Le commandant concentra l'essentiel de ses forces dans le hameau de Bac, le plus difficile à défendre : la 1re compagnie de son bataillon, renforcée par deux pelotons de tireurs d'élite, une mitrailleuse de 30 et un mortier de 60. Si Bac était attaqué, ce serait probablement du sud ou de l'ouest. Or, au sud du hameau, un affluent du ruisseau, recouvert par une rangée d'arbres, coulait en direction de l'ouest. Il déploya une section d'infanterie sous les arbres dans des trous creusés sur la rive du cours d'eau, d'où ils avaient une vue complètement dégagée sur les rizières au sud.

A l'ouest de Bac coulait en direction nord-sud un grand canal d'irrigation. Il était bordé d'une large digue couronnée d'arbres. Le commandant y mit en position le reste de sa compagnie dans des trous creusés sous les arbres. La digue, qui avait plus d'un mètre de large dans les passages les plus étroits et beaucoup plus ailleurs, dominait les rizières. En raison du morcellement saugrenu des terres, les paysans n'avaient construit ni le canal ni la jetée en droite ligne. Ils zigzaguaient à travers champs, ce qui permettait aux Vietcongs de prendre les attaquants sous un feu croisé. Les deux mitrailleuses et les Brownings automatiques furent également disposés pour obtenir, suivant les termes de l'armée US, « un champ de tir croisé ». Le commandant déploya la seconde moitié de ses forces — la 1re compagnie du 514e, renforcée par une section de provinciaux — d'une façon identique le long des digues d'irrigation qui bordaient les trois côtés exposés de Tan Thoi.

Du ciel ou des rizières, on ne pouvait pas voir que les deux hameaux étaient les bastions jumeaux d'une forteresse. On retrouvait dans les rangées d'arbres la profusion habituelle de la végétation du delta : bananiers, cocotiers, bambous, palmiers et bois durs utilisés pour la construction, avec des broussailles très denses à la base. Sous la direction des officiers qui avaient mis au point cette technique durant la guerre contre les Français, les paysans et les soldats avaient creusé les trous sans altérer le feuillage. La terre excavée avait été transportée au loin et dispersée. Lorsque la protection naturelle était insuffisante, des branches fraîches avaient été coupées et plantées au-dessus et autour des trous. Tout semblait parfaitement naturel même pour un avion de reconnaissance volant bas ou un hélicoptère.

Les trous individuels avaient été creusés suffisamment profond pour s'y tenir debout. Les emplacements des mitrailleuses et des Brownings étaient plus larges que les autres pour que deux hommes, le tireur et le chargeur, puissent y tenir. Grâce à la profondeur, le soldat pouvait se recroqueviller au fond pour se protéger des chasseurs-bombardiers et de l'artillerie. Il n'aurait pu y être atteint que par un tir direct, ou par un jet de napalm suffisamment proche pour le brûler ou l'asphyxier. Un obus ne pouvait le tuer que si la précision était telle qu'il explose directement au-dessus du trou ou sous un angle très voisin. A moins que le Vietcong ne fût assez imprudent pour sortir lorsque l'avion le survolait, le mitraillage et les rockets étaient virtuellement inefficaces.

Le canal d'irrigation derrière la digue, d'environ deux mètres de large et rempli d'eau jusqu'à la taille, servait de tranchée de communication. Les hommes pouvaient s'y déplacer hors de la vue et du tir de l'ennemi. Ils y pataugeaient ou s'y mouvaient rapidement dans ces petites pirogues que les paysans taillaient à la hache dans des rondins. Quand un avion apparaissait, le Vietcong pouvait se cacher en plongeant sous l'eau ou en se dissimulant sous les feuillages de deux rives. C'est par cette voie que se faisait le ravitaillement en munitions des tireurs dans leurs trous, que les blessés étaient évacués et les renforts expédiés, et que les officiers et sous-officiers venaient contrôler et encourager leurs hommes.

Les femmes, enfants et vieillards des 600 habitants de Bac, et un nombre identique de Tan Thoi, avaient fui pour se cacher dans les rizières voisines dès que l'alerte avait été donnée. Certains adultes restèrent pour s'occuper des blessés et servir d'agents de liaison.

La brume matinale fut l'élément de chance déterminant de cette bataille. Elle s'étendait sur toute la région, en masquant le paysage depuis le ciel ; suspendue au-dessus des rizières, elle enveloppait les arbres et les toits des villages. Vann n'avait pas pu obtenir les trente hélicoptères dont il avait besoin pour transporter en une seule fois un bataillon entier. L'armée avait des difficultés à maintenir en bonne condition de vol les vieux H-21 de la guerre de Corée. D'autre part, Harkins avait donné la priorité à une autre opération le même jour dont le nom de code était « Flèche enflammée » et qui faisait intervenir 1 200 parachutistes et un bataillon d'infanterie. Après un intense bombardement, ils devaient prendre par surprise et détruire le principal quartier général communiste du Sud Vietnam dans les forêts de la zone de guerre C, le vieux bastion au nord-ouest de Saigon que Bumgardner avait imprudemment traversé huit ans plus tôt. L'opération fut un échec complet, car on ne trouva jamais le quartier général. Mais c'est pour cette raison que Vann dut se contenter de dix H-21 pour transporter en plusieurs temps le bataillon de la division sur l'aire d'atterrissage au nord de Tan Thoi.

La brume était particulièrement épaisse autour de la piste de départ de Tan Hiêp. Les pilotes d'hélicoptères réussirent néanmoins à décoller avec la première compagnie peu avant 7 heures du matin et à trouver un espace à découvert au nord de Tan Thoi pour y déposer les hommes. Puis le brouillard s'épaissit encore et les pilotes se refusèrent à courir le risque d'une collision en vol ou de se perdre avec la deuxième et la troisième compagnie. Vann et Dam décidèrent donc de retarder les autres vols de près de deux heures et demie, jusqu'à 9 h 30, lorsque le soleil serait assez haut pour dégager l'atmosphère. Pendant ce temps, la première compagnie devrait attendre sur place. S'il n'y avait pas eu ce délai, le combat aurait pu commencer aussitôt et l'issue en aurait peut-être été différente. Car, pendant ce répit, la Garde civile qui avançait du sud entra en action avec le peloton de guérilla camouflé sous les arbres du ruisseau situé juste au sud de Bac. Cet événement fortuit fit éclater la bataille en un conflit dramatique et révélateur qui allait avoir tant d'impact sur la guerre et sur la vie de Vann.

Les Vietcongs savaient que la Garde civile approchait. Le commandant du bataillon avertit le commandant de compagnie de Bac que sa section enterrée à l'extrémité du ruisseau aurait à tirer les premiers coups de feu. Les opérateurs radio, utilisant du matériel capturé aux Américains, suivaient les mouvements des troupes de Saigon en interceptant les fréquences qu'elles utilisaient. L'ARVN ne prenait pas de mesures de sécurité et transmettait en clair les coordonnées des cartes que les Vietcongs pouvaient aisément identifier sur les leurs. Les éclaireurs vietcongs, fuyant devant l'avance de la Garde civile, confirmèrent les informations radio. Les soldats dans leurs trous sous les arbres virent finalement les troupes du premier bataillon de gardes civils marcher en file vers eux sur les pistes et les étroites digues. Les partisans de la guérilla locale furent rapidement mis en position dans un buisson de cocotiers sur la droite ; ils avaient pour mission de prendre l'ennemi en enfilade sur le flanc après que les réguliers les auraient frappés par surprise de front.

Prévenu que les arbres pouvaient lui réserver des surprises, le capitaine commandant le bataillon de la Garde civile avançait de plus en plus prudemment. Il s'arrêta le long d'une digue, à cent cinquante mètres environ des arbres, et envoya des éclaireurs en reconnaissance dans la rizière. Les Vietcongs les laissèrent approcher jusqu'à trente mètres et ouvrirent le feu. Les troupes de Saigon battirent en retraite en pataugeant dans la boue et l'eau, et c'est à ce moment-là que les partisans dans le buisson de cocotiers tirèrent du flanc droit. Le commandant de compagnie et son adjoint furent tués en quelques secondes. Le reste du bataillon à l'abri de la digue aurait dû mitrailler pour protéger ses camarades. Mais les hommes se blottirent au pied de la butte tandis que certains brandissaient leurs fusils au-dessus et tiraient sans viser. Ainsi, ceux qui se repliaient recevaient des balles des deux côtés. Il était 7 h 45.

Pendant les deux heures qui suivirent, le commandant du bataillon essaya sans succès de déloger les Vietcongs en les contournant. Son observateur d'artillerie devait être totalement incompétent ou bien l'état-major de campagne ne le laissa pas ajuster son tir ; en tout cas, les obus des salves que la Garde civile demanda atterrirent tous derrière les Vietcongs et non pas sur leur ligne. Toute l'opération s'arrêta un peu avant 10 heures, lorsque le commandant du bataillon fut légèrement blessé à la jambe.

Vann ne sut rien de ce combat au sud jusqu'à ce qu'il fût pratiquement terminé. Le commandant Lam Quang Tho, chef de la province de Dinh Tuong, responsable des forces provinciales, et qui aurait dû normalement être sous les ordres de Dam pour cette opération, s'abstint de l'en informer. Tho était l'homme que Diêm avait mis à la tête du régiment blindé de My Tho, pour se protéger contre un coup d'État, car il appartenait à une famille de propriétaires terriens du delta, alliée avec les Ngô Dinh. Tho ne donna pas l'ordre à son second bataillon de la Garde civile de se précipiter au secours du premier, et il ne fit rien non plus pour corriger les erreurs de tir de l'artillerie qui lui avaient été signalées par radio par le conseiller américain. Il ne se rendit pas non plus sur place pour organiser une contre-attaque, bien qu'il se trouvât à moins de trois kilomètres à pied dans son quartier général de campagne. Quand les pertes atteignirent 8 morts et 14 blessés, y compris le capitaine atteint à la jambe, il se comporta comme un officier de Saigon : il chargea un autre de faire la guerre à sa place. Il demanda par radio à Dam d'engager les deux compagnies qu'il gardait en réserve sur la piste d'aviation et de les envoyer à l'arrière de la ligne vietcong du sud. Théoriquement, pris à revers, les Viets auraient dû abandonner leurs positions. Mais Tho ne réalisa pas qu'en déposant ainsi les troupes dans les rizières, il les offrait pour cibles au reste des Vietcongs réguliers qui se tenaient à l'ouest le long de la digue d'irrigation.

Vann se trouvait dans un L-19 au nord de Tan Thoi pour suivre les mouvements de la troisième compagnie qui avait atterri dix minutes plus tôt. Ziegler l'appela par radio pour l'informer de la demande de Tho et lui dire que Dam voulait qu'il se rende à Bac pour choisir un lieu d'atterrissage pour les troupes de réserve. Dès qu'il eut vu le hameau de Bac, Vann devint méfiant. L'idée lui vint que les Viets qui s'opposaient à la Garde civile au sud n'étaient peut-être qu'un des éléments de forces plus importantes qui se repliaient devant l'avance des unités du nord. S'il en était ainsi, Bac serait le lieu de rassemblement logique. Pendant un quart d'heure, il inspecta le hameau et les rangées d'arbres. Le pilote faisait évoluer de long en large son petit appareil à une centaine de mètres de hauteur, avec l'élégance d'un faucon planant dans les airs. Puis, à la demande de Vann, il piquait plein gaz pour survoler la cime des arbres.

Aussi expérimenté qu'il fût, Vann ne vit personne, sauf qu'il devinait la ligne retranchée des Vietcongs du sud en voyant leurs balles gicler autour des gardes civils. Les autres Viets retranchés dans leurs trous de la digue d'irrigation à l'ouest laissèrent le petit avion vert planer en toute impunité et résistèrent à la tentation de tirer, car ils connaissaient l'enjeu. En dépit du calme de Bac, Vann se méfiait de cette rangée d'arbres à l'ouest. Il contacta l'autre L-19 qui montrait la voie aux dix hélicoptères H-21 transportant la première compagnie de réserve. Les lourds H-21 étaient escortés par cinq de ces nouveaux hélicoptères de combat récemment reçus des États-Unis. Élégants, aérodynamiques, rapides grâce à leurs réacteurs puissants, ces HU-1-Iroquois, construits par Bell, et rebaptisés « Hueys » par les aviateurs, étaient équipés de deux mitrailleuses de 7,62 montées de chaque côté sous le fuselage et de nacelles pour rockets. Le copilote manœuvrait électriquement les mitrailleuses avec un écran de visée et en déclenchait le tir ainsi que celui des rockets de son siège. Vann transmit au pilote en chef des dix H-21 des instructions pour qu'il débarque la compagnie de réserve à trois cents mètres des deux rangées d'arbres sud et ouest. Il indiqua également un itinéraire qui permît d'entrer et de sortir de la zone avec le minimum de risques.

Les rapports hiérarchiques entre militaires américains n'étaient pas fermement établis en 1962. Les unités d'hélicoptères estimaient qu'elles n'avaient pas à dépendre des conseillers militaires. En outre, Vann était détesté par la plupart des pilotes à cause de son tempérament dominateur et de son expérience en aviation qui le poussaient toujours à affirmer son autorité. Ils n'auraient peut-être pas tenu compte des instructions d'un conseiller ordinaire, mais, s'agissant de Vann, ils voulaient lui démontrer qu'ils en connaissaient plus que lui sur les hélicoptères et le choix du lieu d'atterrissage dans la zone des combats. Le pilote de la machine de tête ignora donc les consignes de Vann et se dirigea vers un emplacement situé à deux cents mètres de la ligne ouest des arbres. Les trois cents mètres précisés par Vann représentaient la distance à laquelle le tir d'armes légères de calibre 30 devient moins efficace. En raison de la visibilité, de la trajectoire de la balle et d'autres facteurs, cent mètres constituaient toute la différence entre atteindre son but ou le manquer.

Pendant que Vann transmettait ses instructions, le commandant du bataillon vietcong alertait ses troupes pour qu'elles se préparent à abattre les hélicoptères. Ses opérateurs radio, à l'écoute de l'ARVN, lui avaient annoncé leur arrivée imminente. Il était 10 h 20 et la brume s'était dissipée. Les grosses silhouettes vert foncé des H-21 et des Hueys allaient se détacher nettement dans la lumière du soleil.

Le sergent-chef Arnold Bowers, vingt-neuf ans, originaire d'une laiterie du Minnesota et soldat de la 101ᵉ division aéroportée, entendit le sifflement et le claquement de la première balle qui traversa l'aluminium de l'hélicoptère alors qu'il était encore à quinze mètres du sol. Depuis plus de huit mois qu'il était au Vietnam, sa première guerre, il ne s'était jamais battu à l'exception de quelques escarmouches avec des tireurs isolés. En dépit du vacarme des moteurs, il continua à entendre le bruit des balles qui perçaient le fuselage avant que les roues ne se posent dans la rizière et qu'il saute dans l'eau jusqu'aux genoux avec le lieutenant de l'ARVN et les autres hommes.

Éloigné du bruit des moteurs, Bowers distingua plus nettement le grondement des armes automatiques et des fusils en provenance du rideau de feuillage devant lui. Les balles claquaient tout autour et sifflaient à ses oreilles. Il se lança en avant, la vase grise collant à ses bottes, appliquant d'instinct les leçons où on lui avait appris que la meilleure chance de survie est de foncer en tirant jusqu'à ce qu'on atteigne son adversaire et qu'on le tue. Mais le lieutenant et ses fantassins vietnamiens raisonnaient différemment. Ils s'aplatirent derrière la première digue qu'ils trouvèrent à quinze mètres de là.

Le sergent Bowers cria au lieutenant qu'ils devaient répondre au tir et manœuvrer pour se mettre à couvert, sinon ils seraient massacrés dans la rizière. Le lieutenant prétendit qu'il ne comprenait pas ce que lui disait Bowers, alors que son anglais lui avait été parfaitement intelligible lorsqu'ils se trouvaient sur la piste de départ. En outre, l'officier vietnamien avait suivi des cours à l'école d'infanterie de Fort Benning. Bowers était le sergent opérationnel du détachement de conseillers, mais il était toujours volontaire pour les patrouilles et les attaques. Vann, qui appréciait son cran, lui avait demandé ce matin-là s'il voulait accompagner les unités de réserve qui manquaient de conseiller américain, et Bowers avait accepté. Il cria à nouveau après le lieutenant. L'officier vietnamien le regarda, avec un regard effrayé, puis il s'écrasa sur la terre du talus et dans la boue pour exposer le moins possible de son corps aux balles.

Bowers regarda sur sa droite et vit un sergent de l'ARVN, descendu d'un autre hélicoptère, à la tête d'un peloton qui se dirigeait vers la ligne d'arbres du sud. Ils avançaient courbés en deux derrière la digue. Bowers bondit dans leur direction, sans se soucier des balles, en allant aussi vite que lui permettait la boue, et rejoignit le sergent en se baissant. Il voulait que le peloton continue à avancer avant d'hésiter et de s'arrêter. Il avait remarqué au cours d'opérations précédentes que les sous-officiers vietnamiens, à la différence de leurs officiers, semblaient apprécier l'aide qu'on leur apportait et considéraient un sergent américain d'un niveau suffisamment supérieur au leur pour que ce soit lui qui soit tenu responsable si les choses tournaient mal. Il avait constaté également que ce n'étaient pas des citadins, comme les officiers, mais d'anciens paysans plus désireux de se battre.

En rampant, il réfléchit à ce qui allait suivre. Il progresserait avec le peloton en direction des arbres du sud pour essayer de contourner les Viets de l'Ouest. Dès qu'il aurait pris l'initiative, d'autres pelotons les suivraient. Sous la protection des arbres, ils pourraient au moins établir une base de tir pour soulager la pression contre la compagnie dans la rizière, sur laquelle la guérilla était en train de concentrer son feu. Plus ils avançaient, et moins les balles sifflaient autour d'eux. Ils avaient parcouru environ cent cinquante mètres et approchaient de la ligne d'arbres, lorsque Bowers vit une silhouette qui courait à travers les arbres et en déduisit qu'il s'agissait d'un messager vietcong. L'homme, préoccupé par sa mission, ne les vit pas. Bowers n'avait pas été prévenu de la situation à Bac avant de monter dans l'hélicoptère et ne savait pas que les Vietcongs étaient installés sur la rive éloignée du ruisseau vers lequel il se dirigeait. La vue du messager lui fit comprendre qu'ils y étaient peut-être. Cela ne le préoccupa pas, bien qu'il ne fût pas très bien armé : il n'avait qu'une mitraillette avec deux bandes de trente balles à tirer. Mais, une fois dans les bois, ils pourraient se servir des arbres pour se protéger comme les Vietcongs.

Soudain, le sergent, qui se trouvait quinze ou vingt mètres derrière, l'appela en termes mélangés de vietnamien et de petit-nègre anglais. Bowers regarda par-dessus son épaule. Le sergent lui faisait signe de revenir. Le Vietnamien montra son poste de radio puis la direction du lieutenant derrière lui pour faire comprendre qu'il avait l'ordre de rebrousser chemin. « Merde ! » s'écria Bowers. Il essaya de contrer les ordres du lieutenant en criant : « *Di ! Di !* », le mot vietnamien pour « En avant ». Il fit signe du bras au sergent d'avancer et continua à progresser courbé vers les arbres. Au bout de quelques mètres, il regarda par-dessus son épaule. Il était seul. Le sergent et le peloton étaient partis rejoindre le lieutenant.

De son avion de reconnaissance, Vann regardait impuissant les hélicoptères abattus l'un après l'autre. Cela faisait des mois que les officiers vietcongs entraînaient leurs hommes en prévision d'une telle éventualité. A la fin de l'été précédent, un pilote d'H-21 avait été surpris de voir un Viet à découvert mettre un genou en terre à environ soixante-quinze mètres devant. Il avait son fusil pointé vers l'Américain qui se tenait à la porte de l'appareil. Alors que le chef de bord se saisissait de sa mitraillette, le Vietcong, au lieu d'en profiter pour le viser, dirigea son fusil vers l'avant de l'hélicoptère et tira en l'air puis tira à nouveau dans le vide. Surpris, l'Américain se ressaisit et le tua. L'histoire fit le tour de tous les équipages qui s'esclaffèrent. Ils auraient plutôt dû avoir le frisson. Ce Vietcong-là avait mal commencé, mais les autres allaient faire mieux. Il avait essayé une variante guerrière de la technique que les chasseurs emploient pour abattre au fusil les oies et les canards en vol. Appliquée à la guerre, elle consiste à tirer devant l'appareil jusqu'à ce qu'il entre lui-même dans le champ des balles. Les cadres que Vann avait trouvés près de la frontière cambodgienne le 20 juillet avaient enseigné cette technique aux servants des mitrailleuses de 50, ainsi qu'aux hommes équipés d'armes individuelles. Des textes polycopiés avaient été distribués à tous pour expliquer comment calculer l'angle de tir en fonction de la vitesse de l'appareil : plus la vitesse était grande, plus grand devait être l'angle de tir qui variait entre le lent H-21, le plus rapide Huey ou même le chasseur-bombardier que les officiers vietcongs considéraient aussi comme vulnérables à condition de bien calculer son coup. Pour un H-21, le meilleur moment était d'attendre qu'il ralentisse pour se poser. « Normalement, le bon angle dans ce cas consiste à tirer en avant d'une distance égale aux deux tiers du fuselage », expliquait un des textes. Bien entendu, tout calcul d'angle de tir devenait inutile lorsque l'hélicoptère était posé pour décharger ses troupes.

Les erreurs mathématiques dans ce jeu de devinette n'avaient pas d'importance. L'essentiel était d'inculquer aux hommes la notion de tirer devant. Les instructeurs entraînèrent leurs hommes à le faire sans hésitation. Pour économiser les munitions, les exercices se faisaient dans les camps secrets de la plaine des Joncs avec des cartouches à blanc sur des modèles en carton d'hélicoptères ou d'avions qu'on faisait glisser le long d'un câble entre deux arbres. Pour juger de la qualité de son tir en avant des maquettes, le soldat se basait sur la trajectoire de balles traçantes rouges ou vertes placées à intervalles réguliers dans les chargeurs. L'entraînement était particulièrement poussé pour les servants des mitrailleuses lourdes, capables d'abattre des chasseurs-bombardiers.

Les officiers insistaient sur la nécessité de se refréner jusqu'à ce qu'une section, un peloton ou une compagnie soient en mesure de tirer ensemble. Un tir groupé offrait beaucoup plus de chances d'endommager ou d'abattre un appareil.

Le chef pilote de l'escadrille de H-21 n'aurait pas pu rendre plus de service au Vietcong qu'en n'obéissant pas aux instructions de Vann. Comme on l'avait prévenu qu'il y avait des « Victor Charlies » sous les arbres de la ligne sud, il en avait déduit qu'il n'y en avait pas à l'ouest. Il commença par diriger ses hélicoptères à la limite ouest de Tan Thoi. Les soldats du 514ᵉ ouvrirent le feu tandis que l'adrénaline montait chez leurs camarades de Bac à la pensée que les « oiseaux d'acier » venaient à leur portée. Les dix H-21 continuèrent à voler au-dessus des arbres du canal d'irrigation, puis tournèrent et se posèrent les uns après les autres dans les rizières inondées à environ deux cents mètres de la ligne des Vietcongs qui avaient tout le temps nécessaire pour contrôler leur excitation et leur peur initiale et ajuster tranquillement leur tir.

Dès que la fusillade commença, les copilotes des cinq Hueys d'escorte réglèrent leurs appareils de visée sur la ligne des arbres qu'ils arrosèrent avec leurs mitrailleuses et leurs rockets. D'habitude, cela réduisait l'adversaire au silence, mais, cette fois, les Viets répondirent coup pour coup. Les balles traceuses de leurs mitrailleuses prenaient en chasse les Hueys dès qu'ils piquaient et les suivaient tout au long de leur vol jusqu'à ce qu'ils s'éloignent hors de portée. Les copilotes des hélicoptères n'arrivaient pas à viser correctement, car le feuillage les empêchait de voir les trous individuels rendant ainsi leurs tirs inefficaces. D'autant qu'ils étaient surpris de cette opposition inattendue et que les balles criblaient leurs machines.

Chaque H-21 fut touché à plusieurs reprises. Les plus sévèrement touchés furent les derniers, car les Vietcongs avaient alors moins de cibles et pouvaient mieux concentrer leur tir. Un hélicoptère, surtout avec un aussi gros fuselage que le H-21, peut recevoir beaucoup de balles et être toujours opérationnel, à condition qu'il ne soit pas touché dans un organe vital. Tous les appareils purent redécoller, à l'exception d'un seul. Le pilote annonça par radio que ses commandes ne répondaient plus. Il annonça qu'il allait couper ses moteurs et que, avec son copilote et ses deux membres d'équipage, il allait rejoindre l'ARVN dans la rizière.

Dans cette courte période d'innocence vite perdue où la guerre était encore une aventure, qui devait d'ailleurs prendre fin ce jour-là, les équipages d'hélicoptères étaient liés par un code très strict de camaraderie : tout équipage abattu devait être immédiatement secouru, même s'il se trouvait des troupes de Saigon à proximité. C'est pourquoi un des H-21 revint pour rechercher ses camarades. Il se posa sur le pire endroit possible, entre l'hélicoptère abattu et la digue. L'appareil fut aussitôt immobilisé par le tir vietcong.

Le code de camaraderie voulait qu'une nouvelle tentative soit faite, cette fois-ci pour les deux équipages. Le commandant de l'escadrille des Hueys annonça par radio qu'il s'en chargeait. Il tourna à basse altitude au-dessus des deux épaves pour bien repérer les hommes sur le terrain, pendant que les autres Hueys mitraillaient dans toutes les directions pour essayer de neutraliser le feu des Vietcongs. Le chef d'escadrille vira pour se poser à l'arrière des deux H-21, afin de se protéger derrière eux de la ligne de tir. Comme il terminait son approche, sa vitesse décrut au point qu'il resta en suspension quelques instants. Le tir s'amplifia aussitôt et les rafales ne cessèrent de traverser l'engin jusqu'à atteindre la grande pale. Le Huey bascula sur la droite et s'écrasa dans la rizière à cinquante mètres derrière les deux autres machines. Le Vietcong venait d'établir un nouveau record. En cinq minutes, il avait abattu quatre hélicoptères, car un autre H-21 avait été si durement touché qu'il avait été contraint de se poser dans une rizière à plus d'un kilomètre de là, sans dommage pour l'équipage qui avait été sauvé. Les quinze appareils avaient été touchés à plusieurs reprises, à l'exception d'un Huey intact.

Bowers se releva et courut vers le lieu du désastre. L'eau y était moins profonde, et ce n'était plus que de la terre humide près des engins, ce qui lui permit d'avancer rapidement. Lorsqu'il arriva près de l'épave, le réacteur faisait un vacarme étrange. Libéré du poids de la plus grande hélice, il tournait follement à vide. Bowers avait peur qu'il ne chauffe au rouge, explose et mette le feu au réservoir de carburant. Le pilote sur le siège de gauche avait réussi à sortir et avançait en titubant vers un monticule qui lui semblait pouvoir le protéger des balles. Bowers l'appela en criant, mais n'obtint pas de réponse. Il comprit qu'il était trop sonné pour l'aider à sauver l'autre pilote et le chef d'équipage qui étaient restés dedans.

L'hélicoptère était presque retourné sur le dos. La portière de droite avait été partiellement écrasée, mais Bowers réussit à faire glisser la fenêtre à coulisse suffisamment pour ouvrir la ceinture du pilote et le sortir de là. L'homme était également commotionné et souffrait d'une coupure à la jambe. Mais il était encore assez conscient pour passer son bras autour de l'épaule de Bowers et aller avec son aide vers le monticule en boitant.

Bowers revint en courant pour chercher le chef d'équipage, un vieux sergent noir du nom de William Deal. Le réacteur faisait toujours son bruit étrange et une balle vietcong venait de temps en temps s'écraser sur le fuselage. Deal était attaché par la ceinture du siège situé derrière la mitrailleuse. Il était suspendu pratiquement à l'envers à cause de l'angle qu'avait pris l'hélicoptère. Le seul espoir de le sortir de là avant que l'appareil n'explose, pensa Bowers, était de le tirer par l'avant. Il brisa le Plexiglas du cockpit et se hissa à l'intérieur. Il pensait que Deal était inconscient à la suite du choc. Les casques de plastique des aviateurs sont équipés d'écouteurs et de micros pour la radio et les communications internes. Le fil du casque de Deal était complètement enchevêtré. Bowers défit la mentonnière pour enlever le casque. Il découvrit alors qu'il essayait de sauver un mort. Deal avait reçu une balle dans la tête et avait probablement été tué sur le coup.

Le réacteur avait cessé ses bruits inquiétants ; il avait probablement grillé sans exploser. Bowers décida qu'il sortirait tout de même Deal de l'épave. Le travail à la ferme et à l'armée l'avait endurci et il avait la stature d'un paysan costaud. Ses parents d'origine irlandaise et allemande à la troisième génération avaient immigré au Minnesota après être passés par les mines de charbon du Nord Dakota. Il était plus grand que Vann, en plus maigre et avec de longs bras, mais avec la même silhouette nerveuse et svelte. Deal en revanche était grand et lourd. Ce n'était pas facile de le sortir. Bowers eut du mal à le traîner par les aisselles dans la rizière jusqu'à la butte, avec les doigts crispés sur le nylon de son uniforme gris. L'explosion de ce qui ressemblait à un tir de bazooka tiré par les Vietcongs fit comprendre à Bowers que son comportement était ridicule. « Merde, je ne peux rien faire pour lui. Il est mort », se dit Bowers. Il laissa le corps de Deal dans la rizière, sans avoir l'impression de lui manquer de respect, car à cet endroit le sol était sec.

Dans cette guerre d'Amérique, télévisée pour la première fois, le fils de Deal, âgé de sept ans, vit (dans le New Jersey où il habitait) son père sur l'écran le jour même où il apprenait sa mort. La famille était réunie pour regarder un reportage de télévision dans lequel figuraient des images d'une opération antérieure. « Regarde ! C'est papa ! » cria le gosse à sa mère. Six heures plus tard leur parvenait le télégramme du Pentagone.

Bowers se dirigea en rampant vers le second H-21 qui avait été abattu. Il découvrit un des membres de l'équipage couché dans l'eau à côté de la roue de l'appareil. L'explosion que Bowers avait prise pour un tir de bazooka annonçait l'intention du commandant vietcong de couronner la réussite de ses hommes. Il voulait brûler les carcasses des hélicoptères. Il avait envoyé un peloton sur la rangée d'arbres au nord dans l'espoir qu'ils pourraient incendier les appareils avec des grenades tirées avec des fusils. C'est une de ces grenades que Bowers avait entendue. Mais les hélicoptères étaient hors de portée, et les grenades qui furent lancées explosèrent en l'air sans atteindre leur objectif. Mettre le feu aux appareils aurait eu un grand effet psychologique, et le commandant du bataillon n'abandonna pas le projet. Il alla jusqu'à sacrifier six des précieux obus de son mortier de 60, l'armement le plus lourd dont il disposait. Ils manquèrent également leur but en ne soulevant que des gerbes d'eau et de boue, parce que les servants n'avaient pas encore assez d'expérience en 1963. Lorsque Bowers arriva au H-21, le tir avait cessé.

Le jeune homme qui était accroupi dans l'eau à côté de la roue était un soldat de première classe, mitrailleur arrière. Il expliqua que les pilotes avaient rejoint les troupes de l'ARVN derrière la digue et l'avaient abandonné avec son copain, le chef d'équipage Donald Braman, vingt et un ans, resté blessé à l'intérieur. « Je n'ai pas pu le sortir. Chaque fois que j'essayais de grimper, ils me tiraient dessus », dit-il en désignant la ligne d'arbres. Bowers lui dit de ramper jusqu'à la digue où s'étaient réfugiés les pilotes avec le lieutenant vietnamien pendant qu'il s'occuperait de son camarade.

Quand Bowers se leva pour entrer dans l'appareil, des tireurs vietcongs le virent et ouvrirent le feu. Mais la silhouette du H-21 planté dans la rizière les incitait à tirer trop haut. Ils perdirent Bowers de vue lorsqu'il se trouva à l'intérieur. Le chapelet de balles qui giclaient dans la partie supérieure du fuselage avait quelque chose de terrifiant, mais Bowers se dit qu'il avait de bonnes chances de ne pas être touché s'il restait sur le sol où Braman était étendu entre les deux portes. Très vite, les Vietcongs cessèrent de gaspiller leurs munitions sur une machine morte.

Braman était parfaitement lucide et ne semblait pas gravement atteint. Il avait été touché alors qu'il tirait fiévreusement au fusil mitrailleur sur les Vietcongs pendant l'atterrissage. Il avait vidé un de ses chargeurs et s'était penché pour réapprovisionner son arme lorsqu'il avait été touché à l'épaule. Bowers découpa la combinaison de vol de Braman pour examiner sa blessure. Elle ne semblait pas grave. La balle, vraisemblablement d'origine américaine, avait fait une blessure propre, entrant au sommet de l'épaule et ressortant sous l'omoplate. Il y avait du sang à l'orifice de sortie, mais relativement peu. Les soldats ont en général sur eux des pansements de première urgence. Bowers se servit de celui de Braman pour l'orifice d'entrée et prit le sien pour la plaie sous l'omoplate en se servant de la bande passée autour du cou et de l'épaule pour tenir la compresse en place. Il fit coucher Braman sur le sol pour maintenir la pression sur la blessure afin d'arrêter l'hémorragie. Bowers se rendit compte que le blessé serait plus en sécurité à l'intérieur de l'appareil que dans la rizière où l'eau sale aurait pu infecter la plaie. Il l'expliqua à Braman qui le comprit parfaitement.

Bowers fit boire Braman avec sa gourde, puis s'allongea près de lui pendant quelques minutes pour bavarder. Il s'était rendu compte que le jeune garçon essayait de garder son calme et il voulait l'aider. Braman avait sorti son portefeuille de sa poche et l'avait posé près de lui sur le sol. Il s'en saisit avec son bras valide pour sortir une photo de sa femme dans un étui plastique.

« Dis donc, j'espère que je vais pouvoir rentrer à la maison pour la revoir, dit-il.

— T'en fais pas, tu n'es pas gravement touché. Tout va aller très bien et on va te sortir de là bientôt. »

Bowers lui dit qu'il fallait maintenant qu'il parte, mais qu'il ne serait pas loin et qu'il n'allait pas l'abandonner. Il rampa jusqu'à la porte et roula dans la rizière en déclenchant une nouvelle volée de balles.

Le lieutenant de l'armée vietnamienne comprenait de nouveau l'anglais quand Bowers arriva près de lui et lui demanda pourquoi il avait interrompu son attaque de flanc sur les arbres du sud. C'était trop dangereux de diviser la compagnie dans une telle situation et il fallait rester groupés, expliqua le lieutenant. Bowers constata que son premier jugement était correct et que la compagnie aurait beaucoup plus de pertes en restant dans la rizière qu'en attaquant. Ne pas bouger permettait aux Vietcongs de concentrer d'abord leur tir sur les hélicoptères pour ensuite s'attaquer en toute tranquillité à la compagnie. Comme un grand nombre de morts et de blessés avaient été atteints dans le dos et les fesses, Bowers pensa que certains de leurs adversaires devaient être grimpés dans les arbres pour obtenir ce tir plongeant qui leur permettait d'atteindre les hommes derrière la butte de terre. Il n'avait pas réalisé que la digue d'où tiraient les Vietcongs était assez haute pour leur donner l'angle de visibilité nécessaire. Le peloton qui avait occupé les arbres au nord pour essayer de mettre le feu aux hélicoptères avait également participé à l'hécatombe du flanc gauche. Les survivants de l'ARVN, blessés ou non, se serraient maintenant les uns contre les autres, collés au sol comme le lieutenant. La plupart ne répondaient même pas aux tirs sporadiques de l'ennemi qui se contentait de décourager les quelques audacieux qui, comme la Garde civile le matin, dressaient leur fusil au-dessus de la digue pour tirer une rafale aveugle. En réponse, une dizaine de balles bien dirigées, qui venaient s'écraser sur la digue ou en effleurer le sommet, suffisaient pour que le téméraire rabaisse son arme sans avoir envie de recommencer.

Bowers avait son idée pour les tirer de cette mauvaise passe et évacuer Braman et les autres blessés. Il fallait faire sortir les Vietcongs de l'abri de leur digue en les bombardant avec l'artillerie et les avions. Bowers ne pouvait pas voir les Viets (d'ailleurs, de toute la journée, il ne devait en apercevoir que trois), mais d'après le son et la trajectoire des balles, ils ne pouvaient être que sous les arbres de la digue. Le lieutenant vietnamien avait un poste de radio à plusieurs fréquences. Avant de monter en hélicoptère, on avait communiqué par précaution à Bowers celle avec laquelle Vann dans son L-19 communiquait avec Ziegler au poste de commandement de la division, ainsi que l'indicatif de Vann : « Topper Six ». Bowers allait contacter Vann avec la radio du lieutenant, lui expliquer la fâcheuse posture dans laquelle se trouvaient la compagnie et les équipages, pour qu'il donne des instructions à l'artillerie et à l'aviation. Bowers était familier de ce problème. Il avait été observateur puis sergent dans une compagnie de mortiers. Des batteries d'obusiers et de mortiers de 105 avaient été déployées le long des principales routes du delta vers le sud et du canal à l'est pour pouvoir tirer sur toute la région. Bowers dit au lieutenant qu'il avait besoin de son émetteur et lui expliqua pourquoi. Dans le passé, l'utilisation d'une radio vietnamienne n'avait jamais posé de problème aux Américains, et c'est pourquoi Bowers n'en avait pas emporté. Le lieutenant refusa sous prétexte qu'il devait rester branché sur sa fréquence pour recevoir les ordres de sa division. Bowers insista : l'artillerie ou l'attaque aérienne les sauveraient, car les Vietcongs pouvaient faire une sortie et les écraser. Le lieutenant s'obstina dans son refus.

L'observateur d'artillerie affecté à la compagnie, un sous-lieutenant qui disposait de l'autre seul émetteur à multiples fréquences, était allongé à dix mètres du commandant de compagnie. Il était en contact avec le poste central de tir de la division au terrain d'aviation de Tan Hiêp, qui retransmettait les ordres aux batteries. L'observateur réclamait de temps en temps un tir, mais il était trop effrayé pour lever la tête et regarder où atterrissaient les obus pour en corriger la portée et atteindre ainsi la ligne

197

occupée par les Viets comme Bowers en avait l'intention. Les obus tombaient dans la rizière entre les Viets et la compagnie. Bowers avait déjà été en opération avec cet observateur et savait que son anglais était très limité. C'est pourquoi il s'en tint à des notions simples : « Rallongez de cent mètres ! » Son interlocuteur épouvanté ne semblait entendre ni comprendre. Bowers hurla ses instructions. Puis il demanda au commandant de compagnie de traduire en vietnamien. Mais cet ancien élève de Fort Benning semblait avoir à nouveau oublié son anglais. Bowers rampa vers l'observateur : « Donne-moi la radio ! Je vais régler le tir ! » L'observateur et le commandant de compagnie retrouvèrent brusquement leurs connaissances linguistiques pour dire qu'on ne pouvait pas la lui confier : l'observateur devait rester en contact avec l'artillerie. Bowers comprit que les deux officiers craignaient que, s'il parlait à la radio, ils recevraient peut-être l'ordre d'agir avec comme implication d'avoir à se lever de derrière leur butte de terre protectrice. Huit obus furent ainsi tirés dans le vide. C'est alors que fut blessé le soldat qui portait dans le dos le poste de radio qu'une autre balle mit hors d'usage. L'observateur se précipita à terre et s'enfonça dans la vase.

Ils étaient immobiles dans la rizière depuis une demi-heure lorsqu'une possibilité de secours apparut dans le ciel sous la forme de deux chasseurs-bombardiers Skyraider. Le premier lâcha du napalm qui ne tomba pas sur les Vietcongs mais derrière le canal d'irrigation sur les cabanes dont certaines avaient déjà été incendiées par les Hueys. Mais la chaleur était néanmoins si intense qu'il fut très difficile de respirer sur toute la rizière. Si c'était si pénible là où il se trouvait, Bowers se demanda comment ceux d'en face, plus proches du feu, pouvaient supporter cette chaleur et cette suffocation. Il se redressa pour voir si les Viets fuyaient. Plusieurs fantassins de Saigon, pensant que leur épreuve était terminée, se levèrent aussi pour regarder le spectacle des avions mitraillant et bombardant les maisons en flammes. Brusquement, à côté de Bowers, deux soldats tombèrent frappés à mort. Les autres se jetèrent à nouveau par terre. Bowers resta quelques instants accroupi. Il n'était pas convaincu que les Viets étaient restés. Il examina la ligne des arbres pour y déceler un signe de mouvement. Mais rien ne bougeait. Apparemment, les Viets étaient toujours là. Pour la première fois depuis son arrivée au Vietnam, Bowers commença à ressentir de l'admiration pour le Vietcong.

« Allez, donnez-moi cette radio ! cria-t-il au lieutenant qui n'avait pas bougé. On va les griller ! Je vais dire aux avions de jeter le napalm sur le sommet des arbres.

— Non, non, répondit le lieutenant en secouant la tête. Napalm trop près, trop près de nous ! »

Bowers envisagea un instant d'abattre le lieutenant et de lui prendre sa radio, comme il l'aurait peut-être fait avec un officier américain lâche qui aurait mis en danger sa compagnie de parachutistes, mais il en écarta aussitôt l'idée. Il obéissait aux ordres comme tout bon sous-officier. L'armée lui avait dit qu'au Vietnam il n'était qu'un conseiller, n'avait aucune autorité de commandement et que ce n'était pas « leur guerre ». Pendant la semaine de formation qu'il avait suivie à Fort Bragg en Caroline du Nord, avant son départ en mars dernier, il avait reçu instructions de se conduire « avec tact et diplomatie » avec les Vietnamiens. Il regarda le long de la digue : les fantassins pétrifiés étaient collés au sol. Si les Viets quittaient leurs abris pour faire une sortie, il serait dans l'incapacité de rallier ces hommes pour se défendre, et ils se feraient tous tuer. Lorsqu'il était dans l'hélicoptère pour panser la blessure de Braman, il avait vu un paquet de cigarettes et des allumettes dans une boîte de ration et les avait mis dans la poche de sa chemise. Il avait arrêté de fumer depuis un mois et avait parié avec un autre sergent une bouteille de whisky qu'il ne recommencerait jamais. Maintenant, cela n'avait plus d'importance. Il s'allongea sur le sol, la tête appuyée contre la digue et alluma une cigarette.

Sur le siège arrière de son petit avion de reconnaissance, Vann était prisonnier, ivre de rage et de frustration. Un de ses conseillers et trois équipages d'hélicoptères étaient tombés et il ne savait même pas s'ils étaient morts ou blessés. Ces Américains et les fantassins de l'ARVN avec qui ils se trouvaient étaient en danger d'être écrasés et il ne pouvait trouver personne pour aller à leur secours.

Dès que le Huey avait été abattu, il avait branché le petit poste émetteur, qu'il avait coincé entre ses jambes, sur la fréquence des capitaines James Scanlon et Robert Mays. C'étaient les conseillers de la compagnie des transports de troupes blindés M-113 qu'il avait repérée à un kilomètre et demi au nord-ouest. Scanlon, trente et un ans, petit et râblé, était le conseiller du régiment blindé de My Tho, commandé par le chef de province Tho. Mays, trente-deux ans, un Texan dégingandé, qui parlait avec circonspection, était l'adjoint de Scanlon et conseiller du capitaine Ly Tong Ba, commandant la compagnie de M-113.

« Walrus, ici Topper Six. A vous. » Vann relâcha le bouton du combiné pour que Mays ou Scanlon puissent répondre.

« Topper Six. Ici Walrus. A vous. » C'était Scanlon, et «   'alrus » était le nom de code radio des conseillers des M-113.

« Walrus, j'ai trois, je répète, trois, hélicos abattus et une compagnie d'infanterie coincée dans la rizière au sud-est de vous, à trois, zéro, neuf, cinq, trois, neuf. » Vann répéta les coordonnées de la carte pour être certain que Scanlon ait bien compris. « Dites à votre partenaire (il était clair qu'il s'agissait du capitaine Ba) d'y envoyer ses engins le plus vite possible. Et assurez-vous qu'il comprenne bien l'urgence de la situation. A vous.

— Bien compris, Topper Six. A vous.

— Ici Topper Six. Terminé. »

Vann dit au pilote du L-19 de piquer pour un passage au-dessus des épaves et des fantassins tapis derrière la digue. Il constata que l'ARVN ne faisait aucun effort pour répondre à ce qu'il devait appeler dans un de ses rapports « le feu foudroyant » en provenance de la ligne d'arbres à l'ouest de Bac. Le crépitement des armes automatiques et les balles traçantes qui, de temps en temps, jetaient des éclairs autour du fuselage faisaient clairement comprendre que les Viets voulaient ajouter l'avion à leur tableau de chasse, mais sa silhouette étroite et courte en faisait un objectif beaucoup plus difficile à atteindre que les hélicoptères. Vann convainquit le pilote de braver la fusillade avec quelques passages supplémentaires afin de se rendre compte le mieux possible de la situation de la compagnie et des équipages américains. Le petit avion s'en tira indemne.

Alors qu'ils reprenaient de l'altitude après le dernier passage, Scanlon revint à la radio avec de mauvaises nouvelles :

« J'ai un problème, Topper Six. Mon partenaire ne veut pas bouger.

— Bordel ! Il ne comprend pas que c'est urgent ?

— Je lui ai décrit la situation exactement comme vous me l'avez dit, mais il m'a répondu : " Je ne reçois pas d'ordres des Américains. "

— Okay. Je vous rappelle, Walrus. »

Vann changea de fréquence pour obtenir Ziegler à la tente du poste de commandement près de la piste de Tan Hiêp. Il lui expliqua brièvement ce qui se passait et lui dit de demander au colonel Dam de donner l'ordre au capitaine Ba de se mettre immédiatement en route pour Bac avec ses M-113. « La situation est absolument critique », insista Vann. Tout le monde au poste de commandement était déjà au courant de la perte des hélicoptères en suivant les conversations radio. Ziegler était de retour peu de temps après pour apprendre à Vann que Dam avait accepté et était en train de donner l'ordre sur les fréquences de la division.

De sa position à trois cents mètres au-dessus de Bac, Vann pouvait voir les grosses masses rectangulaires des treize engins blindés. Il demanda au pilote de pointer sur eux, changea de fréquence et appela à nouveau Scanlon. Il attira son attention vers la colonne de fumée qui commençait à monter des maisons incendiées de Bac.

« Dites à votre partenaire que je transmets un ordre de son commandant de division, dit Vann. Il doit diriger sa colonne vers cette fumée. Et il doit partir maintenant ! »

Le capitaine Ba mit en route son unité en direction de Bac. Mais ils furent presque tout de suite arrêtés par un canal aux rives très escarpées. Une telle configuration du terrain était le seul obstacle qui pût ralentir sérieusement la marche des M-113 dans le delta. Les véhicules amphibies n'avaient aucun problème pour descendre et traverser le cours d'eau, mais les chenilles n'avaient pas assez de prise dans la boue de la rive montante pour extraire du fond les dix tonnes de l'engin. Tout le monde devait descendre et couper des arbres et des branchages pour que le premier engin puisse accrocher et grimper en enfouissant tout le bois dans la boue. Une fois qu'il avait traversé, il devait tirer les autres par câble jusqu'à ce qu'ils aient tous franchi l'obstacle. Le canal devant lequel ils se trouvaient leur demanderait au moins une heure pour passer de l'autre côté. Il y avait également la possibilité de chercher un autre endroit où les rives seraient moins élevées et où les chenilles pourraient prendre prise sur la rive opposée. Mais le capitaine Ba ne bougea pas. Au lieu de cela, il passa plusieurs minutes à parler à la radio en vietnamien. Scanlon, qui comprenait un peu leur langue, eut l'impression qu'il demandait des instructions à ses supérieurs. Puis Ba se déroba à nouveau. Il ne voulait pas y aller. Ce serait trop long de traverser le canal. « Pourquoi est-ce qu'ils n'envoient pas l'infanterie ? » dit-il en désignant des files de fantassins qui marchaient près d'eux dans la rizière. Ces soldats appartenaient à la troisième compagnie du bataillon qui descendait du nord vers Tan Thoi et avait atterri depuis un peu plus d'une heure. Comme le transport des deuxième et troisième compagnies avait été retardé de deux heures et demie, Vann s'était arrangé pour que les hélicoptères les déposent plus au sud qu'il n'avait été prévu initialement pour faire leur liaison avec la première compagnie qui avait débarqué à 7 h 3. Scanlon fut surpris que Ba se dérobe. Son tempérament agressif contrastait d'habitude agréablement avec l'excessive prudence de la plupart des officiers de l'ARVN.

Ly Tong Ba avait le même âge que ses homologues américains, dix mois de moins que Scanlon. Il combattait avec eux au lieu de leur résister, car il était le fils d'un agriculteur prospère du delta, jadis au service de l'empire français par conviction. Les compagnons de jeu de Ba avaient été les fils des travailleurs agricoles de son père. Il avait gardé avec eux les buffles qu'il chevauchait en portant, pour se protéger du soleil, le chapeau conique traditionnel dans ces rizières qu'il écrasait maintenant avec ses mastodontes. Puis il était entré à l'école d'officiers de Huê, et ses amis d'enfance avaient pris des directions différentes. La plupart d'entre eux avaient rejoint le Viet Minh.

Ba était un homme intelligent, et dans un pays où les femmes sont souvent remarquées par leur beauté mais jamais les hommes, il avait très belle allure. Ses antécédents étaient ceux de la plupart des habitants du delta : beaucoup de vietnamien, un peu de sang chinois et peut-être un soupçon de cambodgien, à cause de la couleur plus foncée de sa peau. Il était d'un naturel jovial et aimait vraiment se battre. Il avait une certaine tendance à l'exagération avec un côté un peu bravache qui l'avait probablement amené à choisir l'arme blindée et à passer les dernières années de la guerre française à la tête d'une unité d'engins motorisés au Nord Vietnam. Il avait ensuite continué sa formation militaire en France à l'école de Saumur pendant un an, puis une autre année en Amérique à Fort Knox au Kentucky.

La surprise de Scanlon venait de ce que Ba n'avait jamais montré d'hésitation dans le passé. Dès que les Vietcongs étaient signalés quelque part, Ba fonçait dessus. Sa compagnie de M-113 était considérée par tous comme une combinaison virtuellement invincible de mobilité blindée et de puissance de feu. On supposait que le Vietcong disposait de quelques canons sans recul de 57 mm qui auraient pu venir à bout des engins, mais aucun jusque-là n'était entré en action. Les lourdes mitrailleuses de 50 montées à l'avant sur douze des treize blindés de la compagnie étaient des armes redoutables, dont les projectiles chemisés d'acier pouvaient traverser tous les parapets de terre ou couper en deux des arbres. On avait récemment équipé le treizième avec un lance-flammes pivotant à la place de la mitrailleuse.

Chaque engin transportait douze hommes armés de fusils-mitrailleurs Browning et M-1 qui étaient entraînés à sauter à terre et à attaquer en coordination avec les blindés. Ba avait souvent été envoyé seul en opérations parce qu'on considérait que son unité était capable de l'emporter sur tout ce que le Vietcong essaierait d'entreprendre. Son sens du commandement et son courage, en plus de l'effet de choc que produisaient ses monstres, comme l'avait montré le massacre du 18 septembre, avaient eu pour résultat que la compagnie de M-113 avait tué et capturé plus de Vietcongs que n'importe quelle autre unité de la division.

L'annonce de Ba qu'il ne bougerait pas et qu'il valait mieux envoyer l'infanterie déclencha une demi-heure de confrontation agitée. Mays et Ba effectuèrent à pied une rapide reconnaissance qui révéla que, derrière le premier canal, s'en trouvait un second tout aussi escarpé. Ainsi, il faudrait aux M-113 deux heures pour franchir ce passage. Ba se servit de cette excuse pour ne pas bouger. Scanlon et Mays eurent beau faire appel à ses sentiments humanitaires puisque trois équipages d'hélicoptères et une compagnie d'infanterie risquaient d'être tués ou faits prisonniers, il ne se laissa pas impressionner :

« Nous ne pouvons pas traverser le canal », redit-il en répétant que le bataillon d'infanterie atteindrait Bac beaucoup plus rapidement.

Très vite, Scanlon et Mays qui se trouvaient avec lui sur l'engin blindé en vinrent à vociférer, tandis qu'il répondait sur le même ton. Vann, qui tournait en rond au-dessus d'eux, était en fureur contre les trois, essayant de pousser ses conseillers à obliger Ba à bouger en lui faisant honte de sa passivité. Ba comprenait bien l'anglais et il entendait tout ce que Vann disait, car leur radio portative était équipée d'un haut-parleur.

Scanlon pouvait constater la montée de la colère de Vann en entendant sa voix devenir de plus en plus aiguë au fur et à mesure de la dispute.

« Je vous dis de faire quelque chose et vous ne foutez rien ! hurlait-il à Scanlon. Pourquoi est-ce que vous ne bottez pas le cul de ce fils de pute ? Il a reçu des ordres de son commandant de division. »

Scanlon s'en prit alors à Ba :

« Vous avez la trouille ?

— Non.

— Alors pourquoi n'y allez-vous pas ? On reste ici comme des cons à regarder ces deux canaux. Je suis sûr qu'on pourrait trouver un autre endroit pour traverser si on se mettait à chercher. »

Ba répéta ses raisons. La voix nasale de plus en plus aiguë de Vann fit vibrer le haut-parleur :

« Nom de Dieu, c'est intolérable ! Ce bâtard a des véhicules blindés et des mitrailleuses lourdes et il a la trouille des Viets qui n'ont que des armes légères. Qu'est-ce qui ne va pas avec ce mec ?

— On fait de notre mieux, Topper Six, répondit Scanlon.

— Votre mieux, c'est de la merde. C'est un cas d'urgence. Tous ces types sont là-bas en danger. Je veux que vous obligiez cet enculé à bouger ses fesses. »

Scanlon savait que Vann sortait de ses gonds lorsqu'on contrariait ses plans. Jusque-là Vann avait toujours semblé avoir une assez bonne opinion de son adjoint pour lui épargner ses violences verbales, mais cette situation-là était tout à fait nouvelle. Scanlon l'imaginait sur le siège arrière de son petit avion, grinçant des dents, son visage aussi rouge de rage que son coup de soleil sur la nuque, et les veines gonflées de fureur. Scanlon avait assez d'expérience pour comprendre que sa colère n'était pas dirigée personnellement contre Mays et lui ; s'il ne faisait aucun effort pour se contrôler, c'était parce qu'il pensait que la seule chance de succès était d'humilier Ba et de fustiger ses conseillers pour qu'ils augmentent leur pression sur le capitaine vietnamien. Mais Ba avait raison, pensait Scanlon, lorsqu'il soutenait que l'infanterie atteindrait Bac plus vite que les lourds engins. Il pensait que Vann, comme tous les officiers peu familiers avec l'arme blindée, ne se rendait pas compte du temps qu'il fallait aux dix tonnes pour traverser un cours d'eau, et qu'il y en aurait encore d'autres entre celui-ci et Bac. Mais, comme il connaissait Vann, il pensait que le conseiller en chef avait d'autres motifs pour insister et demander que les blindés se chargent du sauvetage. En cela, il avait raison, mais il avait tort de croire que Vann ignorait les problèmes que présentaient les traversées de cours d'eau.

C'est parce qu'il en était parfaitement conscient que sa fureur était d'autant plus forte. Au mois de septembre précédent, il avait réclamé un équipement léger de pontonniers pour la compagnie afin que les fantassins n'aient pas à s'arrêter pour couper des arbres et des branchages. Cette demande, comme la plupart des autres, n'avait pas eu de suite à l'état-major de Harkins. Il lui fallait envoyer les véhicules blindés à Bac parce qu'il savait que ce serait vain de compter sur le bataillon d'infanterie. En effet, dès que son commandant aurait compris, ce qu'il aurait très vite découvert, qu'on lui demandait d'attaquer de front les Vietcongs retranchés, il veillerait à ce que son bataillon n'atteigne jamais Bac. En le détournant de son avance sur Tan Thoi, Vann ne sauverait pas pour autant les Américains et les fantassins vietnamiens cloués au sol. Le seul résultat serait d'ouvrir aux Vietcongs un chemin protégé pour retraiter vers le nord. Bon Dieu, il n'allait pas les laisser s'échapper ! Ils avaient abattu quatre hélicoptères ! Les engins de Ba étaient le seul moyen de sauver les hommes et de détruire l'ennemi en même temps.

Mais il y avait une autre raison à sa fureur. Il avait déversé sa bile sur les conseillers et sur Ba parce qu'il ne pouvait plus contenir la colère et la frustration qui montaient en lui depuis cinq mois et demi et le fiasco du 20 juillet. Son exaspération n'avait cessé de croître après que Cao eut commencé à truquer ouvertement les opérations. Il avait prévenu que le jour du dénouement viendrait si Harkins n'obligeait pas Cao à se battre et s'il laissait les communistes continuer à se ravitailler en armes dans les avant-postes. Rien de tout cela ne se serait produit si le commandement en chef de Saigon avait pris ses responsabilités. Le jour du règlement de comptes était venu, et le capitaine des M-113, qui avait été un des rares officiers décents de cette armée pourrie, se conduisait maintenant comme le reste de ces salauds de trouillards. Lui, John Vann, était censé faire bouger treize monstres de dix tonnes sur plus d'un kilomètre de rizières et de canaux pour réparer ce désastre, simplement en agitant une baguette de magicien dans un petit zinc d'observation. Il vérifia avec Ziegler si Dam avait bien donné à Ba l'ordre d'avancer. Dam le confirma. Mais on n'était jamais sûr de ce que ces types disaient à la radio. Ils mentaient à tout le monde, y compris à eux-mêmes.

Ce dont Vann ne se rendait pas compte, car dans sa fureur il ne raisonnait plus assez clairement pour comprendre les réticences de Ba, c'est à quel point la phobie d'un coup d'État chez Diêm et sa famille créait un dilemme pour Ba. Que l'ordre vienne de Dam ne suffisait pas, il aurait fallu que ce soit le commandant Tho qui le donne. Mais personne n'aurait osé le lui demander. Avant le mois de décembre, la compagnie de Ba était rattachée directement à la 7e division. Le président Diêm s'était alors rendu compte que, même si ces engins blindés n'étaient pas aussi efficaces que les tanks en cas de coup d'État, ils constituaient tout de même un danger sérieux pour renverser le régime. Il avait donc décidé de prendre une nouvelle assurance contre ce risque. Lorsqu'il avait réorganisé les forces armées en décembre, il avait retiré les deux compagnies de M-113 du delta au commandant de la division pour les rattacher au régiment blindé de Tho. Dam avait bien donné l'ordre à Ba d'avancer sur Bac. Mais Ba ne pouvait joindre Tho pour lui demander s'il était d'accord, et il avait peur de bouger sans son approbation. D'après ce qu'il savait, le palais présidentiel n'allait pas être satisfait des événements de Bac. Tho, dans son intérêt personnel, ne voulait peut-être pas qu'un de ses subordonnés y soit impliqué. S'il avançait et que Tho ne soit pas d'accord, Ba risquait une réprimande et la révocation. Sa carrière avait déjà été compromise pour des raisons politiques. Il était bouddhiste et avait été injustement accusé de sympathie pour les meneurs du coup d'État avorté de 1960. Bien qu'il ait été disculpé, Diêm le surveillait et retardait sa nomination au grade supérieur.

En dépit de son courage, Ba était un homme prudent. Ce n'était pas un risque-tout professionnel comme Vann. Il avait été officier dans une armée coloniale qui avait perdu la guerre et il combattait maintenant pour un régime conservateur. Il se conduisait exactement comme on pouvait l'attendre d'un homme qui avait été formé dans un système où, lorsqu'il y avait un doute, la meilleure chose était de ne rien faire. Il ne faisait rien.

Les engueulades de Vann à la radio n'aboutissaient qu'à empirer les choses et augmentaient la résistance de Ba qui en était arrivé, en dehors de toute vanité personnelle, à être irrité par le complexe de supériorité de ces Américains. Vann avait toujours été cordial avec lui, et leurs relations étaient directes et faciles, sauf lorsque Vann devenait trop autoritaire. Alors Ba le trouvait particulièrement odieux. Ba ne pouvait pas savoir que son langage grossier venait de ses émotions refoulées et qu'il était à son tour prisonnier du système américain. Dans l'armée des États-Unis, quand la situation du combat devient critique et qu'un officier supérieur est responsable, il donne des ordres brefs que tout le monde exécute immédiatement. Dans la mauvaise conjoncture actuelle, Vann ne pouvait s'empêcher d'en revenir à ce comportement.

Après une demi-heure de cris, Ba se laissa fléchir et laissa Scanlon explorer vers le sud dans un blindé pour essayer de retrouver un endroit plus facile à traverser qu'il avait repéré en venant, avant d'être bloqué par les deux canaux. Vann repartit pour essayer d'obtenir que la Garde civile manœuvre pour déloger les Vietcongs de Bac.

Son pilote fit une série de passages en survolant l'unité rebelle qui avait déclenché la bataille le long du ruisseau au sud du hameau. Au-dessous de lui, les soldats étaient nonchalamment étendus, la tête appuyée contre les digues de la rizière, se reposant ou faisant même un petit somme. S'il restait encore des Vietcongs sous les arbres en face d'eux, ils s'étaient arrêtés de tirer, et les troupes de Saigon leur rendaient la politesse. Vann en conclut que les Viets de la ligne d'arbres au sud, après avoir arrêté la Garde civile, avaient porté leur attention sur la compagnie de réserve qui avait atterri derrière eux. De toute façon, les gardes civils étaient dans une position idéale pour contourner sur sa droite et mettre en danger l'ennemi le long de la digue d'irrigation à l'extrémité ouest de Bac. Vann appela Ziegler en lui demandant que Dam fasse en sorte que Tho donne l'ordre d'attaquer ce flanc vulnérable.

Le lieutenant de Vann, qui était avec la Garde civile, et qui lui non plus n'avait pas le droit de se servir de la radio pour communiquer avec son chef juste au-dessus de lui, s'était efforcé, dès l'atterrissage des réserves à 10 h 20 de persuader le capitaine vietnamien de faire exactement ce que voulait Vann. Les Vietcongs avaient immédiatement arrêté le feu quand les hélicoptères s'étaient posés, et le lieutenant en avait tiré la même conclusion que Vann. Il avait insisté auprès de l'officier, dont la blessure à la jambe était superficielle, pour qu'il fasse avancer ses troupes en direction du bouquet de cocotiers où une section viet se tenait en embuscade. A l'abri des arbres, ils retourneraient la situation. Le capitaine vietnamien se contenta de lui répéter que le commandant Tho lui avait donné l'ordre de rester sur place en « position d'arrêt ». Le terme n'avait plus rien à voir avec la tactique du « marteau et de l'enclume » prônée par Vann et était devenu, chez les officiers de Saigon, un euphémisme pour ne rien faire. Tho ne voulait pas qu'il y eût d'autres pertes chez ses gardes civils. Quand Dam le contacta pour qu'il donne l'ordre à ses troupes d'effectuer la manœuvre par le flanc, il se contenta de l'ignorer.

De son avion, Vann pouvait voir le second bataillon de la Garde progresser du sud-ouest et fouiller méticuleusement les hameaux. Tho n'était pas pressé de les voir arriver à Bac. Le bataillon d'infanterie venant du nord n'avait pas non plus atteint Tan Thoi.

Une voix en anglais avec l'accent vietnamien, probablement celle du lieutenant blotti derrière la digue de Bac, se fit brusquement entendre dans la radio de Vann pour annoncer que deux des pilotes d'hélicoptères étaient sérieusement blessés. Vann essaya de prolonger la conversation pour obtenir plus de détails, mais la voix ne répondit pas à ses questions.

Il demanda au pilote de retourner au-dessus des M-113 qu'il survola à basse altitude. Les engins blindés étaient toujours au même endroit. Il était

11 h 10, et cela faisait maintenant quarante-cinq minutes que l'hélicoptère s'était couché dans la rizière et qu'il avait demandé à Ba d'aller immédiatement à son secours. Que Ba ait refusé de coopérer dans un tel cas d'urgence lui semblait incroyable. Dix minutes plus tôt, avant d'aller voir la Garde civile, il avait, par l'intermédiaire de Ziegler, demandé à Dam d'avoir Ba lui-même au poste, au lieu de passer par un intermédiaire, pour lui ordonner personnellement de faire route immédiatement pour Bac. Dam avait confirmé avoir fait ce que Vann avait demandé. En repassant au-dessus d'eux, Vann vit Mays à côté de Ba sur son engin blindé.

« Walrus, ici Topper Six. A vous.

— Topper Six, ici Walrus, répondit Mays. A vous.

— Est-ce que votre bon Dieu d'homologue va se décider à obéir ?

— Négatif, Topper Six. Il continue à dire qu'on ne peut pas traverser le canal à temps et qu'il faut que la division envoie l'infanterie. »

C'était plus que ne pouvait supporter Vann :

« Walrus, est-ce que vous pouvez prendre le commandement de la compagnie ? Est-ce que vous le pouvez, oui ou merde ? »

La voix de Vann dans le haut-parleur était devenue un cri strident. Mays était déconcerté par cette demande. Bien sûr qu'il pouvait amener les M-113 jusqu'à Bac, mais il savait que les hommes ne le suivraient pas si Ba n'en donnait pas l'ordre. Il avait peur de la colère de Vann et préféra répondre au conditionnel :

« Bien compris, Topper Six. Je pourrais le faire.

— Alors abattez-moi cet espèce de pourri d'enfant de salaud de pute immédiatement et mettez-vous en route ! »

Mays ne répondit pas. Il regarda Ba. Les deux hommes s'estimaient mutuellement. Ils étaient devenus amis pendant les quatre mois où Mays avait été son conseiller. Ba resta silencieux, mais l'expression sur son visage signifiait : « Est-ce que vous allez me tuer ? » Mays rappela à Ba que dans la matinée ils avaient traversé un canal qui était probablement le même que celui devant lequel ils se trouvaient maintenant. Pourquoi ne pas retourner en arrière, le franchir à nouveau et partir de là vers l'est en direction de Bac ? Ba fut d'accord. Il se saisit de la radio et donna ses ordres à la compagnie. Les conducteurs mirent leurs moteurs en marche et les chenilles tracèrent dans la boue leur chemin vers Bac.

Vann se préoccupa alors de la fâcheuse posture où se trouvaient les aviateurs dans la rizière. Si deux d'entre eux étaient sérieusement blessés, il devenait impératif de tenter un nouveau sauvetage par hélicoptère, mais cette fois mieux calculé. Il repartit pour le quartier général de Tan Hiêp afin de refaire le plein et de discuter du plan avec Ziegler et les pilotes. Vann pensait que la situation de la compagnie de réserve allait peut-être s'améliorer. D'après ce qu'il avait pu voir du ciel, on ne leur tirait dessus que de temps en temps. Et comme au sud tout était silencieux du côté des gardes civils, il était possible que les Vietcongs soient en train de se retirer pour chercher à sortir du secteur. Vann avait demandé aux transmissions de la division d'essayer de savoir si Bowers était toujours en vie et de lui demander de venir à la radio pour en obtenir des informations crédibles. Il n'eut pas de réponse, probablement parce que le lieutenant vietnamien ne répondait pas aux appels.

Il exposa son plan. Avec son avion il servirait d'appât pour savoir si les Viets étaient encore nombreux. Il ferait plusieurs passages au ras des arbres pour déclencher le tir ennemi. Le pilote de l'avion de reconnaissance lui dit qu'il était fou et qu'ils allaient au suicide, mais il accepta tout de même. Trois des Hueys étaient encore capables de mitrailler l'ennemi. Un quatrième avait été atteint à un endroit vital et ne pouvait plus voler avant d'avoir été réparé. Si l'avion de Vann n'essuyait qu'un tir léger ou rien du tout, ce serait probablement la preuve que les Vietcongs n'occupaient plus Bac en force. Les Hueys viendraient alors mitrailler et bombarder aux rockets les lignes d'arbres du sud et de l'ouest pour immobiliser ceux qui seraient restés en arrière. Pendant ce temps, un H-21 viendrait prendre les hommes. Un second resterait en l'air pour parer à tout imprévu. A ce moment-là, Vann était toujours sous la fausse impression que les Viets du sud avaient contribué à abattre les hélicoptères et restaient une menace sérieuse. Les pilotes, qui voulaient aussi sauver leurs blessés, acceptèrent son plan.

Bowers ne devina pas que c'était Vann qui était à bord du petit L-19 qui apparut subitement en vrombissant au-dessus des hélicoptères et de la cime des arbres. Il pensa que c'était ce casse-cou de commandant de l'Air Force, Herb Prevost, qui défiait toujours les Viets de l'abattre. « Ce sera peut-être pour aujourd'hui », pensa Bowers. Il savait qu'ils étaient toujours dans la lignée d'arbres de l'ouest devant lui, parce que Braman avait fait, peu de temps avant, du tapage à l'intérieur du fuselage du H-21 où il était toujours couché sur le sol et ils avaient immédiatement ouvert le feu. Bowers avait rampé jusqu'à l'appareil et s'était attiré une nouvelle volée de balles lorsqu'il s'était hissé par la porte pour retrouver Braman. Il lui demanda ce qui n'allait pas, Braman répondit que tout était devenu si calme qu'il avait cru que tout le monde était parti et l'avait abandonné. Il ne voulait pas soulever son dos de crainte de faire saigner sa blessure. C'est pourquoi il avait frappé le sol d'aluminium avec ses bottes pour attirer l'attention de quelqu'un. Bowers l'assura que personne n'était parti et qu'il avait alerté les autres qui, comme il pouvait l'entendre, étaient toujours là. Braman n'avait heureusement pas été touché à nouveau. L'imposante silhouette du H-21 avait une fois de plus incité les Viets à tirer trop haut, et la partie supérieure du fuselage s'ornait de nouvelles perforations.

La condition physique de Braman semblait se maintenir. Bowers examina sa blessure. Il n'y avait pas de sang frais et Braman ne semblait pas être en état de choc. Il paraissait seulement plus émotif car l'attente solitaire influait sur ses nerfs. Bowers lui redonna à boire et s'allongea à nouveau près de lui pour le réconforter et le calmer. Les secours étaient en route, lui dit-il, et il était plus en sécurité à l'intérieur de l'appareil tant qu'il restait tranquille. Il en voudrait plus tard à Bowers si le sergent le portait dans la rizière où il risquait de recevoir une autre balle et d'avoir sa blessure infectée par l'eau sale. Avant de partir, Bowers plaça une gourde près de lui pour qu'il puisse l'atteindre s'il avait soif. Curieusement, les Viets ne tirèrent pas sur Bowers lorsqu'il roula de la porte sur le sol pour retourner courbé en deux vers la digue, mais il était certain qu'ils ne le quittaient pas des yeux.

Vann et le pilote du L-19 zigzaguèrent devant les Viets pour offrir une cible aussi tentante que possible. Vann ne se contenta pas de frôler la cime des arbres qui, en fait, le protégeaient car il est difficile à travers le feuillage de voir et de viser un objet volant juste au-dessus. Au lieu de cela, il demanda au pilote de survoler deux fois les hélicoptères en suivant une course parallèle à la ligne des arbres de l'ouest, s'offrant ainsi facilement à leur tir. Puis ils firent un troisième passage à quarante-cinq degrés pour exposer le petit appareil également au feu de la ligne d'arbres du sud. « Prevost, espèce de con, vraiment tu les cherches cette fois ! » se dit Bowers.

Pas un seul coup de feu ne fut tiré. Le Vietcong discipliné appliquait la règle de ne pas tirer sur les avions d'observation et d'attendre pour voir ce qui allait se passer. Bowers entendit le bruit d'un hélicoptère qui approchait et vit un H-21 se diriger droit sur lui dans la rizière. Le pilote essayait de se placer de telle façon que les appareils abattus se trouvent entre lui et la ligne d'arbres de l'ouest, comme avait voulu le faire le pilote du Huey écrasé. Simultanément, les trois hélicoptères de combat apparurent et commencèrent à tirer à la mitrailleuse et aux rockets sur les lignes d'arbres du sud et de l'ouest. A ce moment, Bowers entendit se déclencher le tir d'armes automatiques et de fusils, venant des arbres de la digue d'irrigation. En voyant le H-21, le commandant du bataillon vietcong avait donné l'ordre d'ouvrir le feu. Les Hueys une fois de plus, gaspillèrent la moitié de leur puissance de feu sur les arbres du sud. Cette erreur et l'inefficacité de leurs mitrailleuses légères et de leurs rockets contre des hommes enterrés sous les arbres et le feuillage eurent pour résultat que les balles ennemies sifflaient sans interruption au-dessus de la tête de Bowers en direction du H-21. Le pilote se posa à environ trente mètres derrière le Huey abattu, mais annonça aussitôt par radio qu'il redécollait car il avait reçu trop de projectiles. Certaines de ses commandes ne répondaient plus et il avait de grandes difficultés à se maintenir en l'air. Avec le guidage du pilote de Vann, il réussit à repartir et à voler environ un kilomètre jusqu'au point où les M-113 de Ba traversaient un canal.

Il était presque midi et les Vietcongs avaient établi un nouveau record. Ils avaient mis hors de combat cinq hélicoptères en moins d'une journée. Ils avaient aussi mystifié Vann pour la seconde fois. Il était plus que jamais décidé à les faire payer pour l'avoir ridiculisé.

Vann aurait peut-être été réconforté s'il avait su que les choses n'allaient pas très bien non plus de l'autre côté. Le commandant du 261ᵉ bataillon de la

Force principale et le comité de la province avaient prévu de donner une sévère leçon à l'armée de Saigon, puis de se retirer en ordre. Ils avaient voulu recommencer sur une plus grande échelle l'embuscade des Rangers du 5 octobre. Mais, au fur et à mesure de l'action, les chances de retrait s'amenuisèrent. A midi, les 350 hommes étaient enfermés dans un affrontement inégal sans aucune possibilité de s'échapper avant l'obscurité vers 19 h 30. Le commandant avait hésité à se replier sur Tan Thoi après avoir abattu les quatre hélicoptères dans la matinée, parce que, à l'instigation de Vann, les troupes de la 7e division de l'ARVN, qui se dirigeaient du nord vers le village, n'avaient pas été détournées pour venir au secours de la compagnie de réserve et des équipages d'hélicoptères. A 12 h 15, le bataillon de Saigon atteignit enfin Tan Thoi. Au lieu de faire une reconnaissance précédant l'assaut, le commandant de l'ARVN avait laissé ses fantassins avancer à l'aveuglette et être pris sous le feu de la compagnie de régionaux viets cachés dans les digues. La guérilla avait coincé l'ARVN dans une impasse, mais la route d'évasion par Tan Thoi n'en était pas moins fermée. La seule issue pour sortir du champ de bataille se trouvait à l'est en terrain découvert de rizières et de marais. Toute tentative pour le traverser en plein jour se serait terminée par une hécatombe par les chasseurs-bombardiers.

Les deux compagnies de guérilla de Bac et de Tan Thoi s'appuyaient mutuellement, mais elles étaient aussi dépendantes l'une de l'autre. Si des hommes s'enfuyaient d'un des hameaux, les troupes de l'autre pourraient être également prises de panique. Et même si elles tenaient bon, elles seraient soumises à une trop forte pression de trop de côtés à la fois dans un trop petit espace pour que la résistance soit efficace. Aussi bien Vann, qui essayait de les détruire, que le commandant vietcong, qui essayait de les sauver, savaient quelle était l'alternative. Ou bien les 350 hommes restaient en position pour combattre, et certains d'entre eux mourraient ; mais, s'ils tenaient jusqu'à la nuit, la majorité d'entre eux serait sauve. Ou bien ils abandonnaient et s'enfuyaient, et la majorité serait massacrée. L'expérience des combats contre une force supérieure et la capacité de raisonner clairement dans un climat de confusion et de violence étaient nécessaires pour comprendre crûment l'enjeu de la bataille. Vann et le commandant vietcong possédaient tous deux cette expérience et cette capacité. Vann s'efforçait de mettre ses adversaires en fuite afin de pouvoir les tuer. Le chef vietcong se servait de toute la compétence qu'il avait acquise en se battant contre les Français et de sa connaissance des autres batailles de cette guerre pour communiquer à ses hommes la volonté de tenir, de se battre et de survivre pour continuer le combat.

Mais le simple soldat discerne mieux le péril immédiat que le danger futur plus redoutable. La section de réguliers à l'extrémité sud du ruisseau de Bac et les régionaux qui les accompagnaient commencèrent à craquer avant midi. Le chef de section avait été légèrement blessé pendant les combats de la matinée et avait été emmené au poste de secours de Bac. Si la section n'était plus importunée par la Garde civile dont ils avaient stoppé la manœuvre de flanc, ils étaient exposés à la compagnie de réserve sur leurs arrières. Ils ne savaient apparemment pas que leurs camarades de la digue d'irrigation avaient neutralisé la compagnie de réserve en tuant ou blessant plus de la moitié de leurs 102 hommes. Ils avaient appris des éclaireurs locaux qu'un autre bataillon de la Garde civile avançait du nord-est dans leur direction. Un de leurs fusils-mitrailleurs était endommagé et ils ne pouvaient pas le réparer. Ils avisèrent leur commandant de compagnie à Bac qu'ils étaient « en mauvaise condition » et demandèrent l'autorisation de se replier. Le commandant accepta dans l'intention de placer les deux sections dans de nouveaux trous individuels à l'extrémité de la digue d'irrigation pour protéger son flanc sud. En battant en retraite, les hommes ne respectèrent pas assez bien les règles du camouflage. Un observateur de l'aviation sud-vietnamienne les vit de son L-19 et appela les chasseurs-bombardiers. Bien que peu d'hommes aient été tués ou blessés par le mitraillage, les autres se dispersèrent et commencèrent à remonter le cours d'eau vers la relative sécurité de Tan Thoi au lieu de se présenter au commandant de compagnie de Bac. Un éclaireur fut envoyé à leur recherche pour les ramener, mais ils étaient effrayés et refusèrent de revenir. Le commandant de compagnie fut obligé d'affaiblir sa ligne de défense de la digue d'irrigation vers laquelle les M-113 se dirigeaient lentement pour renforcer sa couverture du flanc sud. Il pensait, comme Vann et le lieutenant américain l'avaient demandé, que la Garde civile du commandant Tho allait attaquer la ligne d'arbres du sud abandonnée par les deux sections. Un simple peloton ne pouvait pas agir efficacement contre un bataillon. Si les gardes civils avaient lancé l'assaut avec assez de vigueur, ils auraient sans aucun doute contourné son flanc et progressé vers l'arrière des fortifications de la digue d'irrigation, rendant ainsi intenable la position de Bac.

Le commandant de compagnie de Bac, inquiet, réclama des renforts à Tan Thoi pour remplacer ses sections perdues. Le commandant de bataillon refusa. Les combattants régionaux de Tan Thoi avaient certes immobilisé le bataillon de l'ARVN, mais ils n'étaient qu'une compagnie face à un bataillon de trois compagnies, qui, en outre, pouvait être renforcé à tout moment par une unité de Rangers qui se trouvait à dix minutes de marche du village. Dans une telle situation, le commandant de bataillon ne pouvait courir le risque de faire quoi que ce soit qui déstabiliserait la garnison de Tan Thoi. La situation était si précaire et les deux positions si interdépendantes qu'il ne pouvait se permettre d'en perdre une des deux. Bac devait être tenu, dit-il à son commandant de compagnie, uniquement par ceux qui s'y trouvaient.

Les Vietcongs de la digue d'irrigation de Bac n'avaient eu que cinq blessés au combat pendant toute la matinée, mais leur détermination avait été affaiblie par les tirs d'aviation et les bombardements d'artillerie, sans compter la perspective d'avoir à accomplir l'impossible : arrêter les engins blindés avec leur armement léger. L'artillerie de Saigon avait repris ses tirs vers midi, avec la même inefficacité. Le plus proche observateur se trouvait avec le bataillon de Tan Thoi. Il ne pouvait pas faire mieux que d'ajuster approximativement le tir sur Bac en se basant sur les colonnes de fumée d'une occasionnelle bombe au phosphore. Depuis la tentative avortée de sauvetage par hélicoptère, Vann n'avait plus d'illusions sur la position retranchée des Viets. Il n'avait cessé de réclamer que les obus soient ajustés sur la ligne ouest des arbres. En dépit des engagements répétés du quartier général de la division qui promettait que la correction de tir allait être faite par un observateur dans un L-19, l'officier qui commandait l'artillerie ne l'obtint jamais. Les obus continuèrent à atterrir sur le village où ils pulvérisaient les habitations vides des paysans.

Vann avait théoriquement le choix d'envoyer son conseiller d'artillerie prendre le commandement de la batterie dont il dirigerait lui-même le tir de son avion d'observation. Mais c'était une alternative que même Vann ne pouvait se permettre. Prendre le contrôle de l'artillerie revenait à enlever aux officiers de Saigon une arme capitale. Dam, son responsable de l'artillerie, et le commandant de la batterie concernée refuseraient tous, et Vann devrait renoncer. A ce premier stade de la guerre, les conseillers américains étaient soumis à de nombreuses restrictions d'en haut pour qu'ils restent des conseillers et n'essaient pas d'exercer des fonctions de commandement. Et leurs homologues de Saigon le savaient bien. Vann n'avait pas d'autre choix que de continuer à demander que l'officier d'artillerie contacte l'observateur de l'Armée de l'air vietnamienne dans son L-19. Mais le système ne marchait pas du côté vietnamien ; ce qui était vrai de l'artillerie était valable aussi pour l'aviation, justement le jour où Vann en avait le plus besoin.

Les contrôleurs de l'air vietnamiens dans leurs L-19 et les pilotes vietnamiens et américains des chasseurs-bombardiers de l'Armée de l'air hybride, créée par le général Anthis, s'étaient comportés ce jour-là comme ils le faisaient d'habitude quand on les informait que l'infanterie subissait le tir d'un village. Ils attaquaient les huttes de paysans, les étables et les poulaillers de Bac et de Tan Thoi, pulvérisant les structures légères avec leurs bombes et leurs rockets et brûlant tout au napalm. Comme ils n'avaient jamais été au sol pour se rendre compte de la façon dont opéraient les Viets, ils ne se rendaient pas compte à quel point leur action était stérile. Du haut d'un avion, il n'est pas aisé de comprendre la logique du paysage en dessous. L'aviateur ne déduit pas naturellement que si les Viets sont dans les maisons à l'intérieur du hameau, ils ne peuvent pas tirer sur les assaillants qui sont dans la rizière, puisque le feuillage qui les entoure leur cache la vue. La réaction optique qu'a le pilote en piqué devant la profusion de la végétation du paysage l'amène tout naturellement à cibler la plus grosse structure construite par l'homme. L'aviation française avait fait la même chose pendant la première guerre, détruisant les habitations de paysans pendant que le Viet Minh les regardait de leurs trous creusés dans les digues sous les arbres. Lorsque les pilotes de l'US Air Force iront bombarder plus tard le Nord Vietnam, ils réduiront également en ruines par inadvertance les écoles et les pagodes, parce que ce sont évidemment les plus gros édifices des communautés rurales.

Vann n'avait pas pensé à s'adresser à Prevost pour qu'il l'aide à obtenir le bombardement de la digue, car il avait la fausse impression que Prevost était parti pour le quartier général de Can Tho. Prevost était effectivement en train de faire ses bagages quand il apprit que les hélicoptères avaient été abattus. Il se précipita aussitôt à Tan Hiêp et emprunta un L-19 vietnamien pour aller inspecter le champ de bataille. Une fois les deux hommes en l'air, ils n'avaient plus de contact. Vann ne pouvait pas guider lui-même une attaque aérienne car il lui était formellement interdit de parler directement au pilote américain du chasseur-bombardier. L'Armée de l'air vietnamienne était si jalouse de ses prérogatives, que défendaient aussi Anthis et son état-major de Saigon, que Harkins n'avait jamais donné suite à une demande de Vann : permettre aux Américains d'assumer la responsabilité lorsque le pilote du chasseur-bombardier était américain, ce qui était à l'époque la majorité des cas. Seuls les contrôleurs aériens vietnamiens avaient l'autorité pour diriger les attaques. Vann implora Dam pour obtenir de l'Armée de l'air vietnamienne qu'elle cesse de brûler les maisons et lâche son napalm sur la ligne des arbres. Mais aucun mot dans aucune langue ne semblait avoir d'effet sur le comportement d'automates des aviateurs.

Cependant cette inefficacité, pour laquelle Vann n'avait que mépris, était néanmoins insoutenable pour les Vietcongs. Le sifflement des obus, les explosions qui faisaient trembler la terre, la chaleur du chaume en feu, la difficulté de respirer parce que le napalm absorbait tout l'oxygène, le vacarme diabolique des mitrailleuses de 50, des canons à tir rapide de 20 mm, des salves et rockets et le vrombissement des moteurs des chasseurs-bombardiers en piqué, tout cela était difficile à supporter pour les nerfs et les oreilles. Puis, peu avant 13 heures, les Viets virent les M-113 approcher lentement à travers les rizières. Il restait encore sept heures à tenir avant la nuit, et ils ne pourraient éviter de se battre contre ces machines terrifiantes. Les hommes dans leur retranchement revoyaient les scènes de carnage que ces mastodontes avaient infligées dans le passé.

Cette alarmante situation venait de ce que le commandement vietcong, ne disposant pas d'armes antichars, n'avait pas été capable d'imaginer une tactique efficace pour lutter contre les M-113. Pour essayer de communiquer à leurs troupes assez de courage pour se dresser contre les blindés avec des armes légères et des grenades, les instructeurs avaient fait une liste des faiblesses supposées des machines. Toutes leurs observations étaient fausses, sauf deux : ils avaient remarqué que le servant de la mitrailleuse située au sommet qui se tenait debout derrière l'affût était à découvert à partir de la ceinture. Ils avaient également pensé qu'ils pouvaient atteindre le conducteur à travers la fente de visée. Bien qu'il n'y en eût pas, c'était néanmoins un des points faibles de l'engin. En général, les conducteurs gardaient le panneau ouvert devant eux parce que c'était plus facile et plus agréable et qu'ils pouvaient ainsi aller plus vite ; le risque d'être atteint n'avait pas été assez grand au cours des actions précédentes pour les persuader de garder le panneau fermé. S'ils le rabattaient pour être à l'abri des balles, ils ne voyaient qu'à travers un système de miroirs et de prismes qui limitait leur champ de vision à cent degrés. Le conducteur avait moins de liberté de manœuvre et devait rouler plus lentement. Les chefs vietcongs avaient également endoctriné leurs hommes pour qu'ils concentrent leur feu sur les

M-113, comme ils le faisaient sur les avions. Chaque peloton ou section devait choisir l'engin le plus proche et y concentrer leur tir groupé.

Les M-113 avaient été envoyés au Vietnam par des officiers américains imbus de la supériorité de la puissance de feu de l'armée des États-Unis. Le mitrailleur n'avait pas besoin d'écran de protection, car il était en mesure d'annihiler toute opposition avec quelques rafales de son arme dont la portée était double et la force de destruction triple de ce que les Vietcongs avaient de plus puissant. Cette théorie était valable à condition qu'il pût voir son objectif et manier sa mitrailleuse avec assez de dextérité pour un tir continu. Mais le calibre 50 était comme un cheval sauvage. Le recul avait tendance à faire relever le canon et envoyer les balles vers le ciel. Le problème était d'autant plus sérieux lorsque le soldat aux commandes était un Vietnamien menu. Pour que le tir soit précis, il fallait qu'il ait été entraîné à coincer son pied dans le pourtour du panneau pour avoir la force de maintenir fermement la mitrailleuse. Mais l'entraînement des hommes de Ba laissait à désirer.

Le commandant du bataillon vietcong disposait de soixante-quinze hommes dans la digue d'irrigation vers laquelle se dirigeaient les M-113. Il y avait disposé ses deux mitrailleuses de 30 dans des emplacements éloignés afin de pouvoir prendre tout objectif sous un tir croisé.

Pour renforcer la détermination de ses troupes, il n'avait cessé toute la matinée de les encourager à tour de rôle. Lorsque la compagnie de Bac abattit les hélicoptères, il informa aussitôt de ces « victoires » les soldats de Tan Thoi dont l'engagement avec le bataillon de la 7e division était imminent. Lorsque ceux de Tan Thoi eurent repoussé le bataillon, la nouvelle de cette « victoire » fut aussitôt transmise aux hommes de Bac qui attendaient les M-113. Le commandant de Bac et ses adjoints utilisaient le canal d'irrigation derrière la digue comme une tranchée de communication. Ils y pataugeaient dans l'eau jusqu'à la taille et allaient de trou en trou en longeant la rive sous les arbres pour ne pas être vus des avions. Ils ne cessaient de rappeler à leurs hommes les points faibles des engins blindés et essayaient de les convaincre qu'ils pourraient en venir à bout s'ils utilisaient leur cervelle aussi bien que leurs armes. De toute façon, ils ne pouvaient aller nulle part avant la nuit. S'ils devaient mourir, leur disaient-ils, mieux valait le faire avec dignité et être tués en combattant plutôt que de courir et d'être débités en morceaux comme des buffles. Ils veillèrent à ce que chaque homme vérifie bien le fonctionnement de son arme. Des porteurs leur distribuèrent des caisses de munitions américaines en les transportant sur le canal dans des petits sampans. Deux fantassins blessés furent évacués dans les bateaux, et des volontaires locaux les remplacèrent. Les trois autres blessés au cours de l'action de la matinée étaient des cadres, vraisemblablement membres du Parti comme tous les officiers et la majorité des sous-officiers de la compagnie. Pour donner l'exemple, ils refusèrent d'aller se faire soigner au poste de secours et restèrent sur place. Les cadres avaient lancé un slogan que les hommes répétaient de trou en trou : « Mieux vaut mourir à votre poste... Mieux vaut mourir à votre poste. »

Les engins blindés mirent si longtemps à franchir les derniers canaux qui les séparaient de Bac que Bowers, qui les regardait de derrière la digue, se demanda s'ils n'avaient pas observé la pause pour casser la croûte. Dans le ciel, Vann aussi rongeait son frein et désespérait de voir jamais les M-113 arriver à Bac. Entre le spectacle décourageant du bataillon immobilisé devant Tan Thoi et la progression molle du second bataillon de la Garde civile venant du sud-ouest, il ne lui restait plus qu'à harceler Mays par radio pour qu'il fasse accélérer Ba. Il n'y avait pas de gués faciles pour traverser les cours d'eau, et les hommes devaient couper des arbres et des branchages. Ils prenaient tout leur temps. Comme ils étaient payés pour se battre, ils n'avaient aucune envie de risquer inutilement leurs vies. C'est pourquoi ils travaillaient sur un rythme très lent, en se disant que, s'ils traînaient suffisamment, les Viets auraient le temps de partir. Ba n'était pas pressé non plus, pour des raisons personnelles, et se gardait bien de les faire accélérer. Ce n'est qu'à 1 heure de l'après-midi qu'il réussit à obtenir à la radio le commandant Tho qui lui donna l'ordre d'attaquer Bac.

Lorsque les engins blindés arrivèrent au dernier canal, à environ cinq cents mètres des hélicoptères abattus et à sept cents mètres de la digue d'irrigation, le commandant de la guérilla décida de sacrifier la moitié des douze obus de mortier de 600 mm qu'il avait secrètement récupérés. Quelques-uns explosèrent assez près de deux M-113 pour effrayer ses occupants, mais aucun n'atteignit son but. Les mortiers sont à tir indirect et envoient les obus en un arc de cercle très imprécis ; il était évident qu'ils ne seraient pas d'une grande utilité contre les blindés. Pour survivre, il leur faudrait accomplir avec leurs armes légères et leurs grenades un exploit jamais réalisé jusqu'ici.

Mays pensa que les obus de mortier venaient d'une autre unité de l'ARVN qui avait raté son objectif.

« Topper Six, faites arrêter le tir de ce mortier, demanda-t-il à Vann.

— Je voudrais bien, Walrus, mais il n'est pas à nous », répondit Vann avec cet humour noir dont il était capable dans les moments difficiles.

Quand Scanlon, qui était dans un autre véhicule, reçut le message transmis par Mays, il en apprécia l'humour mais pensa que Vann se trompait en se figurant que les obus de mortier provenaient des Vietcongs. Scanlon ne croyait pas qu'il y en eût encore à Bac. Du haut de son engin, tout lui paraissait si tranquille. On ne tirait plus dans le secteur des hélicoptères, et sur la droite, juste en dessous de la ligne sud des arbres où se trouvait dans la matinée la section viet, il pouvait voir les petits feux sur lesquels les gardes civils faisaient cuire leur riz et les poulets qu'ils avaient chipés dans les villages. « Bon, eh bien c'est fini maintenant, se dit Scanlon. Il ne nous reste plus qu'à faire le ménage et à embarquer les aviateurs et les blessés. »

C'est ce que semblaient penser aussi les hommes de la compagnie de M-113. Ils étaient encore plus lents à travailler. Scanlon eut l'impression que cette fois, ce n'était pas tant pour éviter le combat que la constatation qu'ils avaient obtenu, grâce à la combinaison de leurs manœuvres dilatoires et de la technique de retraite des Viets, cet arrangement tacite avec l'ennemi qu'ils recherchaient. Au lieu de couper des branches, la plupart des hommes restaient sur la berge du canal pour regarder une attaque aérienne. Des avions bombardant un village que les Viets avaient évacué depuis longtemps était toujours un spectacle à ne pas manquer. Pensant aux blessés, Scanlon se dirigea vers un groupe de soldats et leur dit de se remettre au travail. Ils se contentèrent de sourire. Il alla chercher une hache qu'il tendit à l'un d'entre eux. Ils commencèrent à couper des arbres à contrecœur.

Voyant que cela prendrait encore trois quarts d'heure pour que tous les engins aient traversé le canal, Mays demanda à Ba de lui confier le commandement de la compagnie d'infanterie. Il démonterait deux mitrailleuses de 50 de leur affût et elles pourraient être en position en cinq minutes. Comme cela, Vann les laisserait tranquilles. S'il restait encore quelques retardataires vietcongs dans le hameau, une compagnie de fantassins et deux mitrailleuses en viendraient facilement à bout. Ba accepta. Il n'était plus tendu maintenant qu'il avait obtenu l'autorisation de Tho, et il avait également l'impression que les Vietcongs étaient partis de toute façon.

Mays pensait, lui, qu'il en restait encore. Sachant à quel point Vann suivait tout ce qui se déroulait sur le champ de bataille, il ne croyait pas qu'il s'était trompé sur l'identification du mortier. Mais comme le tir avait cessé presque aussitôt, il en avait conclu qu'il s'agissait d'une manœuvre de retardement pour protéger leur retraite. Il ne pouvait pas concevoir qu'un nombre important de Viets soient restés alors qu'ils voyaient les M-113 depuis si longtemps pendant leur lente progression.

Il fut très surpris par la réponse de Vann lorsqu'il lui soumit son idée de démonter deux mitrailleuses et d'avancer avec l'infanterie :

« Non, bon Dieu ! cria-t-il, exaspéré. Faites avancer les blindés. »

Il n'eut pas besoin d'expliquer ce qu'il avait à l'esprit. En bon soldat professionnel, Mays comprit : Vann pensait que les Viets étaient restés en force à Bac et il voulait que Mays se hâte d'amener les engins pour les mettre en fuite afin qu'il puisse les anéantir lorsqu'ils essaieraient de s'échapper dans le terrain découvert à l'est. Mays savait aussi bien que Vann que, dès que les M-113 auraient atteint le hameau, tous les Viets de Bac allaient leur tirer dessus avant de s'enfuir.

Il était 13 h 45. Trois heures et vingt minutes s'étaient écoulées depuis que Vann avait lancé son appel d'urgence à la compagnie de blindés, alors à un kilomètre et demi de là. Trois engins franchirent le dernier canal : celui de commandement de Ba, qui resta sur place pour en faire traverser un quatrième en le tirant avec un câble, celui du lieutenant Cho, le plus combatif des subordonnés de Ba, et un autre. Mays monta dans le véhicule de Cho et partit en direction des hélicoptères. Il voulait mettre rapidement les blessés américains à l'abri à l'intérieur du blindé au cas où le tir se déclencherait. Le commandant du bataillon viet donna l'ordre à ses hommes de vérifier leurs armes. Le combat qui avait été si long à venir se déclencha rapidement.

Lorsque les deux engins blindés avancèrent dans la rizière vers les hélicoptères, les servants du mortier viet lancèrent leurs trois derniers obus. Mays ne tint aucun compte des explosions et des gerbes de boue ; il ne s'agissait pour lui que d'une tactique de retardement. « On leur a foutu une trouille du feu de Dieu et ils foutent le camp », pensa-t-il. Cho s'était mis lui-même à la mitrailleuse, et Mays était à côté de lui. Il repéra trois des pilotes derrière la digue située devant le H-21 dans lequel Braman avait été blessé. Il fit signe à Cho de faire pivoter l'engin à droite de l'hélicoptère et de s'arrêter à côté des pilotes. Il se pencha et leur demanda où étaient les blessés et les autres membres de l'équipage. On attend en effet d'un officier qu'il assume la responsabilité de ses hommes et des blessés dans les cas graves. Deux des pilotes, les survivants du Huey, semblaient hébétés, et le troisième, un adjudant d'un des H-21, répondit qu'il n'en savait rien, ce qui irrita Mays. A ce moment-là, le sergent Bowers arriva en pataugeant dans la rizière et dit qu'un homme d'équipage blessé était dans l'hélicoptère juste derrière et qu'il fallait l'évacuer. Mays sauta du M-113. Il commençait à avancer lorsque le commandant du bataillon vietcong donna l'ordre de tirer. Toute la ligne d'arbres crépita. Bowers ne s'arrêta pas et Mays garda son calme et marcha juste derrière lui en dépit des balles qui sifflaient partout. La mitrailleuse de Cho et celle de l'autre M-113 claquèrent comme un marteau piqueur pour répondre au feu de la guérilla. Mays put distinguer dans ce vacarme le roulement de tambour de la mitrailleuse à l'extrémité droite de la digue d'irrigation.

Mays grimpa avec Bowers dans l'hélicoptère pour emmener Braman en sécurité après les trois heures et demie pendant lesquelles il avait attendu des secours. Le garçon était mort. Bowers était stupéfait et n'arrivait pas à y croire. Il retourna le corps pour l'examiner. Le garçon n'avait pas reçu de nouvelle blessure et sa plaie à l'épaule ne montrait aucun signe d'hémorragie. Plus tard, lorsque les choses se furent calmées, Bowers fut obsédé par l'idée qu'il avait peut-être commis une erreur en le laissant dans l'hélicoptère, en dépit du risque d'une autre blessure ou de l'infection par l'eau sale. « Peut-être que, s'il avait eu un peu de compagnie, il aurait gardé espoir et serait encore parmi nous », se dit-il. La pensée qu'il puisse être responsable de sa mort devait le hanter pendant des années.

Un brusque mouvement de Mays ramena Bowers à la réalité. Mays s'était relevé dans la cabine. Un tireur d'élite viet le repéra à travers les hublots et faillit l'atteindre de deux coups rapides. Mays cria qu'il fallait mettre les trois pilotes en sûreté dans les engins blindés. Ils plongèrent tous les deux dans la rizière vers le véhicule et Bowers aida Mays à hisser les aviateurs par le hayon. Mays décida que ce serait de la folie d'en faire plus pour le moment, d'autant que Bowers l'avait informé de la mort de Deal en ajoutant que, à l'exception de Braman, les blessures des autres ne nécessitaient pas une évacuation immédiate. Bowers refusa la proposition de Mays de se mettre à l'abri dans le M-113 ; il voulait essayer de rassembler les survivants de sa compagnie d'infanterie vietnamienne. Il partit en se courbant le long de la digue.

Quand Mays monta à bord, il apprit que le conducteur avait été tué d'une balle dans la tête. Cho était descendu pour parler à la radio avec Ba. Mays pensa que, s'il était resté à la mitrailleuse, il serait probablement mort aussi. Le blindage du M-113 assourdissait l'impact des balles qui ricochaient sur le bouclier avec un bong, bong, bong caractéristique. Mays appela Vann qui les survolait pour lui annoncer qu'ils avaient récupéré trois des pilotes et que les deux membres d'équipage de l'hélicoptère étaient morts. Puis la radio devint muette. Une balle vietcong avait cisaillé l'antenne.

Deux autres M-113 approchaient avec instructions de Ba de contourner les hélicoptères par la gauche pour couvrir les hommes qui étaient dans la rizière le long de la digue. Scanlon avait saisi un crochet à l'arrière du second engin qui démarrait et s'était hissé à bord.

Pour Scanlon, le Vietnam était également sa première guerre. Comme Bowers et Mays, il était entré dans la carrière militaire à cause de la Corée. Mais, comme pour ses camarades, la volonté de l'armée de renforcer sa puissance en Europe pour résister au défi soviétique l'avait empêché de participer aux combats d'Extrême-Orient. Il était finalement resté soldat, car la vie d'un officier américain dans les années cinquante, avec son sens de la mission à accomplir et le plaisir des voyages, était infiniment plus intéressante et enrichissante que la vie civile d'un employé de banque de Saint-Louis. Scanlon, officier parachutiste et de blindés, était imbu de la croyance de l'armée des États-Unis que la meilleure défense est l'attaque et que la combativité permet de gagner les batailles et les guerres. Cette foi l'avait amené dans cette rizière avec son pistolet réglementaire en main tandis que les balles d'hommes qu'il ne voyait pas ricochaient sur son engin blindé.

Les deux M-113 de Scanlon contournèrent les hélicoptères par la gauche comme Ba en avait donné l'ordre et foncèrent directement vers la mitrailleuse camouflée près de l'endroit où la digue d'irrigation avançait vers la rizière. Quand les blindés se trouvèrent en alignement avec les hélicoptères, leurs mitrailleurs lâchèrent une rafale en direction de la ligne des arbres à laquelle répondit la même concentration de tir viet qui avait accueilli Mays plus loin sur la droite. Les blindés s'arrêtèrent, le hayon s'abattit et les pelotons de fantassins sautèrent dans la rizière et se déployèrent en éventail. Les M-113 se remirent en marche pour l'attaque combinée ; les soldats avançaient avec leur arme à la taille, comme s'ils tenaient un tuyau d'arrosage, et aspergeaient devant eux par rafales en ajustant leur tir grâce aux balles traceuses. Les soldats sud-vietnamiens avaient été entraînés à cette manœuvre, devenue pour eux automatique, par Scanlon et les autres instructeurs américains. Ils l'avaient souvent exécutée dans le passé lorsqu'un groupe de Viets avait eu la malchance de ne pas pouvoir s'échapper avant l'arrivée des blindés et s'était risqué témérairement à leur tirer dessus. Ainsi la puissance de feu de la mitrailleuse était augmentée du tir de l'infanterie. Scanlon avait été un des premiers à sauter en sortant son pistolet. Il n'avait l'intention de tirer sur personne, mais son arme faisait partie de son attirail d'officier et pouvait être utile en cas d'autodéfense. Il l'avait sortie de son étui par réflexe, car son rôle était essentiellement d'apprendre à ces hommes à se battre, et il voulait être avec eux pour voir ce qui allait se passer.

Un des fantassins fut immédiatement touché. Le mitrailleur fut au début dérouté par le tir vietcong et crut qu'il provenait d'un bouquet de bananiers plus loin à gauche, où il n'y avait en fait personne. Il visa néanmoins dans cette direction, mais le recul fit relever le canon de son arme, et Scanlon vit que les balles déchiquetaient le sommet des arbres. Une nouvelle rafale vietcong dirigée sur le M-113 fit comprendre au mitrailleur son erreur et il dirigea cette fois son tir sur la digue d'irrigation devant lui où il déchiqueta les arbustes. « Le con ! s'exclama Scanlon, il envoie tout en l'air au-dessus de leurs têtes. »

L'ennui c'était que ni le mitrailleur, ni Scanlon, ni personne d'autre n'arrivaient à voir un seul ennemi. Ils n'avaient devant eux qu'un grand mur vert. Le seul emplacement logique aurait dû être à la base de ce mur, mais la végétation était si dense qu'on ne pouvait même pas distinguer la flamme des canons qui aurait dû normalement révéler leur emplacement.

Le blindé n'avait avancé que de quelques mètres lorsqu'un soldat qui tirait d'en haut à côté de la mitrailleuse fut touché à son tour. Le servant prit peur, sauta à l'intérieur tout en continuant à arroser les nuages. Ces Vietcongs, que Scanlon ne s'attendait pas à trouver à Bac, se comportaient devant les M-113 tout à fait différemment de ce qu'il escomptait. Il conservait des opérations précédentes le souvenir de leur fuite affolée devant les engins comme une volée de cailles s'échappant d'un buisson à l'approche des chiens et des chasseurs. Il comprit qu'ils allaient tous être tués ou blessés à moins d'aller immédiatement s'abriter derrière le blindage des véhicules. Comme il parlait un vietnamien rudimentaire, il dit au conducteur de s'arrêter et cria en gesticulant aux autres de revenir.

L'esprit combatif et la confiance dans la puissance de feu étaient tellement ancrés chez Scanlon qu'il n'aurait jamais pu imaginer que la meilleure chose à faire était de reculer, d'analyser la situation et de revenir avec une solution plus raisonnable qu'un assaut de front buté. On lui avait toujours appris que, quand on ne pouvait pas voir l'adversaire, il fallait le prendre par les cornes. Il pensa que, s'il arrivait à ce que les mitrailleurs s'attaquent à la base de la ligne d'arbres, ils intimideraient suffisamment les Vietcongs pour que les conducteurs puissent amener leurs engins assez près pour localiser les armes automatiques ennemies. Alors elles pourraient être mises hors d'usage par les calibre 50, et l'infanterie pourrait attaquer sous la protection des blindés. Les autres se disperseraient comme un vol de moineaux.

Le mitrailleur ne voulait pas sortir et reprendre son poste lorsque Scanlon lui en donna l'ordre : « Debout, nom de Dieu, et tire à la base des arbres ! » Il saisit l'homme par sa chemise et le traîna dehors en hurlant ses instructions dans le meilleur vietnamien qu'il put jusqu'à ce que l'autre ait repris son arme en main.

Le conducteur du second M-113 se mit à reculer. Scanlon s'aperçut qu'il laissait dans la rizière un fantassin blessé. Il cria et gesticula. Le conducteur l'entendit et revint vers le blessé, mais personne ne voulut sortir du blindé pour le ramasser. Scanlon sauta à terre et courut vers lui. Un des fantassins, plus brave que les autres, vint à son tour et aida Scanlon à porter le blessé pour le coucher sur le plancher. Pendant qu'ils s'occupaient de lui, deux autres fantassins furent touchés. Le mitrailleur du second M-113 fut lui aussi pris de panique, se réfugia à l'intérieur en continuant à tirer dans les nuages. Scanlon se précipita vers lui et l'invectiva jusqu'à ce qu'il ait repris son poste : « Tire à la base des arbres ! »

Les équipages des deux M-113 avaient peur. Les chauffeurs refermèrent le panneau avant pour se protéger des balles. Le Vietcong cessa le feu dès que les blindés reculèrent. Au début, les conducteurs se dirigèrent sur la droite des hélicoptères, vers l'endroit où les blindés de Mays étaient engagés. Mais, entendant que cela tirait dur par là, ils virèrent de bord dans l'autre direction vers le canal. Scanlon leur hurla de s'arrêter. Il fit signe à son conducteur de continuer à avancer vers les hélicoptères, mais l'autre secoua la tête. Scanlon s'en prit alors au sergent qui était le chef de char et aux autres membres de l'équipage : il fallait retourner au combat et attaquer les Vietcongs, des soldats blessés et immobilisés comptaient sur eux. Le sergent répondit qu'ils avaient déjà trois blessés parmi leurs propres hommes et que c'était assez. Le conducteur continua à avancer vers le canal. Scanlon ne voulait pas être complice de cette désertion. Il vit Bowers accroupi le long de la digue qui lui faisait signe. Il sauta à terre pour aller le rejoindre.

Bowers avait décidé qu'il ferait mieux de retrouver les autres conseillers officiers, parce qu'il n'avait plus aucun espoir de réaliser quelque chose d'utile avec les survivants intacts de sa compagnie de réserve. Quelques minutes plus tôt, il avait essayé de susciter une attaque et se sentait maintenant ridicule de ses efforts inutiles. Quand il avait vu arriver les engins de Scanlon, il avait essayé d'entraîner les hommes pour une de ces classiques manœuvres conjuguées blindés-infanterie auxquelles il avait été entraîné. La devise de l'école d'infanterie de Fort Benning était : « Suivez-moi ! » Dans la meilleure tradition, Bowers avait couru, penché le long de la digue, en criant en vietnamien : « Attaquez ! », puis il s'était redressé, avait agité sa mitraillette en direction des soldats de Saigon pour qu'ils le suivent et était parti avec les blindés en direction de l'ennemi. Il n'avait pas avancé de vingt pas qu'il eut l'impression, pour la seconde fois de la journée, qu'il était seul. Il se retourna. Il était bien seul ! Quand les M-113 revinrent, Bowers retourna à la digue, heureux finalement que personne ne l'ait suivi. Il y aurait eu encore quelques soldats vietnamiens tués de plus. Pour rien. Comme cela avait été le cas pour tous ceux qui étaient morts ce jour-là. Il informa Scanlon que Braman et Deal étaient morts et que Mays avait embarqué trois pilotes. Scanlon lui demanda où étaient les autres aviateurs, et Bowers le conduisit vers l'endroit de la digue, en face des hélicoptères, où ils étaient étendus, observant le déroulement de la bataille décisive entre les petits Vietcongs et les puissantes machines blindées.

Au même moment, Ba arriva sur le flanc droit où se trouvait déjà Mays. Avec son engin, il en avait tiré deux à travers le canal, en avait laissé un pour continuer le remorquage et s'était précipité avec l'autre pour prendre la tête des opérations. Il se tenait debout sur le rebord du capot derrière la mitrailleuse. C'était sa position favorite parce qu'il avait une meilleure vue d'ensemble et aimait aussi tirer quelques rafales lorsqu'il en avait l'occasion. Mays le vit arriver et s'empara du micro de la radio de Cho. Il avait l'intention de dire à Ba qu'il ne fallait pas attaquer de front mais manœuvrer loin vers la droite pour approcher la ligne ennemie à l'extrémité de la digue d'irrigation. Ils seraient toujours la cible de la mitrailleuse et du peloton qui y étaient déployés, mais la concentration du tir y serait moins forte que devant toute la ligne des arbres. Comme la végétation était moins dense à cet endroit, Mays avait repéré la mitrailleuse et le Viet qui se tenait derrière. En manœuvrant ainsi ils réduiraient considérablement la puissance de feu de l'adversaire tout en tirant le maximum de la leur. Une fois qu'ils auraient tué les servants de la mitrailleuse, ils pourraient prendre sous leur feu toute la ligne d'abris depuis l'extrémité et en chasser les Vietcongs.

Alors que le blindé de Ba se rapprochait et que Mays s'apprêtait à lui parler, Ba descendit du couvercle du capot, probablement pour ajuster quelque chose au casque d'écouteurs radio qu'il portait pour communiquer avec les autres et coordonner l'attaque. Son véhicule cahota sur un monticule juste au moment où il descendait. La mitrailleuse pivota sur son affût et le frappa à la tête. Il tomba à moitié inconscient à l'intérieur.

La compagnie était momentanément privée de chef. Le second de Ba, un homme compétent et d'expérience, qui aurait pu immédiatement assumer le commandement et avec lequel Mays aurait pu facilement communiquer car il parlait anglais, était à l'hôpital avec une fièvre typhoïde. Cho, en dépit de sa combativité dans l'action individuelle, était apparemment incapable d'assumer cette charge. Comme Mays n'avait pas pu lui parler avant son accident, Ba n'avait pas pu transmettre à Cho les instructions pour attaquer sur le flanc droit. L'anglais de Cho était limité à quelques mots, et le vietnamien de Mays n'était pas meilleur. Mays savait dire « assaut » et « ensemble » et les lui répéta avec des gestes, mais, pendant les vingt minutes qui suivirent, aucune action coordonnée ne fut entreprise. Les quatre blindés renforcés par trois autres qui avaient franchi le canal entre-temps (cinq étaient restés derrière par lâcheté) amorcèrent des percées individuelles contre la ligne d'arbres, qui se terminèrent toutes par des replis.

Ces vingt minutes furent critiques. Pendant ces actions erratiques, les victimes, tuées ou blessées, furent en majorité les mitrailleurs. Ils étaient les plus faciles à atteindre pour le Vietcong, car ils se silhouettaient nettement sur le ciel en haut des véhicules blindés. C'étaient en général des sergents qui avaient la responsabilité aussi bien de l'équipage que du peloton d'infanterie qu'ils transportaient. Ce système avait été mis au point par les Américains pour que le blindé et l'infanterie forment une équipe soudée. Les sous-officiers se juchaient derrière la mitrailleuse pour les mêmes raisons, en particulier de meilleure visibilité, qui avaient poussé Ba à se percher là-haut pour diriger la compagnie. Comme les Américains leur avaient dit qu'ils pouvaient avoir une confiance illimitée dans l'efficacité de leur arme redoutable, et que, au cours des actions précédentes, rien de dangereux ne s'était produit, les sergents ne savaient pas exercer leur commandement sur l'équipage et sur l'infanterie en se réfugiant à l'abri du blindage. Quand le tir se déclencha, chacun appliqua les leçons qu'il avait apprises, sans penser aux conséquences. Le sergent-major de la compagnie, qui était aussi le plus proche ami de Ba, monta à la mitrailleuse dès qu'il eut porté secours à son capitaine. Il ordonna au M-113 d'avancer pour attaquer la ligne des arbres, et en peu de temps retomba blessé à mort d'une balle dans la gorge. Pendant les vingt minutes où Ba resta inconscient, toute possibilité de reprendre le contrôle des engins blindés s'évanouit progressivement. Les chefs de char morts ou blessés furent remplacés par des soldats moins expérimentés, et le moral des troupes commença à craquer.

Le moment était venu pour la technologie américaine de suppléer aux défaillances humaines. Le M-113 équipé du lance-flammes avança avec son long tube sortant de la tourelle pivotante comme un canon. « Ça y est ! C'est la fin. Le gars va foutre le feu à toute la rangée d'arbres ! » commenta Scanlon à un des pilotes d'hélicoptère qui était couché près de lui derrière la digue. Le blindé s'approcha jusqu'à cent mètres des arbres, suffisamment près pour que le jet d'essence enflammé incendie les hommes apeurés dont les balles continuaient à ricocher sur le blindage. L'opérateur fit pivoter le tube d'un côté à l'autre comme une redoutable menace, puis l'immobilisa juste en face pour griller les ennemis. Il appuya sur le bouton. Un petit jet de flamme sortit du tube et s'éteignit aussitôt. L'équipage n'avait pas mixé suffisamment de produit gélifiant avec l'essence pour que cela marche.

« Oh, bon Dieu ! C'est comme un briquet Zippo ! » gémit Scanlon.

Le pilote, qui avait été blessé au bras, était plus philosophe :

« C'est normal ! Tout le reste foire, alors qu'est-ce que ça peut foutre ? »

Vann qui tournait en rond au-dessus du champ de bataille était malade de frustration à ce spectacle : les Viets qui abattaient les mitrailleurs, les blindés qui reculaient l'un après l'autre et le lance-flammes qui tombait en panne. C'était le moment le plus dément d'une folle journée. Il maudissait Ba pour ne pas avoir rassemblé tous ses M-113 dans une attaque simultanée, il injuriait Harkins qui l'avait empêché d'influer sur le cours de la bataille. Il était aussi surpris que les autres que les Viets n'aient pas lâché pied pour s'enfuir devant les blindés. Il ne supportait pas de ne pas pouvoir réagir contre ce revers inattendu. Il aurait voulu dire à Mays et à son connard d'homologue que, s'il était trop dangereux de se servir de la mitrailleuse, ils n'avaient qu'à fermer tous les sabords et foncer dans les arbres ; dès qu'ils seraient sur la digue ils lâcheraient leur infanterie pour aller massacrer les Viets dans leurs trous. Mais il n'avait aucun moyen de parler à Ba ou à Mays : les radios installées sur les M-113 n'avaient pas les mêmes fréquences que celles des avions de reconnaissance L-19. Cela faisait des mois que Vann avait en vain demandé à Saigon que son avion puisse communiquer directement avec les blindés.

Dans leurs trous individuels, les Vietcongs ne pouvaient pas se permettre d'avoir des états d'âme : ils se battaient pour éviter d'être anéantis. Ba avait finalement repris suffisamment ses esprits, après avoir été assommé par la mitrailleuse, pour rassembler sept à huit engins et lancer une attaque coordonnée sur la ligne d'arbres. Mais, encore étourdi par le coup, choqué par la mort de son sergent-major, et surpris que les Viets continuent à combattre, ses idées n'étaient pas assez claires pour prendre en compte les appels de Mays à la radio pour qu'il attaque sur le flanc droit. Il était trop choqué pour se rendre compte qu'il aurait dû obliger les quatre ou cinq engins, qui étaient restés peureusement derrière près du canal, à venir le rejoindre pour renforcer son assaut. Il avait d'instinct rejeté la tactique que Vann aurait voulu le voir appliquer : fermer toutes les issues et charger. Vann ne savait pas qu'un officier de blindés comme Ba avait appris, non sans raison, qu'il ne fallait jamais prendre ce risque qui pouvait sembler ingénieux à un fantassin. Les instructeurs de Saumur et de Fort Knox lui avaient enseigné que c'étaient les fous qui lançaient des blindés aveugles dans les bois. L'infanterie ennemie grouillerait aussitôt autour des véhicules, lancerait une grenade dedans dès qu'un orifice serait ouvert et abattrait tout homme qui se risquerait dehors. Ba savait également qu'il y avait de l'eau de l'autre côté de la digue. S'il chargeait, les engins auraient assez d'élan pour passer par-dessus et plonger dans le canal d'irrigation. L'eau pénétrerait par les bouches d'aération et inonderait les moteurs. Les véhicules seraient bloqués complètement en pente, sans pouvoir se servir de la mitrailleuse, avec des Vietcongs tout autour. La seule solution qui vint à son esprit encore troublé était de se frayer un chemin au milieu des arbres avec les mitrailleuses, les fusils automatiques et toutes les armes que les fantassins pourraient utiliser ; il fallait gravir la digue prudemment pour ne pas basculer de l'autre côté, puis remonter le long de la ligne des abris individuels des Viets, s'ils ne s'étaient pas enfuis lorsqu'il aurait pénétré dans leur périmètre de défense.

Les engins blindés avancèrent dans la boue et l'eau de la rizière en une ligne désordonnée. Les vingt minutes d'actions individuelles et incohérentes et la perte d'un grand nombre de sergents aboutissaient à un climat d'indécision alors que la situation exigeait une ferme détermination. Ba avait des difficultés à coordonner les véhicules dont les équipages avaient perdu le moral. L'attaque fut hésitante et les combattants incertains. Les conducteurs ne voulaient plus être à découvert et restaient à l'abri en essayant de se diriger avec leur système optique. Le manque d'habitude et la vision restreinte les faisaient avancer plus lentement qu'ils n'auraient dû, ce qui augmentait d'autant les risques des mitrailleurs soumis au feu vietcong, ainsi que des fantassins qui déchargeaient leurs armes légères du haut du véhicule. Le manque de visibilité gênait également les conducteurs pour garder les blindés de front, et empêchait donc que le feu des sept ou huit engins soit correctement concentré. Quelques-uns des nouveaux mitrailleurs refusèrent de rester debout derrière leurs armes. Ils étaient accroupis dans la tourelle et tiraient à bout de bras, c'est-à-dire vers les nuages.

L'admiration de Bowers pour la valeur militaire de l'ennemi augmentait à chaque seconde. Il était fasciné par la façon dont les Viets conservaient leur sang-froid et combattaient intelligemment contre ces monstres gris foncé si proches. Ils ne dispersaient pas leur tir le long de la ligne des assaillants. Au contraire, ils le concentraient sur le véhicule le plus voisin. Bowers regardait ricocher sur le blindage les balles ennemies qui avaient pris les engins sous leur feu croisé jusqu'à ce qu'ils aient tué ou blessé le mitrailleur ou un fantassin. Le conducteur hésitait, puis s'arrêtait. Les Viets cessaient alors de tirer, soit pour économiser les munitions, soit pour concentrer leur tir sur la machine qui se trouvait maintenant en tête. « Bon Dieu, chapeau ! pensa Bowers. Ils s'accrochent vraiment ! » L'assaut échoua. Certains conducteurs commencèrent à reculer. Même le belliqueux Cho, avec qui se trouvait Mays, laissa son équipage décrocher après que son mitrailleur eut été touché.

Le blindé de Ba et un ou deux autres continuèrent à avancer, en dépit des pertes, et se trouvèrent bientôt à quinze ou vingt mètres de la digue d'irrigation. Les mercenaires de Saigon n'avaient pas souhaité un tel combat, mais ils étaient vietnamiens, et certains étaient courageux lorsqu'ils étaient au cœur de l'action. Les nerfs des Vietcongs commençaient à craquer : dans quelques instants, un de ces monstres de dix tonnes allait escalader la digue, et leur volonté de résistance s'évanouirait. Les équipages des autres blindés qui avaient été battus reprendraient courage et repartiraient au combat. Les officiers et sous-officiers vietcongs ne seraient plus en mesure de maîtriser la panique. Leurs hommes sauteraient hors de leurs trous protecteurs et prendraient la fuite. Ce serait le début de la boucherie, comme cela avait été le cas si souvent dans le passé.

Le chef de peloton Dung arrêta les machines. Il bondit hors de son trou et se tint debout devant les mastodontes. La terreur qu'avec ses camarades il ressentait en les voyant était inspirée en grande partie par leur laideur diabolique. L'avant se terminait en un large museau surmonté des deux yeux protubérants des phares. Dung tira une grenade de sa ceinture, arracha la goupille, tendit le bras en arrière, et la lança sur un des monstres. Elle atterrit sur le sommet d'un M-113 et éclata avec un grand bruit et une gerbe de flammes. Devant son courage, les hommes de son peloton surmontèrent leur peur, abandonnèrent la protection de leurs trous et vinrent le rejoindre pour jeter eux aussi leurs grenades. Un autre, nommé Son, tira au fusil lance-grenades le long de la ligne des blindés. D'où il était étendu, Bowers en vit deux exploser en l'air au-dessus des engins. Dung fut apparemment indemne, mais trois de ses camarades furent tués, et tous les autres membres de son peloton furent blessés par les balles des troupes de Saigon ou par les éclats de leurs propres grenades. On ne sait pas combien il y eut de victimes dans les véhicules. Mais cela n'avait pas d'importance. Le bruit assourdissant et les flammes des explosions furent suffisants pour briser le peu de courage qu'avaient encore les équipages. Ba autorisa son conducteur à reculer, suivi par les autres. L'assaut avait échoué. Ba était trop stupéfait et troublé pour recommencer. De toute façon, ses hommes étaient si démoralisés qu'ils ne lui auraient pas obéi s'il l'avait tenté. Mays, avec l'engin de Cho, fit deux nouveaux essais pour contourner le flanc de l'ennemi et tuer les servants de la mitrailleuse à l'extrémité droite. Ils furent repoussés au prix de la vie de deux mitrailleurs et d'autres fantassins. Il était 14 h 30. Le Vietcong avait accompli l'impossible.

En opposition à ce drame se déroula la farce macabre imaginée par Cao. Le général était arrivé en avion à Tan Hiêp, venant de son quartier général de Can Tho, à 11 h 30 ce matin-là, dès qu'il avait appris que quatre hélicoptères avaient été abattus. Il était effrayé à l'idée de la publicité qui serait faite à cet événement et angoissé de ce que le président Diêm pourrait lui faire lorsqu'il apprendrait le bilan de plus en plus élevé des pertes. Diêm l'en tiendrait certainement pour responsable. Il était furieux contre Vann et Dam qui l'avaient mis dans une si mauvaise passe. Ils l'avaient fourré dans une situation où il avait été contraint de se battre contre le Vietcong. Quand il apprit que les engins blindés de Ba avaient également échoué en fournissant à l'ennemi de nouvelles cibles faciles, il commença à chercher à se dégager de cette bataille pour rejeter la responsabilité des pertes sur quelqu'un d'autre.

Vann entendit parler du plan de Cao pour se tirer du pétrin par un appel radio de Dan Porter qu'il reçut alors qu'il survolait Bac et observait la dernière tentative du blindé de Cho à l'extrémité de la digue. Porter était venu à Tan Hiêp avec Cao. Il informa Vann en code que Cao avait réclamé un bataillon de parachutistes au quartier général de Saigon. Vann demanda à Porter que les hommes soient lâchés dans les rizières et les marais à l'est de Tan Thoi et de Bac, la seule échappatoire que les Vietcongs n'avaient pas pu utiliser de jour, mais qui serait leur itinéraire logique de retraite pendant la nuit.

« Topper Six, je lui ai déjà dit cela, mais il m'a répondu qu'il allait les utiliser de l'autre côté, répondit Porter.

— J'arrive tout de suite », répondit Vann, qui donna ordre à son pilote de retourner au plus vite à Tan Hiêp.

Il avait immédiatement compris le jeu de Cao. Comme il devait l'écrire dans son rapport ultérieur à Harkins, Cao avait l'intention de se servir du bataillon de parachutistes, non pas pour prendre au piège et anéantir les Vietcongs, mais comme « une démonstration de force... dans l'espoir que les unités ennemies cessent le combat pour que cette bataille indésirable prenne fin ».

Vann descendit du petit avion et entra à grandes enjambées dans la tente de commandement. Il dit à Cao qu'il ne pouvait pas avoir gaspillé tout ce sang pour rien. Il fallait refermer le piège sur les Vietcongs et les détruire. Porter lui apporta son soutien et tous deux insistèrent : en tant que chef responsable, il n'avait pas d'autre choix. « Il faut que vous lâchiez les parachutistes, là », dit Vann en pointant du doigt, sur la grande carte d'opération, le flanc découvert à l'est des deux hameaux. Il était si furieux et gesticulait tant qu'il faillit renverser le chevalet de la carte.

Cao n'était pas sensible à cette logique militaire. « Ce n'est pas prudent. Ce n'est pas prudent », ne cessait-il de répéter en expliquant qu'il était préférable de lâcher les paras à l'ouest derrière les M-113 et la Garde civile pour faire la liaison avec ces unités. « Il faut nous renforcer. » Vann devait plus tard résumer la logique de Cao par cette formule : « Ils ont choisi de renforcer la défaite. »

Il perdit son sang-froid une fois de plus :

« Mais, sacré nom de Dieu ! hurla-t-il, vous voulez qu'ils foutent le camp ? Vous avez peur de vous battre. Vous savez bien qu'ils vont se glisser par ce trou, et c'est ça que vous voulez. »

Se sentant coincé, Cao prit le ton pincé du général s'adressant à un lieutenant-colonel :

« Je suis le général. C'est moi qui commande et telle est ma décision. »

Le général de brigade Tran Thiên Khiêm, chef de l'état-major combiné, qui était venu de Saigon à la demande de Cao et qui assistait à l'empoignade, n'émit aucune objection. Harkins n'était pas venu et n'avait envoyé aucun de ses subordonnés pour s'enquérir des raisons de la perte sans précédent de cinq hélicoptères ; ainsi, il n'y avait pas de général américain sous la tente pour brandir ses étoiles en faveur de Porter et de Vann. Pour essayer de radoucir Vann, Cao prétendit qu'il avait avancé l'heure de l'opération. « Elle aura lieu à 16 heures. » Vann retourna à son avion d'observation. Il avait compris qu'il était inutile de discuter plus longtemps et espérait que les parachutistes seraient sur place assez tôt pour être encore de quelque utilité.

Il passa le reste de l'après-midi à demander quand arriveraient les paras et à essayer de persuader Cao, Dam et Tho de transformer ce qui semblait devoir être la plus grande défaite de la guerre en sa plus grande victoire. Ils avaient encore la possibilité de racheter cette journée. Ils n'avaient qu'à regrouper les deux bataillons de la Garde civile et la compagnie blindée de Ba pour une attaque coordonnée sur le village de Bac. Aussi démoralisés que soient les hommes des M-113, ils pourraient au moins soutenir les fantassins avec le tir de leurs mitrailleuses lourdes, et les Vietcongs ne pourraient résister à une telle force. Pas plus Cao que Tho ne pouvaient comprendre que la seule voie sensée et morale était d'attaquer et d'accepter de nouvelles pertes, proportionnellement mineures, pour justifier le sacrifice de ceux qui avaient déjà été tués ou mutilés.

Le second bataillon de la Garde civile était en fait arrivé à Bac pendant l'attaque des blindés de Ba, et était commandé par un jeune lieutenant très compétent. Il vit tout de suite qu'il pouvait venir à l'aide de Ba en contournant sur le flanc droit et en s'attaquant à la ligne de défense vietcong par le sud, ce que le premier bataillon aurait dû faire. Il demanda par radio à Tho la permission d'attaquer et commença tout de suite à mettre en position une de ses compagnies pour gagner du temps. Tho lui ordonna d'attendre. Pendant tout l'après-midi et après que Ba eut été battu, le lieutenant demanda à trois reprises la permission d'attaquer.

Prevost lui avait préparé le terrain en réduisant au silence la mitrailleuse ennemie située à l'angle droit de la digue, au cours de la seule attaque aérienne efficace de la bataille. Cela se passa à 15 h 40, une heure trop tard pour soulager Ba, mais suffisamment tôt pour les gardes civils. Vann avait retrouvé Prevost au poste de commandement juste après sa querelle avec

Cao. Il lui avait demandé de faire quelque chose pour remédier au fiasco des attaques aériennes. Il lui avait indiqué sur la carte la position de la ligne de défense viet et de la mitrailleuse, qu'il avait repérée en fin de matinée pendant la tentative manquée de sauvetage par hélicoptère. Prevost emprunta un autre avion d'observation L-19, et Dam donna l'ordre à un Vietnamien de s'installer sur le siège arrière pour régler le tir d'un Invader A-26 qui devait intervenir.

Au début, Prevost respecta les règles et laissa l'observateur vietnamien contrôler le bimoteur bombardier. Il en résulta que le pilote américain gaspilla en vain deux réservoirs de napalm et quatre de ses bombes de 50 kilos. Prevost décida alors de violer le règlement et persuada l'observateur vietnamien de le laisser diriger le A-26. Il lui fit faire plusieurs passages le long de la ligne des arbres. Au début, le pilote fut irrité des leçons que lui donnait Prevost pour lui apprendre à faire une approche à basse altitude et à piquer pendant le mitraillage. Il avait tendance à descendre trop abruptement et à redresser trop tôt. Les balles manquaient régulièrement leur objectif. L'état-major du centre opérationnel mixte de Tan Son Nhut était à l'écoute des communications radio. Un des plus anciens officiers connaissait Prevost et reconnut sa voix. « Écoutez, dit-il aux autres, c'est Herb qui apprend au mec à faire une attaque. » Lorsque le pilote sut piquer correctement, Prevost lui fit tirer une salve de roquettes exactement au coin de la digue. La mitrailleuse viet se tut, les servants avaient été tués ou blessés. Le commandement de l'artillerie commit alors l'erreur de rappeler le A-26 parce qu'il voulait reprendre les tirs au sol. Mais ce n'est pas cette gaffe qui rendit l'exploit de Prevost finalement inutile. Chaque fois que le lieutenant de la Garde civile sollicita l'autorisation d'attaquer, Tho lui donna l'ordre d'attendre. Pendant ce temps, il perdit inutilement trois morts et deux blessés.

Chaque fois que Vann demandait à Ziegler pourquoi le bataillon parachutiste n'avait pas été largué, et que Ziegler questionnait Cao, celui-ci allait à l'entrée de la tente et regardait le ciel : « Ils devraient être là, disait-il. C'est Saigon qui est en retard. » En réalité, il s'était arrangé pour que le lâcher eût lieu à 18 heures, c'est-à-dire une heure et demie avant l'obscurité. Comme cela, ils pourraient juste se regrouper et établir un périmètre de défense pour la nuit et n'auraient pas le temps de lancer une attaque, ce qui convenait parfaitement au Vietcong.

Les parachutistes, emmenés par sept bimoteurs de transport C-123, sautèrent à 18 h 5. A l'écoute des fréquences radio de l'ARVN, le commandant du bataillon viet était au courant depuis deux heures qu'ils allaient arriver. Mais il n'avait pas pu savoir l'emplacement exact de la zone de largage. Il avait donc donné l'ordre au commandant de la compagnie de Tan Thoi de se tenir prêt à déplacer une partie de ses troupes pour s'opposer aux parachutistes s'ils devenaient menaçants.

A la différence de leurs camarades de Bac, les troupes viets de Tan Thoi étaient relativement fraîches. Leur combat contre le bataillon de la 7ᵉ division s'était limité à un échange de tirs. Le capitaine Kenneth Good

Californien de trente-deux ans, le conseiller de bataillon préféré de Vann et l'officier le plus populaire du détachement, y avait trouvé la mort. Il était parti en reconnaissance pour essayer de faire bouger les troupes immobiles. Blessé, il avait pendant trop longtemps perdu son sang parce que le capitaine vietnamien qu'il accompagnait n'avait averti personne qu'il avait été touché. Ce n'est que deux heures plus tard qu'il fut découvert par hasard par un autre conseiller et que Vann put le faire évacuer jusqu'à la piste d'aviation où il devait mourir quelques minutes plus tard. Deux heures et demie après la mort de Good, les parachutistes arrivèrent salués par les acclamations du bataillon et une vibrante sonnerie de clairon. Mais personne ne bougea ni ne tira un coup de feu pour aider ces renforts du ciel.

On ne sut jamais qui, du chef de vol américain ou du chef de saut vietnamien, commit l'erreur qui devait tellement arranger le commandant vietcong. Les parachutistes commencèrent à sauter à la fin et non pas au début de la zone de largage, ce qui faisait une différence de près d'un kilomètre. Ainsi beaucoup d'entre eux atterrirent devant les positions ennemies à l'ouest et au nord-ouest de Tan Thoi au lieu de se retrouver derrière la protection des gardes civils et des M-113 de Bac, comme l'avait prévu Cao. Une telle erreur peut se produire dans toute opération aéroportée, et c'est pour cela que Vann et Porter avaient insisté pour que le largage ait lieu plus tôt dans l'après-midi. Les Viets commencèrent à tirer sur les parachutistes pendant leur descente.

A la différence de l'armée régulière vietnamienne, les troupes aéroportées de Saigon étaient d'intrépides soldats. Les officiers parachutistes français avaient été les chevaliers condamnés de l'armée coloniale, des romantiques qui exaltaient la camaraderie et le courage dans la mort pour racheter toutes les stupidités qui aggravaient leur sort. Leurs frères d'armes vietnamiens en avaient gardé la mémoire et s'efforçaient de réagir avec la vaillance de leurs modèles français. Mais ils se trouvaient maintenant obligés de combattre dans les pires conditions. Il leur était impossible de s'organiser dans l'obscurité croissante tandis que l'ennemi tirait sur eux presque à bout portant. Ils durent se contenter de lancer des attaques fragmentaires par petites unités avant que la nuit ne mette fin au duel. Les Vietcongs n'en firent qu'une bouchée et leur infligèrent de lourdes pertes : 19 morts et 33 blessés y compris les deux conseillers américains, un capitaine et un sergent.

Pour être certain que les Vietcongs pourraient s'échapper pendant la nuit, Cao n'autorisa pas que le C-47 demandé par Prevost lâche ses fusées éclairantes pour illuminer l'itinéraire de retraite de l'ennemi. Vann voulait que les rizières et les marécages à l'est de Tan Thoi et de Bac soient éclairés comme en plein jour et pilonnés par l'artillerie. Il avait demandé 500 obus. Cao en autorisa 100. Puis il donna l'ordre aux batteries de n'en tirer que quatre par heure. Il justifia son interdiction des fusées éclairantes en prétendant que les parachutistes ne voulaient pas que leur position soit révélée à l'ennemi. Il était douteux qu'ils aient fait une pareille requête, et Vann protesta en expliquant que les fusées ne pourraient de toute façon pas les éclairer puisqu'ils se trouvaient de l'autre côté de Tan Thoi. Mais la logique personnelle de Cao prévalut et le champ de bataille resta dans l'obscurité.

Les « petits salauds en guenilles » s'étaient imposés aux Américains. Les 350 Vietcongs avaient tenu le terrain et humilié une armée moderne quatre fois supérieure en effectifs, équipée de blindés, d'artillerie, d'hélicoptères et de chasseurs-bombardiers. Pour s'y opposer, leur arme la plus puissante était un petit mortier de 60 qui s'était révélé inutile. Ils avaient eu 18 tués et 39 blessés ; des pertes relativement légères que leur avaient infligées les Américains et leurs protégés vietnamiens avec des milliers de balles de fusil et de mitrailleuse lourde, les explosions et les shrapnels de 600 obus d'artillerie, le napalm, les bombes et autres présents expédiés par treize avions et cinq hélicoptères de combat. Les Hueys à eux seuls avaient déversé 8 400 balles de mitrailleuse et 100 roquettes sur la ligne d'arbres de Bac. Avec leurs armes légères, les Vietcongs avaient causé quatre fois plus de pertes qu'ils n'en avaient subi. Ils tuèrent environ 80 soldats de Saigon et en blessèrent plus de 100 ; 3 Américains furent tués et 8 autres blessés. Cinq hélicoptères figuraient à leur tableau de chasse. (Plus tard, les autorités de Saigon reconnurent avoir eu 63 tués et 109 blessés, minimisant ainsi leurs pertes en omettant celles de la compagnie de réserve devant Bac.) Les Vietcongs réussirent à causer tous ces ravages en économisant leurs munitions. Depuis les premiers tirs échangés avec la Garde civile jusqu'au dernier coup de feu avec les parachutistes, ils n'utilisèrent qu'environ 5 000 balles de fusil et de mitrailleuse.

Le commandant du bataillon avait fixé l'heure du repli à 22 heures et désigné comme point de ralliement la maison d'un paysan située à l'extrémité sud de Tan Thoi. Pendant toute la journée, il avait assumé la conduite de la bataille, prenant ces décisions qui affectent le sort de tous avec l'expérience et le jugement d'un vrai soldat, et n'engageant consciencieusement la vie de ses hommes que pour la victoire. Maintenant, il avait à organiser avec le même soin leur évasion pour reprendre plus tard le combat. Les deux compagnies devaient se diriger par étapes en petites unités dans le voisinage de la maison. La compagnie de Bac, qui avait commencé à évacuer sa ligne de défense en face des M-113 en fin d'après-midi, remonta le cours d'eau reliant les deux villages. Pendant le repli, une section de chaque compagnie devait assurer l'arrière-garde au cas très improbable où l'ARVN tenterait une attaque de nuit. Deux heures avant le départ, le commandant avait envoyé des équipes d'éclaireurs locaux pour reconnaître les itinéraires de retraite vers l'est et pour rassembler des sampans qui transporteraient par canaux les blessés jusqu'à la cabane hôpital de la base la plus proche. Dès le retour des éclaireurs, il se concerta avec ses officiers pour choisir l'itinéraire le plus sûr. Il renvoya un peloton à Bac pour retrouver les corps de Dung et de ses camarades afin qu'ils soient enterrés avec les honneurs qui leur étaient dus. Dung, qui s'était dressé devant les blindés, et à qui ils devaient d'être encore en vie, avait été tué par une attaque aérienne ou un tir d'artillerie peu de temps après. Le peloton revint sans les corps. Ils n'avaient pas pu les trouver dans l'obscurité et avaient eu peur de faire du bruit dans le hameau, car les M-113 de Ba bivouaquaient pour la nuit à proximité. Sur le compte rendu vietcong de la bataille est écrit : « Le camarade Dung n'a pas pu venir avec nous. »

A 22 heures, les deux compagnies se formèrent en colonne en direction du camp de base de la plaine des Joncs. Les partisans locaux et les paysans de Bac et de Tan Thoi, qui les avaient secondés durant la bataille, partirent également par un autre itinéraire vers leurs cachettes dans les maquis de palmiers voisins. En tête marchaient les troupes régulières du 261e bataillon qui avaient résisté à Bac. Au milieu de la colonne, les fantassins portaient les blessés et les morts qui auraient des funérailles honorables. Les régionaux du 514e fermaient la colonne avec une de leurs sections en arrière-garde. Ces hommes se déplaçaient en pays ami et avaient l'habitude de marcher la nuit. Ils embarquèrent les blessés dans les sampans qui les attendaient au canal. La colonne continua jusqu'à un gué pour traverser le cours d'eau, poursuivit sa progression sans être repérée et arriva au camp à 7 heures du matin. Ils avaient fait beaucoup plus que de gagner une bataille. Ils avaient remporté une victoire à la vietnamienne comme leurs ancêtres l'avaient fait depuis des siècles. Ils avaient triomphé d'ennemis plus forts qu'eux.

Vann leur rendit hommage au moment où ils entamaient leur départ. Il était juste que cela vînt de lui, car il avait été le messager de la destinée. Sans lui, Ba aurait peut-être lambiné assez longtemps pour arriver à Bac trop tard pour combattre. Dans sa détermination à vaincre l'ennemi, Vann avait talonné et fait accélérer les engins blindés. Il avait ainsi forcé la bataille jusqu'à l'humiliation suprême des forces de Saigon et au triomphe du Vietcong.

Cette nuit-là, je m'étais rendu en voiture à Tan Hiêp, avec Nicholas Turner, un Néo-Zélandais correspondant de l'agence Reuter, et Nguyên Ngoc Rao, reporter vietnamien pour l'agence UPI. Les nouvelles, que nous avions reçues à Saigon, des cinq hélicoptères abattus et des troupes aéroportées lâchées au milieu de la bataille, nous semblaient tellement extraordinaires que nous avions décidé d'aller sur place voir ce qui se passait. Nous avions peur d'être arrêtés et faits prisonniers ou tués à un de ces barrages vietcongs qui barraient souvent la route la nuit. Mais nous avions certainement pris un beaucoup plus grand risque en montant dans la petite Triumph de Turner qui conduisait à cent à l'heure sur la route goudronnée à deux voies.

Cao n'était pas en état de nous parler. Je l'ai trouvé marchant de long en large devant la tente de commandement, ne cessant de se passer les deux mains dans les cheveux comme sous l'emprise d'une crise nerveuse. Quand je me suis avancé vers lui pour lui poser une question, il m'a regardé fixement pendant un moment puis a prononcé des paroles incohérentes et s'est éloigné.

Un des capitaines de Vann alla le chercher pour nous. Vann nous entraîna vers l'extrémité de la piste, loin de la lumière des ampoules pendues à des fils dans la tente. Il ne voulait pas que Cao, Dam et les autres officiers vietnamiens le voient nous parler. Il fut très franc, mais cette nuit-là il essaya de cacher sa colère, en pensant aux conséquences de la publication par la presse des pires détails de cette débâcle. Il nous dit comment les Vietcongs avaient résisté en dépit de l'assaut des engins blindés et des bombardements massifs. Il regarda en direction de Bac dans la nuit, tandis qu'on entendait au loin le son sourd de l'artillerie et qu'un obus éclairant illuminait de temps en temps le ciel en dépit de l'interdiction de Cao. Puis il nous dit :

« Ils ont été courageux. Ils nous ont donné une belle image d'eux-mêmes aujourd'hui. »

IV

L'opposition
au système

Il n'était pas concevable qu'il acceptât la défaite. Il était lieutenant-colonel de l'armée des États-Unis. Même s'il n'était qu'un conseiller sans autorité de commandement, cette guerre était devenue la sienne, et il était trop profondément impliqué pour admettre qu'il puisse la perdre. Son orgueil personnel et sa fierté des institutions, de la grandeur de sa patrie et de sa suprématie dans le monde avaient été plus foulés aux pieds qu'il ne pouvait supporter. La bataille de Bac avait été décisive pour la révolution vietnamienne dans le Sud, mais aussi pour John Vann. Elle le précipita dans une direction qu'il avait déjà graduellement amorcée. Il irait trouver Harkins à Saigon pour le convaincre et, si Harkins ne l'écoutait pas, il passerait au-dessus de sa tête pour persuader les plus hautes autorités militaires et politiques de Washington qu'une seule attitude permettrait d'éviter que les États-Unis ne soient vaincus au Vietnam : changer radicalement de stratégie et obliger Saigon à accepter que lui et les autres officiers américains sur le terrain prennent la direction des opérations. Sans le vouloir, Harkins était en train de préparer une catastrophe pour les Américains et pour les Vietnamiens qui avaient choisi leur camp. Vann percevait les prémices de ce dénouement funeste mieux que quiconque au Vietnam à l'époque, et il était déterminé à faire ce qu'il faudrait pour l'éviter. C'était une entreprise ambitieuse pour un simple lieutenant-colonel. Mais il ne s'en rendit pas compte au début, car il réagissait pragmatiquement au fur et à mesure des événements. Il était prêt à violer les règles que l'armée l'avait conditionné à respecter, si c'était pour changer de politique et gagner sa guerre. On en eut la démonstration dès le lendemain de la bataille, lorsqu'il ne chercha même pas à cacher sa colère et l'étendue du désastre aux journalistes qu'il connaissait.

En janvier 1963, de même que la présence militaire américaine ne se comptait pas par centaines de milliers de soldats comme après 1965, de même la presse étrangère n'était pas encore représentée par les centaines de journalistes de tous sexes et de toutes nationalités, presse écrite, télévision, radio, photographes, cameramen, preneurs de son et autres groupies de la guerre se prétendant correspondants locaux, qui devaient plus tard s'abattre sur le Vietnam. Lors de la bataille de Bac, nous n'étions qu'une douzaine d'envoyés spéciaux, y compris les journalistes français qui se sentaient peu concernés, car ce n'était plus leur guerre. Le corps expéditionnaire américain s'élevait à environ 11 300 hommes à l'époque, mais les conseillers sur le terrain ne représentaient qu'un quart du total, à peu près 3 000 officiers et soldats. A cette échelle, les reporters et les principaux conseillers en étaient venus à se connaître mutuellement.

Pour couvrir la 7ᵉ division, les journalistes n'avaient pas eu besoin d'encouragements de l'officier chargé des relations publiques à l'état-major de Harkins, tant le général en chef était impressionné par le bilan élevé des ennemis qu'elle avait tués. La presse suit habituellement l'événement important : en 1962 et 1963, c'était le combat crucial pour le contrôle de la moitié nord du delta. Vann avait cultivé ces relations. Il avait accueilli favorablement les journalistes au séminaire. Au début, ils lui étaient utiles pour la publicité qu'ils faisaient à l'image voulue par lui de « Cao le tigre » du Sud Vietnam. Chaque fois que paraissait un article vantant ses qualités belliqueuses, il s'empressait de le montrer à Cao. Mais, en revanche, la franchise de son caractère nous laissait voir et entendre des choses qui ne confirmaient pas toujours ces arguties. Il veillait à ce que les conseillers sous ses ordres nous donnent les informations que nous recherchions et s'assurait que nous puissions partir en opération avec ses capitaines et ses lieutenants, qui prenaient exemple sur lui. Ils étaient tout à fait francs sur les faiblesses des forces de Saigon.

Lorsqu'un journaliste avait fait la preuve qu'il supportait l'inconfort et consentait à s'exposer au danger en pataugeant dans les rizières et en bivouaquant la nuit sur le terrain, autrement dit qu'il avait pris le baptême du soldat, il était accepté par ces hommes aimables et sincères, et la discussion devenait franche. La seconde fois, les échanges étaient encore plus ouverts. Les conseillers avaient aussi remarqué, dans les articles du *Pacific Stars and Stripes,* le journal des Forces armées en Extrême-Orient, ou dans les coupures de presse que leur envoyait leur famille, que les journalistes les protégeaient par l'anonymat des citations ou en en déguisant la source, lorsque les propos qu'ils avaient tenus étaient par trop négatifs. A l'époque de la bataille de Bac, avec une demi-douzaine de correspondants américains, nous avions participé à de nombreuses opérations avec la 7ᵉ division et étions devenus amis avec Vann et ses hommes. Nous partagions avec les conseillers leur engagement dans cette guerre. Notre vision idéologique et nos penchants culturels n'étaient en rien différents. Nous considérions ce conflit également comme le nôtre. Nous croyions en ce que notre gouvernement nous disait et en ce qu'il s'efforçait d'accomplir au Vietnam, et nous voulions que notre pays gagne cette guerre aussi passionnément que Vann et ses capitaines.

Après avoir parlé avec Vann le soir de la bataille de Bac, Turner, de l'agence Reuter, Rao et moi, nous rentrâmes à Saigon pour envoyer nos dépêches, prendre une douche et dîner, puis nous retournâmes dans la nuit à Tan Hiêp pour prendre un hélicoptère pour Bac dès l'aube. Merton Perry de *Time Magazine,* un gros bonhomme de cent dix kilos dont la bonne humeur et l'énergie étaient proportionnelles au tour de taille, vint avec nous. Nous arrivâmes juste après le lever du soleil, au moment où Cao, dans son uniforme de treillis vert encore luisant du repassage, avec ses deux étoiles de général de brigade à la mode française, arrivait en jeep de My Tho où il avait passé la nuit. Il avait retrouvé son calme. Dam avait convoqué la garde d'honneur de la division pour le commandant du corps d'armée. Les soldats étaient alignés devant la tente de commandement, avec leurs casques blancs, leurs ceinturons blancs aux boucles de cuivre poli, et les lacets blancs de leurs souliers noirs. La garde d'honneur se mit au garde-à-vous et présenta les armes lorsque Cao descendit de sa jeep. Il leur rendit leur salut avec un geste brusque de sa badine et entra dans la tente en nous souriant d'un air crispé, ne souhaitant visiblement pas nous parler. Vann nous désigna deux Hueys-21 qui s'apprêtaient à décoller pour aller chercher les morts de Bac. Turner et moi y montâmes tandis que Mert Perry restait pour parler avec Vann et que Rao cherchait à obtenir des informations des officiers vietnamiens.

Les ruines des cabanes du village fumaient encore, et les pilotes firent prudemment le tour par l'ouest du hameau. Ils se tenaient écartés de la scène du combat et se posèrent dans une rizière proche du dernier canal que la compagnie de Ba avait mis tant de temps à traverser la veille. Turner et moi vîmes les M-113 alignés devant la ligne des arbres. Il n'y eut pas un coup de feu, et nous marchâmes le long de la digue en direction des hélicoptères abattus. J'ai compté environ une vingtaine de cadavres. Les soldats vietnamiens étaient couchés sur le dos, leurs treillis ensanglantés, leurs bottes pointant vers le ciel.

Scanlon approcha avec deux engins blindés pour charger les corps et les emporter vers les hélicoptères. Il nous dit que les Vietcongs étaient partis la veille au soir. Mais, en dépit de cette absence, les pilotes avaient ordre de ne pas se poser trop près. Les fantassins des M-113 étaient si démoralisés qu'ils ne voulaient même pas toucher les corps de leurs camarades. Scanlon les insulta et les obligea à sortir de leurs engins pour transporter les cadavres. Turner et moi les aidâmes aussi, en particulier pour Braman et Deal. Une fois arrivé aux hélicoptères, Scanlon eut le même problème pour persuader les vivants des engins de Ba d'avoir la décence de faire le nécessaire pour que les corps de leurs camarades soient rendus à leurs familles afin d'y avoir des funérailles traditionnelles. Il dut à nouveau crier pour les forcer à transporter les cadavres dans les hélicoptères. Turner et moi devînmes aussi furieux de leur comportement et nous mîmes également à les engueuler. Nous n'avions encore jamais vu des conseillers américains ou des soldats de l'ARVN se conduire de cette façon. Nous commençâmes alors à comprendre l'étendue du désastre qui s'était abattu là.

Le général de brigade Robert York, quarante-neuf ans, originaire des collines du Nord de l'Alabama, commandait un détachement spécial que le Pentagone avait envoyé au Vietnam pour expérimenter les armes et les tactiques nouvelles. Il atterrit à Bac au moment où nous finissions d'embarquer les corps. York était encore un représentant de cette génération de Sudistes de la grande dépression qui avaient au début été attirés par les écoles militaires pour y recevoir une éducation gratuite et qui avaient ensuite découvert que le métier des armes leur convenait. A l'école de West Point, son corps musclé et alerte lui avait permis de gagner des combats de boxe. Ses contemporains lui enviaient un des plus brillants palmarès d'infanterie au combat. Il avait été à la tête d'un bataillon de la célèbre 1re division, « the Big Red One », puis d'un régiment qu'il avait impeccablement commandé pendant plus de deux ans, depuis les premiers affrontements contre les Allemands en Tunisie, puis en Italie, le débarquement de Normandie, jusqu'au nettoyage final dans les ruines du IIIe Reich.

Des douze généraux américains au Vietnam en janvier 1963 (un tiers de plus qu'il n'y en avait en service actif dans l'ARVN), seul York se sentit obligé de se rendre à Bac à cause de la personnalité de Vann pour y découvrir personnellement ce qui s'y était passé. Cette recherche de la vérité était inhabituelle chez les généraux. Comme il était libre de ses actions, car il ne dépendait que nominalement de l'état-major de Harkins, York n'avait cessé, depuis son arrivée à Saigon au mois d'octobre, de parcourir la région pour juger personnellement de la façon dont la guerre était conduite. Vann avait compris que York prenait son rôle très au sérieux, et avait essayé de lui faire comprendre ce terrain et ses habitants. Il avait en particulier insisté sur certains problèmes de ce conflit, comme celui des avant-postes qu'il n'arrivait pas à démanteler. Il avait carrément emmené York en jeep à travers des régions où le général avait nettement senti le danger. Au cours de leurs conversations, York avait été frappé par l'émotion avec laquelle Vann s'impliquait et en même temps par sa faculté à prendre du recul pour juger avec objectivité les Vietnamiens et reconnaître leurs fautes. Vann ne tombait pas dans l'erreur de certains conseillers qui évoquaient volontiers les victoires de leurs Vietnamiens pour qu'elles rejaillissent favorablement sur leur propre carrière. Ce qui permettait à ce jeune lieutenant-colonel de raisonner avec un esprit créatif sur le même plan que le général en chef Harkins.

York pouvait facilement comprendre les arguments de Vann, à cause d'une expérience particulière de sa carrière qui le distinguait de ses collègues. Le seul général américain à se rendre à Bac était également le seul qui eût une connaissance de première main d'une insurrection communiste. En 1952, il avait eu la chance d'être affecté pendant trois ans et demi comme observateur de l'armée des États-Unis auprès des Britanniques qui luttaient contre la guérilla chinoise en Malaisie. Les leçons qu'il y avait apprises l'avaient amené à douter, avant même de venir au Vietnam, que ce soit aussi facile de battre le Vietcong que ses camarades, les autres généraux, le pensaient. Les Britanniques avaient un avantage vingt fois supérieur en soldats et en police sur une guérilla qui ne compta jamais plus de 10 000 rebelles, y compris leurs partisans civils, et ils bénéficiaient en outre de la haine raciale des Malais contre les Chinois. La guerre avait tout de même duré douze ans.

Le général York avait également une raison personnelle de venir à Bac. Il avait été un des premiers Américains dont la famille avait été directement touchée par la guerre. En juillet 1962, un neveu pour lequel il éprouvait beaucoup de fierté et d'affection, le capitaine Donald York, ancien camarade de classe de Ziegler à West Point, qui s'était porté volontaire comme conseiller d'un bataillon de parachutistes, avait été tué, trois mois après son arrivée au Vietnam, dans une embuscade vietcong sur la route 13 dans les plantations de caoutchouc au nord de Saigon. C'était une raison de plus pour que le général se rendît à Bac.

York, son adjoint le lieutenant Willard Golding, Turner et moi, nous ne trouvâmes que trois corps vietcongs en remontant leur ligne de défense jusqu'au hameau. Dans le canal d'irrigation qui coulait derrière, nous vîmes les débris d'une petite embarcation creusée dans un tronc d'arbre que les rebelles avaient utilisée pour évacuer les blessés et se ravitailler en munitions. Nous nous mîmes en position dans les trous individuels où les Viets s'étaient retranchés et découvrîmes pour la première fois à quel point la visibilité était dégagée sur toute la rizière où les hélicoptères s'étaient posés. Toute la position avait été si parfaitement choisie et préparée que Scanlon devait dire plus tard que c'était la solution d'école type sur la façon dont une unité d'infanterie, attaquée par un ennemi supérieur, devait organiser sa défense. Nous remarquâmes aussi que, en dépit de la tension d'une retraite sous le feu de l'aviation et de l'artillerie, les Vietcongs avaient ramassé toutes les douilles de cuivre pour les recharger plus tard en poudre et en balles.

J'avais suffisamment d'expérience à l'époque pour interpréter l'évidence, mais un journaliste se doit de s'appuyer sur le jugement d'une autorité. C'est pourquoi je demandais à York ce qu'il pensait de la situation des Vietcongs.

« De quoi ça a l'air, hein ? répondit-il un peu agacé par la niaiserie de la question. Ils ont foutu le camp ! Voilà ce qui s'est passé ! »

Turner, York, Golding et moi pensâmes un moment que nous n'aurions pas autant de chance qu'eux. Cao, qui prétendait avoir tué le même général vietcong plusieurs fois de suite, en oubliant qu'il s'en était déjà vanté avant, faillit bien ajouter à son tableau de chasse un authentique général américain, son adjoint et deux journalistes. Nous nous trouvions sur une petite digue près des hélicoptères abattus et regardions un bataillon de la 7e division, arrivé le matin, qui entrait dans le village. Cela faisait maintenant plus de quatre heures que Turner et moi étions à Bac. Nous savions que nous tenions là la plus grosse histoire de la guerre, et nous étions pressés d'obtenir des explications de Vann à Tan Hiêp, puis de rentrer à Saigon pour envoyer nos dépêches et apprendre au monde ce qui s'était passé. York était d'accord pour nous emmener dans son hélicoptère. Un obusier se fit entendre au sud et une bombe fumigène fit gicler de la boue près de la ligne d'arbres où la colonne d'infanterie venait de disparaître derrière les buissons.

« Hé ! C'est foutrement près ! » cria Golding.

Deux autres bouches à feu grondèrent au loin. Les obus se dirigèrent vers nous avec le sifflement effrayant d'un train express dans la nuit ; ils explosèrent à proximité d'une autre colonne d'infanterie qui marchait sur une digue vers le hameau, à soixante-quinze mètres de là. Le choc et les shrapnels abattirent plusieurs soldats, tandis que les autres culbutaient dans la rizière en hurlant de frayeur.

« Foutons le camp d'ici ! » cria York, tandis que d'autres obus éclataient dans la boue à trente mètres de nous.

York en tête, nous courûmes le long de la digue pour nous éloigner des points d'impact. Mais les obus nous suivaient. Nous n'avions couvert qu'une courte distance lorsqu'un obus explosa juste à côté de nous, et le souffle faillit nous jeter à terre.

« Couchez-vous ! » cria le général.

Nous nous précipitâmes dans la vase pour nous allonger le long de la digue, tandis que les obus continuaient à exploser autour de nous.

Cao avait décidé de simuler une attaque sur Bac maintenant que les Vietcongs n'y étaient plus. Il voulait que le Palais sache qu'il avait fait quelque chose pour compenser. Il avait donc donné l'ordre au bataillon d'infanterie de réserve d'attaquer Bac avec le reste des troupes de Ba. Il avait ensuite pris un hélicoptère pour se rendre au poste de commandement sur la grande route du delta et avait ordonné à Tho de faire un tir de barrage pour affaiblir l'ennemi avant l'« attaque ». Bien entendu, Cao n'était pas venu à Bac pour vérifier si ses hommes y étaient. Tho, de son côté, se contenta de charger son adjoint de donner aux batteries l'ordre de tirer. Cao et Tho se seraient peut-être abstenus si le sous-lieutenant, qui accompagnait l'infanterie comme observateur d'artillerie, avait su lire une carte. Lorsque l'officier en charge de la batterie, préoccupé, lui avait téléphoné pour vérifier la position du bataillon, le sous-lieutenant lui avait répondu avec des coordonnées qui le situaient à plus d'un kilomètre au sud-ouest de Bac.

A la différence de Cao et de Tho, le sous-lieutenant paya cette erreur. Furieux de ce tir qui tuait et blessait ses hommes, le commandant du bataillon sortit son pistolet et abattit le sous-lieutenant d'une balle dans la tête. Avant qu'il reprenne le contact radio pour faire cesser le bombardement, 4 soldats avaient été tués et 12 blessés par la cinquantaine d'obus tirés. Il y aurait eu beaucoup plus de pertes si la boue et l'eau n'avaient pas freiné la projection des shrapnels. Quant à nous quatre, nous aurions pu être tués ou blessés si York n'avait pas profité d'une accalmie de trente secondes pour nous crier de courir nous réfugier plus loin. Les deux obus suivants explosèrent exactement à l'endroit que nous venions de quitter. D'ailleurs, un éclat gros comme le poing vint se ficher dans la digue à trois mètres de Turner.

Je repérai un des sergents de Ba qui parlait français, comme tous les anciens des forces coloniales, et lui traduisis les instructions du général pour qu'il demande par radio des hélicoptères pour évacuer les blessés et les morts. Ba et ses conseillers, ainsi que Prevost qui était aussi venu voir, étaient dans le village avec l'infanterie. C'est donc York qui supervisa l'opération.

Sur le terrain de Tan Hiêp, nous trouvâmes le général Harkins. Il était venu en avion de Saigon pour s'entretenir avec Vann. Je l'avais déjà vu et lui avais parlé à plusieurs reprises, et son apparence m'était familière, mais je fus brusquement déconcerté par sa tenue, d'autant plus que Turner, Golding et moi étions couverts de boue. J'avais vingt-six ans, Turner et Golding à peu près autant. Ce bombardement était notre première expérience comme cibles, et nous nous étions enfouis terrifiés dans la boue pour essayer de nous protéger des obus. York était le seul qui fût présentable. Avec beaucoup de sang-froid, il s'était appuyé sur les coudes pour ne pas salir le devant de sa chemise. « Je ne voulais pas mouiller mes cigarettes, mon gars », me répondit-il quand je lui demandai après le bombardement comment il avait réussi à rester propre.

Harkins appartenait à un monde à part, avec son uniforme tropical, chemise à manches courtes et pantalon léger. Les revers de son col s'ornaient des quatre étoiles d'argent, et la visière de sa casquette de campagne étincelait d'une tresse dorée. Il exhibait des chaussures de ville, une élégante badine et son long fume-cigarette favori. Il interrogea York sur l'incident du bombardement, puis repartit pour Saigon dans son bimoteur Beechcraft. David Halberstam du *New York Times* et Peter Arnett d'Associated Press me dirent plus tard qu'ils l'avaient interrogé à son retour pour lui demander ce qu'il pensait de la bataille.

« Nous les avons enfermés dans un piège que nous allons refermer dans une demi-heure », répondit-il.

Halberstam et Arnett le regardèrent avec stupeur. Ils venaient de survoler en hélicoptère Bac et Tan Thoi et avaient constaté que tout y était calme. Ils avaient également appris par Vann et ses conseillers sur la radio du pilote que les Vietcongs étaient partis depuis longtemps.

Tout cela était vraiment indécent. Au milieu de tous ces morts et mutilés, un général vietnamien, qui aurait été mieux à sa place sur une scène d'opérette que dans l'armée, multipliait les farces macabres tandis que ses soldats de parade lui rendaient les honneurs. Un général américain avec sa badine et son fume-cigarette, les quatre étoiles qui rappelaient qu'il avait la responsabilité de tout, chasseurs-bombardiers, hélicoptères, munitions, armes, mais qui ne daignait pas salir ses souliers cirés ou abîmer le pli de son pantalon dans une rizière, jacassait en prétendant qu'il avait pris les Vietcongs au piège.

Dès que Harkins fut parti, Vann vint nous trouver pour dire combien il était navré du bombardement.

« Mais, nom de Dieu, John, qu'est-ce que c'est que ce bordel ? » lui demandai-je.

Vann ne savait pas encore que Cao portait la responsabilité du bombardement.

« C'est ce trouillard de Tho », répondit-il.

Cette dernière bêtise le libéra de la contrainte qu'il s'était toujours imposée avec les journalistes. Il se lança dans une diatribe sur toutes les stupidités et les actes de lâcheté des deux derniers jours.

« Ce fut une opération complètement minable ! Ces types ne veulent rien écouter. Ils recommencent sans cesse les mêmes putains de conneries. »

Il invectiva Cao pour avoir organisé l'évasion du Vietcong.

« Nous avons supplié, insisté, prié pour que les parachutistes soient lâchés à l'est et, quand ils ont fini par arriver, ils ont été délibérément déposés à l'ouest. »

Ce que Vann ne nous dit pas, ses adjoints le firent pour lui. Leur indiscrétion était proportionnelle à leur profond dégoût. Les pilotes d'hélicoptères aussi parlèrent avec franchise. Ils étaient également exaspérés parce que la vie de leurs hommes avait été sacrifiée et leurs appareils perdus pour rien.

Comme les autres journalistes, j'essayai de protéger Vann et ses conseillers en les citant anonymement. Les remarques de Vann étaient celles d'« un officier américain ». Le rédacteur en chef du *Rochester Democrat and Chronicle,* la ville natale de la femme de Vann, Mary Jane, reprit sa description brutale de la façon dont les forces de Saigon s'étaient déshonorées. Le journal publia mon compte rendu en première page sous le titre « Une opération complètement minable ! ». La mère de Mary Jane, qui vivait toujours à Rochester, reconnut la patte de son gendre. Elle envoya l'article à sa fille avec une note : « Ça ressemble bien à une remarque de John ! »

Le général Harkins faillit couper court aux ambitions de Vann de modifier la politique de la guerre. Quand le général en chef retourna à Tan Hiêp le lendemain matin, 4 janvier, il était décidé à saquer le lieutenant-colonel. Nos articles parus aux États-Unis avaient été téléscriptés à Saigon. Avant la bataille de Bac, l'administration Kennedy avait réussi à éviter que le public soit pleinement conscient de l'implication de son pays dans une guerre dans une région appelée Vietnam. Son attention était concentrée sur Berlin, Cuba et le Congo, les grandes crises internationales de sa politique étrangère. Bac mit brusquement le Vietnam en première page des journaux en présentant un drame qu'aucun autre événement n'égalait. Harkins était embarrassé et furieux. Les articles, remplis de détails sur la lâcheté et le gâchis et de citations acerbes du genre de l'« opération complètement minable » de Vann, décrivaient la bataille comme la pire et la plus humiliante défaite infligée à Saigon et donnaient un éclairage dramatique sur les faiblesses des forces armées de Diêm. Le président Kennedy et le secrétaire à la Défense McNamara réclamèrent une explication. Harkins subissait également la pression du régime de Saigon pour faire de Vann un bouc émissaire. Diêm, sa famille et leurs séides étaient furieux d'avoir perdu la face. L'explication que donna Cao aux journalistes quand il se décida à leur parler, le 3 janvier, fut que Vann et Dam avaient établi un plan d'attaque erroné et qu'ils avaient omis de le lui montrer pour qu'il puisse le rectifier. Le Palais aussi rejeta toute la faute sur Vann. Mme Nhu déclara que tout se serait déroulé merveilleusement s'il n'y avait pas eu ce colonel américain qui avait passé son temps à survoler le champ de bataille dans son petit avion pour annuler les ordres que donnaient les officiers supérieurs de son beau-frère.

« Il faut se débarrasser de lui », dit Harkins au général de division Charles Timmes, son subordonné comme chef du Groupe d'assistance et des conseillers militaires. Le jour de la bataille, Timmes était parti en inspection dans le Nord-Est et il ne put se rendre à Tan Hiêp qu'au matin du 4 janvier. Harkins l'avait précédé et le prit aussitôt à part pour lui donner l'ordre de remplacer immédiatement Vann comme conseiller de la 7ᵉ division. Vann dépendait de Timmes car, à l'époque, les conseillers étaient tous affectés au Groupe d'assistance, même s'ils prenaient leurs ordres d'opérations au quartier général. Timmes avait toujours servi loyalement son supérieur et avait gagné sa confiance. Harkins, par conséquent, n'éprouva pas le besoin de faire preuve de son amabilité et de sa courtoisie habituelles et laissa éclater sa colère.

Timmes fut alarmé de cet ordre. Fils d'un docteur de la banlieue de New York, il avait toujours voulu être soldat et avait à plusieurs reprises essayé d'entrer à West Point et échoué. Il avait alors fait du droit pour gagner chichement sa vie pendant la grande dépression jusqu'à ce qu'il réussisse à transformer son statut de réserviste en officier d'active. Il avait été muté dans l'armée trois mois avant Pearl Harbor. Bien qu'il ait largement fait ses preuves comme commandant d'un bataillon de parachutistes pendant la Seconde Guerre mondiale, il était toujours intimidé par les anciens de la prestigieuse école de West Point, comme Harkins, probablement en raison de ses tentatives infructueuses pour entrer dans cette confrérie. Il était convaincu que les vues optimistes de Harkins sur la guerre étaient correctes et que les rapports de Vann étaient trop sombres. Et cependant il aimait Vann, un combattant comme lui. Ses éclats faisaient partie de son caractère, et il était prêt à lui pardonner ses erreurs pour tirer profit de ses autres qualités. Il se rendait également compte que, s'il relevait Vann de son poste dans de telles circonstances, il saperait le moral des autres conseillers de la division. Ils en concluaient que, s'ils prenaient des risques pour gagner cette guerre et se mettaient à dos les Vietnamiens, ils seraient eux aussi liquidés, et leur carrière serait ruinée. Mais surtout, Timmes voulait empêcher Harkins de commettre un acte inconsidéré qui provoquerait un nouveau scandale dans la presse.

« Vous ne pouvez pas faire cela, dit-il à Harkins. Ils vont vous crucifier. »

Il rappela au général que les officiers de presse du Groupe d'assistance avaient monté Vann en épingle, et que Vann de son côté savait manier les journalistes qui l'adoraient. Ils allaient s'empresser de sauter sur son renvoi, justifié ou non, et de le présenter comme un lâche acte de soumission des États-Unis d'Amérique au régime de Saigon. Ce serait un désastre.

Timmes vit que son argumentation portait. Harkins se calma et l'écouta. Timmes mentionna aussi le danger de décourager les autres conseillers, mais il insista surtout sur la certitude du scandale.

« Je vous en prie, laissez-moi régler ce problème. »

Vann n'avait plus que trois mois à servir au Vietnam. Timmes proposa de le laisser à la 7ᵉ division pendant un temps convenable, puis de l'envoyer dans les hauts plateaux et sur la côte centrale sous prétexte qu'il avait besoin d'une analyse objective sur le déroulement de la guerre dans cette région. Harkins accepta.

Quelques jours plus tard, Timmes sonda Porter en lui disant que Harkins était furieux après Vann et qu'il voulait que lui, Porter, l'en débarrasse. Les deux hommes se connaissaient depuis des années et étaient amis. La réaction de Porter, bouleversé, fut immédiate :

« Je me saquerais moi-même avant de saquer Vann. »

C'était une menace implicite : si on lui demandait de congédier Vann, il demanderait à être lui aussi relevé. Les journalistes auraient un nouveau scandale à se mettre sous la dent et, comme Porter ne devait pas rentrer aux États-Unis avant la fin février, l'avenir immédiat de Vann était assuré.

De son côté, Vann calma un peu la colère de Harkins avec cette duplicité dont il pouvait faire preuve d'une façon convaincante lorsque cela servait ses intentions. Il jura qu'il n'avait pas parlé aux journalistes. Ils avaient probablement entendu ce qu'il disait à Harkins et aux autres, mais ce n'était pas de sa faute puisqu'il n'avait aucun contrôle sur l'accès des étrangers au poste de commandement, confié à la responsabilité des officiers de Saigon. Et il était trop poli pour faire sortir les représentants de la presse. Il prétendit que leur présence inopportune leur avait permis d'entendre ce qu'il disait depuis son avion d'observation en écoutant les transmissions radio pendant la bataille. Personne de l'entourage de Harkins n'eut l'intelligence, pour mettre en doute le bluff de Vann, d'aller vérifier si un journaliste s'était vraiment trouvé au poste de commandement pendant la bataille.

La mauvaise humeur de Harkins se dissipa. Il ne s'opposa pas à la demande de Porter de décerner à Vann la *Distinguished Flying Cross,* la décoration des aviateurs, pour avoir affronté le feu ennemi dans son avion d'observation. Il essaya également de faire savoir à Vann qu'il comprenait très bien qu'il ne lui avait pas confié une bande de guerriers farouches et qu'il était prêt à lui pardonner son manque de sens politique. Bill Mauldin, le créateur du personnage du GI de la seconde guerre, avait fait paraître dans la presse un dessin humoristique sur la bataille de Bac. On y voyait un fantassin vietnamien recroquevillé au fond d'un trou. Un sergent américain, exposé aux balles ennemies, se penchait sur lui en le suppliant les mains jointes : « Quand je dis d'avancer, ça ne veut pas dire se coucher en avant. » On montra le dessin à Harkins qui dit : « Envoyez-le au colonel Vann. »

S'il avait pu comprendre à quel point Vann était un homme complexe et le mal qu'il allait lui faire, Harkins l'aurait certainement fichu à la porte, avec Porter en prime, et aurait accepté d'être crucifié par la presse. Vann n'avait aucune intention de bien se conduire dans l'avenir. Il ne dissimulerait ce qu'il pensait que pour gagner. Sa conscience professionnelle ne lui permettait pas de tricher si le mensonge devait avoir la défaite pour conséquence.

La première démarche de Vann fut d'essayer de transformer la bataille de Bac à son avantage. Il utilisa la débâcle comme preuve que cette armée, qu'on l'avait chargé de guider, était grotesquement incapable de conserver le Sud Vietnam pour les États-Unis. Il rédigea un rapport sur la bataille, le plus long et le plus détaillé de l'histoire de la guerre.

Il demanda à chacun de ses conseillers de lui établir un compte rendu complet de ce qui s'était passé dans leur secteur pour être joint à son rapport. Scanlon à lui seul envoya six pages et demie tapées à simple interligne. S'ajoutant à ceux de Mays et de Bowers, le récit de Scanlon était alarmant. Le conseiller du commandant Tho écrivit cinq pages décrivant l'inefficacité du chef de province et y joignit la copie de la lettre qu'il avait envoyée à Tho, avec l'autorisation de Vann, le lendemain de la bataille. C'était un catalogue sarcastique de reproches dans lequel il énumérait les actes de Tho dans l'intention, suivant ses termes, de « servir à votre édification, et pour que vous puissiez vous corriger ». De son côté, Prevost envoya quatorze pages d'observations.

Après que Ziegler eut remanié les seize textes pour qu'ils soient aussi incisifs que possible, Vann les fit précéder de son propre rapport : vingt et une pages de chronologie descriptive et d'analyses. Il évoqua l' « opération complètement minable » sans jamais employer les mots de « débâcle » ou « défaite ». Il savait que toute trace d'émotion affaiblirait son rapport et permettrait à Harkins et autres supérieurs, qui ne souhaitaient pas entendre de mauvaises nouvelles, de mettre l'accent sur cette émotivité pour expliquer que le jugement de Vann était altéré. Il écrivit dans le style sobre en usage dans l'armée. Mais l'authenticité des témoignages personnels et le récit heure par heure de la succession de gaffes et d'actions lamentables finissaient par déborder les limites de la platitude militaire pour rendre perceptible ce qu'il voulait exprimer. Il apposa sa signature au bas du document, quatre-vingt-onze pages avec des croquis de l'action, et l'envoya une semaine après la bataille à l'attention de Porter à Can Tho, état-major du 4e corps d'armée de Cao. La procédure usuelle voulait que Porter y joignît un mémorandum de commentaires, considéré comme une approbation, avant qu'il ne suive la voie hiérarchique jusqu'à l'état-major du général en chef.

Le texte de Porter destiné à Harkins était un document stupéfiant pour un colonel aux cheveux blancs, réputé pour sa modération. Le mémorandum se lisait comme un acte d'accusation devant une cour martiale, dans lequel le dossier de Vann tenait lieu de preuves. « Ce rapport est probablement le mieux documenté, le plus complet, le plus précieux et le plus révélateur de tous ceux que nous ayons reçus depuis douze mois, commençait-il. La conduite de cette opération met au jour une série de faiblesses aveuglantes. » Porter rappela à Harkins que Vann et les autres conseillers de division avaient déjà attiré l'attention sur « la plupart » de ces insuffisances dans leurs rapports sur d'autres opérations menées par les trois divisions de l'ARVN qui entouraient Saigon. Puis Porter releva toutes les fautes des forces de Diêm dans la bataille, mentionnées par Vann, pour les regrouper en une liste sous des titres qui en faisaient la litanie de tous les péchés mortels de la profession des armes :

Échec...
Mauvaise volonté.
Inefficacité...

Fiasco...
Incompétence...

Porter n'eut pas un seul commentaire pour racheter les fautes commises. Il conclut en avertissant que ce serait une folie de s'illusionner plus longtemps sur le commandement de l'armée de Saigon. « La plupart des faiblesses énumérées ici sont la caractéristique de virtuellement tous les officiers supérieurs des forces armées vietnamiennes. »

Pour entamer le processus de réforme, Porter suggéra que Harkins obtienne de Diêm l'autorisation de tenir « une série de conférences ou de séminaires conjoints entre officiers de haut rang, américains et sud-vietnamiens, généraux, officiers d'état-major, commandants de brigades et de divisions » et leurs conseillers. Au cours de ces réunions, les Américains « discuteraient ouvertement et franchement » avec les Vietnamiens de ce qu'il faudrait entreprendre. L'ordre du jour des discussions et des réformes à entreprendre, que Porter mentionna ensuite, recouvrait en fait tous les aspects d'une armée digne de respect, depuis les « principes de tactique d'action » jusqu'à une réforme qui s'appliquait immédiatement à Cao et à Tho : « la nécessité d'éliminer les chefs incompétents ». En fait, il fallait tout reprendre à zéro.

Le général York, depuis qu'il avait échappé de justesse aux obus « alliés » de Cao, évaluait avec plus d'acuité les chefs de l'ARVN ; il fut le premier à se rendre compte de la façon dont Harkins jugeait la bataille et par conséquent comment il réagirait aux rapports de Vann et de Porter. York avait réalisé que la bataille de Bac mettait en lumière tant de faiblesses des forces de Saigon et était de si mauvais augure pour l'avenir que cela méritait un rapport spécial au commandant en chef. Il estimait que son analyse personnelle pourrait être utile à Harkins, en raison de sa crédibilité comme combattant d'infanterie pendant la Seconde Guerre mondiale et de l'expérience de la guérilla qu'il était un des rares officiers de l'armée US à avoir acquise en Malaisie. Il retourna au séminaire quelques jours après la bataille, interrogea Vann à nouveau ainsi que la plupart des autres conseillers. L'analyse qu'il en rédigea reprenait plus brièvement l'essentiel des points soulevés par Vann et Porter. Il n'en tapa que deux exemplaires, un pour ses archives personnelles, l'autre pour Harkins auquel il le remit en personne. Ce soir-là, ils dînèrent ensemble. Le général en chef dit qu'il n'avait pas encore eu le temps de prendre connaissance du rapport de York, mais qu'il était impatient de le lire. Puis Harkins se mit à parler de la bataille de Bac. En l'écoutant, York commença à comprendre avec stupéfaction qu'il avait vraiment dit ce qu'il pensait lorsqu'il avait prétendu aux journalistes qu'il considérait Bac comme une « victoire » pour les forces de Saigon. Harkins était sincèrement convaincu que, tout compte fait, Bac s'était terminée en faveur de ses pupilles vietnamiens. York lui dit alors qu'il n'allait pas apprécier son rapport, dont les conclusions étaient tout à fait différentes. Harkins le regarda un moment en silence, puis changea de conversation.

Nous, les journalistes, aurions été tout aussi étonnés que York, parce que aucun d'entre nous ne pensait que Harkins croyait vraiment à ce qu'il nous avait dit : « Je considère Bac comme une victoire. Nous avons atteint nos objectifs. » Nous avions pris cette remarque comme une tentative maladroite de sauver la face. Nous pensions qu'il allait de soi qu'en privé il jugeait cette guerre avec plus de réalisme, même si sa vision était faussée par un optimisme injustifié.

Nous avions tort. Harkins avait vraiment cru que les Vietcongs étaient toujours à Bac et à Tan Thoi quand il avait déclaré à Halberstam et Arnett : « Nous les avons enfermés dans un piège que nous allons refermer. » Bien que Vann lui eût dit qu'ils étaient partis, il avait préféré croire le mensonge de Cao qui prétendait qu'ils étaient toujours là et qu'il allait les coincer. De la même façon, il continuait sincèrement à estimer que la bataille n'avait pas été une défaite pour les forces de Saigon. Il était convaincu de la véracité de ses affirmations et considérait qu'elles nous irritaient parce qu'elles étaient une insulte à notre intelligence. Tous — les journalistes, Vann, Porter et York — nous avions profondément sous-évalué sa capacité à s'illusionner lui-même. Il n'était pas le seul de ce grade et de cette position sur lequel nous nous étions trompés !

Harkins devait devenir un objet de risée jusqu'à son retour aux États-Unis, un an et demi plus tard, pour prendre sa retraite. Pour les jeunes officiers américains du Vietnam, « se payer une Harkins » était devenu l'expression vulgaire pour définir une connerie monstrueuse. Harkins allait être considéré comme une aberration par les chefs militaires américains, l'archétype de l'optimiste imbécile. Mais en réalité, comme l'avenir devait le montrer, il était bien représentatif de la hiérarchie militaire américaine des années soixante, un homme dont le sens des valeurs et les préjugés étaient partagés par la majorité du commandement. Il avait été le premier qu'on remarquât et l'Histoire devait montrer plus tard que Vann, Porter et York étaient des exceptions.

Time, le magazine du magnat de la presse Henry Luce, qui ne manquait jamais de mettre en valeur la dimension héroïque des généraux américains, avait, en mai 1962, fait un portrait de Harkins en le comparant à George Patton, son patron de la Seconde Guerre mondiale. Les deux hommes étaient apparemment tout à fait dissemblables. « Patton, dynamique, mal embouché et fanfaron ; Harkins, calme, ferme et toujours poli. » Et pourtant *Time,* citant un ami de Harkins continuait : « Je pense véritablement que fondamentalement ils sont semblables. »

Mais les deux hommes étaient aussi différents de l'intérieur que de l'extérieur. Patton ne s'était pas contenté de charger en tête de ses troupes ; il avait inventé son surnom « Sang et tripes », vite adopté par toute la presse, pour satisfaire son ego et pour le plaisir de ses hommes. Mais, en même temps, Patton était un homme de réflexion, qui avait étudié à fond toutes les guerres et les chefs militaires, anciens et modernes, avec une curiosité qui n'avait d'égale que son énergie. Aucun détail n'était pour lui mineur ou ennuyeux, aucune tâche trop humble. Il était intéressé par tout, aussi bien la tactique de l'infanterie que le blindage des chars, les carrosseries et les moteurs. Pour se garder l'esprit occupé quand il roulait en voiture à travers la campagne, il ne cessait d'étudier le terrain pour imaginer comment il attaquerait cette colline ou défendrait cette crête. Il s'arrêtait à une position d'infanterie pour vérifier, en regardant à travers le canon d'une mitrailleuse, si l'arme était correctement placée pour arrêter une contre-attaque allemande. S'il n'était pas satisfait, il faisait sur place un cours aux officiers et hommes de troupe pour leur expliquer leur erreur. Il ne supportait pas de porter un uniforme avec des faux plis et des souliers qui ne soient parfaitement cirés. Il arborait un pistolet avec une crosse d'ivoire parce qu'il estimait qu'un cavalier comme lui se devait d'avoir un certain panache. Ce qui ne l'empêchait pas, s'il tombait sur un camion embourbé avec des soldats qui lambinaient autour, de sauter de sa jeep, d'engueuler les hommes et de les aider à pousser leur engin pour repartir au combat. Par l'impact de ses leçons et de son exemple, il avait fait de sa 3ᵉ armée le prototype de la force combattante. En même temps, il avait appris à mieux connaître ses hommes et à mieux comprendre l'ennemi allemand qu'aucun autre général allié sur le Front ouest. Il commandait avec une telle conviction qu'on en oubliait ses erreurs inévitables dans la pratique d'un art aussi mortel que la guerre, ainsi que les excentricités personnelles et les gaffes publiques qui auraient ruiné la carrière d'un autre général, parce qu'il était toujours resté en contact avec les réalités de la guerre.

Harkins était dépourvu de toute curiosité à l'égard de la guerre. Ce n'était pas par manque de courage physique qu'il n'était pas allé à Bac, mais parce qu'il avait horreur de marcher dans la rizière. Lorsque Horst Faas, un photographe allemand d'Associated Press, lui exprima le désir de prendre des photos de lui avec des troupes de l'ARVN sur le terrain, il répondit : « Je ne suis pas ce genre de général-là ! » Le fait qu'il ne descendît jamais dans la boue pour apprendre ce qui se passait au sol renforça son aversion pour les mauvaises nouvelles. Il n'avait jamais vu le paysage vietnamien que du ciel, ce qui était symptomatique de son attitude. Son esprit n'avait jamais atterri pour prendre contact avec les réalités matérielles.

La paresse mentale de Harkins, son autosatisfaction et ses habitudes d'officier d'état-major bureaucrate n'expliquent pas cependant que d'autres généraux, qui n'avaient pas les mêmes caractéristiques personnelles, aient adopté des attitudes similaires à l'égard de la guerre. Les généraux qui lui succédèrent étaient des combattants. Ils allaient faire preuve d'énergie, s'aventurer constamment sur le terrain, tirer contre les Vietcongs et se faire tirer dessus. Quelques-uns d'entre eux furent même tués, mais la plupart allaient se comporter en se fondant sur des postulats fondamentalement semblables à ceux de Harkins. Ils voyaient toujours ce qu'ils avaient décidé de voir avant même de s'approcher d'un champ de bataille du Vietnam.

Après la Seconde Guerre mondiale, les caractéristiques dominantes des plus hauts responsables des forces armées américaines étaient devenues l'arrogance professionnelle, le manque d'imagination et de sensibilité morale et intellectuelle. C'est ce qui avait amené des hommes, par ailleurs intelligents, comme Harkins, à se conduire comme des imbéciles. On y trouvait les symptômes d'une maladie institutionnelle qu'on pourrait appeler le « syndrome du vainqueur », car elle découlait de la riposte victorieuse au défi lancé par l'Allemagne et le Japon. Cette maladie n'affectait pas seulement la caste militaire, mais aussi toute la bureaucratie civile, CIA, State Department et toutes les autres agences gouvernementales mineures qui, aux côtés de l'armée, supervisaient les intérêts américains au-delà des mers pour le président. Bien plus, la maladie avait gagné la majeure partie de l'élite politique, universitaire et du monde des affaires des États-Unis. La Seconde Guerre mondiale s'était terminée par un triomphe unique des ressources, de la technologie, du génie industriel et militaire de ce pays. La prospérité, que la guerre et la domination extérieure après-guerre avaient apportée, après la longue détresse de la dépression, était telle que la société américaine était devenue la victime de sa propre réussite. L'élite du pays était abasourdie et engourdie par trop d'argent, trop de ressources matérielles, trop de pouvoir et trop de succès

En février 1943, l'armée des États-Unis s'était trouvée pour la première fois de cette Seconde Guerre mondiale face aux Allemands au col de Kasserine dans les montagnes de Tunisie. Les Américains s'étaient enfuis. C'est un général britannique qui avait dû prendre le commandement pour arrêter la déroute. Eisenhower avait téléphoné à Patton, qui se trouvait au Maroc, de venir immédiatement le rejoindre à l'aéroport d'Alger. Leur conversation fut brève. Eisenhower demanda à Patton de regonfler le moral des troupes pour contre-attaquer aussitôt. Il avait griffonné au crayon une note donnant à Patton autorité de commandement sur les quatre divisions américaines qui se trouvaient en Tunisie, et Patton était reparti aussitôt. Eisenhower fit suivre cette note par un mémorandum des mesures à prendre. Patton ne devait pas garder « un seul instant » un officier qui ne soit pas à la hauteur. « Nous ne pouvons nous permettre de gaspiller des soldats, de l'équipement et de l'efficacité » parce qu'on ne veut pas heurter « les sentiments de vieux amis », écrivait-il. Il reconnaissait qu'un tel comportement impitoyable à l'égard d'anciens camarades exigeait souvent un grand courage moral, mais il comptait sur Patton « pour être absolument sans pitié ». Le premier à être viré fut le général qui commandait à Kasserine, et que Eisenhower, avant le début de la bataille, avait considéré comme le second meilleur commandant après Patton. Il fut réexpédié aux États-Unis où il passa le reste de la guerre à exercer sa haute compétence de bureaucrate comme instructeur.

L'auteur de ce mémorandum à Patton était un général à quatre étoiles toutes neuves qui avait été lieutenant-colonel trois ans et demi plus tôt dans cette armée de « 3e classe » (derrière la Marine et l'Aviation) comme disait le nouveau chef d'état-major général George Marshall. Elle était inférieure en effectifs à celle du Portugal, et son armement le plus puissant était constitué par vingt-huit chars démodés construits dans l'entre-deux-guerres. Mais

Eisenhower était aussi un homme inquiet, car si Patton ne réussissait pas à rétablir sa réputation ternie en sélectionnant des chefs de valeur pour reprendre le dessus, le général Marshall allait lui retirer son titre tout récent de commandant en chef des Forces alliées. Le destinataire du mémorandum, le général Patton, était un boxeur amateur qui allait affronter en combat singulier le champion du monde poids lourds : le « renard du désert », le feld-maréchal Erwin Rommel de l'Afrika Corps. Juste avant l'attaque, Rommel avait laissé sa place à un autre général, mais Patton ne le savait pas. Eisenhower, Patton et leur armée de 1943 n'étaient que des nains dans un monde de géants. Leur survie personnelle, celle de leur armée et de leur nation étaient en jeu. Et ils avaient peur de perdre.

Vingt ans après la débâcle du col de Kasserine, on aurait eu du mal à trouver un général de l'armée des États-Unis qui craignît de gaspiller des ressources ou la vie des soldats. Les plus jeunes officiers de la Seconde Guerre mondiale, devenus maintenant les généraux des années soixante, étaient tellement habitués à vaincre qu'ils ne pouvaient imaginer perdre. Certes, la Corée n'avait pas été un succès, mais ils en rejetaient la faute sur la faiblesse de l'autorité civile qui avait refusé de leur « lâcher la bride » pour déverser contre la Chine tout le potentiel militaire américain. Au Vietnam, ils étaient sûrs de gagner, parce que c'était eux qui y étaient.

En disant à Harkins la vérité sur ce qui s'était passé à Bac et en insistant pour que Diêm réorganise son armée avant que son régime et les États-Unis ne soient vaincus, Vann, Porter et York lui demandaient d'établir un « constat d'échec ». Cela ne s'était jamais vu parmi les dizaines de milliers de comptes rendus des forces armées américaines ! Un chef communiste vietnamien pouvait se permettre de rendre compte d'un échec sans pour autant compromettre sa position, du moment qu'il recherchait les moyens de surmonter ses problèmes. Leur système encourageait l'autocritique, celle des collègues et des subordonnés, ainsi que l'analyse de ce que le Parti appelait les « conditions objectives » auxquelles la révolution se trouvait confrontée. Les communistes vietnamiens menaient une guerre d'indépendance nationale et de survie. Ils étaient capables de tenir compte des heures sombres pour mieux apprendre comment se comporter pour connaître les jours heureux. Le système américain, depuis la Seconde Guerre mondiale, n'était réceptif qu'à la lumière de la réussite. Par exemple, le rapport hebdomadaire que Harkins envoyait à l'état-major général et au secrétaire à la Défense s'intitulait « Rapport des gains ». Il n'existait pas de « Rapport des pertes » pour un cas comme Bac.

Avec cette mentalité, Harkins avait, bien longtemps avant Bac, mis au point une stratégie dont il était convaincu qu'elle leur apporterait la victoire : la guerre d'usure totale basée sur l'abondance des ressources et la puissance de feu américaines. Harkins pensait qu'il était en train de transformer l'ARVN en une machine de mort qui réduirait en poussière le Vietcong comme Patton avait haché menu la Wehrmacht en Europe. Il contrôlait l'efficacité de sa stratégie avec les unités de mesure élaborées pendant la Grande Guerre et mises au point en Corée. Les chiffres, dont Vann contestait la signification, avaient beaucoup de sens pour Harkins. C'est pour cette raison qu'il se concentrait sur le nombre de cadavres, que l'armée continuait à invoquer au Vietnam : la « proportion des tués » entre les amis et les ennemis. C'est également pour cela qu'il prenait en compte le nombre total d'opérations lancées, de sorties aériennes et du tonnage de bombes déversées. Il comptabilisait également la formation et l'équipement des nouvelles troupes qui devaient accélérer la marche vers la victoire qu'il imaginait avoir commencée. Mais la génération des Eisenhower et des Patton n'avait pas gagné la Seconde Guerre mondiale en se contentant de construire une machine de destruction qu'ils auraient lâchée en liberté dans l'espoir qu'elle leur gagnerait la victoire. C'étaient des stratèges pour qui la guerre d'usure n'était qu'un des moyens de leur action. Les années et la bureaucratisation du corps des officiers avaient déformé la mémoire de ce qui avait permis de gagner la Seconde Guerre mondiale. La stratégie de Harkins était peut-être une vision fausse du passé, mais elle était devenue une réalité institutionnelle en laquelle tous les généraux croyaient.

Harkins avait exposé sa stratégie à Maxwell Taylor lors de sa venue en septembre 1962. Si Vann avait été présent à cette réunion, il aurait compris pourquoi Harkins avait écarté tout ce qu'il avait essayé de dire au cours du déjeuner qui suivit. Le général avait insisté sur ce qu'il appelait « les trois M », *men, money, material* (hommes, argent, matériel), qui avaient été abondamment dispensés dans cette guerre. L'ARVN s'était accrue de 30 000 hommes et pourrait bientôt mettre en place trois nouvelles divisions d'infanterie. La Garde civile et les milices connaissaient une expansion comparable. Les États-Unis investissaient maintenant 337 millions de dollars par an en aide militaire et économique, sans compter le coût de son corps expéditionnaire, en comparaison avec les 215 millions de l'année précédente. Le nombre de sorties des chasseurs-bombardiers avait quadruplé, à la grande rage de Vann parce qu'elles s'accompagnaient d'une augmentation proportionnelle des victimes civiles. Il n'y avait pas de doute que les communistes devaient ressentir le poids des trois M, assura Harkins qui insista sur le nombre croissant de tués ennemis.

A la fin de 1962, dit Harkins, tous les programmes qu'il avait mis en route arriveraient à maturité. Il expliqua comment il allait alors les coordonner pour la campagne qui devait apporter la victoire décisive contre les communistes. L'opération avait pour nom de code « Explosion ». La phase I, « Planification », et la phase II, « Préparation », étaient presque terminées et il en avait présenté le plan à Diêm. La phase III, « Exécution », était prévue pour la mi-février 1963 : une attaque tous azimuts par les forces de Saigon, aiguisées comme une lame et renforcées par les éléments américains. Cette offensive continuerait non-stop jusqu'à ce que le Vietcong soit brisé en morceaux et réduit à une fraction de ses effectifs actuels. La phase IV, « Exploitation et Consolidation », terminerait la guerre par le nettoyage des rebelles restants et la restauration de l'autorité du régime de Diêm sur tout le pays.

Le programme des « hameaux stratégiques », complément de la guerre d'usure, se déroulait également bien. En isolant la guérilla de la paysannerie locale, Harkins accélérerait le déroulement de la phase III. Plus de 2 800 hameaux protégés avaient déjà été construits. Le conseil exécutif qui supervisait le plan, et qui comprenait le général Harkins, l'ambassadeur Frederick Nolting, le responsable de la CIA et les directeurs des autres agences US, était confiant que maintenant les choses étaient trop avancées pour que le Vietcong puisse s'y opposer efficacement.

Le secrétaire à la Défense McNamara, archétype des grands responsables civils présomptueux, avec son outrecuidance et sa partialité naïve et superficielle en faveur des généraux, avait mis en route, alors que l'effort de guerre américain n'avait que cinq mois d'âge, la machine qui devait lui apporter un succès d'autosatisfaction. A la fin de sa première visite au Vietnam en mai 1962, il donna une conférence de presse à la résidence de l'ambassadeur Nolting. Il n'était arrivé que depuis deux jours et avait hâte de remonter dans son quadriréacteur pour voler rapidement vers Washington et rendre compte au président Kennedy. Courir le monde n'était pas une mince affaire, et les hauts fonctionnaires contemporains de McNamara étaient toujours pressés ; ils se dépêchaient de prendre des décisions pour pouvoir aussitôt s'empresser d'en prendre d'autres. McNamara était célèbre pour prendre les siennes à toute allure. Ses collaborateurs avaient calculé qu'il en avait pris six cent vingt-neuf majeures en un mois. On considérait également comme une qualité le fait qu'il ne semblait jamais se préoccuper de la possibilité d'une erreur et qu'il ne regardait jamais en arrière.

Il n'était pas rasé pour la conférence de presse, car il n'avait pas voulu perdre de temps ce matin-là. Sa chemise kaki et son pantalon étaient froissés et ses bottillons de marche poussiéreux de sa tournée express. Son carnet de notes était rempli de chiffres qu'il avait glanés en ne cessant d'interroger chaque officier américain ou vietnamien qu'il avait rencontré. Les journalistes lui demandèrent quelle impression il allait rapporter au président. « Je n'ai vu que des progrès, répondit-il, et les signes de l'espoir de progrès encore plus grands dans l'avenir. » Les journalistes insistèrent. Il ne pouvait sûrement pas être aussi optimiste si tôt ? Il ne fléchit pas. C'était un roc d'optimisme. J'ai supposé alors qu'il avait acquis cette notion fâcheuse de la publicité triomphaliste au cours des années qu'il avait passées chez Ford. Je réussis à l'accrocher alors qu'il montait en voiture. Je lui dis que je n'avais pas l'intention de le citer et que ce serait confidentiel, mais que je voulais savoir la vérité. Comment un homme de son envergure pouvait-il être aussi confiant sur l'issue d'une guerre qui commençait à peine ? Il me gratifia du regard McNamara, franc derrière les lunettes sans monture. « Chaque mesure quantitative dont nous disposons indique que nous allons gagner la guerre. » Il monta sur le siège arrière, un Marine claqua la porte, et le chauffeur partit à vive allure vers l'aéroport.

Une conférence stratégique s'était tenue à Honolulu, le 23 juillet 1962, trois jours après le fiasco de la plaine des Joncs où Cao, à la grande fureur de Vann, avait laissé échapper 300 Vietcongs au Cambodge, y compris une compagnie d'instructeurs. McNamara avait demandé à Harkins combien de temps il faudrait pour que « le Vietcong soit éliminé en tant qu'élément perturbateur ». Cette question suivait l'exposé de Harkins sur la situation présente. Juste avant de partir pour Honolulu, Harkins avait reçu le rapport de Vann sur l'échec de la plaine des Joncs. Le compte rendu top-secret de la conférence montre que le général n'en tint aucun compte dans son exposé à cette assemblée de hauts dignitaires. Il y fit preuve, en revanche, de son optimisme caractéristique :

> Contact est pris chaque jour avec VC. Au cours d'avril, 434 opérations terrestres ont été montées. En mai, 441. Plus de 1 000 sorties aériennes en juin. Le gouvernement du Sud Vietnam a encore besoin d'améliorer son organisation, mais des progrès sont faits. Président Diêm a indiqué qu'il envisage que ses troupes aillent plus souvent sur le terrain pour y rester plus longtemps.

Le général avait terminé son exposé avec une déclaration qui eût stupéfié Vann :

« Il n'y a aucun doute que nous sommes sur le chemin de la victoire. »

McNamara avait été ravi à juste titre :

« Il y a six mois, nous n'avions rien et, aujourd'hui, nous avons fait de remarquables progrès », commenta-t-il à l'assistance.

Puis Harkins répondit à sa question sur le temps qu'il faudrait pour en terminer avec les Viets :

« Un an à partir du moment où les forces de Saigon seront tout à fait opérationnelles et exerceront leur pression sur les Viets dans tous les secteurs. »

Cette période d'un an pourrait commencer au début 1963 avec son opération « Explosion ». Le secrétaire à la Défense jugea qu'il était imprudent de se montrer si optimiste :

« Nous devons adopter une attitude plus réaliste et partir du principe qu'il faudra trois ans au lieu d'un. Nous devons imaginer le pire et planifier en conséquence. »

Il était préoccupé par l'opinion publique américaine et par le Congrès qui pourraient obliger l'administration à se retirer du Vietnam s'il y avait des victimes américaines :

« Nous devons allonger notre programme à long terme, car il sera peut-être difficile de conserver le soutien du public en faveur de notre opération au Vietnam. La pression politique montera en même temps que les pertes américaines. »

Une fois réglé ce scénario pessimiste de trois ans pour la victoire, McNamara avait demandé à Harkins de préparer un plan de désengagement du corps expéditionnaire américain pour laisser le nettoyage final aux forces de Saigon vers la fin de 1965. Entre-temps Harkins devait entraîner suffisamment de Vietnamiens pour piloter les chasseurs-bombardiers, les hélicoptères et autre matériel qui leur seraient laissés. L'état-major de Harkins eut la bonne grâce de préparer un plan de retrait, qui prévoyait de réduire à 1 600 l'effectif du personnel américain au Sud Vietnam pour décembre 1965. C'était plus que le chiffre limite de 685, autorisé par les accords de Genève de 1954, mais il était assez faible pour que l'opinion publique américaine ne s'y intéresse plus et le trouve insignifiant à côté de la Corée du Sud où 40 000 soldats américains étaient restés neuf ans après la fin de la guerre.

Harkins avait probablement trompé consciemment McNamara, Taylor et la hiérarchie militaire avec son évaluation d'un an pour terminer la guerre. Peut-être pensait-il que, puisque de toute façon il allait gagner, il n'y aurait aucun mal à trafiquer un peu les chiffres pour faire plaisir à ses supérieurs. Si c'est le cas, il n'en parla à personne de son entourage, même pas à ceux en qui il avait confiance comme Charlie Timmes. Mais l'explication la plus vraisemblable semble être que Harkins ne mentait pas, et qu'il voulait vraiment croire à ce qu'il espérait et rejeter ce qui lui déplaisait.

Le rapport sur Bac que Vann avait constitué avec tant de passion et de préoccupation, et le jugement qu'avait joint Porter avec la logique et la perspicacité d'un vieil officier d'infanterie, avaient considérablement irrité le commandant en chef. Il les avait classés tous deux dans une catégorie à peine supérieure à celle des journalistes qui l'exaspéraient pour les mêmes raisons : ils niaient tous l'évidence de la victoire qu'il voyait, lui, si proche. York avertit Porter, son ami depuis Fort Benning en 1950, que Harkins était si furieux qu'il ne devrait pas s'étonner d'être saqué en même temps que Vann. Un autre général de brigade, également son ami, lui fit parvenir le même message. La crainte du scandale qui avait empêché Harkins de se séparer de Vann et l'imminence du départ de Porter le protégeaient. Mais Porter ne s'en rendit pas compte. Il ne put que constater le mécontentement de Harkins, le jour où il vint faire une tournée d'inspection dans le delta et s'abstint ostensiblement de lui demander de l'accompagner dans son Beechcraft. Si le général gardait une politesse de façade, son irritation était néanmoins perceptible.

Harkins ne vit aucune raison pour retarder le début de son opération « Explosion ». Au contraire, il voulut l'avancer de la mi-février à la fin janvier. Le 19 janvier 1963, trois jours après avoir reçu le rapport de Vann sur Bac et le mémorandum de Porter, il envoya à l'amiral Harry Felt, commandant en chef du Pacifique à Honolulu, le dernier exposé de son plan pour la victoire de 1965 que McNamara avait demandé. Harkins était toujours convaincu qu'il n'aurait pas besoin de trois ans.

Paul Harkins aurait bien pu ne pas avoir le dernier mot à un moment où la guerre était à la croisée des chemins. L'état-major interarmes avait décidé l'envoi d'une mission d'enquête composée de six généraux et d'un amiral, assistés de tout un échantillon de colonels et lieutenants-colonels des trois armes, Armée de terre, Marine, Aviation, et du corps des Marines[1]. Ils devaient passer tout le temps nécessaire au Sud Vietnam et avaient des pouvoirs quasi illimités pour « porter un jugement militaire sur les perspectives d'une conclusion victorieuse du conflit dans un temps raisonnable ». Ils devaient proposer dans leur rapport « toutes modifications de notre programme qui leur semblerait souhaitable ». Le général qui commandait la mission résumait ainsi la question à laquelle le gouvernement leur demandait de répondre : « Est-ce que nous allons gagner ou perdre ? »

L'état-major interarmes avait constitué une équipe choisie parmi les meilleurs officiers supérieurs du Pentagone, ayant toutes les qualités requises pour cette tâche. Mais la personnalité la plus forte était certainement le général de division Victor Krulak qui, au sein de la mission, était le délégué de l'état-major général. Cet officier de cinquante ans — qui avait dû obtenir une dispense pour entrer dans le corps des Marines parce qu'il ne mesurait qu'un mètre soixante-deux — avait été décoré de la *Navy Cross*, pour son héroïsme dans la guerre du Pacifique contre les Japonais. Mais il était surtout le seul général de la mission qui s'était rendu au Vietnam auparavant. Il avait accompagné McNamara lors de sa première visite en mai 1962 et y était retourné vers la fin de l'été, lorsque Vann infligeait de lourdes pertes au Vietcong. Pour Krulak, la guerre du Vietnam était *sa* guerre. En outre, il était inspecteur général du Pentagone et suivait le conflit chaque jour depuis Washington pour l'état-major et pour McNamara.

Il était vraiment, de par ses fonctions actuelles et ses antécédents, l'homme idéal pour une telle mission. Durant ses vingt-huit ans et demi de service, il avait fait preuve d'une capacité d'imagination militaire créatrice, qu'on aurait pu qualifier sans exagération de géniale.

Alors qu'en 1937 il était lieutenant de renseignements à Shanghai dans le 4ᵉ régiment de Marines, chargé de la protection de la concession internationale au cours de la guerre sino-japonaise, il devait apporter une contribution qui serait capitale pendant la Seconde Guerre mondiale et en ferait un personnage historique du corps des Marines. A l'époque, les Américains ne disposaient pas du matériel nécessaire pour décharger rapidement sur les plages l'infanterie, les véhicules et l'armement lourd qui devaient être glissés le long des flancs des bateaux. A Shanghai, il observa et prit des photos d'un débarquement japonais. Il découvrit qu'un des bateaux japonais avait une étrave carrée qui s'abattait pour former une rampe. Les fantassins ou les véhicules s'y précipitaient pour arriver directement sur la plage. L'engin remontait la rampe et repartait charger d'autres troupes. Il en fit une maquette en bois qu'il soumit au commandant des Marines. Ainsi, c'est grâce

---

1. L'Armée de l'air américaine (US Air Force) ne fut constituée en force autonome qu'au lendemain de la Seconde Guerre mondiale en 1947. Jusque-là, chacune des différentes armes avait sa propre aviation. En revanche, le corps des Marines (ou fusiliers marins) avait été créé dès 1775 pour fournir l'infanterie pour toutes les opérations hors du territoire américain : Caraïbes, Pacifique, etc. Leur rôle fut primordial pour la reconquête du Pacifique pendant la Seconde Guerre. Ils prirent part à la guerre de Corée et furent les premiers envoyés au Vietnam en 1965.

à lui que les États-Unis mirent au point le LCVP *(Landing Craft, Vehicle and Personnel)*, le bateau de débarquement classique de la Seconde Guerre mondiale. On en fit une version plus grande pour transporter les chars Sherman de trente tonnes. La curiosité et l'inspiration du jeune lieutenant de Shanghai en 1937 avaient fourni à toutes les troupes américaines et alliées l'engin qui leur permettrait de déverser victorieusement hommes, tanks, artillerie, munitions, ravitaillement et équipements divers sur les plages d'Afrique du Nord, d'Italie, de Normandie et du Pacifique.

Mais l'imagination de Krulak ne devait pas s'arrêter là. Au cours des manœuvres de 1948, il expérimenta une attaque avec les premiers petits hélicoptères Sikorski. Tous les principes de la guerre aérienne, qui semblaient si nouveaux en 1963, avaient donc été mis au point quinze ans plus tôt dans le manuel que rédigea alors le lieutenant-colonel Krulak, de l'école des Marines.

Mais l'originalité de son esprit n'était pas l'unique raison de son influence prédominante au sein de la mission envoyée au Vietnam. Il avait aussi des relations enviables qui donnaient à tout ce qu'il disait une crédibilité inhabituelle auprès de la Maison-Blanche. En 1943, le lieutenant-colonel Krulak commandait le 2ᵉ bataillon de Marines parachutistes dans le Pacifique Sud, où il servait d'unité d'assaut indépendante pour le compte de l'amiral William Halsey. En octobre, il fut chargé de débarquer de nuit sur l'île de Choiseul dans les Salomon. C'était une opération de diversion pour faire croire aux Japonais que les Américains voulaient s'emparer de l'île et les inciter ainsi à y envoyer des renforts. Mais la véritable attaque était prévue pour le 1ᵉʳ novembre sur la grande île de Bougainville avec 14 000 Marines. Alors qu'il se retirait après un des raids, un bateau de débarquement de Krulak qui transportait 30 de ses hommes, dont beaucoup de blessés, heurta un récif de corail et commença à couler. Un torpilleur qui les protégeait vint immédiatement à son secours. L'opération était dangereuse, car le récif était très proche de la rive et directement sous le feu des Japonais. Mais le torpilleur et son commandant, un lieutenant de vingt-six ans, restèrent jusqu'à ce qu'ils aient embarqué tout le monde. Lorsque l'opération fut terminée, Krulak voulut exprimer sa gratitude au jeune officier. Le whisky était rare à l'époque dans les îles Salomon, mais Krulak avait une petite bouteille de *Three Feathers* dans son paquetage, sur l'île de Vella Lavella qui lui servait de base : « Si nous réussissons à rentrer vivants à Vella Lavella, cette bouteille est à vous », dit-il au lieutenant.

Le jeune officier dut attendre longtemps son whisky. Krulak avait d'autres soucis. Les combats continuaient, il fut blessé deux fois et passa longtemps à l'hôpital où il oublia complètement sa promesse.

Elle lui revint en mémoire lorsque le jeune lieutenant fut élu président des États-Unis. Peu de temps après son intronisation, le général Krulak acheta une bouteille de *Three Feathers* et la déposa à la Maison-Blanche avec ce petit mot :

Monsieur le président,

Vous l'avez probablement oubliée, mais moi je m'en souviens. Voici la bouteille de whisky que je vous dois.

John Kennedy fut ravi. Il se souvenait de la promesse et de l'héroïque lieutenant-colonel de Marines qu'il avait admiré alors qu'il n'était qu'un jeune officier, avec la même nostalgie qu'il éprouvait pour toutes ses expériences de la guerre. Il aimait en parler et n'en manquait aucune occasion. Il était devenu lui-même un héros et avait été décoré après que le torpilleur qu'il commandait, le PT-109, avait été coulé par un destroyer japonais. Kennedy avait nagé pendant six kilomètres en traînant un de ses hommes blessé par la sangle du gilet de sauvetage qu'il tenait dans les dents. L'histoire du PT-109 et de son vaillant commandant l'avait aidé à être élu au Congrès en 1946, mais ces aventures avaient plus de valeur pour lui qu'un simple coup de pouce politique. La Seconde Guerre mondiale avait été une expérience qui faisait partie de sa formation. Au cours de ces années simples et glorieuses, il avait pu tester sa propre valeur et celles de la culture anglo-saxonne de la côte Est des États-Unis qui l'avaient formé. Les torpilleurs PT étaient les bâtiments les plus pénibles de la Marine, et Kennedy avait été volontaire pour les commander, en dépit d'un mal de dos chronique que n'importe qui aurait invoqué pour être dispensé de service armé. Il était le premier des officiers subalternes de la guerre à devenir commandant en chef de toutes les forces armées. Il apporta à la présidence ce comportement à l'égard de la vie et du monde qu'il devait à la guerre et il éprouvait un respect particulier pour ceux qui avaient fait preuve de courage dans les mêmes circonstances. Il invita Krulak à la Maison-Blanche. Ils burent cérémonieusement le whisky en évoquant leurs souvenirs. Puis Kennedy reboucha la bouteille pour la garder en souvenir.

En février 1962, lorsque Kennedy voulut adjoindre à l'état-major inter-armes un général spécialiste de la contre-guérilla, il demanda à son frère Robert de veiller au sein du gouvernement à ce que le poste revienne à Krulak. La plupart des militaires auraient été déçus de cette affectation, car la guerre subversive n'était pas à la mode et avait peu de chance d'être bénéfique pour leur carrière. Ce n'était pas le cas de Krulak, qui avait compris que le président redoutait une vague de « guerres de libération nationale » et il savait qu'il avait été choisi parce qu'il était le général de Marines préféré de Kennedy. Réussir une mission qui tenait particulièrement à cœur au président lui ouvrirait les portes à l'avenir.

Krulak devait devenir également le favori du frère du président. Bobby Kennedy et la « brute » Krulak s'entendaient très bien, car chacun admirait chez l'autre les qualités qu'il appréciait en lui-même. Krulak était impressionné par la rapidité d'analyse de Bobby et aimait la volonté de fer dont il pouvait faire preuve lorsque la situation l'imposait.

Tandis que le quadriréacteur, qui emportait la mission spéciale du haut commandement, se posait à Tan Son Nhut en ce matin du 18 janvier 1963, Krulak était conscient que le président et son frère comptaient sur lui pour les assurer qu'ils étaient toujours sur la bonne voie, ou, s'ils s'étaient trompés, pour leur dire ce qu'il fallait faire pour gagner. McNamara, qui avait appris également à apprécier Krulak, ne lui avait pas caché sa préoccupation. Il était troublé par les articles des journaux sur le comportement des forces de Saigon à Bac, et avait été choqué par la perte des cinq hélicoptères. Avant que la mission ne quitte le Pentagone, il avait dit à Krulak que le gouvernement avait besoin d'une évaluation neuve de la guerre. Krulak s'était alors dit que si McNamara était inquiet, le président et Bobby devaient l'être certainement aussi.

Le général à quatre étoiles qui commandait la mission suivit l'usage en vigueur dans la région et laissa Harkins, qui savait pourquoi ils étaient venus, organiser l'itinéraire de leur visite. Comme la majorité des combats avaient lieu au sud de Saigon, Harkins les envoya la majeure partie du temps au nord et dans les provinces côtières du Centre Vietnam. Il pensait qu'il y progressait plus rapidement, car, à l'exception de certains secteurs des hauts plateaux, il y rencontrait moins de résistance. Mais cela tenait à ce que le Vietcong y contrôlait si bien la paysannerie locale qu'il n'avait pas besoin de s'affirmer. Les Viets préféraient concentrer leurs efforts dans le secteur de Vann où l'issue était encore douteuse.

Une seule journée sur les huit fut consacrée au delta. Mais les augustes visiteurs n'allèrent pas à My Tho ou dans la zone de la 7e division pour interroger Vann et ses adjoints sur les événements qui avaient amené le commandement suprême, encouragé par la Maison-Blanche, à y envoyer ces hautes personnalités. Le delta se limita pour eux à une réunion à l'état-major du 4e corps d'armée de Cao à Can Tho et à une visite au lieutenant-colonel Fred Ladd, conseiller de la 21e division à l'extrême sud du delta, qui était presque totalement contrôlé par les communistes. Il ne semble pas, d'après les rapports rédigés ensuite, qu'un membre quelconque de la mission, pas même Krulak, ait réalisé que ce n'était peut-être pas la meilleure façon de mener leur enquête. D'autant que ce n'était pas par manque de temps qu'ils ne passèrent qu'une journée dans le delta. La durée de leur voyage, prévue initialement pour quatre jours avait été doublée parce que le général d'armée commandant la mission avait la grippe. Il était trop malade pour aller à Can Tho, mais les autres, y compris Krulak, y rencontrèrent Cao et son conseiller Porter.

Interrogé quelques années plus tard, Porter ne se souvint plus des détails. Mais il était certain de n'avoir rien caché aux généraux. Ses commentaires précédents et ses recommandations à Harkins lui avaient déjà valu une disgrâce professionnelle, et il n'y avait plus aucune raison pour qu'il se montrât réservé. Deux jours avant l'arrivée de la mission au Vietnam, il avait transmis à Saigon les rapports de Vann et sa propre analyse sur les faiblesses de l'armée de Diêm. Lorsqu'il rencontra les enquêteurs, il était convaincu que Harkins ne pouvait avoir soustrait un tel document à l'attention de la mission. Il était certain d'avoir parlé franchement, persuadé que les généraux étaient déjà au courant de son opinion et qu'ils l'interrogeraient s'ils voulaient plus de précisions. Mais on ne lui posa aucune question.

Le général Bob York se trouvait également à Can Tho. Il ne se souvient pas que quiconque de la mission, ce jour-là ou un autre, lui ait demandé ce qui préoccupait le haut commandement : « Est-ce que nous allons gagner ou perdre ? » York s'était déjà entretenu avec eux au sujet de la mission que le Pentagone lui avait confiée sur l'étude des armes nouvelles et des tactiques contre la guérilla. Il avait décrit le rôle des hélicoptères de combat Hueys à Bac, ce qui était de son ressort, mais n'avait pas parlé de la bataille. York avait en commun avec Porter la même force et les mêmes faiblesses. C'était un individualiste à l'esprit inquisiteur et d'un caractère irréprochable. Mais il avait été formé par une institution qui avait foi dans les structures établies. Il n'était pas homme à enfreindre la hiérarchie en se lançant dans un sermon incongru devant de si hauts gradés. Il avait soumis son analyse confidentielle de la bataille, avec son jugement sur les conséquences, à son supérieur, le commandant en chef. C'était à Harkins de décider s'il devait en faire part aux membres de la mission. York n'était pas du genre à distribuer des copies de son rapport dans le dos de son chef. En revanche, il était parfaitement libre de dire ce qu'il pensait si on l'interrogeait. Personne ne le fit. Il se souvient qu'au cours du déjeuner, la conversation fut d'une totale banalité. Apparemment, les généraux du Pentagone n'avaient pas d'états d'âme.

Après le déjeuner, le conseiller de la 21ᵉ division, Fred Ladd, emmena Krulak et un général de l'état-major de Saigon pour suivre une opération de sa division et visiter un avant-poste de la milice sur la côte de la mer de Chine. Ce fut un coup d'œil rapide, comme il le mentionna dans son carnet de route. Il ne se souvient pas non plus qu'on lui ait posé des questions sur l'état de la guerre.

Porter avait raison de présumer que Harkins ne chercherait pas à tricher et qu'il communiquerait aux enquêteurs le rapport de Vann et sa critique des forces de Saigon. L'adjoint du chef de mission, infiniment plus perspicace que son supérieur étoilé, les lut avec attention. Il fit convoquer Vann à Saigon pour l'interroger longuement sur la bataille et ses conséquences. Il se souvient que le jugement de Vann était l'antithèse de ce que leur avait dit Harkins. Krulak ne parla pas à Vann, mais il lut son rapport et les commentaires de Porter. L'adjoint du chef de mission dut probablement lui communiquer aussi l'essentiel de sa conversation privée avec Vann puisqu'il avait été décidé que Krulak serait chargé de rédiger le rapport final de la mission.

Ainsi, bien qu'ils aient perdu du temps avec les excursions touristiques de Harkins, tous ces généraux connaissaient la vérité sur le Vietnam, non seulement au travers des opinions subjectives de Vann et de Porter, mais par les récits des seize conseillers de Vann, témoins oculaires du désastre, qui avaient été joints au rapport. Mais leur esprit rejeta ce qu'ils avaient lu. Krulak, par exemple, n'a qu'un vague souvenir du rapport. Il estima que Vann, ses conseillers sur le terrain et Porter avaient porté des jugements injustement sévères sur l'armée de Saigon parce qu'ils la comparaient au modèle de l'armée des États-Unis. Mais on ne pouvait pas obtenir les mêmes résultats avec les forces de Diêm, et l'essentiel était qu'elles participent aux opérations.

C'était manifestement absurde de conclure qu'une armée qui se comportait aussi lamentablement que l'ARVN dans la bataille de Bac pouvait gagner la guerre contre un adversaire compétent et motivé. Mais c'est exactement ce qui se passa.

Au cours du compte rendu top-secret à tous les amiraux et généraux de l'état-major du commandant en chef des forces du Pacifique à Hawaii, le général qui avait été à la tête de la mission affirma son enthousiasme sur le déroulement de la guerre au Vietnam. Son intervention fut enregistrée, puis retranscrite pour les officiers supérieurs absents à la réunion. « Il n'y a aucun doute, affirma-t-il, qu'au cours de l'année passée nous avons mis en place ce que j'appellerais l'infrastructure humaine et matérielle qui doit servir de base à une opération militaire victorieuse. » Il attribua cette situation encourageante aux qualités stratégiques de Harkins. « S'il n'y avait pas eu le général Harkins, les choses ne seraient pas du tout en l'état favorable où nous les avons trouvées. La situation serait déplorable. Son attitude personnelle et ses qualités de chef ont imprégné tout son commandement. »

Le chef de la mission avait été également impressionné par l'homme que Lansdale avait installé au Palais de Saigon. « J'ai été frappé par les qualités de M. Diêm, énergique, bien informé et à la parole facile. » Trop facile peut-être, dut reconnaître que le général à quatre étoiles du Pentagone qui, au cours des deux heures et demie d'entretien qu'il avait eues avec Diêm n'avait pas réussi à en placer une ! « Le seul problème avec le président est de trouver une occasion pour lui parler, car il a une élocution abondante et rapide. » Néanmoins, le chef de mission conclut que Diêm « connaît certainement bien son pays et aussi, je crois, son peuple. C'est un chef de la classe des grands responsables politiques ». Son gouvernement « manque de maturité et commet des erreurs dans la mise en place de programmes importants », mais le général attribuait ces imperfections au retard social et culturel du « caractère asiatique et vietnamien » plutôt qu'à l'incompétence de Diêm.

Un des trucs que le régime avait inventé pour contrôler la population avait fasciné le général à qui on avait expliqué que c'était un moyen de s'attirer les bonnes grâces de la paysannerie : dans les « hameaux stratégiques », chacun devait avoir sur lui une carte d'identité avec sa photographie et ses empreintes digitales. Le général reconnut qu'une telle mesure « ne plairait certainement pas à une population américaine », mais les paysans vietnamiens étaient différents. « Ils pensent que c'est ce qu'on a fait de mieux depuis la bière en boîte, parce que cela montre que le gouvernement les aime et s'intéresse à eux... Ils ne considèrent pas cela comme une tracasserie ou comme un moyen de les contrôler, ce qui, bien entendu, est le cas. Mais voilà, c'est ainsi. »

Un des généraux de l'état-major du Pacifique demanda quand Harkins allait commencer son opération « Explosion » pour réduire le Vietcong. Le chef de mission répondit que Harkins « avait été très circonspect à ce sujet » et qu'il lui avait répondu : « Je ne dirai à personne quand je démarrerai la campagne. »

Mais le chef de mission ne savait pas que Harkins, qui s'était bien gardé de le lui dire, avait de bonnes raisons de se montrer « circonspect ». Diêm freinait des quatre fers. Le plan d'opérations avait été établi, traduit en vietnamien, mais Diêm ne l'avait toujours pas fait entériner par l'état-major mixte. Il pensait avoir maté Harkins, mais sa suspicion maladive lui faisait craindre que le général ne l'entraîne dans un affrontement majeur avec le Vietcong. La bataille de Bac avait exacerbé ses appréhensions. En dépit de l'insistance de Harkins, le travail de préparation ne devait commencer que le 1er juillet.

Krulak intervint dans la discussion :

« Ce serait plus efficace d'adopter le point de vue que l'offensive a déjà commencé. Car c'est le cas. Ils ont réalisé beaucoup plus de choses qu'il y a un an et je pense qu'on peut considérer qu'il n'y a pas de début précis pour l'opération " Explosion ". Elle est le prolongement naturel de ce qui se passe depuis un an. »

Le chef de la mission renchérit sur la logique de Krulak :

« L'autre jour, Harkins m'a fait un rencensement exact du nombre d'opérations sur l'ensemble du territoire. La moyenne est de quatre cent cinquante par mois. Vous voyez que c'est un pas dans la bonne direction. C'est une offensive continue. »

Après la réunion, les membres de la mission furent installés dans de luxueuses résidences dans une petite enclave militaire le long de la plage de Waikiki, à Honolulu, pour que Krulak et son équipe aient le calme nécessaire pour écrire le rapport final. Il reflétait bien entendu les vues du général chef de mission, et tous les autres membres en approuvèrent le brouillon avant la mise au point finale.

Le bilan officiel apportait une réponse sans équivoque à la question de savoir si les États-Unis et leurs alliés de Saigon allaient gagner ou perdre. « La situation au Sud Vietnam a pris, en l'espace d'un an et demi, une orientation nouvelle, d'une situation de quasi-désespoir à une condition dans laquelle la victoire est maintenant une perspective prometteuse. » Il n'y avait aucune raison d'apporter des changements brutaux. « Nous sommes en train de gagner lentement avec notre élan actuel... et il n'y a aucune raison impérieuse pour en changer. » Les descriptions précises étaient aussi encourageantes que les déclarations générales. En ce qui concernait l'opération « Explosion », Krulak maintint son point de vue qu' « elle avait déjà commencé et pressentait des perspectives raisonnables par l'amélioration considérable de la situation militaire ». Le plan annexe de « victoire en trois ans », que l'état-major de Harkins avait mis au point à la demande de McNamara, était également « une base saine pour planifier le désengagement progressif de l'aide américaine » pour la fin de 1965. Quant aux articles de journaux qu'avaient lus le président, Robert Kennedy et McNamara, et qui relataient les plaintes des conseillers militaires sur le comportement des officiers de Saigon, ils étaient en tout cas exagérés et souvent faux. « Les recommandations des États-Unis seront de plus en plus suivies au fur et à mesure que continuera à croître la confiance du gouvernement de Saigon en lui-même et en ses conseillers. »

La bataille de Bac ne fut mentionnée qu'une fois dans les vingt-neuf pages du rapport, pour mettre en garde contre les journalistes qui, au Vietnam, étaient devenus les saboteurs inconscients d'une politique féconde :

« Les conséquences funestes des articles parus sur la bataille de Bac du 2 janvier 1963 sont un exemple typique du mal fait aux efforts de guerre par les correspondants. Les journalistes disent que les faits ont pour origine des sources américaines. Ce point est exact, mais seulement dans la mesure où les histoires sont basées sur des déclarations irréfléchies faites dans une période d'excitation extrême et de frustration par des officiers américains. »

Le rapport conclut :

« Les principaux éléments du succès ont été réunis au Vietnam. Maintenant il faudra beaucoup de persévérance sur le terrain et dans notre pays pour aller jusqu'à la victoire. »

Quelques-uns des hommes qui comptaient à Washington, en particulier Averell Harriman, sous-secrétaire d'État pour les Affaires d'Extrême-Orient, restèrent sceptiques devant cet optimisme. En revanche, la plupart y crurent : le président, son frère et conseiller Robert, McNamara, Dean Rusk au département d'État et la majorité de la hiérarchie civile et militaire. John Kennedy avait confiance dans le système qui lui avait confié la tâche de guider le monde. En outre, Krulak faisait partie de cette mission et Kennedy l'avait vu au combat et savait qu'on pouvait compter sur lui.

Longtemps plus tard, un autre général des Marines, qui avait suivi la progression de Krulak, se demanda si l'ambition personnelle n'expliquait pas son comportement. Il avait la réputation de savoir attirer l'attention sur lui, comme le montrait l'histoire de la bouteille de whisky. Il avait naturellement l'ambition de terminer sa carrière comme commandant en chef du corps des Marines. Comme l'actuel devait prendre sa retraite à la fin de 1963, il y avait une chance pour que le président l'impose, quitte à passer par-dessus la tête de candidats plus anciens. S'il ne pouvait réussir cette fois-ci parce qu'il était trop jeune dans la hiérarchie, la faveur des deux frères pourrait lui servir plus tard, en 1967 par exemple. Même si Kennedy l'avait emporté sur Nixon par une très faible marge à l'élection présidentielle de 1960, il était devenu très populaire en 1963, et sa réélection ne semblait pas poser de problème. Krulak ne souhaitait peut-être pas compromettre sa carrière en remettant en cause l'optimisme officiel, et attirer sur lui le courroux de ce puits de science militaire qu'était Maxwell Taylor. Les frères Kennedy et McNamara le considéraient comme le grand sage de la guerre, au point que Robert avait nommé un de ses fils : Matthew Maxwell Taylor Kennedy. Et il ne fallait pas oublier que Harkins était le protégé de Taylor. Krulak était trop malin pour ne pas avoir compris ce qui se passait au Sud Vietnam. L'ambition avait peut-être influencé inconsciemment son comportement, mais ce n'était pas une explication suffisante. Car il n'était pas cynique et il ne manquait pas de courage moral. Il devait d'ailleurs le prouver plus tard en prenant sur cette guerre une position qui devait sérieusement compromettre ses chances de réaliser ses ambitions.

La mission d'enquête que le Pentagone avait envoyée au Sud Vietnam, en janvier 1963, démontrait à quel point les institutions militaires étaient tellement paralysées par le syndrome de la victoire qu'elles ne pouvaient réagir aux événements et s'adapter aux réalités, même lorsque les faits venaient les saisir par les épaules et les secouer. Un penseur et un combattant de la stature de Krulak avait été tellement marqué par l'arrogance de la victoire qu'il n'avait même pas pu s'en libérer alors qu'il savait que le président, le frère du président et le secrétaire à la Défense attendaient de lui la vérité. Ce comportement donnait la véritable dimension du changement qui s'était opéré dans les forces armées des États-Unis, autrefois si admirablement conduites. Quand Kennedy lui avait confié la responsabilité de la contre-guérilla, Krulak s'était juré d'apprendre cette nouvelle forme de guerre en y appliquant toute sa logique et son imagination, comme dans le passé. Au lieu de cela, il avait cru sur parole un autre grand personnage, Paul Harkins, et laissé Taylor entretenir l'illusion. En dépit des flammes alarmantes de Bac, il s'était accroché à ses idées préconçues et en avait convaincu les autres membres de la mission. Il est vrai que ce n'était pas difficile, car ils avaient naturellement tendance à le suivre, en raison de sa personnalité et de ses relations.

Le président Kennedy aurait dû se souvenir de l'époque où, jeune officier de marine, il avait appris que, plus proche on est du combat, mieux on en comprend la nature. Il aurait ainsi économisé aux deniers publics les frais de l'envoi de cette mission de personnages de marque pour un voyage de 30 000 kilomètres en quadriréacteur. Il n'avait simplement qu'à faire venir un de ces pilotes d'hélicoptère qui s'étaient fait arroser si copieusement par le tir du Vietcong. N'importe lequel aurait convenu, à condition seulement qu'il soit capable de chanter, même faux. Car, après la bataille, un d'entre eux, resté anonyme, avait composé une ballade sur la bataille. On la chantait le soir, en s'abreuvant de gin, de whisky, de vodka ou de bière, dans les clubs de Soc Trang, au séminaire, ou à Tan Son Nhut. Ziegler entendit un soir un sergent la chanter et il en recopia les paroles. Elle comportait un certain nombre d'inexactitudes comme tous ces récits de bataille composés par ceux qui y ont participé. Mais ces erreurs ne remettaient pas en cause la vérité profonde.

La *Ballade de Bac* aurait mieux que tout appris au président ce qu'il cherchait à savoir :

> A Hiep on nous a envoyés
> Par un beau matin de janvier,
> Mais si on avait vraiment su,
> Sûr qu'on se serait abstenus !
> On assistait l'ARVN.
> C'était, on n'a pas eu de veine,
> Une vraie bande de dégonflés,

Pas foutus seulement d'attaquer !
D'abord y'a eu trois hélicos,
Remplis de bonshommes à gogo.
Les Vici commencent à tirer.
Nos mauviettes sont terrorisées.
Ils sont tout de même descendus,
Mais c'est pour s'asseoir sur le cul.
Avec deux hélicos par terre,
On est bloqué dans la rizière.
Un Huey vient à not' secours,
Mais les Vici tirent à l'entour
Si juste qu'avec une rafale
Lui font péter une de ses pales,
Quatre de nos pilotes blessés,
Plus deux membres d'équipage tués.
Putain ! Ça fait une belle journée
Pour les Rouges et leurs alliés !
Pendant ce temps, ceux de Saigon,
Dans la merde jusqu'au trognon,
Se font bronzer dans la rizière,
Sans jamais bouger leur derrière.
Quant aux blindés, ils sont pas chauds,
Et prennent leur temps les pieds dans l'eau.
Un capitaine se fait descendre,
Mais ils préfèrent toujours attendre.
On est sauvé ! V'la les paras !
Ils sautent et sont prêts au combat
Au corps à corps avec l'ennemi...
Seulement l'Vici, il est parti !
Quand on f'ra plus tard le bilan,
Paraît qu' Saigon est gagnant !
Les Vici doivent drôlement s' marrer
Avec les armes qu'ils ont piquées !
Maintenant les pilotes doivent savoir
Comment éviter les déboires :
Y'a qu'à poser les hélicos
L'plus loin possible des cocos !

Un des vestiges des accords de Genève de 1954 etait la commission Tripartite chargée de surveiller le respect des accords par les deux parties. Elle était composée d'une délégation de la Pologne communiste, du Canada anticommuniste et de l'Inde neutre qui présidait en permanence et pouvait jouer le rôle d'arbitre. En 1963, la commission ne servait plus à rien depuis longtemps, mais les délégations avaient conservé leurs bureaux à Hanoi et à Saigon et circulaient librement dans un avion spécial avec un statut diplomatique qui leur assurait une liberté relative dans les deux capitales. Les délégués étaient donc bien informés de l'opinion des deux côtés.

En 1963, le délégué polonais, Miecyslaw Maneli, était un intellectuel juif, professeur de droit international à l'université de Varsovie, très apprécié des Vietnamiens. Au cours d'une réception, un soir, à Hanoi, il fut pris à part par un homme simple et effacé qu'on aurait mieux vu laboureur dans une rizière que fils de l'ancien secrétaire du dernier empereur Nguyên, déposé et exilé par les Français. C'était Pham Van Dong, le Premier ministre de Hô Chi Minh. Ils n'avaient pas besoin d'interprète, car ils parlaient tous deux français.

« Dites-moi, demanda le Premier ministre, les généraux américains passent leur temps à se vanter de pouvoir gagner la guerre dans le Sud. Est-ce qu'ils y croient vraiment ?

— D'après ce que j'ai pu découvrir, oui, ils y croient.

— Vous plaisantez, continua Pham Van Dong. Ils se font mousser pour la propagande, mais la CIA leur a sûrement dit la vérité dans ses rapports secrets.

— Je ne sais pas ce que la CIA leur a dit. Mais je peux vous assurer qu'ils semblent bien croire à ce qu'ils disent.

— Et moi, j'ai du mal à vous croire. Les généraux américains ne peuvent pas être aussi naïfs que cela ! »

Quand les chefs communistes vietnamiens commencèrent à exploiter la bataille de Bac comme un catalyseur de la révolution au Sud, ils constatèrent que l'ambassadeur Maneli avait raison. Mais ils devaient découvrir bien d'autres choses encore. Ils allaient s'apercevoir que leurs adversaires américains les ravitaillaient avec tout le nécessaire pour déséquilibrer fondamentalement le rapport des forces militaires au Sud Vietnam et que tout ce qu'ils entreprenaient avec leurs alliés vietnamiens leur facilitait en fait la tâche.

En janvier 1963, les États-Unis avaient fourni aux communistes vietnamiens suffisamment d'armes pour créer dans le Sud une armée capable de tenir tête et de battre l'ARVN. Plus de 130 000 armes à feu, fusils, mitraillettes, fusils-mitrailleurs, fusils automatiques, mitrailleuses, grenades, radios par milliers, avaient été distribués à la Garde civile, aux milices locales et à un salmigondis de petites unités irrégulières financées et équipées par la CIA. Le Vietcong n'avait qu'à se servir. Six mois plus tard, le chiffre avait doublé pour atteindre environ 250 000 armes distribuées dans la campagne, c'est-à-dire potentiellement à la disposition des communistes. L'armement de l'ARVN pouvait également être capturé, mais c'était moins facile que dans les avant-postes que Diêm refusait toujours de détruire ou dans les hameaux vulnérables.

Avec une fraction seulement de ces armes américaines, Hô Chi Minh pouvait doubler ou tripler l'effectif de son armée régulière et des unités provinciales dans le Sud, estimé en janvier 1963 à environ 23 000 hommes. Avec un filon d'armes aussi prospère, les communistes vietnamiens pouvaient considérablement renforcer leur armée populaire constituée par les 100 000 partisans des villages et hameaux, ces représentants locaux et agents de renseignements du gouvernement clandestin, qui constituaient aussi les réserves de combattants. Ils n'auraient plus besoin de se battre avec des tromblons bricolés avec des tuyaux et qui étaient aussi dangereux pour le tireur que pour la cible. Pour la première fois de la guerre, chacun serait équipé d'une arme moderne, ce qui se traduirait par une expansion considérable de l'emprise communiste sur la campagne, où les unités combattantes, qui ne dépassaient pas jusqu'ici la taille d'une compagnie ou d'un bataillon, deviendraient des régiments et des divisions.

Cette distribution d'armes à la 2ᵉ armée viet-minh n'était pas la seule aide involontaire. Le recrutement des combattants et le climat politique favorable aux insurgés au sein de la population rurale étaient grandement facilités par le bombardement constant des villages et par une mesure encore plus insupportable : le regroupement obligatoire de millions de paysans dans les hameaux stratégiques nouvellement créés. Une paysannerie déjà aliénée par les exactions et les turpitudes du régime devenait folle de rage de cet abus de pouvoir, pire que tout ce qu'elle avait déjà subi de ce gouvernement d'origine étrangère.

Cao avait, au début, fait preuve de bon sens en s'opposant au programme de hameaux stratégiques. La religion de la majorité des paysans du delta était une combinaison de bouddhisme, de respect des ancêtres et d'animisme. Ils vénéraient les esprits qui peuplaient les ruisseaux, les rochers et les arbres qui entouraient leurs villages. Cao insista sur ce point auprès de Vann en lui faisant remarquer que beaucoup de fermiers du delta avaient des demeures relativement confortables. Le gouvernement soulèverait la colère des paysans, dit-il, s'il détruisait systématiquement leurs habitations et les obligeait à quitter leurs champs et les tombes de leurs ancêtres. Cao eut même l'audace de s'adresser à Robert Thompson, le spécialiste britannique qui avait joué un rôle essentiel pour mater l'insurrection chinoise en Malaisie, et qui était venu à Saigon comme conseiller pour les problèmes de pacification. Cao lui affirma que ce programme ne marcherait pas au Sud Vietnam. Ce qui ne l'empêcha pas ensuite, compte tenu de son caractère, de parquer avec allégresse les paysans derrière les barbelés, dès que Diêm et Nhu lui eurent fait savoir que ce programme était la pièce majeure de leur stratégie et qu'ils comptaient sur lui pour l'appliquer. Les déportations forcées furent particulièrement massives dans le delta, non seulement pour faire sortir les paysans des zones contrôlées par le Vietcong, mais également pour réduire la superficie des villages pour mieux les entourer de barbelés et de fortifications. Les plus grands villages s'étendaient en général le long d'un ruisseau ou d'un canal, souvent sur les deux rives, sur plus d'un kilomètre. Il en résulta qu'on démolit près de la moitié des habitations aux deux extrémités pour ne conserver au centre qu'un espace restreint.

Deux groupes de paysans étaient furieux. En premier lieu, ceux qui avaient été déplacés pour les soustraire au Vietcong durent rebâtir eux-mêmes et à leurs frais, dans des villages nouveaux, des habitations d'une qualité très inférieure à leurs anciennes demeures qu'ils voyaient ensuite avec rage détruites par les bombes et le napalm. Ce n'était pas une technique très bon marché pour mettre à bas des baraques de bois, de torchis et de palmes, mais le général d'aviation Anthis y tenait beaucoup : il augmentait ainsi les statistiques des sorties de ses chasseurs-bombardiers dans les rapports qu'il envoyait à Washington. La corruption endémique du régime aggravait encore l'épreuve de la déportation. Les responsables locaux revendaient aux paysans les plaques de tôle ondulée et autres matériaux que les États-Unis leur donnaient gratuitement. Vann dénonça à Harkins les magouilles d'un chef de province qui s'enrichissait avec le fil de fer barbelé. « Il facturait aux paysans la quantité qui était déroulée devant leur habitation. » Le second groupe de paysans en colère se composait de ceux qui avaient gardé leur maison, mais qui étaient maintenant contraints de cohabiter dans un village surpeuplé avec des voisins qu'on avait obligés à s'installer sur *leur* terre.

Ils partageaient tous la même colère à cause des longues journées de travail obligatoire pour creuser des fossés, dresser les clôtures de barbelés, ériger les parapets pour abriter la milice, découper et tailler les bambous pointus camouflés dans des trous pour empaler les assaillants. Les paysans les plus riches payaient des pots-de-vin pour être dispensés du travail, ce qui accroissait le fardeau des pauvres. Le peu que les paysans recevaient sous forme de médicaments gratuits, porcs du Yorkshire et autres bagatelles, était insuffisant pour les inciter à pardonner à leurs bourreaux.

Dans leur volonté de soumission au Palais, les chefs de province se battaient à qui construirait n'importe comment, de gré ou de force, le plus de hameaux possible. Le régime n'avait établi aucune priorité pour décider quelle région devait être pacifiée en premier. La CIA et l'Agence pour le développement international qui finançaient le programme, ainsi que Robert Thompson, avaient souhaité commencer par des régions d'utilité stratégique et économique pour ensuite s'étendre en tache d'huile vers d'autres secteurs moins importants. Mais Diêm et Nhu avaient décidé de procéder simultanément sur l'ensemble du Sud Vietnam. Quant à l'état-major de Harkins, il se félicitait de ce que la moitié environ des milliers de hameaux stratégiques construits en janvier 1963 avait dépassé le stade d'une fortification rudimentaire pour devenir de vraies communautés.

Le hic était de savoir au bénéfice de qui fonctionnait ce système. Certainement pas aux Américains, à Diêm et à Nhu qui ne rallièrent pas à leur cause, comme ils le cherchaient, les communautés de paysans parqués. En revanche, dans ces camps temporaires, ils renforcèrent la motivation des déportés plus décidés que jamais à soutenir le Vietcong. De jour, les hameaux semblaient contrôlés par le régime. Ce calme apparent conforta la conviction erronée des Américains que les paysans vietnamiens étaient d'une nature essentiellement passive, soucieux avant tout de leur sécurité. Mais le contrôle n'était qu'illusoire parce que les Vietnamiens avaient appris l'hypocrisie en se battant contre les Français et parce que les autorités de Saigon, depuis le chef de village jusqu'au responsable de province, mentaient à leurs supérieurs pour conserver leur poste. Les responsables américains aussi se dupaient eux-mêmes avec des trucs coercitifs, comme la carte d'identité qu'ils avaient poussé le régime de Saigon à rendre obligatoire. En réalité, le contrôle pendant la journée était inexistant. Les paysans, leurs femmes et les plus âgés de leurs enfants partaient chaque matin pour aller cultiver leurs champs, souvent à plusieurs kilomètres du hameau stratégique. Ils étaient hors de vue jusqu'au coucher du soleil. Dès que tombait la nuit, la garnison de miliciens se retirait avec le chef du village dans leur fortin en torchis. Les cadres vietcongs avaient alors le champ libre. Quant aux « volontaires » de la nouvelle milice des hameaux, ils pouvaient aller se réfugier pour la nuit dans les avant-postes, ou rejoindre tranquillement les Vietcongs locaux qui étaient ravis des mitraillettes et des grenades que la CIA leur offrait.

La bataille de Bac se déroula au moment le plus propice et servit de tragédie sur mesure pour Hô Chi Minh et ses disciples. C'était exactement le genre d'événement dont ils avaient besoin pour insuffler à l'armée vietcong en formation la même émotion patriotique qui avait été à la base de la création du Viet Minh. En mars, après qu'ils eurent bien évalué la situation et terminé leurs préparatifs, ils exploitèrent Bac pour en faire le cri de ralliement de la révolution dans le Sud. Des affiches, imprimées en couleurs, firent leur apparition dans le delta pour exalter la victoire et les combattants qui l'avaient remportée. Le politburo de Hanoi fit annoncer par le comité central du Front de libération nationale une première campagne de trois mois sur l' « émulation dynamique de Bac », qui devait durer pendant deux ans. Tout se mit à s'accélérer très vite. Les services de renseignements de Harkins estimaient que l'infiltration des Vietcongs du Nord pendant la saison sèche d'octobre 1962 à avril 1963 s'était maintenue à peu près au même niveau que la précédente, environ 6 000 par an. On devait apprendre ultérieurement que la foi de Hanoi dans la victoire à la suite de Bac lui avait fait doubler les effectifs qui descendaient par les pistes du Laos et des hauts plateaux : de 850 par mois en 1961-1962, ils étaient passés à 1 700, tous anciens Viet Minh du Sud qui étaient remontés au Nord en 1954, ces « cadres d'automne » venaient renforcer les « cadres d'hiver » qui avaient résisté à la terreur de Diêm et déclenché la rébellion de 1957. La plupart étaient des soldats qui avaient servi dans l'armée du Nord et qui allaient fournir les officiers et sous-officiers de la 2ᵉ armée viet-minh : spécialistes en transmission, en renseignements, en armement lourd, et aussi instructeurs comme le groupe que Cao avait laissé s'échapper. Il y avait également parmi eux une minorité de civils qui s'étaient formés dans l'administration du Nord et allaient épauler le gouvernement secret vietcong ou exercer leur spécialité dans la propagande, l'organisation de masse, le contre-espionnage et le terrorisme. Tous ces hommes étaient des spécialistes. Avec les cadres vétérans du Sud, ils allaient constituer la charpente métallique de l'édifice dont les paysans locaux seraient le ciment des murs. Ils recrutaient en masse. Par exemple, dans la province de Kiên Hoa, juste au sud de My Tho, 2 500 jeunes paysans se présentèrent comme volontaires pour rejoindre le Vietcong. Et pourtant, le chef de la province, un des favoris de la CIA parce qu'il avait combattu pendant quatre ans les Français aux côtés du Viet Minh avant de déserter et de rejoindre les forces de Saigon, connaissait bien la technique de la guérilla et appliquait très sérieusement le programme de pacification. Les 2 500 volontaires venaient presque tous de ses hameaux stratégiques.

Mais la main-d'œuvre spécialisée n'était pas la seule à pénétrer secrètement au Sud à un rythme accéléré. Après Bac, Hanoi avait décidé de commencer à y faire entrer clandestinement de l'armement lourd pour l'armée vietcong. Hô Chi Minh s'en était abstenu jusque-là, car son expérience lui avait montré qu'un mouvement de guérilla, pour être efficace, devait apprendre à se ravitailler lui-même en armes capturées à l'ennemi. Ce qui se produisait avec l'armement américain illustrait un truisme déconcertant pour une puissance impériale intervenant dans les affaires d'un petit pays : les ressources injectées dans une société en désaccord interne ne profitent pas nécessairement au destinataire prévu, mais finissent par aider le clan le mieux organisé pour en bénéficier. Mais l'armement lourd ne pouvait être pris à l'adversaire en quantités suffisantes, et Hanoi avait toujours eu l'intention de le fournir. Le second Viet Minh avait besoin de mitrailleuses antiaériennes pour intimider les pilotes d'hélicoptères et obliger les chasseurs-bombardiers à voler plus haut et donc à être moins efficaces ; il fallait aussi des mortiers de 81 pour effrayer les opposants de Saigon qui n'avaient pas l'habitude d'être bombardés par des engins qui projetaient à trois kilomètres quatre kilos de shrapnels et d'explosifs ; des canons de 57 et 75 mm sans recul étaient nécessaires pour faire sauter les blockhaus des avant-postes et transformer les engins blindés en carcasses immobiles.

Les officiers d'état-major américains de Saigon s'amusaient beaucoup de la blague du porteur vietcong qui, pendant deux mois et demi, trimbalait sur le dos trois obus de mortier le long de la piste Hô Chi Minh à travers les montagnes et les forêts du Laos. Il arrivait épuisé sur le lieu de la bataille, remettait ses obus à l'artilleur qui les tirait en quelques secondes, puis disait au porteur : « Retourne là-bas en chercher trois autres. » Le ridicule était du côté de ceux qui racontaient l'histoire. Les pistes à travers le Laos servaient à faire entrer les hommes, mais étaient inutilisables pour l'armement lourd et les munitions. Le seul transport efficace était par mer avec des chalutiers. Des bateaux à coque d'acier de quarante mètres de long pouvaient transporter facilement cent tonnes d'armes et les munitions correspondantes. Ils avaient rendez-vous de nuit avec la guérilla dans une des centaines de petites baies ou embouchures de rivières qui constellaient les deux mille kilomètres de côtes au sud. Avant Bac, le trafic était très restreint. Après, il allait devenir régulier.

Le voyage était souvent difficile et nécessitait des prouesses de navigation, car la côte du delta, où avaient lieu la plupart des débarquements, est absolument plate sans aucun promontoire permettant de se repérer. En outre, l'opération se déroulait par des nuits sans lune pour éviter d'être détectée. La contrebande, y compris celle des armes, avait toujours été une profession privilégiée en Asie, d'autant que les communistes vietnamiens avaient acquis de l'expérience pendant les neuf ans de guerre avec les Français. Les chalutiers prenaient leur chargement dans un port du Sud de la Chine. La Chine, en effet, avait transformé ses arsenaux en 1949 pour fabriquer des copies d'armes soviétiques, comme la mitrailleuse 12,7 et disposait d'un important stock américain pris aux nationalistes de Chiang Kai-shek et en Corée. Le commandant du bateau passait au large de l'île de Hainan, puis virait de bord en direction de la côte vietnamienne, en se rapprochant du rivage pour se confondre anonymement avec les bateaux de pêche et les jonques. Les chalutiers, de manufacture locale, ressemblaient à ceux des pêcheurs du Sud. Ils étaient dotés de plaques d'immatriculation mobiles : dès qu'ils franchissaient le 17e parallèle, ils les changeaient pour arborer un numéro correspondant à celui d'un bateau régulièrement enregistré à Saigon. La nuit du débarquement, le commandant se dirigeait simplement au compas vers un point désigné d'avance près du rivage où l'attendait un pilote dans un sampan. Le pilote prenait la barre pour conduire le bateau dans une baie ou une embouchure de rivière où se trouvaient des porteurs. Le chalutier était camouflé pendant le déchargement. La nuit suivante, ou la seconde si l'opération avait pris plus de temps, le pilote ramenait le bateau en mer et retournait à terre sur son sampan. Le chalutier repartait pour faire un autre voyage, une autre nuit sans lune. Tout le matériel lourd et les munitions étaient transportés à l'intérieur des terres et soigneusement cachés. Hanoi avait donné l'ordre de ne pas les utiliser tant que les unités n'auraient pas été correctement entraînées dans leur maniement. Leur apparition sur le champ de bataille devait provoquer un dramatique effet de surprise au début de la phase suivante de la guerre.

Les gouvernants de Hanoi ne furent pas les seuls à sauter sur l'occasion de Bac. Les journalistes qui se trouvaient au Sud Vietnam ne la manquèrent pas non plus. Nous réagîmes comme si nous l'attendions. Les contradictions entre nos comptes rendus de la guerre et la version officielle de Harkins et de l'ambassadeur Nolting nous avaient placés dans une situation d'assiégés dont il nous fallait sortir.

La polémique était la conséquence de l'évolution qui s'était produite depuis la Seconde Guerre mondiale. Quand le conflit avait éclaté, il n'y avait aucun motif de controverse. La menace contre notre survie nationale était indéniable, les généraux et amiraux étaient souvent brillants, en tout cas capables, ou bien ils étaient limogés. Les reporters s'habituèrent à un rôle plus de soutien que de critique. En conséquence, à part quelques exceptions, ils perdirent leur capacité de s'opposer et de porter un jugement indépendant sur la politique suivie et l'autorité en général. Dans la période d'après-guerre, la presse américaine garda toute sa vigueur, célèbre dans le monde entier, mais, dès qu'il s'agissait de politique étrangère, les articles souvent brillants penchaient en général en faveur de la croisade anticommuniste. Les attaques portaient sur les détails et non sur le fond du problème. Il est vrai aussi que la presse était manipulée par le gouvernement, sans qu'elle s'en rendît compte.

Au début des années soixante, les relations restèrent inchangées. Les institutions militaires, ainsi que celles qui y étaient associées dans la conduite des intérêts américains outre-mer comme le département d'État, continuaient à être créditées d'une compétence et d'une perspicacité qu'elles n'avaient plus. Les reporters n'étaient pas accoutumés à penser que leurs chefs militaires et leurs diplomates se berçaient d'illusions. De l'autre côté, les responsables n'avaient pas l'habitude que les journalistes dévoilent leurs erreurs. Le secret, qui couvrait les réunions et les communications écrites des autorités, contribuait à maintenir l'impression fausse qu'ils savaient peser et évaluer les faits. Ce secret, qui avait sauvé la nation dans les années quarante, servait de couverture dans les années soixante pour cacher que le système n'était plus rationnel.

Les correspondants de guerre au Vietnam aussi ne mettaient en cause que les détails, et pas le fond. Nous considérions comme de notre devoir de collaborer à la victoire en disant la vérité pour informer le public, mais aussi pour présenter les faits aux responsables afin qu'ils prennent les bonnes décisions. Notre ignorance et notre idéologie américaine nous empêchaient de discerner les vérités profondes du Vietnam sous les réalités superficielles. Cette méconnaissance nous protégeait professionnellement. Si un journaliste suffisamment documenté et impartial avait remis en cause le bien-fondé de l'intervention des États-Unis dans cette guerre, il aurait été immédiatement licencié comme « subversif ». Le conflit venait de la logique exceptionnelle avec laquelle nous nous attaquions aux détails.

Nous n'en étions pas des génies pour autant. Suivant la principale critique que nous faisaient Harkins et Nolting, nous manquions de « maturité et d'expérience ». Ce sont justement ces défauts qui nous ont permis d'acquérir un sens critique. Le Vietnam était notre première guerre. Et nous constations une contradiction entre ce que nous voyions et entendions des hommes que nous respections le plus et dont nous étions les plus proches, les conseillers sur le terrain comme Vann, et ce que nous disaient les instances suprêmes. Ainsi nous commençâmes notre vie professionnelle avec cette disparité constante que n'avaient pas connue les journalistes de la Seconde Guerre mondiale.

Ce contraste se trouve clairement résumé dans un bref dialogue qui eut lieu au début de 1962 entre l'ambassadeur Nolting et le Français François Sully, qui était alors le correspondant de *Newsweek*. Il était venu en Indochine en 1949 et avait couvert la guerre française pour *Time*. Les erreurs que son pays avait commises l'aidaient à juger plus lucidement celles des États-Unis, et ses reportages étaient de beaucoup les plus percutants. L'ambassadeur était furieux de l'article qu'il avait écrit sur l'opération « Sunrise », la première déportation de paysans dans les « hameaux stratégiques », qu'il avait accompagné de photos des maisons incendiées. Nolting s'en prit à lui dans un dîner peu de temps après.

« Pourquoi, monsieur Sully, voyez-vous toujours les trous dans le gruyère ?

— Parce que, monsieur l'ambassadeur, il y a des trous dans le gruyère. »

Diêm expulsa Sully en septembre 1962, à la protestation officielle de l'ambassadeur, mais à son soulagement personnel.

Harkins et Nolting ne cessèrent jamais de se plaindre de nous, dans l'espoir que nos rédacteurs en chef nous remplaceraient par des gens plus compréhensifs Ils prétendaient que nos articles n'étaient que des images instantanées qui ne reflétaient pas la profonde réalité de la guerre, comme ils le montraient dans le « grand tableau d'ensemble » qu'ils présentaient d'après les informations qu'ils recevaient de sources multiples.

Bac était un « grand tableau d'ensemble » qui discréditait le leur. C'est pourquoi nous exploitâmes la bataille autant que nous le pûmes, et lorsque Vann, de colère, nous offrit tacitement son alliance, nous nous empressâmes d'en profiter. Vann ne le fit pas sans avoir mûrement réfléchi. Avant le Vietnam, il n'avait pas eu de relations régulières avec la presse et il était conditionné par les institutions pour utiliser les médias en faveur de ses supérieurs, et non contre eux. Il n'avait pas compris que le texte de son rapport et du commentaire de Porter avaient glissé sur l'esprit des généraux de la mission du Pentagone aussi vite qu'une pluie d'orage sur un toit en pente. Mais il savait, d'après ses informateurs à l'état-major de Saigon, ce que Harkins disait à Washington et il était décidé à l'empêcher de lui barrer la route. Pour alerter les autorités et éviter la catastrophe, il s'était résolu à passer par-dessus la tête du général en chef en se servant des journalistes comme porte-parole.

D'autres conseillers américains et des Vietnamiens nous apprirent beaucoup sur cette guerre, mais le plus important fut Vann. Il nous apporta l'expérience qui nous manquait et les certitudes qui donnaient du poids à nos écrits. Il nous permit de mettre graduellement en cause l'optimisme officiel avec des précisions de plus en plus minutieuses. Il nous transforma en une bande de reporters au service de ses thèses.

Vann avait le don naturel d'enseigner, et il aimait cela. En fait, il lui était difficile de ne pas partager quelque chose qu'il avait appris avec les autres, quand il savait qu'ils étaient intéressés. Avant Bac, il nous avait déjà initiés aux « données fondamentales de la guérilla ». Une de ses maximes les plus célèbres, souvent reprise plus tard, la définissait ainsi : « C'est une guerre politique. On doit donc tuer avec discernement. La meilleure arme serait le couteau, mais je crains que cela ne soit pas commode. La pire est l'avion ainsi que l'artillerie. A défaut du couteau, la meilleure arme est donc le fusil. Comme ça, au moins, on sait qui on tue. »

Le meilleur élève de cette école de guerre de Vann fut David Halberstam du *New York Times*. C'est grâce à lui que Vann réussit à avoir le plus d'impact sur cette phase de la guerre américaine. Et c'est grâce à ce qu'il apprit de Vann que Halberstam devint un des plus célèbres journalistes de l'époque. Il devait à son tour créer la légende publique de Vann avec le long portrait qu'il fit de lui, en 1964, dans le magazine *Esquire,* puis dans son livre *The Making of a Quagmire* (« Comment on s'embourbe »).

Les deux hommes avaient en commun leur origine et leur caractère singuliers. Mais ce n'était pas un hasard si Vann avait porté son choix sur Halberstam : ses articles étaient le plus sûr moyen d'atteindre le président et tout ce qui comptait à Washington. Dans le monde de la presse, il y avait d'une part les journalistes, d'autre part le correspondant du *New York Times,* le plus prestigieux journal au monde à cette époque brillante de l'empire américain. Le président Kennedy lisait les reportages de Halberstam avec autant de soin que les télégrammes de Nolting et de Harkins. Il n'espérait pas y trouver plus de vérité, car il avait confiance dans son ambassadeur et dans son général. Mais il connaissait le dicton populaire que « tôt ou tard, tout est publié dans le *Times* », où les reporters et rédacteurs en chef s'efforçaient de cultiver l'honnêteté et ne se laissaient pas manipuler. La plupart des lecteurs du journal étaient convaincus que ce qu'il imprimait était la vérité ou en tout cas une raisonnable approximation. Ainsi les articles de Halberstam avaient une grande influence sur l'opinion publique américaine et internationale. Aucun gouvernement ne pouvait se permettre de l'ignorer.

L'amitié entre Halberstam et Vann se développa rapidement. Ils étaient tous deux étrangers dans cette société dominée par la culture WASP des protestants blancs anglo-saxons de la côte Est et s'efforçaient de s'y imposer. Vann était conscient de ses origines de petit Blanc miséreux de Norfolk. Halberstam était fils d'un docteur juif, né à New York, pas sur l'île de Manhattan comme les riches confrères de son père, mais dans la banlieue misérable du Bronx. Puis il avait vécu dans le Connecticut où sa mère était institutrice pour élever seule ses deux garçons après la mort prématurée du père, d'une attaque cardiaque, quand David avait seize ans. Il en avait gardé un sens aigu de sa judaïcité et il ne pouvait oublier que deux générations seulement le séparaient des ghettos de Pologne et de Lituanie. Comme Vann, il avait besoin d'être reconnu et d'affirmer sa personnalité.

Avant le Vietnam, Halberstam avait couvert pendant quatorze mois la guerre civile du Congo et du Katanga, entre Lumumba et Mobutu, avec la présence des « Casques bleus » de l'ONU. Il y avait pris tous les risques pour essayer de donner un sens à cette mêlée confuse et avait été nominé par le *Times* pour le prix Pulitzer. Cette reconnaissance professionnelle, la plus haute distinction journalistique [1], était finalement revenue au doyen des éditorialistes, Walter Lippmann, qui avait rendu hommage à Halberstam en l'invitant à déjeuner pour s'entretenir avec lui de l'Afrique. Après ce début prometteur, David avait compris que le Vietnam lui offrirait probablement la chance de s'affirmer encore plus sur le plan professionnel.

Halberstam était physiquement le vivant contraste de Vann : il mesurait un mètre quatre-vingt-six et pesait quatre-vingt-dix kilos, sans un atome de graisse. Ses confrères étaient stupéfaits de son appétit et de sa vitalité. Il pouvait absorber, au déjeuner, de la soupe, deux biftecks, des frites, de la salade et de la tarte, et brûler ensuite toutes ces calories dans une activité forcenée sous la chaleur d'un après-midi tropical. Ses longs bras, ses grosses mains, ses larges épaules qu'il avait tendance à voûter en marchant, et sa démarche bondissante, le faisaient ressembler à un boxeur ou à un joueur de football, avec sa mâchoire carrée et l'arête saillante de son nez. Il était toujours mal rasé, et ses cheveux noirs étaient coupés court à la mode

---

1. Rappelons que Neil Sheehan a reçu le prix Pulitzer en mars 1989 pour le présent ouvrage, après avoir obtenu en novembre 1988, dans la catégorie non-fiction, le *National Book Award,* la plus haute distinction littéraire des États-Unis.

militaire. Ses lunettes aux lourdes montures portaient des verres épais qui cachaient ses yeux marron foncé, souvent rieurs.

Ses mains, ses bras et ses épaules étaient toujours en mouvement lorsqu'il parlait. Il s'en servait pour transmettre son agressivité intellectuelle et accentuer son point de vue en pointant du doigt ; s'il découvrait quelque chose qui lui avait échappé, ou qu'il était satisfait de sa formulation, il frappait en riant la paume de sa main gauche avec son poing droit fermé. Lorsqu'il devait expliquer quelque chose de compliqué, il agitait les bras comme un avion qui plane et pique en un combat singulier. On avait l'impression qu'en parlant il boxait mentalement pour se convaincre d'avoir raison et pour écarter les idées qu'il estimait fausses.

S'il fut un des rares journalistes à marquer de son empreinte l'opinion publique de son époque, ce fut parce qu'il ne se contentait pas de relater les faits bruts. Le monde pour lui était bicolore, noir et blanc, avec peu de gris entre les deux. Sa capacité à s'indigner contre l'injustice et le mal était une de ses motivations principales, et lui venait des cinq ans qu'il avait passés, juste après son diplôme de Harvard en 1955, à travailler dans des journaux du Sud des États-Unis, en particulier sur le mouvement des droits civiques. Les articles qu'il avait publiés dans *Reporter,* un magazine qui s'efforçait de faire la synthèse entre le libéralisme et l'anticommunisme à la mode à l'époque, lui avaient valu d'être engagé au *New York Times* par l'éditorialiste James Reston, chef du bureau de Washington.

Mais Halberstam pouvait être aussi d'une brutalité féroce. Déjà, à Harvard, il s'était affronté violemment avec un de ses amis pour prendre la direction du journal de l'université, le *Crimson.* Il s'en était rendu malade, mais il avait gagné. Et quand on lui demanda pourquoi il avait continué à se battre au point d'humilier un de ses amis, il avait réfléchi un instant et conclu : « Je crois que je suis un tueur. » Il était injuste envers lui-même, car il avait souvent montré l'aide et l'amitié qu'il portait aux autres en maintes occasions, mais c'était néanmoins partiellement vrai. Cette dureté se retrouvait dans son style et les métaphores qu'il empruntait à la guerre et à l'arène des gladiateurs. Un bon reporter, disait-il, « doit prendre à la gorge » ; il doit rechercher ce qui est essentiel, attendre d'avoir gagné la crédibilité de ses lecteurs, puis, lorsque l'occasion lui en est donnée, les écraser avec la vérité par une série de dépêches comme un tir de barrage d'artillerie.

La génération de David Halberstam, celle des années cinquante marquées par la confrontation capitale de la « Guerre froide », fut la dernière à affronter le monde avec naïveté. Elle devait perdre son innocence dans la guerre et prendre conscience des conséquences de ses désillusions. C'est ce que fit Halberstam en 1972 dans son best-seller *The Best and the Brightest* [1] lorsqu'il dénonça les erreurs des hommes, Robert McNamara, Maxwell Taylor, Dean Rusk, McGeorge Bundy et Walt Rostow, dont il avait avec tant d'émotion adopté les visions du monde au début de la guerre du

---

1. Publié en France sous le titre : *On les disait les meilleurs et les plus intelligents,* Paris, Laffont-Hachette, 1974.

Vietnam avec Vann. C'est que, en 1963, il raisonnait comme Vann, autre janissaire du système américain. Tous les deux, et bien d'autres encore, constituaient des exemples du génie de la société anglo-saxonne de la côte Est pour coopter démocratiquement les talents et la loyauté des marginaux. Une société, qui offrait à un grossier cul-terreux une position respectable dans le corps des officiers de son armée, et au petit-fils de colporteurs juifs émigrés une éducation à Harvard et un poste au *New York Times*, ne pouvait être que foncièrement bonne, incapable de propager le mal dans d'autres pays. Ils étaient tous deux à l'époque remplis de gratitude pour leur pays et voulaient en propager les bienfaits.

Au fur et à mesure que les deux hommes apprirent à mieux se connaître au cours des semaines et des mois qui suivirent la bataille de Bac, Halberstam fut frappé de voir à quel point la carrière de Vann était prometteuse et en même temps combien il s'en souciait peu. A trente-huit ans, il était encore relativement jeune pour son grade et la position qu'il occupait. Tout indiquait qu'il irait loin. Dans le portrait qu'il fit de lui dans *Esquire* à l'automne de 1964, Halberstam écrivit : « Vann deviendra très vite colonel avec de bonnes chances d'être promu un jour général... c'est clairement un homme dans sa trentaine qui ne va pas tarder à se détacher de ses contemporains. » Le fait qu'il ne s'en souciât pas le distinguait encore plus de ses égaux. Car c'est justement à ce point de sa carrière qu'un officier risque le plus et, modelé par sa profession, juge impossible d'être franc avec les journalistes. La majorité des lieutenants-colonels, conseillers des huit autres divisions, partageaient peut-être partiellement les critiques de Vann, mais ils parlaient avec discrétion. Par exemple Fred Ladd, de la 21e division, dont le point de vue était le plus proche, était très réservé avec nous. Vann, qui semblait avoir plus à perdre que les autres, était le seul à ne tenir aucun compte des conséquences professionnelles de sa franchise.

Peu de temps après Bac, il était de notoriété publique que Vann était la principale source d'informations pour les violentes critiques de la presse. Bien entendu, Vann le nia bruyamment, mais ne chercha même pas à cacher son jeu. Plus l'irritation montait à l'état-major de Harkins et plus il facilitait les contacts avec les journalistes. Au point que Halberstam commença à se sentir coupable des conséquences possibles pour sa carrière. Il insista auprès de Vann pour qu'il se montre plus circonspect. Mais John Paul lui dit de ne pas se préoccuper et de continuer. Il semblait rechercher une confrontation avec Harkins. Halberstam ne voyait pas d'autre explication à sa conduite que le courage moral. C'est d'ailleurs ce qu'il nous disait, et nous en conclûmes qu'il sacrifiait délibérément sa carrière pour alerter la nation sur le danger de la défaite.

Halberstam comprenait mieux l'attitude de Vann en la comparant au comportement de son père pendant la Seconde Guerre mondiale. Charles Halberstam, médecin dans le quartier populaire du Bronx, s'était porté volontaire en 1941, pour revenir en 1946, comme lieutenant-colonel du corps de Santé. Quatre ans plus tard, il mourait d'une crise cardiaque. Toute la famille avait souffert du patriotisme du père, mais ils en avaient éprouvé une grande fierté. Être fils de médecin, quand on est juif, ne vous ouvre pas les portes de la société américaine, mais avoir pour père un lieutenant-colonel de l'armée des États-Unis est une forme de légitimité. David jugeait l'attitude de Vann à la lumière de ce que son père avait fait : patriotisme et sacrifice de soi.

Halberstam devint convaincu que Vann, en dépit de sa subtilité d'analyste, était en fait un homme simple dont l'intégrité professionnelle avait la dureté du diamant et dont le courage moral était si inflexible qu'il ne pouvait admettre de compromis. Il devait le confirmer d'ailleurs un jour en lui expliquant que l'inconvénient du compromis était de mélanger le bien et le mal au point de ne plus pouvoir distinguer l'un de l'autre, à la fin. La guerre, disait Vann, est une affaire trop sérieuse pour cela. Dans sa mission pour remporter la victoire, il se montrait même d'un étonnant puritanisme. Au cours des tournées d'inspection qu'il faisait chaque semaine en jeep ou en avion, il avait coutume de passer la nuit chez un chef de province. Au cours du dîner et des conversations du soir, il avait ainsi l'occasion d'apprendre à les mieux connaître. Halberstam l'accompagna un jour. Alors qu'ils atterrissaient, Vann lui parla avec cette intensité qu'il mettait chaque fois qu'il donnait une leçon :

« Vous savez, Halberstam, chaque fois que je passe la nuit chez un chef de province, il me propose des femmes. Je refuse toujours. Cela abaisse notre prestige à leurs yeux. Ils essaient ainsi d'avoir barre sur nous. Il y a trop d'Américains dans ce pays qui couchent avec des Vietnamiennes. C'est mauvais pour notre image. Les Vietnamiens n'aiment pas cela. Cela accroît leur ressentiment. »

Halberstam se sentit soudain coupable. Il avait une petite amie vietnamienne à Saigon : « Bon Dieu, pensa-t-il, est-ce que je suis en train de saboter l'effort de guerre ? »

En travaillant avec la presse, Vann n'en avait pas pour autant abandonné la pression hiérarchique. Près de vingt ans dans l'armée lui avaient appris l'obstination. Chaque mois, Drummond, son officier de renseignements, envoyait à Harkins un rapport sur l'équilibre entre les régions contrôlées par le Vietcong et celles sous l'autorité de Saigon. Il se composait d'un calque en couleurs et d'un compte rendu écrit sur les routes sûres ou dangereuses suivant les heures de la journée. Le calque était coloré en bleu pour les forces de Saigon et en rouge pour le Vietcong. Drummond envoya son rapport au début février. Quelques jours plus tard, un commandant de l'état-major de Harkins l'appela pour lui dire qu'il y avait trop de rouge sur sa carte. D'autres informations qu'ils avaient reçues, dit le commandant, indiquaient que des régions colorées en rouge par Drummond étaient en fait sous contrôle des autorités de Saigon. Il devait soumettre un nouveau rapport.

Drummond avait l'habitude. C'était toujours la même chose depuis que Cao avait commencé ses opérations fantoches en octobre et que la guérilla redressait la tête. Pour Harkins, qui ne voulait pas reconnaître à Washington que la situation se détériorait, il y avait toujours trop de rouge. Lors d'un précédent rapport, Drummond avait demandé au commandant de lui préciser les régions en litige. Il s'y était rendu pour découvrir que Dam ne s'y aventurait jamais avec moins d'un bataillon. Il avait alors survolé la zone dans un avion de reconnaissance et en était revenu avec le fuselage criblé de balles. Il avait informé le quartier général que ces régions étaient peut-être sûres, comme ils le prétendaient, pour certaines personnes, mais pas les bonnes. Quelques relations qu'il avait à l'état-major lui firent savoir que son rapport avait été supprimé, puisqu'il n'avait pas voulu l'atténuer. Celui qui avait été envoyé à sa place à Washington était beaucoup plus bleu.

Le Vietcong devenait de plus en plus audacieux et commençait à attaquer de jour, en particulier les avant-postes, ce qu'il n'avait jusque-là osé faire que de nuit. Deux conseillers qui roulaient en plein jour, venant du terrain de Tan Hiêp, avaient failli être tués par un paysan qui attendait tranquillement sur le bord de la route près du séminaire. Ils avaient eu la chance de remarquer à temps que ce badaud cachait une mitraillette et ils avaient plongé sur le sol pendant que leur pare-brise volait en éclats. Le chef d'un hameau voisin n'avait pas eu autant de chance et avait été abattu par un commando. Dans son rapport sur la bataille de Bac, le Vietcong avait critiqué la « passivité devant l'ennemi » et avait insisté sur la nécessité d'une meilleure coordination entre toutes les unités pour transformer la région en un enfer pour les opposants. Drummond avait pu constater les premières conséquences de cette autocritique, particulièrement entre My Tho et Saigon sur la route 4, la principale du delta, par laquelle la capitale recevait l'essentiel de son ravitaillement.

Après le message du commandant à propos de son rapport du début février, Drummond contacta tous les capitaines conseillers dans la zone de la division et leur demanda s'ils souhaitaient atténuer ce qu'ils lui avaient dit. Ils s'y refusèrent tous, et certains dirent même qu'ils avaient minimisé l'accroissement des forces de guérilla. Avec la permission de Vann, il rassembla tous les officiers de renseignements de la province avec le Vietnamien Binh à My Tho. A la suite de cette réunion, la carte était encore plus rouge que la précédente, et le rapport écrit encore plus sombre.

Vann décida que le moment était venu d'intervenir à son tour. Le 8 février 1963, il envoya un mémorandum secret de trois pages à Porter, comme l'exigeait la voie hiérarchique, mais il en fit parvenir une « copie pour information » directement à Saigon pour que Harkins soit aussitôt au courant. Vann espérait que ce mémorandum et le nouveau calque de Drummond finiraient par déconcerter Harkins et l'inciteraient à accepter les faits. Il y informait le général en chef que Drummond et Binh avaient des informations fiables permettant de localiser dix endroits différents occupés par des compagnies de réguliers ou de régionaux vietcongs et trente-cinq autres lieux tenus par des effectifs de la taille d'une section. Il avait essayé de persuader Dam de les attaquer, mais Dam, probablement sur les ordres de Cao, avait refusé de s'en approcher. En revanche, imitant en cela les comédies de son chef à l'automne précédent, il montait une vaste opératior.

impliquant de 1 000 à 3 000 hommes dans des régions où on savait qu'il n'y avait aucun Vietcong. Vann proposait que Drummond, en accord avec l'officier de renseignements de Porter, établisse une liste des objectifs prioritaires pour que Harkins la soumette à l'état-major général qui donnerait l'ordre à Dam d'attaquer ces objectifs.

Le mémorandum plongea Harkins dans une nouvelle colère. Il ordonna à son chef de renseignements, le colonel d'aviation James Winterbottom, de se rendre à My Tho avec une équipe pour interroger Vann et Drummond et comparer les dossiers du séminaire et de la 7e division avec le mémorandum du 8 février. S'ils ne concordaient pas, il allait saquer Vann.

L'officier de renseignements de Harkins était un aviateur, parce que la bureaucratisation de la hiérarchie militaire avait conduit à un arrangement entre armes pour que chacune prenne part à l'action. Winterbottom était spécialisé dans l'analyse photographique, ce qui n'était pas particulièrement une référence pour la contre-guérilla. En dépit de cela et du fait qu'il travaillait directement pour Harkins, Winterbottom se révéla très correct et prêt à écouter. Avec son équipe, il passa huit heures à My Tho pour s'entretenir avec Drummond et Vann, et examiner leurs documents. Le résultat fut encourageant :

« Je n'ai pas le moindre doute, dit le général en partant, que vous avez tous les documents pour étayer votre rapport. »

Vann et Drummond avaient toutes les raisons d'espérer qu'ils avaient réussi à infiltrer un peu de vérité dans le système. En outre, Vann pensait que Porter allait de son côté œuvrer dans le même sens. Il devait remettre à Harkins son rapport final de responsable des conseillers militaires avant le 17 février, date de son départ définitif pour Fort Hood, au Texas, en attendant sa mise à la retraite. Vann connaissait l'essentiel de ce qu'il allait dire, car ils en avaient parlé ensemble, ainsi qu'avec Fred Ladd avant d'en commencer la rédaction. Porter voulait que ce texte lui permette de quitter le Vietnam et bientôt l'armée avec la conscience tranquille.

Le dernier rapport de Porter fut encore plus alarmiste que le commentaire qui avait accompagné le compte rendu de Vann sur Bac. Il décrivit toutes les erreurs commises dans l'effort de guerre américano-vietnamien sur la totalité du delta et des plantations de caoutchouc au nord de Saigon. Il n'omit rien, insistant sur l'illusion du programme de « hameaux stratégiques » destiné à isoler la population rurale de la guérilla. Il veilla à ce que son rapport ne puisse pas être considéré simplement comme l'opinion personnelle de Dan Porter. Il étaya ses conclusions avec les témoignages, non seulement de Vann et de Ladd, mais de tous les collaborateurs de son état-major, du conseiller de la 5e division au nord de Saigon et de tous les officiers américains affectés à l'échelon des régiments. Il insista sur le fait que les conclusions qu'il présentait étaient l'aboutissement du consensus de tous les conseillers. Ce qui, traduit dans le langage de la Seconde Guerre mondiale, signifiait que la majorité des commandants sous les ordres de Harkins dans ce secteur critique du front l'avertissaient que son estimation de la situation n'était qu'un rêve chimérique.

Comme ils étaient de vieux amis et qu'il savait ce qu'il ressentait, Porter soumit son rapport au général York en lui demandant s'il était trop brutal. Bob York lui dit que chaque fois qu'il avait voulu essayer d'influencer Harkins, il s'était heurté à un mur de béton, mais que Porter parlait avec l'autorité de quelqu'un qui avait passé un an dans le pays et que son texte était le résultat d'un consensus. Non, Porter n'était pas trop brutal.

Harkins fut apparemment cordial lorsque Porter vint le voir pour une brève conversation d'adieu. Le général en chef lui apprit qu'il avait recommandé que lui soit attribuée la *Legion of Merit* pour son année de service, mais ne lui parla pas de son rapport. Des membres de son état-major n'avaient toutefois pas été aussi évasifs et avaient prévenu Porter, avant qu'il n'aille voir Harkins, que le général était écœuré et le considérait comme un membre déloyal de son équipe. Porter sentit la tension sous son apparente politesse. Il savait que Harkins pensait : « Qu'est-ce que ce connard de paysan de colonel de réserve se croit, pour me dire comment mener cette guerre ? » D'ordinaire, se trouver en présence d'un quatre étoiles rendait Porter légèrement nerveux, même lorsqu'il était aussi amical que l'avait été Harkins avec lui en d'autres temps. Cette fois-ci, Porter était parfaitement calme. Pour la première fois depuis près de trente et un ans qu'il avait gagné son galon de lieutenant dans la Garde civile, Porter ne se souciait pas de l'approbation d'un général. S'il devait rendre Harkins fou furieux pour l'obliger à voir la vérité, eh bien tant pis. Il avait fait son boulot, et maintenant il rentrait chez lui.

Une conduite d'une trop scrupuleuse délicatesse peut avoir des effets pervers dans des bureaucraties dirigées par d'habiles manœuvriers. L'honnêteté de Porter lui causa la perte du rapport qu'il considérait comme son testament. Il avait eu tellement peur que quelqu'un ne le communique à la presse qu'il tapa lui-même le texte final en détruisant tous les brouillons, le fit classer « top secret » par Winterbottom et le remit lui-même sous enveloppe scellée au chef d'état-major de Harkins. Les scrupules de Porter l'empêchèrent même d'en garder une copie pour lui, comme le font en général les officiers de son grade. Dès que Porter eut quitté le Vietnam, Harkins vérifia qu'il était seul à détenir l'unique exemplaire. Il informa son état-major que, si le rapport allait à Washington, ce serait sous une forme revue et corrigée. Il disparut ainsi à jamais. Porter ne fut pas convoqué au Pentagone pour un compte rendu de son expérience au Vietnam, comme c'était le cas en général avec les conseillers d'un grade élevé. Harkins y avait veillé.

Au cours d'une conférence d'état-major, Winterbottom défendit honnêtement le mémorandum du 8 février de Vann, en disant au général en chef : « La seule chose qui ne va pas dans ce rapport, c'est que tout y est juste. »

Il ajouta qu'il y avait suffisamment de preuves pour justifier la carte pessimiste de Drummond qui montrait la détérioration de la situation dans le nord du delta. Mais cette information n'ébranla pas Harkins, qui voulait toujours se débarrasser de Vann. Cette fois-ci, le général de brigade Gerald Kelleher, le chef des opérations de l'état-major, prit la défense de Vann. Kelleher était un fantassin mal dégrossi qui avait péniblement gagné son unique étoile par son courage et son commandement au combat, récompensés deux fois par la *Distinguished Service Cross* pendant la Seconde Guerre mondiale et en Corée. Kelleher était hargneux et borné sur la plupart des sujets, mais Vann avait récemment réussi à le convertir à ses vues. York aussi soutint Vann. Timmes, qui s'efforçait toujours de rallonger le délai qu'il avait demandé au général en chef pour muter Vann, prêcha à nouveau la patience pour éviter le scandale. Harkins s'inclina.

Mais la dissension se développait parmi les échelons intermédiaires de l'état-major de Harkins et au Groupe d'assistance militaire de Timmes. Vann ne tarda pas à apprendre le sort qui avait été réservé au rapport de Porter et le résultat du voyage de Winterbottom à My Tho. Une des sources d'information de Drummond l'informa également que, si Winterbottom avait été d'accord pour reconnaître que le contrôle de Saigon se détériorait dans la région, « ce n'était pas du tout ce qui avait été communiqué à Washington ». Harkins avait obligé Winterbottom à supprimer le calque de Drummond pour le remplacer par un autre où il y avait beaucoup plus de bleu et beaucoup moins de rouge. Dans le style militaire américain de l'époque, cela ne s'appelait pas un faux, mais un rapport « suivant instructions ». Ainsi le commandant en chef en acceptait la responsabilité, et libérait le subordonné concerné de la responsabilité morale.

A la différence de Porter, Vann savait justifier rationnellement ses actes pour s'adapter aux exigences de la lutte. Puisque Harkins voulait l'arrêter de sonner l'alarme, il n'allait pas le laisser faire simplement en contournant le règlement, mais il allait franchement le violer, et Halberstam serait son instrument. Lorsque Halberstam revint au séminaire à la fin février, Vann l'emmena dans la salle d'opérations, ferma soigneusement la porte et s'assit devant la carte de la zone de la division qui couvrait tout un mur. Puis il dit :

« Halberstam, je suis un officier de l'armée des États-Unis et, comme tel, j'ai fait le serment de ne pas dévoiler les informations secrètes. Mais je suis également un citoyen américain et j'ai donc des devoirs à l'égard de mon pays. Maintenant, écoutez-moi bien. »

Il lui révéla tout ce que contenait son rapport du 8 février, indiquant sur la carte l'emplacement des unités vietcongs pour démontrer comment Cao et Dam s'étaient servis des renseignements obtenus par Drummond pour attaquer justement là où il n'y avait pas d'ennemis. Il expliqua que tous ses efforts avaient été vains. Harkins s'était refusé à affronter Diêm pour l'obliger à inverser sa politique d'autodestruction et se mettait en colère dès que quelqu'un essayait de lui faire regarder la réalité en face. Il raconta en détail la visite de Winterbottom à My Tho et comment on avait accueilli à Saigon son compte rendu véridique. On ne pouvait plus laisser la situation dériver comme cela, dit-il. Le Vietcong devenait chaque jour de plus en plus redoutable. Si on ne faisait rien, les États-Unis et les Vietnamiens du Sud allaient payer cher pour cette lâcheté morale.

« Nom de Dieu, je tiens une de ces histoires ! » s'écria Halberstam dès qu'il eut franchi la porte du bureau de fortune que nous partagions dans mon appartement de Saigon. Nous faisions en effet équipe ensemble, car il n'y avait pas de concurrence professionnelle entre un correspondant d'agence, comme je l'étais pour UPI, et un représentant de la presse écrite. L'article qu'il câbla le 28 février pour l'édition du *New York Times* du 1er mars 1963 commençait en révélant que les officiers supérieurs de l'ARVN se servaient des services de renseignements pour truquer les opérations et éviter d'affronter la guérilla dans toute la zone depuis le nord de la capitale jusqu'au sud du delta du Mékong. Puis il donna des détails précis dont il était évident pour les initiés qu'ils provenaient du séminaire. Halberstam cita le nombre exact d'unités vietcongs, sections ou compagnies, que Vann avait indiqué dans son rapport secret. Il expliqua que les Américains n'avaient pas pu obtenir que l'armée de Diêm les attaque, « même avec un avantage de 7 contre 1, et parfois plus ». Il décrivit la plus récente attaque bidon dans le secteur de Vann : « Une opération fut montée la semaine dernière avec 2 000 soldats vietnamiens. Bilan : un Vietcong tué, une femme et un enfant tués par une attaque aérienne, une femme et un enfant sérieusement blessés ! »

« Un des conseillers américains », continua Halberstam, a été si outré de ces farces meurtrières, qu'il a envoyé à Saigon « un rapport critique très sévère ». Ce rapport a été tellement « controversé » qu'une enquête a été lancée. Halberstam cita alors mot pour mot la réponse de Winterbottom à Harkins : « La seule chose qui ne va pas dans ce rapport, c'est que tout y est juste. » Il conclut son article en répétant l'accusation de Vann : le commandant en chef, en fait, s'intéressait plus à rester en bons termes avec Diêm et sa famille qu'à gagner la guerre.

Vann aurait dû être immédiatement relevé pour ce camouflet si sa veine habituelle ne l'avait pas servi une fois de plus. La recommandation de Porter pour décorer Vann de la *Distinguished Flying Cross,* qui récompensait son héroïsme dans son petit avion d'observation au cours de la bataille de Bac, avait été approuvée par Washington fin février. Deux jours avant que Halberstam n'envoie son article, Timmes épinglait la médaille sur la chemise kaki de Vann au cours d'une cérémonie. Le virer aussitôt après l'avoir décoré eût été pour le moins gênant et aurait soulevé un scandale encore plus grand dans la presse. Avec Timmes qui continuait à le freiner, Harkins commit l'erreur de temporiser une fois de plus.

Qu'il l'ait échappé belle ne détourna pas Vann de son plan. Il ne perdit pas son temps pendant le mois qui lui restait au Vietnam. Il continua à exercer son rôle de critique par l'entremise des journalistes, à nous instruire et à orienter nos articles tandis que croissait en nous notre admiration pour son héroïsme moral. Pour lui éviter des ennuis, Timmes appliqua en souplesse la solution qu'il avait proposée à Harkins et envoya Vann dans les hauts plateaux et les provinces de la côte, sous prétexte qu'il avait besoin d'une évaluation personnelle de la situation. Vann fut ravi de pouvoir juger de la guerre dans le reste du pays. Timmes l'envoya ensuite pendant deux jours à l'École britannique de la jungle, en Malaisie. Il raconta au retour comment il avait réussi à participer à une manœuvre avec les redoutables Gourkhas népalais. Pour bien connaître la guérilla, ajouta-t-il, les Américains feraient bien d'embaucher quelques Gourkhas comme conseillers.

Mais il se réserva du temps pour le travail supplémentaire qu'il s'était programmé au cours de son dernier mois au Vietnam. Il voulait mettre en ordre les éléments dont il avait besoin pour l'exposé qu'il comptait faire au Pentagone afin de convaincre chaque général qui l'écouterait que Harkins se trompait sur la conduite du pays, et que, pour éviter la défaite, il fallait adopter le changement radical de politique qu'il avait proposé. Il devait, à la mi-août 1963, commencer un programme d'instruction de dix mois au Collège industriel des forces armées de Fort McNair, à Washington. En attendant, de mai à août, il serait affecté au Pentagone à la Direction des opérations spéciales, et il comptait bien pendant cette période mener sa croisade personnelle.

Pour ces exposés qu'il envisageait, il résuma son point de vue en un document de quatre pages et demie qui était en même temps son rapport final à Harkins, en tant que plus haut conseiller à l'échelon d'une division. Il constituait une attaque très précise et souvent spirituelle de la politique et de l'optimisme officiels. Il compara le niveau de l'effort de guerre du régime de Diêm avec ce qu'il pourrait être s'il se battait sérieusement : « L'effort antirébellion dans cette zone tactique est environ de 10 à 20 % de ce qu'on pourrait raisonnablement attendre, compte tenu du personnel et des ressources disponibles. » Pour le prouver, un des documents en annexe alignait une série de chiffres montrant que la répartition des troupes régulières et territoriales dans les sept provinces du nord du delta n'avait aucune relation avec la densité de la population, l'importance géographique et économique et la menace de l'ennemi. En revanche, les affectations, ou plutôt les « désaffectations », étaient uniquement fonction de la hantise de Diêm d'un coup d'État et de ses relations personnelles avec le chef de province. Vann emportait aussi avec lui tout le dossier des rapports précédents, y compris le récit de Bac et le commentaire de Porter, ainsi que les documents qu'il avait reçus des autres conseillers militaires. Il avait l'intention de s'en servir pour écrire un jour une thèse de doctorat d'administration publique, un projet qu'il n'eut jamais le temps de réaliser.

Le matin du 1ᵉʳ avril 1963, dernier jour de sa première année au Vietnam, il transmit à son successeur le commandement du détachement de conseillers, de la même façon qu'il l'avait reçu, c'est-à-dire sans cérémonie. Il franchit la porte du séminaire pour aller passer quelques jours à Saigon avant de s'envoler pour les États-Unis. Il avait déjà fait la veille sa dernière visite et serré les mains de Dam et des autres officiers de la 7ᵉ division. A la mi-mars, il avait envoyé un message d'adieu à la division traduit en vietnamien et distribué à tous les officiers et chefs de province. On n'y trouvait aucune allusion ou reproche pour les échanges aigres du passé. C'était un texte de quatre pages, chaleureux et plein de tact, émouvant aussi parce qu'il laissait percer l'attachement émotionnel qu'il éprouvait à l'égard de ce pays et de son peuple. Il voulait les quitter dans un climat d'amitié et d'espoir. « J'ai été fier, disait-il, de partager avec vous, même dans une faible mesure, le fardeau de votre lutte pour arrêter et faire reculer l'extension du communisme. » Il parla de « cette merveilleuse jeunesse » et s'affirma certain qu'ils jouiraient un jour de « la paix, la prospérité et la liberté ». Comme toujours chez lui, cette diplomatie avait un but : son message consistait en fait en un condensé poli mais ferme de toutes les leçons qu'il s'était pendant dix mois efforcé sans succès d'inculquer. Une copie en anglais fut remise à tous les conseillers comme un manuel de ce qu'ils devaient s'efforcer d'enseigner. Dix ans plus tard, dans les hauts plateaux, un lieutenant-colonel, qui avait servi comme capitaine au temps de Vann, et qui maintenant accompagnait un groupe de Rangers de l'ARVN, sortit de la poche de sa chemise et me montra un exemplaire déchiré et sale du message de Vann. Lorsqu'il l'avait reçu en 1963, il en avait été si impressionné qu'il l'avait toujours gardé et qu'il le relisait périodiquement pour se rappeler vers quoi il devait tendre.

Au début de l'après-midi du 3 avril, une petite foule se réunit au restaurant du premier étage de l'aéroport de Tan Son Nhut. Il y avait là quelques capitaines de My Tho, des officiers et pilotes des compagnies d'hélicoptères, Halberstam et moi avec quelques autres membres de la presse. Nous étions fiers de cet homme et de ce qu'il avait essayé d'accomplir, mais également tristes de ce qu'il devrait payer pour son patriotisme. Halberstam avait proposé qu'on lui offrît un souvenir en signe de gratitude pour ce qu'il nous avait appris et afin de lui témoigner notre admiration pour son courage moral et son intégrité professionnelle. Vann ne fumait pas, mais une boutique de la rue centrale de Saigon, Tu Do, qu'on continuait à appeler rue Catinat comme au temps des Français, vendait de très belles boîtes à cigarettes, fabriquées par des orfèvres cambodgiens. Nous nous cotisâmes pour lui en offrir une avec nos noms gravés sous l'inscription :

Au lieutenant-colonel John Paul Vann
Bon soldat, bon ami,
Ses admirateurs de la presse américaine

Halberstam la lui remit en ajoutant quelques remarques émues sur ce que nous, et ceux qui nous lisaient, lui devaient. Tout le monde descendit sur le terrain et accompagna Vann jusqu'à l'avion. Halberstam avait une dernière chose à lui dire : chaque fois que nous avions envoyé une dépêche, nous avions eu peur de nuire à sa carrière. Vann le regarda avec un léger sourire :

« Vous ne m'avez jamais fait autant de tort que je ne m'en suis fait moi-même. »

J'eus la chance de faire le long voyage de retour jusqu'à San Francisco avec Vann. Je n'avais pas vu ma famille depuis trois ans et je prenais un mois de vacances. Aucun de nous deux n'avait pensé à prendre un livre et il n'y avait rien d'autre à faire que de parler et de dormir. Vann ne semblait pas inquiet pour son avenir. Il avait fait de son mieux et beaucoup appris et ne se laisserait pas abattre par ce qui s'était passé dans le delta. Il envisageait avec impatience l'année qu'il allait passer au Collège industriel des forces armées (une des plus hautes institutions pour les officiers de carrière), avec la certitude d'être promu colonel à sa prochaine affectation. Il me donna une copie de son message d'adieu à la division où s'affirmait son intention de persévérer dans la carrière militaire. Il y invitait tous les conseillers ou officiers vietnamiens qui le désiraient à lui écrire à Fort McNair et à venir le voir s'ils passaient par Washington. Normalement, me dit-il, un officier considéré comme un trouble-fête ne dépassait pas le grade de colonel. Il se sentait de force à être une exception. L'armée était sa vie et il n'allait pas laisser Harkins l'en expulser. Le temps et les événements, pensait-il, justifieraient sa conduite. En attendant, il allait essayer de convertir à sa thèse tous les généraux qu'il pourrait, afin de se faire des alliés de haut rang pour discréditer Harkins.

En mai 1963, il prit six semaines de vacances à El Paso pour que les enfants finissent leur année scolaire. Puis Mary Jane et lui vendirent leur maison, emballèrent leurs meubles, comme si souvent dans leur passé de militaires, et partirent pour Washington. L'aîné des enfants, John Allen, et sa sœur Patricia prirent l'avion pour Baltimore où ils retrouvèrent la sœur de Mary Jane pour une semaine de tourisme en Virginie. Les trois plus jeunes, Jesse, Tommy et Peter firent tout le voyage depuis le Texas avec leurs parents dans le break familial. La famille s'installa d'abord à McLean, dans la banlieue de Washington, chez un pasteur méthodiste que Vann avait connu dans sa jeunesse à Norfolk. Puis ils s'entassèrent dans un appartement d'Alexandria jusqu'à ce que Vann loue une maison dans la baie de Chesapeake, à quarante kilomètres à l'est de la capitale. C'était loin du Pentagone, mais le loyer était bon marché, avec beaucoup d'espace de jeu pour les garçons et la possibilité d'aller pêcher et ramasser des crabes dans cette région semi-rurale.

Je fus de retour au Vietnam juste à temps pour assister à la rébellion exaspérée que le régime provoqua dans les villes, avec les mêmes abus et la même arrogance que dans le passé. Le 8 mai 1963, les Ngô Dinh déclenchèrent la crise bouddhiste. Une compagnie de gardes civils, commandée par un officier catholique, tua neuf personnes, dont des enfants, et en blessa quatorze dans l'ancienne capitale impériale de Huê. Une foule s'y était rassemblée pour protester contre le nouveau décret qui interdisait que soit déployé le drapeau de Bouddha le jour de son 2587e anniversaire. Cette décision avait été inspirée à Diêm par son frère aîné, Thuc, archevêque de Huê et, à l'époque, le plus important prélat catholique du Sud. Lorsque, quelques semaines plus tôt, Thuc avait célébré le vingt-cinquième anniversaire de sa nomination d'évêque, les catholiques de Huê avaient arboré des drapeaux du Vatican à travers toute la ville natale des Ngô Dinh. Mais la même chose était interdite aux bouddhistes. Après le massacre, Diêm et sa famille se conduisirent comme on pouvait l'attendre d'eux. Ils n'essayèrent pas d'apaiser les bonzes, déjà hostiles depuis neuf ans de discrimination. Ils manœuvrèrent pour les écraser comme ils l'avaient fait avec les cao-daïstes, les sectes Hoa-Hao et les Binh Xuyen en 1955.

Les bouddhistes répliquèrent à la façon vietnamienne. Le 11 juin au matin, un bonze de soixante-treize ans, Quang Duc, s'assit au milieu d'un carrefour de Saigon, à proximité de la résidence de l'ambassadeur Nolting. Il croisa lentement les jambes dans la position méditative du lotus tandis qu'un autre versait sur sa tête rasée le contenu d'un bidon d'essence qui imbiba sa robe orange. Les mains du vieux bonze s'élevèrent pour gratter d'un geste brusque l'allumette qui transforma son corps en un brasier, symbole de colère et de sacrifice, et raviva le feu couvant du ressentiment dans toutes les villes du Sud.

Le mouvement bouddhiste devint le point de ralliement pour toutes les rancœurs accumulées contre la famille. Tandis que les bonzes à la robe orange réussissaient à mobiliser l'opinion publique contre la minorité catholique étrangère, un réflexe naturel dans la société vietnamienne, les Ngô Dinh se montrèrent si répugnants que quelques catholiques aidèrent clandestinement les chefs bouddhistes. La photo du suicide de Quang Duc, prise par Malcolm Browne d'Associated Press, stupéfia le public américain et l'opinion internationale et embarrassa l'administration Kennedy.

Les Ngô Dinh utilisèrent les matraques et les bombes lacrymogènes et essayèrent d'isoler les pagodes en les entourant de fil de fer barbelé. Ils écartèrent avec mépris les appels au compromis de l'ambassadeur Nolting, qui écourta ses vacances en Europe pour essayer de ramener Diêm à la raison. Ils repoussèrent même Kennedy.

« Si les bouddhistes veulent faire un nouveau barbecue, dit Nhu à la fin d'un dîner avec Nolting et des personnalités américaines, je me ferai un plaisir de leur fournir l'essence et les allumettes. »

Mme Nhu déclara à la presse que les bonzes étaient tous communistes et que les manifestants « devraient être frappés dix fois plus fort » par la police. Elle ajouta : « J'applaudirai des deux mains au prochain suicide. » Elle devança Richard Nixon de dix ans en employant une formule qui devait le rendre célèbre : la famille était soutenue par une « majorité silencieuse ». Les Ngô Dinh partaient du principe que les Américains finiraient par approuver l'écrasement des chefs bouddhistes, comme Washington l'avait fait en 1955 avec les sectes et les Binh Xuyen. Le seul membre de la famille qui fût favorable à un accord, Ngô Dinh Can, un autre jeune frère de Diêm qui vivait à Huê et contrôlait le Centre Vietnam, se vit dépouillé de toute son autorité. La police fit voltiger les matraques de plus en plus durement, comme le souhaitait Mme Nhu, envoya encore plus de grenades lacrymogènes et édifia d'autres kilomètres de barbelés. Les bonzes s'immolèrent en plus grand nombre, la haine de la famille s'accrut et les manifestations s'étendirent dans les petites villes.

John Mecklin, ancien journaliste qui travaillait avec l'Agence d'information USIS au Vietnam en 1963, fit un cauchemar une nuit. Il assistait à une pièce de théâtre dans laquelle les membres de l'ambassade des États-Unis découvraient petit à petit que le gouvernement local avec lequel ils travaillaient depuis des années était composé de déments, que les mots n'avaient plus aucun sens et que tout ce que les Américains s'imaginaient avoir accompli dans cet étrange pays de rêve, n'avait en fait jamais existé. Mais il se réveilla avant de savoir comment la pièce finissait !

Quelques jours après que, le 24 mars 1963, Vann se fut présenté pour prendre ses fonctions à la Direction des opérations spéciales, il commença sa campagne au Pentagone. Il alla voir l'officier chargé de recueillir les témoignages des conseillers de retour du Vietnam et demanda à être interrogé. L'officier lui répondit que « Saigon avait souhaité » qu'on ne recueillît pas son témoignage. Vann s'y attendait : il était arrivé la même chose à Kelleher, son supérieur à l'état-major de Harkins, qu'il avait réussi à convertir. Il était rentré en avril pour prendre sa retraite et lui non plus n'avait pas été interrogé « sur la demande de Saigon ». Vann commença alors à témoigner tout seul. Il parla d'abord à des collègues officiers en leur montrant des copies de son message du 8 février, du récit de la bataille de Bac, et la documentation nécessaire pour appuyer ses arguments. Il avait du temps, car son travail officiel consistait à imaginer de nouvelles procédures pour financer et ravitailler les missions des Forces spéciales contre l'insurrection, une occupation facile pour quelqu'un qui avait étudié la gestion financière. Il disposait donc de loisirs pour se consacrer à sa réelle tâche. Au cours du mois suivant, il remonta progressivement la hiérarchie de l'armée, en parlant avec des officiers supérieurs et leurs états-majors avec illustration de statistiques, de cartes sur diapositives et d'anecdotes personnelles pour l'authenticité et l'aspect humain. Il réussit ainsi à faire passer ses arguments, sans pour autant rallier ses auditeurs à sa cause. Ils étaient attirés parce qu'il avait beaucoup de choses à dire sur cette période récente. Mais un officier de l'armée des États-Unis à Washington considérait toujours la guerre du Vietnam comme une affaire étrangère et jugeait la performance des forces de Saigon sans se sentir directement impliqué, parce que c'était loin et que ce n'était pas son armée.

A la fin juin, Vann avait déjà exposé ses thèses à plusieurs centaines d'officiers du Pentagone, presque tous de l'Armée de terre, ainsi qu'à une douzaine de généraux, occupant des postes importants. Parmi eux se trouvait un certain général de division aérienne nommé Lansdale. C'était la première fois que Vann rencontrait son héros. Lansdale l'écouta, mais ne réagit pas : en disgrâce avec le cercle fermé des puissants, il n'était plus en mesure de faire quoi que ce soit. Ses ennemis dans la hiérarchie bureaucratique avaient saboté une proposition de le nommer ambassadeur au Sud Vietnam fin 1961, à la demande de Diêm et avec l'accord de Kennedy. Après cet échec, le président l'avait chargé d'un projet ultra-secret qui lui tenait à cœur après l'humiliation de la baie des Cochons[1] : l'opération « Mangouste ». Le but était de se débarrasser du serpent Fidel Castro qui menaçait d'engendrer d'autres reptiles communistes dans les Caraïbes et en Amérique latine, en fomentant contre lui une révolution ou par tout autre moyen plus direct. Le président et son frère Robert se souciaient peu des convenances et voulaient des résultats, surtout après la crise des missiles de Cuba en octobre 1962[2]. Lansdale n'avait pas été à la hauteur de sa réputation de magicien des opérations clandestines et avait conçu un plan complètement irréaliste pour se débarrasser du cobra de La Havane. Il attendait maintenant son départ à la retraite. Son ami philippin, Ramon Magsaysay, était mort prématurément dans un accident d'avion en 1957 avant d'avoir pu réaliser les réformes sociales et économiques qui auraient apporté une paix durable à son pays.

A la fin du mois de juin, Vann réussit à prendre contact avec le général Barksdale Hamlett, chef d'état-major adjoint, qui fut si impressionné par la présentation de Vann qu'il programma pour lui un exposé devant l'assemblée des chefs d'état-major interarmes pour le 8 juillet. Vann était à la fois rempli de joie et intimidé à la pensée d'être maintenant si proche de la victoire dans la bataille qu'il avait menée pour faire connaître la vérité à ceux qui détenaient le pouvoir. La réaction du général Hamlett renforça la conviction qu'il avait toujours eue au Vietnam que Harkins était une aberration, qu'une mauvaise stratégie était la conséquence de l'ignorance et d'intentions erronées, et que finalement son système était basé sur la raison.

Mais Vann devait une fois de plus trouver Victor Krulak sur son chemin. Rentré au début juillet d'une nouvelle semaine d'inspection au Vietnam, Krulak avait aussitôt rendu compte à McNamara et à Maxwell Taylor. Son rapport de cent vingt-neuf pages avait été largement distribué dans les hautes sphères de Washington par l'intermédiaire de McGeorge Bundy, assistant spécial de Kennedy pour la sécurité nationale, et en particulier à son admirateur Robert Kennedy.

« La guerre chaude a atteint son point culminant », annonça « Brute » Krulak. Les GI's allaient revenir suivant le plan de trois ans de McNamara. « Le général Harkins estime que les effectifs pourraient dès aujourd'hui être réduits de 1 000 hommes sans affecter la conduite de la guerre. » Si le rapport n'avait pas été classifié secret, à cause des données de renseignements qu'il contenait sur l'utilisation du Cambodge par Hanoi et sur ses raids au Laos, on aurait pu en faire tout de suite un communiqué de presse. Krulak en avait personnellement écrit les quinze pages d'introduction. Le reste consistait en

---

1. Baie des Cochons : en 1960, l'administration Eisenhower et la CIA avaient préparé une attaque de 1 600 exilés cubains, entraînés en Floride et au Guatemala contre le régime de Castro. Le nouveau président John F. Kennedy, entré en fonction le 6 janvier 1961, donna, non sans hésitation, le feu vert pour l'opération. Le débarquement, appuyé par la Marine américaine, eut lieu le 16 avril 1961 et fut un échec complet.
2. Missiles de Cuba : le 14 octobre 1962, un avion de reconnaissance américain découvrit à Cuba des rampes de lancement de missiles offensifs, installées par l'URSS en direction des États-Unis (distants de cent cinquante kilomètres). Le 22 octobre, Kennedy décida la mise en « quarantaine » de Cuba (en réalité le blocus). Le 28, Khrouchtchev accepta de retirer les fusées sous contrôle de l'ONU.

questions et réponses avec le général de brigade Richard Stilwell, qui avait remplacé en avril Kelleher comme chef des opérations à Saigon. Sa confiance systématique dans l'autorité l'avait immédiatement conduit à promouvoir les opinions du commandant en chef et à apaiser les dissensions au sein de son état-major. Krulak avait adopté toutes les réponses de Stilwell en les embellissant avec l'enthousiasme de son introduction.

Le Vietcong ne proliférait pas pour devenir un ennemi redoutable, comme disait Vann. Au contraire, la stratégie d'usure de Harkins lui portait directement atteinte. « Des documents capturés ont révélé que beaucoup de Vietcongs vivaient sur des rations restreintes et souffraient d'un terrible manque de drogue... Des prisonniers de guerre ont également affirmé que le manque de logistique et de soutien populaire détériorait le moral du Vietcong », disait une des réponses de Stilwell. Les dernières informations recueillies indiquaient que le nombre total d'insurgés communistes dans le pays avait diminué pour passer de 124 000 en janvier 1963 à une estimation « raisonnablement fiable » de 102 000 à 107 000 au mois de juin.

Et qu'est-ce qui rendait la guérilla communiste tellement vulnérable à la guerre d'usure? C'était, bien entendu, le Programme des « hameaux stratégiques », le « cœur même de la tactique contre-insurrectionnelle », affirmait Krulak. A la mi-juin 1963, 67 % de la population du Sud vivait dans les 6 800 hameaux construits depuis avril 1962. La majorité de la paysannerie « semblait favorablement disposée » à l'égard de ce programme. A la fin de 1963, lorsque les États-Unis et le régime de Diêm auraient terminé la construction des 11 246 hameaux prévus dans le Sud, le Vietcong serait complètement isolé. Bien que les États-Unis aient persuadé Diêm d'instaurer un programme d'amnistie pour les rebelles, le nombre de déserteurs allait s'amoindrir spectaculairement « car il ne restera plus grand monde à attirer ».

Le rapport de Krulak comportait néanmoins certaines informations d'importance. Dans les zones de forêts tropicales au nord de Saigon, le Vietcong avait créé des régiments d'une forme embryonnaire. Les « spécialistes d'artillerie » étaient maintenant groupés en « bataillons d'armement lourd ». D'autres informations laissaient entendre que le Vietcong avait reçu des canons de 75 sans recul et des mitrailleuses antiaériennes de 12,7 mm qui devaient « en principe être gardés secrets jusqu'au moment opportun pour leur utilisation ». Mais ni Krulak ni Stilwell ne comprirent l'importance de ces détails, car ils estimaient apparemment, comme Harkins, que des unités de la taille de régiments seraient des cibles plus grosses, donc plus faciles à atteindre.

Quelques jours avant le 8 juillet, les adjoints de Krulak commencèrent à réclamer à la Direction des opérations spéciales une copie du rapport de Vann. Le téléphone arabe du Pentagone avait apparemment alerté Krulak de la campagne de Vann pour discréditer la version de la conduite de la guerre menée par Harkins. Comme Vann allait témoigner devant l'état-major interarmes, il ne fallait prendre aucun risque. Vann avait préparé un texte de son intervention avec diapositives de diagrammes et de cartes qu'il allait projeter sur l'écran du « Tank », le surnom familier de la grande salle de conférences du Pentagone. Il avait répété son texte devant ses collègues, le corrigeant sur leur suggestion pour mieux capter l'attention de son auguste auditoire sans paraître non plus trop extrémiste ni sembler attaquer personnellement Harkins.

Un officier béat d'admiration devant Harkins et illusionné par lui ne pouvait considérer le compte rendu de Vann que comme une indignité. En revanche, son récit de douze pages et les documents qui l'accompagnaient pourraient impressionner un auditeur sans préjugés qui y verrait une adroite et talentueuse présentation de la guerre par un homme qui avait passé presque un an en plein cœur du combat dans le nord du delta. Vann avait volontairement limité son exposé à son expérience personnelle et aux zones spécifiques de responsabilité où ses connaissances ne pouvaient être mises en doute.

Les plus hautes sommités militaires du pays verraient d'abord sur l'écran une carte du Sud Vietnam avec le nord du delta bien mis en évidence. Puis Vann expliquerait ce qui y était en jeu pour la population, la géographie et les ressources économiques de cette moitié du réservoir à riz qui affectait directement Saigon. Puis il projetterait quelques statistiques pour essayer de dissiper les mythes et rappeler les « principes fondamentaux de la guérilla », comme il les avait appris lui-même et inculqués ensuite aux journalistes. Par exemple, il montrerait un graphique indiquant que 9 700 Vietcongs avaient été « comptés comme tués » dans la zone de la 7e division pendant ses dix mois de conseiller. « En fait, ajouterait-il, ce chiffre officiel est tout à fait trompeur. Avec mes deux cents conseillers sur le terrain, nous estimons, et je précise qu'il ne s'agit que d'une estimation, que le nombre total de tués est moins des deux tiers du chiffre annoncé. En outre, nous considérons qu'environ 30 à 40 % des victimes n'étaient que des spectateurs qui ont eu la malchance de se trouver à ce moment-là dans la zone des combats... Les renseignements que nous avions ne justifiaient pas de bombardement préalable par air, artillerie ou mortiers. » En ce qui concernait les armes, « le fusil était la dernière dont on se servît ». Puis les auditeurs feraient le tour des avant-postes où les garnisons étaient « abattues dans leur lit » ; ils suivraient la campagne de Cao à l'automne 1962, « planifiée avec tellement de prudence que nous n'eûmes que trois hommes tués ». Vann leur montrerait ensuite sur l'écran un dessin en couleurs de la bataille de Bac et leur résumerait les désastreuses conséquences que peuvent engendrer dans la guerre les apparences chimériques.

John Vann n'avait pas l'intention de terminer son exposé sur une note lugubre. Il savait que ce n'était pas la bonne méthode avec ces généraux, d'autant que, de toute façon, telle n'était pas sa conviction. Il était encore temps de gagner si on adoptait les corrections nécessaires. Si on changeait de politique et si les responsables de Saigon étaient contraints à suivre les conseils des Américains, il serait possible de « briser les reins des forces militaires vietcongs du nord du delta en six mois ». La pacification complète de la région prendrait des années, mais un effort de guerre qui utiliserait à fond les potentialités de Saigon pendant six mois d'une campagne très dure réduirait « les capacités militaires du Vietcong qui serait contraint de passer d'opérations de bataillons des forces régulières à de simples harcèlements de sections de guérilla locale ».

Vann avait demandé à Mary Jane d'envoyer son uniforme au teinturier pour ce lundi. « Il n'y avait pas un faux pli », se souviendrait-elle plus tard. Il partit pour le Pentagone tôt dans la matinée. Il était prévu qu'il fasse son exposé à 14 heures. Il attendit aussi longtemps qu'il put avant de faire parvenir à Krulak une copie de son texte, quatre heures avant de parler. Puis il entra dans l'antichambre du général Earle Wheeler, chef d'état-major de l'armée, pour attendre au cas où on aurait des questions à lui poser à la dernière minute. Il leur avait également remis une copie de son intervention.

A 11 heures du matin, une heure après qu'il eut envoyé son texte à Krulak, le téléphone sonna sur le bureau d'un des aides de camp de Wheeler. Vann l'entendit demander :

« Qui veut que le sujet soit retiré de l'ordre du jour ? »

La réponse ne devait pas être claire, car l'aide insista :

« Est-ce que c'est le secrétaire à la Défense ou le bureau du chef d'état-major général ? »

Mais l'aide avait besoin de plus de précisions :

« Est-ce que c'est un ordre ou une requête ? »

Après les explications de son interlocuteur, l'aide résuma la conversation pour vérifier qu'il avait bien compris :

« Soyons très clairs. C'est le chef d'état-major général qui demande que le sujet soit retiré de l'ordre du jour. »

Puis l'aide de camp dit qu'il allait transmettre la requête de Maxwell Taylor à son chef, et qu'il rappellerait ensuite, et il raccrocha.

« J'ai l'impression, mon pote, que ce n'est pas aujourd'hui que vous allez parler », dit-il à Vann.

Il entra dans le bureau de Wheeler, en ressortit peu de temps après et rappela son interlocuteur au bureau de Taylor.

« Le chef est d'accord pour supprimer le sujet de l'ordre du jour. »

Krulak avait immédiatement alerté Taylor dès qu'il avait lu le texte de Vann, et Taylor avait aussitôt agi. Taylor ne supportait pas facilement la contradiction professionnelle et s'irritait très vite lorsqu'il rencontrait une opposition sur des problèmes militaires. Pas plus Krulak que Taylor ne pensaient que Vann pût avoir raison. Il s'agissait incontestablement d'un geste de mauvaise humeur d'un petit lieutenant-colonel parvenu et arrogant. Mais ils avaient d'autres raisons pour lui faire barrage. Ils ne voulaient pas que l'ensemble de l'état-major général interarmes soit au courant d'un désaccord d'une telle amplitude qui figurerait ensuite dans le procès-verbal. Attaquer Harkins, c'était d'abord s'en prendre à Krulak qui, pour toute l'élite de Washington, avait pris le parti de Harkins. Mais c'était aussi attaquer Maxwell Taylor qui n'avait cessé de faire preuve d'optimisme dans ses rapports avec McNamara et le président. D'autant plus qu'il était responsable par procuration de la réussite de son protégé de Saigon. Lorsque s'était posée la question en décembre 1961 de nommer un général pour le nouveau commandement du Vietnam, Kennedy n'avait pas voulu confier cette guerre à Harkins, qu'il considérait comme trop conservateur. Il aurait souhaité trouver un homme plus jeune, avec un passé moins conformiste et doué de plus d'imagination. Mais Taylor l'avait convaincu d'accepter Harkins, en l'assurant qu'il avait exactement les qualités requises.

Ce n'était certainement pas Wheeler qui aurait opposé de résistance pour contraindre Vann au silence. C'était lui le général d'armée qui avait présidé la mission à Saigon de l'état-major général, le 18 janvier précédent, l'homme qui avait dirigé la plus importante mission d'enquête de la guerre en se laissant balader comme un touriste par celui qu'il était supposé remettre en question, Harkins, et en écoutant son meilleur soutien, Krulak. D'autre part, Wheeler était aussi un autre protégé de Taylor, qui l'avait imposé au président comme chef d'état-major de l'armée. Wheeler était un homme mince et très poli, comme Taylor. Mais il n'était pas aussi distant que lui et était aimé par ses pairs pour son comportement cordial dans les relations professionnelles. Wheeler était le parfait officier d'état-major compétent, à condition qu'il eût au-dessus de lui quelqu'un pour penser. Lorsqu'il était laissé à lui-même, on voyait tout de suite les limites de ce soldat bureaucrate dans sa réaction immédiate de respect de l'orthodoxie et dans une crédulité instinctive à l'égard de tout document marqué « top secret » et de ce que lui disait tout homme bardé d'étoiles et de soutaches dorées.

Dans sa rage et sa déception, Vann rendit responsables Krulak et Taylor de sa défaite, mais il se la reprocha aussi à lui-même. Après tout, il avait aidé Harkins à créer le mythe de la victoire imminente en montant, pour les généraux et les officiels de Washington en visite, ces exhibitions bidon d'un Cao dont, à l'imitation de Lansdale, il voulait faire « le tigre » du Vietnam et son instrument pour abattre le Vietcong. « Nous avons été aussi un des brillants bobards de cette guerre », confia-t-il au micro d'un historien de l'armée qui l'interrogeait deux semaines après son échec. L'interview fut classée « top secret », et la bande et sa transcription disparurent dans un casier soigneusement fermé à clef.

Mais ils ne réussirent pas à le réduire au silence. Les étudiants qu'il avait laissés derrière lui au Vietnam parlèrent pour lui. Il n'avait pas besoin de nous souffler par téléphone à longue distance ce que nous devions dire. Nous avions tellement bien assimilé ses leçons que nous n'avions plus besoin de lui. Vann nous écrivit en juillet pour nous féliciter de l'audace avec laquelle nous avions critiqué le régime pendant la crise bouddhiste. Halberstam lui répondit : « C'était le moment de risquer le paquet et de tirer toutes nos munitions, puisque les gens étaient aux aguets... Nous parlons de vous tout le temps, et souvent, quand nous écrivons, nous le faisons en pensant à vous. Mais, le plus important, c'est ce que nous avons appris dans le delta du Mékong et qui nous a marqués pour l'avenir. Il est pratiquement impossible de nous bourrer le crâne maintenant, nous savons exactement ce que nous devons rechercher et quel est le cœur du problème. Face à cet effort monumental qu'ils font tous pour nous baiser, nous sommes mentalement blindés. »

Nous eûmes des informations sur l'importance du renforcement du Vietcong dans le delta au début du mois d'août. Nous aurions pu l'apprendre plus tôt, mais nous étions tous bloqués à Saigon pour la couverture des manifestations bouddhistes et l'éventualité toujours possible d'un autre suicide par le feu. Mert Perry, du magazine *Time,* entendit parler en juillet de violents combats dans la province de Kiên Hoa au cours desquels onze hélicoptères avaient été touchés. Je connaissais le capitaine conseiller du bataillon impliqué pour avoir pataugé dans le temps avec lui dans les rizières. Il vint à Saigon début août pour une semaine de permission et je le rencontrai par hasard dans la rue. Les Vietcongs, auxquels son unité s'était opposée, n'avaient plus rien à voir avec les bataillons qu'il avait jusque-là combattus. Ils semblaient plus nombreux que ses 300 hommes à lui et surtout avoir une puissance de feu supérieure à la leur. Il n'avait jamais entendu un pareil feu roulant d'armes automatiques. Les Viets avaient immédiatement cloué au sol les troupes de Saigon et les maintinrent ainsi jusqu'à ce qu'ils cessent le feu et disparaissent dans la nuit, et tout cela, en dépit des attaques à la mitrailleuse et aux rockets des Hueys et de six vagues de chasseurs-bombardiers. S'ils avaient eu l'audace de quitter l'abri de leur ligne d'arbres et de faire une sortie, ils auraient sans aucun doute ravagé tout ou partie de mon bataillon, dit le capitaine.

A peu près à la même époque, un colonel de l'ARVN, dont nous respections tous la valeur professionnelle, Pham Van Dong, du même nom que le Premier ministre de Hanoi, revint alarmé d'une tournée dans le delta : le Vietcong recommençait le même cycle d'opérations que le Viet Minh avait adopté contre les Français. Le colonel Dong savait de quoi il parlait. Il était originaire d'une des minorités du Nord, avait gagné ses galons dans l'armée française et était un des deux seuls officiers de l'ARVN à avoir commandé une unité de la taille d'une brigade dans le corps expéditionnaire français. Harkins avait interrompu sa carrière en recommandant malencontreusement à Diêm de le nommer général de brigade. « Maintenant je suis sûr que Diêm va me saquer, commenta-t-il en l'apprenant. Diêm pensera que si les Américains m'aiment à ce point, c'est parce qu'ils pensent se servir de moi pour faire un coup d'État ! » Deux semaines plus tard, Diêm nommait Dong inspecteur des « hameaux stratégiques ».

Les funestes présages de Dong méritaient une enquête. Comme la crise bouddhiste monopolisait beaucoup de notre temps et de notre énergie, Halberstam et moi décidâmes de travailler en équipe avec Perry du *Time.* Le colonel Dong fut un de nos plus précieux informateurs. Il obtint des chiffres et des précisions d'un général de l'état-major mixte de Saigon qui avait servi sous ses ordres pendant la guerre française. J'ai passé une soirée chez lui à retranscrire les données, et je découvris qu'en dépit des mensonges de Cao, les officiers de renseignements vietnamiens du delta réussissaient à passer des informations valables, mais qu'elles n'étaient pas transmises au Palais qui ne les aurait pas appréciées. Il en était de même chez les Américains où les renseignements ne remontaient pas jusqu'à l'état-major de Harkins pour les mêmes raisons. On éprouvait une étrange impression de « déjà vu » dans la comparaison du colonel Dong entre ce qui se passait actuellement dans le delta et la guerre française. Entre 1949 et 1950, tandis que Giap transformait ses premières unités viet-minhs en divisions à effectif plein, qui devaient provoquer le massacre de la route coloniale 4, puis la défaite de Diên Biên Phu, le haut commandement français s'était également gaussé de ces rapports qui annonçaient la naissance d'un nouveau Viet Minh capable d'affronter ses troupes.

Nous recoupâmes et complétâmes les informations avec d'autres sources américaines et vietnamiennes. Halberstam se rendit au séminaire pour s'entretenir avec plusieurs capitaines qui avaient pu constater les changements dans le delta. Les gens de la CIA et de l'Agence du développement qui contrôlaient du côté américain le Programme des « hameaux stratégiques » se montrèrent plus francs maintenant qu'ils étaient préoccupés. Le Vietcong avait commencé à démanteler systématiquement les camps d'internement honnis. Leur tactique consistait à détruire les avant-postes des corps d'autodéfense, qu'ils soient situés à l'intérieur ou à côté des hameaux. Simultanément, les miliciens étaient désarmés, ou écrasés, ou se révélaient ce qu'ils n'avaient jamais cessé d'être, c'est-à-dire des rebelles clandestins. Les paysans étaient alors informés qu'ils étaient libres de retourner dans leur village d'origine. En partant, ils emportaient les tôles ondulées pour refaire les toits de leur maison. Si les autorités de Saigon, manquant de tôle, les avaient obligés à utiliser du chaume, les cadres vietcongs les leur faisaient détruire avant de partir pour rendre l'endroit inhabitable. Ils devaient aussi couper les fils de fer barbelés (les « spaghettis américains », comme les appelaient certains plaisantins de Saigon) et les débiter en petits morceaux, qui devaient servir plus tard de shrapnels dans les mines et les pièges explosifs. Toutes ces mesures avaient une signification psychologique : c'était la démonstration visuelle que la cause de Hô Chi Minh triomphait du plan élaboré par les Américains et leurs complices vietnamiens.

Le 15 août 1963, cinq semaines après l'échec de Vann au Pentagone, une version réactualisée de ses conceptions de la guerre apparut en première page du *New York Times* sous la signature de Halberstam. Il ne s'y risquait pas à déclarer brutalement que le Vietcong était en train de gagner la guerre ; il savait que ses rédacteurs en chef à New York étaient déjà effrayés par ses articles. Une affirmation aussi directe les aurait rendus encore plus nerveux au point d'en refuser la publication, sous prétexte qu'elle était subjective. Le titre en était donc : « Les Rouges vietnamiens gagnent du terrain dans des régions vitales. »

« La situation militaire au Sud Vietnam, dans le secteur capital du delta du

Mékong, s'est détériorée au cours de l'année, et les officiels constatent des signes inquiétants. » Après cette introduction, Halberstam accumulait les faits en un véritable tir de barrage d'artillerie pour décrire les progrès communistes. Un an plus tôt, les formations de guérilla ne comportaient pas plus de 250 hommes. Aujourd'hui, ils attaquaient par groupes de 600 et même 1000. Un an plus tôt, le Vietcong évitait d'affronter l'ARVN et se concentrait sur la Garde civile et les milices. Aujourd'hui, à cause de leur « force nouvelle due aux armes américaines capturées », ils recherchaient le combat avec les troupes régulières de Saigon. « Ils ont un de ces culots maintenant ! », suivant les termes d'un conseiller américain anonyme qu'il citait dans son article. Des commandants de Saigon avaient « découvert dans leur secteur des bataillons qu'ils n'avaient même pas pu identifier ». « Mais le plus inquiétant, continuait Halberstam, est que le Vietcong est en train de constituer des bataillons standard de 400 hommes chacun, constitués de trois compagnies d'infanterie équipées de matériel lourd... Des armes et des munitions de fabrication communiste entrent de plus en plus nombreuses en fraude au Sud... Leur équipement en communication radio s'améliore sans cesse. » L'objectif final de ces préparations était encore plus alarmant : un « spécialiste de bonne source » avait averti que Hanoi préparait une « guerre mobile, rapide et violente » pour écraser l'ARVN.

L'article explosa à Washington comme une bombe, mais ne réussit tout de même pas à balayer les illusions fantaisistes comme nous l'avions espéré. Kennedy demanda s'il y avait quelque vérité dans cette histoire. Krulak alerta Harkins, et Stilwell téléscripta un long mémorandum réfutant l'article point par point. Grâce à Stilwell, à Krulak et à leur présomption, Kennedy et la majorité des hauts responsables conservèrent leur confiance dans les généraux. Dean Rusk alla même jusqu'à outrepasser son rôle en dénonçant comme mensonger l'article de Halberstam au cours de la conférence de presse du département d'État, le lendemain de sa publication.

Le rôle que jouait Krulak en perpétuant les fantasmes de Harkins était d'une ironie dérisoire. Ses qualités d'homme de guerre étaient trop grandes pour qu'il continue à juger longtemps le conflit du Vietnam avec une telle stupidité. En deux ans, il allait découvrir l'imbécillité de cette stratégie d'usure qui obsédait les généraux américains. Il allait alors essayer de faire en sorte que le système qu'il servait agisse d'une façon rationnelle, et c'est alors qu'il connaîtrait à son tour les mêmes angoisses que Vann.

La légende suivant laquelle les jeunes reporters sur le terrain inventaient des nouvelles défaitistes était devenue complètement grotesque à la fin de l'été 1963. Car il s'agissait maintenant de journalistes confirmés dont la majorité jugeait la guerre de la même façon que nous : Peter Kalisher et Bernard Kalb de CBS, James Robinson de NBC, Stanley Karnow du *Saturday Evening Post*, Peppeι Martin de *US News* et *World Report*, et Charles Mohr, correspondant en chef du magazine *Time* pour le Sud-Est asiatique. Ce n'étaient pas des hommes à s'en faire mettre plein la vue par une bande de blancs-becs.

Mais, en face de ces reporters qui jugeaient la guerre comme nous, il y en avait d'autres aux États-Unis qui étaient soucieux d'accepter et de défendre les thèses officielles. Il n'existait pas de précédent à un tel échec de la conduite politique et militaire du pays, et ils ne pouvaient l'admettre. Une célèbre journaliste, qui avait la stature professionnelle qui manquait à Halberstam, Marguerite Higgins du *New York Herald Tribune,* en était un exemple. Elle avait remporté le prix Pulitzer en 1951 pour ses reportages en Corée, rendant compte courageusement de la débâcle du début de la guerre. L'état-major général avait recommandé que des « journalistes ayant de la maturité et le sens des responsabilités » soient envoyés au Vietnam pour rectifier les récits hystériques des reporters locaux. A la demande du Pentagone, Miss Higgins se rendit donc à Saigon au mois d'août. Elle passa quatre semaines au Sud Vietnam et envoya une série d'articles dans lesquels, en résumé, la crise bouddhiste était une invention de bonzes machiavéliques et de reporters crédules, que le général Harkins et le régime de Diêm étaient en train de battre le Vietcong et que « les reporters locaux aimeraient nous voir perdre la guerre pour prouver qu'ils avaient raison ».

Joseph Alsop, qui n'avait pas encore rencontré Vann en 1963 et ne l'aurait pas approuvé s'il l'avait fait, arriva en septembre pour nous accuser de saper Diêm, comme certains correspondants de la Seconde Guerre mondiale en Chine avaient affaibli Chiang Kai-shek, en mettant l'accent sur la corruption et l'incompétence de son régime. Notre couverture des événements se ramenait à « une autre de ces habituelles croisades dérisoires, écrit-il. La pression constante de cette campagne journalistique contre le gouvernement a contribué largement à transformer Diêm, un chef national courageux et parfaitement apte, en un homme affecté d'une manie de la persécution qui voyait des complots à chaque tournant, et était par conséquent incapable d'un jugement sain ». Alsop adopta également la ligne Krulak-Harkins en reconnaissant que si la crise bouddhiste avait provoqué un certain trouble dans les villes, la guerre dans les campagnes n'en avait pas été affectée. Nous avions, selon lui, peint une « image sombre et indigne » de la situation militaire. Il suggéra que nous consacrions moins de temps aux manifestations et aux suicides et que nous allions un peu plus « sur la ligne de front ». Halberstam trouva cette expression cocasse pour la guerre que nous connaissions.

Mais Halberstam avait de sérieux problèmes avec ses rédacteurs en chef de New York. Il se battait pour sa vie professionnelle aussi bien que pour gagner la guerre. Le *New York Times* ne croyait pas au journalisme de croisade, et si Halberstam avait convaincu certains de ses lecteurs, il n'en avait pas été de même avec ses supérieurs. Certes, ils n'avaient aucune intention de voir le journal servir de tribune de propagande au gouvernement. Ils appréciaient une petite bagarre de temps en temps avec les autorités au pouvoir. Mais Halberstam les avait contraints à une position systématiquement opposée à l'administration Kennedy. Les dix ans de guerre du Vietnam devaient amener les responsables du journal à devenir plus tard les défenseurs d'une presse rigoureusement indépendante et agressive, mais, en 1963, ce rôle d'opposition était relativement nouveau et ils n'aimaient pas cela. D'autant plus qu'au début septembre le *New York Journal American* et les autres publications de droite de la presse Hearst commencèrent à accuser Halberstam de naïveté à l'égard du communisme et de préparer la route pour un Fidel Castro vietnamien.

Aux échelons inférieurs du journal, l'irritation s'ajoutait aux doutes. La force professionnelle de Halberstam venait de son engagement total en temps et en énergie, du poids et de la qualité de ses informations et de la vitesse à laquelle il écrivait sous la contrainte du temps. La situation se compliqua encore en août et en septembre lorsque, pendant trois semaines, le régime nous interdit en fait l'utilisation du télégraphe en imposant une censure qui ne laissait passer que la propagande. Nous devions envoyer toutes nos dépêches par les lignes aériennes commerciales pour qu'elles soient câblées d'autres villes du Sud-Est asiatique. Un matin, Halberstam fit crépiter sa machine à écrire pour en sortir 4 000 mots qui représentaient quatre articles différents qui devaient être prêts à prendre l'avion de midi à Tan Son Nhut. Dans de telles conditions, son chef de service de New York, qui n'avait jamais été reporter, n'avait jamais quitté son bureau et ignorait par conséquent tout des contraintes dans lesquelles nous travaillions, avait tendance à ne voir que ses défauts : phrases interminables, syntaxe approximative et articles trop longs. Les éditeurs et correcteurs devaient se battre tous les soirs pour remettre de l'ordre afin que tout soit prêt à temps pour l'imprimerie.

Lorsque Marguerite Higgins commença à contredire tout ce que disait Halberstam, le service étranger du *New York Times* se mit à le bombarder de télégrammes qui laissaient entendre qu'elle avait peut-être raison et qu'il devrait atténuer ou corriger son texte. Halberstam était indigné et écœuré de ce qu'après tant de mois ses supérieurs n'aient pas plus confiance en lui. Il se mit franchement en colère et câbla en réponse : « Si vous mentionnez encore une fois le nom de cette bonne femme, je démissionne. Répète, je démissionne. Et c'est sérieux. Répète, c'est sérieux. » Les responsables du journal n'avaient aucune intention de muter Halberstam ailleurs ni de le voir démissionner, ce qui les aurait fait accuser de lâcheté morale. Ils cessèrent donc de lui parler de Miss Higgins, mais les doutes subsistaient.

On en eut une preuve de plus fin août lorsque le régime de Diêm se livra à des arrestations massives dont l'ambassade des États-Unis et la CIA donnèrent une version diamétralement opposée à celle d'Halberstam. Les rédacteurs en chef de New York voulaient imprimer la version officielle en première page et reléguer l'histoire d'Halberstam au milieu du journal. Mais son patron direct et l'homme qui l'avait embauché, James Reston, alors chef du bureau de Washington en même temps qu'éditorialiste, les en empêcha. Il soutint qu'ils ne devaient pas avoir l'air de désavouer leur reporter sur le terrain. Il les persuada de publier les deux versions côte à côte en première page sous le même titre avec une phrase indiquant que ce désaccord entre les deux interprétations « reflétait la situation confuse au Sud Vietnam ». Le journal n'avait encore jamais fait cela. Trois jours plus tard, d'autres événements obligèrent le département d'État à reconnaître que la version officielle ne reflétait pas la vérité.

Le comportement personnel de Halberstam expliquait aussi en partie son désaccord avec les responsables du journal. Ils avaient été alertés par les rumeurs et par des plaintes formulées par des personnalités officielles du département d'État et du Pentagone. Il ne se conduisait pas comme aurait dû le faire le représentant d'une institution aussi respectable que le *New York Times*. Son fondateur, Adolph Ochs, avait voulu en faire, en 1896, une version américaine du *Times* de Londres, c'est-à-dire un journal qui publie des informations complètes, fiables, mais aussi respectables. En 1960, on aurait pu lui appliquer l'histoire anglaise du maître d'hôtel apprenant à son maître que des journalistes venaient l'interviewer : « Milord, il y a cinq messieurs de la presse qui attendent et un gentleman du *Times*. » Le *New York Times,* n'intervenait pas dans la vie privée de ses correspondants, mais n'en attendait pas moins d'eux qu'ils se conduisent en public avec une certaine correction qui s'alliait mal avec l'impétuosité de Halberstam.

Nous éprouvions tous du mépris pour Harkins, mais nous nous comportions avec lui avec civilité et politesse tandis que Halberstam était ouvertement méprisant. A la réception de l'ambassade pour la fête nationale du 4 Juillet, il refusa ostensiblement de serrer la main du général qui vivait dans un univers où on apprend à dissimuler ses sentiments.

Richard Holbrooke, qui devait occuper quatorze ans plus tard un poste important dans l'administration Carter, se souvient d'un dîner qu'il fit avec nous, un soir de l'été 1963, dans un restaurant français de Saigon. Il était alors, comme jeune fonctionnaire des Affaires étrangères, conseiller pour les affaires de pacification dans une province du sud du delta. Halberstam commença à se lancer dans une diatribe contre ce cochon de Harkins qui falsifiait les rapports et se foutait pas mal de gaspiller des vies américaines et vietnamiennes. Il s'excitait de plus en plus en parlant, et sa voix devenait de plus en plus aiguë. Il leva son énorme poing, l'abattit sur la table en hurlant pour conclure son réquisitoire :

« Paul D. Harkins devrait passer en cour martiale et être fusillé ! »

Holbrooke regarda discrètement autour de lui pour voir si personne à une autre table ne l'avait reconnu.

Aucune convention ne restreignait notre confrontation avec le régime. Les Ngô Dinh voulaient rosser les bonzes et ceux qui les accompagnaient dans les manifestations, mais ils souhaitaient le faire sans être vus. La présence de journalistes étrangers faisait espérer aux responsables bouddhistes que, s'ils continuaient leur campagne, des officiers de l'ARVN sympathisants agiraient peut-être contre le régime, ou que l'écœurement de l'opinion internationale inciterait l'administration Kennedy à encourager un coup d'État. Ils savaient que la paix avec la famille, qui avait toujours semblé difficile, était maintenant totalement impossible et que, si l'ordre était restauré, ils seraient tous jetés en prison. Les bouddhistes et leurs partisans de plus en plus nombreux étaient de toute façon prêts à mourir pour abattre le régime. « Il y a du sang sur nos robes orange », criait dans un haut-parleur portatif un bonze qui, comme ses frères à l'allure surannée, s'était rapidement adapté aux techniques modernes de communication, y compris les machines à polycopier les pamphlets.

Les Ngô Dinh n'avaient pas compris que chaque acte de répression accroissait le nombre de sympathisants bouddhistes. De même qu'ils ne se rendaient pas compte que les photographies, les films de télévision et les récits de la presse sur les sévices et les suicides étaient la pire publicité pour eux. Quand, au cours d'une manifestation, venait le moment de vérité, les bonzes, les nonnes et leurs partisans s'agenouillaient sur la chaussée en priant. Les compagnies de la police spéciale en casques et uniformes camouflés, entraînées et armées par la CIA pour chasser les Vietcongs dans les hameaux, se précipitaient dans la foule à genoux et cognaient à tour de bras. Ils saisissaient les femmes par leurs longs cheveux noirs, les frappaient au visage à coups de matraque et de crosse de revolver avant de les jeter dans les camions pour les mener en prison. La famille régnante hésitait à nous expulser par crainte d'un tollé d'indignation au Congrès de Washington, qui aurait compromis l'aide économique et militaire dont le Sud avait besoin et qui aurait déclenché un coup d'État par des officiers de l'ARVN. Ils décidèrent de nous effrayer pour nous inciter à nous tenir à l'écart des rassemblements.

Au matin du 7 juillet, nous attendions que commence une manifestation prévue près d'une petite pagode de la ville lorsqu'une demi-douzaine de policiers en civil de la Sûreté nationale se jetèrent sur Peter Arnett d'Associated Press. L'emplacement était idéal pour une embuscade, car nous étions tous serrés dans une étroite allée qui menait de la rue à la pagode. Les policiers jetèrent Arnett à terre pour le bourrer de coups de pied dans les reins avec leurs souliers pointus à la mode de l'époque. Mais, avant qu'ils aient pu le blesser sérieusement, Halberstam chargea en beuglant. Il envoya voltiger en l'air le petit Vietnamien le plus proche, déploya au-dessus d'Arnett sa silhouette d'ours avec ses énormes poings en avant et hurla : « Arrière ! Reculez ! Bande d'enculés, ou je vous écrase tous comme une merde ! » Nous aidâmes Arnett à se remettre debout tandis que Malcolm Browne prenait une photo. Un policier se glissa derrière lui pour briser son appareil, sans toutefois détruire le film à l'intérieur. Les policiers en civil reculèrent. Ils devaient avoir l'ordre de ne pas se servir de leur matraque et ne se sentaient pas de taille à affronter Halberstam à mains nues. Les policiers en uniforme n'intervinrent pas pour nous protéger. Arnett s'en tira avec quelques gnons.

Il fut convoqué avec Browne le lendemain au commissariat de police, et interrogé pendant quatre heures avant d'être relâché. Leurs accusateurs soutinrent qu'ils avaient « attaqué » les hommes de la Sûreté. Des proches du régime expliquèrent que la famille envisageait d'exploiter l'incident pour arrêter Arnett et Browne et les faire passer en jugement pour voies de fait. La CIA en eut confirmation de son côté par la police. Nous adressâmes alors un télégramme de protestation au président Kennedy qui nous envoya aussitôt Robert Manning, un ancien journaliste qui travaillait maintenant au secrétariat d'État. Cet homme patient et amical écouta nos doléances et nos divers griefs et persuada Diêm d'abandonner les poursuites.

La famille cessa momentanément de cogner sur les journalistes et essaya la tactique infiniment plus sinistre de la menace de mort. Avec les Ngô Dinh, particulièrement Nhu et sa femme, on n'était jamais sûr s'ils bluffaient dans cette guerre des nerfs ou s'ils étaient vraiment prêts à exécuter leurs menaces. Mme Nhu dit, peu de temps après, à un correspondant britannique :

« Halberstam devrait être passé au barbecue et je serais heureuse de fournir le combustible et l'allumette. »

En l'entendant, on pouvait en tout cas être sûr que son souhait était sincère.

C'est la police qui nous alerta en premier. Le mécontentement qui gagnait progressivement toute la bureaucratie avait atteint aussi certains policiers. Ils continuaient à exécuter les ordres du Palais pour garder leur emploi, mais commençaient à craindre l'avenir et, même s'ils étaient complices de la corruption morale, se sentaient coupables. Fin juillet, au cours d'une manifestation, un inspecteur en civil s'approcha du cameraman de télévision vietnamien qui travaillait pour moi et *UPI Movietone News* :

« Dites à votre patron d'être prudent quand il sort la nuit. Nous recevrons peut-être l'ordre de le tuer en faisant croire qu'il a été victime des Vietcongs. »

A cette époque, Nguyên Ngoc Rao, le reporter vietnamien qui travaillait au bureau de UPI, entretenait d'excellents contacts avec la police. Ils lui apprirent que les Nhu avaient établi une liste d'assassinats qui comprenait un certain nombre de journalistes, des officiers de l'ARVN et des personnalités civiles vietnamiennes considérés comme traîtres et susceptibles de monter un coup d'État. Les Nhu étaient sérieux, insista la police, qui recevrait peut-être prochainement l'ordre de les tuer. Halberstam et moi étions sur la liste. Comme ils n'avaient personnellement rien contre nous, les officiels de la Sûreté conseillèrent à Rao de nous recommander de prendre des précautions. Certains membres de la CIA nous confirmèrent l'information, en précisant que certains de leurs membres faisaient également partie du lot, toujours pour la même raison : risque de complot.

Halberstam et moi hésitions toujours à croire à la réalité de la menace, lorsqu'un des officiers vietnamiens des services de renseignements qui figurait sur la liste nous la confirma. Il était célibataire et homme à femmes. Il fréquentait régulièrement une boîte de nuit qui servait de repaire à quelques gangsters de Saigon. Ils lui apprirent qu'ils avaient été engagés par les Nhu pour une série d'assassinats et qu'il était un de leurs objectifs. Il serait bien inspiré d'être très prudent, lui dirent les gangsters. Ils le considéraient comme un ami et seraient navrés d'avoir à le tuer.

La Maison-Blanche annonça au mois de juillet que Henry Cabot Lodge Jr. remplacerait Frederick Nolting comme ambassadeur à la fin de l'été. Nolting partit à la mi-août et les potins de « radio Catinat », comme on appelait les rumeurs qui circulaient dans tous les bistrots de la rue principale, prédirent que l'arrivée de Lodge signifiait la fin du soutien des États-Unis au régime de Diêm. « Je ne crois pas que M. " Cabologe " sera au goût du président Diêm », dit avec humour à Halberstam le bonze porte-parole des dirigeants bouddhistes. Le lendemain 18 août, ils firent une démonstration de leur force grandissante comme s'ils voulaient impressionner le futur ambassadeur par les dépêches de presse. 15 000 personnes, une des foules les plus importantes et les plus enthousiastes qu'ils aient réunies, se rassemblèrent à la grande pagode Xa Loi pour entendre pendant des heures les discours des bonzes qui dénonçaient la tyrannie du régime et les outrages infligés au bouddhisme vietnamien. Les prières alternaient avec les harangues. A intervalles réguliers, les bonzes détendaient l'atmosphère avec un intermède apprécié : une plaisanterie ordurière sur Mme Nhu. Cette fois-ci, le Palais n'ordonna pas à la police d'intervenir, en dépit de la provocation, et la manifestation se termina dans le calme.

Cette modération était de mauvais augure. Deux nuits plus tard, à minuit et demi, le 20 août, Diêm et Nhu firent le pari brutal de terminer d'un coup la crise bouddhiste et de mettre l'administration Kennedy et « M. Cabologe » devant le fait accompli. Des milliers de policiers et de troupes des Forces spéciales de l'ARVN prirent simultanément d'assaut toutes les pagodes de Saigon, de Huê et des autres villes où les bouddhistes étaient en force. Grâce à Mert Perry qui comprenait bien le français, Halberstam et moi arrivâmes à la grande pagode Xa Loi en même temps que les attaquants. Perry et sa femme Darlène habitaient l'appartement juste au-dessus du mien et nous partagions le même numéro de téléphone. Un informateur anonyme, probablement de la police ou des services de renseignements, appela juste avant minuit. Perry venait de se déshabiller pour se coucher. Le correspondant demanda à me parler. Perry répondit que je n'étais pas là ; je venais, en effet, de déposer Halberstam chez lui après avoir fait la tournée des pagodes et je revenais dans un de ces petits tas de ferraille de taxi Renault.

« Dites-lui qu'ils vont arrêter tous les bouddhistes juste après minuit », dit en français la voix mystérieuse.

Lorsque j'arrivais quelques instants plus tard, Perry me cria le message par la fenêtre. Je sautai à nouveau dans le taxi et lui dis de retourner chez Halberstam qui n'avait pas de téléphone. En passant devant le poste de police du quartier, je vis, dans la cour illuminée aux projecteurs, des camions de l'armée américaine dans lesquels montaient des soldats en tenue de combat et des policiers. Après avoir embarqué Halberstam, nous retrouvâmes le convoi qui se dirigeait vers Xa Loi. En gesticulant et en lui parlant un sabir franco-vietnamien, nous obligeâmes le chauffeur terrorisé à se glisser entre le second et le troisième camion de la file. Nous pensions que la police en queue de colonne bloquerait la rue dès que les camions auraient atteint la pagode.

Le raid sur Xa Loi, comme ceux contre les autres pagodes du Sud Vietnam, fut impeccablement exécuté. Je crus revoir un film français sur la Résistance, quand la Gestapo entourait une maison. Au moment où notre convoi s'arrêta le long de la pagode, deux autres convergèrent vers la place de deux directions opposées. La police et les soldats sautèrent sur le pavé. Les officiers crièrent des ordres et rassemblèrent leurs unités. Le gong au sommet de la pagode commença à vibrer pour donner l'alarme, tandis que les bonzes augmentaient ce vacarme d'impuissance en tapant sur des casseroles. La police défonça les portes de la pagode et les équipes des Forces spéciales en treillis camouflés et bérets, avec leur mitraillette à hauteur de la ceinture, se rassemblèrent devant l'entrée pour l'assaut.

Les Forces spéciales de l'ARVN étaient une autre de ces créations des Américains que les Ngô Dinh avaient détournée pour leur usage personnel. Cette unité d'élite avait été équipée et entraînée par la CIA pour monter des opérations de commando contre la guérilla, et des incursions au Laos et au Nord Vietnam. Mais les Ngô Dinh avaient une autre idée en tête et les Forces spéciales n'avaient jamais bougé de Saigon : ils en avaient fait une garde prétorienne pour leur usage personnel, et la CIA n'y avait vu que du feu. Ils avaient veillé à ce que le recrutement se fasse surtout parmi les familles catholiques du Centre et du Nord, et en avaient confié le commandement à un homme en qui ils avaient une entière confiance : le lieutenant-colonel Lê Quang Tung, lui aussi catholique du Centre.

La scène était suffisamment éclairée par les lampadaires et les phares des camions pour que Halberstam et moi puissions voir les épaulettes des troupes. Aucun soldat n'appartenait à l'armée régulière ou aux parachutistes. C'étaient tous des hommes de Tung. Diêm et Nhu ne faisaient pas confiance à l'ARVN pour leur cuisine interne. Il fallait des gens à leur service, ce qui était littéralement le cas pour Tung qui avait été domestique chez les Ngô Dinh avant de devenir sous-officier de l'armée française.

Un officier lança un ordre et le premier groupe chargea à travers l'entrée de la pagode, suivi par les autres sections et la police. On entendit des bris de verre et l'éclatement du bois des portes défoncées à coups de talon ou de crosse. Des coups de feu se mêlaient aux cris des bonzes traînés hors de leurs chambres. Des rafales d'armes automatiques venues de derrière la pagode indiquaient que les Forces spéciales empêchaient les bouddhistes de s'enfuir en franchissant le mur d'enceinte. Des camions recouverts de bâches vertes pour dissimuler leur chargement vinrent se ranger devant la porte. La police y jetait les prêtres en robe orange pour les emmener à la prison Chi Hoa de Saigon.

Le drame se poursuivit pendant deux heures, car certains bonzes s'étaient barricadés dans leurs chambres en entassant des meubles. Deux d'entre eux réussirent à franchir le mur d'enceinte, en dépit du tir d'armes automatiques, et allèrent se refugier dans un bâtiment des États-Unis situé juste à proximité, le quartier général de l'Agence pour le développement international. Le plus dynamique des chefs bouddhistes, Thich Tri Quang, qui avait organisé la première manifestation de Huê et se savait condamné à mort, avait réussi à fuir juste avant le raid avec deux autres bonzes. Environ 1 400 prêtres et prêtresses de Xa Loi et d'autres pagodes du Sud Vietnam furent arrêtés cette nuit-là, ainsi que quelques disciples laïcs qui s'y trouvaient par foi religieuse. Trente des bonzes de Xa Loi furent blessés, et sept autres disparurent : ils avaient probablement été tués, et leurs corps secrètement enterrés. Les raids furent encore plus sanglants à Huê, où trente bonzes et étudiants furent abattus ou frappés à mort. La grande statue de Bouddha, dans la principale pagode Tu Dam de Huê, fut détruite.

Diêm décréta la loi martiale. Il plaça Saigon sous l'autorité du général de brigade Ton That Dinh, un exubérant ancien parachutiste français, très amateur de whisky, et loyal à la famille. A partir du couvre-feu, fixé à 21 heures, les troupes et la police avaient ordre de tirer et de tuer toute personne se trouvant dans les rues sans laissez-passer et qui essaierait de s'enfuir. A la faveur du couvre-feu et de la nuit, la police fouillait les maisons et les appartements et arrêtait d'autres suspects. L'officier de renseignements dissident, qui avait été alerté par les gangsters, s'enfuit : une de ses relations de lycée, qui possédait plusieurs cargos, l'envoya secrètement à Yokohama avec un chargement d'engrais.

Halberstam et moi n'osions plus coucher chez nous. Pendant trois semaines, nous fûmes hébergés par John Mecklin, le chef des Services d'information US. J'y emmenai aussi Nguyên Ngoc Rao, qui avait courageusement refusé de partir pour se cacher, en dépit des supplices de sa famille. La maison de Mecklin ne bénéficiait pas de l'immunité diplomatique, mais c'était propriété des États-Unis, et nous supposions y être en sûreté la nuit. Tran Van Chuong, le père de Mme Nhu, ambassadeur du Sud Vietnam à Washington, démissionna en annonçant qu'il n'y avait « pas une chance sur cent de remporter la victoire » sur les communistes tant que seraient au pouvoir sa fille, avec son mari et son beau-frère. La mère de Mme Nhu, observateur officiel aux Nations unies, démissionna également, ainsi que presque tout le personnel de l'ambassade.

Le porte-parole du ministère des Affaires étrangères, qui n'avait d'habitude jamais rien à dire, téléphona, hystérique. Le ministre, un personnage falot et résigné du nom de Vu Van Mau, avait également démissionné, s'était rasé la tête comme un bonze et avait demandé l'autorisation à Diêm d'aller en pèlerinage en Inde. Diêm avait accepté. La presse et tout le corps diplomatique se rassemblèrent à Tan Son Nhut pour le voir partir, mais il n'arriva jamais. Nhu l'avait fait arrêter par Dinh sur le chemin de l'aéroport. Un autre général persuada Dinh de le garder en détention chez lui, et non pas dans une cellule, et de lui laisser son passeport, puis il ajouta :

« Demain, c'est peut-être moi que vous allez arrêter. Alors, soyez gentil, hein ? Trouvez-moi une cellule agréable et mettez-y une jolie fille. »

Les étudiants de l'université de Saigon se révoltèrent. Des centaines furent battus et arrêtés, et Diêm ferma l'université, comme il l'avait fait avec celle de Huê pour les mêmes raisons. Alors ce fut le tour des lycéens, la plupart des enfants des fonctionnaires civils et des officiers.

Au lycée de filles de Trung Vuong, la police affronta des colonnes de jeunes filles, vêtues du *ao dai* bleu pâle qui était leur uniforme. Elles se tenaient par la main et chantaient d'une voix aiguë : « *Da Dao Ngô Dinh Diêm !* » A bas Ngô Dinh Diêm ! A bas Ngô Dinh Nhu ! A bas Tran Lê Xuan ! (le nom insultant de jeune fille de Mme Nhu). Les garçons furent plus violents : ils brisèrent les fenêtres du lycée à coups de chaise et firent pendre sur la façade des banderoles infamantes pour Mme Nhu.

Avec une remarquable constance, les Ngô Dinh firent alors arrêter les enfants de ceux qui administraient le pays pour eux. Un matin, les camions embarquèrent plus de 1 000 lycéens vers la prison. Et, tandis que la police se précipitait dans la cour, des officiers arrivés en hâte sautaient de leur jeep pour essayer de sauver leur progéniture. Cet interminable suicide de la dynastie qu'avait fondée Lansdale se terminait en farce surréaliste. Un matin, un policier en civil poussait un jeune garçon vers un camion en le frappant. Un officier de police en uniforme agrippa l'inspecteur et lui cogna dessus à coups de matraque.

Bien entendu, Diêm ferma aussi tous les lycées.

Le général Dinh se vanta en français de ses exploits auprès de Lou Conein, son ancien complice de la CIA :

« Moi, Dinh, je suis un grand héros national. J'ai battu l'Américain ' Cabologe ". Il arrivait ici pour monter un coup d'État, mais moi, Dinh le héros, je l'ai fait échouer ! »

« Cabologe » arriva à Tan Son Nhut sous le crachin, deux nuits après le raid sur les pagodes. Il semblait complètement démodé lorsque s'ouvrit la porte de la carlingue et qu'il apparut dans la lumière des projecteurs de télévision avec son chapeau de paille à la main. En descendant la passerelle, il déploya sa haute silhouette maigre et anguleuse d'un mètre quatre-vingt-dix, avec le menton ferme, le nez large et légèrement arqué, qui en faisaient l'image traditionnelle du Yankee de la Nouvelle-Angleterre. Ses soixante et un ans avaient arrondi ses épaules, fait pencher son cou et sa tête en avant et rendu plus gris ses cheveux. Mais on reconnaissait bien le jeune sénateur du Massachusetts de 1936, le lieutenant-colonel de la Seconde Guerre mondiale, le sénateur républicain de l'après-guerre, le stratège politique qui avait persuadé Eisenhower de se présenter à la présidence et avait mené sa campagne en 1952, le représentant permanent aux Nations unies à une époque où ce poste était presque aussi important que celui de secrétaire d'État, l'homme à qui Eisenhower avait demandé d'accompagner Nikita Khrouchtchev lors de sa tournée historique aux États-Unis en 1959, le politicien dont on avait cru la carrière terminée après que Nixon, dont il devait être le vice-président, eut été battu par Kennedy en 1960.

Le chapeau de paille symbolisait bien le personnage et l'anachronisme que représentait en 1960 en Amérique un homme de caractère, descendant d'une vieille famille, mais d'une totale indépendance politique. Il s'était façonné sur son grand-père dont il portait le nom, Henry Cabot Lodge, qui avait été trente et un ans sénateur du Massachusetts, ami personnel et collaborateur de Theodore Roosevelt et un des fondateurs de l'empire américain depuis la prise des Philippines. Une ironie de plus dans cette guerre du Vietnam voulait que, soixante-cinq ans après ces débuts triomphants, le petit-fils d'un des fondateurs soit envoyé à Saigon pour résoudre, au-delà des mers, une crise majeure qui menaçait de remettre en cause le rôle de l'Amérique dans un monde que le grand-père avait créé et que le petit-fils avait contribué à mener à maturité.

Halberstam, les autres correspondants et moi, nous serions sentis moins frustrés si nous avions été dans la confidence des débats secrets de Washington. Nous ne réalisions pas que nos dépêches et articles avaient donné des armes à Averell Harriman, maintenant sous-secrétaire d'État pour les Affaires politiques, et à Roger Hilsman, qui l'avait remplacé au département d'Extrême-Orient, dans leurs efforts pour convaincre Kennedy de se débarrasser de Diêm et de sa famille. Et nous aurions été encore plus encouragés si nous avions su à quel point ce que nous avions écrit, et la vision de la guerre de Vann que nous reflétions, avaient contribué à former le jugement de cet homme qui descendait de l'avion et qui dans quelques semaines allait se saisir du pouvoir des États-Unis au Vietnam et l'exercer comme il le jugeait bon.

Peu de temps après son arrivée, Halberstam, Browne et moi fûmes invités séparément à déjeuner par le nouvel ambassadeur et sa femme, Emily, une dame d'une grande famille de Boston à l'étonnante vivacité d'esprit. Nous fûmes informés que les déjeuners seraient privés et que Mr. Lodge souhaitait connaître notre « avis ». Quand vint mon tour, il m'interrogea sur le régime, la crise bouddhiste et la guerre pendant plus d'une heure, à table, puis en prenant le café dans le salon de la résidence. Il posait des questions directes. Je surveillais son visage pour essayer de voir ce qu'il pensait des réponses : son expression resta aimable, mais indéchiffrable. Je lui dis, en résumé, que les Ngô Dinh étaient tellement fous et détestés qu'ils étaient incapables de gouverner, que le Vietcong gagnait rapidement du terrain dans le pays, et que, si Diêm et sa famille restaient au pouvoir, il était certain que la guerre serait perdue. S'ils étaient remplacés par un régime militaire, il n'y avait aucune garantie qu'une junte de généraux fasse mieux, mais on pouvait peut-être au moins l'espérer. Tandis qu'avec les Ngô Dinh, la seule perspective était la défaite.

On nous avait prévenus que c'était Lodge qui posait les questions et que nous ne devions pas essayer de lui extraire quoi que ce soit. Mais je ne voulais pas partir sans rien et, au moment de prendre congé, je me risquai :

« Et quelle est votre impression, monsieur l'ambassadeur ? »

Il était assis sur le canapé à côté de sa femme qu'il entourait de son bras, en gardant croisées ses longues jambes. Il sourit :

« A peu près la même que la vôtre. »

Cette franchise me laissa sceptique. Je me demandais si ce n'était pas simplement de la flatterie, comme l'avait été la demande à de jeunes journalistes de donner leur « avis » à Henry Cabot Lodge, quelle qu'ait pu être sa sincérité dans la recherche de l'information.

J'avais tort d'être incrédule, et nous ne tardâmes pas, avec les autres journalistes, à changer d'avis. Le comportement public de Lodge et les télégrammes secrets qu'il envoya et qu'on connaît depuis la publication des « Dossiers du Pentagone », montrent que son opinion était déjà faite avant son arrivée. « Nous sommes engagés dans une voie irréversible : le renversement du gouvernement Diêm », dit-il à Kennedy dans un télégramme « top secret » juste une semaine après son atterrissage sous la pluie et avant nos déjeuners d'information. Il donna au président la raison « fondamentale » de cette politique d'intimidation : « Il n'y a aucune possibilité, à mon avis, que la guerre soit gagnée sous une administration Diêm. »

Peut-être que nos articles et l'investissement personnel de Vann avaient été sans effet sur la plupart des responsables du gouvernement des États-Unis. Mais nos efforts n'avaient pas été vains avec Cabot Lodge. L'explication ne venait pas seulement du fait qu'il avait été quelque temps journaliste dans sa jeunesse. Elle tenait à la complexité de cet homme : la maîtrise de soi de l'aristocrate, la sensibilité aux facteurs humains du politicien, et une conception des chefs militaires des années soixante qui remontait loin avant la Seconde Guerre mondiale. A la différence de Kennedy, de McNamara et de Rusk, il n'estimait pas que ces généraux étaient plus aptes que lui à juger de la guerre. Taylor et Harkins avaient été ses contemporains dans l'armée. Il avait suivi la tradition martiale de sa famille comme officier de réserve de cavalerie dès 1923, était parti en manœuvres chaque été et avait suivi la progression technique, passant du cheval aux chars d'assaut de Patton en 1941. Il avait été le premier de la guerre à monter dans un tank quand les généraux Marshall et Eisenhower l'envoyèrent en mission en Libye auprès de la 8e armée britannique et quand Rommel lança son attaque. Le secrétaire à la Guerre, Henry Stimson, l'avait gardé au Sénat comme représentant officieux de l'armée jusqu'au début de 1944. Mais, avec la bataille d'Europe qui approchait, Lodge n'avait pas pu résister. Il avait démissionné de son siège de sénateur pour s'engager comme lieutenant-colonel, ce qui ne s'était jamais vu depuis la guerre civile. Il n'avait cessé de s'intéresser depuis aux questions militaires et, en 1963, il était général de division de réserve.

Au cours de réunions préliminaires au Pentagone et au quartier général pour l'Extrême-Orient à Honolulu, on l'avait assuré que les journalistes inventaient des histoires sur les fautes des forces de Saigon et les progrès du Vietcong. Mais il avait jugé inconcevable que l'ensemble de la corporation des journalistes soit unanime à faire preuve de tant d'imagination mensongère. Il avait également jugé qu'un régime aussi grotesque dans son comportement politique que celui de Diêm ne pouvait gagner la guerre. Il savait que ses invitations à déjeuner nous flattaient, et il voulait avoir la presse de son côté. Mais il nous avait aussi interrogés pour apprendre à nous connaître et voir si nous pourrions lui être utiles dans ce qu'il allait entreprendre.

Il mit deux mois pour y réussir. Publiquement, il isola Diêm et sa famille et les rendit vulnérables à un coup d'État en faisant comprendre, par le verbe et le comportement, que les États-Unis, en la personne de Henry Cabot Lodge, ne souhaiteraient rien de mieux que de voir Diêm renversé. Le lendemain matin de son arrivée, il insulta publiquement les Ngô Dinh en se rendant ostensiblement au bâtiment de l'Agence du développement international où étaient réfugiés les deux bonzes. Il leur dit qu'ils étaient les bienvenus et donna des ordres pour que des légumes frais soient livrés chaque jour pour ces bouddhistes végétariens. Lorsque le chef Tri Quang et les deux autres bonzes, qui s'étaient échappés avec lui de Xa Loi juste avant l'attaque, se présentèrent à l'ambassade américaine pour demander asile, Lodge les reçut immédiatement et mit à leur disposition la salle de conférence de presse pour qu'ils s'y installent temporairement.

Secrètement, Lodge chargea Lou Conein d'assurer la liaison avec trois généraux dissidents de l'ARVN. Pour se débarrasser des Ngô Dinh, Lodge se servit des mêmes officiers supérieurs vietnamiens avec lesquels Conein avait travaillé, sous la direction de Lansdale en 1955, pour les installer au pouvoir. Ils n'étaient que colonels à l'époque, Diêm les avait fait généraux pour se les attacher, mais se les était aliénés par la suite. Ils faisaient tous partie de cette petite élite franco-vietnamienne que le système colonial avait créée et avaient été citoyens français jusqu'en 1955. Ils auraient quitté l'Indochine avec le corps expéditionnaire français si les Américains, leur pouvoir et leur argent, et en particulier des gens comme Lansdale et Conein, ne les avaient encouragés à rester pour essayer de sauver au Sud cette société coloniale qui les avait formés.

Le chef du complot occupait le second plus important poste dans l'ARVN, le général de division Duong Van Minh, quarante-sept ans, surnommé « le gros Minh » à cause de son mètre quatre-vingts. Il était originaire d'une famille aisée du Sud et avait fait ses études au meilleur lycée français de Saigon, le lycée Jean-Jacques-Rousseau, qu'avait également fréquenté le prince Norodom Sihanouk du Cambodge. Outre sa grande taille et ses larges épaules, il avait un autre signe distinctif. Ses deux incisives du haut avaient été brisées au cours d'un interrogatoire du Kempeitai, la redoutable police militaire japonaise, quand l'armée impériale avait brutalement désarmé les troupes de Vichy en 1945, et depuis il avait toujours refusé de porter de fausses dents. Au début de 1955, pendant les combats de rues contre les Binh Xuyen, il commandait la garnison de Saigon et avait été en mesure d'aider Diêm. Il avait ensuite été chargé d'écraser les Hoa-Hao dans le delta. En 1963, Diêm l'avait évincé en lui confiant le poste fictif de conseiller militaire du président. « Comme le président n'accepte aucun conseil, il a beaucoup de loisirs ! » commenta un de ses collègues.

Un de ses principaux complices avait aussi, sous les ordres de Lansdale et de Conein, soutenu Diêm en 1955 et avait réussi à garder sa confiance : le général de division Tran Van Don, quarante-six ans, était le fils très séduisant d'une famille aristocratique. Il était né en France près de Bordeaux et avait fait ses études à HEC, à Paris, avant de rejoindre l'armée française.

Son beau-frère, le général de brigade Le Van Kim, quarante-cinq ans, était le troisième membre du complot. Il était sans affectation depuis trois ans, après avoir été chassé de la direction de l'Académie militaire par Diêm qui le soupçonnait de complicité dans le coup d'État avorté des parachutistes en 1960. Il avait étudié les mathématiques et la philosophie à Marseille, s'était engagé dans l'armée française en 1939 et s'était battu contre les Allemands. Son comportement studieux le faisait considérer comme l'intellectuel de l'armée.

Lodge avait le talent de choisir des subordonnés particulièrement aptes à des missions précises. Conein était le parfait agent de liaison avec les comploteurs. Ils avaient confiance en lui plus qu'en aucun autre agent de la CIA. Il faisait partie de leur monde, c'était un vieux camarade et, en outre, il était français d'origine. Il veillait d'ailleurs à ce que son côté français soit bien mis en évidence, car il appartenait aux deux cultures et savait que cela les rassurait. Il se morfondait depuis plusieurs années comme conseiller de pacification au ministère de l'Intérieur, et maintenant il allait agir avec un enjeu beaucoup plus important qu'en 1955. Peu d'agents secrets ont la chance de couronner leur carrière professionnelle avec la mission suprême de renverser un gouvernement. Conein était la courroie de transmission de la puissance américaine pour obliger ces généraux à exécuter ses ordres. Les réunions clandestines, la transmission de messages secrets entre Lodge et les comploteurs, la mise en condition des généraux par la persuasion et la douceur, tout cela créait une atmosphère exaltante chargée d'adrénaline. Des vies étaient en jeu, y compris celle de Conein, mais c'était pour changer les destinées de deux nations.

Harkins était opposé au coup d'État. Il ne voulait pas remettre en cause cette guerre qu'il croyait être en train de gagner. Il considérait Diêm comme un dirigeant local satisfaisant, et la crise bouddhiste comme une cabale momentanée. Les raids sur les pagodes n'avaient été qu'un malencontreux geste de mauvaise humeur, dont les Nhu étaient responsables. Le moment venu, on pourrait peut-être persuader Diêm de se séparer d'eux. Harkins avait des alliés à Washington : en plus de Taylor, McNamara et Rusk jugeaient la situation de la même façon que lui.

Lodge savait qu'il perdrait s'il attaquait de front Harkins et le système, même si sa réputation d'indépendance politique lui donnait du poids auprès de Kennedy. Il manipula donc le général en chef par des voies détournées, et Harkins, qui se considérait comme un maître en intrigues de couloir, se trouva dépassé à ce jeu. Lodge était toujours d'une courtoisie parfaite dans ses rapports personnels avec lui et ne parlait jamais de lui dans ses télégrammes que comme « un remarquable général et un vieil ami personnel ». Mais il lui cachait ses télégrammes secrets à Washington concernant les réunions de Conein avec les comploteurs, et les faisait passer par le réseau de communication interne de la CIA pour plus de sécurité. Minh et Don l'aidèrent à tromper Harkins en mentant et en jurant au général qu'ils ne préparaient pas de coup, d'autant qu'ils craignaient qu'il ne les trahisse auprès de Diêm. Lodge sapa aussi les jugements de Harkins sur la guerre. Il envoya à Kennedy son évaluation personnelle, bien entendu à l'insu du général, qui contredisait l'optimisme de Harkins, Mais, là aussi, Lodge veilla soigneusement à ne pas attaquer de front. Il n'affirma pas brutalement que la guerre allait être perdue. Il se contenta de le suggérer en remplissant ses rapports des mauvaises nouvelles que Harkins dissimulait et en laissant les autres le dire pour lui. Là aussi, les comploteurs lui furent utiles. Ces généraux de Saigon savaient qu'ils étaient en train de perdre la guerre, ce qui était une raison de plus de se débarrasser des Ngô Dinh. Le 19 septembre, Lodge envoya un télégramme ultra-secret, destiné « uniquement au président » et dans lequel il reprenait le point de vue de Minh :

> ... Le Vietcong gagne régulièrement en force ; a plus de supporters parmi la population que le gouvernement du Sud Vietnam ; les arrestations continuent et les prisons sont pleines ; de plus en plus d'étudiants vont rejoindre le Vietcong ; la corruption est générale dans l'administration vietnamienne ; l'armée n'a *pas* le cœur à la guerre. [Le *pas* avait été souligné par Lodge.]

Ce jugement par le « général n° 1 du Vietnam » (Minh était considéré par les Américains, y compris Harkins, comme le meilleur professionnel des généraux de Saigon) trouvait son écho dans la déclaration du fidèle ministre de la Défense de Diêm, Nguyên Dinh Thuan « qui avait exprimé le désir de quitter le pays », expliqua Lodge à Kennedy. Dans d'autres télégrammes, Lodge réfuta également la position de Harkins qui estimait que Diêm était la victime des Nhu et qu'on pourrait le persuader de s'en débarrasser. Selon l'ambassadeur, les frères jugeaient le monde de la même façon, et Diêm était convaincu qu'il avait besoin de l'habileté de son frère pour manipuler la police et les services de renseignements afin de bien tenir l'armée en main. Diêm aurait « souhaité avoir plus de Nhu, et non pas moins », précisa Lodge.

Kennedy était hésitant. Il ne comprenait pas la révolution politique et sociale qui se développait dans l'Asie moderne, pas plus que les réalités de la contre-guérilla. Il craignait de voir s'étendre une vague de conflits inspirés par les communistes dans les pays sous-développés et était déterminé à les écraser, mais il manquait de connaissances sur ces problèmes. S'il y avait été sensible, il aurait interdit à Harkins et à Anthis de continuer à bombarder et à mitrailler les paysans vietnamiens. Il ne cessait d'arroser l'armée d'instructions et de suggestions pour mener la guerre anti-insurrectionnelle. Mais ses idées n'allaient pas au-delà de l'utilisation des Forces spéciales, connues comme les « Bérets verts », à cause de leur coiffure romantique qui en faisait les troupes de choc des « guerres de l'ombre ». Ses suggestions ne dépassaient pas le stade d'aventures rocambolesques avec gadgets technologiques et intrigues de super-espions dans le style des romans de James Bond qu'il affectionnait particulièrement.

Au conseil de Sécurité nationale, qui se tint à la Maison-Blanche le vendredi 6 septembre 1963, il accepta la suggestion de McNamara d'envoyer Krulak une nouvelle fois à Saigon pour « rassembler les faits » et rendre compte au prochain Conseil, le mardi suivant. Roger Hilsman, en charge des Affaires d'Extrême-Orient, insista pour qu'un représentant du département d'État y aille également pour apporter un point de vue indépendant. Kennedy accepta. McNamara voulut damer le pion aux civils en faisant partir Krulak quelques minutes après la fin de la réunion. Mais Hilsman téléphona aussitôt pour retenir l'avion jusqu'à ce que son représentant, Joseph Mendenhall, ancien conseiller politique de l'ambassade, ait le temps de se rendre à la base militaire d'Andrews, près de Washington. L'avion était un Boeing 707 sans hublots, transformé pour le transport de personnalités avec bureaux et couchettes. On l'avait surnommé le « McNamara Special » à cause de l'affection particulière du secrétaire à la Défense pour ce genre de transport éclair. Quatre jours plus tard comme prévu, et après un périple de 32 000 kilomètres, Krulak et Mendenhall lurent deux rapports diamétralement opposés à la nouvelle réunion du Conseil de sécurité nationale à la Maison-Blanche.

« Vous êtes sûrs d'avoir vu le même pays tous les deux ? demanda Kennedy.

— C'est facile à expliquer, monsieur le président, répondit Krulak : Mr. Mendenhall a visité les villes, et moi j'ai été dans la campagne où se déroule la guerre.

— Je vous verrai aussitôt après dans mon bureau », dit Kennedy à Krulak.

McNamara accompagna Krulak dans le bureau ovale dès la fin de la réunion. Le président leva les yeux du dossier qu'il étudiait et dit à Krulak :

« Je voulais simplement que vous sachiez que je vous comprends. »

Il n'avait rien d'autre à dire. Krulak et McNamara sortirent. Dans la voiture qui les ramenait au Pentagone, McNamara et Taylor étaient satisfaits. Ils avaient interprété la remarque de Kennedy comme : « Je comprends ce qui s'est passé et je suis d'accord avec vous. » Krulak aussi était très content. Il avait donné le même sens aux paroles du président[1].

Était-il ou n'était-il pas d'accord avec Krulak, toujours est-il que le président envoya deux semaines plus tard McNamara et Taylor au Vietnam pour plus de « faits ». D'autres rapports de Lodge l'y avaient peut-être incité, en particulier le point de vue alarmiste de Minh. A la fin septembre, quand le jet décolla de Tan Son Nhut avec un nouveau rapport pour Kennedy, celui qui aurait pris la route de My Tho aurait pu voir les fantômes des « hameaux stratégiques » tout le long du chemin. Les lignes de poteaux métalliques d'où pendaient des morceaux de fil de fer barbelé déchiquetés indiquaient bien qui contrôlait cette route principale à travers le delta. Vue d'hélicoptère, la sensation de puissance de la guérilla était plus forte encore et la vue de ces villages fantômes encore plus étrange. Les rangées de cahutes sans toit évoquaient ces constructions d'enfants ébauchées puis vite abandonnées.

---

1. L'ambiguïté politique est décidément une constante des grands chefs d'État ! Comment ne pas comparer, mot pour mot, cette phrase et ses interprétations avec le célèbre « Je vous ai compris ! » du général de Gaulle, le 4 juin 1958, au Forum d'Alger ?

McNamara et Taylor assurèrent Kennedy que « la campagne militaire avait fait de grands progrès et continuait à se développer favorablement, en dépit de tensions politiques sérieuses à Saigon », et que la guerre pourrait toujours être gagnée à la fin de 1965. Harkins devrait même pouvoir écraser le Vietcong à la fin de 1964 dans la zone des plantations de caoutchouc, sur les hauts plateaux et dans les provinces de la côte centrale au nord de Saigon, écrivirent-ils dans leur mémorandum top-secret du 2 octobre. Les progrès plus lents dans le delta retarderaient la défaite de la guérilla au sud de la capitale jusqu'à la fin de 1965. « Il sera possible à ce moment-là d'évacuer le plus gros des forces américaines. » Ils recommandèrent en tout cas de rapatrier 1 000 Américains à la fin de 1963, pour démontrer à quel point la victoire était en bonne voie. La Maison-Blanche annonça un prochain retrait de 1 000 hommes.

Mais le président ne retrouva pas la tranquillité d'esprit pour autant. Les analystes de la CIA lui apprirent que la situation militaire de Saigon se détériorait, et le Bureau de renseignements et de recherches du département d'État l'avisa que « la balance militaire penchait défavorablement » depuis juillet et que le régime aurait eu de toute façon des problèmes dans le pays, même sans la crise bouddhiste.

Kennedy montra son trouble et, en même temps, à quel point il était furieux contre le messager de ces mauvaises nouvelles, qui le perturbaient tant, le jour où il reçut, le 22 octobre, la visite de courtoisie d'Arthur Ochs Sulzberger, qui venait de prendre la direction du *New York Times*. Après un échange de banalités, Kennedy attaqua :

« Qu'est-ce que vous pensez de votre jeune journaliste à Saigon ? »

Sulzberger répondit que Halberstam tenait très bien le coup.

« Vous ne croyez pas qu'il est trop collé aux événements ?

— Non, pas du tout. »

Kennedy insista : le journal n'avait jamais envisagé de le muter ailleurs ? demanda-t-il. Non, il n'en avait jamais été question, répondit le directeur.

Si Kennedy n'avait pas été aussi troublé, il n'aurait pas été aussi brutal. Sulzberger avait aussitôt adopté une attitude défensive, comme le font tous les directeurs de journaux quand leurs reporters sont attaqués. Catledge, le rédacteur en chef de New York, qui l'avait accompagné à la Maison-Blanche, aurait été très heureux, lui, de virer Halberstam de Saigon, mais il ne pouvait plus le faire sans que le journal perde la face.

Les Ngô Dinh étaient bien près de satisfaire au souhait du président. Halberstam, qui ne savait pas que Kennedy avait personnellement demandé son transfert, écrivit à Vann le 29 octobre pour lui dire qu'il craignait d'être expulsé. Son visa expirait mi-novembre, et il ne pensait pas qu'il serait prolongé. Il écrivait à Vann pour le remercier d'avoir défendu nos articles dans les lettres qu'il avait envoyées aux magazines : *Newsweek* l'avait publiée dans son numéro du 21 octobre, mais *Time* avait refusé. « Vous nous manquez toujours, et vous êtes toujours notre Bible de référence, écrivait Halberstam. Ce n'est pas drôle de couvrir des événements qui ont une signification si sinistre pour notre pays. Le seul point brillant, c'est Lodge, dont la performance jusqu'ici a été presque parfaite. Il est solide, intelligent et se fait peu d'illusions sur la situation ; il n'a pas l'intention de voir les États-Unis éjectés et il estime que la bande des Ngô ne vaut pas un clou. » L'armement et la force de frappe des bataillons vietcongs du delta « s'améliorent sans cesse et deviennent très inquiétants... C'est une amère expérience de voir un État policier en action, particulièrement lorsqu'il est financé par nous. Mais je crois que nous avons encore une chance, et j'aime la façon dont Lodge agit ».

C'est le jugement de Lodge qui finit par l'emporter. Il avait réussi à extorquer ce dont il avait besoin de McNamara et Taylor lors de leur inspection de septembre. Ils avaient reconnu dans leur mémorandum à Kennedy que « de nouvelles actions répressives de Diêm et de Nhu pourraient modifier la tendance militaire favorable actuelle ». Ils avaient recommandé la suppression de l'aide économique et du soutien de l'armée et de la CIA aux Forces spéciales de Tung, pour exercer une pression en faveur de la conciliation et des réformes. Lodge avait réclamé ces deux mesures qui serviraient de « feu vert » aux généraux dissidents. Le 5 octobre, Kennedy décida de laisser Lodge agir comme il l'entendait. Le complot, qui avait été mis entre parenthèses, repartit de plus belle. Kennedy avait seulement demandé que Lodge lui garantisse le succès, pour ne pas avoir à subir une nouvelle humiliation comme celle de la baie des Cochons. Lodge se refusa à abuser le président. Il dit qu'il pensait que le coup d'État réussirait, mais qu'il ne pouvait donner aucune garantie. « Si c'est un échec, câbla-t-il, nous n'aurons qu'à ramasser les morceaux du mieux que nous pourrons. »

Diêm et Nhu dressèrent eux-mêmes leur échafaud. Ils découvrirent fin octobre le complot de Lodge et décidèrent de s'en servir à leur avantage. Ils convoquèrent au Palais le général Dinh qui continuait à tenir Saigon sous sa férule depuis la mise à sac des pagodes. Les frères lui donnèrent l'ordre de mettre les troupes en mouvement pour un « faux coup d'État ».

Leur principal objectif était d'effrayer les Américains et de les dissuader d'intervenir contre eux, en leur faisant croire que le coup d'État était d'origine « neutraliste ». Depuis la tentative du commandant de parachutistes Kong Le, au Laos en 1960, Washington craignait qu'une opération similaire ne se produise à Saigon, fomentée par un groupe hostile ou opportuniste qui réclamerait le départ des Américains. Une telle démarche ridiculiserait la position des États-Unis qui soutenaient qu'ils étaient au Vietnam à la demande du gouvernement pour protéger le Sud d'une « agression extérieure ». D'ailleurs, le Front national de libération réclamait le remplacement des Ngô Dinh par une coalition neutraliste, et le président Charles de Gaulle préconisait une solution du même type. Mais l'administration Kennedy jugeait, à juste titre, cette formule comme une façon de sauver la face tout en laissant Hô Chi Minh s'emparer du Sud. Nhu avait déjà fait naître certaines craintes chez les Américains en faisant semblant de négocier avec Hanoi, par l'intermédiaire de Maneli, le délégué polonais à la commission internationale, et de l'ambassadeur de France. Il avait également évoqué la possibilité de demander le départ des Américains pour faire du Sud

Vietnam une nouvelle Yougoslavie, aidée aussi bien par les nations communistes que par les non communistes.

Mais Nhu prenait pour de l'indépendance ce qui n'était en fait qu'un relâchement des liens. Il n'avait pas compris que son chantage avait fait le jeu de Lodge en alarmant Kennedy. Quand les frères avaient attaqué les pagodes, ils avaient cherché à s'en innocenter en faisant savoir par Radio Saigon et l'agence de presse gouvernementale que les raids avaient été opérés par l'armée et que les généraux avaient réclamé que Diêm proclame la loi martiale. Avec leur « faux coup d'État », ils allaient de même faire annoncer la formation d'une coalition neutraliste qui demanderait le départ des Américains. Puis ils enverraient Dinh occuper les rues et les bâtiments publics avec ses troupes et ses blindés pour pouvoir proclamer ensuite qu'ils avaient sauvé le Vietnam en écrasant un complot neutraliste.

Ils profiteraient de la confusion qui régnerait alors pour mettre à exécution le second et plus immédiat objectif de ce coup d'État bidon : un petit bain de sang. Les Forces spéciales de Tung et les gangsters au service de Nhu allaient massacrer Minh, Don, Kim, quelques autres généraux et officiers supérieurs suspects d'avoir participé au complot, des complices civils comme le vice-président de Diêm, Nguyên Ngoc Tho, et quelques Américains. Ils rejetteraient ensuite la responsabilité de ces meurtres sur des « éléments neutralistes et procommunistes ». On ignore combien exactement il y aurait eu de victimes américaines. Lodge, en principe, était sur la liste. En tout cas, Conein n'aurait pas échappé, car Diêm et Nhu savaient la part qu'il avait prise dans le complot. L'opération avait été baptisée par Nhu « Bravo One ».

Mais Diêm et Nhu ne comprirent pas qu'en donnant l'ordre de mouvements des troupes pour « Bravo One », Dinh allait en réalité faire entrer à Saigon les hommes et les blindés pour l'opération « Bravo Two ». A l'exception de Cao qui, à Can Tho, n'était au courant de rien, Diêm et Nhu manquaient terriblement de généraux. D'autant que leur fidèle Dinh (le « héros national » qui s'était vanté à Conein d'avoir battu « Cabologe ») les avait trahis. Minh et Don avaient bien manœuvré : ils n'avaient cessé de dire à Dinh qu'il était vraiment un héros national et qu'il devait demander à Diêm de le remercier en lui donnant le poste de ministre de l'Intérieur. Diêm, qui l'avait déjà récompensé avec une forte somme d'argent, refusa. Dinh se sentit offensé, et les comploteurs en profitèrent pour le recruter, en lui promettant le poste dans « leur » gouvernement. Pour plus de sécurité, ils embauchèrent également les officiers sous ses ordres pour pouvoir l'abattre et prendre le commandement des troupes et des blindés, si jamais il lui prenait l'envie de changer d'avis à la dernière minute.

« Bravo Two » commença à 13 h 30 le 1er novembre 1963, avec la prise du quartier général de la police par un bataillon de Marines de Saigon. Trois heures plus tard, Diêm téléphona à Lodge depuis le Palais. Au moment de cet appel, enregistré sur magnéto, Diêm en savait assez pour comprendre que sa situation était sans issue. Les forces rebelles s'étaient emparées de l'aéroport de Tan Son Nhut et de tous les bâtiments publics, à l'exception du Palais et de la caserne de la garde présidentielle. Diêm avait également appris que Dinh l'avait trahi et que son autre pilier, Tung, avait été attiré par ruse au quartier général pour y être abattu. Quant à Cao, il était bloqué à Can Tho avec ses troupes et ne pouvait venir à son secours. Minh et Don avaient téléphoné à Diêm et à Nhu pour leur dire qu'ils seraient conduits en sûreté hors du pays s'ils se rendaient et démissionnaient. Pour qu'ils comprennent à quel point toute résistance était inutile, tous les généraux membres du complot avaient défilé l'un après l'autre au téléphone. La proposition qui leur était faite avait également été diffusée par Radio Saigon. Mais il pouvait s'agir d'un piège. S'ils se rendaient, ils seraient peut-être assassinés. Mais, au moins, ils sauveraient la vie des soldats de la garde présidentielle.

« Quelques unités se sont révoltées, et je voudrais savoir quelle est l'attitude des États-Unis, demanda Diêm à Lodge.

— Je suis préoccupé de votre sécurité physique, dit l'ambassadeur en éludant la réponse, et en posant à son tour une question. J'ai entendu dire que ceux qui sont au centre de cette activité vous ont offert, ainsi qu'à votre frère, un sauf-conduit pour quitter le pays si vous démissionnez. Êtes-vous au courant ? »

Lodge avait obtenu cette offre des généraux pour éviter la mauvaise publicité d'un assassinat. En fait, la question de Lodge comportait une réponse que Diêm aurait dû comprendre après avoir pendant neuf ans fréquenté de près les autorités américaines. En soulevant la question du sauf-conduit dans de telles circonstances, cela signifiait qu'il se portait garant qu'il ne s'agissait pas d'un piège. L'ambassadeur des États-Unis signifiait à Diêm que son gouvernement l'évacuerait par avion du pays en toute sécurité, s'il abandonnait le pouvoir.

Diêm répondit avec un sous-entendu typique du langage des hommes politiques qui veulent être compris sans avoir à le dire. Non, répondit Diêm, il n'avait pas entendu parler de l'offre de sauf-conduit.

Lodge prit soin de laisser l'option ouverte au cas où Diêm changerait d'avis :

« Si je peux faire quelque chose pour votre sécurité personnelle, n'hésitez pas à m'appeler.

— Je vais essayer de rétablir l'ordre », conclut Diêm qui ne devait plus rappeler.

Il se retrouvait à la fin ce qu'il avait été au début : un anachronique obstiné, un pseudo-mandarin entêté perdu dans les rêves d'un passé imaginaire. Tant qu'il lui resterait un peu de vie, il ne démissionnerait jamais et n'abdiquerait pas le rôle d'empereur que Lansdale l'avait aidé à assumer. « Après tout, je suis un chef d'État, avait-il dit au début de sa conversation téléphonique avec Lodge. Je dois faire mon devoir. Pour moi, le devoir prime tout. »

La caserne de la garde présidentielle fut prise d'assaut avant minuit par un bataillon de parachutistes. Le Palais fut occupé à l'aube. Diêm et Nhu s'en étaient échappés secrètement pendant la nuit pour se cacher chez un Chinois de Cholon qui s'était enrichi grâce à leurs faveurs. Cholon étant au sud de

Saigon, les deux frères avaient dû penser que Cao pourrait encore venir du delta à leur secours. Les gardes, qui s'étaient battus loyalement pour la défense du Palais, découvrirent qu'ils étaient en train de mourir pour une coquille vide. Avec la chute du Palais disparut le symbole de l'autorité de Diêm, dont la démission n'était même plus nécessaire.

Diêm téléphona néanmoins à Minh au matin du 2 novembre pour lui dire qu'il le retrouverait au Palais pour signer sa reddition et sa démission. Tout était prêt pour la cérémonie depuis la veille au quartier général où une table, recouverte d'une feutrine verte, avait été dressée dans la salle de conférence. Une chaise vide attendait Diêm pour la signature. Mais Diêm ne vint jamais. Vers la fin de la matinée, on avait retrouvé la trace des deux frères dans une église de Cholon où ils s'étaient rendus pour entendre la messe. C'est là qu'ils furent pris.

Minh en avait assez des tricheries de Diêm et il avait peur du renard vivant. Pour lui, le meilleur sauf-conduit était la mort des deux frères. Il désigna son adjoint, un commandant, pour être le bourreau. Le commandant les abattit tous les deux avec son pistolet, à l'intérieur du véhicule blindé qui les emmenait, les mains liées derrière le dos, jusqu'au quartier général. Les soldats s'acharnèrent sur leurs corps à coups de baïonnette.

Pour la première fois dans l'histoire de cette guerre, les foules de Saigon acclamèrent les soldats de l'ARVN. Les jeunes filles leur offraient des bouquets de fleurs, les hommes leur apportaient de la bière et des sodas. Les femmes les ravitaillaient en thé et en nourriture dans les parcs et les écoles où ils bivouaquaient.

Mme Nhu échappa au massacre, car elle était à ce moment-là aux États-Unis dans une grande tournée de propagande en faveur du régime. Elle n'avait eu aucun succès. Les sondages montrèrent que l'opinion publique la désapprouvait à 13 contre 1. Lodge veilla à ce que ses enfants, qui se trouvaient, au moment du coup d'État, dans la villa familiale des collines de Dalat, soient indemnes et envoyés par avion à Rome où elle se réfugia.

Le frère aîné de Diêm, l'archevêque Thuc, en réchappa également. Le Vatican l'avait fait venir à Rome pour dissocier l'Église catholique de l'action du régime contre les bouddhistes.

Can, le plus jeune frère responsable du Centre Vietnam, le seul membre de la famille qui eût en vain prêché la conciliation avec les bonzes, n'eut pas autant de chance. Il s'était réfugié au consulat américain de Huê avec une valise remplie de lingots d'or et de dollars. Lodge le fit sortir du consulat pour le mettre dans un avion américain à destination des Philippines. Mais l'avion fit escale à Tan Son Nhut. Can fut fait prisonnier, remis aux généraux qui l'envoyèrent au peloton d'exécution. Cao pensait qu'il serait, lui aussi, abattu. Il fut simplement mis à la porte de l'armée.

Lodge ne regretta finalement pas que Diêm eût décliné son offre de sauf-conduit. « Qu'est-ce qu'on aurait fait d'eux, s'ils étaient restés vivants ? dit-il à Halberstam. N'importe quelle culotte de peau réactionnaire dans le monde se serait servie d'eux. »

Le renversement des Ngô Dinh se produisit trop tard pour sauver le delta et éviter la catastrophe que Vann craignait. Moins d'une semaine après le coup d'État, le Vietcong lança une offensive à travers toute la moitié nord du delta et dans les plantations de caoutchouc. Il se produisit également des assauts très durs dans la moitié sud, mais on y prêta moins attention, car les communistes vietnamiens y tenaient déjà presque tout le pays. L'absence momentanée d'autorité à Saigon facilita évidemment l'offensive, mais les deux choses étaient de toute façon indépendantes. En effet, Hô Chi Minh avait commencé à monter cette opération dix mois plus tôt, dès la victoire de Bac, et le déclenchement ne tenait aucun compte du pouvoir en place à Saigon. Le Front national de libération appelait cette attaque la seconde phase de l'« émulation dynamique de Bac ». Quand les nouveaux bataillons viets se mirent en mouvement une semaine après le coup, le régime était comme une poutre rongée par les termites ; la moindre pression la brisa en deux et la réduisit en poussière.

La violence éclata brusquement et se poursuivit sans relâche. Les avant-postes furent attaqués partout, il n'y avait pas un kilomètre de route qui parût sans danger, on se faisait canarder tout le temps par des tireurs isolés et, lorsqu'on circulait en convoi, la question n'était pas de savoir si on tomberait sur une mine ou pas, mais quel était le camion ou la jeep qui sauterait.

Les avant-postes tombèrent l'un après l'autre. Dans la province de My Tho, vingt-cinq furent détruits en un mois, la plupart avec des garnisons fortes de quarante à cinquante hommes. Le matin, à travers les rizières, on pouvait voir les résultats de la moisson de la nuit en comptant les colonnes de fumée des postes que les Viets avaient incendiés. Il devint presque impossible de dormir au séminaire, car les mortiers grondaient toute la nuit, et les avions bombardaient sans cesse en réponse aux appels désespérés des garnisons terrifiées.

Le séminaire lui-même était bouclé comme une forteresse. Personne n'avait le droit de sortir le soir pour se rendre en ville à quatre cents mètres de là. Vers la fin du mois, le Vietcong devint si audacieux qu'il commença à attaquer les avant-postes de jour. Un après-midi de la fin novembre, j'étais au club du séminaire pour interroger les conseillers lorsque les avions commencèrent à bombarder si près de nous que les cubes de glace s'entrechoquaient dans les verres. La guérilla ne se préoccupait même plus des petits avant-postes et des tours de guet. Leurs garnisons avaient fui, et ceux qui y étaient restés en vie avaient été laissés en place par le Vietcong qui s'en servait comme service d'intendance. Le prix standard pour un mois de survie était de 10 000 cartouches. Les miliciens démoralisés leur donnaient et en réclamaient à Saigon 10 000 de plus pour survivre encore un mois.

Il en était ainsi dans tout le nord du delta et dans les provinces au nord de Saigon. La majorité des milliers de « hameaux stratégiques », dont Harkins avait tenu un compte minutieux, avaient cessé d'exister. A la fin de l'année, à l'exception de quelques villages catholiques ou communautés isolées qui avaient toujours combattu le Vietcong, le régime ne tenait plus que les centres de district et les capitales de province. Les troupes de Saigon ne s'aventuraient plus dans la campagne qu'avec des moyens considérables que la pression viet faisait sans cesse monter. Des régions dans lesquelles l'ARVN se rendait auparavant avec une compagnie, nécessitaient maintenant un bataillon renforcé par des véhicules blindés et la couverture de l'artillerie et de l'aviation. Presque chaque matin, la grande route de My Tho, dans le delta, était coupée et devait être réouverte à la circulation ; rechercher les mines une par une, les déterrer avec soin, reboucher les tranchées qui avaient été creusées en travers pendant la nuit. Cette cérémonie matinale était bien connue de ceux qui avaient combattu avec les Français qui l'appelaient « l'Ouverture de la route ». Derrière ce bouclier, construit chaque nuit par la guérilla, les cadres vietcongs pouvaient tranquillement rallier la paysannerie pour la phase finale de la révolution dans le Sud.

Le commandement américain, que ce soit l'état-major de Harkins ou la CIA, avait prêté main-forte à Hô Chi Minh dans des proportions inimaginables. Près de 300 000 armes américaines avaient été distribuées à la Garde civile, au corps autonome de défense et aux miliciens. Il est difficile de dire combien exactement passèrent à l'ennemi, mais la guérilla en avait assez pour lancer l'offensive. En novembre, Hanoi vida la corne d'abondance, et les armes arrivèrent par dizaines de milliers. Pendant les six premiers mois de 1964, des sources autorisées indiquent que les communistes vietnamiens reçurent environ 200 000 armes américaines. A l'exception des spécialistes de l'armement lourd, le gouvernement des États-Unis arma pratiquement chaque combattant communiste, jusqu'au petit milicien local. Les fusils bricolés avec des tuyaux du début n'étaient plus que des pièces de musée pour collectionneur. Hanoi commença alors à réduire la distribution d'armes d'origine soviétique. Ils n'en avaient plus besoin, mais surtout ils voulaient simplifier les problèmes d'intendance en se limitant aux armes américaines standard.

Le réflexe de Washington fut d'accroître la pression. Le 20 novembre se réunit une conférence à Honolulu pour définir la stratégie et pour soumettre au président le plan de Krulak d'une guerre clandestine de grande envergure contre le Nord. Colby avait déjà essayé de fomenter une guérilla interne avec des infiltrateurs vietnamiens formés par la CIA. Mais il avait reconnu lui-même qu'il avait échoué. Toutes les équipes qu'il avait parachutées dans le Nord ou fait entrer en fraude par bateau avaient cessé en peu de temps toute communication radio ou avaient été faites prisonnières. Une ou deux avaient été « retournées » par leurs ravisseurs et envoyaient des messages qui entraînaient d'autres équipes dans des pièges. McNamara avait demandé alors d'augmenter le nombre des hommes et de se concentrer sur des équipes de sabotage. Ils étaient morts les uns après les autres. Colby en avait conclu que des opérations clandestines de ce type, style commandos de la Seconde Guerre mondiale, étaient totalement vaines. Il le dit à McNamara. « Il me lança un regard froid et rejeta mon avis », se souvient Colby.

Krulak voulait reprendre l'opération, mais sur une très large échelle. Les Américains continuaient à présumer que la guerre au Sud pouvait être contrôlée et rester « limitée » si on exerçait une pression militaire et psychologique sur le Nord. Les responsables civils et militaires des années soixante considéraient la force comme une panacée et estimaient qu'il n'y avait pas de limite au réservoir de leur puissance. Ils croyaient pouvoir effrayer les gens de Hanoi au point d'abandonner le Vietcong. Une fois terminés l'infiltration et le soutien du Nord, la violence dans le Sud serait considérablement réduite. Mais personne ne voyait que l'insurrection tirait sa propre substance du gouvernement de Saigon et des Américains.

McNamara était séduit par la conviction de Krulak que l'échec de Colby venait de ce qu'il avait été trop modeste, et qu'une grosse opération menée par les militaires réussirait. Il savait d'autre part que Kennedy voulait essayer le projet de Krulak qui satisfaisait sa conception romantique des opérations clandestines. McNamara jouait une fois de plus le rôle d'homme de paille du président. A Honolulu, il avait manœuvré pour que les plus hautes instances militaires viennent apporter leur appui à son patron pour une décision qu'il aurait prise de toute façon.

Deux jours après la conférence de Honolulu, John F. Kennedy fut assassiné à Dallas par un psychopathe nommé Lee Harvey Oswald.

La guerre dont hérita Lyndon Johnson n'avait pas grand-chose d'américain en comparaison avec ce qui allait suivre. Il n'y avait que 17 000 militaires en service au Sud. Moins de 120 avaient été tués et le nombre de blessés hospitalisés n'atteignait pas 250. Mais c'était tout de même une guerre américaine. John Kennedy avait brandi la bannière étoilée, versé le sang et enveloppé sous la protection des États-Unis cette moitié du Vietnam, au sud du 17e parallèle, que les accords de Genève de 1954 avaient baptisée « zone neutre », mais que les Américains avaient déclaré « État souverain du nom de Sud Vietnam ». Lyndon Johnson n'avait pas plus l'intention que Kennedy de devenir le premier président à perdre une guerre. D'ailleurs, s'il avait été élu en 1960 à la place de Kennedy, il n'aurait probablement pas mené cette guerre différemment. Quatre jours après la mort de Kennedy, il affirma officiellement son intention de continuer la guerre dans un mémorandum top secret sur la Sécurité nationale et accepta les conclusions de la conférence de Honolulu pour lancer une opération clandestine sur une large échelle contre le Nord.

McNamara retourna au Vietnam fin décembre. Dans son compte rendu à Johnson, il rejeta les fautes sur les Ngô Dinh et leurs séides comme Cao. « La situation s'est en fait détériorée dans le pays depuis le mois de juillet beaucoup plus que nous ne l'avions réalisé à cause des rapports inexacts », écrivit-il. La date de juillet pour le début du déclin reconnaissait la justesse de l'analyse du Bureau de renseignements et de recherches du département d'État. Mais personne ne fit l'effort de rechercher avant cette date et de voir quelle sorte de rapports Vann, Porter, Ladd et d'autres conseillers prévoyants avaient soumis depuis plus longtemps.

Personne, au sommet de la hiérarchie, ne pouvait se permettre de faire une enquête sur Harkins, car McNamara et Taylor étaient aussi coupables que lui. Il ne fut pas destitué et renvoyé en disgrâce dans ses foyers comme l'avait été le général que Patton avait remplacé après la déroute de Kasserine en 1943. Il ne fut même pas officiellement blâmé. McNamara et Taylor se contentèrent de le miner en privé, de ne pas le défendre contre la raillerie publique pour finalement l'insulter professionnellement en ne l'invitant pas à une conférence stratégique à Honolulu et en convoquant à sa place son nouvel adjoint, William Westmoreland, qu'ils avaient nommé en janvier 1964. Ils ne le mutèrent même pas et le laissèrent commandant en chef du Vietnam pendant encore huit mois après le coup d'État. Quand il revint, en juin 1964, il fut conduit à la Maison-Blanche où le président le décora de la *Distinguished Service Medal* afin de « dire, au nom de la nation reconnaissante, " bravo " à un bon et fidèle serviteur ».

Le plan de campagne de guerre subversive clandestine contre le Nord Vietnam qui portait le nom de code « Plan d'opération 34 A » fut soumis au président en janvier 1964 par Krulak. Les raids prévus étaient des « entreprises de destruction » pour frapper l'industrie et l'économie du Nord et seraient préparés et contrôlés par l'état-major de Harkins et non par les forces de Saigon. Après l'approbation de Johnson, les attaques commencèrent le 1er février avec des mercenaires vietnamiens, chinois et philippins. Des torpilleurs rapides allèrent bombarder des sites de radar et autres installations côtières. Des commandos furent débarqués par mer pour faire sauter les voies de chemin de fer et les ponts. Des équipes de saboteurs furent parachutées à l'intérieur pour détruire des objectifs. Des groupes de Vietnamiens entraînés à la guerre psychologique furent aussi lâchés dans la nuit pour essayer de saper la confiance des populations dans le gouvernement de Hanoi. Des bateaux de pêche du Nord furent capturés, leurs équipages emmenés au Sud pour interrogatoire, puis relâchés au large de la côte du Nord.

Pendant ce temps, à Saigon, Lodge avait des difficultés à naviguer dans une mer d'intrigues plus compliquées qu'il n'avait pensé. La situation était probablement irrémédiable dans le Sud pour tout gouvernement quelconque, mais « le gros Minh » se révéla meilleur pour comploter que pour gouverner. Il était indécis et rien ne fut fait pour coordonner un effort de guerre cohérent. Avec les trois autres membres de la junte, Don, Kim et Dinh, à qui ils avaient donné comme promis le ministère de l'Intérieur, ils manquaient de racines dans le peuple et avaient les mêmes défauts que tous les mandarins conservateurs.

Henry Cabot Lodge ne pensait pas, comme Vann, que les États-Unis devaient prendre la direction de la guerre. Il connaissait bien le système des nations « protégées », l'avait vu réussir ailleurs et croyait que le gouvernement de Saigon devait garder le commandement de ses forces armées et de l'effort de guerre. Comme il l'avait expliqué avant le coup d'État, il souhaitait un régime qui soit au moins du même niveau que « les gouvernements très décevants avec lesquels nous avons travaillé dans nos différentes tentatives couronnées de succès pour que ces pays soient assez forts pour tenir seuls ». Mais il n'avait pas obtenu ce minimum de la junte de Minh. Il le laissa donc être renversé à la fin de janvier 1964 par un second coup d'État dirigé par un général plus ambitieux, Nguyên Khanh, trente-six ans, lui aussi membre de l'élite franco-vietnamienne.

Khanh, avec son béret rouge, avait fait ses classes à l'École des paras de Pau, en 1949, et avait commandé une compagnie du 1er bataillon parachutiste de l'armée de Bao Dai. En dépit d'un démarrage brillant, il se révéla très vite aussi indécis et incapable de gouverner que ses prédécesseurs. Toute son énergie était consacrée à intriguer contre les généraux et colonels qui voulaient prendre sa place comme il avait pris celle de Minh. « Chacun de ces enculés vient au Palais et se demande comment il pourrait bien faire pour s'y installer avec ses maîtresses », disait Conein écœuré.

Mais il n'y avait pas plus de cohérence du côté américain. Lodge et Harkins ne se parlaient pas, à cause de la rancœur accumulée entre eux depuis le coup d'État, et parce que Harkins baignait dans de nouveaux rêves de victoire alors que le Vietcong continuait à grignoter le pays.

Les hauts plateaux du Centre subirent le sort du nord du delta et des plantations de caoutchouc. Le travail de la CIA et les efforts des Forces spéciales auprès des montagnards avaient été inopérants parce que Diêm avait refusé d'accorder aux tribus l'autonomie locale dont bénéficiaient les minorités au Nord. Il avait insisté pour les « assimiler », ce que précisément les montagnards ne voulaient pas, parce qu'ils avaient été les victimes permanentes d'une société dominée par les Vietnamiens. Au début de 1964, le Vietcong s'assura le contrôle clandestin de la région et s'affirma ouvertement sur les rizières de la côte qui avaient déjà été un repaire viet-minh pendant la guerre française. Lodge pouvait berner le commandant en chef pour organiser tout seul un coup d'État, mais il avait besoin de lui pour organiser les éléments américains dans un effort de guerre. Lorsque William Westmoreland arriva comme adjoint, Lodge lui proposa un bureau dans l'ambassade pour qu'ils puissent travailler ensemble. Surpris, Westmoreland répondit qu'il était soldat et que son chef était Harkins.

Au fur et à mesure que les officiers de renseignements coloraient de plus en plus leurs cartes en rouge, les hauts responsables américains conservaient toute leur influence dans les hautes sphères du pouvoir, et étaient même promus. Johnson avait encore plus confiance en McNamara que Kennedy. Krulak reçut sa troisième étoile de général de corps d'armée et devint commandant en chef du corps des Marines de la force du Pacifique. De peur d'être négligée, l'Air Force fit revenir Anthis de Saigon pour le nouveau poste d'assistant spécial pour la contre-insurrection et les activités spéciales. Comme personne ne pensa à relire le rapport de Wheeler sur sa mission d'enquête après le désastre de Bac, il fut promu au poste de chef de l'état-major interarmes, que lui laissa Taylor qui partit remplacer Lodge à Saigon. Lodge rentra au début de juillet, officiellement pour essayer d'empêcher Barry Goldwater d'être désigné par le parti républicain comme candidat aux élections présidentielles [1] ; en réalité il était fatigué, déçu et à court d'idées. Il recommanda qu'on bombarde le Nord Vietnam.

Johnson avait autant confiance en Maxwell Taylor qu'en McNamara. Taylor partit pour Saigon avec toute l'autorité civile et militaire d'un proconsul. Westmoreland devenait commandant en chef, mais sous les ordres de Taylor. Harkins rentra aux États-Unis avec les honneurs, au début du mois d'août.

Colby avait eu raison lorsqu'il avait prédit que l'opération clandestine de Krulak ne serait qu'une perte de vies humaines inutile. L'« Opération 34 A » fut totalement inefficace. Les raids n'intimidèrent pas les dirigeants de Hanoi et ne réduisirent pas la violence des attaques dans le Sud. Les officiers de Westmoreland, qui préparèrent les attaques et en supervisèrent l'exécution après que Washington les eut approuvées, ne réussirent jamais à détruire les objectifs industriels que Krulak avait prévus. Cette tâche était au-dessus des capacités des équipes de Vietnamiens et de saboteurs asiatiques. Et même s'ils avaient réussi à démolir certaines industries du Nord, cela n'aurait pas fait de différence.

Le seul résultat tangible de l'opération fut de faciliter l'élargissement du conflit. Les raids de l'« Opération 34 A » provoquèrent l'incident du golfe du Tonkin, en août 1964, lorsque deux destroyers américains s'opposèrent aux torpilleurs de la Marine de Hanoi. Johnson s'en servit pour duper le Sénat et l'amener à approuver les mesures nécessaires à une extension de la guerre. McNamara et Dean Rusk l'aidèrent en abusant la commission des Affaires étrangères du Sénat sur les opérations clandestines. Dans l'esprit du président, tous ces mensonges étaient dans l'intérêt supérieur de la nation. Il ne voulait pas courir le risque d'être critiqué comme Truman qui était entré en guerre en Corée sans une résolution du Sénat. Mais il voulait en même temps éviter un débat public qui aurait risqué de remettre en question toute la politique vietnamienne.

Les hauts responsables civils et militaires des États-Unis n'avaient pas compris que leurs opposants vietnamiens avaient dépassé le stade de l'intimidation en 1964 et étaient prêts à prendre le risque de toute punition que la plus grande puissance mondiale pourrait leur infliger. Walt Rostow, l'intellectuel interventionniste, à l'époque conseiller au département d'État, assura Rusk en février que Hanoi était très vulnérable au chantage du bombardement. Hô Chi Minh, dit-il, « doit protéger son complexe industriel ; il n'est plus le rebelle qui n'a rien à perdre ». A la demande de Lodge, Rusk s'arrangea pour que le délégué canadien de la commission internationale soit reçu par le Premier ministre à Hanoi, le 18 juin 1964. Le Canadien dit à Pham Van Dong que la patience des États-Unis se lassait et que, si l'escalade de la guerre continuait, « il pourrait en résulter une dévastation considérable pour la République démocratique du Vietnam ». Le 10 août, après que Johnson eut pris le prétexte de l'incident du golfe du Tonkin pour

---

1. En dépit des efforts du modéré Henry Cabot Lodge, ce fut bien l'extrémiste de droite Barry Goldwater qui, pour les élections présidentielles de 1964, fut désigné comme candidat du parti républicain qui connut ainsi sa plus grave défaite électorale depuis 1936 (Johnson élu avec 61 %, contre Goldwater 39 %).

La famille

John Vann, le chapeau sur la tête, avec son beau-père Frank Vann et ses frères et sœurs, Frank Junior, Dorothy Lee et Gene.

John Vann entre à l'école de Ferrum avec le costume acheté par un riche négociant.

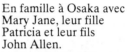

La veille du mariage, John Vann entre sa mère Myrtle et sa fiancée Mary Jane.

John Paul Vann et Mary Jane Allen, le 6 octobre 1945.

En famille à Osaka avec Mary Jane, leur fille Patricia et leur fils John Allen.

Les compagnons

Doug Ramsey à Hau Nghia.

Dann Ellsberg *(à droite)* avec John Vann et le chef de village vietnamien de Hau Nghia.

Les journalistes

David Halberstam du *New York Times* patauge dans un ruisseau.

L'auteur Neil Sheehan s'entretient avec le général Du Quoc Dong à Danang.

Vann et le colonel Cao, avril 1962,
« La meilleure équipe pour battre les
communistes ».

John Vann et le général Weyand qui
sauva Saigon pendant l'offensive
du Têt.

Pendant la bataille de Kontum,
John Vann et le général Nguyen Van Toan.

L'ultime étape

Le « général » civil John Vann et son état-major à Pleiku le 15 mai 1971.

Le dernier hommage au héros à la Maison-Blanche le 16 juin 1972.
(De gauche à droite) : Aaron Frank Vann Jr, Eugene Wallace Vann, Dorothy Lee
Vann, Jesse Van, Thomas Vann, Peter Vann, Mary Jane Vann, président
Richard Nixon, John Allen Vann, secrétaire à la Défense Melvin Laird, secrétaire
d'État William Rogers.

lancer une première série de raids de bombardements sur le Nord et faire ainsi la démonstration de la force redoutable des États-Unis, le Canadien retourna à Hanoi avec de nouvelles menaces. Il reçut la même réponse que la fois précédente. « Pham Van Dong ne s'est absolument pas montré intimidé et s'est calmement affirmé résolu à poursuivre la course dans laquelle la République démocratique s'était engagée jusqu'au succès final », dit un rapport du Pentagone d'après le compte rendu du Canadien.

En 1964, Hô Chi Minh, Pham Van Dong et les autres révolutionnaires vietnamiens de Hanoi étaient prêts à sacrifier toutes les industries qu'ils avaient mises sur pied avec tant d'espoir et de privations. Ils étaient prêts à courir le risque de voir chaque ville du Nord bombardée et transformée en un amas de ruines. Hô et ses disciples n'étaient pas engagés dans une « guerre limitée », suivant la formule américaine. Ils étaient plongés dans une guerre totale qui ne comportait aucune restriction. Ils pouvaient être matériellement anéantis et moralement brisés si les États-Unis déchaînaient sans contrainte leur puissance aérienne sur le delta du fleuve Rouge et sa population particulièrement dense. Ils pouvaient avoir des millions de morts, comme le souhaitait le chef d'état-major de l'Aviation, Curtis LeMay : « On va les bombarder jusqu'à ce qu'ils retournent à l'âge de pierre ! » Les hommes de Hanoi étaient prêts à prendre ce risque-là aussi. Mais il y avait une chose que les États-Unis ne pouvaient pas faire : briser leur courage.

Il était trop tard pour battre en retraite, quelles que soient les menaces des Américains. Les hommes de Hanoi savaient que s'ils donnaient l'ordre aux cadres vietcongs infiltrés au Sud Vietnam de s'arrêter, ils échapperaient à leur contrôle et continueraient la guerre qu'ils étaient en train de gagner. Mais Hanoi ne donnerait jamais un tel ordre, qui aurait été la négation même de toute leur existence : « Le Vietnam est une seule nation », proclamait leur Constitution.

Ils démontrèrent pendant toute l'année 1964 que leur courage était intact, en créant le second Viet Minh de la révolution du Sud. Au printemps apparurent pour la première fois les armes lourdes que les chalutiers avaient infiltrées clandestinement par des nuits sans lune pendant des mois. La mitrailleuse antiaérienne soviétique de 12,7 mm se révéla redoutablement efficace contre les hélicoptères et les chasseurs-bombardiers. L'entraînement et l'organisation au combat s'intensifièrent pendant toute l'année. Le 2 janvier 1963, le Vietcong ne disposait que d'une force hésitante de 23 000 réguliers et guérillas régionales, regroupés en vingt-cinq bataillons d'effectifs variant entre 150 et 300 hommes. Moins de deux ans plus tard, en décembre 1964, les effectifs avaient doublé pour atteindre 56 000 soldats bien entraînés. Les vingt-cinq unités disparates s'étaient transformées en soixante-treize bataillons puissamment équipés, soixante-six unités d'infanterie et sept bataillons d'armement lourd et d'armes antiaériennes. Les bataillons d'infanterie constituaient de redoutables forces d'intervention de 600 à 700 hommes chacun avec toute la logistique nécessaire. Cette armée de 56 000 soldats était complétée par 40 000 hommes des services annexes, ravitaillement, entraînement, secours médical.

Il avait fallu six ans de peines et de souffrances pour que les quelque 2 000 rescapés viet-minhs du printemps 1957 deviennent les 23 000 combattants mal assurés de la bataille de Bac. Mais moins de deux ans avaient suffi pour former, avec l'aide de Diêm et des Américains, la massue redoutable des bataillons de décembre 1964.

Le marteau s'abattit sur l'ARVN pour la briser en morceaux. Le 9 décembre, une embuscade d'une ampleur inégalée jusque-là l'attendait sur la route des plantations de caoutchouc à soixante kilomètres à l'est de Saigon. Une compagnie entière de quatorze transports blindés M-113 fut détruite et transformée en ferraille par des canons de 57 et de 75 sans recul. Un L-19 et deux Hueys de combat qui étaient venus à leur secours furent abattus. Sans que personne ne le sût à Saigon, les attaquants étaient 2 bataillons des nouveaux régiments vietcongs. A la fin du mois, ils attirèrent les forces de Saigon dans un piège et les obligèrent au combat en attaquant sans relâche un centre de district et en s'emparant des avant-postes qui protégeaient un village voisin de réfugiés catholiques du Nord. Le 31 décembre, un bataillon d'élite de Marines sud-vietnamiens, composé de 326 officiers et hommes fut écrasé au cours d'une embuscade dans la même région. Les deux tiers des Marines furent tués, blessés ou capturés. 29 des 35 officiers du bataillon périrent. Le même jour opérait à proximité une autre unité d'élite, un bataillon de Rangers nouvellement créé par Westmoreland pour renforcer l'ARVN. Il connut un sort encore pire dans une autre embuscade et fut complètement liquidé avec 400 pertes. Les deux unités viets responsables des embuscades faisaient partie d'une formation dont Westmoreland et l'ARVN ignoraient l'existence : la 9e division vietcong, la première grosse unité du second Viet Minh à devenir opérationnelle dans le Sud.

Seule maintenant l'intervention dans le combat des Forces régulières des États-Unis pouvait empêcher l'effondrement du régime de Saigon et l'unification du Vietnam sous la tutelle de Hanoi. L'alternative que Vann avait toujours refusée, la grande guerre terrestre et aérienne américaine, était devenue inévitable. Ziegler se souvenait de ce que lui avait dit Vann lorsqu'il avait été question de faire participer directement au conflit l'armée et les Marines américains. Ce serait la pire des solutions, avait-il dit. Il fallait arriver à ce que l'ARVN se batte, car seule une guerre menée par des Vietnamiens avait un sens. Le Vietcong était tellement imbriqué dans la paysannerie locale que les troupes de Saigon avaient déjà du mal à faire la distinction entre les amis et les ennemis. Alors qu'est-ce que ce serait pour les Américains ? Ils ne tarderaient pas à considérer toute la population rurale comme des adversaires. L'armée et les Marines en arriveraient à patauger dans un bourbier sanglant où ils sombreraient tous avec les paysans vietnamiens. « On finirait par tirer sur tout ce qui bouge, les hommes, les femmes, les enfants et les buffles ! » concluait Vann.

Il n'y avait évidemment aucune satisfaction à tirer de cette catastrophe, mais Halberstam, ses autres amis et moi, regrettions que Vann ne soit plus dans l'armée pour obtenir au moins la justification professionnelle qu'il méritait, maintenant que la vérité était si éclatante. La lettre que nous avions reçue de lui, en juillet 1963, nous avait appris qu'il allait quitter l'armée à la fin du mois pour occuper un poste de responsabilité de la Division de l'aérospatiale de Martin-Marietta à Denver. Le service du personnel avait refusé de lui donner l'affectation à laquelle il avait droit après avoir suivi les cours du Collège industriel ; il n'avait pas le courage d'affronter les trois ou quatre années de bureaucratie qu'on avait voulu lui imposer au service logistique. Il résuma en quelques mots sa campagne au Pentagone et l'annulation de son rapport à l'état-major interarmes. Il envoya une lettre identique à l'équipe de conseillers de My Tho où son émotion se sentait dans la signature, « Votre frère officier, John ». Nous étions tous convaincus qu'il avait quitté l'armée, dégoûté parce qu'on n'avait pas voulu l'écouter, pour pouvoir ensuite s'exprimer librement en public sur la guerre. Cela nous fut confirmé par des interviews de lui parues après son départ, dans lesquelles il expliquait que c'était la véritable raison de sa démission

Et pourtant, s'il s'était mis Harkins à dos, ainsi que Wheeler, qui avait succédé à Taylor à la tête de l'état-major interarmes, il s'était gagné l'admiration de Harold Johnson, maintenant chef d'état-major à la place de Wheeler. Avec un personnage d'un tel rang dans son camp, on peut se permettre d'être en mauvais termes avec d'autres. Nous n'en avions que plus d'admiration pour son courage moral.

C'est autour de cet héroïsme que se construisit la légende de Vann. Un récit de l'annulation, à la dernière minute, de son exposé devant les chefs d'état-major parut fin septembre 1963 dans un long article en première page du *New York Journal-American* avec une photo de Vann et de Cao.

Quand Halberstam se rendit à Denver pour l'interroger pour le livre, Vann lui raconta en détail sa croisade au Pentagone et comment Krulak et Taylor avaient fait avorter son exposé. Après une telle déception, il ne pouvait plus rester dans l'armée. Ce dénouement était l'épilogue dramatique de l'épopée du lieutenant-colonel John Paul Vann, homme de principes, officier promis à une brillante carrière, qui avait renoncé aux étoiles de général pour alerter la nation tout entière sur la vérité de la guerre au Vietnam. Et cette fin convenait également bien au style manichéen de Halberstam :

> Ainsi il est parti pour aller travailler dans une société d'aviation de Denver. Il a fait ce qu'aucun autre personnage officiel américain n'a osé faire dans ce pays, où il existe une telle disparité entre la théorie et la pratique : il a estimé que les erreurs et les mensonges étaient suffisamment graves pour s'en dissocier en démissionnant, la protestation américaine traditionnelle.

La mémoire de l'héroïsme moral de Vann serait le fondement de sa réputation plus tard au Vietnam, celle d'un homme qui, par sincérité et volonté, se colletait avec le buisson des réalités, même s'il y avait des épines.

Bien qu'il n'ait jamais été jusqu'à condamner la guerre en elle-même, cette réputation d'homme véridique rendait crédible ce qu'il disait, même aux yeux de ceux qui divergeaient de lui sur la question fondamentale de savoir si les États-Unis auraient dû ou non se battre au Vietnam. Dans la chapelle d'Arlington, le jour de ses funérailles, ses vieux adversaires professionnels, et ses amis, comme Ellsberg qui s'était ensuite opposé à cette guerre, rendirent tous hommage à un homme qui avait sacrifié ce qu'il aimait le plus, l'armée, plutôt que d'être complice des mensonges et des illusions.

Eh bien, c'était faux ! Il n'avait pas renoncé à sa carrière et démissionné pour protester et alerter le pays sur l'imminente défaite. Certes, il avait du courage moral. Il avait défié Harkins, s'était battu pour imposer la vérité au Pentagone et essayer de convaincre l'état-major interarmes. Mais ce n'était pas pour cela qu'il avait quitté l'armée. Il avait menti à Halberstam et l'avait manipulé comme Cao. Il avait trompé tout le monde au Vietnam. Nous avions interprété sa carrière téméraire comme un sacrifice personnel et étions inquiets de lui faire du tort avec nos articles parce que nous pensions compromettre ses étoiles de général. C'était cela qu'il avait voulu que nous pensions, ainsi que ses capitaines comme Ziegler ou ses soldats comme Bowers. Autrement il n'aurait pas dit à Ziegler qu'il espérait ne pas compromettre son avenir dans l'armée en s'opposant à Harkins. Il n'avait cessé de nous tromper car il savait qu'il n'avait aucune carrière à ruiner et aucune étoile de général à perdre. Il savait avant d'aller au Vietnam, en mars 1962, qu'il démissionnerait à la fin de son séjour. Il en avait dit beaucoup plus que Halberstam ne pouvait imaginer lorsque à l'aéroport, il avait prononcé cette phrase, avec un petit sourire énigmatique : « Vous ne m'avez jamais fait autant de tort que je ne m'en suis fait moi-même. » Et il avait révélé beaucoup plus sur lui-même qu'il n'aurait voulu, lorsqu'il avait dit à l'historien de l'armée : « Nous avons tous été, pour les visiteurs qui sont venus nous voir, un des brillants bobards de cette guerre. »

Il avait quitté l'armée parce qu'une sombre pulsion de sa personnalité l'avait conduit à commettre un jour un acte qui l'empêcherait à jamais de devenir général. Et il le savait. Il y avait chez cet homme une dualité entre des instincts personnels secrets et troubles et une honnêteté professionnelle rigoureuse et incorruptible. Deux ans avant de franchir la porte du bureau de Dan Porter dans l'ancienne caserne de cavalerie française de Saigon, il avait failli passer en cour martiale pour son vice secret. En manœuvrant avec ruse, il avait réussi à ce que les charges contre lui soient abandonnées. Dans l'armée le système de classement des dossiers personnels des officiers lui avait permis de cacher cet incident à tout le monde au Vietnam. Il y avait bien d'autres choses encore de sa vie privée qu'il avait toujours gardées secrètes.

Mais il savait qu'il ne pourrait cacher cette marque infamante à ceux qui devraient décider de sa nomination au grade de général. Cette commission-là avait accès à la totalité de son dossier, y compris aux archives de la police militaire qui avait mené l'enquête criminelle et aux procès-verbaux du bureau du procureur qui avait préparé la procédure pour la cour martiale.

Avant de partir pour le Vietnam, il avait essayé en vain de voler tous ces documents pour les détruire et qu'il n'en reste aucune trace. Il était convaincu que toute commission d'avancement qui serait informée ne pourrait prendre le risque d'avoir un officier accusé d'un tel crime parmi ses généraux. Il s'était juré à lui-même quand il était gosse qu'il serait quelqu'un. Il ne pouvait supporter de n'être qu'au deuxième rang. Il lui fallait être dans les premiers. Quand il eut compris que lui était définitivement coupée la route vers le sommet de l'armée, il se dit qu'il devrait abandonner quand il était encore jeune, à trente-neuf ans, pour commencer une autre carrière.

Et cependant, il n'aurait pas voulu partir et regrettait d'avoir à le faire si tôt. Il se sentait rejeté à Denver, comme si l'armée l'avait mis au ban. C'était un sentiment qu'il connaissait bien. Il avait été un paria dans sa jeunesse, avec une mère qui n'avait pas voulu de lui et qui ne lui avait donné ni nom ni amour.

V

Le passé de l'homme

John Paul était un enfant illégitime. Le nom de son père n'était pas Vann, mais Spry John Paul, dit Johnny, et c'est de lui que l'enfant tenait son prénom. Sa mère, Myrtle Lee Tripp, n'avait pas encore dix-neuf ans lorsqu'elle avait accouché, le 2 juillet 1924, dans une maison délabrée, divisée en appartements, du vieux quartier de Norfolk en Virginie. John Paul Vann était le fruit de l'une des rares relations sérieuses qu'ait eue sa mère, au cours d'une existence entièrement consacrée aux liaisons douteuses jusqu'à sa mort, à soixante et un ans, provoquée par l'alcoolisme aggravé d'une raclée qu'elle reçut un soir sur une plage de Norfolk.

En 1924, Johnny Spry, âgé de vingt-cinq ans, était conducteur de tramway. Même s'il avait souhaité un jour épouser Myrtle Tripp, cela n'aurait pas été facile. Il était déjà marié et père de deux garçons, John Paul Junior, âgé de trois ans, et un second qui avait neuf mois, lorsque naquit le troisième, l'illégitime. Ce John Paul-là était un « enfant de l'amour », comme on disait dans son Sud natal par un euphémisme qui n'effacerait jamais la honte qu'il éprouverait toute sa vie.

John Paul était âgé de quatre ans lorsque Myrtle Tripp rencontra un chauffeur d'autobus, Aaron Frank Vann, installé à Norfolk après avoir quitté sa ferme natale de Caroline du Sud, tout comme Myrtle l'avait fait ainsi que les autres membres de sa famille. Alors enceinte d'une fille, Dorothy Lee, demi-sœur de John Paul, Myrtle décida de se marier avec Vann. Leur union dura officiellement vingt ans, en tout cas dans la forme si ce n'est dans les faits. Frank Vann, en épousant Myrtle, adopta aussi son bâtard.

John Paul Vann était un authentique petit Blanc des États du Sud des États-Unis, et les racines séculaires de sa famille remontaient à leur création. D'ailleurs sa naissance était bien dans la tradition de ses ancêtres car la plupart avaient été, eux aussi, des enfants illégitimes.

Les puritains qui s'installèrent au Nord de l'Amérique, en Nouvelle-Angleterre, afin d'échapper à la persécution religieuse, constituèrent des communautés de fermiers, d'artisans, de professeurs et de pasteurs. Les colonies qu'ils fondèrent attiraient des gens à leur image, qualifiés et lettrés, qui participèrent au développement qui allait faire de l'Amérique un colosse industriel.

En revanche, les Blancs qui s'installèrent dans le Sud, aux xviie et xviiie siècles, étaient pour la plupart des repris de justice, Anglais et Irlandais aux abois, assortis d'une ribambelle d'Écossais belliqueux dont la mère patrie voulait se débarrasser. Ils venaient surtout pour cultiver le tabac, tâche jusque-là réservée aux Indiens, maintenant exterminés. La Grande-Bretagne et le reste de l'Europe réclamaient cette nouvelle drogue en de telles quantités que les marchands d'esclaves n'arrivaient plus à fournir la main-d'œuvre africaine en suffisance pour répondre aux besoins des coloniaux, installés sur la côte devenue aujourd'hui les États de Maryland, de Virginie, de Caroline du Nord, de Caroline du Sud et de Géorgie.

L'Irlande était à l'époque une colonie militaire où la paysannerie rebelle était matée à coups de canon et de pendaison, et l'Angleterre un champ de bataille où s'affrontaient les classes sociales. La petite noblesse de Grande-Bretagne profita du besoin de main-d'œuvre de ses colonies américaines pour y expédier ses condamnés et ses sujets indésirables.

La côte Sud, où régnaient la malaria, la fièvre jaune et le choléra, n'avait rien d'attirant pour l'élite qui pouvait choisir la Nouvelle-Angleterre. L'essentiel de la population du Sud était donc constitué d'orphelins, d'agriculteurs ruinés, de métayers expulsés, d'ouvriers agricoles misérables accompagnés de leur femme et de leurs enfants. La famine en Europe les avait tellement désespérés qu'ils étaient prêts à affronter le cauchemar du voyage de deux ou trois mois sur des voiliers douteux et du travail sinistre dans les plantations, et qu'ils se vendaient à un colon par contrat pour payer leur passage jusqu'en Amérique.

Plus de la moitié des Blancs qui s'étaient installés dans le Sud avant la Révolution étaient des détenus de droit commun ou des travailleurs sous contrat. Mais, à la différence des Africains, ils avaient la chance de ne pas être esclaves à vie. Quelques-uns eurent assez d'ambition et d'astuce pour, à leur tour, à la fin de leur contrat, se procurer des terres, acheter des esclaves et faire traverser l'Atlantique à leurs propres concitoyens pour cultiver leurs plantations. Ces nouvelles familles de cultivateurs prospérèrent tant, pendant des générations, qu'elles adoptèrent le savoir et les manières de la petite noblesse anglaise qui avait expulsé leurs ancêtres. Ils devinrent l'aristocratie du Sud et l'élite des armées de la Confédération.

Les travailleurs agricoles aux ordres des planteurs ressemblaient aux anciens immigrés venus par bateaux. Ces paysans blancs du Sud constituaient un groupe à part au sein des diverses composantes de l'Amérique. Rien n'avait pu dompter ceux que l'Angleterre avait rejetés. Les flammes de l'enfer et la damnation dont les menaçaient les prédicateurs méthodistes, baptistes et presbytériens furent sans effet sur leur hédonisme naturel. Leur tendance à la violence s'affirmait par l'importance qu'ils accordaient aux exploits physiques, aux qualités de cavalier, à l'adresse au pistolet, à la force des poings et dans le plaisir qu'ils éprouvaient à se battre les uns contre les autres. Enthousiasmés par la guerre de Sécession, ils suivirent à la bataille leurs propriétaires officiers. Après leur défaite et l'occupation de leur pays par les Nordistes, ils se consolèrent par le souvenir de leur bravoure.

Quelque chose restait en eux de ce qu'avaient été leurs ancêtres dans la Grande-Bretagne turbulente du passé.

Les ancêtres de John Vann ne s'éloignèrent guère de la côte sur laquelle ils avaient débarqué. On ne sait que peu de chose de la famille Spry, de qui Vann semble tenir ses traits physiques et son énergie nerveuse car, comme lui, Johnny Spry ne dormait que quatre ou cinq heures par nuit et était toujours en activité le reste du temps. Clarence Spry, le grand-père paternel de Vann, suivit le chemin habituel qui conduit de la Caroline du Nord jusqu'à Norfolk, à la recherche d'un emploi. Il épousa une jeune femme, Olive Savells, issue d'une famille d'agriculteurs et de pêcheurs installée sur la côte, au sud de Norfolk.

John Vann semble avoir tenu l'essentiel de son caractère, notamment sa volonté de domination, du côté maternel. Il ressemblait beaucoup à sa grand-mère, Queenie Smith, ainsi qu'à la sœur aînée de sa mère, Mollie, toutes deux indépendantes et à l'esprit d'aventure. Avec sa tante Mollie, une belle femme aux longues jambes, Vann avait en commun les deux traits physiques qui révélaient le fond de son caractère — ses yeux d'oiseau de proie et la bouche sèche aux lèvres fines et rectilignes.

Depuis le début de la colonisation, vers la fin du XVIIᵉ siècle et jusqu'au début du XVIIIᵉ, les familles Tripp et Smith, les ancêtres directs de Vann, étaient installées au nord-est de la Caroline du Nord, dans le Pitt County, près de la ville nouvelle de Greenville. Là, les plaines marécageuses de la côte s'élèvent de la mer et s'étendent jusqu'aux collines situées au pied des contreforts de la chaîne montagneuse des Appalaches. Les familles Tripp et Smith, pas assez riches pour être considérées comme des planteurs, étaient néanmoins de confortables fermiers, avec quelques dizaines d'hectares et des esclaves pour cultiver le tabac, puis le coton qui allait devenir la vraie source de richesse du Sud. Ainsi, dans cette région, une des plus fertiles de toute l'Amérique et où on peut cultiver à peu près n'importe quoi, les exploitations agricoles des familles Tripp et Smith prospérèrent jusqu'à la guerre de Sécession.

La défaite du Sud ruina les fermiers exploités par les Nordistes. La dépression mondiale des prix des produits agricoles commencée dans les années 1880 se poursuivit jusqu'au début du siècle suivant. Le prix du coton s'effondra de 14 cents la livre en 1873 à 4 cents et demi en 1894, le cours du tabac suivit le mouvement. Le Nord en profita pour soumettre la colonie agricole du Sud à sa puissance industrielle. Le Congrès, en majorité composé de Nordistes, imposa des tarifs prohibitifs pour lutter contre la concurrence européenne. L'industrie du Nord acheta à bas prix les matières premières au Sud pour lui revendre très cher les produits manufacturés.

Henry Tripp, l'arrière-grand-père maternel de Vann, fut le dernier de la famille à s'enorgueillir de posséder une ferme. Ses huit enfants avaient besoin de terre, mais le prix dérisoire auquel il vendait ses produits empêcha

Tripp de leur en acheter. Il morcela donc sa propriété. En 1902, lorsque son fils John William « Bill » Tripp épousa Inelline Smith, qui préférait le surnom de « Queenie », Henry Tripp lui offrit seize hectares, une mule et assez d'arbres de ses bois pour construire une maison, une grange et une porcherie.

Queenie supporta avec patience cette vie pendant douze ans. Elle eut quatre filles et un fils, tous nés dans le lit métallique que Queenie et Bill partageaient dans la plus grande pièce de la maison en pin que Bill avait construite avec l'aide de ses frères. Elle servait aussi de salon et de salle à manger pour la famille. Le soir, tout le monde s'y réunissait jusqu'à l'heure du coucher. Comme il n'y avait ni électricité ni eau courante, on s'éclairait avec des lampes à pétrole et on tirait l'eau du puits ; les toilettes se trouvaient à l'extérieur de la maison. La maison n'était peinte ni à l'intérieur ni à l'extérieur pour éviter une dépense inutile. Une sage-femme s'occupait des accouchements, car un médecin aurait coûté trop cher, et on ne faisait appel à lui que dans les cas graves. Myrtle Lee, la mère de Vann, naquit la troisième, le 18 juillet 1905. Le prénom de Lee, qui n'existait pas dans l'histoire des familles Smith et Tripp, lui fut donné pour la même raison que pour beaucoup d'autres enfants du Sud : en hommage à Robert E. Lee, le général héros des Sudistes.

Le tabac, le coton et le maïs que cultivait Bill Tripp ne rapportèrent jamais assez pour rembourser les achats au magasin central de la région. Chaque année, Bill dut emprunter de l'argent à des taux d'intérêt jamais inférieurs à 30 % pour acheter de l'engrais, un soc de charrue ainsi que les articles agricoles absolument nécessaires. Pour la survie de la famille, Queenie avait besoin de farine, de sel, de sucre et de mélasse, de pétrole pour les lampes et de tissu pour coudre les vêtements. Dès que les légumes du jardin s'épuisaient, en automne, les Tripp en étaient réduits à un régime alimentaire responsable des maladies typiques du Sud au lendemain de la guerre civile, pellagre et rachitisme : viande de porc avec sauce, biscuit et pain de maïs à tous les repas. A la différence des dizaines de milliers d'enfants du Sud, noirs aussi bien que blancs qui en furent atteints, Myrtle, Mollie et les trois autres enfants Tripp eurent la chance d'échapper aux conséquences de ce manque de vitamines.

La pauvreté s'étendait jusqu'à la mort privée de cercueils luxueux et de veillée mortuaire. La famille lavait le corps du défunt, l'habillait de son plus beau vêtement, ou de celui dont un vivant se privait, avant de placer le cadavre dans un cercueil de pin et de clouer le couvercle. Le lendemain matin, la famille et les amis se réunissaient autour du pasteur pour l'enterrement.

Les épidémies de dysenterie s'abattaient comme des gelées tardives en décimant les populations de jeunes. William Arthur « Buddie » Tripp, l'oncle de Vann, se souvint d'une épidémie qui frappa son cousin Moses, son meilleur ami. Moses, considérablement affaibli, pouvait à peine parler. Allongé dans son lit, il devait se contenter d'échanger des regards avec Buddie. Chaque jour, le médecin venait le voir dans sa petite voiture à cheval et lui apporter des médicaments, mais ce fut en vain. Moses, un garçon robuste, réussit à résister une semaine. Mollie fut atteinte de dysenterie à son tour, mais elle était plus âgée que lui et peut-être plus résistante. Personne ne lui avait dit que son cousin était malade. Un jour qu'elle s'étonnait de voir passer devant la fenêtre de sa chambre une procession suivie par les membres de sa famille, elle sauta du lit et appela sa mère.

« Que se passe-t-il, maman ? demanda-t-elle. Je sais que quelque chose ne va pas.

— Ton cousin Moses est mort, Mollie, lui expliqua Queenie. On va l'enterrer au cimetière, à côté des bois. »

La famille Tripp avait son cimetière privé, dans un champ situé derrière la maison des grands-parents, vestige des années de prospérité d'avant la défaite. Buddie suivit le cortège qui était transporté sur une charrette de ferme.

Queenie n'avait cessé de demander à Bill d'abandonner la ferme et d'emménager à Norfolk. Il aurait pu être un bon charpentier ou un maçon qualifié, disait-elle, et le travail ne manquait pas à Norfolk, un des rares îlots de prospérité du Sud. Ce port était devenu le terminus d'un important trafic de chemin de fer qui, traversant le pays d'ouest en est, transportait le charbon et le coton destinés à l'exportation vers la Nouvelle-Angleterre et l'Europe.

Bill Tripp était un homme taciturne et au cœur sec, ce qui n'arrangeait pas son mariage. Il était attaché à sa terre et refusa de partir. C'est Queenie qui le quitta. En 1914, elle confia ses cinq enfants à la garde de ses parents et se rendit à Norfolk pour y chercher un emploi. Elle prétendait pouvoir gagner assez d'argent pour subvenir aux besoins de toute la famille et affirma qu'elle s'acquitterait de cette tâche bien mieux que Bill ne l'avait fait.

Le grand-père de Vann cessa bientôt de travailler pour un foyer vide. Peu de temps après le départ de Queenie, il apprit que le propriétaire du magasin entamait des poursuites contre lui. Le juge du comté ordonna la saisie, et le shérif vendit aux enchères les seize hectares et tout le matériel qui s'y trouvait pour éponger la dette. Bill chargea son fusil et se rendit chez le shérif pour le tuer. Il ne lui en voulait pas d'avoir organisé les enchères, car cela faisait partie de ses attributions, mais il lui reprochait d'avoir magouillé pour pouvoir acquérir lui-même la ferme. Le shérif avait probablement, en effet, tout manigancé en persuadant le propriétaire du magasin général de porter plainte contre Bill.

Bill fut arrêté avant de pouvoir tuer le shérif. Le juge le condamna à deux ans de travaux forcés. Un maréchal-ferrant lui mit aux chevilles des fers dont l'anneau passait dans une chaîne qui le rattachait aux autres prisonniers. Les hommes liés les uns aux autres travaillaient toute la journée, mangeaient, faisaient leurs besoins et dormaient ensemble. La chaîne et les fers ne furent retirés qu'au moment où Bill fut libéré et interdit de séjour dans la région pour une période de deux ans, car le shérif le craignait encore. Lorsque Bill revint enfin, un de ses frères lui fit signer un contrat de métayer. Bill, le grand-père de Vann, ne posséderait plus jamais ses propres terres.

Queenie avait choisi le bon moment pour partir. Les armées d'Europe s'affrontaient sur les champs de bataille en août 1914. Le carnage de la bataille de la Marne, de la Somme et de Verdun coûta aussi cher en matériel qu'en vies humaines. L'autodestruction de l'Europe redonna un coup de fouet à l'économie du Sud de l'Amérique. Des profits colossaux furent réalisés sur la vente des matières premières destinées au marché européen, et Norfolk profita de la Première Guerre mondiale plus qu'aucune autre ville américaine.

L'industrie du coton fleurissait à nouveau. La disparition progressive des usines textiles en Angleterre, en France et en Allemagne et la guerre sur mer comme sur terre donnèrent à l'Amérique l'occasion de prendre la tête sur le marché mondial. La grand-mère de Vann, Queenie, trouva du travail dans une usine de confection de maillots de corps et de caleçons longs indispensables en hiver. Comme les ouvriers étaient payés à la pièce, Queenie fit venir Mollie à Norfolk pour se faire aider. Mollie avait dix ans à l'époque. Trop petite pour atteindre la machine à coudre, Mollie devait se hisser sur une caisse pour orienter le tissu tandis que sa mère cousait le plus vite qu'elle pouvait.

A elles deux, elles confectionnèrent tant de sous-vêtements qu'en moins d'un an Queenie parvint à mettre assez d'argent de côté pour faire venir à Norfolk ses quatre autres enfants et y ouvrir une pension. Elle loua un ancien hôtel particulier d'avant la guerre de Sécession, une maison à deux étages d'une vingtaine de chambres, dans le plus vieux quartier de Norfolk, près des quais. La direction d'une pension convient bien à une femme de la campagne qui sait faire la cuisine et s'occuper des hommes. Le choix de Queenie était également judicieux car on avait un besoin pressant de loger des ouvriers en temps de guerre. Après que le président des États-Unis eut convaincu le Congrès d'entrer en guerre contre l'Allemagne, en avril 1917, le seul problème pour Queenie fut de trouver assez de place chez elle pour y placer d'autres lits et d'autres chaises autour des tables de la salle à manger.

« Mars, dieu de la guerre, créateur d'une grande ville », **titra** un historien patriote dans un ouvrage consacré à la Première Guerre mondiale. A une époque où quelques millions de dollars injectés par le gouvernement représentaient des milliards pour l'économie nationale, des sommes considérables furent d'un jour à l'autre investies dans des projets de constructions militaires, et dépensées sans compter à une allure vertigineuse. La ville de Norfolk fut « inondée par un raz de marée de progrès » et « flotta sur la vague de la prospérité », comme devait l'écrire un journal local. La Marine profita de la circonstance pour obtenir les fonds nécessaires à la création, à la pointe de la péninsule, au nord de la ville, d'une base navale s'étendant sur quatre cents hectares et qui dépassait les rêves les plus fous de tous les amiraux. Des kilomètres de quais pour cuirassés, croiseurs et destroyers furent édifiés, ainsi qu'un bassin pour les sous-marins, une lagune pour les hydravions, une piste d'atterrissage, des hangars, des entrepôts en béton de plusieurs étages, des quartiers, des garages de réparations, et des centaines d'autres bâtiments. L'ancienne base navale de Norfolk, située sur l'autre rive du fleuve Elizabeth, fut détruite et modernisée en une gigantesque cale sèche pour les plus gros navires de guerre, la plus impressionnante construction en béton de toute l'histoire américaine de cette époque.

L'armée estima que la saturation des ports de Boston, de New York et de Philadelphie pourrait être compensée par le développement des nouvelles installations de Norfolk qui permettraient d'acheminer les troupes et le matériel du corps expéditionnaire vers la France. On construisit donc également des quais et des gares de triage rattachés à la plus importante base de transport militaire de toute l'Amérique. Les trains chargés de troupes arrivaient à Norfolk et, chaque jour et chaque nuit, des milliers de soldats embarquaient pour la France. Tout ce que l'on pouvait charger à bord, depuis les chaussettes jusqu'à des mules et même des locomotives, partit avec les hommes pour aider à la victoire contre l'armée grise du Kaiser. La population de Norfolk doubla durant la guerre, passant de 68 000 à 130 000, tandis que des hommes et des femmes de toutes les régions du Sud, du Texas, du Kansas et même du Minnesota, venaient y travailler pour l'industrie de guerre. En un an et demi, jusqu'à l'Armistice du 11 novembre 1918, Norfolk, qui n'avait été jusque-là qu'une ville moyenne en bord de mer, devint un port important et la plus grande base navale du monde occidental.

Queenie abandonna la pension en 1921, lorsque la construction de la base fut achevée et que les affaires commencèrent à décliner. Avec le profit réalisé, elle acheta une petite maison dans un autre quartier de la ville et trouva un emploi de femme de chambre sur un des bateaux à vapeur qui faisaient la navette entre New York et Norfolk. Ses enfants avaient commencé à prendre leur indépendance alors qu'elle tenait encore la pension, mais cela ne la préoccupait pas outre mesure car elle considérait que Norfolk était la chance de leur vie. Mollie s'était fait enlever en 1918 par un de leurs pensionnaires, un ouvrier soudeur qui travaillait sur un chantier naval. Mollie n'avait que quatorze ans à ce moment-là, il en avait dix-neuf, mais on se mariait jeune à l'époque, et Mollie voulait avoir un foyer à elle. Sa sœur aînée, Lillian, s'était également mariée avec un pensionnaire qui travaillait chez un teinturier-blanchisseur. Après avoir eu un enfant de lui, elle divorça et épousa un policier.

Mertie, comme on appelait la mère de Vann dans la famille, ne trouva pas, comme ses sœurs, l'homme qui lui assurerait son gagne-pain, pas plus qu'un emploi stable. Le choix pour elle était simple : ou bien épouser un ouvrier qui voulait fonder un foyer, ou bien trouver un emploi, relativement agréable, comme celui de sa mère. L'éducation qu'elle avait reçue ne lui permettait pas d'envisager autre chose. Ses études ne s'étaient pas poursuivies au-delà des classes élémentaires car Queenie avait eu besoin de ses filles pour l'aider à la pension, servir à table, faire le ménage dans les chambres, etc. Myrtle était assez jolie fille pour trouver un mari, et elle aurait réussi si elle l'avait voulu. Ses traits étaient assez quelconques, avec une bouche légèrement de travers et un nez trop gros. Mais elle était plaisante avec ses longs et beaux cheveux bruns, son sourire attirant, une silhouette agréable et, surtout, de très jolies jambes. D'autre part elle était suffisamment intelligente pour trouver un travail comme celui de sa mère, si elle avait voulu rester célibataire. Mais elle se refusait à faire des choix réalistes. « Je m'appelle Myrtle, et il n'existe personne d'autre au monde comme moi. Je m'aime. » C'est ainsi que Mollie résumait le caractère de sa sœur Myrtle.

Myrtle était une rêveuse. Elle ne se souciait pas du lendemain. Elle aimait danser, rire, boire, faire l'amour, sans se préoccuper des conséquences, ni pour elle ni pour les autres. Lorsqu'elle trouvait un travail, elle ne le gardait pas longtemps. Lorsqu'elle gagnait un peu d'argent, elle le dépensait aussitôt en vêtements et en maquillage. Au printemps 1923, trois mois avant ses dix-huit ans, elle eut une relation avec un marin français du nom de Victor LeGay. Elle prit le train jusqu'à Elizabeth City, en Caroline du Nord, pour se marier avec lui au cours d'une brève cérémonie. Ils vécurent ensemble trois mois, puis LeGay partit et, un mois plus tard, Myrtle tomba enceinte de Spry, qu'elle avait dû fréquenter avant le départ de LeGay.

Johnny Spry était joueur et coureur de jupons. Ils avaient tous les deux grandi dans le même vieux quartier de Norfolk, où Queenie avait son établissement et où Spry avait connu Myrtle alors qu'elle n'était qu'une enfant. Quand on est conducteur de tramway, comme Spry, on a l'occasion de rencontrer de nombreuses femmes. C'est probablement ainsi que Spry et Myrtle se retrouvèrent. Il semble qu'elle l'ait aimé autant qu'elle pouvait aimer quelqu'un. Elle jeta son dévolu sur lui en s'installant ostensiblement derrière le siège du conducteur chaque fois que Johnny était aux commandes. La femme de Spry, qui était au courant des habitudes de son mari, découvrit rapidement le pot aux roses. Elle bondit un jour à bord du tramway et se jeta sur Myrtle. Les deux femmes s'insultèrent, se giflèrent et se griffèrent comme deux fauves au grand amusement de Spry. Myrtle ne fut pas découragée pour autant. Elle avait l'intention de divorcer de LeGay aussitôt que possible, ce qu'elle fit, finalement, au tribunal de Norfolk, en accusant LeGay d'adultère. Il semble que Myrtle ne soit tombée enceinte de Spry que dans l'intention de l'obliger à divorcer pour l'épouser ensuite. Johnny Spry, en revanche, pensait qu'il ne fallait pas avoir beaucoup de jugeote pour se marier avec une femme comme Myrtle. Il mit un terme à leurs relations avant même que l'enfant ne vienne au monde, le 2 juillet 1924.

Il n'y avait aucune raison pour que le fils de Myrtle soit illégitime. A l'époque, elle était toujours mariée. Pour éviter les complications, elle mentit en disant au médecin accoucheur que LeGay était le père. L'enfant eut donc un nom de famille sur son acte de naissance. Les frères et les sœurs de Myrtle étaient au courant de la vérité et savaient que LeGay était parti depuis trop longtemps pour pouvoir être le père, mais ils n'en gardèrent pas moins le secret, pour ne pas nuire à l'avenir du bébé. Ainsi le garçon aurait pu grandir en ignorant sa véritable filiation.

C'est Myrtle qui en fit un enfant illégitime, en disant à tout le monde la véritable identité du père. Elle le révéla même à son fils dès qu'il fut en âge de lui poser des questions. Spry disait toujours que Myrtle l'avait prénommé John Paul « par pur esprit de rancune ».

Le véritable but de sa grossesse ayant échoué avant même que l'enfant ne vienne au monde, Myrtle ne voulut plus de son bébé. Elle l'abandonna à sa sœur Lillian pour rechercher d'autres distractions et un autre homme. Lillian mit l'enfant dans le même berceau que son propre fils, George, né deux semaines plus tôt que Vann. Les deux cousins partagèrent le même biberon ainsi que l'affection de Lillian qui s'occupait des deux sans faire de différence. Myrtle récupéra son fils quelques mois plus tard lorsqu'elle trouva un autre homme pour payer pendant quelque temps le loyer d'un nouvel appartement. Vann souffrit alors pour la première fois de la négligence et de l'abandon d'une mère égoïste et instable. Mollie décida un jour d'aller voir l'enfant de Myrtle. « Je connais ma sœur, et je suis sûre qu'elle ne s'occupe pas bien de son fils », se souvient-elle. Elle trouva le bébé complètement seul. Il était dans un berceau, souillé de ses excréments, et hurlait de faim. Mollie l'emmena chez elle, le lava et s'occupa de lui avec ses deux petits enfants. De temps en temps, Myrtle revenait le réclamer. Son ego la poussait à prétendre jouer le rôle d'une mère. Les tantes de Vann gardaient leur sœur à l'œil et reprenaient le bébé dès que Myrtle l'abandonnait pour de nouvelles aventures. Vann passa ainsi la plus grande partie de ses quatre premières années à la charge de Lillian ou de Mollie — jusqu'à ce que Myrtle tombe enceinte de la demi-sœur de Vann, Dorothy Lee, et qu'elle épouse Aaron Frank Vann en janvier 1929. Les tantes de Vann achetèrent de nouveaux vêtements pour Johnny ou l'équipèrent des effets usagés de ses cousins, tout en veillant à ce que l'enfant ait toujours de quoi manger.

La venue de ce beau-père était providentielle pour l'enfant, car elle signifiait qu'il allait probablement avoir enfin un véritable foyer. D'autant que le petit Johnny, comme on le surnommait, allait progressivement perdre la protection de ses tantes. Mollie partit pour New York en 1929, et Lillian et sa famille la suivirent lorsque son mari perdit son emploi dans la police de Norfolk. Ils arrivèrent à New York avant la Grande Dépression qui éclata au mois d'octobre de la même année lorsque, un fameux « Jeudi noir », les cours de la Bourse s'effondrèrent brusquement. Queenie était à l'origine de cette migration. Elle connaissait bien New York depuis qu'elle avait travaillé comme hôtesse sur les bateaux à vapeur qui sillonnaient la côte. Elle raconta à Mollie que New York était une ville merveilleuse et vivante, pleine de possibilités. Elle la persuada de faire un voyage en bateau pour voir la ville. « On va s'installer à New York » annonça Mollie à son mari dès qu'elle fut de retour à Norfolk. Son mari, au début soudeur sur un chantier naval, gagnait mieux sa vie maintenant comme grutier sur le port de Norfolk. A New York, il devint mécanicien du métro tandis que le mari de Lillian était embauché comme gardien de sécurité au siège social de l'Irving Trust Company, à Wall Street.

Mollie se teignit les cheveux en blond, engagea des baby-sitters pour s'occuper de ses deux fils et devint hôtesse au salon de thé du Taft Hotel, situé à côté du Roxy Theatre, la plus grande salle de cinéma de l'âge d'or du septième art. Le Taft était fréquenté par les clients du cinéma qui y venaient après avoir assisté à la projection d'un film en exclusivité et par ceux d'un des quatre spectacles journaliers accompagnés par l'orchestre de cent dix musiciens du Roxy.

Le maître d'hôtel du restaurant du Taft était un bel Italien qui ressemblait à un autre compatriote immigré, Rudolph Valentino, l'idole des films muets des années vingt. Il était si fier de sa ressemblance avec la vedette qu'il exigeait qu'on l'appelle Valentino. Mollie tomba amoureuse de lui, divorça de son mari de Norfolk, et devint Mme Terzo Tosolini, en conservant la garde de ses deux fils. « Ma mère était une femme très moderne », disait Mollie en parlant de Queenie comme d'elle-même, pour expliquer ce qui les avait amenées toutes les deux des seize hectares de Bill Tripp jusqu'à New York.

Frank Vann donnait l'impression d'être un homme responsable. Il était âgé de trente ans, sept de plus que Myrtle, lorsqu'il l'épousa en 1929. Il avait passé sa jeunesse sur la côte de l'État de Caroline, près de la frontière de la Virginie, où son père était un métayer très intelligent et travailleur, qui avait élevé neuf enfants. Avec l'aide de l'Église baptiste et de ses modestes revenus, il avait réussi à envoyer plusieurs de ses enfants au lycée. Frank Vann poursuivit ses études jusqu'à la fin du secondaire puis entra comme commis dans un magasin local avant de s'installer à Norfolk. Frank Vann, plein de bonnes intentions, était aimable et doux dans ses rapports avec les autres, mais sa faiblesse et sa passivité faisaient souffrir ceux qui dépendaient de lui.

Les quatre premières années du mariage de Frank et de Myrtle furent, probablement, les plus supportables, bien que Frank se retrouvât régulièrement sans emploi. Congédié par la Société des autobus de la ville de Norfolk, il obtint un travail dans une chaîne de montage d'une usine Ford, pour le perdre presque aussitôt avec l'aggravation de la Dépression. Après Dorothy Lee, née en 1929, Frank et Myrtle eurent deux autres enfants : Aaron Frank, Jr, ou Frank Junior, comme on l'appelait, né à la fin de 1931, et Eugene Wallace, dit Gene, au printemps de l'année 1933.

Peu de temps après la naissance de Gene, Frank Vann installa la famille en Caroline du Nord, où il avait trouvé du travail dans une usine de fermetures à glissière située non loin de la maison de son père. Mais Myrtle lui fit quitter cet emploi et repartit pour Norfolk quelques mois plus tard. Myrtle n'aimait pas la campagne. De plus, elle s'entendait très mal avec la famille de Frank. On y disait la prière avant chaque repas. Les sœurs et leurs familles participaient activement aux activités de l'Église baptiste de la région. Elles étaient choquées par le mépris de Myrtle pour les tâches ménagères et l'éducation des enfants et se posaient des questions sur sa moralité.

De retour à Norfolk, la famille connut des privations telles que l'enfance de Myrtle, dans le Pitt County, paraissait, en comparaison confortable. Frank Vann travaillait à l'usine Ford pendant les périodes de productivité, entrecoupées de licenciements temporaires. Il fut aussi de temps à autre chauffeur de taxi. Le programme d'aide pour l'emploi créé par le président Franklin Roosevelt (« Works Progress Administration ») lui fournit également des petits boulots occasionnels dans des projets publics. Mais, la plupart du temps, Frank était sans travail. Les allocations de chômage n'existaient pas alors, et l'aide sociale était minime. Incapable de payer le loyer, la famille déménageait constamment, ce qui revenait en fait à passer d'une maison à une autre, toujours plus sale et plus sombre que la précédente. Elles étaient toujours situées dans les deux quartiers misérables où vivaient les travailleurs blancs, soit derrière les quais du port minier où arrivaient les trains de Norfolk et de Western Railroad à l'embouchure du fleuve Elizabeth, soit dans le secteur des anciennes manufactures de coton et des scieries. Dans ces quartiers, on trouvait toujours quelqu'un en passe d'être expulsé et qui laissait sa place à Frank avant qu'il ne la cède à son tour à un autre.

En 1936, au plus fort de la Dépression, alors que Johnny Vann avait douze ans, la maison où habitait la famille était tout à fait typique des habitations ouvrières du Sud. La ville avait commencé à paver les rues, installé le tout-à-l'égout et l'électricité et même construit une grande école en brique rouge sur un terrain communal de l'autre côté de la rue. Puis, brusquement, tout s'était arrêté. Il n'y avait pas de trottoirs, mais des chemins de terre boueux devant et entre les maisons. Quelques rares arbres, comme le grand caroubier devant la maison de Vann, avaient été laissés là pour donner un peu d'ombre. Peu de familles avaient pris la peine de cultiver un bout de jardin, ou de semer de la pelouse, et on se contentait de laisser pousser les mauvaises herbes là où la terre n'était pas râpée par les enfants et les chiens. Tous les bâtiments, y compris l'école, étaient d'une totale médiocrité et le bois des façades n'avait pas été repeint depuis si longtemps qu'il avait pris une teinte grisâtre.

La maison de la famille Vann était étroite et tout en longueur, avec un étage surmonté d'un toit en pente. Il n'y avait pas de cave. La galerie avec auvent le long de la façade était placée à quarante centimètres au-dessus du sol. Personne ne s'était jamais préoccupé de réparer la balustrade brisée, car il était plus facile ainsi de descendre directement dans la rue. L'étroitesse de la maison réduisait considérablement la lumière, et l'intérieur restait dans l'obscurité qu'accroissaient encore le temps et la saleté. Les portes intérieures avaient été peintes en noir. Aucun tapis ni linoléum ne recouvrait les parquets qui gondolaient de partout. Ils étaient toujours sales, car Frank Vann, chargé du ménage, ne s'en souciait guère.

A gauche de l'entrée se trouvait le salon, meublé d'un vieux canapé dont personne ne connaissait la provenance, d'un fauteuil à bascule en aussi mauvais état que celui de la véranda, et de quelques chaises en bois. Une boîte vide de tabac à côté du fauteuil à bascule servait à Frank de crachoir. Il utilisait aussi pour le même usage le gros poêle, source unique de chauffage en hiver. On avait fait des trous dans le plafond pour laisser monter l'air chaud dans les chambres du premier étage. Frank Vann mettait du charbon dans le poêle quand il en trouvait quelques morceaux sur les quais ou des chutes de bois. Sinon, les chambres restaient glacées.

La cuisine se trouvait au bout du couloir. La cuisinière en fonte, comme celle qu'ils avaient eue à la campagne, chauffait un peu la pièce ainsi que la chambre au-dessus. Une ampoule nue pendait au bout d'un fil au-dessus de la table, au centre de la pièce. Sur l'évier, le seul robinet de cuivre ne laissait couler que de l'eau froide. Si l'on voulait prendre un bain, il fallait chauffer l'eau sur le poêle et la porter dans des seaux jusqu'à la baignoire de la salle de bains, au premier étage.

En plus du ménage, Frank Vann était chargé également de la cuisine, car Myrtle refusait de faire quoi que ce soit. Frank se levait à 5 heures du matin pour se laver et préparer le petit déjeuner pour lui et les enfants. En mettant à chauffer l'eau pour se raser, il chantait et sifflait des cantiques, bien qu'il ne fût pas religieux. De temps à autre, lui et Myrtle envoyaient le dimanche les enfants à l'école paroissiale baptiste, mais n'y allaient jamais eux-mêmes. Durant les mois d'hiver les plus durs passés à la ferme, Myrtle n'avait jamais manqué d'un peu de porc et de sauce pour accompagner les biscuits secs ou le pain de maïs que faisait Queenie. En revanche, le régime des enfants de Myrtle consistait en biscuits secs pour le petit déjeuner, en pommes de terre sautées et biscuits secs pour le déjeuner, et encore des pommes de terre sautées et des biscuits secs pour le repas du soir. Ils buvaient du café, bien que le lait eût été plus nourrissant, mais c'était une tradition du Sud, et Frank semblait toujours trouver de l'argent pour en acheter. Le légume le moins cher était la pomme de terre, que Frank ramenait sur l'épaule par sacs de vingt-cinq kilos.

Frank n'était pas mauvais cuisinier. Il essayait de rendre les pommes de terre plus savoureuses en les épluchant avec soin, puis en les découpant en tranches extrêmement fines comme des chips. Il achetait aussi quelques oignons qu'il coupait en dés et ajoutait aux pommes de terre, pour leur donner du goût. Pour changer des biscuits secs, il faisait ce qu'il appelait un « pain de farine » en faisant frire la pâte des biscuits dans une poêle. Les tomates en conserve n'étaient pas chères, de 3 à 4 cents la boîte, et Frank en confectionnait une sauce qu'il faisait cuire en ajoutant de la farine aux tomates avec un fouet. En de rares occasions, il rapportait des boîtes de saumon qu'il mélangeait à la pâte pour en faire des « biscuits au saumon ». En période d'opulence, il achetait des œufs ou servait de la cervelle de porc frite.

Son meilleur dîner, que les enfants attendaient avec le plus d'impatience, était les « biscuits au fromage ». Il cachait un petit morceau de fromage à l'intérieur d'un biscuit sur trois, et Frank Junior apprit à repérer le « bon » par le peu de fromage fondu qui s'échappait, afin de le prendre avant les autres. Le compagnon de berceau de Johnny, son cousin George Dillard, descendait à Norfolk avec ses parents chaque année pendant les vacances. Les deux amis jouaient ensemble, et George passait souvent la nuit chez les Vann. Il se souvient des cris de joie lorsque quelqu'un réussissait à attraper un biscuit au fromage :

« Ça, c'était un vrai régal ! Si on n'avait pas de chance, on mangeait le biscuit fade. »

Les enfants de Vann n'avaient en général pas de chance, car l'essentiel de ces repas était constitué de ces « biscuits fades » et de pommes de terre sautées.

Cette version citadine du régime alimentaire de la campagne, responsable de la pellagre et du rachitisme, était plus dangereuse pour la santé que le mode rural, car Frank, à la différence de ses grands-parents, n'avait pas cultivé le carré de jardin devant la maison pour avoir, au printemps et à l'automne, des légumes frais. Gene fut la victime de cette malnutrition. Étant le plus jeune des enfants, il était aussi le plus vulnérable. Il n'avait que trois ans au printemps de 1936 lorsqu'il fut atteint d'un cas grave de rachitisme, provoquant des malformations de la croissance osseuse, au point que ses jambes étaient grotesquement arquées.

« Ce garçon aurait pu se promener avec un petit tonneau entre les jambes, il ne s'en serait même pas aperçu ! » remarqua Frank Junior.

Un hôpital de charité de Norfolk envoyait régulièrement une assistante sociale pour examiner les enfants des quartiers les plus pauvres. La famille Vann connaissait bien cette femme charmante, mais impressionnante dans son uniforme bleu, qui arrivait dans une voiture conduite par un chauffeur, et qui parlait avec un accent allemand ou scandinave. Elle s'appelait Miss Landsladder, et ce fut elle qui sauva Gene d'une infirmité à vie. Elle obtint qu'il soit examiné par les chirurgiens de l'hôpital. Ils brisèrent d'abord le tibia de la jambe gauche et, dès qu'il fut recollé, ils recommencèrent avec les autres. Pendant les huit mois qui suivirent, Gene fut emprisonné dans un plâtre qui l'enserrait depuis le haut de la poitrine jusqu'aux pieds, avec les deux jambes maintenues écartées en un large V par une attelle. Il était complètement impotent et surtout incapable de se retourner seul dans son lit. Une fois que ses os furent ressoudés, Johnny apprit à glisser ses bras sous le plâtre pour basculer son frère sur le ventre. Johnny n'abandonnait jamais Gene à la maison lorsqu'il y avait un match de base-ball ou une excursion. Il le prenait sur son dos pour le transporter avec lui dans le tramway et plaisantait avec les conducteurs pour qu'ils ne pensent pas à demander le prix d'un ticket qu'il n'avait pas, de toute façon. Les chirurgiens avaient réussi à offrir à Gene une paire de jambes droites. Mais, à l'époque, les techniques de greffes de peau étaient encore embryonnaires, si bien qu'il garda toujours les cicatrices qui le marquaient des mollets jusqu'aux cuisses. La maladie interrompit sa croissance et il resta le plus petit de la famille, avec un mètre soixante-cinq. De plus, il subit les effets secondaires de son opération et souffrit plus tard d'une pénible arthrite aux hanches.

A la faim, à la souffrance et aux vêtements en guenilles s'ajoutait la honte.

Les enfants étaient conscients que les voisins savaient que Myrtle se vendait et gagnait beaucoup d'argent. Mais elle était maline. Elle ne faisait pas le trottoir ; sinon, elle aurait été arrêtée tout de suite par la police. A Norfolk, la prostitution était réglementée, jusque dans les années cinquante, par une sorte de loi tacite dont tout le monde profitait, la police, les politiciens et même les criminels. Les lanternes rouges étaient concentrées dans un quartier de la ville avec un choix de bordels pour tous les goûts et pour tous les prix. On y trouvait même un site touristique où un client pouvait coucher avec une prostituée dans la chambre où La Fayette avait, paraît-il, dormi lors de sa visite à Norfolk, en 1824.

Myrtle trouva un créneau disponible pour son commerce. Elle se spécialisa dans la clientèle de bourgeois, qui auraient été gênés d'être vus dans un bordel. Comme prétendue amateur, Myrtle était moins intimidante qu'une professionnelle et elle eut bientôt beaucoup de clients réguliers. Ils venaient chez elle ou elle les rencontrait dans des endroits où ils se sentaient à l'abri des regards indiscrets. Un d'eux était un laïc, directeur d'une école religieuse de Norfolk. Dorothy Lee se souvenait d'un autre client que Myrtle rencontrait toutes les semaines en ville devant la même boutique d'un marchand de hot dogs pour fixer l'heure de leur prochain rendez-vous. C'était un homme d'un certain âge, bien habillé. En souriant, il donnait toujours quelques pièces à Dorothy Lee, et sa mère lui disait : « Va dans la boutique. » Dorothy Lee s'achetait un hot dog pendant que sa mère et l'homme discutaient à l'extérieur. Lorsqu'il venait à la maison, en général le mercredi après-midi, Myrtle envoyait sa fille jouer dehors. Myrtle se faisait accompagner par Dorothy Lee vraisemblablement pour lui servir de protection, car une femme accompagnée de sa fille ne risquait pas d'être arrêtée pour racolage. Apparemment, Myrtle était connue des services de police, mais il n'y a pas de trace qu'elle ait été poursuivie, probablement pour ne pas dévoiler l'identité de ses clients.

La vie était si dure que, si Myrtle s'était vendue pour subvenir aux besoins de ses enfants, ils auraient probablement éprouvé moins de honte. Mais, à part le hot dog hebdomadaire de Dorothy Lee, la seule trace d'argent qu'ils virent jamais se trouvait sur Myrtle elle-même. Elle ne dépensait que pour elle : vêtements à la mode, bijoux, maquillage et whisky. Dans la chambre qu'elle partageait avec Frank, une armoire était remplie de jolies robes, avec les chapeaux, les chaussures, les bas de soie et les sacs à main assortis. Un de ses tailleurs de velours noir était orné d'un col en fourrure de renard. Alors que le loyer de la maison était de 6 dollars par mois, le prix du vêtement aurait payé le logement pendant plusieurs mois. Elle possédait aussi une robe du soir et assez de bijoux pour assurer toutes les dépenses de la famille pendant des mois : un solitaire de presque un carat, une montre sertie de diamants assortie à la bague, un bracelet en or avec diamants pour l'autre poignet, et une bague en or blanc incrustée de diamants et de pierres précieuses noires. Plus tard, elle compléta l'ensemble en y ajoutant un manteau et un chapeau de petit-gris.

Beaucoup d'argent partait également chez le coiffeur, pour entretenir ses ondulations, car elle ne voulait pas s'en occuper elle-même. Elle s'installait sur le porche pour se vernir les ongles des doigts et des orteils. Elle plaçait le fauteuil à bascule sur la galerie pour se bronzer à la vue de tous, mais aussi pour attirer la clientèle. Une femme maquillée et habillée avec élégance sur le porche d'une maison délabrée est une annonce publicitaire qui n'a pas besoin d'explications.

Frank Vann non seulement approuvait tout ce que Myrtle faisait, mais, en plus, il lui donnait la plus grande part de l'argent qu'il gagnait lui-même lorsqu'il travaillait, et que bien entendu elle dépensait aussitôt. Le comportement de leur mère ainsi que la passivité totale de Frank expliquent pourquoi les enfants souffraient si cruellement. La nourriture distribuée par les organisations de charité aurait été plus copieuse et de meilleure qualité que celle que ramenait Frank et il aurait pu trouver plus de travail qu'il ne le faisait Un camarade de Johnny, dont le père était également souvent au chômage, se demandait pourquoi la famille Vann n'avait pas plus à manger, jusqu'à ce qu'il se rendît compte que son père, lui, était constamment à la recherche de nourriture dans les centres d'assistance publique ou à courir pour décrocher un emploi. Frank Vann restait le plus souvent chez lui. Il aimait lire dans son fauteuil à bascule, dans le salon. Ce n'est pas qu'il ait été physiquement paresseux. Il aurait travaillé si on lui avait proposé un emploi. Lors de la crise de main-d'œuvre pendant la Seconde Guerre mondiale, Vann avait exercé deux métiers en même temps : il avait été charpentier à la base navale de Norfolk le jour et pompier la nuit. Myrtle était arrivée d'ailleurs à dépenser les deux salaires aussi rapidement qu'il les lui donnait. Mais Vann était incapable de chercher activement du travail. Il n'essaya jamais de se servir de l'éducation qu'il avait reçue pour trouver une situation dans un bureau et se contentait de travaux manuels. En juin 1960, il prit sa retraite de charpentier avec une pension d'invalidité versée par la Marine. Il semble qu'il y ait eu chez lui un véritable besoin d'être humilié que Myrtle satisfaisait pleinement.

Myrtle le maudissait parce qu'il ne trouvait pas de travail et donc ne lui donnait pas plus d'argent. Elle le ridiculisait avec ses relations de passage. Elle le traitait comme un domestique, lui donnait des ordres, et il obéissait. Elle s'adressait à lui en l'appelant « Vann » plutôt que Frank. C'était une pratique assez commune dans le Sud que l'épouse appelle son mari par son nom de famille, mais le ton qu'elle employait faisait toute la différence. Dorothy Lee, leur fille, avait tendance à faire des cauchemars et à souffrir de crampes aux jambes. Si elle réveillait sa mère pendant la nuit, Myrtle criait : « Vann, lève-toi et va voir ce qu'elle a. » Elle ne soignait jamais ses enfants lorsqu'ils étaient malades. Frank Vann, en revanche, était un infirmier attentionné. Il prenait les bouteilles de whisky vides de sa femme, les remplissait d'eau chaude, les entourait d'un torchon, et les plaçait près des jambes de sa fille pour soulager ses crampes. Les enfants craignaient les crises de colère de leur mère, et leurs termes orduriers. Frank restait silencieux lorsqu'elle l'injuriait. Son silence aggravait encore la colère de Myrtle. Sa voix devenait de plus en plus aiguë et son langage de plus en plus vulgaire tandis qu'elle essayait de le provoquer à réagir. Il ne se défendait que rarement. Une fois, il prit une hachette et la somma en hurlant de quitter la maison sur-le-champ. Elle sortit, mais revint quelques jours plus tard, et la vie commune reprit. Apparemment, Myrtle renforçait le contrôle qu'elle exerçait sur lui en le laissant lui faire l'amour de temps à autre.

La passivité de Frank Vann rendit Johnny et ses sœurs encore plus vulnérables à la cruauté de Myrtle. Les enfants de Vann n'eurent jamais d'arbre de Noël. Une année, la semaine qui suivit les fêtes, Frank Junior et Gene trouvèrent un sapin dans une allée où une autre famille l'avait jeté. Ils le traînèrent jusque chez eux, décidés à le monter dans le salon. Sur les branches et parmi les aiguilles de pin se trouvaient encore des débris de guirlandes argentées. Myrtle surprit les garçons lorsqu'ils étaient en train d'essayer de dresser l'arbre ; elle leur donna l'ordre en hurlant de le rejeter dans l'allée. Le matin de Noël, les garçons des autres familles chahutaient dans la rue en jouant avec leurs pistolets neufs, habillés dans leurs costumes de cow-boy. Les filles étaient fières de leurs nouvelles poupées. Chez les Vann, ce jour de fête se réduisait à quatre bas de laine que Frank accrochait au-dessus du poêle, chacun contenant une pomme, une orange, des noix et quelques bonbons. Ce ne fut qu'à la fin des années trente, lorsque Frank travaillait plus régulièrement, qu'il put offrir à ses fils un costume de cow-boy et à sa fille une poupée.

Pour la fête de Thanksgiving, les Vann n'eurent jamais la dinde traditionnelle. S'ils avaient de la chance, Myrtle leur faisait un gâteau. Elle pouvait en faire de très bons lorsqu'elle prenait la peine d'en acheter les ingrédients et elle savait les recouvrir d'une crème au chocolat épaisse. Elle ne fit jamais de gâteau d'anniversaire, parce qu'on n'en célébrait aucun. Dorothy Lee fut l'exception une seule fois, alors qu'elle avait la scarlatine. Miss Landsladder, l'assistante sociale, vint la voir, en apportant un petit gâteau en chocolat sur lequel elle avait placé une bougie allumée.

La cruauté de Myrtle était soudaine et brutale. Elle giflait vite et fort sur la joue et contre la tête pour la moindre hésitation à exécuter un de ses ordres ou pour une remarque insolente. Mais elle n'était pas entièrement consciente de sa propre cruauté. Son égoïsme était si absolu qu'il l'empêchait de comprendre ce qu'elle infligeait aux autres. Son orgueil était si grand qu'elle acheta un appareil Kodak pour se faire photographier dans ses plus beaux vêtements. Elle prit aussi des clichés de ses enfants en guenilles, de la maison délabrée et crasseuse, de son fils Gene avec ses jambes déformées, puis dans le plâtre qu'il porta pendant un an après la deuxième opération. Myrtle colla toutes ces images dans des albums de photos qu'elle montra sans gêne aucune tout au long de sa vie. Son égoïsme l'empêchait également d'éprouver le moindre sentiment de honte à l'égard de son commerce. Être payée par ses clients lui donnait l'impression d'être jeune et désirable.

« Les hommes me disent que j'ai les plus belles jambes de toute la ville de Norfolk », disait-elle d'une voix gaie à sa fille.

La honte était souvent plus difficile à supporter pour ses enfants que la privation. Les quartiers d'ouvriers blancs de Norfolk dans les années 1930 ne ressemblaient pas aux taudis urbains qu'allaient devenir les villes du Nord ruinées après la Seconde Guerre mondiale. Ce n'étaient pas encore ces hauts lieux du crime ou de la perversion, où beaucoup des enfants n'avaient pas de père et dont les sœurs ou les mères se prostituaient. A Norfolk, la plupart des pères de famille buvaient sec. Les vendredis et samedis soir, les enfants se rassemblaient pour regarder les bagarres devant les bars. On trouvait aussi des femmes qui buvaient, qui se battaient bruyamment avec leur mari et se dévoyaient dans d'autres lits, comme leurs conjoints. Néanmoins, ces quartiers pauvres et sales de Norfolk étaient composés de familles. Ils étaient sûrs. Le viol, l'agression et autres crimes des rues y étaient rares. Presque personne ne fermait sa porte à clé la nuit. Il y subsistait une hiérarchie sociale. Quelques gens de classe moyenne avaient choisi d'y rester plutôt que d'émigrer vers de meilleurs quartiers. On les respectait, et ils dirigeaient les activités de l'Église et de la municipalité. Le divorce n'était pas rare. Le plus souvent, les deux membres d'un couple divorcé se remariaient. Même les femmes dont la réputation était douteuse prenaient au sérieux leur rôle d'épouse et de mère entre deux cuites. Elles s'occupaient de leur intérieur, de leur mari et de leurs enfants. Myrtle était l'exception. A Norfolk, dans les années trente, le terme sudiste de « petit Blanc pauvre », ne s'appliquait pas à une famille simplement pour des raisons financières. L'expression péjorative impliquait un mode de vie plutôt qu'un salaire. Les enfants de Myrtle, par sa faute, étaient de vrais petits Blancs pauvres, des déchets de la société.

Pour Johnny, le fardeau de la honte était deux fois plus lourd parce qu'il était illégitime. Comme Myrtle n'essayait même pas de dissimuler les circonstances de sa conception, il présumait que les gens qu'il connaissait étaient au courant de ses origines. La classe ouvrière de la ville de Norfolk avait apporté avec elle les valeurs morales de la culture traditionnelle du Sud rural. Être un enfant illégitime équivalait à ne pas avoir de famille, c'est-à-dire à n'être rien. Le certificat de naissance de Johnny indiquait John Paul LeGay. Mais ce marin français lui était totalement étranger. Johnny désirait porter un véritable nom, être membre d'une vraie famille, avoir un vrai papa. N'importe quelle famille, n'importe quel père aurait mieux valu que rien du tout. Il voulait s'appeler John Paul Vann.

Sa mère ne lui permit jamais d'échapper à la disgrâce de sa naissance. Frank Vann aurait sans doute, dès son mariage avec Myrtle, adopté Johnny, alors qu'il avait quatre ans et demi, si elle ne l'en avait empêché. Frank faisait preuve de la même gentillesse à l'égard du fils de Myrtle que de ses propres enfants, considérait Johnny comme son fils, jamais comme son beau-fils, et insistait toujours pour que Dorothy Lee, Frank Junior, et Gene l'appellent leur frère. Bien que le rejet soit le contraire de l'amour, il provoque souvent des réactions comparables par leur ampleur et leur force. Il semble que le fait d'avoir été rejetée par Spry ait poussé Myrtle à empêcher tout autre homme de revendiquer, en lui donnant son nom, cet « enfant de l'amour », la seule chose qui restât de sa liaison. Elle ne cessait d'interdire à Frank Vann de s'occuper de l'éducation de son Johnny.

« Il n'est pas à toi, lui disait-elle. C'est mon fils. Ce n'est pas le tien. »

Cet autre besoin que Myrtle éprouvait de s'attaquer à la virilité de ses hommes, en les ridiculisant par son comportement sexuel, lui révéla du même coup à quel point son fils était sensible sur la question de sa naissance. Myrtle utilisa cet argument comme une arme supplémentaire pour mieux l'atteindre et le blesser. Johnny allait lui en fournir à maintes reprises l'occasion, car il n'abandonnait jamais le sujet, demandant sans cesse à sa mère d'autoriser Frank Vann à l'adopter. « Frank est le seul père que j'aie jamais eu, et Vann est le seul nom que je veuille porter », lui disait-il. Myrtle alors pointait le doigt vers Vann d'un air méprisant : « Lui n'est pas ton papa, répondait-elle. Ton nom, c'est pas Vann. Tu n'as pas de père. »

C'est vrai qu'il n'en avait pas. Myrtle avait raison. Johnny aimait bien Frank Vann, malgré ses faiblesses, car il était toujours gentil avec lui. Mais il n'aurait jamais pu être un véritable père. S'il en avait été capable, il aurait trouvé un moyen quelconque pour nourrir et habiller ses enfants, aurait payé le loyer ; il aurait maté Myrtle ou l'aurait fichue à la porte. L'ambivalence qu'éprouvait Johnny à son égard se révélait dans la façon dont il en parlait. En famille, il s'adressait à lui comme « papa ». Avec ses cousins et les gens qui ne faisaient pas partie de la famille, il l'appelait « Vann ». Il n'avait personne à qui demander ce soutien qu'un père est censé fournir.

Spry, son géniteur, se trouvait encore à Norfolk à cette époque-là, mais il ne fut d'aucun secours. Il avait abandonné son emploi de conducteur de tramway vers la fin des années vingt et, pour gagner plus d'argent, s'était lancé dans le trafic d'alcool de contrebande durant la prohibition. Il avait également divorcé de sa première femme. Lorsque sa distillerie clandestine de whisky fut découverte par la police et qu'il passa six mois en prison, il comprit qu'il n'était pas fait pour ce métier. Il tomba amoureux d'une autre jeune femme, l'épousa et tempéra son goût du jeu et des jupons pour ne pas ruiner ce second mariage. Vers la fin des années trente, Spry avait obtenu un travail régulier comme conducteur d'un camion de boulangerie et avait eu trois fils avec sa nouvelle femme. Il fut un bon père pour ses enfants. Les exigences financières de cette seconde famille, ajoutées à l'argent consacré au jeu et aux femmes qu'il se permettait encore occasionnellement, ne lui laissèrent ni assez de revenus ni assez de temps pour les deux enfants de son premier mariage, pas plus que pour l'illégitime. De temps à autre, John Paul venait lui demander de l'argent pour acheter de la nourriture, et Spry lui en donnait. En quelques rares occasions, Spry permit à Johnny de gagner quelques sous en l'aidant avec le camion. A part cela, il le laissa survivre comme il pouvait avec Frank Vann et Myrtle.

Quelque chose dans le caractère de Johnny empêcha Myrtle de détruire son fils. Il disait à ses instituteurs si souvent et avec tant d'insistance qu'il s'appelait John Vann et non John LeGay que, à la fin, on trouva un compromis et on l'inscrivit à l'école comme John LeGay Vann. Son dynamisme se révéla dans l'enthousiasme qu'il témoignait pour les activités sportives comme le basket-ball, la course et, en particulier, l'acrobatie qu'il avait dû hériter de Spry, un homme si fort et si agile qu'il pouvait faire des tractions avec un seul bras et marcher sur les mains. Johnny amusait sa sœur et ses frères en faisant la roue le long des chemins de terre et en montant et descendant l'escalier sur les mains. Il émerveillait ses cousins en sautant du toit de la galerie sur le sol avec un saut périlleux arrière.

Johnny recherchait n'importe qui pour l'aider à s'évader de la prison de sa vie familiale. Il trouva un capitaine excentrique de l'Armée du Salut, ancien chef de fanfare dans la Marine, très apprécié par les enfants du quartier. Il préférait ne pas revêtir l'uniforme bleu et rouge foncé de son organisation religieuse et portait plutôt un costume fantaisie et voyant surmonté d'un chapeau mou à la Al Capone. Il avait créé un club de basket-ball pour éviter que les garçons pauvres ne traînent dans les rues avec les risques que cela comportait. Sa meilleure équipe gagna le championnat de la YMCA[1] Junior League de Norfolk, avec cinq victoires consécutives. Le journal local, le *Virginian-Pilot,* publia une photographie des vainqueurs. Le plus petit joueur de l'équipe était un garçon aux cheveux blonds, le regard fixé sur la caméra. Sur son pull étaient inscrites grossièrement les lettres « SA », pour Armée du Salut. La boucle de son ceinturon d'homme était si large pour lui qu'elle sortait de travers sous son pull.

Les scouts offraient aussi une possibilité d'évasion. Johnny fut membre d'une troupe qui se rassemblait à son école, près de l'endroit où sa famille habitait lorsqu'il avait douze ans. En quatre mois, il devint adjoint du chef de patrouille qui s'arrangea pour lui trouver un uniforme d'occasion. Il posa pour l'album de photo de Myrtle à côté de sa maison, avec sur la tête le chapeau des scouts, à large bord plat, rejeté avec désinvolture derrière ses cheveux coupés court. Son regard et son sourire heureux témoignaient qu'il était trop fier de la chemise kaki et de son ample culotte de cheval pour se rendre compte que son uniforme trop large ne convenait pas à son corps fluet : trente-cinq kilos et un mètre trente-huit, comme il était indiqué sur sa carte de scout au nom de John Paul Vann.

La famille déménagea une fois de plus en automne 1937 pour s'installer cette fois à Atlantic City, dans un autre quartier ouvrier où Frank trouva une maison. Johnny avait alors treize ans et s'apprêtait à entrer au lycée pour sa première année. Ce changement lui donna l'occasion de faire la connaissance de son premier et véritable ami. Jusque-là, il semble avoir été un enfant solitaire. Le besoin de cacher tant de choses, de lutter contre la misère et la souffrance, et les déménagements fréquents l'avaient empêché de nouer des amitiés, en dehors de celle qu'il entretenait avec ses frères et ses cousins. L'enfance et le caractère de ce premier ami étaient très différents de ceux de John. Devenu adulte, il allait se contenter d'une brève carrière dans la police

---

1. *Young Men's Christian Association,* organisation de jeunesse d'origine protestante.

de Norfolk, puis dans une entreprise de climatisation en Floride. Plus jeune que Vann de six mois, il s'appelait Edward Crutchfield, mais tout le monde l'appelait Gene, diminutif de son second prénom, Eugene. Ils se rencontrèrent un jour par hasard dans la rue. Plusieurs raisons expliquaient cette amitié : Crutchfield ne connaissait rien de Vann ni de son entourage lorsqu'ils se rencontrèrent et il vivait dans une vraie famille, à la différence de Vann ; les deux garçons n'étaient pas en concurrence pour les activités sportives, car Crutchfield était plus costaud et jouait au base-ball ; ils n'avaient aucun motif d'affrontement et, enfin, Crutchfield savait écouter.

Crutchfield appelait son ami John plutôt que Johnny, car il s'était présenté comme John Vann et préférait qu'on l'appelle par son véritable prénom. Au fur et à mesure de leurs rencontres, Crutchfield remarqua que, bien que John se lavât et fût toujours propre, il portait pratiquement les mêmes vêtements tous les jours. Apparemment, il n'en avait pas d'autres. Ses chaussures n'étaient pas celles qu'un garçon aurait choisies de lui-même, et elles avaient l'air d'être d'occasion. D'autre part, Crutchfield pensa que, pour un garçon en si bonne condition physique, il paraissait très maigre. Peu de temps après leur première rencontre, la mère de Crutchfield donna deux pommes à son fils. Gene en offrit une à John, qui le remercia et engloutit le fruit comme s'il avait peur qu'il ne disparaisse. Gene était fier de son foyer, surtout de sa mère, et il voyait que John était impressionné. Les Crutchfield étaient une des rares familles ouvrières d'Atlantic City à posséder une maison au lieu de la louer. La mère de Gene faisait preuve d'une grande force de caractère et assumait avec affection son rôle de mère de famille. Elle essayait de servir un dîner plus raffiné lorsqu'un de ses enfants invitait un ami à la maison, ce qui fut le cas lorsque Gene invita pour la première fois John chez eux.

Les deux garçons prirent l'habitude de jouer dans les entrepôts à bois d'Atlantic City lorsque l'endroit était désert, car John pouvait y exécuter ses acrobaties sur les tas de sciure. Crutchfield était fasciné par l'énergie que déployait son ami pour essayer de parvenir à la perfection des sauts périlleux et autres mouvements de gymnastique, qu'il répétait en vue des compétitions scolaires. John grimpait jusqu'au sommet du tas de sciure pour se jeter en l'air, tout en tournant sur lui-même. Dès qu'il avait repris contact avec le sol, il remontait encore pour recommencer sans cesse.

Un jour, tard dans l'après-midi, les garçons aperçurent une voiture garée dans une allée étroite de l'entrepôt, dissimulée derrière les ateliers et les tas de planches de bois. La plaque d'immatriculation portait les lettres MD, ce qui signifiait que la voiture appartenait à un médecin. Les secousses du véhicule laissaient présumer qu'à l'intérieur un couple était en train de faire l'amour. Gene et John s'approchèrent doucement pour mieux voir ce qui se passait. Tandis qu'ils levaient lentement la tête le long de la portière pour regarder à travers la vitre, ils furent tous deux surpris. C'était Myrtle, en compagnie d'un client que John ne connaissait pas. Les garçons s'éloignèrent discrètement. John ne put dissimuler à quel point il était troublé par ce qu'il venait de voir. Son ami savait qui était la femme, car John l'avait invité chez lui quelques jours auparavant et l'avait présentée à Myrtle. John avait fait comme si elle était le même genre de femme que Mme Crutchfield. Il avait également présenté Frank Vann à son ami, lui faisant croire qu'il entretenait la même relation de fils à père avec lui que Gene avec le sien. Crutchfield avait remarqué à quel point la maison était minable, mais John avait dissimulé autant qu'il pouvait la réalité en n'invitant pas son ami à dîner chez lui.

Après cette humiliation dans l'entrepôt à bois, John cessa de mentir et se confia à Gene.

« Pourquoi est-ce que je ne peux pas avoir une bonne mère comme la tienne, Gene ? lui demanda-t-il un jour.

— Je suis navré, John, je ne sais que dire, répondit Crutchfield.

— J'apprécie beaucoup ton amitié, dit John. Vraiment beaucoup. » Crutchfield aurait voulu aider John, mais il ne savait que faire.

Un autre jour, les deux garçons marchaient dans l'allée qui longeait la maison de John lorsque celui-ci s'arrêta devant une bouteille de whisky vide que Myrtle avait jetée. Il donna un coup de pied dedans.

« Il y aurait un peu plus à manger chez nous si elle ne dépensait pas l'argent là-dedans », dit John. Il expliqua que Frank Vann remettait à Myrtle presque tout l'argent qu'il gagnait. Il méprisait Frank pour sa faiblesse. La colère monta, et il donna un autre coup de pied dans la bouteille.

« Elle n'a jamais voulu de moi, de toute façon », dit-il.

Chaque fois que John avait le cafard, Crutchfield entendait la même phrase. Vann ne lui avoua jamais son illégitimité, mais son ami l'apprit d'un cousin qui connaissait l'histoire de Spry et de Myrtle, et s'expliqua mieux ensuite les paroles de John.

Crutchfield commença à comprendre pourquoi John exécutait des sauts périlleux arrière avec autant d'énergie. C'était une façon d'extérioriser la colère que Myrtle lui inspirait. D'autres garçons sentaient aussi cette violence. Ils ricanaient dans le dos de Myrtle « qui s'envoyait des hommes », mais jamais devant John. Ils avaient peur de le provoquer, car il avait la réputation d'être un bagarreur redoutable qu'on n'arrivait pas à frapper. Les batailles auxquelles Crutchfield assista ne duraient jamais bien longtemps. Parfois, un garçon qui ne connaissait pas John essayait de tester sa réputation. L'adversaire ne parvenait jamais à l'atteindre, car John esquivait toujours pour cogner aussitôt après. L'autre recommençait pour ne trouver que le vide, paniquait et se débattait en vain, tandis que les coups de John tombaient sur lui comme de la grêle. Il avait la technique pour le faire tomber d'un croc-en-jambe et l'achever pendant sa chute. Crutchfield était émerveillé de la vitesse de ses réflexes. John semblait sentir le danger. Les garçons qui connaissaient la famille Vann attribuaient la rapidité de John à son entraînement pour esquiver les coups de sa mère.

A l'occasion d'une rixe, John l'emporta sur un adversaire plus grand que lui. Quelques jours plus tard, les deux amis se promenaient lorsque le rancunier caché sortit brusquement d'un renfoncement du mur que longeait John. La surprise était telle que l'attaquant ne pouvait pas le manquer. Mais John sauta de côté, lui fit un croc-en-jambe et le frappa violemment pendant sa chute.

« Espèce de sale con, tu n'apprendras donc jamais ? » cria John à son adversaire par terre.

John ne provoquait pas de bagarres. Tout en étant autoritaire, il voulait se faire accepter par ses camarades. Il n'aimait relever le défi que lorsque l'adversaire était plus grand que lui ou qu'un gros bras s'était attaqué à un de ses frères. Si quelqu'un menaçait son frère, ou Gene, John allait à sa recherche et lui cassait la gueule si un avertissement n'avait pas suffi. Un de ces gros bras, qui avait reçu une raclée de John, se lia d'amitié avec ses frères par la suite et devint leur protecteur. Crutchfield ne vit jamais John se faire battre dans un combat, ni perdre confiance à l'avance.

« Il ne me fait pas peur », disait John à propos d'un adversaire, chaque fois qu'une bagarre menaçait d'éclater dans la cour de l'école ou dans le quartier où il habitait.

John se livrait à un jeu qui terrifiait Crutchfield. Il courait jusqu'au milieu de la rue pour sauter juste devant une voiture qui approchait, pour mettre au défi le chauffeur de freiner brusquement pour ne pas le renverser. Avant que le conducteur ait eu le temps de l'injurier, Johnny était déjà de l'autre côté de la rue.

« Arrête, John, tu vas te faire écraser », cria Crutchfield lorsqu'il assista à ce spectacle pour la première fois.

John éclata de rire.

« C'est marrant », lui cria-t-il de l'autre côté de la rue. En retraversant pour rejoindre Crutchfield, John bondit juste devant un autobus. Il préférait jouer avec des camions et des autobus, parce qu'ils étaient plus gros.

Un soir d'automne 1938, alors qu'ils étaient liés d'amitié depuis un an, Gene vint chercher John chez lui. Il l'attendait sur la galerie. Crutchfield entendit la voix de Myrtle dans la maison hurlant des obscénités à l'adresse de Frank Vann.

« Fichons le camp d'ici, dit John. Elle fout le bordel. »

John confia à Crutchfield qu'il était désespéré. Il ne supportait plus de vivre chez lui. Il ne savait que faire. Une fugue semblait être la seule possibilité. Crutchfield le connaissait assez pour savoir que John en était capable, mais que, après cela, personne ne pourrait prévoir ce qui lui arriverait. Et même s'il restait, pensa Crutchfield, toute la colère qui montait en lui à cause de Myrtle finirait par exploser tôt ou tard, et le pousserait à commettre des actes qui se retourneraient inévitablement contre lui et créeraient des problèmes avec la police. Un jeune pasteur avait pris la direction de l'Église méthodiste à laquelle Crutchfield et sa famille appartenaient. Avec son énergie et ses idées, il avait resserré les liens de toute la congrégation. Crutchfield emmena John pour le rencontrer.

Garland Evans Hopkins, le pasteur, mélange subtil de charisme et de contradictions, allait devenir aux yeux de John l'image la plus proche qu'il se faisait du père. Hopkins était, du côté maternel, issu d'une de ces vieilles familles de Virginie, riches en ancêtres, mais pauvres en argent. Il se considérait comme un champion des opprimés. Il devait atteindre une renommée douteuse avant de mourir brutalement, vingt-sept ans plus tard. L'Église méthodiste l'envoya en Palestine en 1947 pour faire un rapport sur le conflit qui opposait les Arabes palestiniens et les Juifs sionistes lors de la création de l'État d'Israël. Hopkins revint de son séjour convaincu que les victimes de l'Holocauste prenaient leur revanche sur les Arabes de Palestine. Il se fit l'avocat des droits du peuple palestinien à une époque où il était de bon ton de ne sympathiser qu'avec Israël ; il organisa et prit la tête de la première grande association pour la défense de leur cause et pour favoriser les relations avec les États arabes : les « Amis américains du Moyen-Orient », clandestinement financée par la CIA.

Hopkins était âgé de vingt-quatre ans en 1938 lorsque Gene Crutchfield lui fit rencontrer John. Il dirigeait la fondation LeKies, l'Église méthodiste dans la banlieue d'Atlantic City. Il avait pris la direction de la paroisse l'année précédente et portait pour se vieillir une moustache qui, avec ses lunettes à monture d'écaille, ajoutait un peu de distinction à son allure et à sa taille plutôt banales. Le père et le grand-père de Hopkins avaient, eux aussi, été pasteurs méthodistes, mais ce n'était pas pour respecter la tradition que Hopkins avait abandonné ses études de droit pour suivre la voie religieuse. Il avait été attiré par les idéaux sociaux qui étaient alors en vogue dans l'Église méthodiste de Virginie, et qu'on considère aujourd'hui comme acquis dans la société américaine : alimentation et protection sociale pour les enfants nécessiteux, soins médicaux gratuits pour les pauvres et les personnes âgées, droit des travailleurs à appartenir à un syndicat, salaire minimum, droit de grève et fin de la discrimination raciale. En Virginie, où Hopkins avait grandi, ces idées étaient considérées comme nouvelles et « libérales », voire même extrémistes en matière de conditions de travail et de problèmes raciaux.

Parmi les déshérités, la Dépression avait favorisé une attitude plus ouverte à l'égard des réformes. Les congrégations religieuses en milieu ouvrier étaient heureuses d'avoir un pasteur « progressiste ». Le thème des sermons de Hopkins ne fut pas la seule innovation qui rendit Hopkins si populaire. Son dynamisme imprégnait tous les aspects de la vie de l'Église, et Hopkins menait tout cela de front. La chorale s'améliora grâce à ses talents de musicien. Comme l'Église n'avait pas alors de patrouille de scouts, Hopkins en créa une, dont il était le chef, emmena les garçons faire du camping et les initia au secourisme. Pendant les veillées autour du feu de camp, Hopkins racontait de terrifiantes histoires de fantômes. Les garçons avaient autant d'enthousiasme pour Hopkins que leurs parents.

D'après Crutchfield, Vann, alors âgé de quatorze ans, se confia au jeune pasteur comme il ne l'avait encore jamais osé auparavant. Gene avait été frappé par l'intelligence avec laquelle John avait compris la nature des rapports entre Myrtle et Frank Vann, et son désir de s'en libérer. Un autre garçon confronté aux mêmes problèmes n'aurait pas su reconnaître avec autant de lucidité la source de ses conflits. Hopkins comprit que Vann était un garçon qui, non seulement voulait être sauvé, mais encore qu'il eût été navrant de perdre. Dans une lettre écrite peu de temps après leur rencontre, Hopkins raconta que Vann était un « garçon particulièrement brillant ». Il accueillit Vann dans sa congrégation en lui faisant déclarer sa foi chrétienne, en compagnie de onze autres jeunes gens. Hopkins persuada Vann également de faire partie de la troupe de scouts de LeKies.

Jusqu'à ce qu'il réussisse, grâce à Hopkins, à se libérer complètement de Myrtle, John fit preuve pendant un certain temps d'instabilité. Dans son état d'émotivité marquée de hauts et de bas, il lui arrivait d'aller pendant une semaine aux réunions de scouts et de s'absenter la semaine suivante avec une excuse absurde. Les conseils de Hopkins lui redonnèrent du courage, en particulier lorsqu'il lui fit entrevoir la possibilité d'aller dans une école méthodiste l'automne suivant s'il réussissait son année scolaire au lycée de Norfolk. Ses prouesses athlétiques l'aidèrent également à surmonter ses difficultés. Au printemps de l'année 1939, Vann gagna le premier prix dans sa catégorie aux compétitions sportives de son lycée pour les épreuves de course et d'acrobatie. Myrtle garda précieusement la coupe en or qu'il remporta. Elle commençait à être fière de son fils aîné. Elle en fit pour son album une photographie sous laquelle Vann inscrivit avec fierté « Mon trophée ».

En automne, Hopkins devint son bon génie. Il n'eut qu'à lever le doigt pour qu'un riche négociant en fruits de mer de Norfolk, qui finançait généreusement l'Église parce qu'il croyait en l'efficacité de son action, conduise le garçon dans la boutique de vêtements la plus prestigieuse de la ville. John en ressortit avec une veste de sport, un pantalon, des chaussures, des chemises, des cravates, et un pull-over. Hopkins leva le doigt une seconde fois et le même homme d'affaires signa un chèque représentant le montant d'une bourse au lycée de Ferrum, en Virginie, géré par l'Église méthodiste et fondé avant la Première Guerre mondiale pour l'éducation des enfants de cette région montagneuse. La prospérité due à la guerre qui avait redonné vie aux États du Sud et doté Norfolk d'un système d'éducation public qui accueillait les enfants pauvres comme John Vann, avait également permis à l'Église méthodiste de Virginie de transformer Ferrum en un lycée. A la mi-septembre 1939, deux semaines après l'invasion de la Pologne par Hitler, Vann entra à Ferrum.

Les quatre années qu'il y passa furent les premières bonnes années de sa vie. De temps en temps, il se laissait aller à la déprime, ce qui se traduisait par de mauvaises notes. Mais en général il était heureux, parce qu'il vivait dans un monde qui lui donnait l'espoir d'échapper à son passé et d'accéder à une vie honorable et accomplie.

L'établissement était situé dans une cuvette entre les collines, entourée de superbes forêts de chênes et d'érables. Les bâtiments des salles de classe et des dortoirs étaient en brique rouge, dans le style des constructions classiques de Géorgie. John occupait une chambre chauffée en hiver ; les draps de son lit étaient propres ; il mangeait des œufs au petit déjeuner et buvait du lait avec du pain frais et du beurre, il y avait de la viande et des légumes à chaque repas.

Si les différences sociales au lycée de Norfolk avaient donné à John un sentiment d'infériorité, il n'en était pas de même à Ferrum. La plupart des trente-cinq autres jeunes de sa classe bénéficiaient d'une bourse et venaient de petits villages éloignés de Virginie et de Caroline du Nord. Chaque élève effectuait quinze heures de travaux par semaine, pour réduire les frais d'entretien et d'administration de l'école, et le nombre d'employés : ils faisaient eux-mêmes la cuisine, servaient à table, s'occupaient du ménage, lavaient le linge, travaillaient dans les bureaux et à la ferme qui assurait l'essentiel du ravitaillement de l'école ; ils trayaient les vaches, nourrissaient les poulets et nettoyaient la litière des étables. Vann fut au début affecté à la blanchisserie jusqu'à ce que la conseillère pédagogique découvre qu'il aimait diriger et qu'il pouvait enseigner. Elle lui confia le poste d'assistant enseignant dans une petite école élémentaire d'un hameau voisin dont Ferrum s'occupait pour les enfants de la région.

Le bonheur que John éprouvait se voyait dans son comportement. Le Johnny Vann que ses professeurs et ses camarades de classe de Ferrum connaissaient n'était plus celui que Crutchfield avait rencontré à Norfolk. Il était maintenant comme la corde d'un arc qu'on aurait détendue. Le proviseur le décrivit comme ayant une « personnalité attachante... très aimable... se liant facilement... un individu complet ». Ses camarades de classe se souviennent à quel point il était amusant, toujours prêt à plaisanter. Une des filles se souvient de son sourire narquois lorsqu'il la taquinait au sujet d'un garçon qu'elle fréquentait. John ne laissa rien deviner de ce qu'il avait vécu auparavant. Il ne parlait jamais de sa famille et, lorsqu'il rentrait de vacances, il ne disait rien de la façon dont il les avait passées.

Chez lui, rien n'avait changé. En fait, la situation avait empiré. Myrtle s'était entichée d'un chauffeur de taxi alcoolique et dépensait tout son argent et celui de Frank pour ce nouvel ami, l'installant même à la maison durant de longues périodes en envoyant Frank Vann dormir dans une autre chambre. John était immunisé contre sa mère par la perspective de sa fuite chaque automne, et il trouvait à s'occuper pendant tout l'été. Johnny Spry avait maintenant un emploi qui lui permettait de faire gagner un peu d'argent de poche à John ; chef du service des livraisons de la boulangerie, il le fit embaucher comme aide sur les camions. John et son père naturel devinrent de bons amis.

Hopkins s'assura que l'homme d'affaires qui avait offert la bourse d'études à Vann continuait à renouveler sa garde-robe chaque septembre. En 1940, lors du premier été que John passa chez lui, Hopkins lui donna des cours particuliers en histoire de l'Europe et en littérature anglaise pour qu'il puisse sauter une classe. Il s'était procuré le programme de Ferrum pour faire travailler John et lui faire passer son examen au presbytère, près de l'église de LeKies, où il demeurait avec sa famille. Il accorda de très bonnes notes à son protégé, et certifia dans une lettre à Ferrum que John avait réussi dans les deux matières principales, avec un 19 en histoire et un 18 en anglais.

Vann fut diplômé de Ferrum en juin 1941 et entra au collège à l'automne.

En juin 1942, deux semaines avant que John n'eût dix-huit ans, Myrtle autorisa enfin Frank Vann à l'adopter. Ainsi, John Paul LeGay devint John Paul Vann par décision du tribunal de Norfolk. John avait averti sa mère que si elle s'opposait à cette procédure d'adoption, il changerait de lui-même son nom à sa majorité. Myrtle était devenue maintenant assez fière de son fils pour accéder à sa demande. Elle raconta à sa sœur Mollie que c'était elle qui avait obtenu la bourse d'études pour Ferrum. Vingt-huit ans plus tard, le fils de Myrtle dut faire mention de son adoption sur un formulaire officiel. Il en falsifia la date exacte et la fit remonter à dix ans plus tôt, en 1932.

John ne voulut pas achever ses études au collège après l'attaque par les Japonais de Pearl Harbor en décembre 1941, mais il semble que Garland Hopkins l'ait persuadé de le faire. John voulait aller se battre tout de suite Il ne connaissait personne qui eût regretté que les Japonais aient donné une raison aux États-Unis d'entrer en guerre. Dans cette région du pays, on ne ressentait pas cette volonté d'isolationnisme qui avait forcé Woodrow Wilson à ne participer que tardivement à la Première Guerre mondiale, et qui avait fait manœuvrer Franklin Roosevelt pour que le Japon prenne cette fois-ci l'initiative de l'attaque sans se rendre compte qu'ils frapperaient aussi près que Hawaii. Bien que la plupart des Américains fussent contre l'entrée en guerre, cet « isolationnisme » n'était pas l'illustration de la recommandation de George Washington de ne pas se mêler des querelles de l'Europe, comme le prétendaient la plupart des historiens. C'était plutôt un facteur ethnique qui intervenait dans la politique étrangère américaine : la résistance venait des immigrés allemands qui se souvenaient de leur mère patrie comme du pays du progrès sous l'autorité du Kaiser, et des Irlandais d'origine qui haïssaient la Grande-Bretagne. Ils étaient particulièrement nombreux dans les villes du Nord-Est, dont avait besoin Roosevelt. Le souvenir de la révolution de cinq ans qui avait vengé des siècles de lutte et donné à l'Irlande du Sud son indépendance après la Première Guerre mondiale était encore vivant dans leur mémoire. Leurs hommes politiques protestaient violemment contre la perspective d'aller verser du sang américain une seconde fois pour sauver l'Empire britannique.

En Virginie, avec sa population de souche anglaise, la sympathie à l'égard de l'Angleterre avait été le sentiment dominant bien avant que les bombardiers de la Marine japonaise ne mettent tout le monde d'accord. La voix de Winston Churchill, retransmise par ce nouveau miracle qu'était la radio, ameutait son peuple et s'adressait au-delà des mers à tous les hommes libres de toutes origines qui comprenaient la menace d'un tel conflit pour la civilisation. Les habitants de Virginie éprouvaient plus que de l'émotion. La conscience de leurs racines dans l'ancienne mère patrie accentua leur sentimentalité et affirma leur parenté avec la Grande-Bretagne, cette île illuminée par l'espoir, qui résistait face au continent obscurci par la barbarie nazie.

Samuel Vaughan Wilson, qui devait se trouver plus tard au Vietnam en même temps que Vann, avait grandi dans une famille qui avait cultivé le tabac et le maïs dans les terres rouges de Virginie depuis le XVIII⁰ siècle. Un jour de juin 1940, à la ferme, Wilson entendit à la radio le discours que Churchill prononça devant le Parlement. Les Anglais s'attendaient à l'invasion alors que leur armée avait tout abandonné, à l'exception des armes légères, pour échapper aux divisions de Panzer de Hitler au cours de l'épique retraite de Dunkerque. Les parasites des ondes courtes amplifiaient les paroles dramatiques et la majesté rauque de la voix : « Nous nous battrons sur les plages, nous nous battrons sur les terrains d'atterrissage, nous nous battrons dans les champs et dans les rues... Jamais nous ne capitulerons. »

L'unité régionale de la Garde nationale de Virginie se réunissait tous les lundis soir dans une salle d'entraînement du village de Farmville à dix kilomètres de la maison de Wilson. Le lundi qui suivit le discours de Churchill, Wilson, qui devait plus tard se battre en Birmanie, participer à la guerre du Vietnam, et prendre sa retraite de l'armée américaine avec le grade de général de corps d'armée, fit dix kilomètres à pied, sous la pluie battante et par les chemins de terre boueux, pour aller s'engager.

La Dépression avait aussi préparé la population de Virginie à une guerre. Après douze années de famine, les gens étaient aussi cafardeux qu'affamés. La guerre balaya l'ennui et la misère. Même les plus humbles, qui, jusque-là, n'avaient pu travailler qu'épisodiquement, gagnaient à présent beaucoup d'argent en participant à une cause sacrée. Au début de l'année 1942, Frank Vann obtint son premier poste stable depuis douze ans comme charpentier pour la construction de la plus importante base d'entraînement de véhicules amphibies du pays, à Norfolk, sur le bord de mer. Personne n'aurait souhaité déclencher une guerre pour gagner de l'argent, mais le hasard voulut que la prospérité vint de la participation aux guerres étrangères. Qui aurait pu se plaindre en voyant que la fontaine d'où coulait l'argent était en train de jaillir comme un geyser après être restée tarie pendant tant d'années ?

Pendant ses vacances de l'été 1942, John Vann servit des sandwichs et des boissons pour la source d'abondance de sa tante Mollie. Queenie, la grand-mère de John, avait été très fière de sa réussite financière en exploitant sa pension à l'époque de la prospérité de la Première Guerre mondiale. Mollie était plus fière encore de faire mieux que sa mère. Elle avait rencontré un ancien ami, lors d'une brève visite à Norfolk, au printemps 1942. Il était devenu entrepreneur, responsable d'une partie de la construction de la base en cours à Little Creek. Il lui demanda combien elle gagnait par semaine en travaillant comme hôtesse au salon de thé de l'hôtel Menger. Elle le lui dit.

« Bon Dieu, dit-il, tu pourrais en gagner autant en une heure si tu venais à Norfolk installer une cantine pour mes hommes. » Il expliqua qu'il n'existait aucun endroit où les ouvriers puissent se procurer des sandwichs et des boissons pour déjeuner.

« Eh bien, je vais essayer », déclara Mollie.

Le lendemain matin, elle acheta de la charcuterie, du pain et des tartes et prépara des sandwichs. A midi, elle se rendit à la base et vendit tout si rapidement qu'elle avait à peine le temps de servir ceux qui se pressaient autour de sa voiture et d'encaisser l'argent. Son ami avait raison. De retour à la ville, Mollie compta la recette et calcula qu'elle avait fait un bénéfice de 38 dollars. Elle téléphona à New York au beau maître d'hôtel italien, Terzo Tosolini, pour qui elle avait divorcé de son premier mari, et lui dit qu'il allait devoir s'occuper des deux enfants de son premier mariage (les cousins de Vann, Joseph et Melvin Raby) pendant qu'elle restait à Norfolk quelques semaines pour tenter sa chance.

Le lendemain, Mollie multiplia par deux le nombre de sandwichs et de tartes, et doubla son profit du même coup. L'entrepreneur fit transformer par ses menuisiers un vieil abri de pêcheur en salle de cantine, avec un grand comptoir pour les Blancs et, à l'arrière, un petit guichet pour les « gens de couleur ». Mollie vendait des sandwichs, des tartes, des boissons, du lait, des cigarettes et autres bricoles. Elle utilisait des barils de deux cents litres remplis d'eau et de glace pour garder le lait et les boissons au frais. Dès qu'une baraque de cantonnement était terminée, les marins et les Marines s'y installaient et venaient, eux aussi, se ravitailler à sa cantine. Elle servit jusqu'à deux cent cinquante litres de lait par jour. Elle devait travailler si vite qu'elle empochait les billets de banque en vrac et n'avait pas le temps de les déplier avant son retour à Norfolk le soir.

« J'avais pas de caisse enregistreuse, se souvient-elle, trente-trois ans plus tard. Juste une boîte de cigares pour la monnaie avec les billets dessous. Mes mains étaient toutes mouillées à force de prendre les boissons et le lait des barils, parce qu'on n'avait pas de frigo, et qu' ça allait très vite. Les billets étaient si mouillés que j'les fourrais dans mes poches, et j'en avais un paquet quand j'rentrais à la maison, ça je vous le dis ! J'aimerais pas me promener dans les rues avec autant de fric aujourd'hui. »

De temps en temps, Mollie se rendait à New York pour passer un week-end avec Tosolini et ses fils, roulant de nuit à bord de sa Buick, pour arriver à l'aube, avec entre 6 000 et 7 000 dollars en billets épinglés dans ses sous-vêtements. Elle cachait l'argent dans une maison de Jackson Heights qu'elle avait achetée à crédit avec Tosolini quand les temps étaient durs. Son ami l'entrepreneur (celui dont elle disait « Il m'a affranchie ! ») lui avait expliqué : « Ne mets pas trop d'argent à la banque. » Cela aurait attiré l'attention du fisc.

Dix-huit mois plus tard, la Marine décida d'ouvrir un P. Ex. [1], et l'amiral ordonna à Mollie de fermer son établissement. Elle refusa et il dut envoyer les garde-côtes pour s'en charger. Mais Mollie avait si souvent palpé les matelas de billets sous ses vêtements lors de ses voyages à New York qu'elle s'estimait satisfaite. Elle investit son argent dans un petit restaurant de Jackson Heights. Avec Tosolini, elle vendit leur maison et en acheta une autre à Long Island. C'était une grande demeure comme celles qu'on voit dans le Sud et que seuls les patrons d'usine pouvaient se payer à l'époque où Mollie, juchée sur sa caisse, aidait sa mère à coudre des caleçons.

Vers la fin de l'année 1942, au milieu de sa deuxième année de collège à

---

1. P. Ex. : Post Exchange, magasin polyvalent réservé aux militaires.

Ferrum, Vann décida qu'il ne pouvait plus attendre. Certains de ses camarades de classe étaient déjà partis à la guerre. Ils estimaient que le pays était en danger et qu'ils ne pouvaient pas tarder plus longtemps. Ceux qui avaient dix-huit ans, l'âge de la conscription, comme Vann en 1942, et qui ne portaient toujours pas l'uniforme, commençaient à en avoir honte. Vann avait attendu pour rejoindre les rangs de l'armée parce qu'il voulait être pilote-bombardier et Hopkins l'avait apparemment convaincu que ses chances d'être sélectionné seraient meilleures s'il terminait ses études avant de s'inscrire.

Devenir un paladin des airs était un rêve que Vann partageait avec beaucoup de jeunes gens de sa génération. Les figures légendaires de la Première Guerre mondiale avaient été les aviateurs, et ils étaient également les images romantiques de ce nouveau conflit. Vann les voyait dans les actualités, au cinéma : ces héros immortels de la Royal Air Force, avec leur écharpe blanche et leur blouson en peau de mouton, montant dans leur Spitfire pour rabattre le caquet de l'arrogante Luftwaffe. Piloter signifiait se battre parmi l'élite. Mais la fascination que Vann ressentait allait au-delà de l'image d'un engouement populaire. Mollie voyait dans ce désir cette même recherche de liberté que Vann exprimait en faisant le saut périlleux du haut du toit de la galerie. Lorsqu'il gagnait quelques sous, il ne les dépensait pas en nourriture, mais s'achetait un modèle réduit d'avion en kit. Il taillait les diverses pièces de bois léger et les collait, suivant soigneusement les instructions pour le peindre de la couleur et avec les emblèmes d'origine d'un des avions rudimentaires dans lesquels les héros aviateurs de la Première Guerre mondiale s'étaient battus en duel. Ses modèles avaient été les seuls jouets qu'il n'ait pas partagés avec Frank Jr et Gene.

Son rêve était de devenir un de ces pilotes souriants, les pouces pointés vers le ciel, qu'il voyait aux actualités tandis que les moteurs de leur appareil rugissaient sur les ponts des porte-avions, pour s'élever au-dessus de l'océan Pacifique et affronter les chasseurs japonais Zeros. Il rentra chez lui pour les vacances de Noël, en 1942, avec une lettre de recommandation du président de Ferrum destinée aux forces aériennes de la Marine. John semble avoir été déçu par la réponse qu'il reçut du bureau de recrutement de Norfolk. Il retourna à Ferrum pour continuer ses études, afin que le collège fasse l'exception habituelle en ce temps de guerre et lui comptabilise deux années complètes même s'il partait avant la fin pour rejoindre les forces armées. Au mois de mars, il prit le train pour Richmond et alla voir l'agent recruteur de l'aviation de l'armée. Cette fois-ci, la réponse ne fut pas décourageante. Il y avait trop de héros potentiels pour que l'armée fasse des promesses, mais John serait un excellent candidat pour l'École de l'air. Peut-être pour fournir une excuse à Myrtle, qui craignait qu'il ne se fasse tuer et qui le poussait à trouver un travail civil qui lui donnerait droit à un sursis, John se laissa incorporer, mais à la condition d'être affecté dans l'aviation.

Tôt dans la matinée du 10 mars 1943, John reprit le train de Richmond pour passer la visite médicale. Il était âgé alors de dix-huit ans et huit mois. Les documents militaires indiquent que John Vann mesurait un mètre soixante-huit et pesait cinquante-six kilos. Un médecin signala : « teint roux ». John fit la queue pendant des heures avec d'autres garçons qui, comme lui, n'étaient vêtus que de leur caleçon, pour répondre à des questions concernant leur santé et leur goût pour l'alcool ; lire des lettres de différentes tailles pour la vue ; se pencher pour qu'on leur enfonce dans l'anus un doigt dans un gant de caoutchouc ; se faire piquer par une aiguille pour une prise de sang afin de déterminer leur groupe sanguin (John était A) et faire une radio pour déceler les cas de tuberculose (négatif pour John). Puis, ils se rhabillèrent et se rassemblèrent dans une grande salle pour prêter le serment d'obéissance aux ordres de leurs supérieurs. John reçut un billet de train pour retourner à Norfolk, ainsi qu'un ordre polycopié d'affectation à Camp Lee, en Virginie, une semaine plus tard. Le centre de sélection lui remit également un bon pour le billet de Norfolk jusqu'à Camp Lee. John passa la dernière semaine de sa vie civile à vendre des sandwichs et des boissons fraîches à la cantine de Mollie, en planquant les billets mouillés sous la boîte de cigares. Il aurait certainement besoin de tout l'argent qu'il pourrait gagner. En 1943, le salaire d'un fantassin de deuxième classe n'était que de 50 dollars par mois.

Arrivé à Camp Lee, il signa « Johnny Vann » sur un document dans lequel il affirmait qu'il était dans le même état physique que lorsqu'on l'avait enrôlé une semaine plus tôt. Sa jeunesse prenait fin avec le début de la vie militaire. Dorénavant, il allait signer tous les documents : « John P. Vann. »

Pendant ses cinq premiers jours à Camp Lee, l'armée frappa fort pour le déstabiliser psychologiquement et repartir à zéro afin de faciliter sa mutation de jeune homme en combattant. Il dut abandonner ses vêtements civils, y compris son linge de corps, et endosser l'uniforme kaki et vert olive de l'armée. On lui rasa la tête. Il subit une nouvelle visite médicale pour vérifier la validité du premier examen. Il fut vacciné contre la variole, la typhoïde et le tétanos.

Un sergent hurlait pour qu'ils sortent des baraques et s'alignent pour l'appel, puis, à coups de cris et d'injures, les faisait défiler en formation jusqu'au réfectoire, et où qu'ils aillent. L'armée s'intéressa aussi aux capacités intellectuelles de chacun. John et ses camarades passèrent une série de tests d'aptitude pour que l'armée puisse utiliser au mieux leurs compétences et il obtint 19 pour le pilotage avec la mention : « Qualifié pour être nommé élève aviateur ». Le secrétaire nota aussi que John avait suivi l'exposé sur la moralité sexuelle le lendemain de son arrivée à Camp Lee.

Malgré sa bonne note obtenue au test d'aptitude de pilotage et le rapport que le centre de recrutement de Norfolk avait joint à son dossier en signalant qu'il s'engageait dans l'aviation, le chemin qui restait à parcourir pour parvenir au poste de pilotage était long. John découvrit ce qui l'attendait si son vœu n'était pas réalisé : Camp Lee était le principal centre d'entraînement de l'intendance militaire de la Seconde Guerre mondiale. John y fut affecté au corps de service de l'armée, avec la perspective de réparer les jeeps et les camions jusqu'à la fin de la guerre. Le 22 mars 1943, il fut expédié au dépôt d'Atlanta pour y faire ses classes, puis on lui fit suivre les cours d'initiation à la mécanique automobile.

Vann écrivit une lettre à Ferrum pour demander d'autres lettres de recommandation, et refit une demande d'affectation à l'école de pilotage. Grâce à ces lettres et à sa nouvelle candidature, il comparut devant les officiers du Centre de formation aérienne d'Atlanta. La conseillère pédagogique, qui lui avait obtenu un poste d'assistant enseignant, déclara devant la commission qu'elle escomptait « les plus remarquables résultats » de John Vann. « Je m'attends à ce qu'il aille au-delà de ses tâches réglementaires habituelles », devait-elle écrire dans son rapport.

Le 19 juin 1943, environ trois mois après son arrivée à Atlanta, le soldat de deuxième classe John P. Vann, de la 3037ᵉ compagnie d'intendance mécanique, 139ᵉ bataillon, reçut une lettre du sous-lieutenant, secrétaire de la commission du Centre de formation aérienne.

« Nous avons le plaisir de vous informer que vous avez satisfait tous les examens nécessaires à l'admission au camp d'entraînement de l'Armée de l'air », disait-il dans la lettre. Il informa également Vann qu'il serait muté prochainement.

Pour l'armée, « prochainement » signifiait un mois à Atlanta et deux mois encore dans un centre d'observation à Miami Beach, avant que John n'obtienne ce qu'il désirait : l'ordre de rejoindre le 51ᵉ détachement d'entraînement de l'Aviation à Rochester dans l'État de New York. Le Centre était installé dans les bâtiments de l'Institut de commerce, où on enseignait aux novices les bases théoriques de l'aviation. Ceux qui réussissaient cette première étape recevaient ensuite une instruction plus détaillée et une véritable formation d'entraînement au pilotage.

Vann arriva à Rochester le 18 septembre 1943 et réussit dès le début très bien. Ses instructeurs reconnurent tout de suite en lui les capacités d'un meneur d'hommes, capable d'être un des élèves-officiers du détachement. En juin, il reçut son diplôme de Ferrum et le bulletin de la classe 1943 sur lequel, avec la photographie de chaque élève, figurait une citation. A côté de la photographie d'un John Vann souriant, on pouvait lire :

> Intelligent, lucide — ceux de même qualité
> Seront les apôtres de la liberté.

Ils se rencontrèrent dans un salon de thé le dimanche avant Noël 1943. Il était environ 3 heures de l'après-midi. Mary Jane et son amie Nancy s'y rendaient régulièrement pour prendre une glace après le cinéma. En jeunes filles bien élevées, elles s'installèrent dans un box à deux. Il était en face avec cinq camarades élèves-officiers. Elle l'entendit commander une tarte aux pommes, qu'on ne servait pas à cet endroit, mais qui était une des spécialités culinaires de la mère de Mary Jane. Puis il se tourna vers elle et entama la conversation. Il lui dit qu'il l'avait remarquée un samedi après-midi précédent sur le trottoir, tandis qu'il défilait à la tête de son unité.

357

Bien qu'elle se souvînt aussitôt de lui, car elle aussi l'avait remarqué, elle garda un instant le silence. Jusque-là, elle n'avait encore jamais répondu à ce genre d'interpellation en public par un étranger. Elle avait seize ans et finissait sa dernière année au lycée. L'accent nasillard de Virginie ne lui était pas désagréable, mais ce n'était pas la seule particularité qui le distinguât des autres garçons de son école avec qui elle sortait. Ses cheveux blonds étaient peignés en arrière à la mode de l'époque. Son uniforme vert foncé d'élève-officier avait belle allure avec les petites ailes en argent sur les revers de sa veste et, cousu sur la manche gauche, l'écusson rond des aviateurs représentant une aile et une hélice.

Il souriait et se penchait en avant en parlant. Elle eut le sentiment qu'il connaissait mieux les femmes qu'elle les hommes. Il représentait ce qu'avec ses amies elles auraient appelé un « jeune loup ». Mais tout ce dont on lui avait dit de se méfier chez un homme lui plaisait en lui. Elle viola la promesse qu'elle avait faite à sa mère et lui répondit qu'en effet, c'était bien elle sur le trottoir l'autre samedi et que, maintenant, elle le reconnaissait. Elle oublia le reste de la conversation, sauf qu'il lui demanda un rendez-vous. Elle refusa. Sa mère, dit-elle, ne lui permettait pas de sortir avec des étrangers.

L'après-midi suivant il se rendit au grand magasin où elle travaillait à l'époque à mi-temps, comme vendeuse, après ses cours. Il prit le prétexte d'un achat pour l'inviter à nouveau à sortir avec lui. Elle ne pouvait pas accepter, lui répondit-elle, mais sa mère le lui permettrait peut-être s'il rencontrait ses parents. Pourquoi ne viendrait-il pas pour le réveillon, en emmenant un camarade pour son amie? lui proposa-t-elle. En réponse, elle vit sur son visage ce sourire qu'elle aimait tant. Où habitait-elle et à quelle heure fallait-il venir?

Il arriva à l'heure dite accompagné d'un ami. Il impressionna ses parents par sa politesse et par la franchise et les connaissances avec lesquelles il répondit à leurs questions sur l'entraînement des élèves-officiers, à la différence des autres jeunes de dix-neuf ans qu'ils connaissaient. La mère de Mary Jane lui servit au dessert la tarte aux pommes que sa fille lui avait demandée. Après le dîner, les parents laissèrent les quatre jeunes gens s'occuper de la décoration du sapin. Ils parlèrent, rirent beaucoup et flirtèrent un peu. Au moment du départ, il dit à la mère de Mary Jane qu'il venait de passer le meilleur réveillon de Noël de sa vie. La sœur aînée de Mary Jane se proposa de raccompagner les garçons jusqu'à leur hôtel. Il flirta encore un peu avec Mary Jane dans la voiture.

Ils ne se revirent pas pendant plus d'un an. Il avait terminé ses cours d'entraînement à Rochester et passa le jour de Noël dans le train qui l'emmenait au Centre de formation de Nashville, dans le Tennessee. Il téléphona à Mary Jane le matin même pour lui dire au revoir. Au téléphone, il l'appela « chérie » et lui dit des mots tendres. A Nashville, il prit son baptême de l'air dans un petit Piper Cub de liaison. Il lui envoya une lettre d'amour avec une photographie de lui où il posait comme la figure légendaire qu'il espérait un jour devenir : il se tenait à côté de l'avion, avec son blouson en peau de mouton, son parachute par-derrière et la main droite gantée sur une entretoise de l'appareil. Sa casquette était plantée de travers sur sa tête et ses cheveux ondulaient sur son front. Il signa la photographie comme il avait signé la lettre : « Love, Johnny. »

La réponse de Mary Jane ne fut pas pour le décourager, et leur romance s'épanouit tandis qu'ils échangeaient lettres et photographies durant les mois qui suivirent. Pour elle, il représentait la vitalité impulsive, l'enthousiasme, l'aventure qu'elle n'avait jamais connus au cours de sa vie équilibrée et stable. Pour lui, elle n'était pas seulement physiquement attirante, elle représentait le monde bourgeois de respectabilité, d'amour familial, d'ignorance de la honte dont il avait rêvé en se promenant dans les quartiers riches de Norfolk et en s'émerveillant devant les belles maisons, convaincu que la vie qu'on menait à l'intérieur devait être aussi merveilleuse que les façades.

Elle s'appelait Mary Jane Allen. Elle avait connu tout ce dont il avait été privé, comme une petite fille modèle. Justus Smith Allen, son père, avait une situation modeste, mais honorable, à Rochester. Il était premier greffier de la ville et secrétaire de l'association des juristes. Sa famille était originaire du Maine, et prétendait descendre de Ethan Allen du Vermont, qui avait libéré le fort Ticonderoga lors de la Révolution américaine. Justus Allen, que sa femme et ses amis appelaient « Jess », était d'un abord agréable, petit de taille et trapu, d'un tempérament calme, sans manquer pour cela d'énergie. Il portait un gilet avec ses costumes et des lunettes sans monture, et ses cheveux étaient séparés par une raie. Il rentrait tous les soirs à cinq heures et demie précises pour lire son journal avant de dîner.

La mère de Mary Jane s'appelait Mary Andrews, et était la fille de Solomon et Catherine Eleck, des immigrés roumains qui s'étaient assimilés rapidement à la vie américaine en changeant leur nom de famille et en se convertissant au culte presbytérien. Ils habitaient Gary, dans l'État de West Virginie, une ville minière au sud-est de l'État où Solomon travaillait à la mine. Lorsque sa fille, Mary, avait eu onze ans, il s'était installé à Detroit où il avait été embauché à la chaîne de montage de l'usine Ford. Mary fit la connaissance de Jess un après-midi du mois de juin dans un parc de jeux des environs de Detroit. Comme sa fille, Mary n'avait que seize ans lorsqu'elle rencontra l'homme de sa vie. Il en avait vingt-sept et travaillait à l'époque comme sténographe à la General Motors. C'est probablement en raison de ses origines d'immigrée que Mary Andrews éprouvait une passion pour la rigueur des protestants et la sainteté du mariage et de la famille. En automne, après leur mariage, Mary et Jess s'installèrent à Rochester lorsque Jess, après son emploi à la General Motors, trouva un poste vacant de greffier de justice. Il pensait que ce métier serait plus intéressant en même temps que plus stable.

Jess avait doublement raison. La folie criminelle des hommes et les procès en justice étaient indépendants de la crise économique. La stabilité de sa situation protégea sa famille de la misère dont des millions d'autres souffrirent dans tout le pays après 1929. Alors que Mary Jane était encore à l'école primaire et que la Dépression était à son comble, la famille Allen déménagea de leur modeste pavillon de banlieue pour s'installer dans une maison spacieuse en ville. Les services municipaux de Rochester veillaient à l'entretien des trottoirs et des arbres qui bordaient l'avenue Elmdorf, et les rues du quartier. La maison des Allen, comme celle de leurs voisins, se dressait derrière des buissons taillés, au bout d'une large pelouse. Elle n'avait rien à voir avec les baraques sordides du Sud : haute d'un étage, elle était peinte en blanc sur toute la hauteur du rez-de-chaussée avec des tuiles vertes au premier étage. La galerie le long de la façade, aussi agréable dans la journée que le soir, était protégée du soleil et de la pluie par un store, et meublée de fauteuils à bascule. Jess entretenait la pelouse et planta des arbustes le long du garage à deux voitures où il rangeait sa Chrysler et remisait ses outils de jardin.

Il y avait quatre chambres à coucher au premier étage, et un balcon ouvert où l'on pouvait dormir en été. La salle à manger du rez-de-chaussée aux poutres apparentes s'ouvrait sur des baies vitrées, et était ornée au centre d'un lustre. Jess aménagea la cave en salle de jeu avec un phonographe à manivelle et une table de ping-pong. Bien qu'il ne fasse pas trop chaud en été à Rochester, la famille louait tous les ans, pour les mois de juillet et août, un bungalow au bord du lac Conesus, au nord de l'État de New York, à une heure de route de Rochester. A la fin juin, Mary Allen y amenait les enfants, et Jess venait en voiture chaque week-end, puis pour passer ses vacances d'été.

Les Allen n'avaient que deux enfants, qui eurent ainsi chacun sa chambre, avec une chambre d'amis disponible. Mary Jane, leur seconde fille, naquit le 11 août 1927. Elle n'était pas sotte, mais manquait de curiosité intellectuelle pour être une excellente élève. Ses intérêts étaient plutôt domestiques et traditionnellement féminins : jouer avec des poupées, coudre et s'occuper du ménage.

Petite fille, Mary était tout sucre et miel, sourires, cheveux bouclés, révérences et petites robes à la mode. Shirley Temple était alors l'enfant vedette et le public de l'époque imitait les stars de cinéma plus ingénument qu'il ne le fait aujourd'hui. Toutes les petites filles voulaient ressembler à Shirley Temple. Celles qui avaient la chance d'avoir une mère assez patiente pour leur friser les cheveux portaient la coiffure à bouclettes que Temple avait rendue populaire. Mais peu d'entre elles avaient, en plus des bouclettes, le charme de la jeune actrice pour être choisies comme mannequin dans les magasins de Rochester. Mary Jane l'avait et, le 23 avril 1934, pour le sixième anniversaire de Shirley Temple, Mary Jane et huit autres mannequins miniatures défilèrent au magasin McCurdy en portant des « copies exactes des robes qui avaient été faites pour Shirley Temple elle-même ».

« Ce défilé de mode enfantine fut passionnément suivi par cinq cents mères de famille », écrivit le journal local, *Rochester Times-Union*, dans un article illustré par une photographie de Mary Jane, les yeux écarquillés. Pour le septième anniversaire de Shirley Temple, Mary Jane fut à nouveau mannequin au magasin B. Forman, et figura en photo dans le journal *Rochester Journal-American,* souriante et fronçant le nez comme elle le faisait souvent lorsque quelque chose l'amusait. Cette fois, elle portait un gigantesque nœud dans ses cheveux bruns. Lorsque l'Église presbytérienne Westminster, dont la famille Allen était membre, monta un spectacle pour Noël, c'est tout naturellement Mary Jane Allen qui fut choisie pour jouer le rôle de la Vierge Marie.

Mary Jane fut élevée dans le respect des valeurs de la famille, de l'Église et de la patrie, qu'elle ne remit jamais en question. Sa grand-mère paternelle exerça dans ce domaine une forte influence sur elle. Elles semblaient avoir d'ailleurs des points communs. Chaque fois que la grand-mère, une petite femme pâle, rendait visite aux Allen dans la maison de Rochester ou à celle du lac, en été, Mary Jane voulait passer tout son temps avec elle. La vieille dame lui apprit à coudre, à tricoter, à faire du crochet, et lui racontait des histoires de son passé. Deux de ses dix enfants étaient morts pendant une épidémie de grippe, et Jess était encore tout jeune lorsqu'il perdit son père. Il n'y avait pas beaucoup d'argent à la maison et la grand-mère avait eu beaucoup de mal à élever sa famille. Elle était fière de ce qu'elle avait accompli et de ce qu'étaient devenus Jess et ses sept frères et sœurs. Une femme, disait-elle à Mary Jane, devait placer son orgueil dans son rôle de mère. S'il revient à l'homme de subvenir aux besoins, élever la famille est la responsabilité de la femme. Pendant les périodes difficiles, une mère devait se sacrifier pour ses enfants, les garder avec elle et suivre leur éducation jusqu'à l'âge adulte. Si une femme fait son devoir de mère, elle accomplit également son devoir envers Dieu et son pays car, disait-elle, sans la famille, ni l'Église ni la patrie ne pourraient exister.

Mary Jane avait commencé à préparer son trousseau pour le mariage dont elle rêvait avant même de rencontrer John Vann, dès qu'elle avait eu cet emploi à mi-temps au magasin Sibley. Elle avait acheté des nappes, des serviettes, de jolis cendriers, et autres babioles. Sa mère ne s'y opposa jamais, car Mary Jane avait un bon goût inné. Après sa rencontre avec John, le problème de savoir qui serait l'homme de sa vie se trouva réglé. A l'exception du bal qui suivit la cérémonie de la remise de diplômes, où elle se rendit en compagnie d'un garçon de sa classe qu'elle connaissait depuis l'enfance, Mary Jane ne fréquenta personne pendant les seize mois qui s'écoulèrent jusqu'à ce qu'elle revoie John. C'était tellement romantique d'être amoureuse d'un soldat qui combattait, ou qui s'y préparait, dans une guerre qui devait sauver le monde. Il ne se passait pas de semaine sans qu'une photo d'une « mariée de guerre » ne paraisse dans la rubrique mondaine des journaux de Rochester. La cérémonie de remise de diplômes fut imprégnée de cet esprit. Un des étudiants lut son essai, « Ce pour quoi je me bats ». Une étudiante lut également sa thèse : « Mains jointes au-dessus de la mer. » Une autre chanta *La Prière des enfants britanniques*.

Au centre d'affectation de Nashville dans le Tennessee, Vann avait eu la chance d'être sélectionné pour l'entraînement de pilote, bien qu'il eût obtenu lors des tests d'aptitude de meilleurs résultats comme bombardier et navigateur. Il passa l'hiver, le printemps et l'été 1944 à sillonner le Sud du pays, se rendant d'un centre d'entraînement à un autre. A Bainbridge, en

Géorgie, John effectua son premier vol en solo après huit à dix heures d'instruction seulement. Ensuite, il se rendit à Maxwell, dans l'Alabama, où il apprit à voler en formation. Enfin, il rejoignit l'École supérieure de l'air à Dorr Field, en Floride.

Son exubérance et son amour de la liberté en vol, qui au début l'avaient entraîné vers l'aviation, l'empêchèrent de réaliser son rêve d'être pilote. Un jour du mois d'août, il se livra à des acrobaties aériennes à bord de son avion d'entraînement. Comme punition, il fut renvoyé de l'École. En termes officiels, on dissimula la nature exacte de sa faute : « Radié de l'entraînement en raison de défaillances graves. » Découragé par cette sanction de sa stupidité, il mentit à son petit frère, Gene, qui l'idolâtrait, et lui affirma que les chirurgiens de l'Armée de l'air avaient décelé une tache sur un poumon à la suite de la tuberculose dont il avait été affecté dans son enfance. (John devait révéler la vérité à Mary Jane quelques années plus tard.) Ses instructeurs, cependant, avaient remarqué son comportement exemplaire (il avait reçu la médaille de Bonne Conduite à Maxwell) et le recommandèrent à l'École de navigation de San Marcos au Texas. John y fut muté en octobre, diplômé en janvier 1945, et reçut à la mi-février ses ailes de navigateur avec le grade de sous-lieutenant.

John envoya à Mary Jane une photo de lui dans son nouvel uniforme d'officier : un blouson court serré à la taille que l'on appelait le blouson Ike, car c'était la tenue préférée du général Eisenhower. Il se détachait sur une toile peinte de ciel et de nuages. Il avait écrasé les bords de sa casquette pour avoir l'air baroudeur, mis une main sur la hanche et, la tête de côté, regardait au loin, vers son destin. Il écrivit au dos : « Je te le jure, chérie, c'est le type qui a fait cette photo dans une foire à quatre sous qui m'a *forcé* à prendre cette pose — en regardant le lointain des cieux agités — et Dieu seul sait pourquoi. »

John téléphona à Mary Jane au mois d'avril. Il avait obtenu une courte permission avant d'être muté à Lincoln, dans le Nebraska, et il venait la voir pour la première fois depuis le dîner du réveillon. Après plusieurs correspondances d'avions, il arriva à Rochester le 12 avril 1945. Mary Jane se souvient de la date, parce que c'était le jour de la mort de Franklin Roosevelt et le début de la présidence de Harry Truman. John et Mary Jane se rendirent ensemble en ville où il lui acheta une bague de fiançailles. Il ne la demanda pas en mariage et elle n'en parla pas avant d'avoir la bague. Il était simplement sous-entendu entre eux qu'ils se marieraient.

La mère de Mary Jane les força à attendre encore deux ans. Ce jeune homme, qu'ils n'avaient pourtant pas vu longtemps, avait fait bonne impression sur les Allen, mais ils voulaient en savoir plus avant de lui donner leur fille. La mère accordait une telle importance à la famille qu'elle voulait également savoir si celle de John lui conviendrait. Elle souhaitait aussi que sa fille reçoive une meilleure éducation qu'elle n'en avait eue elle-même, c'est-à-dire qu'elle aille au moins deux ans à l'université avant de se marier. Après la fin des études secondaires, en 1944, Mary Jane avait suivi des cours de secrétariat dans une école de commerce où elle avait appris à taper à la machine, puis avait trouvé un emploi de secrétaire. Sa mère avait mis de l'argent de côté pour que Mary Jane puisse entrer à l'université de Rochester dès l'automne 1945.

Pour la première fois de sa vie, Mary Jane se rebella. John lui téléphona cet été-là depuis le Nouveau-Mexique, où on l'avait envoyé pour un entraînement spécialisé de navigation-radar à bord d'une Super-Forteresse B-29, le plus gros des quadrimoteurs bombardiers de la Seconde Guerre mondiale. John lui proposa de prendre le train et de venir le rejoindre. Elle accepta aussitôt sans la permission de ses parents qui, en voyage à ce moment-là, étaient de fait injoignables. Mary Jane persuada sa sœur aînée, Doris, de lui servir de chaperon. John s'arrangea pour que les deux jeunes femmes soient hébergées dans une pension de la base aérienne et trouva un ami pour Doris. Les sœurs passèrent des moments merveilleux à nager dans la piscine et à participer à des soirées. En août, Mary Jane fit pression sur sa mère pour qu'elle annonce ses fiançailles. Le faire-part parut le samedi 18 août 1945 dans l'édition du soir du *Rochester Times-Union,* avec une photographie d'elle.

En septembre, John téléphona à nouveau. Il était affecté à une escadrille de B-29 dans le Kansas. Bien que le Japon eût capitulé le 14 août, la durée de son service était prolongée pour un temps indéterminé car il n'avait pas servi à l'étranger. (A l'époque, l'armée libérait les hommes selon un système de points basé sur le temps passé outre-mer et au combat.) John pouvait prendre deux semaines de permission au début octobre et être à Rochester le 3. Ils pourraient ainsi se marier dès qu'ils auraient la licence, et Mary Jane l'accompagnerait au Kansas où ils s'installeraient dans un appartement situé à proximité de la base. Mary Jane répondit aussitôt oui. Elle demanda à sa mère si elle accepterait de consacrer à son mariage l'argent qu'elle avait mis de côté pour l'université. Sa mère souleva des objections, mais Mary Jane lui annonça que si elle refusait qu'elle épouse John à Rochester, elle prendrait le train pour le Kansas et se marierait à la base aérienne. A dix-huit ans, Mary Jane n'avait plus besoin de l'autorisation de ses parents, et John avait alors vingt et un ans. Sa mère prétexta qu'ils seraient pris de court et qu'ils n'auraient pas le temps de s'organiser correctement. Mary Jane répondit qu'il faudrait faire pour le mieux. Sa mère finit par accepter car elle n'avait pas le choix. La cérémonie fut fixée au 6 octobre, un samedi après-midi comme le veut la tradition pour que les amis puissent y assister. Mary Jane téléphona à John pour lui communiquer la date choisie. Il y serait bien à temps, lui répondit-il.

John fut si impressionné par les faire-part, imprimés en caractères gothiques, qu'il donna à Mary Jane une liste de personnes qui ne pourraient pas assister à la cérémonie, mais à qui il voulait tout de même les envoyer par fierté. L'un d'entre eux était son sauveur, Garland Hopkins, alors aumônier militaire dans le Sud-Est asiatique. Trois membres de sa famille vinrent au mariage : sa tante Mollie avec son fils aîné, Joe Raby, à qui John demanda d'être son garçon d'honneur, et Myrtle. John ne voulait pas soulever les soupçons des Allen en n'invitant personne de sa famille et il inventa une excuse pour Frank Vann, qui était obligé de rester à Norfolk par manque d'argent.

John donna carrément des instructions à sa tante Mollie : « Je te confie maman. Tu la tiens à l'œil et tu fais attention à ce qu'elle ne boive pas. » Il craignait que l'alcool ne libère sa méchanceté. « Elle se mettait à raconter n'importe quoi quand elle se soûlait », se souvient Mollie. « Elle aurait pu très bien dire : " Vous savez, son vrai nom n'est pas Vann... " C'était le genre de chose qu'elle pouvait lâcher avec un verre de trop. »

Mollie l'empêcha de se soûler ; mais la vanité de Myrtle provoqua une petite crise. Elle avait pris le train depuis Norfolk jusqu'à New York, puis était venue en voiture avec Mollie et Joe Raby jusqu'à Rochester, la veille de la cérémonie. Mary Allen insista pour que Myrtle et Mollie s'installent chez eux tandis que John et Joe passeraient la nuit à l'hôtel. Le lendemain après-midi, alors que Myrtle, Mollie et Mary Allen allaient en voiture à l'église pour la cérémonie fixée à 4 heures et demie, Myrtle s'aperçut que son bas avait filé.

« Je n'y vais pas, dit-elle à Mollie. Mon bas est déchiré.

— Faut que tu viennes, répondit Mollie. On peut plus trouver de bas à cette heure-ci. Le mariage va avoir lieu. Tout le monde y est. Faut y aller.

— Je n'entrerai pas dans l'église avec un bas filé, insista Myrtle.

— Mais personne ne s'en apercevra. Tout le monde regardera la mariée et personne ne va faire attention à toi. »

Myrtle n'en démordit pas.

« Ne vous inquiétez pas, madame Vann. On vous trouvera des bas quelque part, intervint Mary Allen. Soyez tranquille. »

Personne ne se souvient comment Mary Allen réussit à s'en procurer, s'ils s'arrêtèrent à un magasin ou si elle rentra chez elle pour en chercher. Toujours est-il que Myrtle put se changer rapidement avant d'entrer dans l'église.

C'est John qui retarda la cérémonie d'une demi-heure. Il se perdit en route dans la voiture de Mollie, avec Joe Raby. La chapelle de Divinity School de Colgate-Rochester, une construction de style néo-gothique, avait un charme romantique et c'est pourquoi, comme beaucoup de mariées de Rochester, Mary Jane l'avait choisie plutôt que l'église à laquelle elle appartenait. L'organisatrice de la cérémonie engagée par les Allen pour s'occuper de tous les détails du mariage (fleurs, robe, etc.) commença à croire que Mary Jane venait de se faire poser un lapin et faillit perdre son sang-froid. Le pasteur presbytérien de l'église des Allen, qui officiait, calma les invités sans parvenir à se calmer lui-même en leur annonçant qu'il faudrait attendre un peu parce que le marié avait été retardé. Mary Jane se souvient qu'elle semblait être la seule à ne pas s'inquiéter. Elle était convaincue que John et elle étaient faits l'un pour l'autre, qu'il viendrait et qu'il l'épouserait. Mais, pour un étranger, la chapelle en dehors de la ville n'était pas facile à trouver. Vann ne connaissait que le centre de Rochester, et la répétition de la cérémonie, la veille, avait eu lieu à Westminster, l'église des Allen. John demanda son chemin à un motard de la police, et c'est ainsi que le marié arriva à la chapelle, en retard, mais spectaculairement annoncé par une sirène de police.

Malgré la précipitation que leur avait imposée leur futur gendre, les Allen offrirent à leur fille un mariage qui ne ressemblait en rien à ce qui se serait passé à Norfolk ou à Atlantic City. L'autel était illuminé par des candélabres, avec deux énormes vases de glaïeuls roses et blancs sur un fond de branches de palmier. Mary Jane portait une robe de satin blanc à manches longues, qu'elle avait choisie à la boutique de mariage de Sibley. Son décolleté en pointe était orné d'un collier de perles. Sa jupe se prolongeait en une longue traîne avec un voile tenu par une couronne de fleurs d'oranger. Doris, sa demoiselle d'honneur, était en taffetas rose. Trois amies de Mary Jane l'accompagnaient avec des bouquets de roses, de marguerites, et de gueules-de-loup. Jess Allen, en costume croisé de cérémonie avec une cravate rayée argent et un œillet à la boutonnière, conduisit sa fille à l'autel.

Les soldats, dans l'assistance, donnaient à la cérémonie une ambiance de Seconde Guerre mondiale, car le conflit était toujours présent, malgré la capitulation du Japon. John était très élégant dans son uniforme d'officier, cette tenue qu'on appelait « rose et vert » : veste longue vert foncé avec ceinturon et pantalon d'une teinte contrastée beige rosé. Mary Jane remarqua que John était nerveux pendant la cérémonie, ainsi qu'au cours de la réception qui suivit, où ils coupèrent l'imposant gâteau de mariage. Les photos, prises par un professionnel engagé par les Allen, laissent deviner le malaise de John. Peut-être était-il intimidé par le cérémonial bourgeois avec fleurs et satin, et préoccupé de savoir si Mollie arriverait à contrôler Myrtle. Mais les photos révèlent aussi un jeune homme très heureux, conscient de la récompense que représentait cette jeune femme. Mary Jane en valait la peine. C'était une très belle mariée. Son rouge à lèvres rouge foncé, comme c'était à la mode dans les années quarante, soulignait sa bouche aux lèvres symétriques ainsi que ses jolies dents régulières. Sa chevelure brune ondulée mettait en valeur ses yeux noisette dont les reflets s'accordaient à sa robe de satin.

John Vann avait beaucoup appris après deux ans et demi d'armée, et surtout qu'il était un autre homme dès qu'il revêtait son uniforme. Dans cette tenue, il n'était plus le petit Johnny Vann ou LeGay ou n'importe quel nom, le bâtard de cette bambocheuse, Myrtle, généralement vautrée au bout du comptoir d'un bistrot. Il était le lieutenant John Paul Vann, de l'armée des États-Unis. L'armée et la guerre l'avaient libéré, mieux encore que Ferrum, de cette maison sordide de Norfolk où il ne retournerait plus jamais. Quoi qu'il aurait pu y faire, même s'il était devenu plus riche que le milliardaire des huîtres qui lui avait acheté ses premiers vêtements décents, il n'aurait jamais pu atteindre la respectabilité qu'il ressentait comme sous-lieutenant. A Norfolk, il y aurait toujours eu quelqu'un pour se souvenir de ses racines et pour le lui rappeler. Avec cet uniforme, c'était impossible. Aussi longtemps qu'il le porterait, il ne serait en rien différent des gens convenables.

La meilleure preuve en était cette femme qu'il venait d'épouser. Les parents de Mary Jane l'avaient accepté parce qu'il était officier. Jamais ils n'auraient consenti à une telle union s'ils avaient pu voir ce qui se cachait derrière l'uniforme, qui il était vraiment et d'où il venait. En fait, Mary Allen découvrit plus tard que la famille de John ne correspondait pas aux gens de son milieu. Mais Jess réussit à lui épargner les détails. Un jour, alors que les Allen passaient par Norfolk, Jess se rendit à la police et, grâce à ses titres professionnels, obtint toutes les informations possibles sur le compte de John et de sa famille. Il fut si bouleversé par ce qu'il apprit qu'il refusa de le dire à Mary. Apparemment, la police n'avait pas été avare de précisions sur Myrtle. Néanmoins, Jess et Mary ne tinrent jamais rigueur à John pour ses antécédents ; ils prirent plutôt le parti de l'admirer pour avoir si bien réussi à s'en sortir.

John avait l'intention d'aller encore plus loin, et il lui semblait que l'armée était l'endroit idéal pour le faire. Il avait également découvert pendant ces deux ans et demi qu'il était plus intelligent que la plupart de ses camarades, qu'il était aussi plus endurant et capable de travailler deux fois plus dur qu'eux et même trois fois s'il le fallait. Il pouvait devenir un de ces colonels redoutés avec des aigles sur les épaulettes qui détenaient un pouvoir absolu sur les hommes et les machines. Et pourquoi pas, un jour, arborer les étoiles d'un général. Il semblait difficile qu'une aventure aussi merveilleuse puisse lui arriver, mais il pouvait toujours l'espérer.

Spry avait compris ce que l'armée signifiait pour Vann. Après avoir acheté la bague de fiançailles en avril 1945, John s'était rendu à Norfolk pour une visite triomphale. Il était allé chez Spry, vêtu de son « rose et vert » pour mieux mettre en valeur ses barrettes de sous-lieutenant et ses ailes de navigateur. Spry avait été mobilisé dans les gardes-côtes pendant la Première Guerre mondiale, mais n'avait jamais dépassé le grade de marin de deuxième classe. En racontant la visite de John à un de ses fils qui était aussi dans l'armée et qui avait l'intention de revenir à Norfolk après la guerre, Spry dit : « On ne verra plus beaucoup Johnny par ici désormais. »

John n'était marié que depuis quelques mois lorsqu'il fut transféré dans l'île de Guam pour aller récupérer les B-29 de Saipan et d'autres bases du Pacifique, pour les ramener aux États-Unis et à Hawaii où ils seraient entreposés. Mary Jane retourna chez ses parents à Rochester, jusqu'à son retour. John lui écrivit de Guam au printemps 1946 pour lui dire qu'il avait décidé de poursuivre sa carrière dans l'armée et allait passer un examen pour devenir officier d'active. Il avait jusqu'à présent un statut de réserviste, si bien qu'il pouvait être démobilisé à tout moment. Il expliqua qu'il pourrait terminer ses études universitaires gratuitement, aux frais du gouvernement, et qu'il pourrait toujours donner sa démission plus tard s'il changeait d'avis.

Mary Jane était à ce moment-là enceinte de son premier enfant, Patricia. John ne lui avait pas demandé son avis avant de prendre sa décision. Elle fut d'abord surprise. La plupart des gens qu'elle connaissait n'aurait pas considéré qu'une carrière dans l'armée soit une bonne manière de gagner sa vie et d'élever une famille, mais elle estima que c'était à lui de choisir son métier et elle voulait qu'il fasse quelque chose qui lui plaise. Elle ne voyait pas en quoi une carrière militaire serait un obstacle à la vie de famille, qu'elle considérait comme l'issue naturelle du mariage. Elle pourrait s'adapter aux séparations périodiques comme elle le faisait déjà. En juillet 1946, Vann obtint son brevet d'officier dans l'armée régulière, sa première victoire sur le chemin qu'il s'était lui-même fixé.

Les qualifications universitaires sont très importantes pour un officier ambitieux. Vann obtint son affectation à l'université de Rutgers, dans le New Jersey, en automne 1946, pour suivre un programme d'études en économie de deux ans réservé aux nouveaux officiers d'active. Mary Jane fit de son mieux pour s'occuper de la famille dans une de ces petites caravanes que l'université mettait à la disposition des étudiants mariés.

En mai 1947, John annonça brusquement qu'il allait interrompre ses études et demander son transfert dans l'infanterie. L'aviation militaire, jusque-là rattachée à chacune des armées, se constituait en une force autonome, selon les termes du décret de la Sécurité nationale de 1947. Vann fit partie des rares officiers d'aviation qui choisirent de rester dans l'armée. Il devina à juste titre que les pilotes, et non les navigateurs, seraient les personnalités dominantes de l'Armée de l'air indépendante, et que les chances de promotion seraient plus grandes dans l'infanterie. Il y aurait une plus grande marge de manœuvre et la possibilité de commander des hommes sur terre constituait un défi plus excitant que de piloter des avions dans le ciel. En outre, au cas où une nouvelle guerre éclaterait, l'infanterie affronterait de plus grands risques et permettrait par conséquent à ses cadres de se distinguer et d'être plus rapidement promus.

En juin, John et Mary Jane vendirent leur première voiture, un vieux coupé Chevrolet que John avait acheté pour $200. Le moteur chauffait tout le temps, et il ne voyait pas comment il pourrait faire le long trajet qui les attendait avec sa famille. John acheta une Ford plus récente. Mary Jane plaça Patricia, âgée de huit mois, dans un berceau portatif sur le siège arrière, et la famille se mit en route pour Fort Benning, en Géorgie, où se trouvait l'École d'infanterie où John allait suivre un entraînement de trois mois pour apprendre à commander une section et à mener une compagnie au combat. John avait décidé de suivre également la formation de parachutiste pour pouvoir ensuite commander des troupes aéroportées.

Cette fois encore, il n'avait pas consulté Mary Jane et, à nouveau, elle ne s'opposa pas à sa décision. Elle ne s'était pas attendue à ce que la vie avec John fût une vie normale, mais qu'elle soit plutôt une aventure. Jusqu'à présent, tout se passait bien.

Elle fut surprise par l'odeur des poissons qui séchaient par milliers sur les claies de bois en plein air le long des quais. Elle n'avait jamais senti rien d'aussi étrange et d'aussi âcre, et elle n'avait non plus jamais vu de couleurs rouge et orange aussi éclatantes que celles du coucher de soleil de l'autre côté du port tandis que le bateau s'approchait du quai de Yokohama en avril 1949. John l'y attendait pour prendre à nouveau sa vie en charge, l'embrasser, et serrer les enfants dans ses bras. Il lui avait demandé de le rejoindre au Japon, après qu'il eut été affecté neuf mois en Corée dans les forces d'occupation américaines. A quelques exceptions près, la présence des familles de militaires était interdite en Corée, même si les autorités ne s'y attendaient pas à une guerre.

La carrière d'officier d'infanterie de Vann n'avait pas commencé sous de bons auspices. Ses instructeurs du centre d'entraînement de Fort Benning avaient été impressionnés par Vann et l'avaient recommandé pour être chef de section d'une unité de parachutistes, mais les officiers du Pentagone en avaient décidé autrement. Ils l'avaient envoyé en Corée dans les services spéciaux, c'est-à-dire responsable des clubs et des loisirs des hommes de troupe. De même, son poste au Japon n'était pas celui qu'aurait choisi un officier d'infanterie ambitieux, même si la vie y était agréable. Il était responsable des achats et des contrats au quartier général de la 25e division d'infanterie à Osaka, sur l'île de Honshu, située à trois cent soixante-dix kilomètres au sud-ouest de Tokyo. Sa tâche consistait à obtenir le ravitaillement par l'intermédiaire de l'administration japonaise au service des forces d'occupation, d'administrer les immeubles réquisitionnés et les autres bâtiments occupés par la division.

Mary Jane s'estima heureuse de ne pas avoir su à quel point le voyage allait être éprouvant, sinon, elle n'aurait probablement pas eu le courage de venir. L'armée, à la fin des années quarante, considérait que le confort était un droit réservé aux officiers, mais que le transport de sa famille était une complication inutile. Lorsque John embarqua pour la Corée, il partageait une cabine avec un autre officier. Ils passèrent leur temps à jouer au bridge et à lire. Mary Jane, en revanche, attendit trois semaines à Seattle avant de monter à bord d'un transport de troupes, le *USS Darby*, après avoir traversé l'Amérique en train avec Patricia, qui avait alors deux ans et demi, et John Allen, né le matin de Noël 1947, à l'hôpital de Fort Benning. Elle était la seule femme d'officier à faire ce voyage, ce qui ne lui conféra aucun privilège. Elle passa les trois semaines à Seattle dans une baraque dortoir en compagnie des autres femmes et enfants de soldats. Ses enfants y échappèrent à une épidémie de rougeole, mais John Allen attrapa une infection de l'oreille et une angine.

Sur le bateau, ils vivaient aussi dans un dortoir, avec plusieurs autres familles. La lourde porte d'acier des toilettes communes claquait dès que le bateau tanguait. Un enfant y perdit un doigt, et Mary Jane craignait constamment qu'un des siens ne se blesse de la même façon. Elle tenait d'une main John Allen, âgé de quatorze mois, et Patricia au bout d'une laisse. Le garçon ne cessa d'avoir de la fièvre et la diarrhée. Tout au long des quinze jours de traversée, Mary Jane passa son temps soit à l'infirmerie avec lui, soit à faire la queue pour y entrer.

La colère qu'avait ressentie Mary Jane au cours de l'épreuve disparut dès qu'elle eut la surprise de découvrir le spectacle, les odeurs et les habitants du Japon. Elle s'était attendue à trouver des petits monstres méchants et rancuniers à l'égard des Américains. Bien au contraire, elle vit une population gaie et travailleuse ; les porteurs sur le quai souriaient aux enfants en transportant les bagages jusqu'au taxi que John avait loué pour conduire la famille à la gare d'où ils prirent le train pour Osaka et leur nouvelle maison.

John les conduisit dans un paradis, situé au bas d'une colline de la banlieue sud d'Osaka. Mary Jane eut du mal à croire au début qu'elle allait être la maîtresse d'une telle demeure. Elle avait réduit ses rêves à la dimension d'une caravane, puis d'une petite maison qui avait appartenu à un pauvre fermier près de Fort Benning. Elle n'avait pas encore compris qu'être américain au Japon dans ces années d'occupation équivalait à être un demi-dieu. Un simple lieutenant avait droit à une grande habitation qu'on obtenait simplement en expulsant le propriétaire japonais. Celle-là, en fait, avait été attribuée à un officier sans enfant. Avec sa femme, il l'avait jugée trop grande et préféra la laisser à John pour en trouver une plus petite.

La maison était blanche, entourée d'un jardin et se dressait au pied d'une colline. Lorsque John en ouvrit la porte d'entrée, Mary Jane s'arrêta, frappée par cet exemple de beauté si particulier aux Japonais. Les serviteurs, privilège accordé à la femme d'un conquérant, avaient rempli un vase d'azalées, pour accueillir leur nouvelle maîtresse. Sur le mur, derrière le vase, était accrochée une toile peinte d'idéogrammes. Le rouge vif des fleurs contrastait avec le dessin à l'encre noire des caractères chinois sur le parchemin jauni.

L'intérieur de la maison était en forme de U. L'aile droite était aménagée dans le style occidental. Elle comprenait une salle à manger et un salon moquettés et des chambres à coucher à l'étage équipées de salles de bains du type européen. L'aile gauche, dans laquelle se trouvait la cuisine, était dans le style japonais traditionnel, les sols couverts de tatamis en osier. Entre les deux ailes s'ouvrait un espace converti en patio. Mary Jane était ravie car, pour la première fois depuis leur mariage, elle avait éprouvé le besoin d'une maison dans laquelle elle puisse recevoir.

Le Japon initia Mary Jane à la vie de garnison en même temps qu'elle entrait dans ce groupe que l'armée appelait bizarrement les « cadres familiaux », c'est-à-dire la troupe des femmes d'officiers. Elle découvrit que cette vie lui plaisait ainsi que l'appartenance à un cercle fermé, pour la même raison qu'elle s'était plu parmi la bourgeoisie de Rochester. La hiérarchie et l'atmosphère de cet univers structuré et actif l'attiraient en lui donnant une impression de sécurité et le sentiment d'occuper une place précise dans la société. Les femmes d'officiers pensaient qu'elles appartenaient à une unité particulière où, suivant la tradition, la responsabilité de presque toutes les activités sociales de la garnison et de sa communauté leur incombait. Elles aimaient cette situation parce qu'elle leur conférait une autorité ainsi qu'une occupation. L'armée l'appréciait parce que le gouvernement bénéficiait ainsi gratuitement du talent et du travail de ces femmes. La notion que le comportement de la femme d'officier aidait ou freinait la carrière de son mari était un autre élément important de cette appartenance à un cercle privé.

Au sein de ce groupe, la hiérarchie s'établissait parallèlement au grade de l'époux. La femme du général en chef était, bien entendu, à la tête. Celles des officiers supérieurs se comportaient comme des marraines à l'égard des plus jeunes, les conseillant comme le faisaient les officiers plus âgés avec leurs subalternes. Mary Jane trouva que la femme du commandant et celle du lieutenant-colonel, les supérieurs hiérarchiques de John, étaient chaleureuses et attentionnées et elle répondit à leur attente. Elle était ambitieuse pour John et désirait l'aider dans sa carrière. Elle essayait d'être aussi « disponible, de bonne volonté et compétente » que possible pour organiser des cocktails et des dîners, des bals et des soirées de bridge, et pour participer aux activités bénévoles de la Croix-Rouge. Bref, d'être aussi efficace que John dans ses obligations militaires. Elle avait acheté un livre à Fort Benning, *La Femme de l'officier,* qu'elle étudiait pour être sûre de se comporter correctement.

Mary Jane réalisa que sa suspicion initiale à l'égard de l'armée, lorsqu'elle pensait que ce n'était pas l'endroit idéal pour élever une famille, n'était en rien fondée. Les exigences de sa vie au foyer et des activités sociales de la garnison remplissaient ses journées et ses soirées. La chance de pouvoir observer ce remarquable pays et ses habitants dans des circonstances privilégiées donnait à son existence une qualité spécifique qu'elle n'aurait jamais eue aux États-Unis. L'armée était à ses yeux une sorte de banque internationale ou une grande société avec des ramifications dans le monde entier. Son mari devait travailler périodiquement à l'étranger et, en retour, sa famille était dédommagée par une vie d'aventures et une existence aisée. Une des Américaines avec qui Mary Jane avait lié amitié au Japon était la femme du représentant de Coca-Cola. Il avait à peu près le même âge que John et vivait aussi confortablement que les Vann. John s'accommodait de ses occupations en apprenant à jouer au golf. A Noël 1949, Mary Jane fut enceinte de leur troisième enfant, Jesse.

Néanmoins, le paradis, semblait-il, était difficile à atteindre. La maison sur la colline était infestée de cafards, de mille-pattes et de rats. Les techniciens de désinfection de l'armée avaient asphyxié les insectes et Mary Jane apprit à vivre avec ceux qui restaient. Les rats étaient les plus durs à supporter. Elle n'était pas consciente de leur existence au début parce qu'ils vivaient à l'intérieur des murs et attendaient que la maison soit calme la nuit pour sortir fouiner. Elle se rendit compte de leur présence un matin à l'aube lorsqu'elle se leva pour préparer le petit déjeuner de John avant qu'il ne parte à un rendez-vous plus tôt que d'habitude. Un gros rat gris était tapi sous la table de cuisine. Il regarda Mary Jane sans broncher. Elle hurla pour que John vienne à son secours. Il dévala l'escalier quatre à quatre en caleçon et pieds nus et le rat s'enfuit en direction du salon. D'autres hommes se seraient contentés de chasser le rat de la cuisine pour le laisser retourner dans son trou, car ces animaux deviennent vicieusement agressifs lorsqu'ils sont attaqués. Mais pas Vann. Il attrapa un tabouret de métal et une canne et, tandis que Mary Jane regardait, horrifiée, il chassa le rat dans un coin. Au moment où l'animal terrifié se jetait sur lui pour le mordre, John le frappa avec le tabouret et la canne, et tandis que le rat continuait à sauter vers lui, le repoussa et l'écrasa contre le mur. Puis, il le battit à mort avec la canne. Mary Jane était toute tremblante. Vann avait le souffle coupé, mais il n'avait pas peur. Il avait même l'air satisfait.

Les rats défiaient tous les efforts des spécialistes de l'armée, se jouant même des pièges et du poison. Mary Jane s'efforçait de ne pas y prêter attention parce qu'elle ne voulait pas quitter cette maison, mais ils perturbèrent sa tranquillité d'esprit. Elle supportait de les entendre courir dans les murs le jour, mais faisait attention en se levant la nuit ou à l'aube et surveillait Patricia et John Allen pour être sûre qu'ils ne se fassent pas mordre.

Au printemps 1950, une des bonnes japonaises mit le feu à la maison en faisant fondre de la cire dans une poêle sur un réchaud électrique. John rentrait d'un tournoi de golf. Il se saisit d'un extincteur et essaya en vain d'éteindre les flammes, tandis que Mary Jane se saisissait des enfants et des papiers de famille et courait jusqu'à la maison voisine où vivait un autre couple de militaires pour leur demander de l'aide. Bien que les pompiers japonais et militaires soient arrivés peu de temps après, la plus grande partie de la maison fut détruite par l'eau aussi bien que par le feu. Les pompiers firent de grands trous dans les murs pour les inonder et empêcher ainsi l'incendie de gagner les superstructures. Les trous révélèrent des douzaines de nids de rats.

Les officiers du Génie de la division inspectèrent la maison le lendemain et estimèrent qu'il ne valait pas la peine de la réparer à cause des dommages du feu et des rats. Les Vann s'installèrent plus près du centre d'Osaka, dans une maison construite par l'architecte Frank Lloyd Wright [1] avant la Seconde Guerre mondiale pour une riche famille japonaise. Cette maison de deux étages était encore plus spacieuse que la première. Les murs étaient recouverts de panneaux de bois, la baignoire à carreaux bleus était incrustée dans le sol et pouvait accueillir quatre personnes, et la cuisine était entièrement carrelée, y compris le plafond. Une petite piscine était construite dans le jardin. L'opulence de la maison empêcha Mary Jane de s'en plaindre, mais elle n'aimait pas la rigueur de l'architecture, ni le manque de lumière à l'intérieur. Les azalées, la lumière et le charme japonais de l'ancienne maison sur la colline lui manquaient.

Puis, brusquement, au beau milieu d'une nuit, John partit pour la guerre. 90 000 soldats de Corée du Nord, équipés de chars soviétiques, avaient franchi le 38e parallèle et envahi la Corée du Sud à l'aube du dimanche 25 juin 1950. Patricia était alors suffisamment âgée pour se souvenir de sa mère la réveillant, avec son frère John Allen, pour qu'ils puissent dire au

---

1. Frank Lloyd Wright (1869-1959), un des plus prestigieux et audacieux architectes américains (plus de 700 constructions), célèbre pour ses immeubles, mais surtout pour ses maisons individuelles, d'un style souvent révolutionnaire.

371

revoir à leur père. Il portait un casque et avait un pistolet à la ceinture. Leur mère pleurait. Il se baissa pour prendre ses enfants et les embrasser. Il leur dit qu'il serait absent pendant un certain temps. Patricia se mit à rire. Elle était heureuse de son départ, car cela signifiait que cette image de l'autorité exigeante qu'il incarnait ne serait plus là. Sa mère lui demanda la raison pour laquelle elle riait. Patricia ne répondit pas. Des années plus tard, lorsqu'elle comprit que son père aurait pu ne jamais revenir, elle éprouva un sentiment de remords.

Les transports par train et bateau constituèrent la principale préoccupation de John Vann durant les premières semaines après que l'ordre eut été donné à la 25ᵉ division d'infanterie de se rendre en Corée aussi rapidement que possible. Elle devait rejoindre les forces du général Douglas MacArthur, destinées à arrêter l'avance de l'armée nord-coréenne sur la péninsule. Le lieutenant Vann était responsable de tous les problèmes de transports : coordination des horaires de trains et de bateaux, expédition de 15 000 officiers et soldats, de pièces d'artillerie, de camions, de chars, de véhicules tous terrains blindés, munitions et ravitaillement, pour être autonome au moins pendant les premiers jours de combat. Il bénéficia de son minime besoin de sommeil car, durant les deux mois qui suivirent, il ne dormit qu'une ou deux heures par nuit. Quatre-vingts trains furent nécessaires pour transporter les trois régiments d'infanterie répartis sur les bases au sud de l'île de Honshu, jusqu'aux bateaux en partance pour Yokohama. Une fois de l'autre côté du détroit de Corée, Vann devait veiller à ce que le déchargement dans le port de Pusan, à la pointe de la péninsule coréenne, se déroule dans l'ordre. Tout se faisait dans l'urgence et dut être improvisé, parce qu'aucune autorité au quartier général de MacArthur, ou à Tokyo, ou à Washington, n'avait prévu l'invasion des Nord-Coréens.

Dans de telles conditions, la responsabilité de Vann était bien plus vitale que celle de commandant de compagnie qu'il avait tant souhaitée. Mais il savait qu'après la guerre, un poste d'administration comme le sien serait moins impressionnant dans son dossier, même s'il était capital.

Il fallait que les troupes américaines s'installent en Corée du Sud alors qu'elle pouvait être encore sauvée. L'adjoint de MacArthur, le général de corps d'armée Walton Walker, luttait de vitesse avec les colonnes nord-coréennes précédées de chars pour essayer d'organiser un périmètre de défense au-dessus de Pusan avant que l'ennemi n'envahisse la Corée entière. Vann obtint sa première médaille, l'étoile de bronze, pour l'imagination et l'autorité dont il fit preuve en accélérant l'embarquement et le débarquement des troupes pour les jeter plus vite dans la bataille au cours de ces premières semaines décisives. La 25ᵉ division d'infanterie reçut son ordre de marche le 30 juin, le lendemain de l'arrivée en Corée de MacArthur, qui déclara à Washington que l'armée sud-coréenne était en état de désintégration. Il fallait tout de même une semaine pour que Vann puisse envoyer le premier train à Yokohama, et deux semaines de plus pour que les dernières troupes débarquent à Pusan le 19 juillet. L'armée nord-coréenne avait alors atteint Taejon, à mi-chemin de la Corée du Sud, depuis le 38ᵉ parallèle.

La guerre de Corée devait tuer 54 240 Américains, des millions de Chinois et de Coréens. 120 000 civils y moururent durant la seule première année de guerre. L'ironie voulait que les politiciens américains n'avaient pas voulu garder la Corée du Sud, jusqu'à ce qu'ils comprennent qu'ils étaient en train de la perdre. Ils avaient également contribué à provoquer cette guerre en montrant leur désintérêt à l'égard d'un ennemi qu'ils ne comprenaient pas.

Tout avait commencé avec la division du pays, ancienne colonie japonaise à la fin de la Seconde Guerre mondiale : le 38ᵉ parallèle le séparait en zones d'occupation soviétique et américaine. Les Russes installèrent au Nord Kim Il Sung, qui s'était battu dans la guérilla contre les Japonais et s'était rallié au communisme, puisque les Chinois et les Soviétiques avaient été ses alliés naturels. Les États-Unis imposèrent, au Sud, Syngman Rhee, un patriote coréen de droite qui avait organisé la résistance depuis Hawaii et les États-Unis. Si Rhee et Kim divergeaient sur leurs conceptions politiques, ils étaient tous deux de fervents nationalistes attachés à la réunification de leur pays. Ils s'affrontaient sans cesse, fomentant toutes sortes de complots violents et une guerre civile dont l'issue déterminerait le chef de la Corée unie.

Tout le tragique de l'histoire de la Corée venait de sa situation géographique entre l'archipel du Japon et le continent asiatique de la Chine et de la Russie. La proximité de la Corée avec la base navale soviétique de Vladivostok avait une grande importance stratégique pour Staline. En revanche, l'administration du président Truman considérait que la Corée du Sud était une de ces rares régions en marge du « bloc soviétique » que les États-Unis ne défendraient pas. Les Américains estimaient que la puissance de leurs forces aériennes et navales suffisait pour protéger le Japon et que la Corée du Sud ne constituait donc qu'un « point stratégique de peu d'importance ». En conséquence, MacArthur situa la Corée du Sud en dehors du périmètre de défense américaine, lors d'une interview en 1949.

Les dernières troupes d'occupation américaines furent donc évacuées au milieu de l'année 1949, et l'armée de Corée du Sud fut ainsi abandonnée avec un armement désuet et 482 conseillers militaires américains. Rhee demanda aux États-Unis de l'artillerie, des chars et des bombardiers modernes, comme ce que les Soviétiques avaient déjà fourni à l'armée du Nord. Sa demande fut rejetée. Il s'efforça d'obtenir la garantie que les États-Unis viendraient au secours de la Corée du Sud si celle-ci était envahie. Réponse à nouveau négative. Les chefs d'état-major rédigèrent un rapport confidentiel approuvé par le président, qui prévoyait que toutes les troupes américaines seraient évacuées en cas d'invasion de la Corée du Sud. Le quartier général de MacArthur, où étaient centralisées les informations des services secrets, négligèrent de prêter attention au nombre croissant de conflits entre le Nord et le Sud au cours du printemps, ou à la concentration de troupes et de chars nord-coréens sur le 38ᵉ parallèle. Une telle découverte aurait peut-être contribué à modifier radicalement la politique de Washington.

Lorsque l'invasion eut lieu, Truman et Acheson négligèrent la rivalité locale qui était à l'origine de ce conflit. L'attaque sur le 38ᵉ parallèle devint le « point crucial de notre confrontation avec notre adversaire soviétique », écrivit Acheson dans ses Mémoires. Kim n'était qu'un mercenaire dans le vaste plan de Staline de la conquête du monde.

« Reculer face à ce défi, compte tenu de notre capacité à l'affronter, aurait un effet destructeur sur la puissance et le prestige de l'Amérique, écrivit Acheson. Par " prestige ", j'entends une ombre projetée par la puissance qui possède la meilleure force de dissuasion. » Comme les événements allaient le montrer, transformer l'« ombre » en réalité s'avéra plus difficile que Acheson ne l'avait imaginé. Pendant ce temps, les soldats luttaient pour combler l'écart entre leur manque de préparation et leur capacité à répondre au défi.

Que Kim Il Sung ait pu être arrêté avant d'atteindre son but montre les ressources des Américains comme Vann à résister à l'adversité. La Seconde Guerre mondiale les avait arrachés à leur retraite pour les envoyer sur le fil du rasoir de la nouvelle frontière de l'Amérique. Les combattants sur le terrain durent tenir leur position jusqu'à ce que leurs supérieurs hiérarchiques puissent répondre aux besoins de cette guerre, et ils n'avaient pas beaucoup de moyens pour le faire. Cette expérience détermina l'attitude de Vann à l'égard de la guerre en général. Le conflit de Corée lui apprit que la guerre n'est pas une entreprise dans laquelle on peut calculer d'une façon précise les effets de la force déployée, mais que c'est un bouillonnement de violence dans lequel les hommes survivent grâce à leur imagination et à leur volonté de combattre en dépit des revers qu'ils subissent.

On devait plus tard rejeter la responsabilité du manque de préparation sur les restrictions budgétaires dont avait été victime l'Armée de terre durant les années quarante. A cette époque, l'Armée de l'air et la Marine devaient constituer, en cas d'une troisième guerre mondiale, une force atomique destinée à détruire les villes principales de l'Union soviétique, de l'Europe de l'Est et de la Chine, rajoutée à la liste après la victoire des communistes en 1949. Mais l'Armée de terre avait néanmoins les armes adéquates, et les effectifs plus que suffisants, avec 600 000 hommes en 1950, pour écraser les Nord-Coréens en quelques semaines. Ce sont les chefs qui furent responsables. Ils avaient négligé cette nécessité primordiale de veiller à ce que l'armée soit toujours prête au combat. Les troupes n'étaient ni entraînées ni organisées. Les armes dont elles avaient besoin étaient défectueuses ou remisées dans les dépôts. Des dix divisions d'active de l'armée, seule celle qui se trouvait en Europe était à la hauteur. Les neuf autres ne comportaient que deux bataillons au lieu de trois dans un régiment d'infanterie et n'avaient que les deux tiers des canons dans les unités d'artillerie.

La détérioration de l'armée avait été particulièrement sévère parmi les quatre divisions du Japon où MacArthur s'obnubilait sur sa tâche de proconsul et son objectif de restructurer la société japonaise en une démocratie. Son adjoint Walton Walker commandait les forces armées au Japon depuis 1948 avec le grade de général en chef de la 8ᵉ armée, mais il se contentait de vivre sur sa réputation de meilleur commandant de corps d'armée sous les ordres de Patton pendant la Seconde Guerre mondiale. Son programme d'instruction n'avait pas été au-delà de l'installation de photocopieurs à son quartier général. Ses soldats n'avaient pas été suffisamment détournés du but qu'ils s'étaient fixé en s'engageant : Japonaises soumises et whisky bon marché. Ils allaient maintenant mourir parce qu'ils n'avaient pas la rigueur nécessaire pour marcher et combattre.

Le commandant de la division de Vann, le général de division William Kean, s'était montré moins optimiste que ses collègues. Il faisait partie de ces généraux anonymes et besogneux qui se réveillent en cas d'urgence. La 25e division souffrait de toutes les insuffisances de la 8e armée : camions qui ne démarrent pas, radios qui ne transmettent pas, fusils qui s'enrayent, pas de culasses pour les mitrailleuses, pas de cartes d'état-major d'un pays où personne ne s'attendait à combattre. On dut parachuter aux troupes des copies de vieilles cartes japonaises de la région. Un des bataillons quitta le Japon avec seulement une radio, celle du commandant, en état de marche : un autre bataillon ne disposait que d'un seul canon sans recul. Toutefois, dès qu'il prit le commandement de la division, en 1948, Kean s'attacha à ce que ses unités pratiquent un minimum d'entraînement. Ses hommes étaient en meilleure condition physique que n'importe quels autres de la 8e armée et, à l'exception d'un seul régiment, ils avaient confiance en eux et en leurs officiers.

Cette exception, le 24e d'infanterie, était composée de Noirs avec la plupart des officiers blancs. Le 24e aurait pu être le meilleur régiment de Kean sans la politique ségrégationniste toujours en vigueur à l'époque dans l'armée. Mais les Sudistes, qui avaient prédominé à la tête de l'armée depuis la guerre hispano-américaine, dénigraient les unités noires depuis cinquante ans. Pendant des décennies, les soldats noirs avaient été confinés à l'intendance, et leur seule fonction était de servir de domestiques aux guerriers blancs. On en payait maintenant le prix. Beaucoup de fantassins du 24e croyaient au mythe de l'infériorité et ne cessèrent de fuir devant les Nord-Coréens. Le régiment fut finalement dissous en 1951. Bien que beaucoup d'entre eux se soient vaillamment battus en Corée, dans l'ensemble les militaires noirs durent attendre les changements dus à l'intégration et au mouvement des droits civils pour prouver au Vietnam que le courage n'avait pas de couleur.

Walton Walker était aussi résolu que le bouledogue auquel il ressemblait. Il redora son blason en Corée, donnant au jeune lieutenant Vann un exemple dont il devait se souvenir : celui d'un chef qui résiste et qui se bat, même quand le cours de la bataille lui est contraire. MacArthur voulait que Walker tienne au sud de la péninsule pendant qu'il s'apprêtait lui-même à couper et détruire l'armée nord-coréenne en débarquant sur ses arrières à Inchon, le port de Séoul, près du 38e parallèle. MacArthur prit l'avion pour la Corée à la fin juillet et informa Walker qu'il n'était pas question d'évacuer. En fait, Walker avait déjà choisi sa position de résistance : un périmètre de quatre-vingt-dix kilomètres de profondeur et cent soixante kilomètres de longueur le long de la côte sud de la péninsule, s'appuyant sur le port de Pusan, situé à l'extrémité sud du rectangle. Walker avait sélectionné cet emplacement parce qu'il était bordé par le fleuve Naktong, qui constituait un obstacle naturel derrière lequel il pouvait déplacer ses troupes pour les rassembler et attaquer là où les Nord-Coréens auraient pénétré en force.

A la fin juillet, Walker fit son entrée dans une petite école poussiéreuse du village de Changju où la 25ᵉ division avait installé provisoirement son quartier général. Il parla tout d'abord seul à seul avec Kean, puis fit convoquer tous les officiers Le lieutenant Vann se tenait au fond de la pièce, derrière les commandants et les colonels.

« Nous menons une bataille contre le temps, expliqua le général. Il n'y a aucune ligne derrière laquelle nous puissions nous retrancher. » Il n'était pas non plus question de s'échapper ou de se rendre.

> Il n'y aura pas de Dunkerque, pas de Bataan[1], car une retraite jusqu'à Pusan serait l'une des boucheries les plus atroces de l'Histoire. Nous devons nous battre jusqu'à la fin. Être capturés par ces gens-là serait pire que la mort. Nous nous battrons tous ensemble. Si certains d'entre nous doivent mourir nous mourrons en combattant ensemble. Tout homme qui abandonne sa position peut être responsable de la mort de milliers de ses camarades.

> Je veux que vous communiquiez cela à tous les hommes de la division. Je veux que tout le monde comprenne que nous allons tenir cette ligne. Nous allons gagner.

La 25ᵉ division occupait le secteur de la ligne la plus difficile à tenir dans le coin sud-ouest du périmètre. Le terrain y était plus favorable aux Nord-Coréens, car le fleuve, détourné vers l'est, n'offrait plus de protection. La bataille se transforma vite en un duel de munitions dont la victoire dépendait autant des officiers d'intendance que du courage et de la force physique des soldats. L'armée nord-coréenne se trouvait à l'extrémité de sa ligne de ravitaillement. Elle constituait des stocks, attaquait, puis, au bout de deux jours, manquait de munitions. Les Américains, eux aussi, étaient à court après avoir tout épuisé pour leur défense Vann et les autres officiers d'intendance, sous le commandement du dynamique lieutenant-colonel Gassett, travaillaient frénétiquement pour assurer le réapprovisionnement afin que les troupes puissent contre-attaquer et regagner les positions qu'elles venaient de perdre ou bien tenir jusqu'à la prochaine attaque qui aurait lieu environ une semaine plus tard. Les fantassins américains arrivaient à résister à des forces très supérieures grâce à une excellente artillerie et au soutien aérien qu'ils reçurent en août, mais la situation était si confuse qu'on risquait toujours de manquer d'obus. Vann apprit de Gassett une autre leçon : comment court-circuiter la bureaucratie lorsqu'elle fait obstacle à la victoire. Plutôt que de discuter avec les officiers d'intendance de la 8ᵉ armée,

1. Bataan, une presqu'île des Philippines dans la baie de Manille. 76 000 hommes (dont 12 000 Américains) capitulèrent devant les Japonais le 9 avril 1942. Ils furent évacués au cours de la « marche de la mort » qui fit 16 000 victimes. Ce fut la plus grande capitulation de l'histoire des États-Unis.

responsables de l'approvisionnement en obus, Gassett se débrouillait pour obtenir le double des documents du quartier général sur les mouvements des cargos et leur date de départ des États-Unis. La durée du voyage jusqu'à Pusan était bien connue, en moyenne seize jours depuis la côte ouest. Gassett envoyait Vann ou un autre officier avec un convoi de camions dès que le bâtiment arrivait à quai pour charger directement la dotation de la 25ᵉ division.

C'était le même garçon qui risquait sa vie par jeu en sautant devant les voitures et les camions dans les rues de Norfolk qui, maintenant, permettait aux fantassins de combattre. Il sauva probablement des centaines de vies au plus fort de la bataille qui se déroula au début du mois de septembre. A la fin du mois d'août, Kim Il Sung et ses généraux du Nord souhaitaient ardemment infiltrer le périmètre de Pusan et remporter enfin la victoire qu'ils sentaient si proche et qui, à présent, risquait d'être brusquement perdue. Ils ne savaient pas où MacArthur lancerait son offensive de débarquement de diversion et ils n'auraient jamais deviné que ce serait Inchon. Mais ils savaient que le général envisageait une contre-attaque de ce genre, car il s'en était vanté auprès de journalistes de Tokyo. L'armée nord-coréenne n'avait pas suffisamment d'hommes pour défendre tous les endroits possibles où MacArthur pourrait débarquer tout en poursuivant l'attaque du périmètre. Ils s'y concentrèrent donc. Ils y expédièrent chaque balle, chaque grenade et chaque obus qu'ils purent faire venir en camion et en train, dans des bateaux de pêcheurs qui longeaient la côte et dans des sacs à dos des paysans ou des femmes jusqu'aux combattants. Cette fois-ci, ils avaient l'intention de continuer l'attaque jusqu'à ce que les troupes de Walker cèdent.

L'offensive débuta à 23 h 30, le 31 août 1950, contre les positions tenues par le 35ᵉ régiment d'infanterie, au nord-est de la ville de Masan, par les tirs d'artillerie et de mortiers les plus intenses qu'on ait connus jusque-là dans cette guerre. Puis des milliers de soldats se lancèrent à l'assaut de la position américaine. A l'aube du 1ᵉʳ septembre, environ 3 000 Coréens avaient dépassé les postes avancés aux sommets des collines et pénétré sur dix kilomètres à l'intérieur du périmètre. Ce jour-là, seul le refus absolu de bouger de tous les hommes du 35ᵉ régiment empêcha les Nord-Coréens de se réorganiser et de reprendre leur avance. Les Américains résistèrent avec une obstination que seule égalait la bravoure désespérée de leurs adversaires. Les canonniers se transformèrent en fantassins, ajustant les canons pour tirer à vue comme avec un fusil et demandant par radio aux autres batteries de les protéger avec des barrages. En de nombreux endroits, les adversaires s'affrontèrent corps à corps, avec des grenades et des baïonnettes.

Au début, les soldats du 35ᵉ régiment n'avaient pas apprécié l'ordre de Walker de « tenir ou mourir » qu'ils avaient interprété comme « tenir *et* mourir ». Mais ils étaient devenus rapidement de vieux briscards, comprenaient maintenant la sagesse de cet ordre et se battaient dans cette disposition d'esprit. Ils avaient appris que lorsque les Nord-Coréens les encerclaient pour jeter la panique, la pire des solutions était de battre en retraite. Très peu auraient eu une chance de s'en sortir. Mais s'ils résistaient jusqu'à ce qu'une colonne de renfort arrive, quelques-uns mourraient, mais d'autres survivraient, évitant ainsi d'abandonner leurs camarades blessés à une mort certaine, torturés et mutilés par les soldats enragés nord-coréens. Malheureusement Kean n'avait pas les moyens d'envoyer des renforts aux unités du 35e qui tenaient les avant-postes avant qu'elles n'aient épuisé leurs munitions et soient vouées à une mort certaine.

Vann avait beaucoup réfléchi à ce problème, lors de batailles précédentes, et il avait trouvé une idée pour ravitailler les unités encerclées. Cela consistait à parachuter des munitions depuis un petit avion d'observation L-5, un modèle antérieur au L-19 dans lequel Vann allait se distinguer, plusieurs années plus tard au Vietnam. Même si le L-5 avait un moteur moins puissant que celui du L-19, il était facile à manier et était équipé d'un siège avant pour le pilote et d'un autre à l'arrière pour l'observateur. Deux jours avant l'offensive. Vann avait persuadé Gassett de lui laisser tenter cette solution pour approvisionner une unité qui subissait une attaque, et son initiative avait été couronnée de succès.

Le matin de l'offensive, le commandement de l'Aviation refusa de fournir les avions. Les pilotes pensaient que la tactique de Vann était suicidaire. Les mortiers et canons américains tiraient autour des positions pour les aider à résister à l'ennemi tandis que les Nord-Coréens pilonnaient les Américains pour réduire leur résistance. Les pilotes devraient donc voler à travers les trajectoires de tous ces obus en exposant en outre leurs avions aux tirs des fantassins ennemis. Vann trouva que les pilotes étaient trop timorés. Gassett s'adressa au général Kean, en lui expliquant que le risque, compte tenu de l'enjeu, était acceptable. Kean donna son accord et ordonna que des L-5 soient mis à la disposition du lieutenant Vann. En raison de leur réticence initiale, les pilotes furent désignés suivant l'ordre du tableau de service comme pour des missions ordinaires, dont chacune comportait trois lâchers. Un seul pilote se porta volontaire pour deux missions, c'est-à-dire six vols. Tous les autres n'en firent qu'une seule.

Vann accompagna chaque vol sans jamais montrer le moindre signe de nervosité. Il gardait son calme en chargeant les avions de munitions pour le départ. Il choisissait des caisses assez grandes pour contenir cinquante kilos de cartouches pour les fusils M-1, des bandes de chargeurs pour les mitraillettes et des grenades à main. Il les enveloppait d'une couverture attachée avec une corde pour empêcher la caisse d'éclater et de répandre son contenu en touchant le sol. En dépit du poids de la caisse, presque aussi lourde que lui, Vann, à vingt-six ans, était assez fort pour la soulever et la manipuler. Il en plaçait deux à l'arrière de l'avion, et gardait la troisième sur ses genoux. Les emplacements des unités étaient connus et, avant de décoller, Vann expliquait sur la carte au pilote la direction à suivre, où ils allaient faire le lâcher et comment il voulait effectuer l'approche. Les cent cinquante kilos alourdissaient considérablement l'appareil, mais le poids minime de Vann compensait quelque peu la surcharge et la piste de décollage était assez longue et le moteur suffisamment puissant pour que le L-5 puisse décoller. Une fois en l'air, Vann donnait ses autres indications au pilote par radio interne.

Un commandant des services de renseignements de la division qui survolait le champ de bataille, ce matin-là, pour analyser la situation et procéder à un lâcher de brochures de propagande destinées à persuader les Nord-Coréens de se rendre, n'en crut pas ses yeux. Il vit un L-5, comme le sien, piquer presque jusqu'au sol au-dessus des têtes des soldats nord-coréens, en direction d'une colline où se trouvait une unité américaine. L'ennemi tirait sur l'avion de tous les côtés. Il n'y avait ni forêt ni arbre que le pilote aurait pu longer pour se protéger en s'approchant de la colline. Le terrain était complètement à découvert, nu, parsemé de quelques brins d'herbe. L'avion pouvait se cacher partiellement dans les nuages de fumée et de poussière soulevés par les obus d'artillerie qui s'écrasaient à terre juste en dessous, ce qui n'avait rien de très rassurant, pensa le commandant, étant donné le risque d'être touché par les projectiles. Avant d'arriver à la base de la colline, le pilote tirait sur le manche à balai, pour remonter en direction de la position américaine qui se trouvait au sommet. Tandis que l'avion volait à moins de dix mètres de haut, le commandant vit une caisse tomber de l'avion pour atterrir dans une tranchée juste en dessous. Il comprit alors que Vann était dans ce L-5. Il l'avait vu sur la piste d'atterrissage charger des caisses dans l'appareil et comprenait maintenant en quoi consistait cette nouvelle méthode de ravitaillement.

Vann donnait l'ordre aux pilotes d'exécuter ce type d'approche directe en rase-mottes pour être sûr de ne pas manquer la cible, difficile à atteindre car elle faisait en général moins de trente mètres de largeur. A l'origine, les compagnies avaient été déployées en points forts de l'effectif d'une section, retranchés dans des trous individuels protégés de fil barbelé et de champs de mines, mais ces positions étaient réduites au fur et à mesure que les soldats mouraient ou étaient blessés. A certains endroits, les sections avaient été renforcées avec les rescapés d'une autre qui s'étaient glissés à la faveur d'une accalmie ou d'un tir de barrage. Ils transportaient avec eux leurs blessés qui, s'ils pouvaient marcher, étaient toujours comptés comme des combattants. Une des compagnies n'avait plus que vingt-deux hommes en état de combattre, l'effectif d'une section.

Après que le pilote avait repris de l'altitude et s'était positionné pour une deuxième approche, sur la même cible, ou sur une autre voisine, Vann attrapait la deuxième caisse à pleines mains et la jetait par-dessus bord comme la première. Puis, il ordonnait au pilote de retourner pour lâcher la troisième.

Le commandant des services de renseignements observa avec anxiété et admiration le déroulement de l'opération. Le petit avion fonçait au-dessus de la vallée à travers la poussière et la fumée tandis que les balles ennemies sifflaient tout autour. Suivre au plus près la courbe du sol était la façon la plus intelligente de voler car un soldat, à moins qu'il n'ait été entraîné à cet exercice, avait tendance à mal juger la vitesse d'un avion très proche de lui et il tirait généralement à l'arrière de l'appareil. Si l'avion était touché à une altitude aussi basse, le pilote n'avait plus de marge de manœuvre. Et même si les deux occupants survivaient à l'accident, ils tomberaient aux mains des Nord-Coréens et seraient tués. Le commandant constata que le pilote avait du mal à se diriger droit vers la colline. Les explosions à terre des obus secouaient l'avion et le déviaient de sa trajectoire. Le pilote, néanmoins, arriva à maintenir son cap et, chaque fois que le petit L-5 atteignait le sommet de la colline, le commandant voyait une caisse tomber dans les tranchées.

Pour des soldats américains qui n'utilisaient que très parcimonieusement leurs munitions, comme ceux qui combattaient dans les collines derrière Masan, ce 1er septembre 1950, cinquante kilos de balles et de grenades représentaient beaucoup. Vann leur largua ces caisses de munitions à vingt-sept reprises ce jour-là, jusqu'à ce que l'approche de la nuit le contraigne à cesser. Quelques unités avaient presque épuisé leurs munitions, et leurs soldats commençaient à utiliser pour leurs fusils les balles de leurs bandes de chargeurs de mitrailleuse.

Au cours des jours qui suivirent, les unités de renfort envoyées par le général Kean se battirent pour traverser les lignes nord-coréennes et atteindre les positions des unités afin de renforcer les survivants et évacuer les blessés dans des véhicules blindés. Vann poursuivit ses expéditions jusqu'à ce que les colonnes arrivent. Vann fit encore quarante-deux largages pendant les trois jours qui suivirent l'offensive du 1er septembre. Vann participa aussi à la bagarre à sa façon grâce au sac de grenades qu'il gardait à côté de lui. Il en jetait sur les Nord-Coréens qui se trouvaient sur la colline dès que son pilote reprenait de l'altitude. On ne connaît pas l'importance des dommages que subirent les avions utilisés par Vann dans ses missions. Apparemment, aucun ne fut touché plus sérieusement que de quelques balles dans le fuselage. Les pilotes ignoraient qu'ils avaient à bord « Vann, le veinard ». Vann reprit ses expéditions chaque fois que cela était nécessaire, jusqu'à ce que la contre-attaque de MacArthur, à Inchon, le 15 septembre, sème la confusion totale chez l'ennemi en coupant ses lignes de ravitaillement et de retraite. John Vann avait été promu au grade de capitaine deux jours auparavant.

Ce n'est certes pas la contribution de Vann qui décida seule du sort de la bataille pour le périmètre de Pusan. A la fin du mois d'août, Walker disposait d'assez de réserves pour arrêter l'avance de l'armée nord-coréenne, même si le 35e régiment avait été écrasé. Le commandement énergique du général et la détermination du 35e et des autres unités combattantes de la 8e armée assurèrent la victoire. Mais la bataille solitaire des tireurs dans les collines aurait été différente. Leur vie n'avait dépendu que de l'intrépidité d'un seul homme.

La guerre de Corée était le prélude de celle du Vietnam, car ce fut la première guerre de l'histoire des États-Unis où il y eut un tel divorce entre les chefs militaires et politiques et la réalité. Ils avaient tellement sous-estimé la force de l'adversaire qu'ils menèrent au désastre l'armée, donc aussi la nation. Avec l'accord des plus hautes autorités de Washington, MacArthur dilapida l'héroïsme et le potentiel de l'armée du général Walker en l'envoyant ensuite se battre dans les montagnes de Corée du Nord. Il gaspilla ainsi la vie des milliers d'hommes qui étaient morts pour la victoire et de milliers d'autres qui allaient mourir au cours d'une défaite qu'ils n'avaient pas méritée.

La part que prit Vann dans le désastre de Corée du Nord embellit sa légende au Vietnam. Il prenait souvent cet exemple comme une leçon sur la stupidité de mener une guerre d'usure sur la terre d'Asie. Vann me raconta l'histoire peu de temps après notre rencontre à My Tho. Il me décrivit comment il avait organisé et commandé la compagnie de Rangers de la 8e armée, et comment il avait perdu ses hommes pendant une nuit où les vagues successives de l'armée chinoise s'attaquèrent aux forces de MacArthur en novembre 1950, dans les montagnes près du fleuve Yalou. Il raconta cette histoire à plusieurs reprises à différentes personnes. Une d'elles fut le président Richard Nixon, à qui Vann écrivit une lettre quelques années plus tard, au cours de la guerre du Vietnam :

La nuit du 26 novembre 1950, je commandais une compagnie de Rangers qui reçut le choc de la première offensive chinoise de la guerre de Corée. A 3 heures du matin, le 27, ma compagnie de Rangers de la 8e armée subit trois assauts des forces chinoises qui employèrent la tactique des vagues humaines successives. Nous avions un excellent soutien aérien et occupions de bonnes positions. Plusieurs centaines de Chinois furent tués. Je me rendis compte cependant, après le troisième assaut, que j'allais perdre mon unité. Juste avant l'aube, lors du sixième assaut, il ne restait en effet que moi et 15 autres hommes, dont la plupart étaient blessés. Nous descendîmes la colline de la même façon que les Chinois l'avaient montée. Sur le chemin, j'ai pu constater qu'il y avait plus de 500 soldats chinois morts devant nos positions.

Il est vrai qu'à une certaine période, John Vann avait commandé la compagnie de Rangers de la 8e armée alors qu'il se trouvait en Corée. Mais la réalité est différente et plus captivante encore que la légende.

Un peu avant novembre 1950, Vann avait envié un lieutenant de vingt-trois ans, Ralph Puckett Jr, qui avait la chance de commander les Rangers de la 8e armée, rattachés à la 25e division. Puckett et Vann s'aimaient bien, car ils étaient tous deux un peu fous et adoraient par-dessus tout leur métier de soldat. Puckett, originaire de Géorgie, diplômé de West Point en 1949, était aussi innocent qu'enthousiaste. Il s'était porté volontaire pour la Corée juste après son entraînement de parachutiste à Fort Benning, car il considérait la guerre comme un match de football. Il ne craignait qu'une seule chose, c'est qu'elle soit finie avant qu'il n'arrive. Vann aimait taquiner Puckett lorsqu'il venait au service d'approvisionnement. Puckett avait gardé assez de l'esprit de West Point pour s'amuser à jouer l'officier de carrière : il saluait réglementairement au garde-à-vous devant un simple capitaine et parlait comme à l'exercice d'une voix éclatante chaque fois qu'il répondait à une plaisanterie.

« Qu'est-ce qu'ils ont encore foutu, vos Rangers, et où êtes-vous passé, Puckett ? demandait Vann avec un sourire.

— En opération, mon capitaine ! répondait Puckett avec le même sourire.

— Foutaises, répliquait Vann, vous vous la coulez douce, c'est tout ! »

La compagnie de Rangers de Puckett, objet de l'envie de Vann, avait été constituée l'été précédent pour infiltrer et neutraliser une avancée des Nord-Coréens. Puckett avait été choisi pour sa réputation de bagarreur et parce qu'on estimait qu'un lieutenant sorti de West Point aurait plus d'audace qu'un officier ayant connu le feu des combats. Quand son colonel lui avait demandé s'il souhaiterait commander une unité de Rangers, il avait répondu :

« Mon colonel, j'ai voulu être Ranger toute ma vie. Je ferais n'importe quoi pour cela. Vous pouvez faire de moi un chef de peloton ou un simple fantassin, comme vous voudrez. »

Puckett constitua son effectif avec des cuisiniers, des gratte-papier et des mécaniciens de la 8ᵉ armée. Il lui était interdit de recruter des soldats entraînés, car la bataille du périmètre faisait rage et on manquait d'effectifs dans les compagnies. Puckett chercha donc dans les unités des services auxiliaires au Japon des volontaires pour aller en Corée pour une « mission secrète et dangereuse avec opérations à l'arrière des lignes ennemies ». Il fut surpris de la vitesse avec laquelle il trouva les 74 hommes qui lui étaient attribués. Il engagea deux de ses camarades de West Point comme chefs de section. Lorsqu'il eut terminé l'entraînement de son unité, elle n'avait plus de raison d'être, car le but de sa création, le débarquement à Inchon, avait déjà eu lieu, et l'armée nord-coréenne essayait de se replier derrière le 38ᵉ parallèle, poursuivie par la 8ᵉ armée.

Rétrospectivement, le débarquement de Inchon démontre que la mégalomanie de MacArthur avait dépassé les limites du tolérable. Un débarquement derrière les positions de l'ennemi était une décision normale pour un général ayant l'expérience de la Seconde Guerre mondiale. Mais son insistance pour qu'il le fasse à Inchon présentait un risque grave, nullement nécessaire, dicté par la vanité, et qui mettait en jeu la vie des hommes et l'intérêt de la nation. Il avait choisi Inchon parce que c'était le port de la capitale, Séoul, mais un simple examen des lieux montrait, comme le remarqua un officier de la Marine, qu'Inchon « pâtissait de tous les obstacles naturels imaginables ». Les voies d'accès maritimes étaient sinueuses et étroites, avec des passages resserrés où un bateau, endommagé par le feu ennemi ou par des mines, aurait bloqué tout le trafic en amont et en aval.

Les chefs de la Marine et les officiers d'état-major essayèrent de persuader MacArthur de choisir un autre lieu de débarquement. Les Marines avaient trouvé, à cinquante kilomètres au sud de Inchon, un endroit qui ne présentait pas les mêmes risques. MacArthur ne céda pas. Il avait choisi Inchon, donc ce serait Inchon. Il repoussa les risques et les obstacles avec un mysticisme théâtral.

« J'entends le tic-tac des aiguilles des secondes de la destinée », conclut-il après un soliloque de trois quarts d'heure devant un conseil, où assistaient deux représentants de l'état-major général, à Tokyo, au mois d'août.

« Nous devons agir maintenant ou nous mourrons... Le débarquement d'Inchon réussira. Et il sauvera 100 000 vies humaines. »

L'opération fut en effet un succès, le 15 septembre, et sa réussite fortifia le sentiment d'infaillibilité de MacArthur et réduisit au silence ses contradicteurs.

L'aiguille de la destinée se remit en marche en novembre 1950. Mais, cette fois, MacArthur ne l'entendit pas. Il avait depuis longtemps perdu tout intérêt dans les détails de ce qui se passait sur les champs de bataille, cette boussole qui doit guider tout chef militaire. Il avait des préoccupations plus élevées. Dean Acheson remarqua plus tard que MacArthur était pratiquement devenu un « chef d'État... le mikado du Japon et de la Corée ». Il n'était pas loin de la vérité. Lorsque Truman le convoqua à Wake Island en octobre, MacArthur ne le salua pas, comme l'exigeait l'étiquette militaire, mais lui serra la main comme s'ils étaient égaux. Il n'était pas simplement le chef d'État du Japon, il en était le souverain vénéré par le peuple. Cet arrogant général à cinq étoiles avait une personnalité complexe. Les Japonais voyaient en lui le défenseur des libertés civiles, le missionnaire du mode de vie américain. Ils s'étaient attendus à ce qu'il soit dur avec eux en 1945, et il avait fait preuve de magnanimité et de sagesse, instituant un gouvernement démocratique et des réformes sociales auxquels ils étaient heureux d'adhérer après les horreurs du militarisme. A l'âge de soixante-dix ans, il voulait conclure son existence glorieuse par un apogée digne de ses exploits précédents. Il voulait confirmer le jugement de Dean Acheson, remporter une victoire totale et étendre son autorité bénéfique sur toute la Corée jusqu'aux frontières de la Chine et de la Russie.

Les responsables de Washington étaient prêts à occuper les quatre cinquièmes de la Corée. Ils considéraient en effet maintenant ce pays comme une importante position secondaire, et voulaient relever le défi des Soviétiques. Cependant, leur premier souci restait l'Europe, où ils craignaient, avec irréalisme mais sincérité, une grande offensive de Staline. La guerre de Corée justifiait la raison d'être d'un vaste programme de réarmement. Au début de l'année 1951, la production des avions était au plus haut niveau depuis 1944, pendant la Seconde Guerre mondiale. Les bienfaits de ce programme étaient destinés à la construction de l'OTAN plutôt qu'à la poursuite du conflit de Corée. MacArthur avait été averti qu'il devait gagner la guerre avec l'équivalent des huit divisions qu'il avait reçues à l'époque d'Inchon. Les chefs d'état-major lui avaient donné pour instructions de ne pas provoquer les Chinois et les Soviétiques, et de ne pas dépasser une ligne située à environ quatre-vingts kilomètres au-dessus de Pyongyang. Le dernier cinquième du pays, c'est-à-dire les provinces montagneuses qui longent au nord-est le fleuve Yalou, frontière de la Chine, ainsi que l'extrême coin nord-est de la frontière avec l'Union soviétique, resteraient une zone tampon.

MacArthur ne tint aucun compte de cette restriction. Il était convaincu qu'il savait comment agir avec les Chinois. Au cours d'une conférence de presse à bord du bateau de commandement, le *Mount McKinley,* en route pour Inchon, un correspondant de guerre lui avait demandé s'il craignait l'entrée en guerre de la Chine.

« Si les Chinois interviennent, répondit MacArthur, notre force aérienne fera du Yalou le fleuve le plus sanglant de l'Histoire. »

A la mi-octobre, lors de la conférence de Wake Island, Truman lui demanda à son tour qu'elles étaient les chances d'une offensive chinoise.

« Très faibles », répondit-il en expliquant que la force aérienne américaine pouvait, de toute façon, empêcher les Chinois d'acheminer plus de 50 000 ou 60 000 hommes au sud du Yalou, et que très peu d'entre eux pourraient survivre aux attaques aériennes.

« Si les Chinois essayaient de descendre jusqu'à Pyongyang, ce serait une véritable boucherie. »

Personne de l'entourage du président, y compris Omar Bradley, chef d'état-major et les autres généraux à cinq étoiles, ne le contredit. Il interpréta leur silence comme un accord. Il prédit à Truman que la « résistance effective » en Corée se terminerait avant la fête de Thanksgiving en novembre, et qu'il espérait ramener la 8e armée au Japon pour Noël. MacArthur promit à Bradley qu'il mettrait à sa disposition une division pour l'Europe en janvier 1951.

Lorsque, à la fin octobre, des unités chinoises pénétrèrent dans la zone tampon, MacArthur envoya les bombardiers B-29 de sa force aérienne pour détruire les ponts de Mandchourie, et des chasseurs-bombardiers pour couper les routes du Sud. Il ne reçut aucun message de Washington lui intimant l'ordre de suspendre son action. Le 24 novembre 1950, MacArthur prit l'avion pour se rendre au poste de commandement de Walker, qui se trouvait au sud des montagnes, pour assister au déclenchement de son offensive finale vers le nord qui devait mettre fin à la guerre. Dans un communiqué, il assura ses soldats qu'ils ne devaient pas craindre les « nouvelles Armées rouges » qui les attendaient en Corée. MacArthur ne se préoccupa pas non plus du sort des soldats dans les montagnes glacées par le froid rigoureux de Mandchourie. Si tout se déroulait comme prévu, les hommes pourraient rentrer « chez eux pour Noël ».

Tard dans l'après-midi du 25 novembre 1950, Ralph Puckett et sa compagnie de Rangers s'étaient installés dans les trous individuels qu'ils avaient creusés dans la terre gelée sur la colline 205[1], située à environ vingt-cinq kilomètres de Chongchon. Leur mission consistait en une manœuvre de routine : ils devaient occuper les hauteurs pendant la progression des forces d'intervention composées de deux bataillons avec chars et infanterie.

Le lieutenant Puckett se demandait pourquoi la 25e division avançait. La veille, au cours d'un *briefing,* un officier de renseignements les avait avertis de

---

1. L'armée américaine désigne les collines d'après leur hauteur en mètres.

la présence de 25 000 soldats chinois « dans les environs immédiats ». Si cet officier avait raison, raisonna Puckett, la 25ᵉ aurait dû creuser des trous et se préparer à se défendre, au lieu d'avancer. Puckett avait appris lors de l'entraînement à Fort Benning qu'il fallait avoir la supériorité de deux ou trois contre un avant d'attaquer[1]. Or, d'après l'information reçue, les Chinois avaient un effectif de deux tiers supérieur à celui de la 25ᵉ division, qui ne comptait, elle, que quinze mille hommes environ à cause des malades et des blessés. L'un des soldats de Puckett possédait une radio ondes courtes et entendit que des hordes de « volontaires » chinois étaient en train de descendre de Mandchourie pour affronter l'armée de MacArthur.

Les Rangers, néanmoins, s'étaient emparés de la colline 205 dans l'après-midi du 25 novembre, sans rencontrer de résistance. Les chars de Dolvin les avaient déposés près de la colline. En montant les rizières gelées, ils furent pris sous un feu d'armes automatiques, tiré des sommets avoisinants. En courant, les Rangers arrivèrent à atteindre le sommet avec seulement deux blessés. Ils y creusèrent leurs trous sans rencontrer d'opposition, et Puckett installa ses mitrailleuses aux meilleurs emplacements de tir.

Il perdit toutefois un chef de section : un de ses camarades de West Point craqua nerveusement lorsqu'il dut traverser les rizières sous les balles. L'homme déserta pour retourner dans la vallée et refusa de revenir sur la colline.

L'idée d'affronter 25 000 soldats chinois ne faisait pas peur à Puckett. Après tout, il appartenait à l'armée des États-Unis, non pas à la piétaille de Mussolini, et il devait y avoir de bonnes raisons pour expliquer ce qu'ils faisaient là. Il était simplement amusé que des généraux puissent monter une offensive dans de telles conditions numériques défavorables, après ce que l'armée leur avait enseigné, et il se demandait comment cette curieuse manœuvre allait se dérouler. Tandis que le soleil se couchait derrière les collines, Puckett se dit que, vu la médiocre résistance qu'ils avaient rencontrée l'après-midi, l'affrontement avec les Chinois se produirait ailleurs, plus loin sur la route.

300 000 soldats chinois, et non pas les 60 000 sortis de l'imagination de MacArthur, attendaient l'armée américaine dans les montagnes de la Corée du Nord. Tandis que la nuit tombait en ce 25 novembre 1950, les colonnes d'assaut, qui n'avaient pas encore atteint leur base d'attaque, descendaient au pas de course les chemins qui longeaient les rivières, afin de lancer l'offensive à l'heure prévue. La puissance aérienne de MacArthur n'avait pas eu de réel impact sur l'armée chinoise. L'un des plus jeunes officiers attachés au quartier général chinois était Yao Wei, un lieutenant âgé de dix-neuf ans.

---

1. Les principes chinois étaient encore plus rigoureux. « Ne pas engager de combat dont l'issue victorieuse ne soit pas certaine. A chaque bataille, concentrer des forces d'une supériorité absolue ; deux, trois, quatre et parfois même cinq ou six fois celles de l'ennemi » (Mao Tsé-tung).

Après la guerre, il devait devenir un spécialiste de l'Amérique et, trente ans plus tard, aller étudier à Washington avec une bourse. Il se souvient que le quartier général chinois avait eu plus de pertes par accidents de camions que par les bombardements aériens. Avant de traverser le Yalou, on leur avait dit qu'ils n'avaient pas à craindre les avions s'ils évitaient les villes et les villages et s'ils ne circulaient que de nuit. C'était vrai, mais les chauffeurs avaient du mal à conduire sur les routes de terre sinueuses avec les phares éteints.

L'infanterie n'avait pas de camions, qui étaient réservés au transport des munitions et des pièces d'artillerie. Les fantassins chinois allaient à pied. Ils avançaient à la même vitesse que les légionnaires de César et couvraient trente-deux kilomètres en cinq heures, mais dans une région plus difficile que celle de la Gaule et dans l'obscurité. Leur journée débutait à 7 heures du soir. Ils marchaient, avec des pauses pour manger et se reposer, jusqu'à 3 heures du matin, quand ils s'arrêtaient pour monter leur camp. A 5 h 30, tandis que l'aube pointait, tout était camouflé et invisible du ciel : les hommes, les armes, l'équipement, les poneys de Mandchourie, les chevaux et les chariots qu'ils utilisaient pour transporter les mortiers et les munitions. Personne ne bougeait pendant le jour, sauf les petits groupes d'éclaireurs qui partaient en avant pour repérer l'emplacement du prochain bivouac. C'est ainsi que trente divisions d'infanterie chinoise, 300 000 hommes au total, avec leurs unités d'artillerie et de soutien franchirent le Yalou, entrèrent en Corée et prirent position en face de l'armée de MacArthur la troisième semaine de novembre, sans être jamais repérées par les avions de reconnaissance qui les survolaient pendant leur sommeil.

Malgré l'échec de la reconnaissance aérienne, les Américains avaient assez de renseignements pour sonner l'alarme sur l'importance croissante de l'armée chinoise dans les montagnes, grâce aux interrogatoires de prisonniers capturés lors d'affrontements préliminaires et surtout par l'interception et le décodage des communications radio chinoises.

Aucun de ces avertissements ne fut pris en considération, et les renseignements furent mal interprétés ou simplement ignorés. Certains s'inquiétèrent, mais jamais suffisamment pour modifier la réaction de Dean Acheson à l'avertissement de Chou en octobre : « Nous n'avons pas de raison d'être effrayés, dit-il aux Anglais, qui l'étaient, eux. C'est probablement un coup de bluff des communistes chinois. »

Plus tard, Dean Acheson et Omar Bradley dirent qu'ils étaient arrivés à la conclusion que Pékin n'oserait pas défier sérieusement les États-Unis. Le président Truman était du même avis. Ces hommes politiques et généraux américains pensaient que les responsables chinois supporteraient, justement parce qu'ils étaient chinois, ce que les Américains n'auraient jamais toléré dans des circonstances semblables. Comme plus tard au Vietnam, les Américains confondirent les Chinois vénaux de Formose avec ceux qu'ils affrontaient. La veille de l'attaque, le général de division Charles Willoughby, chef du service de renseignements de MacArthur, informa l'état-major général que les Chinois en Corée étaient à court de ravitaillement et de munitions, et il ne pensait pas que Pékin serait capable d'y remédier. « Les

Chinois, à la différence des Occidentaux, n'ont jamais su convenablement ravitailler leurs troupes », constata Willoughby.

MacArthur amplifia le désastre en facilitant la tâche de ses adversaires chinois. Il divisa son armée en deux : cinq divisions sous le commandement de Walker à l'ouest de la péninsule et deux divisions accompagnées de Marines sous le commandement de son chef d'état-major, le général de corps d'armée Edward Almond, à l'est. Walker et Almond ne communiquaient pas entre eux, et c'était MacArthur qui coordonnait leurs mouvements depuis son quartier général situé à mille trois cents kilomètres de là, de l'autre côté de la mer du Japon. Sa rhétorique et son aura d'infaillibilité hypnotisaient la plupart des généraux sous ses ordres. Lorsque le commandant des Marines informa Almond qu'il lui fallait construire une piste d'aviation pour pouvoir se réapprovisionner et évacuer les blessés, Almond lui demanda : « Quels blessés ? »

Le slogan de Douglas MacArthur — « Chez vous à Noël » — en fit le joueur de flûte de la légende allemande pour ses soldats qu'il entraîna à la mort. Dans leur esprit, la guerre était finie et ils s'allégèrent donc de leur équipement. La plupart d'entre eux ne portaient plus de casque qu'ils avaient remplacé par des bonnets de laine pour se réchauffer. Les casques ne servaient qu'au combat et étaient donc devenus une charge inutile. Ils abandonnèrent aussi leurs pelles pliantes qui leur servaient à creuser leurs trous individuels. Quant aux munitions, ils n'avaient pour la plupart gardé que quelques cartouches et une ou deux grenades.

En les attendant dans les montagnes, les Chinois avaient un double objectif : retarder la guerre autant que possible, dans l'espoir que les Américains tiendraient compte de leurs avertissements, et s'assurer que, si le combat éclatait, il se déroulerait sur leur terrain et à leur initiative. Les montagnes empêchaient les Américains d'utiliser leur avantage mécanique en chars, artillerie et chasseurs-bombardiers, sur une série de petites colonnes isolées qui avançaient dans les défilés sinueux. Dans les montagnes, les Chinois avaient l'avantage du nombre et de la pugnacité de leur infanterie. Leur plan était d'immobiliser la tête des colonnes de MacArthur avec quelques unités, tandis que le gros de leurs forces irait prendre les Américains à revers. Ces généraux chinois amateurs se comportèrent comme les professionnels Eisenhower et Patton en Afrique du Nord en 1943. Ils jouèrent pour gagner.

Au sommet de la colline 205, Puckett et ses Rangers furent attaqués par surprise. A 23 h 45, des étincelles brillèrent dans l'obscurité. Des grenades explosèrent dans les retranchements américains. Les fantassins chinois avaient rampé silencieusement en escaladant le versant de la colline afin d'être assez proches pour lancer efficacement leurs projectiles. Les étincelles provenaient de l'amorçage des grenades. Après un tir de barrage de mortier, les Chinois se précipitèrent dans l'espoir d'écraser les Américains par un assaut frontal, comme ils l'avaient fait avec leurs adversaires du Kuo-min-tang.

Ralph Puckett avait bien entraîné ses cuisiniers et ses secrétaires. Ils ne se laissèrent pas impressionner par la ruse des Chinois en se terrant au fond de leurs trous, mais relevèrent la tête en tirant sur les silhouettes qui couraient vers eux dans la nuit. Pour qu'ils puissent mieux viser, Puckett demanda par radio que l'artillerie lance des fusées éclairantes. Il distingua ainsi nettement d'autres groupes de soldats chinois qui escaladaient la colline en courant derrière la première vague, et déclencha sur eux le tir de ses mortiers de 105 et 155 mm. Comme le lieutenant Puckett était un vrai professionnel et qu'il avait prévu une attaque prochaine, ses hommes n'eurent pas à économiser leurs munitions. Il s'était assuré que chacun d'entre eux portait sur lui plus que la dotation réglementaire. Le sommet de la colline retentit d'un tintamarre dément tandis que les armes de toutes sortes crachaient sur les Chinois et que les obus de mortiers les déchiquetaient et les projetaient dans les airs.

Les attaques se succédèrent jusqu'à 3 heures du matin. Puckett n'avait plus que huit balles pour son fusil-mitrailleur et il était gravement blessé par les éclats d'obus de mortiers. Les Chinois étaient partout et les 19 survivants de ses 52 Rangers sautèrent hors de leur trou et dévalèrent la colline en emportant leur lieutenant blessé.

La mégalomanie de MacArthur et l'incapacité de ses supérieurs civils et militaires de Washington à le refréner, provoquèrent la plus longue retraite de l'histoire militaire américaine. Walker fut frappé de stupeur par l'offensive ennemie. Avant qu'il ait pu reprendre la situation en main et manœuvrer, les Chinois avaient écrasé tout le flanc droit de son armée, d'abord un corps d'armée sud-coréen de trois divisions, puis la 2e division d'infanterie. Le général qui le commandait décida de replier le plus gros de ses troupes vers le sud en une seule colonne de chars et de véhicules par un défilé de montagne. Il était si pressé de fuir qu'il en oublia de s'emparer des hauteurs qui dominaient la route. C'était l'imprudence que ses adversaires chinois espéraient. Ils l'attendaient sur les sommets et la 2e division tomba dans une gigantesque embuscade.

Walker redescendit toute la péninsule pendant deux cent cinquante kilomètres avant de prendre le risque de s'arrêter le long du 38e parallèle au-dessus de Séoul. Il fut tué dans un accident de jeep sur une route verglacée, à la fin du mois de décembre, et la 8e armée recula encore de quatre-vingt-dix kilomètres. Séoul fut perdu pour la deuxième fois de la guerre, avant que le successeur de Walker, Matthew Ridgway, pût réorganiser ses troupes et reprendre une série de contre-offensives. Le corps d'armée que MacArthur avait envoyé à l'est de la Corée du Nord sous le commandement de son chef d'état-major, Almond, fut évacué par mer, mais non sans avoir perdu plusieurs divisions sud-coréennes et la plupart des hommes de la 7e division d'infanterie américaine attaquée par 120 000 hommes de la 3e armée chinoise

MacArthur avait provoqué et perdu la bataille décisive de la guerre de Corée. Les États-Unis durent se contenter de la moitié et non des quatre cinquièmes du pays, au prix de cinq fois plus de vies humaines que prévu. Des 54 246 Américains morts en Corée, la bataille pour le périmètre de Pusan et la poursuite des restes de l'armée de la Corée du Nord coûtèrent approximativement la vie de 10 000 hommes, tandis que les autres 44 000 périrent dans les montagnes au sud du fleuve Yalou, ainsi que durant les deux ans et demi que durèrent les combats qui se poursuivirent jusqu'à la fin de la guerre en juillet 1953, le long d'une ligne d'armistice située sur le 38ᵉ parallèle ; à l'endroit précis où la guerre avait commencé.

Dès que Vann avait appris ce qui était arrivé à son ami Puckett, il avait demandé la permission de voir le général Kean et dit, avec autant d'insistance qu'un capitaine pouvait en montrer à l'égard de son général, qu'il pensait avoir mérité la chance de reconstituer l'unité de Rangers avec les survivants et quelques nouveaux volontaires. Ce n'était pas la première fois que Vann demandait le commandement d'une unité. Il avait déjà sollicité que lui soit confié le commandement d'une compagnie du 24ᵉ régiment d'infanterie constitué de Noirs, car Hopkins et l'expérience de Ferrum l'avaient affranchi de toute forme de racisme. Il était persuadé que les soldats noirs pourraient se battre aussi bien que les Blancs, si on leur montrait qu'ils en étaient capables. Le général avait refusé en lui disant qu'il rendait de plus grands services à l'état-major. Cette fois-ci, Kean n'eut pas le cœur de dire « non » une seconde fois. Vann obtint donc le commandement des Rangers.

Mary Jane apprit la nouvelle du premier commandement de son mari lorsqu'il lui demanda dans une lettre de charger le tailleur d'Osaka de faire des épaulettes brodées avec le mot « Ranger » pour que ses hommes puissent le coudre sur leur uniforme. Vann éprouva la même fierté que Puckett en se différenciant de l'infanterie ordinaire, et les épaulettes lui servaient pour faire partager cette fierté à ses hommes. Il était d'autant plus content de son premier commandement que les Rangers constituaient une unité indépendante, et qu'il préférait toujours être au premier rang. Il fut autorisé à recruter ses Rangers parmi les hommes de la 25ᵉ division et les renforts qui arrivaient en Corée ; il put aussi grossir sa compagnie en y ajoutant une troisième section, constituant ainsi une unité composée de 5 officiers, dont lui-même, et de 107 hommes de troupe. Son enthousiasme naturel lui amena bien plus de volontaires qu'il ne pouvait en accepter.

A la mi-décembre 1950, Vann et ses Rangers furent transportés en bateaux de débarquement jusqu'à l'île de Kangwha, à proximité de la côte ouest de la Corée, près de la ligne de défense que Walker essayait d'établir le long du 38ᵉ parallèle. Vann se vit assigner deux missions. Il devait d'abord avertir l'état-major si les Chinois tentaient de débarquer par mer derrière la 8ᵉ armée. La seconde mission était plus ambitieuse et plus dangereuse. A la faveur de la nuit, Vann et ses Rangers, à bord de petites embarcations, débarquèrent sur le continent derrière les lignes chinoises pour espionner. Les Rangers furent évacués de Kangwha lorsque la 8ᵉ armée battit une nouvelle fois en retraite.

Vann ne détourna pas tout de suite à son profit la gloire de Puckett. Bien au contraire il se conduisit avec la loyauté qu'il montrait toujours à l'égard d'un collègue officier courageux. Ce fut grâce à son intervention que Puckett reçut la *Distinguished Service Cross*. Vann interrogea les survivants de la nuit de la colline 205, recueillit les preuves du commandement courageux de son ami et soumit une proposition de citation pour la décoration. Il obtint également des médailles pour les hommes de troupe qui lui avaient sauvé la vie. Lorsque Vann et Puckett se retrouvèrent plus tard à Fort Benning, Vann eut la satisfaction de voir que le texte de la citation était exactement celui qu'il avait écrit.

Ce n'est qu'une douzaine d'années plus tard que Vann s'appropria l'histoire de Puckett, pour plusieurs raisons. Le John Vann du Vietnam n'aurait pas pu être celui qu'il voulait être sans avoir commandé la compagnie de Rangers lors de cette nuit de résistance héroïque lorsque les Chinois avaient attaqué en Corée. Il savait qu'il s'y serait comporté aussi courageusement que Puckett, si bien qu'il amalgama cette histoire dans sa propre légende. Il se souvenait des détails avec précision pour avoir écrit la citation, et il avait ajouté quelques détails pour rendre cet épisode plus significatif, comme par exemple, les « plus de 500 soldats chinois morts devant nos positions » qu'il avait vus à l'aube. En réalité, Puckett n'avait jamais su combien de Chinois il avait tués et il avait été impossible de les dénombrer.

Les centaines de cadavres et la description de la « tactique des vagues humaines successives lancées par les Chinois » étaient utiles au Vietnam pour démontrer que les Américains ne pourraient jamais gagner une guerre d'usure contre des Asiatiques. Ils seraient toujours de plus en plus nombreux, quelle que soit notre puissance de feu, disait-il en rappelant ce qui lui était arrivé à la tête de sa compagnie de Rangers. La façon dont il transformait les détails dans son esprit illustrait également cette image de la Chine qu'il voulait utiliser pour décrire le Vietnam. D'après Vann, les millions de Chinois ne constituaient pas un capital militaire éphémère ou une entrave permanente à la constitution d'une puissance réelle et moderne. Bien au contraire, ils étaient une menace sans cesse grandissante et qui devait être contenue. Cette vision des choses était partagée par la plupart des Américains à cette époque-là. Mais la Corée avait rendu cette vision plus lumineuse et tangible pour Vann.

Comme beaucoup d'autres officiers de sa génération, Vann avait une tendance à expliquer par de fausses raisons ce qui était arrivé en Corée du Nord. L'armée était encore trop proche de sa victoire dans la Seconde Guerre mondiale pour pouvoir admettre que ses chefs avaient été surpassés par les autres et que le soldat américain avait été battu par ses adversaires chinois parce qu'il était mal préparé et mal renseigné. Ce ne fut que plus tard que Vann devait dire à Mary Jane que MacArthur avait fait une terrible erreur en engageant la bataille avec les Chinois. Les succès de MacArthur avaient été si considérables, il s'était drapé lui-même avec tant de talent dans la bannière étoilée et dans la fierté de sa nation et ses excuses étaient si convaincantes que des Américains comme Vann ne virent pas les défauts de son caractère et son éloignement de la réalité militaire. Il fallut quatre mois et demi à Truman pour se débarrasser de MacArthur. Le président dut se résoudre à cette solution parce que le général, dans son ardent désir de justifier sa réputation militaire, avait fait ouvertement campagne pour une guerre totale contre la Chine. Lorsqu'il revint aux États-Unis, MacArthur reçut un accueil hystérique d'un pays qui l'aimait toujours.

Curieusement, Vann ne devait jamais recevoir la médaille qu'il méritait pour le ravitaillement par avion dans le périmètre de Pusan. L'officier de renseignements qui l'avait vu opérer dans son avion de reconnaissance était plus préoccupé par ses propres problèmes et ne fit aucune mention au supérieur de Vann, le lieutenant-colonel Gassett, de ce qu'il avait vu. Le calme de Vann en chargeant les munitions et la chance qu'ils avaient eue de s'en tirer sans mal donnèrent à Gassett l'impression que les pilotes avaient exagéré le danger. Vann ne manqua pas de faire savoir à Gassett qu'il avait organisé les convois de trains et de camions, le déplacement d'hommes et de munitions plus rapidement que n'importe quel officier de transport de la 8ᵉ armée. Il se vantait de ses succès comme il l'avait fait auprès de Crutchfield de ses exploits sportifs au lycée de Norfolk. Il évaluait sa valeur à l'échelle de ses réalisations. Il ne parla pas à Gassett du danger qu'avait représenté le largage des bombes. Son silence ne voulait pas dire que les récompenses le laissaient indifférent. Il avait confié à Mary Jane combien il aurait voulu gagner une impressionnante décoration en Corée, mais il savait que s'il parlait de ses raids aériens à Gassett, il aurait eu l'air de la réclamer. C'est pourquoi il se tut.

Vann aurait pu gagner la haute décoration à laquelle il aspirait en Corée s'il avait pu commander sa compagnie de Rangers plus longtemps et se distinguer en se battant pour de bon contre les Chinois. Mais il ne conserva son commandement que deux mois et demi. Son fils Jesse, qui devait s'opposer tant à sa seconde guerre, devait interrompre prématurément la première.

John Vann n'avait jamais vu son deuxième fils. Jesse était né le 5 août 1950, tandis que son père et la 25ᵉ division combattaient désespérément dans le périmètre de Pusan. L'hôpital militaire d'Osaka était dans une telle agitation que l'infirmière ne put pas trouver de draps propres lorsque Mary Jane arriva lors de ses premières contractions. L'obstétricien était occupé dans la salle d'opérations avec un groupe de blessés qui venait par avion de Corée et il arriva au moment où Mary Jane était en train d'accoucher.

Jesse était un joli bébé aux cheveux clairs et aux grands yeux bleus, mais il était malingre et sans grand appétit. Mary s'en voulut d'avoir fait confiance à un autre médecin de la clinique prénatale qui lui avait recommandé de suivre un régime durant sa grossesse. Au lieu de manger pour deux, comme le voulait l'adage de sa grand-mère Allen et comme elle l'avait fait pour Patricia et John Allen, elle ne s'était nourrie que de céleri et de carottes. Au début de février 1951, alors qu'il avait six mois, la respiration de Jesse faiblit et ses yeux devinrent protubérants. Il se blottissait au pied de son berceau, ce qui était, selon une autre croyance populaire, le symptôme d'une maladie infantile. Mary Jane ne comprenait pas ce qui se passait, car l'enfant n'avait pas de fièvre. Le pédiatre qui l'examina à l'hôpital avait déjà traité des cas de méningites avant d'être envoyé au Japon. Il fit un examen de la moelle épinière, et les analyses révélèrent que Jesse était atteint d'une sorte de méningite qui attaquait le tissu encéphalique. Le médecin déclara à Mary Jane qu'il pourrait peut-être sauver le bébé avec un traitement récent, mais que les chances de l'enfant étaient faibles. En sortant dans le couloir, Mary Jane rencontra une amie, la femme d'un officier qui travaillait à l'hôpital comme volontaire pour la Croix-Rouge. Elle éclata en sanglots et la mit au courant du cas de Jesse. Son amie envoya aussitôt un message urgent en Corée par le réseau de la Croix-Rouge. Vann se retrouva à bord d'un avion avec en poche une permission d'urgence.

Il surprit Mary Jane en arrivant impromptu à la maison. L'amie de Mary Jane lui avait téléphoné pour lui dire que Vann était en route, mais qu'il devait changer d'avion à Tokyo, et Mary Jane ne savait pas quand il arriverait à Osaka. Elle était folle de joie de le voir à nouveau à la maison et de l'embrasser, malgré la raison véritable de son retour. Il était dans la tenue de corvée qu'on lui avait donnée à la station d'épouillage de l'aéroport de Tokyo. Il enleva sa casquette pour lui montrer son crâne rasé pour le débarrasser des poux. Sa tête dégarnie l'amusait. « Ne t'inquiète pas, tu n'en attraperas pas de moi », lui dit-il pour expliquer avec quel soin il avait été désinfecté.

Ils se rendirent immédiatement à l'hôpital. Pendant les deux jours nécessaires pour que le message parvienne au quartier général et que Vann retourne à Osaka, Jesse avait commencé à mieux résister à la maladie, et le médecin était plus optimiste. Vann réconforta Mary Jane : ils avaient eu de la chance avec Patricia et John Allen, et Jesse se remettrait et serait un jour en aussi bonne santé que les autres.

Lorsque l'enfant sortit de la crise, le médecin voulut que Vann aille aux États-Unis où Jesse recevrait de meilleurs soins pendant sa longue période de convalescence. Vann résista. Mais l'état-major de la division, informé de la recommandation du médecin, envoya fin février un message à Vann, lorsque sa permission de deux semaines fut presque achevée, pour lui annoncer sa mutation pour raisons familiales. Il téléphona en Corée et déclara qu'il n'était pas nécessaire qu'il rentre chez lui aux États-Unis et que Mary Jane pouvait emmener Jesse et les deux enfants dans la maison de ses parents à Rochester. Il voulait rejoindre sa compagnie. Ses interlocuteurs estimèrent qu'il disait cela pour se comporter comme un brave soldat et refusèrent d'en tenir compte. Comme capitaine, il devait de toute façon être muté pendant l'été pour suivre les cours de perfectionnement à l'école d'infanterie de Fort Benning. Entre-temps, on avait besoin d'un officier avec son expérience pour le camp d'entraînement des Rangers. Son ordre de mutation était déjà signé. Il n'avait pas le choix.

Mary Jane sentit à quel point il était contrarié de quitter le champ de bataille et sa compagnie de Rangers et en fut profondément blessée. Elle s'était fait une telle fête de son retour et de la vie commune qu'ils allaient reprendre. Physiquement, rien n'avait changé entre eux. L'attirance sexuelle avait toujours été forte et ils renouèrent leurs relations, mais John ne partageait plus ses pensées avec elle comme il le faisait auparavant. Elle essaya de lui parler de la vie qu'elle avait menée avec les enfants tandis qu'il se trouvait en Corée. Il ne répondit pas. Elle se rendait bien compte que son esprit était encore là-bas, avec sa compagnie. Elle était d'autant plus consciente de ce changement en lui qu'ils réagissaient très différemment sur la guerre. Pour lui, cela avait été l'expérience la plus enrichissante de toute sa vie. Le temps ne lui avait jamais pesé. Rien n'avait jamais été banal ou ennuyeux. Chaque journée avait eu un sens, chaque geste avait été indispensable et urgent. Il avait été fasciné de voir à quel point il répondait aux exigences du conflit, à quel point il s'était montré supérieur aux autres hommes. Intellectuellement, Mary Jane avait accepté la justification de la guerre sans l'analyser, comme elle faisait avec tout ce qu'on lui disait. Émotionnellement, elle l'avait rejetée, parce que cela signifiait l'absence de John, et qu'elle était effrayée de ce qu'elle en avait vu.

Le général Kean avait demandé à toutes les femmes d'officiers de travailler comme volontaires pour la Croix-Rouge à l'hôpital ou au terrain d'aviation, pour aider les blessés qui arrivaient de Corée. Mary Jane avait choisi l'aéroport parce qu'elle vivait à proximité. Les blessés qui pouvaient marcher étaient accompagnés jusqu'au hangar et assis sur des bancs, tandis qu'un médecin et des aides les dirigeaient vers les cars qui les conduisaient dans les différents services de l'hôpital, selon la nature de leurs plaies. Les cas sérieux, membres brisés ou blessures graves au ventre, à la poitrine ou la tête, étaient transportés immédiatement dans les ambulances. Avant de servir le café ou le chocolat aux valides, Mary Jane et les autres femmes allaient voir les blessés graves dans les ambulances pour essayer de les réconforter. La vue de ces épaves humaines que l'on débarquait la bouleversait. Elle n'avait jamais imaginé pareille brutalité. Pour le restant de ses jours, elle allait se souvenir du visage de ces jeunes hommes et de leur corps brisés. Après avoir surmonté sa première réaction et sa terreur de découvrir John sur un de ces brancards, elle ne pouvait s'empêcher de voir en ces blessés de jeunes garçons. A vingt-trois ans, elle n'était guère plus âgée que la plupart de ces soldats de dix-huit, dix-neuf et vingt ans, mais elle était mère de deux garçons. Il lui semblait monstrueux que de telles choses puissent arriver à ces jeunes gens. Ils auraient dû être à l'Université ou à leur premier emploi, ou en train de faire la cour à une fille et non pas mutilés comme cela. Elle se demanda si un jour l'un de ses fils ne serait pas pris et déchiqueté de la même façon dans une autre guerre. Elle découvrit combien elle avait été naïve de considérer que l'armée était une entreprise comme Coca-Cola, ou n'importe quelle autre grande compagnie qui, périodiquement, envoyait les époux et leurs familles dans d'agréables stations d'outremer. A présent, elle comprenait que le boulot de l'armée, c'était de faire la guerre.

La déception que John éprouvait en quittant le champ de bataille s'atténuerait, pensait Mary Jane, mais il y avait quelque chose d'autre entre eux que le temps ne pourrait pas changer en dépit de leur attachement physique mutuel : c'était l'obsession sexuelle de John. Elle l'avait découverte avant qu'il ne parte pour la Corée. Il avait des rapports sexuels avec les deux bonnes japonaises de la maison sur la colline. Au début, elle avait été outragée qu'il la trompe, d'autant plus qu'il le faisait dans sa propre demeure. Puis, elle eut peur de mettre son mariage en péril si elle l'affrontait ouvertement. De plus, chaque fois qu'elle laissait voir silencieusement son désaccord, John se durcissait dans une opposition plus ferme encore. Les domestiques, qui avaient entre seize et dix-huit ans, ne pouvaient repousser ses avances alors que le travail et la nourriture étaient si rares pour les Japonais à cette époque. Néanmoins, Mary Jane se décida à renvoyer celle qui paraissait la plus impliquée avec John, espérant que son mari comprendrait le message. Il ne tint pas compte de cet avertissement et fit aussitôt l'amour avec la nouvelle bonne. Lorsque Mary Jane la renvoya sans la remplacer, il en engagea une lui-même, sans même en informer sa femme. Il était clair qu'il l'avait choisie uniquement pour coucher avec elle. Lorsque Mary Jane chassa également cette fille, il en engagea encore une autre. L'activité sexuelle de John avec les servantes ne paraissait pas diminuer ou contrarier en quoi que ce soit le désir physique qu'il ressentait toujours pour sa femme. On aurait dit que John avait un surcroît d'énergie sexuelle à dépenser. Mary Jane était demeurée silencieuse, mais, pour la première fois de leur mariage, une certaine tension s'était établie entre eux. John lui fit clairement comprendre qu'il allait avoir son harem et qu'il attendait d'elle qu'elle accepte son comportement. Il ne montra jamais aucun signe de culpabilité.

A Fort Benning où les Vann s'établirent au début de mai 1951, après le retour au pays et un long séjour avec les Allen à Rochester, John substitua les femmes américaines aux bonnes japonaises. La famille habitait dans une de ces cités d'appartements avec jardin que l'armée avait construites sur la base avec les fonds alloués pour la guerre de Corée. John sortait souvent le soir après dîner, sous prétexte qu'il avait un match de basket ou qu'il devait étudier à la bibliothèque. Mary Jane continua à ne rien dire. En revanche, elle le payait de retour en se montrant garce avec lui lorsqu'elle ne pouvait plus contenir sa colère, mais elle parvenait le plus souvent à se contrôler et à supporter ses infidélités. Le saut en parachute et autres exercices durs du camp d'entraînement des Rangers, puis les huit mois d'études au cours de perfectionnement de l'école d'infanterie, le maintinrent de bonne humeur. Il était attentif aux besoins de sa femme d'être de temps en temps libérée des enfants et l'emmenait avec lui dans des soirées ou des tournois de bridge avec ses collègues officiers et leurs femmes. Ils sortaient souvent avec Ralph Puckett, toujours en traitement à l'hôpital, et sa fiancée, pour des barbecues pendant lesquels les hommes évoquaient la guerre.

Souvent, le soir, tandis que John courait les filles, Mary Jane restait seule à la maison pour soigner Jesse qui, à plusieurs reprises pendant ses trois premières années, souffrit de pneumonie. Pour atténuer la congestion des poumons, les médecins avaient improvisé une sorte de tente de vapeur en couvrant d'un drap le lit à barreaux et en l'humidifiant avec un vaporisateur. De peur de le laisser seul, Mary Jane restait des heures assise à son chevet. Sa tête paraissait disproportionnée par rapport à son petit corps, avec ses yeux protubérants. La méningite causa au cerveau des lésions qui se cicatrisèrent, mais son constant état maladif retarda son développement intellectuel et physique. Il ne se mit à marcher que tard et ne prononça ses premiers mots que vers l'âge de deux ans.

Lorsque Vann termina ses cours à l'École d'infanterie au printemps 1952 et fut muté à l'université de Rutgers comme instructeur d'officiers de réserve, une période plus cruelle encore commença pour Mary Jane. John avait demandé cette affectation afin de pouvoir passer un diplôme en études commerciales, en suivant des cours du soir. Pour des raisons professionnelles, il avait besoin d'un diplôme de maîtrise. Étant donné son talent pour les mathématiques et les statistiques ainsi que ses précédentes études en économie à Rutgers, un diplôme de gestion était pour lui le choix logique. Il se rendit dans le New Jersey avant sa famille et loua une maison à Parlin, une petite ville à l'est de New Brunswick, où l'université se trouvait située. Le loyer d'une assez grande maison pouvant accueillir une femme et trois enfants y était moins élevé que dans d'autres villes plus proches de l'université, et la distance jusqu'à New Brunswick permettait néanmoins de faire l'aller et retour quotidien.

Mais, pour Mary Jane, Parlin était un isolement complet après le cercle de la vie de garnison à Fort Benning et la camaraderie des familles de la 25e division au Japon. La maison se trouvait dans un quartier dont les habitants d'origine polonaise avaient immigré longtemps avant la Seconde Guerre mondiale. La plupart des voisins de Mary Jane étaient des couples âgés qui parlaient encore mal l'anglais et dont les enfants avaient grandi et étaient partis s'installer ailleurs. Sa voisine était en revanche une veuve d'origine anglo-saxonne qui passait sa vie aux fourneaux et apportait sans cesse à Mary Jane des tartes et des plats cuisinés, et se proposait de l'aider avec les enfants. Mais une voisine gentille ne remplace pas une communauté ou une vie sociale. John partait à huit heures du matin après le petit déjeuner et Mary Jane ne le revoyait en général que tard dans la nuit.

Même si elle avait voulu engager une baby-sitter et prendre l'autobus pour aller jouer au bowling, ou se rendre au cinéma, ou faire du lèche-vitrines dans un quartier plus animé, elle n'aurait pas eu l'argent nécessaire. John lui acheta une voiture d'occasion pour elle et les enfants, mais c'était une telle guimbarde qu'elle était tout le temps en panne. John gardait pour lui la nouvelle voiture pour aller à l'université. Il contrôlait tout l'argent du ménage, réglant lui-même les grosses factures comme le loyer, et contraignait Mary Jane à vivre avec un budget restreint. Le samedi, il la conduisait au magasin de l'armée pour faire les courses, puis en cours de semaine lui donnait un peu d'argent pour les besoins urgents, les vêtements pour les enfants, etc. Si elle se plaignait du coût élevé de la vie, il lui répondait qu'il n'avait pas de chaussures lorsqu'il était gosse et que, bon Dieu, ses enfants pouvaient se contenter d'une paire de godasses qui ne coûtait pas plus de... et il citait un chiffre qui datait de sa jeunesse pendant la Seconde Guerre mondiale. Puisqu'il ne faisait pas les courses lui-même, il n'avait pas la moindre idée de l'augmentation du coût de la vie.

Lorsque Mary Jane se plaignait de sa solitude, John répondait qu'il n'avait pas de temps à lui consacrer ni aux enfants à ce moment de sa carrière. Il estimait qu'il s'acquittait suffisamment de ses responsabilités en entretenant financièrement sa famille. Il refusait également de les installer plus près de l'université, parce que c'était trop cher. C'est vrai qu'il était très occupé. Il donnait des cours aux officiers de réserve, suivait ses propres études dans la journée et la soirée pour son diplôme et était l'officier de ravitaillement du détachement. Ambitieux comme il l'était, il fut volontaire pour être entraîneur de la section d'exercice, les « Fusils rouges », et instructeur de gymnastique. Mary Jane avait compris qu'il avait toujours le temps de faire ce qui lui plaisait et que, les soirs où il aurait pu être chez lui, il courait les filles. Elle commençait à se rendre compte également qu'il était ladre parce qu'il avait besoin d'argent pour ses activités extra-conjugales.

Elle chercha à en savoir plus en parlant avec des connaissances qu'elle s'était faites lors des quelques soirées d'officiers de réserve auxquelles il l'avait amenée. Elle découvrit que, parmi d'autres aventures plus éphémères, John avait une liaison avec une secrétaire qu'elle avait rencontrée dans une de ces soirées. Elles avaient à peu près le même âge. Mary Jane ne craignait pas que John la quitte pour épouser l'autre, car elle était du genre aimant s'amuser qu'un homme prend et laisse tomber. Mais le fait de connaître personnellement la femme rendait l'infidélité de son mari plus intolérable encore. La nuit, après que les enfants s'étaient endormis, elle imaginait John en train de faire l'amour avec la secrétaire, ce qui la jetait dans des crises de déprime et de larmes.

Mary Jane refusa d'envisager de le quitter. Elle se sentait incapable d'élever trois enfants avec le salaire qu'aurait pu gagner une femme comme elle, sans formation professionnelle. En outre, elle considérait le divorce comme la reconnaissance publique, vis-à-vis de ses parents et de ses amis, qu'elle avait raté la seule activité de la vie qu'elle aurait tant voulu réussir. Elle n'aurait pas été capable de supporter cette honte. Elle n'arrivait même pas à prendre sa revanche en ayant, elle aussi, une liaison.

S'il avait seulement concédé un simulacre de cette vie conjugale qu'elle désirait, peut-être aurait-elle pu accepter le partage. Certains soirs, elle le suppliait de rentrer pour dîner après ses cours. Il promettait de le faire et elle préparait un dîner de fête, avec des bougies sur la table et une bouteille de vin, rien que pour eux deux, et avec l'espoir de faire l'amour après. Il ne venait pas. Lorsqu'il rentrait, bien après minuit, elle devenait hystérique, lui criait au milieu de ses larmes qu'elle était sa femme, qu'il avait prononcé des vœux de mariage, qu'il était de son devoir de rentrer pour être avec elle. Un soir, il promit de rentrer tôt pour dîner avec elle et les enfants parce que c'était l'anniversaire de Patricia. Mary Jane fit un gâteau. Minuit passa sans qu'il revienne. Patricia se souvient de son gâteau d'anniversaire sur la table, que personne n'avait coupé, des bougies que personne n'avait allumées, et de sa mère allongée sur leur lit, pleurant à chaudes larmes.

Mary Jane se mit à lui chercher querelle sur son avarice, son manque d'attention à l'égard des enfants, ses fréquentations, ou n'importe quoi qui lui venait à l'esprit. Les disputes devinrent de plus en plus haineuses. Lorsqu'elle était à bout, elle hurlait et lui jetait les assiettes, ou tout ce qui lui tombait sous la main, à la figure. Le résultat fut catastrophique. Les disputes rendaient le mariage plus infernal qu'il ne l'était déjà et fournissaient à John un prétexte supplémentaire pour ne pas rentrer. Il passait souvent des nuits entières dehors, prétendant qu'il devait étudier très tard et qu'il allait dormir dans la voiture et prendre une douche et se raser au gymnase le lendemain matin. Pour le punir, elle se refusait à lui lorsqu'il revenait. Mais cela ne durait jamais longtemps car elle avait envie de lui. En été 1953, alors que leur mariage était au plus mal, elle tomba enceinte une fois de plus.

Durant les premières et les plus heureuses années de leur vie commune, John lui avait confié beaucoup plus de choses sur son enfance qu'il ne l'avait fait à quiconque. Il lui avait avoué qu'il était un enfant illégitime et lui avait fait faire la connaissance de Johnny Spry lors d'un passage à Norfolk en 1947. Elle fut frappée par la ressemblance entre John et son père naturel et elle l'écouta raconter ses souvenirs de petit garçon, lorsqu'il chevauchait les barils de whisky de contrebande chaque fois que Spry l'emmenait faire ses livraisons. Elle découvrit l'histoire de Mollie qui l'avait délivré du couffin dans lequel sa mère l'avait abandonné, des éternels biscuits et pommes de terre de Frank Vann, et comment Garland Hopkins lui avait permis d'échapper à tout cela en l'envoyant à Ferrum. Il l'avait conduite à Ferrum pour qu'elle voie son école et pour qu'il la présente à ses anciens professeurs. A cette époque-là, Myrtle avait une liaison avec un quartier-maître de la Marine pour lequel elle s'apprêtait à quitter Frank Vann. Mary Jane comprit mieux ce que lui avait dit John de sa mère ; elle était à la fois égocentrique, alcoolique et débauchée, et elle avait rejeté son fils et ses autres enfants. Dans les premières images qu'il avait conservées de sa mère, disait-il, elle était assise devant sa glace en train de se coiffer.

Mais pour chaque épisode de son enfance que John révélait à Mary Jane, il en cachait beaucoup d'autres, soit qu'il en eût trop honte pour pouvoir lui en parler, soit qu'il les occultât volontairement. A ce moment difficile de leur mariage, elle n'avait aucun moyen de savoir pourquoi il se comportait ainsi

Elle n'était pas en mesure de comprendre l'ampleur du sentiment d'insécurité dont il souffrait par la faute de Myrtle. Le garçon qui avait dû se prouver à lui-même qu'il avait le courage d'un mâle en accomplissant des exploits téméraires, était le même qui devait se convaincre de sa virilité par un éternel marathon de séduction. Ce qui n'était qu'un penchant chez Spry était chez John un appétit qu'aucun nombre de femmes, aussi élevé fût-il, n'aurait pu satisfaire. Mais les utiliser pour se donner une éphémère assurance ne lui suffisait pas. Il devait également en faire des victimes, comme il le faisait avec Mary Jane, pour se venger de sa mère.

Il ne lui avait pas dit non plus que Garland Hopkins avait aussi son côté obscur et qu'il avait obtenu sa récompense pour libérer John. Hopkins était pédophile. Il ne racontait pas des histoires de fantômes autour du feu de camp simplement pour distraire ses jeunes scouts. Il choisissait celui qui avait été le plus effrayé pour le rejoindre ensuite dans son sac de couchage sous prétexte de le réconforter. L'attirance particulière de Hopkins n'impliquait pas d'actes de sodomie. Il s'agissait seulement d'un goût pour les caresses génitales que les jeunes garçons pratiquent généralement entre eux. Il avait d'ailleurs des relations normales avec sa femme et était le père de trois enfants. Les hommes comme Hopkins sont le plus souvent attirés par ce genre de jeune éphèbe blond que Vann était à l'âge de quatorze ans. Il est certain qu'ils avaient eu des relations sexuelles de cet ordre, qui se transforment en amitié lorsque l'adolescent grandit. C'est apparemment ce qui s'était passé dans leur cas. Vann admirait les qualités de réformateur social et de militant politique de Hopkins, et il lui était très reconnaissant de ce qu'il avait fait pour lui. Mais cette relation dut apparemment aggraver l'insécurité de John en faisant de lui un hétérosexuel encore plus insatiable.

Il y avait si peu de chaleur humaine dans ce mariage, au printemps 1954, que John abandonna Mary Jane et les enfants la nuit où Tommy naquit. Il emmena Mary Jane à l'hôpital l'après-midi où elle eut ses premières contractions. Elle pensa qu'il retournerait à la maison pour rester avec les enfants dont la sympathique veuve, leur voisine, était venue s'occuper pendant que John la conduisait à l'hôpital. Lorsqu'elle appela à la maison cette nuit-là pour lui dire qu'il était père d'un quatrième enfant et d'un troisième fils, c'est la voisine qui répondit au téléphone. John n'était toujours pas rentré. Mary Jane ne put le joindre que le lendemain matin au bureau des officiers de réserve de l'université.

Il partit pour une nouvelle affectation au 16ᵉ régiment d'infanterie à Schweinfurt en Allemagne après ses examens à l'université au mois de juin, promettant de faire venir Mary Jane et les enfants dès qu'il trouverait une place pour eux là-bas. Il n'y avait pas pour le moment de logement de familles militaires disponible. Sur les conseils de John, la famille s'installa chez les Allen à Rochester, en attendant. Ainsi ils économisaient de l'argent d'autant que Vann avait perdu ses allocations militaires pour l'habitation et la nourriture en partant pour l'étranger. Sa promesse de faire venir sa famille dès que possible paraissait au début sincère. Il emmena avec lui Mike, le chien de la famille, un gentil petit bâtard cocker spaniel, qu'il avait sauvé de la mort au chenil de Fort Benning après avoir décidé que les enfants devaient avoir un compagnon.

Une fois en Allemagne, la tentation de maintenir l'océan entre lui et le fardeau que représentaient Mary Jane et ses rejetons fut trop forte pour qu'il puisse y résister. Dans ses lettres, John ne disait pas ou même ne sous-entendait pas qu'il souhaitait le divorce ou la séparation. Il donna aux officiers qu'il côtoyait l'impression que Mary Jane et les enfants lui manquaient, comme il allait le faire au Vietnam avec David Halberstam lorsqu'il attirait son attention sur la grande photographie de ses fils qu'il gardait dans son bureau à My Tho. Mary Jane pensa qu'il ne voulait pas rompre parce que les tableaux d'avancement de l'armée considéraient plus favorablement les officiers qui avaient charge de famille. En fait, ses motivations étaient plus complexes. Il jouait un rôle autant pour se satisfaire lui-même que pour impressionner les autres. Il aimait se considérer comme un mari et un père de famille et parler de ses enfants... mais de loin.

Les mois passèrent et il continuait à faire attendre sa famille sous prétexte qu'il n'y avait toujours pas de logement disponible. Mary Jane emménagea dans un appartement que sa sœur Doris et son beau-frère Joseph Moreland lui trouvèrent dans un quartier au nord de New York où ils vivaient eux-mêmes. Mary Jane était gênée de rester avec ses parents à Rochester alors qu'elle était mariée avec quatre enfants, et les chèques que John envoyait aux Allen pour le logement et la nourriture n'étaient pas très généreux. Sa sœur et son beau-frère n'avaient pas d'enfants, mais Joseph Moreland était un gros et chaleureux Irlandais qui aimait beaucoup les gosses. Il était pour eux l'oncle Joe qui les emmenait toujours en excursion. Joe et Doris savaient, d'après ce qu'ils avaient vu et ce que Mary Jane avait reconnu, qu'elle ne vivait pas véritablement comme une femme mariée. Ils proposèrent de l'aider à se faire une nouvelle vie. Mary Jane envisagea à nouveau le divorce, comme elle l'avait fait dans le New Jersey et, une fois de plus, elle ne put s'y résigner.

Elle appela John depuis la maison de ses parents à Rochester où elle passait les vacances en famille, le jour de Noël 1954. Elle était émue et pensa que peut-être il l'était aussi. Elle pleura au téléphone, lui dit combien elle l'aimait et combien il lui manquait, que six mois d'absence c'était trop long, qu'il fallait qu'il la laisse venir avec les enfants. Il fut odieux. Il n'y avait pas d'appartement disponible, lui dit-il, elle était à nouveau trop émotive comme d'habitude, elle n'avait qu'à être patiente et attendre. Elle cessa de pleurer et devint dure à son tour. Elle avait eu des informations tout à fait différentes sur le logement, lui dit-elle. Elle allait emprunter de l'argent pour les billets et prendre avec les enfants le premier avion pour l'Allemagne.

John parut heureux de revoir sa famille lorsqu'il alla les chercher à leur descente d'avion à Francfort. Mary Jane lui avait envoyé un télégramme pour lui annoncer l'heure de leur arrivée. Sa bonne humeur était de bon augure. Les deux années et demie qui allaient s'écouler furent parmi les plus heureuses de leur mariage. Ce fut également à cette époque-là que la carrière militaire de John s'annonça prometteuse.

L'armée des États-Unis en Allemagne au milieu des années cinquante était en mesure de reconnaître les mérites d'un officier comme John Vann. Elle était sur le qui-vive et affûtait ses armes en vue de l'affrontement avec les Soviétiques que tout le monde, du simple soldat jusqu'au général, estimait inévitable. Le John Vann qui était parti pour l'Allemagne était un officier mûri professionnellement par la combinaison de son éducation militaire et civile et par les leçons qu'il avait apprises dans les circonstances les plus défavorables du combat. Son rendement dans une armée effectivement en paix, mais psychologiquement en guerre, le distinguait nettement des autres.

En arrivant au 16e régiment d'infanterie, en juin 1954, il fut d'abord officier en second d'un bataillon. Puis, pendant une semaine, il en exerça le commandement effectif. L'audace et l'étonnante compétence dont il fit preuve attirèrent sur lui l'attention d'un homme qui allait devenir un de ses parrains, Bruce Palmer Jr., alors colonel à la tête du régiment. Lorsque Palmer eut besoin d'un nouveau chef pour la compagnie de mortiers quelques semaines plus tard, son choix se porta sur Vann. Cette unité était un poste idéal pour un capitaine de régiment d'infanterie parce qu'elle bénéficiait d'une relative autonomie, assez semblable pour un capitaine à celle d'un lieutenant-colonel à la tête d'un bataillon. Le mortier de 107 mm est le plus gros des mortiers américains, et tire un obus à peu près équivalent à une pièce d'artillerie de 105 mm à une distance de quatre kilomètres. La compagnie en comportait douze, transportés par camion, qui constituaient l'artillerie du régiment. Palmer sélectionnait les officiers sous ses ordres avec beaucoup de soin. Il avait fait du 16e d'infanterie l'un des meilleurs des trois régiments qui constituaient la 1re division, basée au centre de l'Allemagne, pour barrer la route d'invasion présumée des Soviets venant d'Allemagne de l'Est et de Tchécoslovaquie.

L'unité de mortiers lourds était à l'image de la valeur exceptionnelle de son capitaine. Palmer nota dans son rapport que le penchant naturel de Vann pour une discipline sévère ne l'empêchait pas de gagner la loyauté de ses hommes, parce que « lui-même vivait à une allure vertigineuse et qu'il attendait de ses subordonnés qu'ils se comportent de même ». Lors des manœuvres qui eurent lieu dans la plaine de Grafenwöhr, près de la frontière tchèque, Vann avait placé ses mortiers et était prêt à faire feu dès que l'infanterie le demanderait. Les obus atteignirent directement leur but ; leur tir était méticuleusement coordonné avec celui de l'artillerie ; l'emplacement de ses pièces était si parfaitement choisi qu'il aurait pu servir de modèle de démonstration. Lors des inspections, les armes et les équipements militaires étaient toujours en parfait état ; les dossiers étaient tenus dans le plus strict respect des règlements ; et tous, du commandant au simple soldat, étaient astiqués comme un sou neuf.

La compagnie de mortiers et son capitaine excellaient également dans d'autres domaines qui permettaient aux hommes de garder la forme. L'unité de Vann remporta plus de récompenses sportives que n'importe quelle autre unité, et plusieurs de ses membres furent sélectionnés pour l'équipe de basket que Vann entraîna jusqu'à la victoire lors d'un tournoi entre les trois régiments de la 1re division d'infanterie.

« J'ai été particulièrement impressionné par l'esprit combatif et la volonté de vaincre chez tous les joueurs de l'équipe, écrivit Palmer. Ils ont peut-être été quelquefois débordés dans leur jeu, mais jamais dominés. »

Vann, qui avait été promu commandant au mois d'avril, fut affecté à Heidelberg au quartier général de l'armée américaine en Europe en juin 1955. Palmer se démena pour convaincre les commissions d'avancement et de sélection des capacités de Vann. Dans son dernier rapport d'activité, il le qualifia ainsi : « Un des plus éminents officiers qu'il m'ait été donné de rencontrer. » Palmer insista pour qu'à la première occasion, Vann aille suivre les cours de commandement à l'université militaire de Fort Leavenworth, dans l'État du Kansas, la condition requise pour être nommé lieutenant-colonel. Pour bien insister sur son appréciation de la valeur de Vann, Palmer ajouta à son dossier une lettre de recommandation spéciale :

> Vous avez été un commandant de compagnie hors pair et un extraordinaire meneur d'hommes. Sous votre commandement, j'ai eu une confiance absolue en l'unité de mortiers lourds pour accomplir n'importe quelle mission.
> En toute circonstance, cette unité a fait preuve de l'esprit hautement compétitif, agressif et enthousiaste que vous avez su lui inculquer... J'ai la conviction que le succès de votre compagnie est dû à votre intégrité, à votre ténacité et à la constance de votre objectif.

Au quartier général de Heidelberg où Vann fut intégré à la Section de logistique de l'intendance, ses supérieurs allaient bientôt chanter ses louanges avec le même enthousiasme.

« Je considère cet officier comme un des plus extraordinaires jeunes hommes de l'armée », devait déclarer son supérieur immédiat dans son premier rapport d'activité.

La vie privée de Vann n'affecta pas l'estime dans lequel ses supérieurs le tenaient. Ils louaient tous, comme Palmer, son « élévation morale ». C'était vrai pour son activité professionnelle. Il croyait profondément aux idéaux de l'officier américain, en se préoccupant de ses hommes, en leur donnant l'exemple, en rendant compte honnêtement à ses supérieurs, parce que l'accomplissement de ces idéaux était intimement lié à son sentiment de respect de soi. L'armée ne s'occupe pas de la vie privée de ses officiers tant qu'ils évitent le scandale et ne pratiquent pas l'homosexualité, qui pourrait facilement déboucher sur toute sorte de chantage. Les fréquentes séparations imposées par la vie militaire réduisaient l'adultère à un simple échange sur un lit, comme le prétendait Napoléon. Le partenaire qui demeurait fidèle, comme Mary Jane, l'était parce que la monogamie est un choix émotionnel ou un besoin. Beaucoup de camarades de Vann étaient au courant de la nature de ses loisirs parce qu'il se vantait de ses prouesses sexuelles. Ils trouvaient ses histoires amusantes ou enviaient sa virilité. Il veillait d'ailleurs à ce que les apparences jouent en sa faveur. Un de ses amis à Schweinfurt remarqua que, bien que Vann eût rapidement une ribambelle de petites amies allemandes, il demeurait très discret. Il n'amenait jamais les filles au club des officiers, même avant que Mary Jane n'arrive, alors que d'autres militaires, séparés de leurs femmes, ne s'en privaient pas. Les chefs de Vann étaient, sans aucun doute, au courant par la rumeur publique de ses activités extra-conjugales. Mais ils pouvaient constater qu'il était très prudent, et la bonne tenue avait autant de valeur pour eux que la moralité personnelle. D'autant que Vann se comportait parfaitement par ailleurs : il ne buvait jamais avec excès ; en fait, il buvait à peine. Il n'avait aucune dette. Pour des raisons personnelles, Mary Jane ne l'avait jamais trahi en se confiant à des étrangers.

Leur vie en Allemagne fut plus heureuse qu'elle ne l'avait espéré, surtout après son épreuve du New Jersey. La bonne humeur dont John témoignait parce qu'il servait à l'étranger redonna à Mary Jane un semblant d'image du mariage tel qu'elle le rêvait. Il s'occupait des enfants et souvent, le dimanche, emmenait toute la famille à bicyclette sur les chemins de terre des forêts de pins. Mary Jane installait Peter, le bébé né à Heidelberg en novembre 1955, dans un panier fixé à son guidon. John prenait le petit Tommy dans le sien, avec Jesse, qui avait cinq ans, sur le porte-bagages arrière. Patricia, neuf ans en automne 1955 et John Allen, huit ans à Noël, suivaient sur leur petit vélo. Mary Jane apportait le déjeuner. Ils se chargeaient de raquettes, de poteaux et d'un filet de badminton pour pouvoir jouer sur les terrains de pique-nique. Tous les six mois, John prenait une permission et emmenait sa famille en vacances. Ils allèrent ainsi dans les Alpes bavaroises, firent le tour de la Hollande et visitèrent Berlin-Ouest, dont la liberté défiait alors les Soviétiques qui voulaient l'isoler du reste du monde.

Patricia se souvient que Noël était toujours le meilleur moment de l'année parce que son père s'y consacrait à fond. Une année, il peignit un Père Noël, avec son traîneau tiré par des rennes, sur la vitre de la grande fenêtre du salon de leur appartement dans la cité militaire de Heidelberg. Il tenait à ce que les enfants aient un grand sapin et aidait à le décorer somptueusement. Quelques jours avant, il allait au P. Ex. pour acheter des cadeaux pour tout le monde. Mary Jane raconta à Patricia que John refusait toujours qu'elle l'accompagne, car il voulait tout acheter lui-même. Le soir du réveillon, après que les enfants s'étaient endormis, John et Mary Jane emballaient les cadeaux. A 4 heures du matin, ils réveillaient Patricia et ses frères et les regardaient se précipiter vers le sapin en hurlant de joie.

Un après-midi à Heidelberg, Mary Jane était à la maison tandis que Peter et Tommy faisaient la sieste, lorsqu'on sonna à la porte. Elle ouvrit et vit une jeune Allemande qui lui dit en anglais qu'elle voulait lui parler d'une affaire confidentielle. Mary Jane la conduisit dans le salon et lui offrit une tasse de café. La main de la fille tremblait tellement qu'elle en renversa un peu sur sa robe en buvant. Elle éclata en sanglots et raconta une longue histoire selon laquelle John l'aurait séduite en lui disant qu'il l'aimait et qu'il allait divorcer pour l'épouser. Quelques semaines plus tard, il l'avait brusquement quittée. Il avait obligé sa secrétaire à lui répondre qu'il était absent chaque fois qu'elle téléphonait et il ne répondait plus à ses lettres dans lesquelles elle le suppliait pour obtenir de le revoir. Au début, elle n'avait pas voulu affronter Mary Jane, dit-elle, puis elle avait compris que c'était la seule façon d'apprendre la vérité. Elle était si amoureuse de John qu'il fallait qu'elle sache. Elle n'avait couché avec lui que parce qu'il avait l'air tellement sincère. Était-ce exact, demanda-t-elle, qu'ils ne s'aimaient plus et qu'ils allaient divorcer ?

Mary Jane ressentit de la pitié pour la fille. John avait probablement utilisé la même technique avec des douzaines d'autres, pensa-t-elle ; peut-être même des centaines, compte tenu de la rapidité de ses conquêtes éphémères. Elle expliqua à la jeune fille qu'elle croyait que John l'aimait toujours à sa façon et qu'ils n'avaient jamais parlé de divorce. Si cela devait arriver, elle s'y opposerait. Elle lui conseilla de faire plus attention avec les hommes à l'avenir. Elle lui donna un mouchoir pour qu'elle se mouche et s'essuie les yeux, et lui dit qu'elle devait partir maintenant, car les autres enfants allaient rentrer de l'école. La jeune fille n'avait pas mentionné son âge, mais il était évident qu'elle était encore une adolescente.

John ne nia pas avoir eu des relations sexuelles avec elle. Mais il démentit lui avoir dit qu'il l'aimait et lui avoir promis de l'épouser. Il avait intérêt à apprendre à mieux se contrôler, lui dit Mary Jane, avant qu'il ne mette une fille enceinte ou avant qu'une autre ne fasse un scandale qui compromettrait sa carrière et sa famille. John lui répondit de le laisser tranquille, qu'il savait parfaitement comment se conduire.

Sa réussite dans les services d'intendance du quartier général fut plus grande encore que sa renommée dans l'infanterie. L'énergie et le brio dont il faisait preuve étaient déjà rares dans l'univers des combattants ; ils l'étaient encore plus dans celui des intendants.

« Le commandant Vann est une véritable dynamo dans le travail », remarqua l'un de ses supérieurs dans un de ses rapports. « Il faudrait trois ou quatre officiers moyens pour rivaliser avec son rythme d'activité quotidien, que ce soit au bureau, sur un rapport ou sur le terrain. »

Son travail à la Section de logistique consistait à analyser le système de ravitaillement en Europe et à soumettre des suggestions pour l'amélioration. Il aborda cette tâche, comme il le faisait pour toutes ses responsabilités professionnelles, en se rendant sur le terrain. Il alla inspecter tous les dépôts pour savoir quelles étaient leurs réserves et comment ils étaient approvisionnés. Il se rendit également dans les unités combattantes pour connaître leurs besoins et vérifier si elles étaient satisfaites. Bientôt, le commandant Vann sut mieux que quiconque dans toute l'intendance de l'armée américaine en Europe comment le système fonctionnait. Il rédigea ses conclusions dans des rapports clairs et d'une dialectique affinée, remplis de faits surprenants simplement parce que, jusque-là, personne n'avait pensé à se renseigner. Il les illustra de statistiques qui soulignaient la logique de sa démonstration au lieu de la rendre confuse.

Il présenta un plan pour réorganiser tout le système et en éliminer les points faibles. Son projet fut accepté par le général de division qui commandait l'intendance, ainsi que par le général à quatre étoiles qui était à la tête de l'armée des États-Unis en Europe. Vann fut chargé de mettre à exécution son plan. La réorganisation mit au jour d'autres problèmes pour lesquels il proposa également des solutions qui furent acceptées et qu'il fut chargé d'appliquer. Il fut nommé à la tête de la Section de logistique et chargé des relations publiques de l'intendance. Lorsqu'un civil important, ou un général, ou un amiral, se présentait à Heidelberg, le commandant Vann était sur la corde raide dans la salle de *briefing* pour éblouir le visiteur éminent par le travail remarquable de l'intendance de l'armée américaine en Europe. Wilbur Brucker, secrétaire de l'Armée sous le président Eisenhower, se rendit au quartier général en juillet 1956 pour une tournée d'inspection. Le commandant Vann lui expliqua tout le système de ravitaillement en Europe. L'intendance avait beaucoup à faire au cours de ces années de tension, et Vann était de toute façon convaincu qu'elle faisait du bon travail puisque le sien l'était. Après l'inspection, Brucker et les autres visiteurs écrivirent des lettres laudatives qui furent jointes au dossier de Vann, et ses supérieurs reconnaissants veillèrent à ce que ses autres réalisations fussent aussi enregistrées pour les futures commissions d'avancement. A deux reprises, il fut chargé d'escorter des généraux nouvellement arrivés, alors qu'ils allaient inspecter les unités dont ils allaient prendre le commandement. C'était un honneur pour un jeune commandant. Il n'hésitait pas à conseiller les généraux sur les questions qu'il fallait poser et sur la valeur des réponses qu'on leur faisait.

« Vann a un brillant avenir devant lui », avait prédit Bruce Palmer. L'avenir du commandant Vann était en effet très prometteur. Avec Mary Jane et les enfants, il quitta l'Allemagne pour les États-Unis au cours de l'été 1957, et prit une longue permission avant de commencer ses cours à l'École militaire supérieure d'état-major de Fort Leavenworth, en automne. Après les deux années passées à Heidelberg, ses supérieurs lui avaient accordé la plus haute note d'aptitude : « un officier extraordinaire d'une valeur rare », aussi doué pour le travail d'état-major que pour le commandement d'une unité. « L'homme représente un potentiel considérable pour l'armée, et devrait en être un des futurs chefs. »

A Fort Leavenworth, John répondit aux espérances de ses supérieurs. Le rang qu'il y occupait montrait à quel point il avait mûri professionnellement grâce à son assiduité pendant toutes ces années. Il était sorti dans les derniers de l'École militaire d'infanterie en 1947. Il avait été dans les vingt premiers du cours de perfectionnement en 1952. En juin 1958, après neuf mois de cours à l'École d'état-major, il finit 11e sur les 532 élèves.

L'école dut lui envoyer son diplôme par la poste. John et sa famille partirent avant la cérémonie de remise de prix dans un minibus Volkswagen acheté en Allemagne. Ils se dirigèrent vers l'est du pays jusqu'à Syracuse, dans l'État de New York, où John devait suivre les cours de l'université d'été. Alors qu'il était à Heidelberg, il avait accepté de se spécialiser en logistique, car c'était le meilleur moyen d'avoir des promotions pour un officier qui ne sortait pas de West Point. En retour, l'armée avait approuvé sa demande d'études pour obtenir un diplôme de maîtrise en administration à l'université civile de Syracuse. Au début de mai 1959, il ne lui restait plus que trois mois à faire pour obtenir son diplôme. Il avait en même temps suivi suffisamment de cours en administration publique pour pouvoir quitter Syracuse en n'ayant plus que quelques cours à suivre et une thèse à rédiger pour obtenir son doctorat. Il avait prévu de tout terminer à Washington pendant les trois ou quatre ans où il serait affecté au service logistique du Pentagone à partir de l'été 1959. Il voulait les diplômes civils non seulement pour leur propre valeur, mais aussi parce qu'ils l'aideraient à devenir plus rapidement lieutenant-colonel, et plus encore peut-être. Il n'avait pas l'intention de rester dans l'intendance dont le travail régulier l'ennuyait. Il voulait progresser pour obtenir le commandement d'un bataillon d'infanterie dès que possible après avoir été promu lieutenant-colonel, s'y distinguer spectaculairement à nouveau pour dépasser ses collègues, et monter rapidement en grade dans l'infanterie. Son avenir était assuré. Il voyait déjà ses étoiles de général. Et c'est alors que son autre vie trouble se rappela brutalement à lui.

Un inspecteur de la division d'enquête criminelle de la Police militaire se présenta à Syracuse le matin du 7 mai 1959 et fit sortir Vann de sa classe. L'agent l'informa de ses droits constitutionnels de ne pas répondre et l'avertit qu'il allait l'interroger à propos d'une plainte qui pouvait se transformer en inculpation de viol de mineure. Vann avait été accusé par un autre officier d'avoir eu une liaison avec une fille de quinze ans lorsqu'il était à Fort Leavenworth, ce qui, selon la loi militaire, constituait un crime. Si la preuve de sa culpabilité était faite, Vann risquait une condamnation à quinze ans de prison. Compte tenu de son dossier et de ses états de service, une cour martiale ferait probablement preuve d'indulgence en le rayant simplement des cadres de l'armée, ce qui équivalait pour un officier à une mesure infamante. Sa vie civile serait également ruinée. Dans l'ambiance de l'avant-Vietnam des années cinquante et soixante, les anciens soldats déshonorés avaient du mal à trouver des emplois, même inférieurs. Quelle firme engagerait un officier rayé des cadres pour remplir des fonctions de cadre supérieur ?

Vann était malin. Il répondit que les questions qu'on lui posait ne le surprenaient pas. La jeune fille avait confessé à un aumônier militaire qu'il avait eu une liaison avec elle, expliqua-t-il. Il avait reçu une lettre de l'aumônier à ce sujet peu de temps après son arrivée à Syracuse et il avait répondu en disant que tout cela était faux. C'était pure fabulation. La fille avait des problèmes émotionnels. A la demande de l'inspecteur, John signa un document dans lequel il jurait n'avoir pas eu de relations sexuelles avec la mineure en question.

Mary Jane était en train de coudre lorsque John rentra à la maison cet après-midi-là. Il lui dit la vérité et, lorsqu'il lui révéla l'identité de la fille, elle hurla en lui jetant sa boîte de couture à la figure. Cette gosse avait gardé leurs enfants à plusieurs reprises. C'était une fille de quinze ans, trop grosse, pas jolie, refermée sur elle-même parce qu'elle était malheureuse chez elle. Les hommes qui se sentent sexuellement peu sûrs de leur virilité, comme John l'était, sont souvent attirés par ce genre de fille. Mary Jane était déjà à bout de nerfs et ne savait pas comment elle allait pouvoir en supporter davantage. Peter était depuis quatre mois à l'hôpital de la base aérienne de Rome à cinquante-cinq kilomètres de Syracuse. Au début janvier, John l'y avait emmené pour subir un examen, à la demande de Mary Jane, parce que sa peau s'était mise à jaunir. Les médecins diagnostiquèrent une hépatite. Son état empira à l'hôpital. Il maigrit, et sa peau devint jaune sur tout le corps. Les médecins semblaient ne pas savoir comment le traiter. Mary Jane et John avaient de terribles disputes à propos de la maladie de leur fils. Il l'accusait d'être responsable par sa négligence. Elle doutait des capacités des médecins militaires et voulait transférer Peter dans un hôpital civil. Celui de la base aérienne de Rome était le seul hôpital militaire de la région et, selon les règlements de l'armée, les officiers et soldats devaient payer eux-mêmes tout traitement médical dans un établissement civil lorsque des installations militaires étaient disponibles. John refusa de débourser les frais considérables qu'un tel traitement impliquerait. Il prétendit que les médecins civils ne seraient pas plus compétents.

Trois jours après la visite de l'inspecteur de police, les médecins de l'Armée de l'air décidèrent de laisser sortir Peter. Ils estimaient que son état s'était stabilisé. La perte de poids s'était arrêtée et la jaunisse atténuée. Aux yeux de sa mère, Peter n'avait pas l'air mieux, mais elle était contente de le sortir des mains des médecins militaires. Peter n'était pas chez lui depuis longtemps lorsque son teint redevint plus jaune que jamais et son ventre commença à gonfler. Cette fois-ci, John s'inquiéta et ne fit plus d'objections quand Mary Jane annonça qu'elle allait l'emmener à l'hôpital de Strong Memorial à Rochester, où elle avait été elle-même soignée enfant. A Rochester, les médecins confirmèrent le diagnostic d'hépatite et traitèrent Peter avec un médicament à base de cortisone, avec le même insuccès.

A la mi-juin, Mary Jane était convaincue qu'elle allait perdre son fils. Avec son ventre gonflé et ses membres maigrichons, Peter lui rappelait les enfants qu'elle avait vus sur les photos des camps de concentration nazis. Apparemment, quelqu'un parmi le personnel de l'hôpital croyait également que l'enfant allait mourir et informa discrètement un employé des pompes funèbres. Il vint démarcher Mary Jane et John, un soir où ils étaient auprès de leur fils. Mary Jane piqua une crise de nerfs au point que John, quoique fou de rage lui-même, dut essayer de la calmer. Ils emmenèrent Peter à l'hôpital de la faculté de médecine de l'université de Syracuse. Les médecins dirent qu'il était possible que Peter eut une maladie du sang, mais qu'ils n'en étaient pas sûrs. Le mieux serait d'aller à l'Hôpital pour enfants de Boston, le meilleur centre de pédiatrie du monde. Vann sortit de l'hôpital avec son fils dans les bras, enveloppé dans une couverture et le plaça sur le siège arrière de la voiture. Il déposa Mary Jane chez eux pour rester avec les autres enfants et conduisit toute la nuit jusqu'à Boston.

Il revint le lendemain à Syracuse et raconta à Mary Jane quelle expérience horrible il avait vécue pour faire admettre Peter à l'hôpital. Arrivé tôt le matin avec l'enfant dans les bras, il s'était fait répondre par le préposé aux admissions que l'hôpital était tellement surchargé de malades qu'ils n'acceptaient plus personne en urgence. Vann devait demander un rendez-vous pour qu'un médecin examine son fils. Il n'y avait pas de lit disponible pour le moment, et il ne pouvait que mettre Peter sur une liste d'attente. Vann raconta qu'il avait bousculé l'employé et erré dans les couloirs, en portant toujours Peter dans ses bras jusqu'à ce qu'il trouvât un médecin qu'il réussît à persuader d'examiner l'enfant. Il avait dit au docteur que l'argent ne comptait pas, qu'il paierait tout ce que l'hôpital demanderait, mais qu'il le suppliait de sauver son fils. Le médecin avait répondu que les chances de Peter étaient minces, mais qu'il ferait de son mieux et il avait fait le nécessaire pour qu'on admette Peter. Un lit s'était trouvé justement disponible parce qu'un enfant traité par ce médecin venait de mourir. Il faudrait probablement opérer Peter pour savoir ce qu'il avait. Mary Jane ferma immédiatement la maison qu'ils avaient louée à Syracuse, envoya les autres enfants chez sa mère à Rochester et mit ses meubles au garde-meuble. Elle s'installa dans une pension à Boston afin d'être près de Peter, et Vann resta à Syracuse pour terminer ses études.

Après une semaine d'examens, les pédiatres estimèrent qu'une intervention chirurgicale était nécessaire. Peter n'était pas atteint d'hépatite, et la cortisone qu'avaient prescrite les médecins militaires de l'aviation et les civils de Strong Memorial pour soigner l'infection présumée du foie avait aggravé ce dont il souffrait. De plus, le garçon n'était pas aussi près de mourir qu'il le paraissait, mais sa maladie et le traitement administré l'auraient tué à plus ou moins long terme.

L'intervention chirurgicale révéla qu'un mauvais fonctionnement du pancréas avait causé une obstruction du conduit du pancréas à l'intestin grêle. Le mauvais fonctionnement de la glande et le conduit obstrué avaient eu toutes sortes de répercussions, en particulier un mauvais fonctionnement du foie. Le corps de Peter était dans un tel état que son taux de cholestérol était le plus élevé de toute l'histoire de l'hôpital. Le chirurgien élimina les causes de l'obstruction du conduit et renvoya Peter à son lit, un enfant prêt maintenant à guérir. L'hôpital le laissa sortir au début de juillet, deux semaines après l'intervention, mais il allait falloir plusieurs mois de convalescence avant que Peter ne soit complètement rétabli. Vann descendit jusqu'à Boston, prit Mary Jane et leur fils et les emmena chez les Allen.

L'histoire selon laquelle John aurait sauvé la vie de Peter en suppliant un médecin de l'Hôpital des enfants appartenait à la légende familiale. Peter y pensait encore à côté de la tombe à Arlington, lorsque l'aumônier lui avait remis le drapeau plié du cercueil. Il est vrai que Vann avait sauvé la vie de son fils en suivant immédiatement les conseils des médecins de l'université de Syracuse, et que Mary Jane y avait contribué également en persuadant John d'aller dans un hôpital civil. Mais le reste était faux. En réalité, John n'avait pas eu de difficultés à faire entrer Peter à Boston. Cet hôpital ne refuse jamais un enfant malade. Le médecin de garde aux urgences avait tout de suite examiné Peter, ordonné qu'il soit immédiatement admis et désigné un pédiatre et un chirurgien pour s'occuper de lui. Vann avait inventé ce drame parce qu'il voulait que Mary Jane ait une bonne opinion de lui à une époque où elle commençait à le mésestimer sérieusement.

La police criminelle avait poursuivi son enquête. Les inspecteurs avaient vérifié les détails de l'histoire de la fille, et en particulier qu'elle avait consulté un médecin de Leavenworth, au cours de sa liaison avec John alors qu'elle se croyait enceinte. Tout concordait. La fille accepta d'être soumise à un détecteur de mensonges qui indiqua qu'elle disait la vérité. Les policiers demandèrent à Vann de s'y soumettre aussi pour confirmer ses démentis. Il refusa. Lorsqu'il eut obtenu son diplôme en droit administratif de l'université de Syracuse, à la fin juillet, on le fit attendre au lieu de l'envoyer au Pentagone, comme prévu. Deux semaines plus tard, la police remit un long rapport recommandant que Vann soit traduit en cour martiale pour viol de mineure et adultère. L'inculpation d'adultère ne constituait qu'un délit mineur ajouté pour étayer le forfait criminel et basée sur l'article vague de la loi militaire qui interdit « toute conduite malséante d'un officier et d'un gentleman ». Mary Jane, qui ne fut pas interrogée par la police, fut désignée simplement comme la « victime » de l'adultère.

Le quartier général de la 1re armée, installé à Fort Jay, dans l'État de New York, désigna un officier pour conduire une deuxième enquête, prévue par l'article 32 du Code militaire et qui équivaut à la procédure de grand jury dans la juridiction civile. Si l'officier trouvait qu'il existait suffisamment de preuves pour inculper Vann, ce dernier serait formellement inculpé et traduit en cour martiale. Jusqu'à ce que son destin soit fixé, Vann fut affecté à Camp Drum, qui servait alors comme base d'entraînement pour les réservistes et les soldats de la Garde nationale, et qui se trouvait au nord de l'État de New York, près du lac Ontario. Vann loua le premier étage d'une grande ferme dans un hameau situé près de la base pour Mary Jane et les enfants.

Vann savait que Mary Jane mentirait pour lui. Après sa colère initiale, elle avait pris son parti par reconnaissance de ce qu'il avait fait pour Peter. Elle avait également compris que les enfants et elle-même étaient aussi menacés que lui par cette affaire. Avec John en prison ou une carrière brisée, quel avenir pourrait-elle espérer pour elle et sa famille ? Avec Mary Jane pour confirmer ses déclarations, John avait déjà conçu un plan pour qu'elle lui serve de témoin à décharge. Pour l'inspecteur de Fort Jay, Vann avait inventé une histoire selon laquelle il se serait lié d'amitié avec une jeune fille émotive et troublée qui compensait son malheur dans sa famille en ayant des liaisons avec des hommes plus âgés qu'elle. La fille lui avait parlé de ses problèmes parce qu'il était disposé à l'écouter. Il n'avait pas informé ses parents, parce qu'elle avait confiance en lui et lui avait demandé de ne pas la trahir. Il sous-entendait aussi que ses parents étaient trop insensibles pour la comprendre. Déprimée comme elle l'était, la fille s'était ensuite retournée contre lui et avait faussement prétendu à l'aumônier qu'il avait eu une liaison avec elle. L'inspecteur lui avait demandé de rédiger son témoignage. Vann s'était exécuté dans un récit de dix-sept pages écrites à la main. L'histoire était remplie d'incidents que Mary Jane pouvait confirmer. Par exemple, selon la version de John, Mary Jane aurait entendu la fille parler à l'un de ses amants adultes au téléphone, et Vann aurait interdit à sa femme de la laisser s'en servir à l'avenir. Il avait réglé rapidement la version de la fille, en particulier sa visite chez le médecin de Leavenworth sur lequel le policier lui avait demandé des explications, en disant que la mère avait demandé à Mary Jane le nom d'un gynécologue pour sa fille.

Le détecteur de mensonges semblait poser un problème bien plus épineux pour John. Le témoignage de Mary Jane serait considéré avec méfiance. Pour jeter des doutes sérieux sur la véracité de l'histoire racontée par la fille, il allait devoir répondre au défi du policier et se soumettre au test. Il fallait donc qu'il dupe la machine. Vann avait le droit, selon les termes de la loi, de prendre tout le temps nécessaire pour préparer sa défense. Il se procura alors toute la documentation technique qu'il put trouver et devint un spécialiste du polygraph, le type de détecteur de mensonges employé communément dans les enquêtes militaires, par la CIA et autres agences gouvernementales. L'appareil mesure la pression artérielle, le pouls, la respiration et la transpiration des mains. Il repère le mensonge par une modification de ces signes vitaux qui se produisent lors de la tension émotionnelle provoquée par l'effort que fait le sujet pour mentir.

Vann réussit à se procurer en fraude des tranquillisants et autres drogues pour réduire la pression artérielle, acheta un instrument pour la mesurer et compta les battements de son pouls avec sa montre. Il prépara une liste de questions concernant la liaison avec la fille, et les disposa dans l'ordre qu'il pensait le plus logique pour l'opérateur du polygraph. Il se soumit lui-même à des répétitions, changeant l'ordre des questions de façon à ne pas se faire surprendre. Il essaya ces interrogatoires avec et sans médicaments en prenant note des réactions de son organisme. Il décida que les meilleures conditions pour diminuer ses réactions, sans courir le risque d'avoir l'air drogué, étaient de ne pas dormir pendant quarante-huit heures et de répondre aux questions d'une manière assurée.

Le jour où elle se présenta devant l'officier qui menait l'enquête, Mary Jane portait une jupe en tweed avec un chemisier et une veste. L'automne était arrivé et elle savait que ces vêtements l'avantageaient. Son interrogateur était probablement un père de famille, pensa-t-elle. Il verrait bien qu'elle était une femme respectable et serait ainsi plus enclin à la croire. Bien qu'elle ne le montrât pas, sauf par un peu de nervosité superficielle, elle était terrorisée en posant la main sur la Bible pour prêter serment. A la différence de Vann, Mary Jane était très pieuse. La Bible lui avait apporté un réconfort moral pendant les périodes les plus éprouvantes de son mariage. Au plus fort de la maladie de Peter, elle avait lu la Bible plusieurs fois par jour ainsi que la nuit, en priant pour que l'enfant vive. Elle espérait que Dieu ne lui tiendrait pas rigueur de ce blasphème. Elle répondit aux questions exactement comme John le lui avait demandé au cours des répétitions, et corrobora la version de son mari. Elle ajouta d'elle-même à l'officier qu'elle et John s'aimaient et que leur mariage était heureux.

Vann proposa alors de se soumettre au détecteur de mensonges. Il trompa la machine. Comme pour un jury civil, des officiers siégeant en cour martiale doivent déterminer avec certitude que l'accusé est coupable. La victoire de Vann sur le détecteur de mensonges ramenait l'affaire à une opposition entre sa parole et celle de la fille. Aucune cour martiale ne prononcerait une inculpation sur cette base. L'officier qui menait l'enquête recommanda donc qu'on abandonne les charges qui pesaient contre Vann.

Il fallut attendre la mi-décembre pour que les autorités de la 1re armée se mettent d'accord avec les conclusions de l'enquêteur. La neige et le froid qui soufflaient du lac Ontario étaient pénibles à supporter pour Mary Jane. Elle commença à tousser et, voyant qu'elle crachait du sang, se rendit à l'infirmerie du Camp Drum. Elle avait la tuberculose.

L'après-midi où John et Mary Jane apprirent que les charges avaient été abandonnées fut exceptionnellement chaud. Mary Jane se promena avec John sur la route près de la ferme dans la neige ramollie par le soleil. John n'arrêtait pas de dire à quel point il était soulagé. Il était prêt à faire des sauts périlleux dans la neige, tant il était heureux de sa victoire.

« Je suppose que maintenant tu as compris la leçon ! lui dit-elle.

— Et comment, répondit-il. Bon Dieu ! La prochaine fois, je m'assurerai qu'elles sont assez vieilles. »

John Vann fut muté au centre des missiles antiaériens de l'armée à Fort Bliss, à El Paso, au Texas, comme chef du programme et administrateur financier. Il reprit son mode de vie coutumier et le mariage empira de nouveau. Au bureau, Vann paraissait toujours enthousiaste, et les rapports le concernant étaient toujours laudatifs. Mais en privé, il ne cachait pas qu'il s'ennuyait à mourir dans son rôle de comptable. Il ne s'était jamais plaint jusque-là à Mary Jane de son travail dans l'armée. Il le faisait maintenant. Il se sentait doublement piégé : d'abord par la bureaucratie militaire qu'il avait cru circonvenir en se spécialisant en logistique pour continuer ses études et accélérer son avancement ; ensuite, par sa femme et ses enfants. Bien qu'il ne le sût jamais, Mary Jane l'avait vraiment piégé en le faisant envoyer deux ans et deux mois à El Paso. Un ami qui travaillait au service du personnel au Pentagone avait téléphoné, alors qu'ils attendaient toujours le résultat de l'enquête, pour demander s'il pouvait les aider. Mary Jane lui avait raconté comment le climat au lac Ontario avait compromis sa santé et lui avait demandé, si les charges contre John étaient abandonnées, qu'on ne lui donne pas le choix de sa prochaine mutation et qu'on l'envoie d'office dans un endroit sec et chaud. L'ami, qui connaissait la situation de leur ménage, lui promit qu'il ferait le nécessaire.

Vann fut rapidement promu lieutenant-colonel en mai 1961 et il savait qu'il pouvait s'attendre à devenir colonel avant beaucoup de ses collègues. Mais il savait aussi que, quel que soit son comportement dans l'avenir, il ne serait jamais général si l'accusation de viol de mineure figurait dans son dossier. Il y avait beaucoup plus de candidats pour les étoiles qu'il n'y en avait de disponibles, et l'armée ne voulait pas que son élite mène une vie privée sujette à scandale. La commission de promotion serait obligée d'adopter une attitude opposée à celle de la cour martiale, et la seule possibilité de culpabilité suffirait à rejeter sa candidature.

Néanmoins, John essaya de sauver sa carrière. Un de ses anciens supérieurs en Allemagne l'envoya voir une connaissance commune, ancien adjoint du chef d'état-major, qui venait de prendre sa retraite de l'armée pour travailler au secteur des missiles de la firme Martin Marietta. L'ex-colonel Francis Bradley, qui devait devenir un des directeurs de la société, avait rencontré Vann en Allemagne. Lorsque Vann vint le voir et lui raconta toute son histoire, Bradley fut frappé par son absence totale de remords vis-à-vis de la jeune fille. Son seul regret était de s'être fait prendre et d'avoir compromis sa carrière. Il se vanta même d'avoir trompé le détecteur de mensonges. Il lui dit que s'il ne pouvait pas faire disparaître les preuves du scandale, il allait quitter l'armée en 1963 après vingt ans de service et prendre sa retraite avec demi-solde. Il demanda à Bradley de lui permettre de consulter son dossier dans une pièce du Pentagone où il serait seul. Il ne dit pas qu'il avait l'intention de voler les documents de l'enquête et du procès, mais les sous-entendus étaient aussi clairs que le reste de sa conversation. Bradley s'en débarrassa avec une réponse vague.

Vann et Bradley se rencontrèrent à nouveau à El Paso au début de 1962, alors que Vann s'apprêtait à partir pour le Vietnam. Il lui confirma son intention de prendre sa retraite l'année suivante. Bradley était impressionné par ce qu'il avait entendu sur ses qualités et avait confiance dans l'opinion dithyrambique de l'ancien supérieur de Vann en Allemagne. Comme il était indulgent à l'égard des manies privées, Bradley lui offrit un poste chez Martin Marietta lorsqu'il aurait pris sa retraite et Vann lui répondit que cela l'intéressait.

Moins de deux mois plus tard, John Vann franchissait la porte à tambour du bureau de Dan Porter à Saigon, pour commencer cette première année au Vietnam où il devait se battre avec Huynh Van Cao et les autres marionnettes de l'armée de Diêm, rencontrer l'ennemi vietcong à Bac, essayer d'empêcher la défaite de Saigon ainsi que la calamité d'une grande guerre américaine en se battant pour la vérité contre Paul Harkins, Victor Krulak et Maxwell Taylor. Il avait appris aussi à tenir tête à l'arrogance et à la corruption professionnelle du système militaire américain des années soixante. Un homme comme John Vann aurait très bien pu sacrifier sa carrière pour mener une telle bataille. Toutefois, « aurait très bien pu » n'est pas certain. La seule chose sûre est que Vann se battit effectivement tout en étant convaincu que sa carrière était déjà fichue. Il fut décoré pour son incontestable courage moral tout en trompant Halberstam, moi-même et tous ses autres admirateurs.

A l'automne de 1962, avant que Cao ne commence à truquer systématiquement ses opérations contre le Vietcong et alors que Vann était encore le conseiller privilégié de Harkins, il écrivit à Frank Bradley pour confirmer son intention de prendre sa retraite de l'armée au cours de l'année à venir. En mai 1963, peu de temps après son retour aux États-Unis, Vann se rendit à Denver pour un entretien avec la direction de l'entreprise aérospatiale de Martin Marietta, où il accepta un poste de responsabilité à la direction commerciale. A la fin du mois, en même temps qu'il commençait sa campagne d'information au Pentagone pour les avertir du désastre que Harkins était en train de préparer, il soumit sa demande officielle de retraite pour le 31 juillet 1963.

A Denver, Vann avait à peine commencé à gravir les échelons du monde industriel lorsqu'il se rendit compte de l'erreur monumentale qu'il avait commise en quittant l'armée. Une position permanente, même secondaire, dans l'armée était bien préférable à n'importe quelle situation supérieure dans le domaine des affaires où il n'y avait pas d'étoiles à gagner. Ce qui s'y passait n'avait aucune importance véritable.

Bob York, qui avait été promu général de division, écrivit du Vietnam juste avant Noël 1963, pour annoncer qu'il allait rentrer aux États-Unis et prendre le commandement de la 82ᵉ division aéroportée à Fort Bragg en Caroline du Nord. Ignorant la véritable raison de la retraite de Vann, York avait été navré d'apprendre que l'armée allait perdre un tel élément. Il lui offrit le commandement d'un bataillon de la 82ᵉ s'il acceptait de réintégrer l'armée. Vann en fut ravi.

Mais l'armée s'y opposa. Le général chargé du personnel au Pentagone déclara à York qu'il ne soumettrait pas de demande de rappel en service actif de Vann, car il savait par avance que Taylor ou MacNamara la désapprouverait. Vann fit appel à Bruce Palmer, lui aussi général de division, qui ne put rien faire non plus.

En apparence, John Vann était un homme actif à qui tout réussissait. Il progressait régulièrement chez Martin Marietta et il se mit à faire de la politique. Dans le Colorado, il mena la campagne en faveur de Henry Cabot Lodge pour qu'il soit nommé candidat présidentiel du parti républicain en 1964 ; puis, il organisa le soutien des républicains à Lyndon Johnson après que Barry Goldwater eut supplanté Lodge, divisant ainsi le parti. Lorsqu'il n'était pas occupé par son travail ou la politique, Vann voyagea beaucoup entre juillet 1963 et la fin de l'année 1964 pour faire de nombreux discours, et donner des interviews aux journaux ou à la télévision sur la guerre du Vietnam.

Mais, au fond de lui-même, Vann était écrasé par l'ennui de son travail et par ses préoccupations à propos de la famille et de Mary Jane. Elle était devenue très amère et exprimait sa rancœur en se bagarrant constamment avec lui. Il évitait autant que possible de rentrer à la maison qu'il leur avait achetée à Littleton, dans la banlieue de Denver, près de l'usine de Martin

Marietta. Il partait tôt le matin et rentrait très tard la nuit. Mary Jane lui fit remarquer un jour que, maintenant qu'il ne mangeait plus sa cuisine, cela voulait dire que le mariage était fini.

« Ouais, répondit-il. T'as raison. »

Durant l'été 1964, après que York eut essuyé un autre refus de l'armée de le réintégrer, Vann alla se présenter à Washington aux responsables du bureau d'Extrême-Orient de l'Agence pour le développement international (AID). La Maison-Blanche avait confié à cet organisme la responsabilité principale du programme de pacification civile au Vietnam et l'Agence avait du mal à recruter des hommes. La plupart des responsables du développement économique ne convenaient pas à ce genre de travail, et ne tenaient pas à être séparés de leur famille pour se faire tirer dessus dans la campagne vietnamienne. L'AID commençait donc à se tourner vers les officiers en retraite comme une source logique de cadres. Les responsables du bureau d'Extrême-Orient furent ravis de voir un homme possédant l'expérience et le talent de Vann. Mais, à ce moment-là, comme la plupart des agences gouvernementales, l'AID devait attendre les résultats des élections présidentielles. On demanda donc à Vann de revenir en novembre, s'il était toujours intéressé.

Il n'y manqua pas, après avoir joué un rôle modeste dans la défaite accablante de Goldwater. On lui offrit le poste de directeur régional du Programme de pacification du delta du Mékong. Il accepta aussitôt et rentra chez lui pour dire à Mary Jane : « Je ne vivrai plus jamais avec toi. » Maxwell Taylor, qui avait donné sa démission de chef d'état-major général au milieu de l'année 1964 pour remplacer Lodge comme ambassadeur à Saigon, mit son veto à la désignation de Vann. Un télégramme en provenance de l'ambassade à Saigon informa l'AID que Vann était un personnage « trop controversé ». Vann proposa alors d'y aller comme simple représentant de pacification pour la province. L'ambassade répondit qu'il n'était souhaité à aucun poste. S'il ne pouvait pas aller au Vietnam, Vann suggéra d'être envoyé en Thaïlande, où une petite insurrection se développait. Les responsables du bureau d'Extrême-Orient répondirent qu'ils allaient y réfléchir.

Mary Jane comprit qu'il fallait que John retourne au Vietnam pour sa propre survie. Elle ne l'avait jamais vu aussi abattu que pendant cet hiver 1964-1965. Il s'allongeait sur le canapé du salon pendant des heures, la nuit et les week-ends, les yeux au plafond. Il ne marchait plus de la même façon, en lançant sa jambe en avant comme pour se jeter dans la vie. Il avançait maintenant plus lentement et la tête baissée. Mary Jane se rendit compte qu'il perdait la foi et le respect de soi-même.

Mais, comme d'habitude, il n'abandonna pas. Il fit appel à Lodge et à York pour intervenir en sa faveur. Il persuada les responsables du bureau d'Extrême-Orient de demander à Taylor de revenir sur sa décision. Il alla même jusqu'à écrire une lettre amicale à l'ambassadeur, en lui décrivant ses efforts pour gagner le soutien public à la cause de la guerre avec ses discours et ses interviews sur le Vietnam

Vann fut sauvé par un autre Virginien qui l'admirait, ce Sam Wilson qui avait entendu à la radio en 1940 la voix de Churchill défiant les nazis, et qui avait fait dix kilomètres de nuit sous la pluie pour s'engager dans les Gardes nationaux. Vingt-cinq ans plus tard, il était colonel de l'armée américaine au Vietnam, détaché auprès de l'AID comme chef du programme de pacification. Il avait été l'assistant de Lansdale au Pentagone à l'époque où Vann menait sa campagne d'information en 1963. Wilson avait été émerveillé par le brio des critiques de Vann, et les deux hommes avaient aussitôt sympathisé. Wilson ne savait pas que Vann voulait retourner au Vietnam jusqu'à ce qu'il voie une copie du message du bureau d'Extrême-Orient demandant à l'ambassadeur de reconsidérer sa position. Wilson s'adressa directement à Taylor pour lui dire qu'ils ne pouvaient pas se permettre de se priver des qualités d'un homme comme Vann. Taylor se laissa fléchir : Vann pourrait venir comme simple officier de pacification pour la province.

Juste avant de partir, sa jeunesse se rappela cruellement à lui. En février et mars, il passa trois semaines de formation au centre de l'AID à Washington et logea chez Garland Hopkins à McLean, en Virginie. Hopkins avait été anéanti par sa pédophilie. La CIA l'avait renvoyé de l'organisation « Les Amis américains du Moyen-Orient », ce groupe de pression pro-arabe qu'il avait créé et que la CIA soutenait en secret. Puis, il avait été chassé de l'Église d'Arlington, ainsi que de la Conférence des pasteurs méthodistes de Virginie, dans laquelle son père et son grand-père avaient occupé des positions honorifiques. Sa femme avait divorcé parce qu'il s'était mis à la battre ainsi que leur plus jeune fils. Il ne pouvait toujours pas maîtriser son obsession et il courait encore après les garçons du quartier. Les parents de ces enfants avaient porté plainte à la police et, cette fois-ci, Hopkins allait être inculpé. Il ne pouvait pas en supporter la honte. Il rédigea son testament et sa propre notice nécrologique. Il écrivit également un mot à Vann. Puis, il absorba de la mort-aux-rats à base de strychnine, s'infligeant ainsi une mort terrible avec d'horribles convulsions. Vann trouva son corps en revenant à sa maison un dimanche soir. Dans la note qu'il lui avait laissée, Hopkins lui demandait de distribuer aux journaux sa notice nécrologique, lui communiquant la liste des membres de la famille et des amis qu'il fallait informer et lui demandait de veiller à ce que son corps soit incinéré. Vann appela la police et fit ce que le mentor de sa jeunesse lui avait demandé.

« Que ces petites corvées soient le dernier témoignage de notre longue et magnifique amitié », avait écrit Hopkins dans son message. L'horreur de cette expérience rendit Vann plus impatient que jamais de partir.

Comme son poste avec l'AID était provisoire, Martin Marietta lui accorda un congé. De toute façon, Washington ne pensait pas que la guerre durerait longtemps. John avait la conscience tranquille en ce qui concernait Mary Jane et les enfants : il les avait installés dans la maison de Littleton et son contrat avec l'AID lui donnait le droit de prendre l'avion aux frais du gouvernement, pour un congé annuel d'un mois.

Vann s'envola de San Francisco à bord d'un avion de la Pan Am, en direction de l'ouest suivant la même route que son pays avait prise au siècle précédent vers l'Asie : de Honolulu jusqu'à Guam, puis à Manille et enfin à Saigon, ce nouveau poste avancé contesté. Le samedi 20 mars 1965, peu après 11 heures du matin, son avion survola Saigon à haute altitude pour éviter le feu des tireurs isolés vietcongs qui entouraient la ville, puis piqua brusquement sur la piste d'atterrissage de Tan Son Nhut. Vann sortit de la cabine à air conditionné et descendit la rampe, étouffé par la chaleur et l'humidité qui étaient alors particulièrement fortes, juste avant la saison des pluies. Mais cet inconfort lui était agréable. Il était parti depuis presque deux ans, exactement vingt-trois mois et deux semaines. Il ne quitterait plus jamais la guerre pendant aussi longtemps. Il était de retour au Vietnam, de retour chez lui.

VI

Le retour à la guerre

Lorsque John Vann revint au Vietnam fin mars 1965, le pays se trouvait à l'aube de la plus violente guerre de son histoire. Au début du mois, Lyndon Johnson avait déclenché l'opération « Tonnerre », en bombardant le Nord Vietnam. Les deux premiers bataillons de Marines américains venaient d'atterrir à Da Nang pour protéger la base aérienne qui allait servir de point de départ à de nombreux raids. A Saigon, au quartier général du commandement de l'Aide militaire américaine, le général William DePuy, alors général de brigade et chef des opérations de Westmoreland, avait entrepris la première étape d'un plan qui allait amener des centaines de milliers de soldats américains au Sud. L'artillerie, les blindés et une flotte de chasseurs-bombardiers de cette nouvelle guerre des États-Unis étaient acheminés pour détruire les communistes vietnamiens et leurs alliés.

« Nous allons les écraser à mort », prédit DePuy.

Le téléphone de la chambre d'hôtel de Vann retentit de bonne heure le matin du dimanche 21 mars 1965, le premier jour de son retour à Saigon. C'était Cao. A sa façon, et en dépit des pires querelles, Vann conserverait des liens d'amitié avec les Vietnamiens qu'il connaissait. Cao n'était pas une exception et il était reconnaissant à Vann de lui avoir proposé une aide financière depuis Denver, après la chute de Diêm. Cao risquait alors d'être radié des cadres de l'armée sud-vietnamienne et de perdre ainsi tout moyen d'assurer la subsistance de sa femme et de ses nombreux enfants. Comme Vann savait que ses économies étaient minimes, car l'une de ses rares vertus professionnelles était une relative honnêteté dans la gestion des fonds, il avait demandé à l'assistant de Lodge et à Bob York de faire tout ce qu'ils pouvaient pour Cao et de l'informer qu'il pouvait compter sur lui jusqu'à ce qu'il trouve d'autres ressources. Mais Cao n'avait eu besoin d'aucun secours, car il s'était arrangé pour se faire bien voir de ses collègues généraux de Saigon dans le tourbillon politique qui avait suivi le renversement de Diêm. Dégoûté par l'apathie de la junte, Lodge avait laissé le général de corps d'armée Nguyên Khanh, l'ambitieux militaire diplômé d'une école de parachutistes français, faire un coup d'État à son tour. Puis Khanh avait été également écarté du pouvoir. Son avion avait eu une panne sèche au-dessus de Nha Trang alors qu'il refusait d'atterrir pour ne pas être obligé de démissionner. Il partit en exil un mois seulement avant le retour de Vann. Une faction de « Jeunes Turcs », des généraux dirigés par Nguyên Cao Ky commandant en chef de l'Aviation, s'empara du pouvoir.

Huynh Van Cao avait l'avantage de n'être une menace pour personne. Le général de brigade Nguyên Van Thiêu, second de la faction des Jeunes Turcs, était lui aussi, un catholique du Centre Vietnam. Cao, qui avait dans le passé dirigé le département de la guerre psychologique, annonça tout excité à Vann qu'il avait été choisi la veille pour occuper le poste de second à l'état-major mixte. Il invita Vann à venir dîner ce soir-là dans son cantonnement du quartier général près de l'aéroport. Vann accepta avec plaisir.

Cao passa presque tout le repas à expliquer à Vann la situation militaire et politique du moment. Les généraux et leurs alliés politiques civils ne cessaient de monter des coups les uns contre les autres. Les bouddhistes et les catholiques, qui avaient occupé la capitale ces deux dernières années, fomentaient des émeutes, et le Vietcong affirmait de plus en plus son emprise dans les campagnes. Malgré sa promotion de la veille, Cao restait toujours le même. Il craignait que sa fonction élevée à l'état-major ne l'entraîne dans un complot contre sa volonté. L'éloignement temporaire de Vann ne l'empêchait pas de bien juger son ancien collègue. « Il est évident que Cao n'a jamais participé à un coup et qu'il ne le fera jamais, écrivit Vann le soir même dans son journal intime. Il crève de peur et fait de son mieux pour ménager la chèvre et le chou. » Cao fut d'ailleurs très soulagé lorsque les militaires changèrent peu après d'avis et l'autorisèrent à reprendre son poste de chef du département de la guerre psychologique.

Le lundi matin, Vann reçut un accueil très réservé au bureau de la Mission des opérations américaines, titre qu'on donnait à l'AID au Vietnam. Le quartier général de l'AID à Washington recrutait à tour de bras des militaires à la retraite pour ses programmes de pacification. Mais les bureaucrates civils en poste au Vietnam craignaient que leur agence ne tombe ainsi sous le contrôle de l'armée et que Vann, ancien lieutenant-colonel, n'essaie de s'infiltrer. Le colonel Sam Wilson, prêté par les militaires pour diriger le programme, fut le seul à accueillir Vann avec plaisir. C'est lui qui avait persuadé Taylor de laisser Vann revenir au Vietnam. Le bureau de l'AID à Washington avait fait intégrer Vann dans l'administration comme officier de réserve des services étrangers, avec un grade civil équivalent à lieutenant-colonel ou colonel, lui permettant ainsi d'assumer les fonctions de directeur des opérations de la Mission dans l'une des quatre régions de corps d'armée. Wilson informa Vann que Taylor lui avait attribué un poste de simple représentant de province, mais précisa que James Killen, le chef de l'AID au Vietnam, avait réservé toutes les fonctions de directeur de région à des civils comme lui. S'il voulait monter dans la hiérarchie et être nommé directeur adjoint d'une région l'été prochain, Vann allait devoir faire preuve de sa valeur sur le terrain. L'automne précédent, Westmoreland avait désigné les six provinces des environs de Saigon comme prioritaires pour la pacification. Conscient des capacités de Vann, Wilson songeait à l'affecter à Hau Nghia, la moins sûre des six.

Hau Nghia, situé entre Saigon et la frontière cambodgienne, couvrait 1 300 kilomètres carrés de roseaux, de rizières et de champs de canne à sucre, avec une population de 250 000 paysans. Un des derniers actes officiels de Diêm avait été d'y regrouper les quatre districts les plus agités des trois provinces limitrophes. Il espérait ainsi éliminer les ennuis en les fusionnant. Le résultat pour ses successeurs fut une province entière tournant en dérision le nom que Diêm lui avait donné, *Hau Nghia,* signifiant en vietnamien littéraire « Vertu croissante ». Cette région était considérée comme stratégique parce que c'était là que le « bec de perroquet » du Cambodge pénétrait dans le Sud Vietnam et mettait Saigon à moins de cinquante-cinq kilomètres à vol d'oiseau de la frontière. De plus, c'était une route logique pour les déplacements nord-sud du Vietcong, entre les rizières et la plaine des Joncs du delta du Mékong et, de l'autre côté, les plantations de caoutchouc à la lisière de la forêt tropicale de la Cordillère annamite au nord de Saigon.

Lorsque son ordre de mission fut confirmé, une semaine après son premier rendez-vous avec Wilson, Vann se rendit à l'ambassade pour s'informer de la situation politique de la province. Personne ne put trouver le dossier. Dix minutes après le départ de Vann, deux terroristes vietcongs, en représailles des bombardements du Nord, vinrent ranger sous les fenêtres du bureau de la CIA, situé au premier étage, une vieille Peugeot grise dans laquelle ils avaient placé 160 kilos d'explosifs. A plusieurs reprises depuis deux ans, on avait averti les autorités de l'ambassade qu'il fallait interdire à la circulation les rues entourant le bâtiment. On leur avait également conseillé de prendre des précautions élémentaires, en particulier de remplacer les vitres en verre par du Plexiglas pare-balles. Mais ni Lodge ni Taylor n'avaient pris aucune mesure sérieuse, craignant qu'une telle démonstration de peur ne fasse perdre la face aux États-Unis. L'explosif était de la meilleure fabrication américaine qui soit, le C-4, probablement volé ou acheté à Saigon, ainsi que le détonateur ultra-rapide. La vieille voiture fut transformée en une énorme grenade, projetant des morceaux de métal dans toutes les directions, ainsi que des éclats de ciment provenant du cratère d'un mètre de profondeur creusé dans la chaussée. Les fenêtres de l'immeuble de cinq étages explosèrent en une infinité de fragments ainsi que le plâtre, le bois et le métal des murs de la façade.

Lorsqu'il entendit le bruit de l'explosion, Vann revint précipitamment pour aider à évacuer les blessés. Sur les 20 morts, la plupart étaient d'innocents Vietnamiens, des passants, des clients et des employés d'un restaurant et des bureaux situés de l'autre côté de la rue. 126 autres furent blessés. Les communistes ne tenaient plus compte du carnage que leurs actes terroristes causaient chez leurs propres compatriotes, sous prétexte que la population était régulièrement mise en garde de se tenir à l'écart des bâtiments américains, par des tracts et des émissions de radio. Les deux terroristes furent tués, ainsi que plusieurs policiers saigonnais qui montaient la garde devant l'ambassade. L'un des deux Américains morts était un quartier-maître de la Marine, l'autre était la secrétaire du chef de bureau de la CIA, qui fut lui-même gravement blessé et perdit presque les deux yeux. Deux de ses adjoints devinrent définitivement aveugles. Plusieurs personnes parmi les 51 blessés à l'intérieur de l'ambassade furent horriblement lacérées au visage. Vann remarqua qu'un éclat de ciment ou de métal avait atteint le dernier étage et fait un grand trou dans le drapeau américain qui flottait sur le toit.

John Vann partit pour la province de Hau Nghia le lendemain de l'attaque de l'ambassade. Il traversa la ville de Bau Trai avant de se rendre compte qu'il l'avait dépassée, et revint en arrière. L'endroit était, nota-t-il dans son journal, « la moins plausible capitale de province de tout le Vietnam ». La dernière fois qu'il l'avait vue, lors d'une opération au début de l'année 1963, c'était un village d'environ 1 000 habitants contrôlé par le Vietcong. Diêm l'avait choisi parce qu'il se trouvait au croisement de plusieurs pistes reliant trois autres centres de district. La population avait littéralement doublé avec l'installation d'une garnison et l'arrivée des soldats, de leurs femmes, de leurs enfants et des services annexes. De nouveaux immeubles, pour servir de bureaux ou de logements aux officiers et à leurs conseillers américains, avaient été construits. Diêm avait essayé de changer le nom du village (*Bau Trai* signifie « ferme ronde ») par une appellation plus littéraire, *Khiem Cuong,* en vietnamien « modeste mais vigoureux ». Cette sophistication fantaisiste n'y changea rien et tout le monde continuait à l'appeler de son ancien nom. En dépit de l'augmentation de sa population, Bau Trai, dans sa plus grande largeur, n'occupait pas plus de deux cents mètres de chaque côté de la route. En y regardant de plus près, Vann reconnut le village de deux ans auparavant.

Tout ce qu'il voyait le décourageait. Dans une petite enceinte située au centre de la ville, résidence des conseillers militaires, Vann demanda où se trouvait le bureau de la Mission des opérations. On le conduisit vers un long entrepôt surmonté d'un toit de tôle ondulée. L'intérieur offrait « un spectacle tout à fait déprimant ». Le bâtiment regorgeait dans le plus grand désordre « de sacs de blé entassés, de maïs, de pelles, de pots de peinture, de vêtements, de médicaments, de boîtes d'huile de table, de ciment, de lait en poudre, de fourches, de matelas, de chaises, de commodes, de scies, de tuyaux d'acier, de clous, de machines pour décortiquer le riz et d'objets divers dont je devais découvrir par la suite qu'ils provenaient d'une remise ». William Pye, que Vann remplaçait, lieutenant-colonel de réserve de cinquante-deux ans, engagé volontaire dans le programme de l'AID, était un homme honnête et courageux mais extrêmement nerveux et désordonné. Il se tenait au milieu de cette « caverne d'Ali Baba », carnet de notes et crayon en main, « faisant apparemment l'inventaire ». Le bureau de la Mission n'était constitué que de quelques tables placées dans un coin de l'entrepôt et sur lesquelles se trouvaient des papiers en désordre, couverts de poussière comme tout le reste.

Vann demanda où se trouvaient les bâtiments d'habitation, et on lui indiqua un pavillon neuf fait de pierre et de plâtre. A l'exception de quelques fils de fer barbelés inutiles qui entouraient la maison, l'extérieur était plutôt sobre, avec des volets en bois. A l'intérieur régnait le même désordre crasseux que dans l'entrepôt. Il n'y avait pas d'électricité pour la lumière et les ventilateurs, seulement des lampes à essence qui rendaient la maison encore plus étouffante la nuit. Il n'était pas question non plus de se détendre pendant les repas : par souci d'efficacité, Vann avait en effet décidé de vivre avec les Vietnamiens, et par conséquent de ne pas fréquenter le mess des officiers avec les conseillers militaires américains. Mais le problème avec l'unique restaurant de Bau Trai, écrivit-il à un ami de Denver, c'est qu'il est « très difficile de se mettre un morceau dans la bouche sans les mouches qui sont dessus ».

Les mouches n'étaient pas la principale menace pour la santé d'un fonctionnaire américain ou saigonnais à Hau Nghia. Le responsable du garage de la Mission à Saigon avait tergiversé avant de permettre à Vann d'emprunter un break pour se rendre à Bau Trai. Il craignait de ne pas récupérer son véhicule. Vann était le premier officiel vietnamien ou américain à sortir de Saigon sans escorte depuis plusieurs mois. Tous les autres voyageaient sur les routes encore ouvertes en convois armés. Mais comme ils étaient souvent victimes d'embuscades ou de mines, ils empruntaient des hélicoptères chaque fois que c'était possible. La plus grande partie de la province, de toute façon, n'avait plus de contact avec Saigon. Les quatre districts avaient été réduits à trois au milieu de l'année 1964 lorsque le quatrième, à l'angle nord-est de la plaine des Joncs, avait été entièrement abandonné à la guérilla. Lorsque Vann arriva au début 1965, les routes d'accès direct entre Bau Trai et deux des trois autres districts avaient été également coupées. Il était de même impossible de se rendre directement de Bau Trai à Saigon, bien que la distance ne fût que d'une trentaine de kilomètres. Vann avait dû faire un détour, empruntant la route 1 vers le nord-ouest, la voie principale reliant Saigon au Cambodge, puis redescendant vers le sud par une voie secondaire depuis la ville de Cu Chi, troisième centre de district de la province.

L'administration de Hau Nghia était une telle « mission en Sibérie », comme disait Vann, que le régime de Saigon était incapable de trouver un chef pour la province. Le dernier en poste avait été emprisonné pour sa participation à un coup d'État avorté en février. Depuis, deux autres officiers de l'ARVN avaient décliné la charge. Toute la province de Hau Nghia était sous le contrôle du Vietcong, à l'exception de Bau Trai, des chefs-lieux de district, d'une demi-douzaine de hameaux et de quelques avant-postes qui ne devaient leur existence qu'à la tolérance des communistes.

Bien que la mission de Vann fût de superviser la construction des écoles, l'élevage des cochons, l'aide aux réfugiés et autres projets civils de pacification, l'absence totale de gouvernement constituait précisément le cadre idéal dans lequel il donnait le meilleur de lui-même. Il commença immédiatement par établir un plan de reconquête de Hau Nghia sur le Vietcong. La première nuit, il organisa une réunion avec le chef de province par intérim, un civil saigonnais, adjoint administratif, afin de fixer les exigences budgétaires pour l'année fiscale à venir. Le lendemain matin, il entreprit la tournée des centres de district pour rencontrer les chefs et leurs conseillers américains, et faire le point de la situation. Il se rendit également au quartier général de la 25e division et à l'un des postes de commandement de régiment. Bien que Westmoreland eût déclaré prioritaire la pacification de Hau Nghia, Vann découvrit que personne n'avait établi de plan pour la province. Il en faut un, déclara-t-il, et il mit en route le processus. Il fit travailler l'équipe vietnamienne de la Mission à Bau Trai afin de remettre de l'ordre dans l'entrepôt et annonça au chef de province qu'il lui fallait un bureau convenable dans l'immeuble du quartier général qui, avec sa grande galerie, était la seule bâtisse décente du village.

Son assistant, Douglas Ramsey, l'attendait à Bau Trai. Ce fonctionnaire des services étrangers, âgé de trente ans, était arrivé dans la province un mois auparavant. C'était un homme affable, dégingandé avec son mètre quatre-vingt-dix, des cheveux noirs et une perpétuelle barbe de deux jours. Il avait cette particularité parmi les Américains en 1965 d'écrire et de parler couramment le vietnamien. Vann lui déclara d'emblée que les trajets en hélicoptère abandonneraient le terrain au Vietcong et que les déplacements en convoi ne leur permettraient pas la liberté de mouvement dont ils avaient besoin. Il pensait qu'il serait en fait bien moins dangereux de voyager seul. Le Vietcong interceptait tout trafic officiel, installait des barrages pour taxer les camions de marchandises, et faire prisonniers les soldats qui circulaient à bord des transports en commun. Mais à part cela, ils laissaient les voitures civiles se déplacer librement sur les routes encore ouvertes.

Tous les véhicules de la Mission étaient de type civil. En plus de quelques gros camions de ravitaillement conduits par des chauffeurs vietnamiens, deux engins plus petits étaient disponibles pour Ramsey et Vann. Le premier était un International Harvester Scout blindé à l'intérieur. L'autre, une camionnette à plateau non blindée et peinte en jaune canari, avait la préférence de Vann parce qu'elle était plus rapide, tandis que le poids du blindage ralentissait le Scout. Ils pourraient aller quand et où ils voudraient avec une chance raisonnable de rester en vie s'ils s'en tenaient à des itinéraires aussi variés que possible et en vérifiant auprès de la police et de la milice avant de s'y engager. L'essentiel du travail de Ramsey au Vietnam n'avait pas été dangereux jusque-là, mais il avait participé à quelques opérations en campagne et il avait du cran.

Une semaine et demie plus tard, Vann n'eut plus besoin de se battre avec les mouches dans le restaurant de Bau Trai. Les fonctionnaires de la province et les officiers vietnamiens l'invitèrent avec Ramsey à prendre leurs repas au mess qu'ils avaient créé pour pallier le manque d'habitation décente et le danger d'amener leurs familles à Bau Trai. L'arrivée de leurs nouveaux hôtes signifiait qu'ils mangeraient mieux, grâce aux achats que Vann et Ramsey pourraient faire au magasin militaire de Saigon. Mais les Américains n'auraient pas été invités si les Vietnamiens n'avaient pas aimé Vann. De son côté, il était ravi de ces repas qui lui donnaient l'occasion de résoudre des problèmes et de discuter de nouveaux programmes. Vann ne prévoyait en outre aucun conflit avec le conseiller militaire en chef de la province, le jeune lieutenant-colonel Lloyd Webb, qui connaissait Vann de réputation et respectait son expérience.

Vers la fin du mois d'avril arriva un nouveau chef de province, le commandant Nguyên Tri Hanh, un catholique du Sud qui avait exercé auparavant les fonctions d'adjoint dans la région des plantations de caoutchouc. On lui avait promis le grade de lieutenant-colonel pour le persuader d'accepter le commandement de Hau Nghia. C'était un homme robuste de quarante-cinq ans doté d'un tempérament très affirmé. Il provoqua la surprise, car il était direct, paraissait honnête et sincèrement désireux de bien gouverner la province. « Dans un mois, il me mangera dans la main », prédit Vann à Ramsey.

Deux nuits plus tard, le Vietcong vint rappeler à Vann que la bonne volonté et le travail ne suffisaient pas, à eux seuls, pour sauver Hau Nghia, ni pour gagner la guerre dans le Sud Vietnam. Vann l'avait compris, mais son attitude résolument positive l'avait empêché de réaliser les implications de ce qu'il voyait autour de lui. Le 28 avril 1965, à 2 h 30 du matin, la guérilla lui fit prendre conscience des réalités. L'ennemi ouvrit un tir d'obus de mortiers sur Bau Trai pour décourager les artilleurs de soutenir une compagnie de Rangers de l'ARVN que le Vietcong était en train d'assaillir au même moment dans un hameau à trois kilomètres de là. Le contact radio fut immédiatement coupé.

Lorsque Vann se rendit au hameau, tôt le lendemain matin, il découvrit que la compagnie avait été littéralement anéantie : 35 Rangers tués, 16 portés disparus, capturés par l'ennemi, et 11 survivants blessés laissés sur place par les assaillants. L'unité d'attaque ravivait un vieux cauchemar que Vann avait déjà vécu à la 7ᵉ division, car elle était équipée, grâce à Harkins, d'armes américaines. Le bataillon de la guérilla régionale disposait à profusion de mitrailleuses en provenance des États-Unis et autres armes automatiques et semi-automatiques ; quant aux canons sans recul et aux mortiers, ils venaient en contrebande du Nord par la mer. Les Vietcongs, qui avaient eu la chance d'avoir deux mitrailleuses par bataillon en 1962, en possédaient à présent trois par section, comme dans l'armée américaine.

La guérilla n'avait même pas eu besoin d'utiliser son armement lourd. Bien qu'une autre compagnie de Rangers eût été anéantie dans le même hameau le mois d'octobre précédent, les officiers et sous-officiers de la compagnie n'avaient pas pris la moindre précaution élémentaire. Aucun poste d'écoute n'avait été installé, ni aucune fusée d'alerte prévue ; aucun trou individuel n'avait été creusé pour établir un périmètre de défense. La compagnie s'était simplement couchée pour la nuit autour d'une maison près de l'école primaire, à l'extrémité du village. Les paysans racontèrent que les Rangers étaient endormis au moment de l'attaque. Vann l'avait déjà deviné, car la plupart des cadavres n'étaient vêtus que de sous-vêtements. Il dénombra 11 hommes qui avaient reçu une balle en plein visage alors qu'ils étaient apparemment allongés et inconscients. Il apprit que les femmes et les enfants du hameau étaient arrivés avec des torches sitôt l'attaque terminée, et avaient ramassé les armes des Rangers pour les donner à la guérilla. Ils avaient également aidé à transporter les blessés vietcongs et les deux hommes tués par les quelques Rangers qui s'étaient réveillés à temps. La population détestait les Rangers à cause de leurs abus tandis que la guérilla avait bien veillé à ne pas endommager les autres maisons du hameau au cours de l'attaque. Seules l'école et la maison voisine avaient été touchées.

La désagrégation du camp saigonnais était bien plus grave que ne l'avait imaginé Vann depuis Denver. La menace du Vietcong ne constituait pas le seul danger à Bau Trai. La démoralisation des troupes saigonnaises représentait un péril plus pressant. Quatre soldats de la compagnie de M-116 de la 25ᵉ division s'enivrèrent et déclenchèrent une bagarre dans un restaurant de la ville. A minuit, les policiers essayèrent de les calmer. Les soldats les repoussèrent en ouvrant le feu avec leurs mitraillettes Thompson et les autres armes qu'ils avaient. Puis, ils décidèrent que ce serait amusant d'effrayer la police et les hauts gradés de la soi-disant autorité. Pendant trois heures et demie, jusqu'à ce qu'ils se lassent et aillent se coucher, les quatre soldats déambulèrent dans Bau Trai en tirant dans toutes les directions. Ils hurlaient et défiaient tout le monde de venir les arrêter : Hanh, le nouveau chef de province, le commandant son adjoint, et tous les officiers de la ville.

Le pavillon de la Mission était situé à moins de trente mètres du restaurant. Ramsey se trouvait à Saigon ce soir-là, mais le conseiller de la police pour la zone passait la soirée avec Vann. Ils n'avaient pas l'autorité nécessaire pour mettre un terme à cette folie furieuse et ne purent que se coucher sur le sol en maudissant les soldats chaque fois qu'ils tiraient dans leur direction. Le lendemain matin, Vann dénombra vingt impacts de balles sur les murs extérieurs de son pavillon. Il n'arrivait pas à croire qu'aucun officier saigonnais n'ait essayé de faire quelque chose contre ces quatre ivrognes qui menaçaient la ville de leurs coups de feu. Au petit déjeuner, face à Hanh, il ne dissimula pas son mépris. A son grand étonnement, Hanh ainsi que son adjoint militaire se comportèrent comme si rien ne s'était passé. En fait, ils estimaient qu'ils étaient impuissants. Les soldats étaient complètement démoralisés et avaient perdu tout respect pour leurs supérieurs au point de se mutiner si on avait essayé de les ramener à l'ordre.

A la 7ᵉ division, Sandy Faust s'était demandé si Cao n'était pas un agent à la solde du Vietcong. L'officier américain de renseignements de la province, comme son prédécesseur, était absolument convaincu que le chef de la 25ᵉ division à Hau Nghia, le colonel Phan Truong Chinh, était un agent communiste. Il paraissait impossible de se comporter en permanence en faveur de l'ennemi simplement par incompétence ou lâcheté ; or Chinh semblait intelligent, et avait même la réputation d'être un poète amateur. Il interdisait les embuscades de nuit comme de jour, sauf en territoire « ami ». Non seulement il faisait tout ce qu'il pouvait pour éviter d'attaquer la guérilla lui-même, mais encore il s'efforçait d'empêcher les autres d'agir. Il intervenait si fréquemment dans les opérations de la province, modifiant les plans et forçant Hanh à envoyer les troupes là où l'ennemi ne se trouvait pas, que Hanh lui-même commençait à soupçonner Chinh de travailler pour l'autre camp. Lorsqu'il ordonnait un tir d'artillerie, les fusées des obus étaient réglées de façon à exploser haut dans le ciel pour annuler l'effet des éclats.

Chinh, bien sûr, n'était pas plus un agent communiste que Cao. Dix ans plus tard, en y réfléchissant, Ramsey comprit que Chinh était probablement terrorisé par le Vietcong et craignait que ses troupes ne soient taillées en pièces si elles s'engageaient sérieusement dans le combat. En désignant les hameaux comme objectifs des attaques aériennes, en faisant exploser les maisons et en massacrant leurs habitants, Chinh était trop cruel à l'égard des paysans pour être un authentique sympathisant communiste. En 1965, à Hau Nghia, même s'ils n'étaient pas aussi convaincus que l'officier de renseignements, Vann et Ramsey n'en soupçonnaient pas moins les mobiles de Chinh. Leur plaisanterie favorite était que Chinh envoyait son rapport chaque nuit à Hanoi.

Si le but de Chinh était de sauver la vie de ses hommes, il le dissimulait très bien. Lui et ses chefs de régiment faisaient marcher constamment leurs colonnes sur les routes sans aucun éclaireur à l'avant ni sur les flancs pour assurer la sécurité. Le résultat en était une série monotone de massacres. Entre les embuscades et les attaques de nuit de la guérilla, il perdait en moyenne une compagnie par mois. Le Vietcong n'avait pas besoin de décimer sa division. Il s'en chargeait tout seul.

La question de savoir où cessaient l'incompétence et la stupidité et où commençaient la traîtrise et le sabotage se posait réellement. La pénétration par le Vietcong du camp saigonnais avait toujours été un problème majeur et le devenait de plus en plus, à mesure que le destin du régime déclinait et que les hommes et les femmes retournaient leur veste pour préserver l'avenir. La suspicion générale créée par la subversion était encore plus destructrice. Personne n'avait confiance en personne. Dans un village, situé au nord de Bau Trai, où se trouvait un centre d'entraînement des Rangers, le responsable du village, le commandant de la milice locale et le chef du centre s'accusaient mutuellement d'être des agents du Vietcong. Un commando de la guérilla, déguisé en Rangers, s'infiltra dans le village et en assassina sept vrais. Tout de suite après, le chef du village s'installa ailleurs, craignant pour sa vie.

Il n'était guère surprenant que les troupes fussent découragées dans une telle ambiance. Durant la première année de Vann au Vietnam, les soldats de l'ARVN buvaient peu hors des villes ou face au danger. A présent ils se saoulaient la nuit dans leurs bivouacs de campagne. Ils s'étaient mis aussi à fumer de la marijuana, ce qui expliquait probablement pourquoi ils dormaient toujours lorsque le Vietcong attaquait. Leur désespoir paraissait aggraver le cercle vicieux dans lequel ils étaient enfermés et creuser davantage l'écart entre leur peuple et eux. Leur tendance au pillage ne fit qu'empirer, favorisant la connivence entre la paysannerie et le Vietcong pour se débarrasser d'eux, comme cela s'était passé avec les Rangers. Dans leur désespoir, les soldats paraissaient presque s'offrir d'eux-mêmes à la mort, ne serait-ce que pour mettre fin à leurs incertitudes. Moins de deux semaines après le massacre des Rangers dans leur sommeil près de Bau Trai, une autre compagnie périt exactement de la même façon dans un autre hameau situé cette fois à six kilomètres au sud de la ville. Cette tendance à dormir sans prendre les précautions de sécurité élémentaires, qui était autrefois strictement limitée aux miliciens des avant-postes, était devenue à présent commune à presque toutes les forces de Saigon.

Dans de telles circonstances, le Vietcong pouvait agir quasi impunément. Une nuit, un commando d'une vingtaine d'hommes pénétra dans la ville de Cu Chi afin de kidnapper ou d'assassiner deux membres du réseau d'espionnage de la région qui s'étaient montrés suffisamment efficaces dans leur travail pour irriter la guérilla. Ils eurent la chance exceptionnelle de pouvoir s'enfuir de leur maison au moment où les autres y entraient. Furieux, les Vietcongs les poursuivirent à travers toute la ville, arpentant les toits, cherchant dans les allées en criant et tirant des coups de feu. Les deux espions parvinrent à leur échapper, mais les Vietcongs ne quittèrent pas la ville pour autant. Ils fouillèrent partout pendant deux heures sans trouver les deux hommes. Les Gardes civils, désormais appelés les Forces régionales que les conseillers surnommaient avec dérision les « durs mous », avaient pour mission de protéger Cu Chi. Aucun d'eux ne se manifesta. Le chef de district ne fut pas dérangé par la guérilla, et il retourna la politesse en ne bougeant pas le petit doigt pour venir en aide aux espions de son camp. Le quartier général d'un régiment de la division de Chinh, établi dans une plantation de caoutchouc à moins d'un kilomètre de Cu Chi, fit le mort. Aucun officier accompagné de troupes n'en sortit. Pourtant, Vann et Ramsey découvrirent quelque temps plus tard que tout le monde y avait été parfaitement au courant de ce qui se passait.

Un autre soir, une troupe vietcong décida de divertir la population d'un grand village situé près de la route principale de Saigon, à quelques kilomètres à l'ouest de Cu Chi. L'équipe s'installa dans le cinéma du village, de l'autre côté de la rue de l'école où une compagnie de l'ARVN bivouaquait. Les Vietcongs étaient armés et protégés par une petite escorte. Le lieutenant de la compagnie de l'ARVN donna l'ordre à ses hommes d'attaquer. Ils refusèrent. Le lieutenant prit sa jeep pour se rendre à Cu Chi et demander au chef du district ce qu'il fallait faire. Ils discutèrent un moment du problème, puis sortirent tous deux pour aller se saouler.

Après le massacre de la première compagnie de Rangers à trois kilomètres de Bau Trai, Vann écrivit à un ami de Denver qu'il ne fallait avoir aucune illusion et espérer que les bombardements du Nord pourraient changer quelque chose au Sud.

Malheureusement, [écrivit-il] nous allons perdre cette guerre d'abord à cause de la dégénérescence morale du Sud Vietnam, en face de la remarquable discipline du Vietcong. Le Sud a fichu en l'air toutes ses chances pendant si longtemps que c'est devenu une habitude, et, apparemment, rien ne changera.

Je suis amer... non pas à cause de ces ridicules petits soldats de plomb asiatiques, mais à cause de nos putains de génies militaires et politiques qui refusent de reconnaître l'évidence et d'agir en conséquence : il faut le contrôle total de tout ce fourbi. Au lieu de cela, ils gardent à la tête ces pantins vietnamiens. La situation est si désespérée que rien ne marchera. Ce petit saligaud de général Ky a fait un discours aujourd'hui demandant que nous envahissions le Nord pour le libérer — ce ridicule petit con ne peut même pas faire un kilomètre hors de Saigon sans un convoi armé et il veut libérer le Nord ! Bon Dieu, comme tout cela est ridicule !

Durant sa première année au Vietnam, Vann avait conçu la solution de cette guerre essentiellement en termes militaires. Il fallait détruire les bataillons réguliers vietcongs afin d'instaurer une sécurité suffisante pour pacifier progressivement la campagne. L'instrument de destruction serait une armée sud-vietnamienne performante. Pour constituer une telle ARVN, il faudrait une junte à Saigon, ou un homme fort qui accepterait d'être conseillé et dirigé par les Américains, ou qui serait contraint par la menace de la suppression de l'aide économique et militaire qui maintenait le pays en vie. A Hau Nghia, Vann découvrit que la tâche des États-Unis était beaucoup plus complexe qu'il ne l'avait cru. Il se rendait compte à quel point le camp de Saigon était parasitaire et moribond et en comprenait les causes. Il était conscient de la transformation profonde que la société saigonnaise devrait subir si elle voulait survivre en face de son adversaire communiste.

Le plus grave de tous les maux, celui qui était à l'origine de la démoralisation et de l'absence de discipline, était la corruption. Jusqu'à présent, il n'en avait pas saisi l'ampleur. A Hau Nghia, il se rendit compte qu'elle empoisonnait la société saigonnaise à tous les échelons : depuis Ky et presque tous les autres généraux « Jeunes Turcs », les commandants de corps d'armée et de divisions, les chefs de province et de district, et leur administration, jusqu'au policier de village qui exerçait un chantage sur un fermier contre de l'argent pour ne pas le dénoncer comme suspect vietcong.

Par son étendue et sa nature, la corruption au Sud était radicalement différente de celle communément rencontrée dans les instances gouvernementales des États-Unis où, lorsqu'elle échappe à tout contrôle, elle a souvent un effet destructeur, mais où elle peut aussi être un lubrifiant nauséabond dans la machine politique pour aboutir à la création de centres commerciaux, d'autoroutes et de logements. La corruption de Saigon, en revanche, était paralysante et se répandait comme une tumeur maligne qui empoisonnait le système entier de gouvernement. Les pots-de-vin constituaient la préoccupation majeure des Saigonnais, qui y consacraient plus de temps et de réflexion qu'à n'importe quelle autre activité, en exigeant une ingéniosité considérable de ceux qui se révélaient incompétents à exercer ce qui aurait dû être leur tâche. Alors que les Vietnamiens du Sud auraient dû se rassembler dans le sacrifice personnel et l'unité pour se sauver de la destruction, ils ne firent que la précipiter davantage. Plus grand était le péril qui menaçait leur société, et plus ils se volaient vicieusement les uns les autres. Ils semblaient se livrer au pillage en présumant qu'au dernier moment ils pourraient échapper d'une manière quelconque au désastre général, ou que les Américains interviendraient à leur secours. Mais le plus souvent, devait remarquer Vann, leur cupidité était si vorace qu'ils n'en entrevoyaient même pas les conséquences.

Hanh éclaira la lanterne de Vann. En qualité de chef de province, Hanh prenait ses repas dans ses propres quartiers. Dès son arrivée vers la fin avril, Vann et Ramsey dînèrent régulièrement avec lui plutôt qu'avec les autres officiers. Hanh invitait un ou deux de ses subordonnés à se joindre à eux. Souvent, ils n'étaient que tous les trois. Il était normal pour un conseiller civil américain de prendre ses repas à la table du chef de province. Cela correspondait aussi au désir de Vann de ménager Hanh afin de mettre sur pied un effort concerté contre le Vietcong à Hau Nghia. Durant les premières années du conflit, la plupart des conseillers américains, qu'ils soient civils ou militaires, n'avaient appris que relativement peu de chose sur les subtilités de la corruption au Sud Vietnam, car ils évitaient le sujet, officiellement considéré comme gênant. Tous les rapports sur ce thème étaient mal vus à l'ambassade et au quartier général de Westmoreland. Leurs homologues saigonnais en parlaient entre eux, mais s'abstenaient de se confier aux Américains. Hanh, lui-même une exception au sein de son propre système, considérait Vann comme un cas spécial parmi les Américains. Il est vrai que Vann donnait l'impression d'avoir des relations en haut lieu et d'être capable de faire changer les choses.

L'une des premières leçons que Hanh apprit à Vann était que les pertes en vies humaines, les désertions et la difficulté de recrutement ne suffisaient pas à expliquer le manque chronique d'effectifs des unités de l'ARVN. A la suggestion de Vann, Hanh se mit d'accord pour que ses Forces régionales effectuent à tour de rôle un cycle d'entraînement. Afin d'encourager la consolidation des unités combattantes, les Américains avaient obtenu de l'état-major de Saigon qu'un effectif minimal soit requis pour être admis dans les centres. Hanh pensa n'avoir aucun problème avec la première unité sélectionnée car la liste des effectifs comptait à peu près 140 hommes alors que le minimum imposé était fixé à une centaine. Lorsqu'il rassembla l'unité, il n'en trouva que 50. Les 90 autres noms qui figuraient sur la liste désignaient ce que les Vietnamiens appelaient les soldats « fantômes » et les « arbres en pot ». Les « fantômes » étaient ceux qui avaient été tués ou qui avaient déserté. Ceux que l'on appelait les « arbres en pot » avaient donné des pots-de-vin pour obtenir de fausses attestations de réforme, ou encore des permissions pour retourner dans leur famille et reprendre leur emploi civil, d'où cette allusion à une plante d'ornement abritée dans son pot. Les chefs d'unité encaissaient le salaire mensuel et les indemnités des « fantômes » et de ces végétaux casaniers, puis partageaient les profits avec les officiers supérieurs qui les protégeaient. Plutôt que de rechercher un stimulant pour le recrutement, les officiers de l'ARVN avaient créé un système pour le freiner.

Hanh était évidemment conscient de cette pratique, mais il s'était attendu à rassembler au moins une centaine d'hommes sur une liste qui en comportait 140. Il fit ouvrir une enquête par son adjoint aux affaires militaires, afin de déterminer à quel point les Forces régionales étaient affaiblies. Le commandant revint avec un rapport troublant. Tout portait à croire que le chef des Forces régionales à Hau Nghia s'en « mettait plein les poches », qualificatif qui s'appliquait à un homme exagérément cupide, même selon les standards saigonnais, et qu'il encourageait ses subordonnés à gonfler leurs effectifs. Ce commandant suggéra que Hanh et lui-même interviennent pour faire cesser ce trafic. Mais Hanh n'avait personne dans son équipe en qui il puisse avoir confiance. Il raconta l'histoire à Vann et à Ramsey et leur demanda de photographier les unités des Forces régionales et des Forces populaires qu'ils rencontraient lors de leurs visites dans la région. Hanh voulait comparer ces photographies avec les listes des unités afin d'établir l'effectif exact dont il disposait.

Nguyên Tri Hanh n'était pas une exception simplement par inclination personnelle. Il n'avait pas acheté son poste et, par conséquent, n'était pas obligé de verser de pots-de-vin pour s'acquitter de sa dette. La plupart des chefs de province et de district au Vietnam du Sud payaient pour obtenir leur charge. Son prédécesseur, arrêté en février pour sa participation au coup avorté, fut libéré au printemps, mais ses ennuis ne s'arrêtèrent pas là. Il avait acheté son poste en 1964, quand Hau Nghia était une zone relativement tranquille. Lors de son arrestation, il n'avait pas fini de rembourser sa dette au général qui lui avait vendu la province, et le créancier réclamait le solde. Hanh en revanche n'avait pas été obligé de payer car personne ne voulait de Hau Nghia au printemps 1965.

La corruption garantissait l'incompétence à tous les échelons de la hiérarchie. La valeur professionnelle n'intervenait pas pour choisir des hommes comme Chinh à la tête ou non d'une division comme la 25e. Ils conservaient leurs positions par leur aptitude à nouer des alliances basées sur la corruption aussi bien avec leurs supérieurs qu'avec leurs inférieurs. Ainsi l'argent remontait-il jusqu'au sommet. Le même système prévalait déjà sous le régime de Diêm, à la différence qu'on ne devait son poste qu'en demeurant loyal à la famille Ngô Dinh. Le respect de l'autorité hiérarchique nécessaire pour gouverner rationnellement un pays déjà affaibli par les factions et les liens familiaux et religieux était entièrement sapé par les réseaux internes de corruption. Par exemple, c'est à peine si Hanh exerçait un contrôle sur trois des chefs de district de sa propre province. Ils trafiquaient avec le général Chinh qui les protégeait en retour. Chinh essaya même de faire renvoyer le quatrième chef de district, parce que cet homme indépendant et compétent ne coopérait pas suffisamment dans la valse des pots-de-vin.

Le régime de Saigon avait évolué en un système dans lequel personne ne pouvait se permettre de garder les mains propres. Pour que chacun puisse se protéger, il fallait que tout le monde soit impliqué. Comme devait le souligner Ramsey, « le système était conçu pour être sûr que personne ne puisse impliquer l'autre ». L'inflation avait rogné les salaires durant les années de Diêm, et la corruption avait annulé tout motif de les réajuster. Ils étaient si ridiculement bas (Hanh gagnait par mois moins de 200 dollars au cours officiel) qu'un homme était obligé de voler s'il voulait faire vivre sa famille et maintenir sa position. L'unique façon pour un Américain d'établir une distinction entre un officier honnête et un malhonnête était de différencier ceux qui détournaient des fonds simplement pour survivre de ceux qui s'enrichissaient. Selon ces critères, Hanh était honnête, comme Vann l'avait remarqué pour Cao à la 7ᵉ division. Mais la ligne de clivage entre la survie et l'enrichissement était plus facile à distinguer pour un Américain que pour un Vietnamien qui avait mis le doigt dans l'engrenage. La corruption se nourrissait d'elle-même. Rares étaient les hommes qui, ayant acheté leur charge, était prêts à renoncer à tirer profit de leur investissement plus un bénéfice pour le risque physique encouru. Ils avaient également la tentation de s'entourer de partisans à l'intérieur même du système. Les chefs de province et de district les plus populaires parmi leurs subordonnés étaient ceux qui répartissaient le butin pour que chacun reçoive sa part.

Le système avait engendré une multitude d'autres distorsions qui encourageaient la corruption. L'un de ces facteurs était le rôle joué par les épouses. Mᵐᵉ Général X ou Mᵐᵉ Colonel Y servaient souvent d'agent pour leur mari et négociaient directement avec d'autres Mᵐᵉ Général ou Mᵐᵉ Colonel. Elles aimaient ce rôle parce qu'il leur donnait un certain pouvoir. Une femme qui se servait du paravent de l'autorité de son mari pour diriger un réseau de corruption gagnait en même temps une part de cette autorité. Les hommes favorisaient cet arrangement parce qu'il leur épargnait le souci des détails financiers et leur permettait de prétendre que leurs épouses n'étaient que des femmes d'affaires et qu'eux-mêmes n'étaient pas des escrocs. Il était absolument impossible à un homme de demeurer vraiment honnête et d'occuper en même temps une fonction de haut niveau. Même s'il ne volait que pour ses besoins personnels, tout en contrôlant les agissements de sa femme, il ne pouvait pas s'opposer aux malversations autour de lui. Pour acheter la complaisance de ses supérieurs, il était souvent contraint de détourner les fonds. S'il ne jouait pas le jeu, il devenait un outsider et perdait son poste. Jusqu'à présent, Hanh s'en était tiré en payant des modestes sommes au général Chinh. Mais combien de temps cela durerait-il ?

Vann avait découvert avant l'arrivée de Hanh que la corruption affectait aussi les programmes de pacification et que des Américains eux-mêmes n'étaient pas exempts de cette tentation. Par exemple, un fonctionnaire de l'AID (ce n'était pas William Pye, son prédécesseur) avait permis à l'entrepreneur vietnamien de la province de voler du ciment et d'autres équipements de la Mission en échange de femmes. Les matériaux de construction se vendaient à des prix exorbitants au marché noir de Saigon, car les maçons vietnamiens et chinois se ruaient pour construire des logements pour les milliers d'Américains qui arrivaient dans le pays. Le ciment en particulier valait de l'or. L'entrepreneur avait inclus son épouse parmi les femmes qu'il avait fournies au fonctionnaire américain. Même si on avait peine à imaginer que John Vann ait jamais refusé une aventure sexuelle, il se refusait toujours à confondre sexe et corruption. D'ailleurs si, à Hau Nghia, Vann n'avait pas renoncé à ses activités clandestines, il se comportait comme il l'avait fait à la 7ᵉ division. Il limitait ses aventures à ses voyages à Saigon et se présentait comme un modèle de moralité dans la province. Pour lui, il était odieux qu'un Américain acceptât des pots-de-vin pour permettre le vol des biens de l'État en temps de guerre. Il était indigné du comportement de son compatriote ainsi que de celui de l'entrepreneur qui avait profité de sa faiblesse.

La cupidité sabotait les programmes de pacification de façon plus subtile que le simple vol. Les écoles élémentaires des hameaux financées par la Mission plaisaient aux paysans qui souhaitaient que leurs enfants soient instruits. Lorsque l'entrepreneur de Hau Nghia construisait une école, il rognait sur tout. Les bancs et les pupitres qu'il fournissait étaient de si mauvaise qualité qu'ils ne duraient pas un an. Le fonctionnaire de l'AID avait appris à fermer les yeux sur ces problèmes, et les chefs de province et de district ne tenaient aucun compte de la tricherie parce que l'entrepreneur les avait bien entendu achetés. De la même manière, les fonds destinés à stimuler la participation des paysans à la gestion étaient détournés pour construire des bureaux dans les hameaux et les villages qui, tôt ou tard, étaient abandonnés ou détruits par le Vietcong. Les fonctionnaires de province n'en continuaient pas moins à réclamer ces travaux parce qu'ils prélevaient chaque fois leur dîme. Vann voulait appliquer les buts initiaux du programme et laisser les paysans choisir ce qu'ils souhaitaient, probablement une école ou une clinique. Puis on leur procurerait les matériaux nécessaires pour qu'ils les construisent eux-mêmes. Ainsi ils en prendraient soin et décourageraient la guérilla de détruire leurs biens. Les fonctionnaires de province s'opposaient à cette conception qui les aurait privés de tout profit

Le Vietcong était le plus gros client de la corruption, qui lui offrait toute sorte d'avantages. Les Américains avaient instauré un programme de « Contrôle des ressources et de la population » pour limiter le mouvement des sympathisants de la guérilla et empêcher le Vietcong de se procurer les médicaments et autres objets de nécessité. Les Américains arrivés depuis peu au Sud Vietnam attribuaient l'extraordinaire complication des lois et des règles de Saigon à l'influence persistante du colonialisme français. Ils ne comprenaient pas que chaque autorisation et chaque interdiction n'étaient qu'un prétexte de plus à la corruption. Les règles établies dans le cadre du programme ne faisaient qu'encourager la hausse des prix sur les marchandises de contrebande. La guérilla ne limitait pas ses achats aux produits interdits comme les antibiotiques, les instruments de chirurgie ou les piles électriques pour détonateurs de mines. Ils achetaient en contrebande des articles que les Américains avaient oublié d'ajouter à la liste, comme de fausses cartes d'identité, des laissez-passer pour les espions qui voulaient se faire embaucher par les agences américaines. En fait, ils obtenaient tout ce qu'ils voulaient, en arrosant les intermédiaires.

La corruption enrichissait également le Vietcong. Il y avait, par exemple, une importante sucrerie à Hiêp Hoa au nord-ouest de Bau Trai, dans la province de Hau Nghia, pour traiter la canne à sucre cultivée par les paysans. Elle appartenait conjointement à des Français et au gouvernement de Saigon, dont la part était gérée par des hommes d'affaires chinois de Cholon, qui répartissaient les gains avec ceux qui étaient au pouvoir. Bien que située dans une zone contrôlée par la guérilla, l'usine n'avait jamais été menacée.

Vann avait remarqué que le directeur et les cadres se sentaient suffisamment à l'abri des balles et des explosions pour que leurs fenêtres soient en verre ordinaire. Les camions de l'usine n'étaient jamais arrêtés lorsqu'ils transportaient leur cargaison de sucre vers Saigon. Vann apprit que le Vietcong encaissait un impôt annuel de la sucrerie de 1,7 million de piastres. Ce cas n'était pas unique. Partout au Sud, des entreprises commerciales payaient les autorités de Saigon et versaient en outre des impôts au Vietcong. Les percepteurs communistes délivraient des reçus signés et frappés du sceau du Front national de libération, le gouvernement clandestin du Vietcong.

Le trafic avec la guérilla fonctionnait en cercle fermé, parce que c'était, du moins officiellement, un crime puni de la peine capitale. Ainsi, une fois qu'un Saigonnais avait mis le doigt dans l'engrenage, les communistes pouvaient exiger chaque fois davantage de lui sous la menace du chantage. Les officiers de renseignements américains se demandaient souvent pourquoi les responsables vietcongs des comités de province et de district n'étaient pas plus souvent capturés, même par hasard. Lorqu'ils l'étaient, ils étaient sortis de cellule avant même que les Américains ne découvrent qu'une importante prise avait été faite.

Certes, la corruption affectait aussi le régime au Nord Vietnam. Mais les circonstances de la bataille au Sud n'y étaient pas favorables. Accéder à un poste de responsabilité dans l'organisation vietcong et devenir ensuite membre du Parti comportait trop de danger pour attirer des hommes motivés uniquement par l'appât du gain. Les chefs communistes prirent également des mesures pour faire respecter la morale dans les rangs de la guérilla. Ils donnaient en exemple les maux qui entachaient le régime de Saigon, et punissaient la moindre faute en faisant comparaître le coupable devant un tribunal, pour l'envoyer ensuite longtemps en « rééducation » dans un camp de travail en pleine jungle, ou l'exécuter d'une balle dans la nuque.

Vann commença également à réaliser que, si les communistes étaient en train de gagner cette guerre, ce n'était pas seulement dû à la ruineuse corruption et autres tares du régime de Saigon. Le Vietcong menait une révolution sociale dans la campagne du Sud Vietnam et y consacrait toute son énergie. Vann était en mesure de bien comprendre cette action car son enfance et sa jeunesse lui permettaient de s'identifier à la colère et aux aspirations des pauvres. Sa décision de continuer à emprunter les routes lui donna l'occasion de voir leur révolution en marche. La plupart du temps, Ramsey et Vann se mêlaient aux paysans, escortant leurs camions chargés de blé américain (que les Vietnamiens trouvaient immangeable et qu'ils revendaient comme nourriture à bestiaux, pour pouvoir acheter du riz), d'huile alimentaire, de lait en poudre et d'autres aliments pour les réfugiés. Ils allaient aussi sur place pour essayer d'accélérer leurs programmes conçus pour gagner la sympathie de la population. Lorsqu'ils se déplaçaient ensemble, ils utilisaient la camionnette jaune canari ; s'ils voyageaient séparément, ils prenaient à tour de rôle le second véhicule, le Scout blindé lent, et Vann se faisait accompagner d'un interprète.

La popularité du programme de construction d'écoles élémentaires dans les hameaux alerta Vann sur la révolution sociale que le Vietcong menait. Comme il n'y avait à Hau Nghia que six hameaux sous le contrôle de Saigon, Vann et Ramsey devaient, pour réaliser leur objectif, en construire dans d'autres villages dominés par la guérilla. Il comprit grâce à cela d'une façon tangible pourquoi le Vietcong s'était gagné l'appui de la paysannerie dans cet univers ambigu où la guérilla exerçait son autorité sur une population en majorité sympathisante mais sans avoir eu le temps d'organiser son contrôle, ni d'effacer tout vestige du régime de Saigon et des États-Unis. Dans les régions où il avait consolidé son pouvoir, le Vietcong avait établi son propre système scolaire. Mais partout ailleurs, il tolérait les programmes américains de construction d'écoles parce que les fermiers étaient avides de voir leurs enfants recevoir une éducation et qu'ils voulaient apprendre eux-mêmes à lire, à écrire et à calculer en suivant des cours du soir. Tous les membres de la guérilla locale et leurs familles en bénéficiaient. Même si les instituteurs étaient des employés gouvernementaux de Saigon, ils n'étaient pas menacés, aussi longtemps que leur enseignement restait neutre.

Ces écoles élémentaires de hameaux rappelaient à Vann celles des montagnes Blue Ridge dans lesquelles il avait travaillé comme assistant lorsqu'il se trouvait à Ferrum. Au Vietnam, il n'y avait qu'un seul enseignant pour cinq classes de différents niveaux et souvent trois cents élèves par école. La surpopulation ne posait pas de véritables problèmes car l'école n'avait pas de murs, mais un simple toit d'aluminium posé sur une charpente et déchiré en plusieurs endroits par des éclats d'obus. Un professeur faisait successivement la même classe trois fois par jour.

Vann se lia très vite d'amitié avec l'institutrice du hameau de So Do, à trois kilomètres de Bau Trai, où la compagnie de Rangers avait été anéantie. C'était une femme simple, d'âge mûr et d'un caractère avenant. Le fait qu'elle fût aussi assistante médicale pour les communistes du hameau ne paraissait pas affecter son attitude à l'égard de Vann et de Ramsey. Vann gagna sa reconnaissance en réparant sa petite école endommagée par l'attaque. Il fit également le nécessaire pour que certains enfants affectés d'un bec-de-lièvre puissent subir une intervention chirurgicale. Les cas que Vann avait observés lui rappelaient les jambes arquées par le rachitisme de son frère Gene, une absurde malédiction que la chirurgie moderne pouvait guérir. Vann entreprit d'envoyer tous les enfants se faire opérer par les équipes de médecins philippins et sud-coréens employées par l'AID. Plusieurs mois plus tard, Vann devait apprendre que l'institutrice avait sauvé la vie de Ramsey et la sienne à trois reprises, en persuadant les soldats de la guérilla de ne pas faire exploser une mine qu'ils avaient placée sous la route à leur intention.

John Vann se lia également d'amitié avec les enfants. Leur visage rayonnant et ouvert le touchait. Ils étaient très attrayants, particulièrement dans la région du delta. Le régime de poissons, de légumes et de fruits, riche en protéines, en faisait des gaillards vigoureux. Ils riaient beaucoup et débordaient d'énergie. Pieds nus, vêtus de shorts et de larges chemises flottantes, ils conduisaient les buffles de la famille ou jouaient au football dans la boue de la cour de ferme avec une boîte de conserve en guise de ballon, car ils n'avaient aucun jouet et devaient tout inventer par eux-mêmes. Vann et ses frères avaient été comme eux à Norfolk. Vann découvrit rapidement que les enfants pouvaient le protéger. Comme ils voulaient que l'Américain revienne avec ses bonbons et ses chewing-gums, ils le prévenaient lorsque des soldats vietcongs se trouvaient dans le hameau ou dans les parages.

A cette époque, Doug Ramsey était l'adjoint et le partenaire idéal pour Vann, et il exerçait une influence capitale sur sa manière de voir les choses. Comme Halberstam, Ramsey était un de ces innocents messianiques, issu de la génération des années cinquante, aussi vif qu'était haute sa stature d'échalas. Enfant unique, Ramsey avait grandi sous les énormes pins de la lisière du Grand Canyon et dans le village oasis de Boulder City, au milieu du désert du Nevada. Son père était un petit fonctionnaire de l'administration des parcs nationaux, et sa mère était chroniquement malade à une époque où l'aide sociale était minime pour les conjoints et la famille des employés de l'État. Grâce à des bourses et à des prêts, Ramsey put poursuivre ses études dans une université de Los Angeles. Diplômé en 1956, il fut l'un des rares étudiants à avoir obtenu les meilleurs résultats dans chacune des matières pendant quatre ans de suite. Après un an d'études à Harvard, le département d'État, qui paraissait offrir aux jeunes aventure et responsabilité, le détourna de la vie universitaire. Mais avant d'accepter un poste, Ramsey dut s'acquitter de deux années de service dans l'Armée de l'air comme spécialiste du renseignement et des communications. Puis il fut affecté au Centre d'accueil des étrangers à Honolulu, situé en face de l'hôtel Royal Hawaiian, à Waikiki.

Pour échapper à ces affectations confortables, Ramsey s'était volontairement inscrit à des cours de vietnamien et avait réussi à se faire envoyer pour travailler sur le terrain au Sud Vietnam, où il arriva en mai 1963, au moment où la crise bouddhiste était sur le point d'éclater. On lui donna encore un poste de tout repos au service d'information de Dalat, centre de villégiature dans les montagnes où Diêm et la famille Nhu avaient leurs villas de week-end. L'endroit était aussi sophistiqué que politisé. La curiosité de Ramsey et sa facilité à apprendre le vietnamien lui permirent d'étudier à fond la société saigonnaise. Les relations qu'il avait nouées au service d'information l'avaient amené à travailler dans des domaines plus proches de ses goûts, en particulier sur des enquêtes menées chez les paysans dans les hameaux le long de la côte centrale et au nord du delta, afin de déterminer les principaux griefs qui incitaient les paysans à soutenir le Vietcong. Après deux ans de patience et de travail volontaire, le département d'État lui accorda en février 1965 le poste qu'il attendait : son détachement à l'AID comme assistant de province à Hau Nghia.

Ramsey ne savait rien de son nouveau patron lorsque Vann arriva un mois plus tard. Vann se présenta en lui remettant l'article du magazine *Esquire*, sous la signature de Halberstam pour qui Ramsey avait beaucoup d'admiration depuis ses reportages au Vietnam en 1962 et 1963. Il fut fortement impressionné d'apprendre que son nouveau supérieur avait inspiré cet article et avait été le héros de cette lamentable histoire. Même s'il eût été difficile pour un jeune homme avec les aspirations de Ramsey de ne pas l'admirer, Vann fut toujours à la hauteur du portrait héroïque que Halberstam avait brossé de lui. Les deux hommes étaient sur la même longueur d'onde, dans leur engagement passionnel dans cette guerre et leur authentique affection pour le pays qu'ils étaient en train de défendre. Ramsey raconta après coup comment ils perdaient parfois tout bon sens en empruntant au crépuscule des routes non protégées pour admirer le soleil se couchant dans les rizières « qu'il teintait de cuivre dans les dernières lueurs du jour ». Ils s'arrêtaient un instant « dans un hameau aux toits de tuiles rouges ou de chaume où les habitants s'apprêtaient pour la nuit comme ils l'avaient fait depuis des siècles ». Ils goûtaient les images et les odeurs de ce pays « comme de petits citadins partis camper pour la première fois ».

Le soir, après le dîner avec Hanh, Vann et Ramsey passaient de longues heures dans leur bureau au quartier général de la province, équipé d'électricité et de ventilateur, pour y discuter de la guerre et commenter les événements de la journée. Ramsey fit remarquer à Vann que, sous le régime de Saigon, la soif d'éducation des enfants de paysans engendrerait finalement la frustration pour les plus intelligents et les plus doués d'initiative. Ramsey en savait suffisamment sur la société sud-vietnamienne pour comprendre que le système scolaire institué par les Français et perpétué par Saigon réservait l'éducation secondaire et universitaire — et par conséquent, les postes de direction de la société non communiste — aux classes urbaines moyennes et supérieures ainsi qu'à l'ancienne classe dominante terrienne aujourd'hui installée dans les villes. Quand bien même un enfant de paysan parviendrait à achever ses cinq années d'études élémentaires, il se retrouverait tout de même dans une impasse. Les écoles secondaires les plus proches étaient situées dans les centres de district. Le plus souvent, les familles paysannes étaient trop pauvres pour y envoyer leurs enfants et, de toute façon, les écoles de district n'allaient pas au-delà des quatre premières années du cycle secondaire.

Il ne restait donc qu'une seule voie pour accéder à une position supérieure : adhérer au Vietcong et au Front national de libération, ce que faisaient, évidemment, les enfants les plus doués. Comme ils devaient trouver leurs chefs parmi la paysannerie, les communistes ne posaient pas de préalables scolaires rigides et s'efforçaient d'améliorer l'éducation de leurs cadres pleins de promesse au sein de leur propre système. Le chef de bataillon vietcong le plus redoutable de Hau Nghia, âgé de quarante-cinq ans, était originaire d'un district abandonné situé au nord-ouest de la plaine des Joncs. Respecté de tous, il avait un grade équivalent à celui de commandant de l'armée sud-vietnamienne. Augmentant l'effectif de son bataillon pour en faire un régiment, il allait bientôt devenir lieutenant-colonel. Issu de la base, il avait grimpé dans la hiérarchie, ce qui signifiait qu'il n'avait probablement reçu que quelques années d'éducation primaire sous le système de Saigon, régime qu'il tentait à présent de renverser.

A cette époque-là, deux relations de Ramsey avaient beaucoup d'influence sur Vann, et ils allaient devenir ses amis et ses compagnons de guerre. Ev Bumgardner, spécialiste de la guerre psychologique, avait assisté au discours de Diêm à Tuy Hoa dix ans plus tôt et était revenu au Vietnam pour conduire les opérations sur le terrain pour les services d'informations US. L'autre, Frank Scotton, était son bras droit. Vann les avait rencontrés lors de sa première année au Vietnam, mais il n'avait jamais eu l'occasion de se lier avec eux. Ramsey fit les présentations. Ils incarnaient tous deux l'originalité d'esprit qui attirait Vann.

Robuste jeune homme de vingt-sept ans au teint foncé et aux cheveux bruns, Frank Scotton avait grandi dans la petite bourgeoisie d'une banlieue de Boston. Son père, pompier, s'était engagé dans l'armée et avait été tué pendant la Seconde Guerre mondiale. Scotton était audacieux et amical, et cependant parfois brutal et méfiant. Son arme préférée était la mitraillette suédoise K-9 mm des Forces spéciales. D'esprit non conformiste, il éprouvait une fascination pour les combats de guérilla, renforcée encore par l'étude approfondie des écrits de Mao Tsé-tung et de Vô Nguyên Giap.

Scotton et Bumgardner s'efforçaient de combattre les communistes vietnamiens en utilisant leurs propres méthodes ; ils en copiaient la forme, mais l'idéologie en était anticommuniste. Un nouveau programme d'endoc-trinement politique et de motivation de la milice sud-vietnamienne, mené avec enthousiasme par Vann, était inspiré par l'expérience tentée par Scotton l'année précédente sur la côte centrale. Avec l'encouragement de Bumgardner, l'aide d'un commandant de l'armée, Robert Kelly, et la complicité de plusieurs agents de la CIA, Scotton avait organisé des commandos de 45 hommes, réplique exacte des équipes de propagande armées vietcongs. Les commandos de Scotton n'avaient pas empêché la guérilla de s'emparer de presque toute la province de Quang Ngai. Mais ils s'étaient comportés comme aucune autre unité sud-vietnamienne ne l'avait fait auparavant. Ils avaient aidé les fermiers, diffusé de la propagande dans les zones dominées par la guérilla, monté des embuscades surprises de nuit et s'étaient infiltrés dans les hameaux pour assassiner les chefs vietcongs locaux.

A première vue, Bumgardner était la tête dont Scotton, les jambes, avait besoin. Ce petit homme, avec la calvitie de ses quarante ans, cérébral et réservé, avait un comportement calme qui ne l'empêchait pas de faire preuve du même non-conformisme que Scotton. Sa passion se révélait dans sa poursuite déterminée de la guerre et dans son enthousiasme, qu'il dissimulait aux autres, à aller dans des régions dangereuses où sifflaient les balles.

Chaque fois que Vann et Ramsey se rendaient à Saigon pour y passer la nuit, ils se retrouvaient avec leurs amis pour parler de la guerre. Si Bumgardner et Scotton se révélaient aussi incapables que la plupart des Américains de comprendre les éléments fondamentaux du nationalisme communiste vietnamien, ils étaient cependant parfaitement au fait des mouvements sociaux et politiques qui agitaient le Sud. Ils parlaient couramment vietnamien tous deux, et Bumgardner avait épousé une Chinoise dont la famille avait vécu au Vietnam depuis plusieurs générations. Comme Ramsey, ils étaient convaincus que le Vietcong tirait l'essentiel de sa force des conditions qui favorisaient une révolution sociale. Ils pensaient qu'un nationalisme anticommuniste était une possibilité toujours envisageable dans le Sud, mais à la condition expresse d'une radicale transformation du régime de Saigon. Les États-Unis ne pouvaient pas simplement prendre les rênes, comme l'aurait souhaité Vann, et diriger le pays en manipulant des hommes de paille. Le régime devait être rénové pour devenir un gouvernement entièrement différent, susceptible de répondre aux aspirations de la population rurale. Bumgardner et Scotton pensaient que la guerre ne pourrait être gagnée sans cela. Même si l'armée des États-Unis occupait tout le pays et écrasait la guérilla, la rébellion resurgirait après le départ des soldats américains.

L'opinion de Ramsey, de Bumgardner et de Scotton paraissait justifiée aux yeux de Vann, compte tenu de ses propres observations à Hau Nghia. A la fin du mois de mai, il en avait vu et entendu assez pour exprimer dans une lettre au général York sa nouvelle et surprenante, de sa part, analyse de cette guerre.

> Si ce n'était que le Vietnam est simplement un pion dans la confrontation Est-Ouest, et que notre présence est essentielle pour empêcher la Chine communiste de s'emparer des richesses de ce pays, il serait alors bougrement difficile de justifier notre soutien au gouvernement en place. Une révolution agite ce pays, et les idéaux du peuple américain sont bien plus proches des principes, des objectifs et des désirs de l'autre côté que de ceux du gouvernement de Saigon. Je comprends qu'à la fin, lorsque le communisme de style chinois prendra le pouvoir, ces « révolutionnaires » vont être passablement déçus, mais il sera alors trop tard pour eux, trop tard pour nous aussi. Je reste convaincu que, même si le Front national de libération est dominé par les communistes, la grande majorité du peuple le soutient parce qu'il constitue leur unique espoir de changer et d'améliorer leurs conditions de vie ainsi que leur avenir. Si j'étais un gamin de dix-huit ans, face au même choix — soutenir le gouvernement de Saigon ou le Front national de libération —, je choisirais sûrement le Front national de libération.

Vann pensait que depuis onze ans les États-Unis avaient gaspillé en vain des vies vietnamiennes et américaines et des centaines de millions de dollars pour préserver l'ancien ordre du Sud. Sa tâche était bien plus considérable que tout ce qu'il avait pu imaginer à Denver quand il avait décidé de repartir pour la guerre. Il devait définir une stratégie constructive plutôt que destructive, pour faire du Sud Vietnam une nation capable de coopérer avec les États-Unis dans la lutte mondiale en faveur des pays non développés. Une fois cette stratégie mise au point, il faudrait la traduire en un programme, puis la mettre en action après l'avoir fait accepter par ses supérieurs. L'idéalisme dont Garland Hopkins et Ferrum l'avaient imprégné se transformait en un désir d'américaniser le monde. En observant ces jeunes paysans vietnamiens, il voyait en eux l'équivalent possible des Philippins de Lansdale, des responsables locaux tellement convaincus des valeurs de l'Amérique et reconnaissants de l'aide qu'elle fournissait à leur pays, qu'ils feraient leur la cause des États-Unis.

« Si nous avions entrepris ce travail onze ans plus tôt », déclara Vann dans une conférence à Denver lors d'une permission en automne, « nous aurions déjà les chefs modèles dont nous avons besoin. Je crois qu'il est encore possible d'y arriver grâce aux enfants. »

La guerre atteignait un tel tournant que Vann pensa le moment venu de mettre en place une nouvelle stratégie. Au début de juin 1965, Westmoreland avait plus de 50 000 hommes au Sud Vietnam, y compris neuf bataillons de Marines et de parachutistes. Bien que l'administration Johnson restât publiquement vague sur les décisions qu'elle prenait, de nouveaux bataillons américains s'acheminaient vers le Vietnam. Ils arrivaient juste à temps. Le gouvernement de Saigon se préparait à évacuer les cinq provinces du nord, le long de la côte centrale, c'est-à-dire toute la zone du 1er corps d'armée où les Marines contrôlaient le terrain d'aviation de Phu Bai, près de l'ancienne capitale impériale de Huê, ainsi que le port et la base aérienne de Da Nang plus au sud. Les généraux de Saigon avaient mis au point un plan secret pour déplacer l'état-major général mixte installé jusque-là dans l'élégant cantonnement que de Lattre de Tassigny avait construit près de Tan Son Nhut ; ils iraient dans la vieille école militaire française du cap Saint-Jacques, à soixante kilomètres au sud-est de la ville. La péninsule était facile à défendre et les généraux ne seraient qu'à quelques minutes des bateaux et de la mer. Ils n'étaient pas sûrs d'être en mesure de tenir sur ce qui leur restait des hauts plateaux jusqu'à l'arrivée des Américains. Les principales villes de montagne, comme Kontum, Pleiku et Ban Me Thuot, étaient à présent des positions isolées fragiles, accessibles seulement par avion.

Tout indiquait à Hau Nghia que le régime de Saigon ne tiendrait pas jusqu'en 1966 sans le secours des Américains. Les explosions de mines et les embuscades étaient devenues si fréquentes sur la route principale de Saigon que Vann et Ramsey passaient à côté de jeeps et de camions détruits dont personne ne s'était préoccupé de retirer ni les cadavres ni les lambeaux de corps humains à proximité des épaves. Certains matins, la guérilla faisait sauter des véhicules militaires à moins de deux cents mètres des postes de contrôle placés aux deux accès principaux de Bau Trai. Les policiers qui avaient monté la garde la nuit dans leurs abris avaient probablement entendu les Vietcongs enterrer les mines sous la chaussée, ou les avaient observés à la lumière de la lune installant les fils des détonateurs. Mais ils n'avaient rien dit. Les désertions devenaient également plus fréquentes. Les chefs de deux hameaux, parmi les six présumés « pacifiés », à proximité de Bau Trai, ne se contentèrent plus de l'assurance qu'ils avaient achetée en aidant secrètement le Vietcong. Ils désertèrent ouvertement. L'un d'eux entraîna avec lui son adjoint et presque toute la milice du hameau. La plupart des membres de cette unité étaient des adolescents qui se réjouissaient ouvertement chaque fois que Vann et Ramsey, qui les aimaient bien, leur ramenaient de l'huile ou du blé pour compenser leur salaire dérisoire. Ces jeunes insouciants les révoltèrent en tuant, avant de déserter, une partie de l'équipe de pacification locale.

Ceux qui demeuraient fidèles à Saigon étaient à bout de nerfs, au point que la moindre étincelle pouvait mettre le feu aux poudres. Lors des derniers mois, le village de Duc Lap, à trois kilomètres de Bau Trai, avait essuyé plusieurs attaques. Un matin, la rumeur se répandit qu'un peloton vietcong arrivait. Un simple peloton ! La police régulière, puis les Forces spéciales et enfin le quartier général d'un bataillon de Rangers, ainsi qu'une des compagnies, s'enfuirent terrorisés. Ils revinrent par petits groupes, après que la rumeur eut été démentie. Vann et Ramsey y auraient attaché moins d'importance si cette panique s'était produite dans l'obscurité de la nuit. Or il était 10 heures du matin.

Vann n'avait pas changé d'opinion depuis 1962 et il croyait toujours, comme il l'avait confié à Ziegler, que c'était une folie de faire la guerre avec des soldats américains : « Si cette guerre doit être gagnée », écrivit-il à l'assistant de Lodge au printemps 1964, « alors elle doit l'être par les Vietnamiens. Rien ne serait plus imprudent que l'engagement massif de troupes américaines ou étrangères. Nous pourrions y engouffrer toute notre armée, sans pour cela accomplir quoi que ce soit de valable. » Un an plus tard, lorsque les Marines et l'armée commencèrent à arriver, Vann le pensait toujours.

Ce n'est pas que Vann regrettait de les voir débarquer. Sans eux, remarqua-t-il, le Sud Vietnam aurait « coulé à pic ». On y redoutait la formation d'un gouvernement neutraliste ou procommuniste à Saigon qui ne manquerait pas alors de demander aux États-Unis de se retirer. Ky et ses généraux pourraient tenir aussi longtemps qu'ils seraient protégés par les canons des États-Unis. Les communistes vietnamiens, de toute évidence, ne pouvaient pas grand-chose contre la puissance considérable des Américains soutenus par l'Armée de l'air et la Marine. Mais le Vietcong et les Nord-Vietnamiens de l'armée régulière de Hanoi avaient entrepris leur progression le long de la piste Hô Chi Minh pour venir en renfort à la guérilla. Vann craignait que, si les soldats américains étaient envoyés se battre contre eux, ils ne soient incapables de distinguer les alliés des ennemis, et le risque d'un carnage aveugle serait alors considérable.

Vann croyait que le plan le plus raisonnable consistait à utiliser les soldats américains pour protéger Saigon, les ports, les terrains d'aviation, ainsi que les villes et les villages de l'intérieur qu'il ne fallait pas, pour une question de prestige, laisser aux communistes. Les forces US serviraient de garnison et de réserve d'urgence. Si une importante unité vietcong ou nord-vietnamienne était repérée avec certitude, si les circonstances jouaient en faveur des Américains, si le risque de pertes civiles était minime, alors, les soldats américains pourraient intervenir. La mission principale et implicite des États-Unis devrait être politique. Ils fourniraient les moyens musclés pour arrêter cette débauche de coups d'État et d'intrigues et pour mettre les généraux de Saigon à leur botte. Derrière le bouclier de l'armée américaine et du corps des Marines, les États-Unis prendraient la direction du régime et le transformeraient progressivement en un gouvernement composé de chefs intègres. Les soldats de l'ARVN et les Forces populaires et régionales seraient responsables de la lutte dans les campagnes, et non les Américains. Les forces de Saigon devraient être réorganisées et réformées puisqu'elles auraient la responsabilité de vaincre le Vietcong et d'entreprendre la pacification des hameaux. Cet objectif pourrait être atteint, pensait Vann, par la création d'un « commandement mixte » sous les ordres des Américains. Vann réalisait à présent que les hommes de troupe des forces de Saigon étaient aussi écœurés par leurs chefs qu'il l'était lui-même. Il était persuadé qu'ils se comporteraient bien avec des supérieurs compétents et disciplinés qui les conduiraient à la victoire. Inspiré par ses conversations nocturnes avec Ramsey, Bumgardner et Scotton, Vann commença la mise au point d'une nouvelle stratégie pour attirer les paysans et transformer la nature de la société saigonnaise.

Vann comprit qu'il fallait commencer les changements par Hau Nghia. Il s'attaquerait à la forme de corruption sur laquelle il pouvait agir, celle de l'entrepreneur de travaux publics malhonnête, surtout depuis qu'il avait découvert que ce dernier avait corrompu un autre fonctionnaire américain de l'AID en lui fournissant également des femmes. Vann détenait une arme qu'il pouvait utiliser. Les règlements administratifs exigeaient sa signature sur la facture de l'entrepreneur pour qu'il soit payé après les travaux. Il décida de le coincer sur le vol de tôles d'aluminium pour les toitures. Il se rendit dans une maternité et dans une école récemment construites, grimpa sur le toit et compta les plaques. Puis, il vérifia le nombre qui avait été livré et refusa de contresigner la facture jusqu'à ce que l'entrepreneur ait accepté de rembourser les tôles manquantes au gouvernement américain.

Le conflit s'aggrava vers la fin du mois de mai lorsque l'entrepreneur proposa à Hanh le même arrangement qu'il avait eu avec le précédent chef de province, c'est-à-dire 10 % sur les contrats. Il ne fallait pas prendre l'Américain au sérieux, ajouta-t-il, car le fonctionnaire de l'AID corrompu occupait à présent un poste de responsabilité au quartier général à Saigon et lui avait dit que Vann était considéré comme un empêcheur de tourner en rond et serait bientôt remplacé. Hanh ne réagit pas mais, le soir même, il révéla le fond de l'affaire à Vann, qui lui demanda d'annuler tous les contrats de l'entrepreneur dans la région. Hanh n'envisageait pas d'aller jusque-là, mais il demeurait d'accord sur le principe à la condition que l'entrepreneur puisse être discrédité.

La semaine suivante, l'entrepreneur retourna voir Hanh pour lui faire une proposition plus attrayante encore. Le programme de « Contrôle des ressources et de la population », destiné à empêcher le Vietcong d'acquérir des marchandises, exigeait des certificats d'import-export pour les produits et les matières premières, comme le sucre, qui entraient ou sortaient de la province. Ces certificats, le plus souvent, s'échangeaient contre des pots-de-vin. L'entrepreneur s'était occupé de ce trafic dans le passé pour le compte du dernier chef de province. Il proposa à Hanh de lui rendre le même service contre un pourcentage, bien entendu. Hanh refusa nettement et rapporta à nouveau toute la conversation à Vann.

A ce moment-là, l'entrepreneur apprit que Vann cherchait à le faire renvoyer de Hau Nghia et comprit que Hanh ne se comporterait pas si bizarrement sans l'encouragement de Vann. Au cours des années, les Saigonnais étaient devenus très forts pour jouer l'innocence et la fierté blessée dans leur orgueil national, chaque fois que les Américains menaçaient leurs intérêts. L'entrepreneur, originaire d'une famille catholique connue au Sud Vietnam, était très doué à ce petit jeu. Il écrivit à Vann pour lui reprocher de se comporter comme « les colons français à l'époque où ils dominaient notre pays ».

Puis il envoya une copie de sa lettre à son ami du quartier général de Saigon pour qu'elle remonte la voie hiérarchique et que l'Américain gênant soit muté de Hau Nghia. Vann avait deviné qu'il agirait ainsi. Il répondit à l'entrepreneur en détaillant tous les éléments du vol, mais garda la copie de la lettre au lieu de l'envoyer au quartier général de la Mission comme il aurait dû le faire. Il craignait que le fonctionnaire corrompu de l'AID ne la détourne ou ne la discrédite. Comme il s'y attendait, il fut convoqué rapidement à Saigon. L'adjoint de Wilson, un fonctionnaire civil de l'AID, entreprit immédiatement de lui donner un cours sur la manière de se comporter avec les Vietnamiens. Vann commença à perdre patience et demanda s'il pouvait donner sa version de l'affaire. Le fonctionnaire refusa en expliquant qu'il tentait simplement de l'aider. Vann déclara que, dans ce cas, il se verrait contraint de mettre un terme à l'entretien. L'adjoint consentit de mauvaise grâce à l'écouter. Vann décrivit alors les relations que l'entrepreneur avait entretenues avec le fonctionnaire corrompu, et communiqua le détail des pots-de-vin partagés avec le dernier chef de province. Puis il remit la copie de la réponse qu'il avait adressée à l'entrepreneur, ainsi que la correspondance qu'ils avaient échangée auparavant sur la disparition des matériaux de construction. L'adjoint de Wilson était très mal à l'aise ; de toute évidence, il redoutait un scandale. Mais il reconnut que le récit de Vann et les éléments de la correspondance constituaient une version de l'histoire radicalement différente de celle qu'il avait entendue.

Le 22 juin à midi, Vann se rendait à Cu Chi par la route 1. Il était satisfait des résultats de sa première offensive contre la corruption à Hau Nghia. Le fonctionnaire malhonnête de l'AID s'était mal défendu durant l'enquête. On avait demandé à Vann de rédiger un mémorandum confidentiel sur les relations de l'entrepreneur avec l'Américain, qui avait à tel point trempé dans les combines qu'il fut bientôt transféré dans un autre pays. L'adjoint civil de Wilson avait changé d'opinion à l'égard de Vann et allait devenir l'un de ses plus fermes soutiens. Hanh n'avait pas encore annulé le dernier des contrats de l'entrepreneur, mais il semblait sur le point de le faire. La semaine précédente, Vann était si convaincu de la victoire qu'il avait annoncé à Hanh que, quel que soit le résultat officiel de l'enquête, il n'accorderait plus un seul sac de ciment ni la moindre tôle à l'entrepreneur, aussi longtemps qu'il serait à Hau Nghia.

Vann était seul à bord de la camionnette jaune. Le matin même, avant de partir pour rencontrer Hanh à Cu Chi, il avait discuté avec le chef de district de Trang Bang de quelques projets du programme de l'AID. En dépit de son aversion pour toute escorte militaire, Vann allait rejoindre le convoi de Hanh afin de l'accompagner à Bau Trai pour déjeuner. Vann traversa le pont de Suoi Sau, réputé si dangereux que les conseillers militaires de la province avaient fait un mauvais jeu de mots en le surnommant Suoi Cide.

Vann aperçut un groupe d'hommes à quelques mètres sur le bord de la route goudronnée. Trois d'entre eux étaient armés et vêtus du pyjama que portaient indifféremment les paysans, le Vietcong et la milice saigonnaise. Ils marchaient devant six jeunes hommes, nus jusqu'à la ceinture. Ils firent signe à Vann de s'arrêter. Pensant qu'il s'agissait de miliciens réclamant de l'aide, il ralentit. Au même moment, un des hommes arma son fusil et le pointa dans sa direction. Vann comprit qu'il s'était trompé sur leur identité, changea brusquement de vitesse et écrasa le pied sur l'accélérateur. En souriant il agita la main par la vitre ouverte. Il espérait que, si ces hommes étaient des Vietcongs avec leurs prisonniers, ils hésiteraient assez longtemps pour lui laisser le temps de s'échapper. Celui qui lui avait demandé de s'arrêter rabaissa le fusil de son compagnon, sourit et salua à son tour.

En quelques instants, Vann se trouva hors de portée en fonçant à cent à l'heure sur la chaussée défoncée. Jamais auparavant la guérilla n'avait essayé de l'arrêter et ne s'était comportée aussi étrangement. Vann se demandait si ces hommes étaient vraiment des Vietcongs, lorsqu'il entendit le claquement d'une rafale et le sifflement des balles qui frôlaient le véhicule. Il s'abaissa instinctivement, juste à temps pour ne pas recevoir dans les yeux les éclats de verre du pare-brise éclaté. La camionnette pencha sur la gauche vers le cimetière qui s'étendait de part et d'autre de la route. Vann se redressa pour reprendre le contrôle de son véhicule et découvrit ceux qui lui avaient tendu l'embuscade, une douzaine de Vietcongs le long du côté gauche de la route répartis sur une centaine de mètres. La camionnette fonçait droit dessus.

Vann garda le pied à fond sur l'accélérateur pour ne pas perdre de vitesse. Sa camionnette était dangereusement inclinée et il se cramponna au volant pour la ramener sur la chaussée. Les soldats se dispersèrent brusquement pour éviter de se faire écraser. Deux Vietcongs, armés de mitraillettes Thompson, étaient plus calmes que les autres. Ils ne bougèrent pas et continuèrent à tirer. Une fois la camionnette à nouveau sur la route, Vann fonça sur les assaillants en regardant le second rebelle. L'homme ne tirait pas sur le moteur ou les pneus : il visait Vann en le fixant dans les yeux pour essayer de le tuer.

Lorsque la camionnette passa devant lui, les dernières balles pénétrèrent dans la cabine à quelques centimètres du visage de Vann. L'une d'elles alla se ficher au coin du pare-brise. La camionnette plongea vers le cimetière sur la droite de la route lorsqu'une balle atteignit le pneu. Vann redressa pour se remettre sur la chaussée en croyant avoir échappé à l'embuscade, lorsqu'il entendit à nouveau des tirs à l'arrière. En se retournant, il vit trois autres Viets qui tiraient sur lui. Ils appartenaient probablement à un autre groupe et avaient dû relâcher leur attention, en faisant confiance à leurs camarades, et permis ainsi à Vann de filer devant eux avant qu'ils ne puissent tirer.

Il conduisait si vite qu'il dut freiner brusquement à un poste de contrôle un kilomètre plus loin sur la route. L'un des policiers se précipita pour lui tendre une trousse de premiers secours. Mais Vann n'avait que de petites coupures d'éclats de verre sur le bras et sur la main droite placée en haut du volant, sur le visage et la poitrine dans l'échancrure de sa chemise. Avec les doigts, il indiqua aux policiers qu'il y avait 15 Vietcongs. Ils hochèrent la tête, car ils avaient assisté à la fin de l'embuscade depuis leur petit abri.

Vann décida de faire immédiatement les six kilomètres jusqu'à Cu Chi avec son pneu crevé, dans l'espoir de contacter les deux hélicoptères armés qui avaient survolé les environs le matin. Il fallut une demi-heure au conseiller du district pour alerter les pilotes, qui ne trouvèrent rien sur les lieux de l'embuscade. Entre-temps, Vann raconta son aventure à Hanh et au chef de district, puis rejoignit leur convoi à Bau Trai après avoir changé son pneu. Le médecin de l'ARVN du quartier général de la province enleva la centaine d'éclats de verre et badigeonna Vann de désinfectant pour qu'il puisse continuer son voyage.

L'embuscade n'était évidemment pas due au hasard. Il n'y avait qu'un seul véhicule de couleur jaune canari à Hau Nghia. Le sourire et le salut du Vietcong qui avait précédé l'attaque, et le fait que les autres aient ouvert le feu dès qu'ils eurent vu la camionnette, prouvaient que lui ou Ramsey était bien leur cible. Il pensait que c'était en raison de ses responsabilités et que, comme Hau Nghia grouillait d'informateurs, la guérilla n'avait eu aucune difficulté à connaître ses rendez-vous, et l'itinéraire qu'il prendrait. Bien qu'il ne pût le prouver, il soupçonna l'entrepreneur ou le chef du district de Cu Chi d'avoir monté le coup maintenant qu'il s'en prenait à leurs profits illicites. Vann était persuadé qu'ils faisaient de la contrebande avec la guérilla, ou qu'ils leur versaient un pourcentage pour s'assurer de leur protection, ou même les deux à la fois. Cela avait dû être très facile pour eux de réclamer sa mort. Mais en fait, la requête devait plutôt venir de l'entrepreneur. Il allait d'ailleurs jouer sur les deux tableaux plus tard comme propriétaire d'un journal à Saigon et comme homme politique, et il avait probablement en 1965 de meilleurs contacts avec le Vietcong à Hau Nghia que n'en avait le chef de district. Il avait en tout cas plus de raisons de souhaiter la mort de Vann. Hanh annula le dernier de ses contrats le lendemain de l'embuscade.

Vann ne changea pas ses habitudes de déplacement, mais la couleur de la camionnette qu'il fit repeindre en bleu. Désormais, il conduisait avec une carabine posée sur ses genoux et plusieurs grenades sur le siège voisin. Il savait qu'il n'avait dû son salut qu'au brusque écart qui lui avait permis de se diriger droit sur ses assaillants et au fait que les Vietcongs avaient été de mauvais tireurs. Il estima qu'ils avaient dû gaspiller 150 ou 200 balles et ne dénombra que quatre trous dans la carrosserie, dont un dans la portière de son côté. Beaucoup avaient traversé le pare-brise. L'intérieur de la cabine était marqué de traces de balles qui avaient ricoché sur le toit et sur les côtés. Et cependant, le résultat était particulièrement minable. Même ceux qui étaient armés de mitraillettes avaient tiré avec l'arme à hauteur de la hanche, comme dans les films de gangsters, au lieu de viser.

La camionnette lui avait également sauvé la vie. Elle était aussi robuste que lui. En faisant les réparations, les mécaniciens découvrirent que le choc produit par le brusque écart à grande vitesse avait brisé les supports du moteur, sans en affecter la puissance ni la direction.

Vann savourait autant sa victoire sur la guérilla que d'avoir frôlé la mort. Il écrivit cette nuit-là dans son journal : « Passé au milieu d'une embuscade. Dû être très embarrassant pour le Vietcong qu'autant d'hommes aient manqué un véhicule et son chauffeur. C'était moins une ! »

Son petit succès remporté sur les Vietcongs et sur l'entrepreneur poussa Vann à mettre au point la stratégie dont il avait discuté avec Ramsey, Bumgardner et Scotton. Il passa la plus grande partie de son temps à rédiger des rapports officiels, ce qui explique qu'il n'ait rien écrit dans son journal pendant le mois de juillet. Il était également encouragé par le retour prochain de Henry Cabot Lodge comme ambassadeur en remplacement de Maxwell Taylor, annoncé le 8 juillet par la Maison-Blanche. Il attendait beaucoup de Lodge, avec qui il avait des affinités personnelles et politiques.

Vann et ses trois autres complices souhaitaient trouver une solution meilleure que l'escalade de la violence sans l'espoir d'une issue constructive. Il fallait être aveugle pour prétendre qu'il était dans l'intérêt des Vietnamiens de poursuivre indéfiniment cette guerre. Aussi détestable que puisse être un Vietnam communiste, que Vann et ses amis voyaient comme un ensemble de communes agricoles maoïstes où même les relations sexuelles conjugales seraient contrôlées par l'État, une telle perspective était moins désastreuse que de torturer les paysans dans une guerre sans fin.

Vann et Ramsey avaient été frappés en particulier par un incident qui avait eu lieu fin avril, l'après-midi du jour où la compagnie de Rangers fut battue à So Do. Une jeune paysanne avec ses deux enfants, en compagnie de deux amies avec les leurs, huit personnes en tout, coupait de la canne à sucre dans un champ à un kilomètre et demi de So Do. Les chasseurs-bombardiers de l'Armée de l'air vietnamienne et américaine survolaient les environs, accompagnés d'avions de reconnaissance, à la recherche des Vietcongs, depuis longtemps évanouis, comme c'était régulièrement le cas après une défaite saigonnaise. Deux appareils passèrent au-dessus du champ. Afin de bien montrer qu'elles n'étaient pas des Vietcongs, les femmes et leurs enfants ne s'enfuirent pas et continuèrent à couper la canne à sucre, espérant ainsi prouver leur innocence. Au passage suivant, les avions lâchèrent du napalm. La jeune femme fut la seule survivante. Vann et Ramsey découvrirent ce qui s'était passé lorsqu'elle vint se faire soigner au dispensaire de Bau Trai et qu'ils l'interrogèrent. Ses deux bras étaient brûlés si gravement qu'on dut les amputer. Elle ne fermerait plus jamais les yeux pour dormir parce qu'elle n'avait plus de paupières. Elle était enceinte de huit mois, mais elle ne pourrait jamais allaiter son enfant car les pointes de ses seins avaient été également calcinées.

Le Vietcong aussi manquait de plus en plus de discernement à l'égard de ses victimes. La discipline devenait plus difficile à maintenir avec le recrutement intensif, et les armes lourdes et perfectionnées tuaient aveuglément. Lorsque Bau Trai fut bombardé par eux, un obus traversa le toit de la prison et explosa dans les cellules en tuant 8 prisonniers et en blessant 25 autres. La plupart d'entre eux étaient des Vietcongs. Vers la fin juillet, Ramsey et lui furent révoltés par une autre atrocité. 11 civils dont 3 enfants furent littéralement déchiquetés dans un minibus Lambretta à trois roues entre Cu Chi et Bau Trai, par un nouveau type de mine antichar. Les anciens modèles placés sur les routes étaient déclenchés par un détonateur actionné par un rebelle caché. Le nouvel engin, utilisé par les armées modernes, probablement de fabrication américaine et acheté à l'ARVN, était automatique et mis à feu par le poids d'un véhicule. Le Vietcong voulait faire exploser un transport de troupes blindé M-113. C'est la Lambretta qui sauta. Avec le poids du chauffeur, de ses dix passagers, tous leurs bagages et les produits de la ferme, le véhicule était assez lourd pour déclencher le détonateur. Les 20 kilos de TNT nécessaires pour détruire un M-113 ne pouvaient qu'annihiler tout le monde. La déflagration provoqua dans la chaussée un cratère de deux mètres de large.

Vann veilla à ce que Hanh exploite cette atrocité à des fins de propagande, en organisant une manifestation contre le Vietcong dans un village voisin du drame. Ce n'était pas nécessaire. Les parents et les amis des victimes passèrent des journées entières à fouiller les marais des alentours à la recherche du moindre fragment de cadavre pour lui donner une sépulture. Ils ramassèrent les débris tordus de la Lambretta et les placèrent sur le bord de la route en guise de monument aux morts provisoire, en l'entourant des sandales des victimes, des morceaux de métal et en allumant des chandelles. Par la suite, ils édifièrent un petit autel. Pour montrer qu'ils pouvaient être efficaces quand ils le voulaient, les paysans découvrirent et capturèrent les coupables, cinq traîtres parmi les miliciens stationnés dans un avant-poste à plus de quatre cents mètres en amont de la route. Le chef de l'avant-poste avait lui-même dirigé l'installation de la mine. Hanh les fit tous comparaître devant une cour martiale, puis fusiller sur la place du marché du village.

Même si Vann et Ramsey, ainsi que Bumgardner et Scotton, en étaient venus à la conclusion qu'il était dans l'intérêt du peuple vietnamien que la guerre se termine rapidement, en dépit des scènes sanglantes auxquelles ils assistaient quotidiennement, ils ne voulaient pas non plus que les États-Unis cessent la guerre et abandonnent le pays à son sort. Tout en étant préoccupés par la nécessité de diminuer les souffrances, ils croyaient aussi fermement qu'ils n'avaient pas d'autre choix que de sacrifier les paysans vietnamiens aux impératifs stratégiques des États-Unis. Sur ce point, du moins, ils partageaient l'avis de leurs supérieurs à Washington. John McNaughton, ancien professeur de droit à Harvard, secrétaire adjoint à la Défense pour les questions de sécurité internationale, et spécialiste de politique étrangère auprès de McNamara, avait résumé le point de vue du gouvernement dans un rapport qu'il rédigea à l'intention du secrétaire à la Défense au mois de mars. Dans ce style de technocrate très à la mode à l'époque, il quantifia les raisons qui justifiaient l'envoi de soldats américains pour faire la guerre au Sud Vietnam :

70 % — pour éviter une défaite humiliante des États-Unis (pour notre réputation en tant que garant).

20 % — pour préserver le territoire du Sud Vietnam (et voisins) de l'emprise chinoise.

10 % — pour permettre au peuple du Sud Vietnam de vivre mieux et plus librement.

Sacrifier un peuple pour des raisons de haute stratégie est effroyable lorsqu'on se trouve au milieu des victimes. Vann et ses amis pensaient que cette immolation était trop cynique si elle ne comportait pas pour les Vietnamiens une compensation positive. Ils croyaient aussi en toute bonne foi que, si les paysans vietnamiens estimaient qu'on ne tenait pas compte de leurs intérêts, ils négligeraient à long terme ceux des Américains.

Vann rédigea son premier projet la seconde semaine du mois d'août. Ramsey, Bumgardner et Scotton l'approuvèrent, et Vann distribua le document à d'autres personnes pour recueillir différentes opinions. Les conclusions des nombreuses nuits de discussion de Bau Trai et de Saigon furent également ajoutées dans la rédaction finale du document de dix-huit pages que Vann tapa à la machine et signa un mois plus tard, le 10 septembre 1965. Bien que Vann n'ait pas mentionné ses amis comme coauteurs, il ne chercha pas non plus à s'attribuer tout le mérite de ce travail. Il déclara dans l'introduction que sa proposition résultait du concours de plusieurs personnes disposant d'un « large éventail d'expériences passées et de connaissances présentes » avec pour « point commun la combinaison de l'expérience sur le terrain au Vietnam et la croyance ferme qu'un gouvernement fiable, non communiste et démocratique peut encore voir le jour dans ce pays ».

La guerre des Américains au Sud Vietnam commençait pour de bon. A la fin du printemps, le Vietcong avait entrepris de renverser le régime de Saigon en lançant une offensive au sud des hauts plateaux et sur la côte centrale. Au début de l'été il anéantit des bataillons de l'armée sud-vietnamienne aussi rapidement qu'une chaudière consume le charbon. A la mi-juillet, la survie du régime était devenue si précaire que Johnson accepta la demande de Westmoreland d'envoyer près de 200 000 soldats américains. McNamara se rendit à Saigon pour déterminer de combien d'hommes supplémentaires le général pensait avoir besoin pour gagner la guerre contre la guérilla et les renforts qu'elle commençait à recevoir de Hanoi. Westmoreland estima qu'il lui en faudrait encore 100 000 de plus en se réservant le droit d'en réclamer encore d'autres si le besoin s'en faisait sentir. Le président Johnson accepta le chiffre de 100 000. Des unités de l'Armée, de l'Armée de l'air et des Marines arrivaient aussi vite que possible. Des porte-avions de la Marine se mirent en position sur la côte sud pour apporter un soutien à leurs chasseurs-bombardiers. On les appelait les « Positions sudistes » pour les distinguer des « Positions nordistes » qui se trouvaient dans le golfe du Tonkin, au-dessus du 17ᵉ parallèle, pour les missions de bombardement sur le Nord. A la Noël 1965, Westmoreland allait avoir environ 185 000 Américains au Sud Vietnam.

Vers la fin du mois d'août, les Marines livrèrent la première bataille de cette nouvelle guerre américaine. Ils affrontèrent le 1ᵉʳ régiment vietcong dans une enceinte de hameaux fortifiés et de rizières entourées par des haies et des buissons de bambous sur la côte centrale au nord de Quang Ngai, la province natale de Pham Van Dong, le disciple de Hô. La guérilla s'était mise en position pour attaquer un terrain d'aviation que les Marines avaient construit sur une partie de la plage, dans la province limitrophe de Quang Tin. Deux bataillons de Marines attaquèrent à la fois par la mer et derrière les lignes ennemies, où ils furent déposés par hélicoptère. Ils assaillirent le Vietcong avec des chars équipés de canons et de lance-flammes, des véhicules à chenilles amphibies blindés et des Ontos, équipés de quatre canons de 106 sans recul, montés sur une coque blindée.

Au premier signal radio, les canons de 125 de la 7ᵉ flotte des contre-torpilleurs *Orleck* et *Prichett* et les canons de 200 du croiseur *Galveston* déchirèrent l'horizon. Les obusiers des Marines et les mortiers lourds installés à terre se joignirent à eux. Les fûts étaient chauffés à blanc par les milliers d'obus tirés. Le ciel était en permanence rempli de chasseurs-bombardiers des cinq escadrilles de Marines, car les « grognards » de ce corps d'élite ne dépendaient pas des caprices de l'Armée de l'air ni des avions de la Marine pour un quelconque soutien aérien. Les Marines avaient leur propre unité aérienne, et leurs aviateurs étaient experts dans l'art d'ouvrir la route à l'infanterie. Les Skyhawks A-4 et les Phantoms F-4 fonçaient « dans le tas » — et au diable la DCA vietcong! —, larguant leurs bombes et leur napalm sur les cibles, lançant leurs roquettes et mitraillant au sol, à moins de soixante mètres de leurs camarades.

Quelques rares Vietcongs purent s'échapper au travers des positions des Marines à la nuit tombée. Au soir du second jour, toute résistance cessa. Un bataillon du 1ᵉʳ régiment vietcong avait été réduit à quelques rescapés épouvantés et un autre bataillon fut sérieusement endommagé. Les Marines revendiquèrent la mort de 614 Vietcongs et la capture de 109 armes. Du côté américain, la bataille coûta 51 Marines tués et 203 blessés. Trois tracteurs blindés amphibies et deux chars furent détruits par les tirs des canons sans recul et les grenades, et un certain nombre d'autres endommagés. Les hélicoptères étaient criblés par de nombreux impacts de balles.

Je revins au Sud Vietnam à temps pour survoler le champ de bataille le lendemain de l'affrontement. J'avais quitté l'United Press après mes deux premières années au Vietnam pour rejoindre le *New York Times,* dont Charlie Mohr était maintenant chef du bureau de Saigon. Il m'avait demandé de revenir pour couvrir la guerre avec lui. Les Marines étaient étonnés de la vigueur de la résistance de leur nouvel ennemi. Je demandai au général de brigade Frederick Karch, qui se trouvait au poste de commandement, s'il partageait, lui aussi, l'étonnement des Marines. C'était un homme de petite taille avec une fine moustache, un vétéran de la Seconde Guerre mondiale qui avait combattu sur les îles de Saipan, d'Iwo-Jima, et quelques autres encore.

« Je pensais qu'après notre première attaque ils renonceraient à poursuivre la bataille, me répondit Karch. Eh bien, je me suis trompé ! »

Vann pensait que le sang des soldats américains qui allait être versé en abondance obligerait les chefs de Washington et de Saigon à reconnaître les défauts du régime en place, ainsi que « les erreurs commises par les États-Unis pendant les vingt dernières années », comme il l'écrivit dans son projet. Il intitula son document de dix pages : *Maîtriser la révolution du Sud Vietnam.* Son objectif était de gagner la sympathie des paysans en accaparant la révolution sociale des communistes, pour l'exploiter au profit de la cause américaine. Le but à court terme était d'utiliser le soutien de la paysannerie pour détruire le Vietcong. Le but à long terme était d'encourager un autre modèle de gouvernement à Saigon : « un gouvernement national... qui réponde à la dynamique de la révolution sociale », et qui puisse durer après que les combattants américains survivants seront rentrés chez eux.

La politique des États-Unis au Sud Vietnam s'était montrée aveugle et destructrice, écrivit Vann, parce que, ironiquement, les Américains avaient été obnubilés par leur propre image d'un peuple opposé au colonialisme et champion de l'autodétermination. « Pour ne pas ternir notre image, nous avons refusé de nous impliquer ouvertement dans les affaires intérieures du pays, et de faire le minimum nécessaire pour garantir la venue d'un gouvernement qui réponde à la majorité de son peuple. C'est une condamnation cinglante de notre conscience politique de n'avoir à ce jour rien fait, alors que tant de Vietnamiens patriotes non communistes étaient littéralement obligés d'adhérer à un mouvement dominé par les communistes, parce qu'ils croyaient que c'était la seule chance de parvenir à un meilleur gouvernement. »

Vann proposait alors un programme de transformation sociale encouragé par les Américains, et qui serait « une alternative positive » susceptible d'attirer la majorité des paysans en éloignant progressivement de la guérilla

« les vrais patriotes et révolutionnaires actuellement leurs alliés ». Il présentait ce programme comme une expérience, parce qu'il estimait qu'une progression par étapes serait plus efficace qu'un bond brutal pour réduire la résistance de ceux qui refusaient de se conduire en puissance colonialiste.

L'expérience commencerait en janvier 1966, lorsqu'un minimum de trois provinces auraient été choisies et isolées de l'emprise des seigneurs de la guerre. Les chefs de ces provinces dépendraient directement de Saigon en court-circuitant les commandants de corps et de division. Le chef de province deviendrait ainsi le chef incontesté sur son domaine. Les ministères civils et les forces armées lui enverraient un personnel qualifié pour les postes de chef de district et l'administration de la province, mais il pourrait rejeter qui il voudrait et choisir un remplaçant. Il aurait le contrôle de tous les fonds et de tout le matériel qui entreraient dans la province qu'il gérerait suivant une procédure souple et simplifiée, spécialement élaborée pour ces zones expérimentales. Il aurait également le contrôle de toutes les unités militaires stationnées dans sa province, y compris celles de l'ARVN. Les commandants de corps et de division ne pourraient lui donner des ordres que dans le cas d'opération couvrant plusieurs provinces, et des précautions seraient prises pour que les programmes de pacification n'en soient pas affectés.

Les chefs des provinces expérimentales seraient totalement indépendants des seigneurs de la guerre saigonnais afin que leurs conseillers américains puissent les diriger en coulisse. Le rôle de conseiller, lui aussi, devait être réorganisé d'une façon draconienne pour lui donner une plus grande efficacité. Les différentes agences américaines au Sud Vietnam reflétaient la confusion et le manque de bon sens des ministères de Saigon. En théorie, l'AID avait la responsabilité principale des programmes de pacification civils. En réalité, la CIA et l'USIS appliquaient les leurs sans se consulter. Le quartier général de Westmoreland de son côté organisait son propre effort de pacification militaire. Dans les provinces expérimentales, Vann souhaitait instaurer une structure unifiée. Tous les conseillers américains, qu'ils soient militaires ou civils, seraient regroupés en une seule équipe sous le commandement d'un conseiller en chef américain, responsable pour la province et homologue du chef vietnamien. Il pourrait être indifféremment militaire ou civil, à la condition d'être choisi avec un grand soin compte tenu de l'importance de sa position. Le contrôle qu'il exercerait sur le chef de province vietnamien ferait de lui en fait le véritable gouverneur.

Vann était convaincu que les progrès seraient si rapides que le programme pourrait être appliqué ensuite très vite partout au Sud Vietnam. La paysannerie pourrait réagir d'une façon surprenante une fois que la corruption serait éliminée et que les millions de dollars américains seraient alors distribués aux pauvres plutôt que déversés dans l'auge des cochons voraces de Saigon.

Vann et ses amis étaient frappés de voir à quel point la domination vietcong était superficielle dans de nombreuses régions et pensaient donc qu'il n'était pas trop tard pour que les États-Unis exploitent à leur profit la révolution sociale communiste. Ramsey et lui pouvaient se déplacer autour de Hau Nghia avec une relative liberté, et Bumgardner et Scotton avaient constaté le même phénomène ailleurs. La guérilla avait si rapidement progressé depuis 1963, que les Vietcongs n'avaient pas été en mesure de former assez d'administrateurs locaux et d'endoctriner la population. Vann et Ramsey avaient pu mesurer la différence avec les anciennes plantations de caoutchouc du district de Cu Chi. Là, l'implantation communiste datait de bien avant la Seconde Guerre mondiale et le Viet Minh y avait facilement trouvé une base pour lutter contre les Français. Dans ces hameaux, les enfants ne riaient pas et ne demandaient pas de chewing-gum ou de bonbons. Tout le monde se comportait avec froideur, et Vann et Ramsey n'osaient jamais y rester plus de quelques minutes. Ces paysans considéraient les Américains comme leurs ennemis au même titre que les Français dans le passé. Comme le disait Ramsey, la lutte sous la direction du Parti avait duré « assez longtemps pour que le ciment prenne ».

Partout ailleurs dans Hau Nghia, la population ne paraissait pas liée au Vietcong au point de ne pas pouvoir en être détournée avec des opportunités nouvelles et des stimulants matériels. Même si la population était hostile à la soldatesque de Saigon et autres représentants du régime, et quoi qu'elle ait pu penser des États-Unis en tant que nation, elle restait très cordiale avec les Américains en tant qu'individus. Les Sud-Vietnamiens les considéraient comme des gens honorables, dotés de bonnes intentions. Au pire, ils étaient ambivalents, comme l'institutrice de So Do. Vann et Ramsey avaient également senti cette ambiguïté même parmi les jeunes membres de la guérilla locale.

Dans sa proposition, Vann demandait que les paysans vietnamiens puissent rester chez eux sur la terre à laquelle ils étaient attachés, afin que leur fidélité puisse être gagnée par l'amélioration de leur vie et que la campagne soit tout entière reconquise avec leur aide. L'expérience de Vann avec les « hameaux stratégiques », en 1962 et 1963, lui avait appris que la déportation obligatoire des populations était une folie cruelle. Il était inquiet de la tendance qu'avaient certains militaires américains de croire, comme le colonel Chinh, commandant de la 25e division à Hau Nghia, que la méthode la plus rapide et la plus sûre était de vider les campagnes en évacuant les paysans dans des camps de réfugiés autour des grandes villes, c'est-à-dire de déplacer la mer humaine de Mao Tsé-tung dans laquelle flottaient les « poissons » de la guérilla.

Au grand désespoir de Vann, Chinh, approuvé par les conseillers de la 25e division, avait annoncé en août que certains secteurs habités de la région seraient « zones de bombardement libre ». Un hélicoptère équipé d'un haut-parleur survolait ces zones, pour dire aux paysans de partir ou de s'attendre au pire. Dans son rapport mensuel au quartier général de la Mission, Vann qualifia cette décision d' « imbécillité ». On comptait déjà à Hau Nghia 8 200 réfugiés, qui ne subsistaient que de l'aumône américaine, car les autorités de Saigon ne faisaient rien de substantiel pour les aider.

En 1962, le général de l'aviation Rollen Anthis avait institué le système de zones de bombardement libre pour créer des cibles permettant d'occuper ses pilotes. On demandait aux commandants de corps et de division ainsi qu'aux chefs de province de délimiter des régions à prédominance vietcong, dans lesquelles tout ce qui bougeait pouvait être tué et tout ce qui était debout, rasé. Ces « zones de raids » et « zones de feu » étaient ouvertes à l'utilisation illimitée de l'artillerie, des mortiers et du mitraillage par hélicoptère. Anthis n'avait probablement jamais imaginé que, durant l'été 1965, ce système atteindrait un tel niveau de destruction. De plus en plus de régions contrôlées par le Vietcong étaient à présent désignées en rouge sur les cartes. Jusque-là, Anthis s'était contenté de secteurs à la population clairsemée. Désormais, même des campagnes peuplées comme Cu Chi se voyaient condamnées.

Ces zones de bombardement libre n'étaient que le signe avant-coureur de ce qui se préparait. Bien d'autres régions contrôlées par la guérilla subissaient en fait le même sort, même si elles n'en portaient pas le titre. Selon le système d'Anthis, elles répondaient aux critères d'« attaques prévisionnelles ». L'Armée de l'air américaine annonça qu'elle avait détruit 5 349 « structures » au Sud Vietnam et en avait endommagé 2 400 autres en août 1965. Le quartier général de la Mission avait transféré Ramsey temporairement à Binh Dinh, la plus fortement peuplée des provinces de la côte centrale, afin d'aider à évacuer la masse de réfugiés fuyant la campagne. Sur les 850 000 habitants de la province, 85 000 avaient quitté leurs habitations pour échapper aux bombardements et aux pilonnages. Ramsey écrivit à Vann qu'il avait entendu des récits d'attaques aériennes sur Binh Dinh « qui rendaient dérisoire tout ce que l'on a vu et entendu à Hau Nghia ».

La thèse officielle de Washington expliquait que ces sans-abri étaient des « réfugiés du communisme » qui « votaient avec leurs pieds ». Il est vrai que certains, la plupart catholiques ou familles de miliciens, fuyaient le Vietcong. Aux plus hauts niveaux de l'ambassade, du commandement militaire américain et de la Mission des opérations, on estimait que le flot des réfugiés représentait une gêne momentanée, mais qu'à long terme ils deviendraient un « atout » parce qu'ils étaient maintenant sous le « contrôle » de Saigon. On pouvait les soigner, les endoctriner et un jour les renvoyer reconstruire leurs maisons comme de loyaux citoyens. On pouvait également installer de petites unités industrielles autour des bidonvilles qui émergeaient de partout, et donner aux réfugiés une formation professionnelle et des emplois. Ramsey écrivit à Vann qu'il n'était pas du tout de cet avis.

« Personne ne réussira à me convaincre que de telles masses de gens démoralisés puissent être un atout, quelles que soient les conditions d'amélioration que peut y apporter la Mission. »

Dans son projet, Vann avait averti que la désagrégation complète de la paysannerie était profondément injuste et ne pourrait qu'aggraver les problèmes que les États-Unis affrontaient déjà au Sud Vietnam.

« Nous avons naïvement escompté qu'une population rurale ingénue et à peu près illettrée puisse reconnaître et dénoncer les maux du communisme, même lorsqu'il est intelligemment dissimulé derrière des organisations de façade, écrivit-il. Nous avons réprouvé ceux qui n'accordaient pas leur soutien complet au gouvernement vietnamien sans nous demander si ce gouvernement était constitué et motivé de manière à inspirer la loyauté et le soutien de son peuple. »

Pour illustrer la cruauté irréfléchie de l'attitude américaine, Vann cita la remarque de l'un des conseillers de la 25e division qui, pour justifier l'opération de Chinh dans le district de Cu Chi, déclara : « Si ces gens veulent rester et soutenir les communistes, alors ils doivent s'attendre à être bombardés. »

Compte tenu de l'engagement des États-Unis, de telles absurdités devenaient du masochisme. Persister dans cette voie débouchait sur l'inacceptable : « une victoire militaire ruinée par l'échec persistant du gouvernement de Saigon incapable de conquérir son propre peuple ». Le soldat américain ne faisait que gagner du temps, soulignait Vann. « Le défi principal auquel les États-Unis devaient faire face au Vietnam » était d'utiliser ce temps pour briser le monopole communiste de la révolution sociale. L'Amérique avait donc le droit d'agir en tant que puissance coloniale bienfaisante, en rejetant le régime actuel, précisément parce que le besoin de changement était aussi impératif. Tous les efforts devaient être accomplis pour gagner les généraux et les politiciens saigonnais à la sagesse de ce programme et obtenir leur coopération dans la réforme de leur société. Mais, « si cela ne peut pas se réaliser sans en compromettre les dispositions essentielles, alors le gouvernement vietnamien devra être forcé d'accepter le jugement et la direction des États-Unis. La situation est actuellement trop critique et l'investissement trop important pour tolérer plus longtemps le cafouillage anarchique qui est en train de perdre la population et, par conséquent, la guerre ».

Nullement ébranlé par les lubies insondables de Paul Harkins, l'absence de curiosité de Maxwell Taylor lors du déjeuner, ou l'annulation de son exposé à l'état-major général, John Vann décida une fois de plus de convaincre ses supérieurs de son plan de bataille au Vietnam. Cette fois-ci, il y était encouragé par quelques hommes influents. Il n'était plus le simple lieutenant-colonel de My Tho. Bien qu'il eût encore une position modeste parmi les hommes publics, il était devenu une personnalité au Vietnam grâce aux articles de Halberstam. Il représentait la franchise et l'intégrité, même pour ceux qui dans l'administration le considéraient comme un individualiste forcené. Sa réputation et ses exploits continuels attirèrent tout naturellement la presse, dont il avait compris l'intérêt, à la 7e division.

Je faisais partie de ses nombreux amis journalistes de l'époque de My Tho, qui étaient revenus au Vietnam. Mert Perry travaillait pour le magazine *Newsweek* lorsque Vann fut victime de l'embuscade de juin. Il se rendit à Bau Trai immédiatement après. Il en résulta un article de quatre colonnes, paru fin juillet et intitulé « Le pays où tout va mal », accompagné d'une photographie de Hanh, d'une de Ramsey dégingandé marchant dans une rue poussiéreuse de Bau Trai et d'une autre de Vann, l'air sérieux, devant une maison au toit de chaume. Les grands éditorialistes qui commentaient cette nouvelle guerre américaine s'adressaient désormais régulièrement à Vann. Scotty Reston, du *New York Times,* passa une journée avec lui au mois d'août. Bernard Fall, le spécialiste franco-américain du Vietnam, qui fut tué deux ans plus tard, resta trois jours avec lui et devint son ami.

Vann attirait les journalistes également parce que, avec lui, l'inattendu était toujours possible. Un matin, Edward Morgan, du journal télévisé ABC, filmait une interview de Vann devant une nouvelle école de Bau Trai où se déroulait un programme de formation d'instituteurs. On entendait au loin des tirs de mortiers et des bombardements. A Morgan, excité par l'action et qui attirait son attention sur les explosions, Vann expliqua que cela ne gênait pas les instituteurs et les élèves, qui avaient l'habitude des bruits de la guerre à Hau Nghia. Au même moment, trois francs-tireurs vietcongs s'attaquèrent au poste de contrôle sur la route à soixante mètres de là. Les balles sifflèrent autour de l'école, les policiers vietnamiens et des soldats ripostèrent. Une équipe d'artilleurs installée en ville commença, avec cette nervosité typique des soldats de Saigon, à tirer à l'aveuglette avec ses mortiers. Les instituteurs, les élèves, Morgan et Vann s'abritèrent aussitôt. Les cameramen firent de même, tout en continuant à filmer. Morgan et son équipe étaient ravis de leur « coup de pot » : ils avaient des images de guerre pour illustrer un document sur la pacification.

Certains supérieurs de Vann à Saigon ne cachaient pas leur irritation de ses relations indépendantes avec la presse et le lui firent savoir Ce désaveu l'encouragea à les cultiver davantage. En quittant l'armée, il était devenu un outsider et avait décidé de ne plus jamais dépendre de l'administration pour une ascension qui ne pouvait être qu'individuelle. Il lui faudrait prendre certains risques qui feraient hésiter d'autres hommes car, pour monter dans le système, il devait le vaincre. Les médias lui servaient d'allié dans son combat pour son avancement autant que pour promouvoir ses idées. Son contact facile avec les journalistes rendait les bureaucrates jaloux d'une notoriété qu'ils n'osaient pas rechercher eux-mêmes et méfiants de peur qu'il ne révèle des faits embarrassants. Mais cela les intimidait aussi, ce qui procurait à Vann cette sorte d'indépendance et de protection qu'il avait inconsciemment acquise sur Harkins. La célébrité entraîne la considération et lui donne un cachet particulier. Les gens importants souhaitaient l'écouter, qu'ils adoptent ou non ses thèses du moment.

En juillet, on lui proposa un poste de contrôleur au quartier général de la Mission des opérations. Il refusa, et renonça également à un avancement au poste de directeur adjoint de toute la région du delta du Mékong. Il aurait été cloué derrière un bureau. « Le terrain, écrivit-il à un ami de Denver, ... est l'élément où je me sens le mieux et l'endroit où j'attirerai le plus l'attention. »

Au travers des contacts qu'il avait établis au cours de ces deux dernières années, Vann espérait convaincre les autorités officielles du bien-fondé de sa thèse *Maîtriser la révolution au Sud Vietnam*. Westmoreland s'était montré cordial à son égard, et l'avait invité cet été-là à Saigon pour qu'il puisse lui faire part de ses impressions depuis son retour au Vietnam au cours d'un entretien qui dura plus d'une heure.

Vann décida alors de soumettre la première ébauche de son rapport au nouveau chef d'état-major de Westmoreland, le général William Rosson. La réponse lui parvint à la fin du mois d'août : « Attendez-vous à recevoir des marques d'intérêt des sphères supérieures », écrivit Rosson. Pour Vann, il ne pouvait évidemment s'agir que de Westmoreland. Rosson le pressa également de soumettre officiellement son projet aux différentes instances de la Mission des opérations, ce qu'il fit dès que la version définitive fut achevée le 10 septembre.

Bien qu'il n'émanât que d'un simple délégué de province, le dossier toucha néanmoins des personnalités civiles haut placées. Un exemplaire fut envoyé au bureau de l'AID de Washington et remis à Rutherford Poats, un ancien journaliste de l'*United Press International,* devenu le chef du bureau de l'AID pour l'Extrême-Orient, qui le transmit à William Bundy, secrétaire d'État adjoint pour les affaires d'Extrême-Orient. Dans une lettre, dont il eut la courtoisie d'envoyer le double à Vann, Poats écrivit que ce projet accordait au Vietcong « plus de crédit pour leurs objectifs sociaux que je ne le ferais moi-même » et qu'il « ne recommandait pas cette proposition ». Néanmoins, ajouta-t-il, l'analyse « me paraît être une bonne description du problème » et le projet contient « quelques idées parfaitement utiles ». Vann ne fut pas découragé par ce type de réaction car cela signifiait qu'au moins la porte n'était pas fermée.

Mais c'était sur Lodge que Vann comptait le plus. Le 20 août 1965, Lodge arriva à Tan Son Nhut en remplacement de Taylor, pour être pour la deuxième fois l'ambassadeur du président à Saigon.

Vann présumait que Lodge adopterait à l'égard de la guerre l'attitude personnelle et imaginative dont il avait fait preuve lors de son premier séjour. En juillet, dès l'annonce par la Maison-Blanche du retour de Lodge, Vann lui avait envoyé un résumé détaillé de son expérience à Hau Nghia. Il proposait la création d'un Bureau de liaison des opérations, dont l'objectif serait d'informer directement l'ambassadeur de la pacification et des opérations militaires, « sans passer par les interprétations de tous les échelons intermédiaires ». Le Bureau ne comporterait qu'un ou deux hommes qui pourraient se rendre partout où Lodge le souhaiterait, pour interroger et rendre compte à l'ambassadeur. Vann se proposa pour prendre la tête de cet organisme, en raison de la « combinaison unique de son expérience à la fois militaire et civile » au Vietnam, et de la conviction de pouvoir servir de « caisse de résonance pratique pour les idées et les plans de Lodge ». En résumé, le Bureau en question aurait été limité à Vann et un assistant.

Lodge répondit par une lettre amicale et encourageante, mais sans s'engager :

Cher John,

Je suis content d'avoir reçu votre lettre dont le contenu m'a donné beaucoup à penser. J'espère vous rencontrer lorsque je serai de retour pour discuter de tout cela avec vous.

Chaleureusement,

Henry Cabot Lodge.

Même si Lodge ne croyait pas devoir adopter immédiatement la stratégie de *Maîtriser la révolution*, Vann n'en pensait pas moins que l'ambassadeur pourrait lui offrir ce poste d'assistant spécial qu'il proposait et pour lequel il se sentait au plus haut point qualifié. Il aurait alors l'occasion de le convaincre progressivement de ses idées, en le tenant informé des événements qui se déroulaient sur le champ de bataille et dans les hameaux. Dès l'arrivée de Lodge le 20 août, Vann attendit avec beaucoup d'impatience un appel de l'ambassade.

Le retour de Lodge eut pour conséquence de lever l'interdiction frappant Lansdale, qui revint donc début septembre au Sud Vietnam pour essayer à nouveau de sauver ce pays qu'il avait fait naître dix ans auparavant. Quelques jours après son arrivée, il rendit visite à Vann à Bau Trai, accompagné de son équipe où se trouvait en particulier Daniel Ellsberg, un intellectuel du département de la Défense et ancien Marine âgé de trente-quatre ans. La mission de Lansdale était floue. Avec ses collaborateurs, il devait agir officiellement comme un groupe spécial de liaison entre l'ambassade et le Comité de reconstruction rurale du gouvernement de Saigon qui, théoriquement, coordonnait les programmes de pacification de tous les ministères.

On avait prévenu Vann qu'il devait s'attendre à ce que Lansdale lui demande de faire partie de son équipe. Mais ce jour-là, Lansdale n'en fit pas mention et, de toute façon, Vann était décidé à refuser la proposition. Il avait maintenant d'autres ambitions et doutait de l'influence que Lansdale pourrait avoir au Sud Vietnam en septembre 1965. Malgré son idéalisme et son égocentrisme, Vann avait un sens aigu des réalités du pouvoir. Lansdale ne dirigeait pas un organisme doté de moyens suffisants en hommes et en argent pour lui donner un poids quelconque dans un univers où les bureaucraties et leurs dirigeants s'affrontaient. En revanche, Lodge jouissait d'un pouvoir réel avec lequel Vann pouvait accomplir quelque chose. « Il faudra que j'en sache bougrement plus sur les plans de Lansdale avant de me joindre à lui », écrivit-il à un ami de Denver le soir de la rencontre. « J'attends toujours un signe de Lodge, et je ne suis pas prêt à plonger sans savoir ce qu'il a dans la tête. »

Quelques jours plus tard, Vann fut convoqué à l'ambassade. Pour la circonstance il mit un costume et une cravate, ce qui contrastait avec le jean et la chemise à manches courtes qui étaient devenus ses vêtements de travail. Il apporta également un nouvel exemplaire du projet final de *Maîtriser la révolution* en se rendant au bureau de Lodge, au cinquième étage de l'ambassade. Depuis la fameuse explosion de la voiture piégée à laquelle

457

Vann avait échappé de justesse lors de sa dernière visite, cinq mois et demi plus tôt, l'immeuble avait été remis à neuf et équipé de vitres pare-balles. L'attentat avait également modifié le comportement officiel. On n'avait plus peur de montrer son inquiétude et de prendre les mêmes précautions que pour les autres bâtiments du régime de Saigon : la circulation dans les rues voisines était interdite par des barrages de fils de fer barbelés sur armature d'acier.

Lodge se montra amical et parut satisfait de voir Vann, mais s'excusa de devoir limiter la durée de l'entretien en raison de son emploi du temps encore très chargé depuis son retour. Après les amabilités d'usage, Vann ne put que lui remettre un exemplaire de son projet et lui expliquer que ses amis et lui-même proposaient cette stratégie pour gagner la guerre en s'appuyant sur leur expérience collective du terrain. Il espérait que Lodge trouverait le texte convaincant. Lodge répondit qu'il était très heureux d'avoir ce document et qu'il allait le lire. Vann fit mention de son idée d'un bureau de liaison et, cette fois encore, Lodge ne s'engagea pas. Il promit à Vann de poursuivre plus longuement cette conversation prochainement, et lui conseilla entre-temps de prendre moins de risques à Hau Nghia, car il était trop précieux pour être perdu.

Vers la fin de la semaine, Vann rencontra deux membres du bureau politique de l'ambassade à qui Lodge avait adressé son projet pour avis. Les deux fonctionnaires signalèrent à Vann qu'il n'était « pas réglementaire » qu'un simple représentant de province de la Mission des opérations présente un projet de stratégie globale à l'ambassadeur. Mais que pensaient-ils des thèses exposées ? leur demanda Vann. Ils refusèrent de répondre.

Vann n'en fut pas troublé. Il n'attendait pas autre chose des bureaucrates : « Je suis en train de foutre tous les fonctionnaires de Saigon drôlement mal à l'aise », écrivit-il dans une lettre à un ami. Il attendait d'avoir une sérieuse conversation avec Lodge. « Il faut que quelqu'un serve de catalyseur pour que notre politique puisse être quelque peu dynamique », écrivit Vann à une relation qu'il avait au Pentagone.

Début septembre, Vann remporta ce qu'il appela « une petite mais significative victoire ». Il fit interdire les attaques aveugles d'artillerie et de mortiers à Hau Nghia. L'autorisation n'était maintenant accordée qu'à condition que le tir soit réglé par un observateur à terre ou dans les airs, ou qu'un avant-poste ou une unité, attaqués, demandent protection. Comme la plupart des tirs s'étaient faits jusqu'à présent à l'aveuglette, un brusque et inhabituel silence s'installa à Bau Trai et dans les centres de district. En juillet, Vann s'était plaint à Westmoreland de ces pilonnages d'artillerie en soulignant qu'ils violaient les instructions interdisant les tirs aveugles dans les provinces autour de Saigon désignées comme prioritaires pour la pacifica-tion. Westmoreland avait tenu compte de sa plainte et fait le nécessaire auprès du quartier général mixte. Le colonel Chinh était furieux. Il s'en prit à Hanh qu'il croyait plus responsable que Vann. Même si l'ordre ne s'appli-quait pas aux zones de bombardement libre ou d'attaques prévisionnelles, John Vann, le pragmatique, avait fait éliminer la moitié du mal.

Vann continuait à avoir des difficultés avec la corruption dans la province mais il se battait avec acharnement. En dînant avec Hanh un dimanche soir, il découvrit que le problème était bien plus grave que celui de l'entrepreneur malhonnête. Hanh avait été informé qu'il allait à présent devoir se conformer aux usages sous peine de perdre son poste de chef de province.

Le gouvernement militaire, dont le Premier ministre était le maréchal de l'Armée de l'air Ky, avec le catholique Thiêu comme chef d'État, consolidait sa position en accentuant la pression. Pour garder sa fonction de chef de province de Hau Nghia, Hanh devrait verser 250 000 piastres au « haut commandement ». Il ne savait pas ce qui se passait dans les provinces côtières du Centre Vietnam, ni dans les hauts plateaux, mais le phénomène de corruption se répandait partout dans la zone du 4e corps, dans le delta, et dans le 3e corps. Les chefs de district étaient harcelés pour payer des pots-de-vin de 100 000 à 300 000 piastres, suivant la richesse du district.

Hanh avait été taxé pour l'ensemble de la province de 750 000 piastres. Quant aux 500 000 supplémentaires, il devait s'arranger avec ses chefs de district pour les aider à remplir leurs obligations. On lui suggéra de faire de fausses factures du matériel fourni gratuitement par les Américains ou de réclamer des subventions pour des projets inexistants.

Hanh voulait que Vann fasse arrêter ces malversations, sans révéler naturellement qu'il en était l'informateur. Le lendemain, Vann rédigea un mémorandum relatant les points principaux de la conversation. Pour rendre le rapport plus crédible, il précisa que Hanh en était la source, en stipulant que le document était « personnel et confidentiel ». Il le remit à Wilson, chef de la Mission des opérations, en lui demandant de le soumettre à Taylor, encore ambassadeur à l'époque, pour que les généraux de Saigon sachent que le gouvernement des États-Unis connaissait leur jeu et ne tolérerait plus une telle immoralité. Wilson, préoccupé lui aussi par la corruption, promit de faire circuler le document. Début septembre, lors de sa brève rencontre avec Lodge, Vann n'en avait toujours eu aucune nouvelle. Il était décidé à lui en parler à la première occasion. En attendant, il encouragea Hanh à faire le mort.

A la fin septembre, Vann retourna à Littleton, aux États-Unis, pour une permission de quinze jours. Mary Jane et les enfants ne le virent pas beaucoup parce qu'il lui était difficile de refuser toutes les invitations qu'il recevait pour parler de la guerre. Lorsqu'il ne prononçait pas de discours en public, il passait son temps au téléphone avec des officiels de Washington ou avec ses contacts dans la presse.

Dès son retour au Vietnam en octobre, il trouva un nouveau patron à la tête de la Mission, Charles Mann, qui lui annonça qu'il devrait quitter la province de Hau Nghia à la fin du mois. Mann, un homme à l'esprit pratique, avait apprécié plusieurs des idées du projet, sans se laisser convaincre par la thèse centrale. Il appréciait également le dynamisme de Vann, ses connaissances et son talent pour travailler avec les Vietnamiens. Il le promut représentant de la Mission et conseiller des affaires civiles du général Jonathan Seaman, commandant en chef de toutes les forces armées américaines du 3e corps, qui comportait onze provinces. Vann devait conseiller Seaman sur tout ce qui affectait la population et servir d'officier de liaison entre les gouvernements de province et les conseillers de la Mission.

Bien que la promotion fût flatteuse, Vann regrettait de quitter Hau Nghia. La lutte pour le bien des habitants était restée inachevée. Il en venait à espérer pouvoir revenir un jour pour terminer ce qu'il avait entrepris au cours de ces sept derniers mois. Il y avait également noué des liens d'amitié. Ramsey n'était plus simplement un adjoint et un interprète bardé de diplômes universitaires impressionnants ; il était devenu un compagnon et un protégé pour lequel Vann ressentait de l'affection. D'autre part, son amitié pour Hanh s'étendait à présent aux membres de sa famille. Chaque fois qu'il revenait de Saigon, il proposait à Mme Hanh de l'amener à Bau Trai pour qu'elle voie son mari. La famille l'invitait à dîner, et il apportait tant de bonbons et de jouets du P. Ex. pour les enfants, qu'ils l'appelaient « Oncle John ». L'institutrice de So Do était un autre personnage qui l'attachait à Hau Nghia. La construction de l'école, l'arrêt des tirs aveugles et les progrès qu'il avait réalisés contre la corruption l'avaient conforté dans l'idée que sa persévérance commençait à porter des fruits.

Ramsey se souvient du dernier jour qu'il passa en compagnie de Vann, le 1er novembre 1965, l'anniversaire de la chute de Diêm que les gouvernements successifs avaient adopté comme fête nationale. Vann s'était rendu à Saigon pour des réunions de préparation à sa nouvelle affectation. Quand il revint à Bau Trai, Ramsey fut surpris de le voir en uniforme blanc de lieutenant-colonel. Vann expliqua qu'il avait obtenu la permission de sortir cet uniforme de sa vieille cantine en raison de la fête nationale. Il portait également toutes ses décorations. Ramsey se souvint alors des rares soirées avec Vann où ils ne discutaient pas de la guerre. Vann faisait passer sur un magnétophone portable l'enregistrement du discours d'adieu de MacArthur au corps des cadets de West Point. Il s'asseyait et écoutait régulièrement MacArthur parlant de « trompettes assourdies et de tambours lointains », de « l'étrange et lugubre murmure du champ de bataille », de « Devoir, Honneur et Patrie ». La rhétorique de MacArthur et l'uniforme blanc faisaient comprendre à Ramsey que John Vann ne quitterait jamais l'armée des États-Unis. Vann s'était arrangé pour que Ramsey soit nommé comme représentant de province plutôt que de prendre la succession à son poste dans l'éventualité de son retour. Cet après-midi-là, il rangea ses affaires, ôta son uniforme blanc et enfila son jean et sa chemise de sport pour se rendre au campement provisoire sous tentes de la 1re division d'infanterie du général Seaman, sur le bord de la route près de Bien Hoa.

Les progrès réalisés par Vann durant les sept derniers mois s'évanouirent quelques semaines après son départ. La fierté de Hanh fut en premier affectée. Comme rien n'avait été fait pour arrêter les demandes de pots-de-vin des généraux, Vann avait adressé directement à Lodge un exemplaire de son mémorandum. Mais l'ambassadeur, après en avoir discuté avec le Premier ministre Ky, sans résultat, avait fini par considérer cette vénalité comme normale au Sud Vietnam, et estimait que cela ne meritait pas un esclandre avec un gouvernement encore très fragile. Ramsey et Vann s'étaient mis d'accord pour laisser Hanh détourner des fonds s'ils n'arrivaient pas à arrêter les exigences de ses supérieurs. Ramsey guettait donc les signes d'une opération douteuse. Peu après le départ de Vann, Ramsey reçut du bureau de Hanh une demande d'attribution supplémentaire de 750 000 piastres pour le programme de scolarite, somme qui correspondait exactement à la taxe réclamée par le haut commandement. Or, le programme de l'année fiscale en cours était déjà entièrement couvert, et Hanh n'avait jamais parlé d'une rallonge budgétaire. Ramsey se rendit à son bureau pour en savoir plus. Il le rencontra à mi-chemin et lui mit le papier sous les yeux. Hanh baissa la tête, sans dire un mot. Ramsey aussi resta silencieux. Il laissa passer la demande sans formuler d'objection. Il se rendait bien compte que lui, Vann et le gouvernement des États-Unis avaient laissé tomber Hanh et qu'il n'y avait rien d'autre à faire. « Nous lui avons fait faux bond », conclut Ramsey.

Puis, Chinh fit lever l'interdiction de tirs aveugles à Hau Nghia. En utilisant ses relations, Vann essaya en vain de l'imposer à nouveau. Mais comme les chefs militaires américains voulaient pouvoir effectuer ces « tirs de harcèlement et d'interdiction », on ne pouvait les refuser à l'armée sud-vietnamienne. Le seul résultat tangible de l'interdiction fut d'affaiblir la position de Hanh en donnant contre lui de nouveaux griefs à Chinh, qui continuait également à s'impatienter de la lenteur qu'il mettait à ramasser les fonds illicites. Après avoir donné les 750 000 piastres, Hanh refusait d'en voler encore plus pour satisfaire le commandant de la 25ᵉ division.

Mais le pire de tout fut que Vann n'obtint jamais la « longue conversation » promise par Lodge, pas plus qu'il ne put intéresser les hautes autorités à son projet. *Maîtriser la révolution au Sud Vietnam* allait devenir un document important dans l'histoire de cette guerre. Nombre de ses idées, comme celle de rassembler tous les conseillers d'une province, qu'ils soient civils ou militaires, en une équipe unique sous le contrôle d'un conseiller en chef, allaient être progressivement appliquées dans l'effort de pacification qui se poursuivrait au cours des années. Mais les hommes qui disposaient du pouvoir de déterminer la politique ne témoignèrent aucun intérêt pour la thèse fondamentale de Vann : se comporter comme une puissance coloniale bienveillante et remporter la guerre en se gagnant la paysannerie vietnamienne par une révolution sociale subventionnée par les Américains.

Vann n'avait pas compris le sens de la note encourageante de Lodge, pas plus que les pouvoirs et les limites de l'ambassadeur. Il s'était mépris sur les remarques flatteuses que Rutherford Poats avait faites sur son projet. Il avait pris pour argent comptant les propos favorables du général Rosson. Comme Ramsey, Scotton et Bumgardner, il avait une perception erronée des objectifs prioritaires de ses supérieurs et avait mésestimé les conséquences de l'intervention militaire totale des États-Unis. Plutôt que de rendre prioritaire une action politique et sociale, l'envoi des soldats américains oblitéra toute inclination du gouvernement de Washington à réformer le régime de Saigon.

Pour Vann et ses amis, le recours au combattant américain était une solution inévitable mais non concluante dans un conflit qui, jour après jour, offrait de moins en moins d'alternatives. Ils y virent une chance d'entreprendre des changements politiques et sociaux avant que le temps et les événements ne les rendent impossibles. Au fur et à mesure que les pertes augmenteraient, l'opinion publique américaine allait se lasser de cette guerre comme elle l'avait fait pour la Corée. La pression de l'opinion publique aux États-Unis pour engager des négociations de paix avec les communistes allait s'intensifier ainsi que la pression internationale, tandis que les destructions s'aggraveraient au Sud comme au Nord Vietnam et que les alliés de Washington se montreraient de moins en moins tolérants à l'égard du comportement des Américains. Accepter un *statu quo* politique et social à ce stade après un tel gaspillage de vies américaines pourrait rendre plus difficile encore, sinon impossible, un programme de réformes plus nécessaire que jamais à la survie du Sud Vietnam.

Pour Lyndon Johnson, Robert McNamara, Dean Rusk et l'ensemble des responsables politiques de l'époque, l'engagement des fantassins américains constituait une étape définitive, une solution en soi. Johnson s'était jusque-là montré très réticent, remettant toujours à plus tard la décision en raison du coût en sang répandu et en argent gaspillé qui remettrait en cause les mesures d'aide sociale de son programme de « Grande Société[1] ». Une fois la décision prise, Johnson et ses conseillers ne doutèrent plus que l'invincibilité des combattants au Sud et la guerre aérienne au Nord assureraient la destruction de leur ennemi vietnamien. La secrète mise en garde du sous-secrétaire d'État George Ball semble avoir dérisoirement confirmé le président dans la justesse de son opinion. Johnson estima qu'il avait entendu de lui l'argument le plus intelligent qui puisse être opposé, mais que Ball avait néanmoins tort. Même Lodge, qui avait des raisons d'être plus lucide, fut séduit lors de son retour à Saigon par l'euphorie du moment, alors qu'on estimait que tous les problèmes seraient résolus par l'arrivée de l'armée des États-Unis.

Les hommes politiques de l'ère Kennedy-Johnson avaient réduit l'expérience coréenne à une collusion malheureuse entre l'imprudence de Mac-Arthur et le manque de préparation. Mais maintenant ils ne se considéraient plus comme des téméraires et les forces armées du pays n'avaient jamais été mieux préparées. Les responsables américains ne pouvaient concevoir de partir en guerre pour être contraints de négocier à leur désavantage. « Les pertes américaines s'élèveront peut-être à 500 par mois à la fin de l'année », avait déclaré McNamara à Johnson dans son mémorandum de juillet 1965,

---

1. Lyndon Johnson reprit dans ses grandes lignes le projet social de « Nouvelle Frontière » que John Kennedy n'avait pu réaliser. Avec son plan de « Grande Société », il fit abolir les dernières discriminations raciales, obtint du Congrès une aide importante à l'éducation, une extension de la sécurité sociale et l'assistance médicale pour les personnes âgées.

mais « l'opinion publique américaine soutiendra cette action parce que c'est un programme militaire et politique raisonnable et courageux, conçu pour réussir au Vietnam. »

Comme les dossiers du Pentagone devaient le révéler, ce que McNamara entendait par « action politique » était en fait une campagne de relations publiques et diplomatiques qui n'avait rien à voir avec les conditions politiques et sociales du Sud Vietnam. Il s'agissait d'obtenir le soutien à l'effort de guerre aussi bien dans le pays que chez les alliés, en donnant l'impression que le gouvernement américain était ouvert à une négociation de compromis en vue d'un « règlement politique ». Pendant ce temps-là, en coulisses, la diplomatie s'efforçait de convaincre Hô et ses associés que les États-Unis ne cesseraient pas de bombarder le Nord et de tuer les communistes du Sud tant que le Vietcong n'aurait pas déposé les armes et ne serait pas retourné au Nord, avec toutes les unités de l'armée nord-vietnamienne qui le soutenaient.

Westmoreland et ses généraux incarnaient davantage encore cette attitude du style : « Ne vous en faites pas, les soldats américains sont là ! ». Vann avait délibérément limité l'aspect militaire de son projet à l'organisation des forces à l'intérieur des provinces, laissant de côté sa théorie d'un « commandement unifié », et les autres étapes de transformation de l'armée saigonnaise dans son ensemble. Vann n'était bien entendu pas le seul à avoir de telles idées, et il présumait que Westmoreland y serait plus réceptif si cela venait d'une personnalité aussi respectée que le général York. York lui avait écrit en juin depuis la république Dominicaine, où il commandait la 82ᵉ division aérienne, pour dire qu'il était d'accord sur le principe d'un « commandement unifié ou de quelque chose de similaire à ce que nous avions en Corée » qui serait « notre seul espoir » de transformer l'armée de Saigon en une puissance efficace.

Au début de 1966, York se rendit à Saigon et tenta de persuader Westmoreland d'imposer ce commandement unifié, intégrant les officiers américains à tous les échelons de la hiérarchie de l'ARVN depuis l'état-major jusqu'aux unités sur le terrain. Ainsi, Westmoreland pourrait rapidement contrôler des centaines de milliers de soldats vietnamiens, les utiliser avec efficacité et multiplier sa puissance de combat. York craignait que, si l'on comptait uniquement sur les soldats américains, Hanoi ne déjoue cette tactique en faisant intervenir assez d'hommes de son armée régulière du Nord pour les surclasser en nombre. En 1965, le régime de Saigon prétendait avoir 679 000 soldats sous les armes, y compris les Forces régionales et les Forces populaires. Si l'on estimait à un tiers de cet effectif le nombre des fantômes et des « arbres en pot », il restait 450 000 soldats potentiels gaspillés.

York encouragea également Westmoreland à former des unités mixtes américano-vietnamiennes, d'après un expédient auquel MacArthur avait eu recours au début de la guerre de Corée. Comme il ne disposait pas assez de soldats américains entraînés, MacArthur avait incorporé dans ses unités des

463

conscrits sud-coréens baptisés KATUSA[1], qui venaient en doublure de leur « copain » américain. Le problème de la langue avait été vite résolu, car une centaine de mots seulement sont nécessaires pour un fantassin, et l'armée américaine en Corée utilisait un charabia mélangé d'anglais, de coréen et de japonais. Après quelque temps de pratique, ces unités mixtes avaient été presque aussi efficaces que les formations exclusivement américaines.

L'objectif de York n'était pas de se procurer de la chair à canon asiatique à bon marché. Son but était plutôt d'établir la base d'une armée de qualité en formant des officiers, des sous-officiers et des soldats vietnamiens sur le modèle du professionnalisme de l'armée américaine. Il suggéra que Westmoreland commence avec des compagnies mixtes dans lesquelles une des trois sections serait vietnamienne, ainsi que le commandant en second. Garder les Vietnamiens réunis en une section plutôt que de les éparpiller dans la compagnie présentait l'avantage d'offrir à leurs officiers une formation en même temps qu'ils dirigeaient leurs propres hommes. Les unités mixtes apporteraient la preuve que les Vietnamiens et les Américains combattaient côte à côte contre un ennemi commun, affirma York. Un tel système permettrait également de réduire les abus contre les paysans, car on apprendrait aux soldats de Saigon qu'il était important de traiter convenablement leur peuple. L'armée américaine pourrait avoir une réelle influence morale sur les soldats et les officiers subalternes, ce qui aiderait à limiter la corruption. Pour la première fois, en effet, ces Vietnamiens pourraient vivre et combattre dans une armée où les pots-de-vin n'existaient pas, et leur comportement s'en trouverait modifié plus tard lorsqu'ils seraient dans l'ARVN autonome.

Westmoreland écouta, puis ne tint aucun compte de tout ce que York lui avait dit. Dans ses Mémoires, il donna la raison principale pour laquelle il n'avait pas créé de commandement unifié : « En fin d'analyse, j'avais les moyens de faire pression sur les Sud-Vietnamiens et ils le savaient ; des deux côtés, on fit preuve d'un rare degré de tact. » Il est vrai qu'il détenait cette influence potentielle sur ses alliés de Saigon, mais qu'il en usa avec infiniment de discrétion. Il s'abstint d'utiliser son influence pour corriger une incompétence et une corruption si flagrantes qu'il dut lui-même en reconnaître l'existence. En fait, il ne chercha pas à combattre ces maux pour la même raison qu'il ne créa pas de commandement unifié, et qu'il n'organisa pas les unités mixtes demandées par York. Ainsi que la plupart de ses généraux, il voulait avoir le moins de contacts possible avec ses alliés vietnamiens. Plutôt que de prendre le contrôle de l'ARVN et des forces locales pour les réformer, comme Vann avait espéré qu'il le ferait pour que les Vietnamiens livrent une guerre vietnamienne, Westmoreland avait l'intention de les tenir à l'écart pour gagner la guerre exclusivement avec l'armée américaine.

Les habitudes et les motivations de l'armée des années soixante l'avaient aussi marqué. Lorsque York lui suggéra d'économiser les effectifs américains en confiant aux soldats vietnamiens des postes auxiliaires comme chauffeurs

1. KATUSA : Korean Augmentation to the US Army (complément coréen à l'armée US).

de camion, par exemple, Westmoreland répondit « Non ». Il fallait que les chauffeurs soient américains, car une unité de l'armée des États-Unis ne pouvait pas compter sur les Vietnamiens pour transporter ses munitions. La conscription faisait partie de la vie américaine depuis qu'elle avait été rétablie pour la guerre de Corée. Les généraux comme Westmoreland étaient habitués à un flot ininterrompu de jeunes conscrits patriotes et en bonne santé ou de jeunes volontaires qui seraient bientôt incorporés. Pourquoi perdre du temps et de l'énergie en essayant de former des Vietnamiens quand on disposait d'une telle source de personnel dont la qualité était garantie ?

Mais il y avait une autre raison. A la différence de ses prédécesseurs français et britanniques en Asie, un officier de l'armée américaine ne se faisait pas acclamer en menant au combat des troupes indigènes. La gloire et la réussite professionnelle ne pouvaient provenir que du commandement de soldats américains. La seule structure des États-Unis au Vietnam à employer un nombre important de soldats indigènes était les Forces spéciales. Il est significatif qu'elles aient été commandées par un colonel plutôt que par un général, alors qu'elles représentaient l'équivalent de deux divisions d'infanterie (42 000 mercenaires vietnamiens commandés par 2 650 officiers, sergents et spécialistes américains). Alors que, dans les formations régulières de l'armée, une brigade de 3 500 hommes seulement avait un colonel à sa tête.

L'intention de Westmoreland était de rendre progressivement le pays au régime de Saigon, après avoir anéanti le Vietcong et les unités de l'armée nord-vietnamienne combattant au Sud. Il n'avait pas besoin de ses alliés sud-vietnamiens pour accomplir cette tâche. Il voulait utiliser les meilleurs de leurs soldats, les parachutistes, les Marines et, de temps à autre, une des divisions de l'armée comme force d'appoint pour les opérations menées par les troupes des États-Unis. A part cela, il ne se souciait absolument pas d'eux.

Rosson n'avait pas essayé de convaincre Westmoreland des qualités de *Maîtriser la révolution*. C'était un homme plutôt réservé qui savait faire la distinction entre ses opinions personnelles et ce qu'il considérait être son devoir ; or un chef d'état-major se soumet aux souhaits de son commandant. Westmoreland avait donné l'ordre à Rosson de se concentrer sur l'édification d'une structure logistique pour le corps expéditionnaire américain et c'est ce qu'il faisait. Sans l'avouer à Vann, il considérait comme irréalisable la thèse fondamentale du projet, c'est-à-dire la prise du pouvoir sur le système de Saigon. Il reconnaissait cependant la valeur de ce texte, en particulier ce qui concernait la pacification. Il pensait que Lodge utiliserait Lansdale pour concevoir et mettre en pratique un important programme nouveau de pacification. C'étaient les « sphères supérieures » auxquelles il avait fait référence en disant à Vann de se tenir prêt pour « des marques d'intérêt ».

Le général en chef reçut bien un exemplaire du projet de Vann, probablement lorsque Charles Mann, le nouveau chef de la Mission des opérations, fit circuler la version définitive. Mais il ne réagit pas favorablement à l'argument central de Vann. « Personne n'a mieux compris les

Vietnamiens que John Vann, devait écrire Westmoreland dans ses Mémoires, mais il avait une tendance à trop parler à la presse, notamment de sa thèse selon laquelle les États-Unis devraient prendre le commandement absolu, comme l'avaient fait les Français. » Le général ne perçut pas non plus d'intérêt immédiat dans les autres idées du projet de Vann.

Westmoreland était pointé comme le fût d'un canon sur le déploiement de sa force expéditionnaire. Les hommes de peu d'imagination et qui s'élèvent aussi haut que Westmoreland ont tendance à exercer leur puissance sans tenir compte du problème à résoudre. La force de Westmoreland résidait dans l'action militaire. L'action politique et sociale dont Vann parlait et que York essayait de défendre, c'est-à-dire le point crucial de la pacification, était un domaine qui n'intéressait pas le général simplement parce qu'il ne le comprenait pas. Son intérêt pour la pacification avait toujours été faible, puis franchement inexistant après que Lyndon Johnson lui eut promis 300 000 soldats américains.

Vann avait l'impression de pousser une porte bloquée qui aurait pu être ouverte. En réalité, il affrontait un mur. Il faisait appel à une éthique qui faisait défaut à la plupart des hommes politiques et des militaires américains, et il leur demandait de rejeter un mythe anticolonialiste qu'ils considéraient comme indispensable. Vann, Ramsey, Bumgardner et Scotton pouvaient être d'accord avec les politiciens et les généraux qui les commandaient sur la nécessité de contenir les ambitions de la Chine ainsi que d'autres objectifs stratégiques pour justifier la guerre. Toutefois, ils divergeaient sur l'importance à accorder au destin des Vietnamiens. La formule « 70/20/10 » établie par McNaughton pour McNamara signifiait plus qu'une simple hiérarchie des raisons pour lesquelles les chefs des États-Unis faisaient la guerre au Sud Vietnam. C'était aussi le reflet exact du peu d'importance — 10 % — que ces chefs accordaient à l'amélioration des conditions de vie du peuple sud-vietnamien.

Au XIXᵉ siècle, un dirigeant politique ou militaire de l'Empire britannique était conscient de sa responsabilité de gouverner décemment les peuples indigènes sous son autorité. Le résultat en avait été indéniablement imparfait, mais il prouvait au moins qu'on en éprouvait le besoin. Le système qui consistait à étendre son empire grâce à des régimes suppléants permit à ses successeurs américains d'échapper à cette notion d'obligation morale. Les Américains voulaient améliorer le sort des populations défavorisées d'outre-mer, comme par exemple avec le programme l'« Alliance pour le progrès en Amérique latine » de Kennedy. Mais lorsque l'injustice sociale institutionnalisée et la rapacité du régime en place empêchaient toute amélioration, l'Américain ne se sentait pas le devoir moral d'utiliser la persuasion et la force dont il disposait pour défendre les opprimés. Il surmontait son sentiment de culpabilité en s'abritant derrière le mythe d'un « État-souverain » et prétextait que ses idéaux d'anticolonialisme et d'autodétermination lui interdisaient de se mêler des affaires intérieures. Ce mythe devint l'eau bénite qui purifiait son opportunisme.

Vann et ses amis étaient suffisamment impliqués dans la réalité du

Vietnam pour comprendre que les Saigonnais étaient socialement dépravés et totalement incapables de se réformer ni même de survivre par eux-mêmes. Quant aux responsables américains de Saigon et de Washington, ils jugeaient les généraux de la junte, les derniers collaborateurs profrançais et les nationalistes anticommunistes, en se basant sur le modèle de leurs douteux hommes de paille des Caraïbes et d'Amérique centrale, et ils présumaient que les conservateurs vietnamiens avaient quelque consistance. Henry Cabot Lodge, Dean Rusk et Lyndon Johnson étaient convaincus que Nguyên Cao Ky, qui s'était lui-même fait nommer à la tête du gouvernement par ses amis généraux, était une sorte de Premier ministre et que Nguyên Van Thiêu, qui avait manigancé pour être nommé chef d'État, représentait quelque chose de plus que lui-même et son titre. Ces gens n'étaient peut-être pas les plus séduisants alliés, mais ils pouvaient servir d'instrument politique utile dans la guerre contre les communistes. Épaulés par l'outil militaire que constituait l'armée américaine, ils feraient l'affaire.

La nouvelle année commença mal. Hanh fut renvoyé en février en raison de sa réticence constante à satisfaire les exigences de corruption de Chinh. Il devint officier d'état-major pour la pacification au quartier général du 3ᵉ corps, un poste insignifiant selon les standards de l'armée sud-vietna-mienne.

Peu de temps auparavant, quelque chose de beaucoup plus grave avait eu lieu. En voulant se comporter comme John Vann, Doug Ramsey fut capturé par le Vietcong, tard dans l'après-midi du 17 janvier 1966, juste avant le cessez-le-feu traditionnel de la fête du Têt, le nouvel an lunaire vietnamien. Il transportait un chargement de riz et de ravitaillement d'urgence pour les réfugiés du village de Trung Lap, dans la région des plantations de caoutchouc du district de Cu Chi.

La piste, longue de six kilomètres, qui s'écartait de la route 1 en direction de Trung Lap, était considérée comme la plus dangereuse de la province de Hau Nghia et, par conséquent, de toute la région du 3ᵉ corps. Hanh avait dit à Ramsey que le chargement pouvait attendre jusqu'au lendemain matin, lorsque le trajet serait plus sûr. Mais Ramsey craignait que les réfugiés n'aient faim et il voulait se débarrasser de la tâche. Ramsey était seul depuis le départ de Vann parce que le quartier général de la Mission ne lui avait pas encore envoyé d'adjoint, et il avait accumulé du retard dans son travail. Il aurait pu laisser le chauffeur vietnamien aller seul à bord du 5 tonnes Chevrolet comme il l'avait souvent fait auparavant. Les chauffeurs de la Mission n'avaient jamais été attaqués et devaient probablement payer le Vietcong pour leur protection, comme ceux des transports commerciaux. Mais Ramsey, en vrai disciple de Vann, tenait à examiner la situation des réfugiés, et il accompagna donc le chauffeur.

Ramsey tomba dans une embuscade tendue par quatre Vietcongs à moins d'un kilomètre du centre du village et du poste militaire américain. Le chauffeur vietnamien reçut une balle dans la jambe, perdit son sang-froid et immobilisa le camion. Ramsey aurait pu encore échapper à l'embuscade. Il avait avec lui un des nouveaux fusils-mitrailleurs automatiques AR-15, deux chargeurs de munitions et quelques grenades. Mais il ne savait que faire, car il n'avait eu aucun entraînement de fantassin. Il tira par la fenêtre du camion pour se protéger, mais gaspilla sans résultat son temps et ses munitions. Une balle du Vietcong transperça le bidon de diesel à ses pieds et l'éclaboussa au visage en l'aveuglant à moitié.

Ramsey se raccrocha à ce qu'il savait le mieux utiliser, la langue vietnamienne. « *Toi dau hang !* » (« Je me rends ! ») cria-t-il, puis il jeta son arme et descendit du camion. C'était un homme d'une taille gigantesque et qui paraissait plus grand encore avec ses bras levés au-dessus de la tête. Le chauffeur fut relâché. La blessure qu'il avait à la jambe était sans gravité, et il retourna à Bau Trai le soir même pour rendre compte de la capture de Ramsey.

Ceux qui avaient fait prisonnier Doug Ramsey, des paysans qui devaient tous avoir une vingtaine d'années, étaient si satisfaits de leur prise qu'ils en étaient presque amicaux. Ils lui demandèrent comment traduire *dau hang* en anglais. Pour mettre Ramsey hors de vue derrière une rangée d'arbres, ils le conduisirent jusqu'au plus proche village. L'attitude des paysans à son égard fut très différente. Leur hameau avait été incendié par la 25ᵉ division de Chinh. Ramsey avait déjà vu des hameaux brûlés, mais longtemps après l'incendie, quand l'endroit avait l'apparence d'un site archéologique abandonné où ne subsistaient que des ruines calcinées.

Mais ces décombres-là étaient encore fumants et il était évident que les habitants n'étaient revenus que depuis peu pour découvrir ce qui était arrivé à leurs maisons. Les enfants gémissaient. Des vieillards regardaient en secouant la tête d'incrédulité. Les femmes fouillaient parmi les débris fumants des maisons pour essayer de sauver des ustensiles de cuisine ou n'importe quel autre petit objet qui aurait pu échapper aux flammes. Ramsey comprit, d'après les conversations qu'il entendit, que les paysans avaient pratiquement tout perdu. Ils n'avaient pas été prévenus et n'avaient pas eu le temps de prendre quoi que ce soit avec eux. Les soldats de l'ARVN avaient brûlé tout le riz qui n'avait pas été enterré ou caché, tué les buffles et autre bétail et jeté les cadavres dans les puits pour contaminer l'eau. La fête traditionnelle du Têt avait lieu dans deux jours et les paysans se demandaient comment à présent ils allaient bien pouvoir la célébrer.

Si Ramsey avait été encore un homme libre, la scène l'aurait sûrement détourné complètement de cette guerre. Son état de prisonnier rendait abstrait ce problème de conscience mais il en était cependant affecté. Il avait la nausée et se sentait furieux, trahi et tout de même un peu responsable. Quinze jours plus tôt, lors d'un *briefing* sur cette opération au quartier général de la 25ᵉ division, il avait exprimé sa préoccupation des pertes civiles et de l'inutile destruction des maisons. Le lieutenant-colonel américain, conseiller de Chinh, lui assura qu'il n'y aurait aucune destruction sans motif. Chinh, assis à côté, n'exprima aucun avis contraire. Ramsey en avait assez. Si c'était le prix pour préserver le « mode de vie américain », il ne voulait pas être parmi ceux qui y participaient.

Ramsey était également effrayé. Quelques fermiers du hameau s'étaient réunis autour de lui et réclamaient le droit de le tuer. Les quatre Vietcongs les en empêchèrent. Ils rappelèrent que le Front national de libération respectait une politique humaine et de clémence dans le traitement des prisonniers. Ramsey pensa que les Vietcongs voulaient protéger leur prise de guerre, mais ils semblaient être également très consciencieux, prenant au sérieux les directives de leur mouvement. Ils réprimandèrent un vieil homme qui crachait sur Ramsey. Ils dirent que Ramsey n'était pas un soldat impliqué dans la destruction du hameau, mais un civil capturé alors qu'il escortait un chargement de riz pour les réfugiés. Un fermier demanda pour quelle agence il travaillait.

« AID », répondit Ramsey. Les initiales d'AID en vietnamien signifient la même chose qu'en anglais et en français.

« AID ! s'écria le fermier. Regardez autour de vous ! » dit-il à Ramsey. Il pointa son doigt vers les débris calcinés des maisons, l'une après l'autre.

« Voilà votre AIDE américaine ! » Le fermier cracha par terre et s'éloigna.

Vann se trouvait dans le bureau de la CIA à l'ambassade ce soir-là. Le poste de représentant de la Mission auprès des forces américaines du 3ᵉ corps, pour lequel il avait quitté Hau Nghia à la fin octobre, n'avait été qu'un interlude de deux mois. Il venait d'être affecté comme directeur d'un nouveau programme pour entraîner des équipes spéciales de pacification composées de Vietnamiens qui devaient être envoyés dans des hameaux à travers tout le pays. La Mission et la CIA se partageaient la responsabilité de l'opération. Vann était plongé dans une discussion avec son homologue de la CIA sur l'organisation des équipes lorsqu'il reçut un coup de téléphone. Il devint livide.

Dès l'aube, Vann se rendit à Bau Trai pour reconstituer les événements, interroger le chauffeur du camion et examiner l'épave calcinée sur le lieu de l'embuscade. Puis, il mit sur pied le plan de sauvetage le plus efficace possible, compte tenu des circonstances. Frank Scotton, qui parlait couramment vietnamien, vint le rejoindre. Vann lui avoua que les chances de réussite étaient minces, mais qu'il voulait cependant tenter le coup. Avec l'aide de Charles Mann, Vann demanda qu'un hélicoptère affecté à la CIA soit en alerte au cas où il en aurait besoin. Il obtint de Lodge qu'un prêtre catholique de Cu Chi en contact avec la guérilla écrive au comité vietcong du district pour proposer une rançon en échange de la libération de Ramsey.

Le 20 janvier, premier jour de la fête du Têt, commença le cessez-le-feu de trois jours et demi. Vann et Scotton en profitèrent pour écumer la province à la recherche d'indices sur Ramsey avec une témérité que Vann lui-même n'avait jamais eue auparavant. Il conduisait sa petite Triumph personnelle que l'AID lui avait fait expédier par bateau depuis le Colorado, car il savait que cette voiture ne serait pas identifiée comme appartenant à l'armée ou à la Mission. Il fut frappé de voir à quel point les communistes consolidaient leur emprise sur la province de Hau Nghia. Des drapeaux vietcongs et des bannières arborant des slogans antiaméricains flottaient partout, même sur la route 1. Dans de nombreux villages où Vann et Scotton s'arrêtaient en quête d'informations, les fermiers, les femmes et les enfants, qui avaient dans le passé été amicaux à leur égard, détournaient maintenant le regard et ne leur rendaient même plus leur salut. Ceux qui répondirent à leurs questions les mirent en garde contre le risque énorme qu'ils prenaient en dépit de la proclamation du cessez-le-feu.

Vann avait fait prévenir le chef d'un village qu'il soupçonnait être de connivence avec la guérilla. Avec Ramsey, ils avaient entretenu des relations amicales avec lui lors de la construction d'une école et d'autres projets sociaux. Vann espérait que cet homme pourrait les aider par respect pour son ami. Lorsque Vann et Scotton arrivèrent au village, ils trouvèrent le chef attablé dans un restaurant, en conversation avec deux hommes qui mangeaient des fruits. Scotton était persuadé qu'il s'agissait de deux cadres vietcongs. D'autres hommes, manifestement vietcongs eux aussi, flânaient à l'extérieur du restaurant. Vann et Scotton s'assirent à la table et échangèrent les politesses d'usage avec le chef de village. Les deux cadres continuèrent à manger leurs fruits. Le chef fit glisser un petit bout de papier écrit à la main sur la table. Vann le fourra immédiatement dans la poche de sa chemise. Avec une lenteur délibérée, les deux Américains saluèrent le chef de village, se levèrent et retournèrent rapidement à la voiture en regardant droit devant eux pour ne pas laisser aux Vietcongs le temps de changer d'avis. Dès qu'ils furent éloignés, Scotton traduisit le contenu du morceau de papier. Le message n'était pas signé. « J'ai entendu dire que l'Américain est vivant. Il sera relâché plus tard lorsque les choses seront calmées. »

Les Vietcongs n'étaient pas tous aussi réservés que ceux qui mangeaient à la table du chef de village. Vann continua jusqu'à la sucrerie de Hiep Hoa pour s'entretenir avec quelqu'un d'autre. En chemin, ils traversèrent le hameau de So Do. Le Vietcong y avait construit un arc de triomphe en bambou et en toile en travers de la route sur un terrain communal. En gros caractères peints sur des bannières était annoncée la victoire du Front national de libération au cours de l'année du Cheval. (L'année lunaire vietnamienne et chinoise suit un cycle dans lequel chaque année est désignée par un animal différent.) Un groupe de Vietcongs traînait à proximité de l'arc. Scotton remarqua que deux d'entre eux étaient, de toute évidence, des soldats réguliers qui avaient pris une permission pour la fête du Têt. Ils portaient des uniformes verts et ces sandales appelées Hô Chi Minh, faites de semelles découpées dans de vieux pneus. Vann et Scotton devaient retourner à Bau Trai par ce même chemin, car il n'y avait pas d'autre route. Le contact à Hiêp Hoa s'avéra inutile et Vann décida de passer à So Do pour parler avec son amie l'institutrice.

Lorsqu'il s'arrêta devant sa maison, elle cria pour le prévenir qu'il allait être tué. Il fit brusquement marche arrière et retraversa le hameau, accélérant progressivement pour mieux repérer l'endroit où était tendue l'embuscade. Scotton paria que ce serait près de l'arc de triomphe, et prit une grenade dans le lot que Vann gardait sur le siège. Il avait raison. Quatre Vietcongs, dont les deux soldats réguliers, les y attendaient, à gauche de la route. Ils brandissaient leurs armes en faisant signe à Vann de s'arrêter. Vann accéléra à fond, s'enfonça dans son siège et coinça ses bras sur le volant pour maintenir la direction au cas où il serait blessé. Les deux soldats pointèrent leurs armes pour tirer à bout portant. Mais Scotton les devança et lança la grenade par-dessus le toit de la petite voiture. La surprise de ce projectile familier qui volait vers eux sema la confusion parmi les Vietcongs qui se dispersèrent, tandis que les deux Américains s'échappaient à vive allure.

L'institutrice se rendit à Bau Trai le lendemain et mit en garde Vann de ne plus s'approcher de So Do, car les soldats de la guérilla voulaient absolument prendre leur revanche. Aucun n'avait été touché, car ils avaient couru assez vite pour échapper aux éclats de grenade, mais leur fierté et celle de leurs camarades avaient été blessées. Ils s'étaient vantés auprès de la population de capturer et tuer les impérialistes américains dès qu'ils reviendraient. Et maintenant, les vieilles femmes ricanaient et se moquaient d'eux.

John Vann retourna à Saigon le jour même, forcé d'admettre que de plus amples recherches étaient inutiles pour le moment. De toute façon, le cessez-le-feu avait pris fin. Il était inconsolable, en dépit de son analyse réaliste de la situation. Quelques jours plus tard, il reçut une réponse du Front national de libération à l'offre de rançon transmise par le prêtre catholique de Cu Chi. « L'Américain en question est toujours en bonne santé », disait la lettre, mais une rançon était hors de question. « De l'argent, même des dollars ou quoi que ce soit d'autre ne peuvent racheter les crimes commis », ajoutait la lettre. Bien que le Vietcong relâchât de temps à autre des prisonniers américains pour des motifs de propagande, c'étaient en général de simples soldats considérés comme des pions sans valeur par les communistes vietnamiens. Scotton fit remarquer que, en disant « lorsque les choses seront calmées », le chef de village voulait peut-être dire « lorsque la guerre sera finie ». La capture de Ramsey constitua un des rares épisodes de la vie de Vann dont il garda toujours un sentiment de culpabilité. Il devait le montrer dans les années à venir en refusant de perdre l'espoir qu'un jour ou l'autre d'une façon ou d'une autre, il réussirait à libérer Ramsey.

Vann aurait été plus découragé encore s'il avait su qu'au moment même où il entreprenait sérieusement le sauvetage de Ramsey, celui-ci se trouvait déjà hors de portée. La forêt tropicale de la Cordillère annamite allait devenir pour Ramsey un purgatoire de sept ans. Le lendemain de sa capture, Ramsey fut remis à un groupe de liaison composé de trois hommes. Le soir même, ils se mirent en marche en direction d'un camp de prisonniers situé au quartier général de la zone C, au nord de la province de Tay Ninh. C'était une ancienne place forte datant de la guerre contre les Français que Bumgardner avait explorée en 1955 lorsque l'endroit était abandonné. A l'exception de quelques pauses, les hommes marchèrent toute la nuit. Ramsey dormit toute la journée du lendemain enchaîné aux jambes dans un abri antibombes creusé sous une hutte de transmissions de la guérilla, jusqu'à ce qu'ils puissent reprendre la marche la nuit venue. A minuit, Ramsey aperçut des feux d'artifice au loin et pensa qu'il assistait à l'ouverture des festivités du Têt à Trang Bang. Mais la masse arrondie de la montagne de la Vierge noire se dressant sur la plaine de Tay Ninh, à l'aube, lui indiqua qu'ils se dirigeaient vers le nord-ouest beaucoup plus rapidement qu'il ne l'aurait pensé. Les feux d'artifice étaient donc probablement ceux de la ville de Tay Ninh. Ils poursuivirent leur marche ce matin-là, le 20 janvier, parce que c'était le cessez-le-feu et que les Vietcongs ne se sentaient pas menacés par des attaques aériennes. Vers midi, Ramsey avançait vers le grand mur d'arbres qui marque la fin des terres cultivées et le début de la Cordillère annamite.

Il allait au-devant des terribles souffrances des camps de prisonniers de la forêt tropicale, les frissons et la fièvre des deux variétés de malaria ordinaire, les convulsions et le coma de celle qui attaque le cerveau ; les crampes douloureuses des muscles et le gonflement des jambes et des bras causés par le béribéri ; la dysenterie, les sangsues et les cobras qui se loveraient la nuit sous la couchette de sa cage ; les marches forcées quand une attaque imposait de changer de camp ; la terreur des bombardements des B-52 de sa propre armée ; les gardiens qui volaient la nourriture dont les prisonniers avaient besoin pour survivre parce qu'eux-mêmes avaient faim, et la cruauté des interrogatoires par des hommes aigris contre les Blancs après trop d'années de guerre et d'existence fugitive dans la jungle. Mais Ramsey n'avait aucune idée de tout ce qui l'attendait lorsque le groupe s'arrêta au bord d'un ruisseau dans la forêt pour se baigner et se nourrir. Les soldats le détachèrent pour lui permettre de nager avec eux. Une tentative de fuite semblait irréalisable et Ramsey se contenta de se reposer et de jouir de la fraîcheur de l'eau après sa longue marche. Les trois soldats l'avaient traité humainement, voire cordialement, comme un prisonnier de guerre. La veille, le chef, plus âgé et plus expérimenté que ses hommes, lui avait offert des gâteaux de riz sucrés. Le matin, ils s'étaient arrêtés dans une ferme isolée pour que Ramsey puisse se reposer et partager le repas des festivités du Têt.

Le plus jeune du groupe, un garçon de ferme de seize ans, avait particulièrement impressionné Ramsey. Le jeune homme était de grande taille pour un Vietnamien, avec l'esprit vif et, de toute évidence, un goût prononcé pour la vie de combattant de guérilla. Une fois entré dans la forêt, il repéra un faucon perché sur une branche et l'abattit pour leur dîner. Sa fierté de chasseur amusa Ramsey. Il ne paraissait pas très instruit, mais il était intelligent, et l'endoctrinement politique intensif qu'il avait évidemment reçu n'avait pas refoulé son naturel curieux et amical. A un moment même, il se montra si bavard que le chef le réprimanda pour être trop familier avec un prisonnier. Ramsey pensa alors que le chef n'avait pas compris quelle publicité le garçon faisait à leur cause auprès d'un Américain qui n'avait rencontré auparavant que trop d'étudiants élitistes de l'université de Saigon, de voyous adolescents des rues et de jeunes soldats ivres et irresponsables de l'armée sud-vietnamienne.

Après la baignade, le jeune homme demanda à Ramsey pourquoi les Américains faisaient la guerre au Vietnam. Il donna la raison la plus commune, la nécessité de freiner l'expansion chinoise, qu'il supposait être ce qu'un jeune paysan vietnamien pouvait comprendre le plus aisément. Il expliqua que si cette guerre allait contre les intérêts immédiats du peuple vietnamien, en revanche, à long terme les États-Unis travaillaient en leur faveur en empêchant l'invasion chinoise de leur pays et du reste du Sud-Est asiatique.

L'explication de Ramsey parut à la fois agacer et exciter le garçon, qui répondit que cela n'avait pas de sens. Si les Américains haïssaient ou craignaient les Chinois à ce point-là, pourquoi n'allaient-ils pas en Chine y faire la guerre ? Il n'y avait pas de soldats chinois au Vietnam. Les seuls soldats étrangers au Vietnam étaient les Américains et leurs alliés étrangers, comme les Sud-Coréens. (Les premières divisions de la Corée du Sud à combattre au Vietnam grâce à un accord entre Séoul et Washington étaient arrivées à la fin 1965.) En fait, les derniers à avoir amené des soldats chinois au Vietnam avaient été les Américains, qui avaient laissé les nationalistes chinois occuper le Nord à la fin de la Seconde Guerre mondiale. Maintenant, les États-Unis envisageaient à nouveau la possibilité de faire venir de Taiwan les soldats de Chiang Kai-shek pour combattre avec eux dans le Sud. Les Vietnamiens ne permettraient jamais que des soldats étrangers occupent leur sol.

« Nous n'avons aucune crainte que le régime chinois actuel nous attaque ou nous envahisse, dit le jeune homme, mais si les choses devaient changer dans le futur et qu'un nouveau gouvernement ose essayer. » Il raconta alors comment les Vietnamiens avaient repoussé les tentatives d'invasion venues de Chine durant les siècles passés.

Ramsey tenta d'expliquer plus longuement la raison pour laquelle les Américains considéraient les communistes vietnamiens comme des pions dans le jeu chinois. Le chef et le troisième soldat l'interrompirent en affirmant qu'il avait tort. Le simple fait que la Chine soit devenue un pays socialiste ne signifiait pas qu'elle pouvait dominer le Vietnam, qui ne tolérerait aucune domination étrangère, quelle qu'en soit l'idéologie, et surtout pas celle des Chinois. Les trois hommes remontèrent alors dans leur histoire. Ramsey était fasciné par ces produits d'un mouvement communiste qui dénonçaient les vestiges modernes de la « féodalité » tout en s'identifiant avec passion aux personnalités de leur passé féodal. Leur nationalisme était fervent, très différent de l'attitude des Saigonnais qu'il connaissait.

D'une certaine manière, ils étaient heureux que la tâche de vaincre les États-Unis incombât aux Vietnamiens d'aujourd'hui. Lorsque les Américains auraient perdu l'espoir et seraient rentrés chez eux, les nations menaçantes plus proches — laissant entendre par là qu'ils pensaient surtout à la Chine — n'oseraient pas entreprendre ce que la plus puissante nation capitaliste de l'histoire n'avait pas réussi à faire. Ils étaient confiants en leur capacité d'être dignes de leurs ancêtres dans cette guerre contre les États-Unis.

Cet après-midi-là, ils reprirent leur marche en s'enfonçant plus profondément dans la forêt en direction du camp de prisonniers. Dans l'esprit de Ramsey, la justification géopolitique selon laquelle les États-Unis freinaient l'expansion de la Chine en s'en prenant au Vietnam avait été « réduite en cendres ». Il lui semblait que les Américains n'avaient pas besoin d'aller chercher plus loin que leurs ennemis communistes vietnamiens pour dresser la meilleure barrière naturelle contre l'expansion chinoise dans le Sud-Est asiatique.

Le plan de Westmoreland de destruction de l'adversaire était en gros la réplique de la stratégie de guerre à outrance de Harkins, mais en substituant les soldats américains et leur technologie mortelle à l'ARVN. Les similitudes s'étendaient même aux détails. Les deux plans avaient des phases préparatoires I et II, durant lesquelles on mettait en place la machine à tuer qui, au cours de la victorieuse phase III suivante, serait lancée à grande vitesse pour hacher menu l'ennemi vietnamien. L'adoption automatique d'une stratégie de guerre d'usure démontrait une fois de plus à quel point l'esprit militaire américain était devenu routinier dans les années soixante. William DePuy, le chef des opérations militaires de Westmoreland, avait conçu le plan que son supérieur avait adopté. C'était un officier d'infanterie remarquable et très intelligent, considéré comme l'un des meilleurs cerveaux de l'armée américaine. Et cependant, il partageait avec Harkins cette même perspective déformée issue de la Seconde Guerre mondiale. Il croyait que tout ce dont un général avait besoin était de construire une machine à tuer et de cibler son adversaire. Lors d'une conversation avec Keyes Beech, du *Chicago Daily News,* il prédit : « Nous allons les écraser à mort. » Il ajouta comme un aveu : « Je ne connais pas d'autre solution. »

Harkins avait prévu la victoire au bout d'un an et demi et McNamara, plus prudent, lui avait conseillé de voir plus large. Westmoreland était plus réservé encore sur la durée des opérations. Il s'accordait trois ans et demi pour être sûr du succès en novembre 1968, date de l'élection présidentielle. De plus, compte tenu de l'atmosphère du quartier général à Saigon pendant l'été 1965, cette durée semblait raisonnable pour une guerre américaine. La défaite de l'Allemagne nazie avait pris un peu moins de trois ans et demi, et la destruction du Japon, guère plus. Quant au conflit coréen, il s'était immobilisé au bout de trois ans et un mois.

Westmoreland déclara qu'il « arrêterait la progression de la courbe des pertes à la fin 1965 » par des mesures défensives et une série d'offensives limitées, pour briser la campagne ennemie. Il entreprendrait sa phase II les six premiers mois de l'année 1966, en lançant l'offensive « dans des zones hautement prioritaires » avec « des opérations de recherches et de destruction » contre les principales unités vietcongs et l'armée régulière qui les accompagnait. Durant cette phase, il ferait intervenir au Sud le reste des 300 000 Américains qu'il avait demandés jusque-là, et plus encore s'il en avait besoin. Il construirait également des ports, des terrains d'aviation pour appareils à réaction, des entrepôts de munitions, des ateliers pour les réparations, des camps de base, des hôpitaux, des réseaux de communication et tous les autres éléments de cette structure élaborée dont la machine à tuer avait besoin.

Il restait vague sur la durée de la phase II, s'accordant une marge pour l'imprévisible. Il laissait entendre que, vers la fin 1966 ou dans la première moitié de 1967, tout pourrait être terminé. Si le Vietcong et Hanoi n'avaient rien compris à ce moment-là et s'ils n'avaient pas abandonné la lutte, ajoutait-il, alors il déclencherait la phase III. Ce serait une offensive totale sur tout le territoire pour parachever « la défaite et la destruction des forces ennemies restantes et de leurs bases ». Cette phase victorieuse durerait entre un an et un an et demi, c'est-à-dire jusqu'au milieu ou à la fin de l'année 1968. Avec les prévisions de trois ans et demi, le statisticien McNamara avait évalué le prix du Sud Vietnam à environ 18 000 vies américaines dans son mémorandum de juillet, dans lequel il avait estimé à 500 le nombre de tués par mois à la fin 1965. Il pouvait donc recommander le plan de Westmoreland en certifiant à Lyndon Johnson que la voie choisie avait « les meilleures chances d'aboutir à une fin acceptable dans une période de temps raisonnable ».

Les trois gardes vietcongs de Ramsey lui avaient affirmé que leurs camarades et eux-mêmes se battaient et mourraient avec plus de conviction que les soldats américains parce qu'ils défendaient leur patrie. Ils se trompaient sur l'armée US commandée par Westmoreland en 1965. Le commandant supérieur était peut-être en défaut, mais les officiers au niveau des brigades, des bataillons et des compagnies, ainsi que les soldats qui les suivaient, constituaient la meilleure armée que les États-Unis aient jamais envoyée directement des camps d'entraînement de la mère patrie sur un champ de bataille étranger. Le colonel et le fantassin partageaient la même foi. Le président leur avait dit que si les communistes n'étaient pas jugulés au Vietnam, il faudrait les arrêter à Honolulu ou même sur les plages de Californie. Le colonel et le fantassin le croyaient. Cette armée avait également confiance en ses armes et ses compétences militaires. Pour ces hommes, le monde était une carte d'état-major. Ils étaient prêts à combattre n'importe quel ennemi sous n'importe quelle latitude.

Après que Maxwell Taylor eut dénoncé la négligence dont avait souffert l'Armée de terre sous l'ère Eisenhower, les réformes en avaient fait un instrument efficace de lutte dans ces conflits de « feux de broussaille » qui étaient inhérents à la politique étrangère des États-Unis. McNamara et son futur adjoint, Cyrus Vance, s'étaient attelés à fond à cette tâche durant les quatre dernières années. Le couronnement de leurs efforts fut la création de la 1re division de cavalerie aéroportée. L'« Air Cav », comme l'avaient baptisée les officiers et les soldats, fut la première formation militaire de l'histoire à profiter pleinement de l'hélicoptère comme moyen de transport de troupes et de puissance de feu. Elle marquait le même progrès qu'avaient constitué les véhicules à moteur durant la Seconde Guerre mondiale et celle de Corée sur les chevaux, les mules et la marche à pied des guerres précédentes. Les troupes étaient amenées sur le point d'attaque avec une nouvelle version de l'hélicoptère de combat Huey qui, au cours de la première année de Vann au Vietnam, avait servi de protection aux vieilles et lourdes « bananes volantes » H-21. Des appareils d'escorte encadraient ces « zincs futés » transportant les troupes d'assaut, tandis que d'autres « fusées volantes » Huey, équipées de douzaines de roquettes dans des nacelles sous le fuselage, assuraient la protection des fantassins à terre. Dans chaque bataillon, un lieutenant de l'Armée de l'air servait d'observateur pour mieux concentrer le tir des chasseurs-bombardiers. Un nouveau modèle d'hélicoptère géant, le CH-47 Chinook, acheminait l'artillerie où l'on en avait le plus besoin. Les Chinooks pouvaient franchir une distance de trente kilomètres dans une zone dépourvue de route, et déposer une batterie entière de six obusiers de 105 mm en une heure. Grâce à un système sophistiqué de navigation, les Chinooks pouvaient ravitailler en munitions de façon illimitée les troupes au combat, aussi bien de nuit que par mauvais temps.

Des facteurs impondérables avaient également été investis dans la création de l'Air Cav. Soldats, sergents et officiers se connaissaient et se faisaient confiance. La plupart avaient été ensemble pendant un an à Fort Benning. Les pilotes des différentes formations d'hélicoptères avaient appris à synchroniser leurs mouvements dans un ballet complexe. L'Air Cav fut expédiée au Vietnam en septembre, et s'installa dans une immense base pour ses trois brigades et ses 435 hélicoptères dans la vallée d'An Khe, à l'est des montagnes, près du port de Qui Nhon, dans le Centre Vietnam.

J'entendis parler de la première grande bataille menée par l'Air Cav contre les soldats réguliers de l'armée nord-vietnamienne à la mi-novembre 1965 alors que je me trouvais au Centre Vietnam, pour enquêter sur les problèmes des réfugiés. J'avais découvert cinq hameaux le long d'une plage dans la province de Quang Ngai, qui constituaient jusqu'à l'été précédent un village prospère de pêcheurs d'environ 15 000 habitants. Les maisons n'étaient pas construites en torchis mais en brique, résultat de la réussite de plusieurs générations d'épargne. Tout avait été réduit en ruine par deux mois de bombardements aériens et de tirs à bout portant des canons des destroyers de la 7e flotte. Le village avait été déclaré base vietcong et rasé simplement parce qu'il se trouvait dans une zone contrôlée par la guérilla. Les fonctionnaires du district prétendirent que, selon leurs enquêtes, 180 personnes avaient été tuées avant que la population ne s'enfuît. D'autres estimations plus crédibles portaient à 600 le nombre des victimes. De jeunes officiers, conseillers militaires de province, affirmèrent qu'ils connaissaient au moins dix autres hameaux détruits de la même façon et pour les mêmes vagues raisons et que vingt-cinq autres étaient gravement endommagés. La destruction systématique était en nette progression, dirent-ils.

Ce soir-là, je téléphonai au bureau du *New York Times* à Saigon pour expliquer l'article que j'avais en projet. Charlie Mohr, le chef du bureau, me dit que cela pouvait attendre. Une grande bataille venait de s'engager avec l'armée nord-vietnamienne près de Pleiku, le village principal au centre des hauts plateaux, et je devais m'y rendre aussi vite que possible.

Un capitaine eut l'obligeance de me conduire jusqu'au terrain d'aviation de la province et, jusque tard dans la nuit, je sautai d'un avion à l'autre pour longer la côte jusqu'à Qui Nhon, puis survoler les montagnes pour atteindre Pleiku. J'étais habitué au laisser-aller d'un poste de commandement sud-vietnamien après le coucher du soleil. A Pleiku, la nuit débordait d'activité et de tumulte, dans le tapage des radios où se succédaient les appels, les ordres et les rapports. Les énormes Chinooks se posaient lourdement pour se ravitailler en munitions, puis s'envolaient vers les pièces d'artillerie qui grondaient dans une obscurité striée par les traînées des fusées éclairantes vers le sud-ouest où la bataille faisait rage.

Deux semaines avant la fête de Thanksgiving, le colonel Thomas « Tim » Brown, rejeton d'une famille de militaires, se trouvait au quartier général du 2e corps de l'armée sud-vietnamienne, situé sur une colline à côté de Pleiku, où un officier de renseignements faisait un *briefing*. Brown, commandant la 3e brigade de l'Air Cav, avait été envoyé sur les hauts plateaux en novembre à la recherche de deux régiments de l'armée nord-vietnamienne qui avaient tenté de s'emparer d'un camp des Forces spéciales à environ trente-six kilomètres au sud du village de Plei Me. Ses trois bataillons avaient fouillé au sud et au sud-est du camp pendant plusieurs jours sans succès, et Brown n'avait pas d'autres renseignements. Westmoreland lui avait envoyé un message, lui donnant l'ordre de chercher vers l'ouest, en direction de la frontière cambodgienne. Comme Brown n'avait pas su par où commencer, il s'était rendu au quartier général du 2e corps vietnamien, espérant y découvrir une indication.

Brown pensait que l'officier de renseignements de l'ARVN ne disposait que de maigres indices lorsqu'il remarqua, sur une carte d'état-major, une étoile rouge dessinée près de la frontière cambodgienne, au sud-ouest de Pleiku. Elle indiquait un ensemble de pics et de crêtes couverts par une épaisse voûte de forêt tropicale, s'élevant depuis la rivière Drang, à l'ouest du camp de Plei Me, jusqu'à s'étendre sur une dizaine de kilomètres à l'ouest au-delà de la frontière. Brown avait repéré ce massif sinistre lors d'une reconnaissance aérienne. On l'appelait Chu Prong, la montagne Prong, du nom de son plus haut sommet.

« Que signifie cette étoile rouge ? demanda Brown.

« — C'est une base secrète du Vietcong, mon colonel, répondit l'officier de renseignements vietnamien.

— Qu'est-ce qu'il y a là-dedans ? poursuivit Brown.

— Je n'en sais rien, mon colonel, nous n'y sommes jamais allés », répliqua l'officier.

Le Chu Prong était, pensa Brown, un aussi bon point de départ que n'importe quel autre. Il informa son meilleur chef de bataillon, le lieutenant-colonel Harold « Hal » Moore Jr, quarante-trois ans, diplômé de West Point et originaire d'une petite ville du Kentucky, de choisir une zone d'atterrissage près du massif et d'explorer les abords. Mais Moore ne devait pas pénétrer dans le Chu Prong, parce que ses hommes s'y seraient perdus. Brown le mit également en garde sur la nécessité de maintenir les unités assez proches l'une de l'autre de façon à pouvoir s'épauler mutuellement. En dépit de leur entraînement, les soldats de la 3e brigade n'avaient pas encore reçu le baptême du feu. Ils n'avaient essuyé que de petites escarmouches au cours de leurs deux mois au Vietnam, et Brown était préoccupé du choc qu'éprouverait son unité en affrontant brusquement une importante force de Nord-Vietnamiens.

Le matin du dimanche 14 novembre 1965, trente-cinq minutes après un atterrissage sans problème, une section de la compagnie de Moore captura un soldat nord-vietnamien qui se cachait dans les broussailles. L'homme, vêtu d'une chemise et d'un pantalon kaki sales, n'était pas armé et ne portait qu'une gourde vide. Moore l'interrogea avec l'aide d'un interprète, et découvrit qu'il était déserteur et qu'il ne s'était nourri que de bananes depuis cinq jours. Moore lui demanda s'il y avait des troupes nord-vietnamiennes dans les environs. « Oui », répondit le soldat, désignant le Chu Prong. La première arête qui se prolongeait dans la vallée se dressait à deux cents mètres de la clairière qui servait de zone d'atterrissage. Le déserteur l'informa qu'il y avait là trois bataillons impatients de tuer des Américains.

Lundi matin, « Rayon X », le nom de code avec lequel Moore désignait la zone d'atterrissage, était facile à repérer par avion. C'était une île au milieu d'une mer de napalm orange rougeâtre et d'explosions de bombes et d'obus. Peter Arnett et moi-même regardions d'une hauteur de huit cents mètres, terrorisés à l'idée d'atterrir. Nous avions pu monter à bord d'un Huey qui effectuait une mission de ravitaillement en munitions.

Le Huey plongea en longeant la cime des arbres pour mieux se camoufler dès que nous eûmes atteint la clairière. Ce pilote fit pivoter les pales pour freiner comme un parachute qui s'ouvre. Les munitions furent jetées à terre, et deux brancards avec blessés furent montés à bord tandis qu'une balle claquait sur le fuselage et que d'autres sifflaient à travers les portes ouvertes. Arnett et moi nous jetâmes à terre et courûmes accroupis vers l'abri relatif d'une énorme fourmilière où Moore avait établi son poste de commandement.

Moore était un homme de haute taille aux yeux bleus, avec un visage taillé à la serpe. Ses traits exprimaient sa satisfaction et sa joie d'avoir brisé une attaque d'un bataillon nord-vietnamien qui avait duré trois heures un quart au sud et à l'ouest du périmètre.

« Ils nous ont envoyés ici pour tuer des communistes et bon Dieu ! c'est ce que nous faisons ! » s'exclama-t-il.

Beaucoup des survivants nord-vietnamiens s'étaient à présent postés en francs-tireurs. Installés tout autour, ils ne décrochaient pas. Quelques-uns étaient grimpés au sommet des arbres, d'autres avaient creusé des trous dans les broussailles ou se tenaient cachés dans les herbes géantes hautes d'environ un mètre cinquante. D'autres encore s'étaient terrés dans les creux des étranges et gigantesques fourmilières, souvent plus grandes qu'un homme. La saison sèche avait commencé sur les hauts plateaux, et les larges treillis kaki des soldats nord-vietnamiens étaient bien dissimulés dans la végétation jaune clair des herbes et des plantes séchées. De plus, ils se camouflaient avec des branches. Lorsqu'un hélicoptère atterrissait ou que quelqu'un remuait, l'un de ces francs-tireurs faisait feu avec son arme automatique soviétique AK-47, tuant souvent les hommes de Moore ou les blessant avant d'être réduit au silence.

La largeur du périmètre occupé par le bataillon n'était que de 300 mètres et la zone d'atterrissage des hélicoptères était plus petite encore. Elle aurait été jonchée de cadavres américains si Hal Moore n'avait pas été un aussi remarquable combattant, courageux et rusé, qui avait fait son apprentissage en Corée. Son intuition lui disait que le déserteur n'avait pas menti. En outre, un hélicoptère avait repéré un câble téléphonique tendu le long d'un chemin au nord de la clairière. L'armée nord-vietnamienne en effet n'était que médiocrement équipée en matériel radio et se servait de téléphones de campagne. Moore avait immédiatement compris que, si les Nord-Vietnamiens envoyaient une vague d'assaut depuis la crête jusqu'à la clairière, ils pourraient empêcher l'atterrissage d'autres hélicoptères et massacrer ses soldats. Il fallait absolument empêcher l'ennemi d'approcher jusqu'à ce qu'il ait pu faire venir le reste de son bataillon.

Sans attendre, Moore envoya ses hommes escalader l'arête. Il était juste temps. Les trois bataillons nord-vietnamiens qui se trouvaient dans le Chu Prong comptaient environ 1 700 hommes. Moore n'en avait que 450 à sa disposition. Deux des bataillons de la NVA appartenaient à un régiment arrivé début novembre ; le troisième était composé de survivants de l'attaque manquée du camp de Plei Me. Le commandant nord-vietnamien était sur le point d'envoyer son premier groupe d'assaut vers la clairière, et ainsi les deux adversaires entrèrent en contact sous les arbres de la lisière de la forêt tropicale.

Une bataille sans merci s'engagea. Vietnamiens et Américains s'entretuaient à quelques mètres les uns des autres. Cette proximité priva les soldats de Moore de l'avantage de la force aérienne et de l'artillerie. Les Vietnamiens faisaient de leur mieux pour demeurer aussi près que possible des Américains, une tactique qu'ils appelaient « s'agripper à la ceinture ». Si les soldats de Moore n'avaient pas été équipés du nouveau fusil-mitrailleur M-16 et du lanceur de grenades M-79, aussi simple à utiliser qu'un vulgaire fusil de chasse, un beaucoup plus grand nombre d'entre eux auraient péri.

Le colonel Brown avait eu raison de soupçonner la présence d'une importante unité nord-vietnamienne, mais il avait eu tort de s'inquiéter du choc qu'éprouveraient ses soldats inexpérimentés. Ces Américains étaient aussi acharnés que leurs adversaires, trop même, dans le cas d'une section en particulier. Son sous-lieutenant tomba dans le piège vietnamien classique. Il lança ses hommes à la poursuite d'un peloton ennemi qui paraissait battre en retraite. Il fut encerclé avec sa section et se trouva sur la crête, isolé des autres.

Moore avait prévu l'encerclement de sa première compagnie par l'ennemi, car, à leur place, il aurait agi de la même façon. Dès que l'hélicoptère arriva avec le reste de sa seconde compagnie, il déjoua l'attaque en les envoyant sur le flanc de la première dans le lit asséché du ruisseau, au pied de l'arête. Il contrecarra une fois de plus un nouvel assaut de l'ennemi en positionnant, dès leur arrivée, les hommes de la troisième compagnie sur le flanc de la seconde. Pour cela, Moore dut laisser l'arrière de la clairière à découvert. Mais il avait prévu à juste titre que l'ennemi ne ferait pas le mouvement tournant pour l'attaquer sur ses arrières. La troisième compagnie repéra les soldats vietnamiens qui progressaient sur le terrain découvert de la vallée. Elle arrosa l'ennemi au fusil-mitrailleur, et fit terminer le travail par l'artillerie, les chasseurs-bombardiers et les roquettes des Hueys.

Puis, Moore envoya la première et la seconde compagnies sur la crête pour sauver la section encerclée. Elles furent immédiatement immobilisées et subirent de lourdes pertes. Le sous-lieutenant Walter Marm Jr devait recevoir la médaille d'honneur du Congrès en neutralisant tout seul une mitrailleuse vietnamienne et en tuant les huit soldats qui la servaient, avant d'être atteint d'une balle au visage. Le colonel Brown envoya à Moore une compagnie d'un autre bataillon, tard dans l'après-midi de dimanche, lorsque la bataille se calma suffisamment pour que les hélicoptères puissent atterrir à nouveau. Moore regroupa ses hommes dans le périmètre pour la nuit.

Lundi, aux premières lueurs de l'aube, c'est la troisième compagnie, « C » comme Charlie, qui dut subir l'épreuve du feu. Elle avait réussi à maintenir les Vietnamiens à une distance suffisante toute la journée de dimanche, sans subir de lourdes pertes. Elle contrôlait les côtés sud et sud-ouest du périmètre. Le commandant n'avait pas demandé de volontaires pour occuper des avant-postes pendant la nuit à cause de l'épaisse végétation qui cachait tout devant eux. A l'aube, Moore donna l'ordre à chaque compagnie d'effectuer une reconnaissance, précaution normale dans ce cas. Le chef de la compagnie C ordonna à tous ses chefs de section d'envoyer un peloton. Ils tombèrent nez à nez sur un nouveau bataillon nord-vietnamien qui s'approchait d'eux en rampant. Des soldats périrent dans les hautes herbes en essayant de se replier en tirant. D'autres furent tués en se portant au secours de leurs camarades. Les Vietnamiens lancèrent l'assaut contre la compagnie C, espérant l'anéantir pour creuser une brèche dans le périmètre.

Le chef de compagnie demanda à Moore de lui envoyer en renfort la section de reconnaissance. Moore refusa. Il devait conserver ces hommes en dernier recours. Dans la confusion de la bataille, il ne pouvait pas savoir si la compagnie C subissait l'assaut principal ou une simple attaque de diversion et, bientôt, une autre compagnie fut prise dans une nouvelle bataille. Le chef de la compagnie C fut atteint dans le dos et grièvement blessé au moment où il se levait pour lancer une grenade contre deux soldats vietnamiens qui avaient pénétré dans sa ligne de défense. Cette fois, Moore envoya une section d'une autre compagnie en renfort. Ce fut un échec. Ils ne purent atteindre la compagnie C, et deux hommes furent tués et deux blessés. Les Vietnamiens arrosèrent le périmètre d'un feu nourri, assez bas pour atteindre un homme qui rampait. Bientôt tous les officiers et la plupart des sous-officiers de la compagnie C furent tués ou aussi sérieusement blessés que leur chef. L'assaut lancé contre la compagnie voisine s'intensifia.

Les attaques aériennes et le feu de l'artillerie semblaient n'avoir aucun effet. En désespoir de cause, le lieutenant-colonel Moore lança un appel radio à toutes les unités pour qu'elles lancent des grenades fumigènes et demanda un barrage de soutien à la limite du périmètre. Plusieurs obus tombèrent à l'intérieur, et un chasseur-bombardier F-105 lâcha deux bombes au napalm près de la fourmilière où le poste de commandement de Moore était installé. Elles brûlèrent plusieurs de ses hommes, firent exploser un lot de munitions de M-16, et faillirent mettre le feu à une réserve de grenades.

Moore dut finalement envoyer sa section de reconnaissance en renfort pour sauver l'autre compagnie. Entre-temps, une attaque fut lancée sur un troisième côté du périmètre. Moore rassembla une réserve d'urgence en prenant une section occupant un secteur qui n'était pas encore menacé, et demanda au colonel Brown de lui envoyer des renforts lorsque enfin le bataillon nord-vietnamien montra des signes d'épuisement, et l'intensité des tirs diminua.

Après deux heures de combat, la compagnie C n'existait plus. Des cent hommes qui avaient vu les premières lueurs du jour de ce lundi, plus d'une soixantaine avaient été tués ou blessés, et la ligne de défense comportait de nombreuses brèches. Le nombre de Nord-Vietnamiens qui avaient réussi à pénétrer dans le périmètre n'était pas assez important pour menacer véritablement la position du bataillon. Les novices de la compagnie Charlie avaient tenu et avant de mourir ils avaient tué autant d'ennemis qu'ils avaient pu. Un sous-lieutenant avait été abattu dans un abri de mitrailleuse adverse. Il était entouré des cadavres de cinq Vietnamiens. Dans les herbes géantes, un Vietnamien et un Américain qui s'étaient mutuellement tiré dessus gisaient côte à côte. L'Américain avait encore les mains crispées autour du cou du Vietnamien.

Lorsque lundi, au milieu de la matinée, Arnett et moi arrivâmes à « Rayon X », les tirs d'artillerie et les bombardements aériens se succédaient sans trêve parce que Moore craignait que le troisième bataillon nord-vietnamien signalé par le déserteur ne passe à l'attaque. En vingt-quatre heures, l'artillerie avait tiré près de 4 000 salves et les chasseurs-bombardiers effectué 300 missions.

Les survivants de la section isolée sur la crête furent finalement sauvés, tôt dans l'après-midi, lorsque le 2ᵉ bataillon du 5ᵉ de cavalerie atteignit le périmètre de défense de Moore, après avoir marché depuis un autre terrain d'atterrissage situé à trois kilomètres de là. Trois compagnies progressèrent lentement vers la section en se méfiant des francs-tireurs vietcongs. Un capitaine du bataillon de renfort fut touché à la poitrine. Des vingt-sept hommes de la section qui avaient atterri la veille, sept seulement revinrent à la clairière sains et saufs. La plupart des douze blessés furent transportés dans des brancards de fortune faits de ponchos. L'impétueux sous-lieutenant Walter faisait partie des huit morts ainsi ramenés. Ceux qui revinrent durent leur vie au talent et au sens stratégique du chef de peloton, le sergent Clyde Savage, vingt-deux ans, originaire de Birmingham, Alabama. Il fut le seul sous-officier à s'en tirer intact. Lorsque le régleur de tir fut abattu d'une balle dans la gorge, Savage s'empara de la radio. Il dirigea le tir d'artillerie au plus près, au point d'élever un véritable mur de shrapnels et d'explosions à vingt-cinq mètres seulement de son étroit périmètre de défense, sans qu'aucun obus ne tombe à l'intérieur. Avec cette aide, les survivants parvinrent à repousser trois attaques successives durant la nuit. Puis, dans la confusion de la bataille, l'armée nord-vietnamienne parut oublier cette section isolée.

Le troisième assaut que Moore avait prévu fut déclenché avant l'aube le mardi, mais avec une intensité moindre. Deux compagnies nord-vietnamiennes seulement attaquèrent les fronts sud et sud-ouest. La compagnie C avait été remplacée par une autre unité parfaitement équipée. Cette fois-ci, les attaquants furent repérés et décimés avant d'avoir pu atteindre les positions de défense. Les fantassins liquidèrent ceux qui s'approchaient trop près à coups de grenades et de tirs très précis de leurs M-16.

L'après-midi, Moore, qui était relevé par un autre bataillon, refusa de partir sans trois de ses sergents de la compagnie C disparus le jour précédent dans les hautes herbes mais qu'il croyait toujours vivants. Les tirs d'artillerie et les attaques aériennes avaient été arrêtés pour faciliter les allées et venues des hélicoptères. Un des commandants du bataillon de relève craignait que les Nord-Vietnamiens ne profitent de cette accalmie pour déclencher un tir de mortiers depuis le Chu Prong. Il voulait accélérer le départ. Mais Moore refusa.

Il n'avait pas dormi depuis quarante-huit heures, mais il était le vainqueur. Des centaines de cadavres de soldats vietnamiens étaient étendus sur la pente de la montagne et devant les positions américaines au fond de la vallée. Ils avaient péri en si grand nombre parce qu'ils avaient pris l'initiative de l'offensive sans le soutien d'armes lourdes. Mais leurs pertes étaient également dues à la valeur des soldats de Moore. Maintenant que le combat était terminé, on pouvait évaluer le coût de sa victoire : 79 Américains tués et 121 blessés. La plupart d'entre eux avaient été entraînés et commandés par Moore lui-même depuis plus d'un an. En fait, les cadavres des trois sergents de la compagnie C avaient été découverts et évacués plus tôt dans la journée mais Moore n'en avait pas été informé. Il ne pouvait pas supporter l'idée d'abandonner leur corps dans ce sinistre endroit, à plus forte raison si l'un d'entre eux était encore vivant et blessé. « Je ne pars pas sans mes sous-officiers ! » cria-t-il, tout en pleurant et en secouant son fusil. « Je ne pars pas sans eux ! » hurla-t-il. Il ordonna de continuer les recherches. Un autre fantassin avait également disparu. Moore s'opposa au retrait des troupes jusqu'à ce que son corps soit retrouvé et qu'il soit convaincu de ne laisser aucun de ses soldats derrière lui.

Lorsque, mardi soir, je m'arrêtai au poste de commandement du colonel Tim Brown dans une plantation de thé au sud de Pleiku, il me dit qu'il voulait évacuer la vallée de la rivière Drang, au pied du Chu Prong. Sa mission était de trouver les Nord-Vietnamiens et d'en tuer le plus possible, et le bataillon de Moore et les renforts qu'il lui avait envoyés avaient largement rempli cette mission. C'était un jeu trop dangereux que de rester dans la région. L'armée nord-vietnamienne semblait s'infiltrer rapidement le long de la frontière. Là où Moore avait rencontré un seul nouveau régiment, d'autres pouvaient bien s'y cacher. Brown, qui s'était rendu à plusieurs reprises à Rayon X pour garder le contact avec la bataille et se faire une idée du terrain et de l'ennemi, voulait maintenant évacuer tous ses hommes et explorer prudemment le secteur avant de se lancer dans une nouvelle bataille.

« Mais alors, pourquoi ne partez-vous pas ? demandai-je.

— Le général Westmoreland ne me laissera pas faire. Il affirme que si nous nous retirons, la presse dira que nous battons en retraite. »

Le lendemain, le 2e bataillon du 7e de cavalerie qui avait relevé Moore tomba dans une embuscade et fut anéanti en remontant la vallée à quatre kilomètres au nord de Rayon X. Son commandant n'était pas aussi circonspect que Moore et avait commis l'erreur de faire avancer ses hommes en colonne. Il avait également négligé de protéger ses flancs. Un élément d'un bataillon nord-vietnamien monta rapidement une embuscade en forme de U dans laquelle ses deux compagnies de tête se jetèrent, tandis qu'un autre élément ennemi frappait la troisième alors qu'elle était dispersée dans les hautes herbes. Les hommes du 2e bataillon résistèrent avec bravoure, et beaucoup de Vietnamiens périrent dans les combats au corps à corps qui durèrent la plus grande partie de l'après-midi. Les deux compagnies de tête furent sérieusement endommagées et la troisième littéralement massacrée : 151 Américains furent tués, 121 blessés et quatre disparus. Le 7e de cavalerie connut le même sort que le régiment de Custer à la bataille de Little Big

Horn[1]. En ce 17 novembre 1965, « l'histoire se répète », devait déclarer un survivant.

Ces pertes troublèrent profondément McNamara. Le combat de Moore ainsi que l'embuscade, connus sous le nom de la « bataille de la rivière Drang », avaient coûté 230 vies américaines en quatre jours, y compris les quatre disparus considérés comme morts. La semaine suivante, McNamara eut un autre sujet d'inquiétude : Westmoreland lui demanda une rallonge de 41 500 soldats américains, en la justifiant par l'importante infiltration inattendue de l'armée nord-vietnamienne. Ses demandes en effectifs n'avaient cessé de croître depuis juillet, et cette nouvelle exigence porterait le nombre d'Américains au Sud Vietnam à 375 000. McNamara avait prévu que Westmoreland lui réclamerait des troupes supplémentaires, mais pas aussi vite. Il quitta une conférence de l'OTAN à Paris et se rendit à Saigon pour une visite de trente heures afin de faire une réévaluation de la guerre.

Son mémorandum du 30 novembre 1965 adressé au président contrastait avec l'optimisme du rapport qu'il avait remis en juillet. Westmoreland allait demander encore plus d'hommes qu'il ne l'avait fait jusqu'à présent officiellement, pour atteindre 400 000 à la fin de 1965. Ensuite il en réclamerait sûrement encore d'autres, « peut-être plus de 200 000 » en 1967. Lui en envoyer 400 000 « ne garantira pas le succès », déclara McNamara. « Les soldats américains tués en opérations s'élèveront probablement à 1 000 par mois, et il y a des chances pour que nous nous retrouvions au début de 1967 avec une " décision négative " à un niveau supérieur. » Le gouvernement pourrait essayer de négocier une sorte de « solution de compromis » et, en même temps, maintenir l'envoi de renforts « à un niveau minimal », affirma McNamara. Mais il le déconseilla. Il voulait « s'en tenir aux objectifs établis pour cette guerre et fournir ce qu'il fallait en hommes et en matériel ».

Dans son « estimation sur la meilleure façon d'atteindre nos objectifs », il conseilla un plan d'action en trois étapes. Les États-Unis devraient offrir à Hanoi une dernière chance de capituler. Si Hô et ses alliés se montraient inflexibles, la guerre aérienne contre le Nord devrait alors être intensifiée et Westmoreland recevoir les 400 000 hommes demandés. Pour contraindre Hanoi, les bombardements du Nord seraient suspendus pendant trois ou quatre semaines. Johnson avait déjà arrêté l'opération Tonnerre pendant cinq jours en mai 1965 et rien ne s'était passé. McNamara estimait que cinq jours étaient insuffisants pour donner le temps de la réflexion à Hanoi. En conseillant à présent une plus longue trêve, il voulait en profiter pour développer la campagne de relations publiques et diplomatiques évoquée

1. Little Big Horn : sur les bords de cette rivière du Wyoming, le 25 juin 1876, le général Custer et ses 200 hommes furent encerclés et tués par les Indiens Sioux et Cheyennes, commandés par Sitting Bull.

dans son mémorandum de juillet. Avant de s'engager dans une escalade, dit-il au président, « nous devons préparer le public américain et l'opinion mondiale à accepter une telle amplification de la guerre... tout en offrant à l'armée nord-vietnamienne la possibilité de cesser l'agression sans perdre la face ».

Le soir du réveillon de Noël 1965, Johnson fit suspendre les bombardements selon le souhait de McNamara. Après trente-sept jours d'arrêt, Hanoi se montra aussi intransigeant qu'il l'avait été après la première trêve de cinq jours. Le président reprit les bombardements le 31 janvier 1966. A ce moment-là, les exigences de la guerre d'usure de Westmoreland s'élevaient à 459 000 hommes. Sur les instructions de Johnson, McNamara s'engagea dans un jeu complexe de marchandage bureaucratique pour limiter les demandes de Westmoreland, tout en lui accordant l'essentiel de ce qu'il réclamait.

Les hommes de l'Air Cav qui avaient combattu dans la jungle de la montagne furent envoyés dans les rizières et les hameaux de la plaine de Bong Son, sur la côte au nord de Qui Nhon. C'était une des régions les plus peuplées du Centre Vietnam et un ancien bastion viet-minh pendant la guerre contre les Français. L'opération débuta vers la fin du mois de janvier 1966 et reçut pour nom de code « Broyeur ». Mais Lyndon Johnson mit un frein au goût douteux de ses généraux et fit changer ce nom en celui d' « Aile blanche », symbole de la colombe. Tim Brown avait fini son temps à la tête de la 3e brigade en décembre. Hal Moore, promu colonel, fut récompensé pour la victoire qu'il avait remportée au Chu Prong en le remplaçant. C'est encore le 2e bataillon, le plus malchanceux de la brigade, qui supporta à nouveau le plus dur de la bataille, en particulier la 3e compagnie, reconstituée après le massacre avec des renforts débarqués des États-Unis.

La mousson était déjà bien avancée à l'est de la Cordillère annamite et les rizières étaient inondées. Le commandant du bataillon choisit pour terrain d'atterrissage pour la 3e compagnie un banc de sable, qui se trouvait directement sous le feu des artilleurs nord-vietnamiens, renforcés par le Vietcong et cachés dans des positions fortifiées dans les buissons de cocotiers. Dès que les hommes sautèrent des hélicoptères, la compagnie fut prise sous le tir et systématiquement massacrée pendant toute la journée. Les soldats d'une autre unité s'avancèrent à travers les rizières, progressant vers leurs camarades encerclés durant la nuit. Mais il fallut une plus importante force de secours, dirigée par Moore, pour mener à bien le sauvetage le lendemain matin. Ils découvrirent le spectacle pitoyable des cadavres, enveloppés dans leur poncho, allongés sur le sable sous la pluie.

En 1965, un régiment de la 3e division de l'armée nord-vietnamienne, baptisée l' « Étoile jaune », avait descendu la piste Hô Chi Minh jusqu'à la plaine de Bong Son et s'était infiltré par mer. Les Nord-Vietnamiens avaient fait leur jonction avec un régiment vietcong, qui avait auparavant nettoyé la zone de tous les vestiges du régime de Saigon. Avec l'aide des paysans, les soldats communistes avaient transformé chaque hameau en bastion. Toutes les approches à travers les rizières et tous les espaces découverts étaient pris sous le feu croisé des armes automatiques camouflées dans des bunkers recouverts de terre tassée. Pour les construire, les communistes s'étaient servis des rails et des traverses de bois de l'ancien chemin de fer qui longeait la côte. Les trous creusés dans les digues des canaux avaient été perfectionnés avec une petite casemate ouverte sur un côté, dans laquelle un soldat pouvait se blottir lors d'un bombardement aérien ou d'un pilonnage d'artillerie, et y trouver la même protection que ses camarades dans les bunkers. Des tranchées de communication zigzaguaient de l'un à l'autre pour envoyer des renforts et des munitions et évacuer les blessés au milieu de la bataille. Ils avaient eu largement le temps de s'installer avant que les hommes de l'Air Cav n'interviennent. Si leurs espions dans l'armée sud-vietnamienne ne les avaient pas informés, les mouvements préparatoires de leurs adversaires auraient suffi à les renseigner. L'opération Broyeur avait été planifiée quarante-cinq jours durant et constituait l'aile sud d'une offensive qui mobilisait plus de 20 000 soldats américains, saigonnais et sud-coréens. Ce fut la plus grande opération lancée sur la côte centrale depuis celle du haut commandement français, baptisée opération « Atlante », durant l'hiver et le printemps de l'année 1954.

Moore, ses subordonnés et les chefs des bataillons aéroportés de l'armée sud-vietnamienne constituaient un des éléments d'attaque de l'aile sud. On ne pouvait pas leur reprocher de sauver les vies de leurs soldats en faisant appel à toute la puissance de feu disponible. La bataille dans la vallée de la Drang avait démontré qu'en dépit de toute la technologie la plus moderne à son service le soldat américain était toujours confronté à la forêt tropicale, aux crêtes couvertes de végétation et aux herbes géantes des montagnes du Vietnam dès qu'il sautait de son hélicoptère. Il était également vulnérable lorsqu'il combattait en plaine, comme dans la bataille de Bong Son. Le général de brigade Howard Eggleston avait jugé en officier du génie l'importance de l'eau et de la boue. Il avait constaté que, quel que soit le nombre d'hélicoptères dont on disposait, « il n'y avait guère de mobilité dans une rizière inondée ». S'emparer des hameaux en lançant l'infanterie à travers cette boue aurait causé de très lourdes pertes. La raclée qu'ils subirent les deux premiers jours dégrisa les Américains. Les chefs se contentèrent alors de pilonner les hameaux jusqu'à ce que l'ennemi les évacue.

Au bout de quatre jours, les Vietcongs et l'armée nord-vietnamienne abandonnèrent leurs derniers bastions et se retirèrent vers l'ouest, vers les montagnes les plus proches jusqu'à l'étroite vallée d'An Lao, puis plus avant dans la Cordillère annamite, en refusant systématiquement le combat lorsqu'ils étaient poursuivis par l'Air Cav. Ils laissaient derrière eux plusieurs centaines de morts et 55 pièces d'armement. Il fut impossible de déterminer combien de morts appartenaient au Vietcong ou à l'armée nord-vietnamienne, et combien à la guérilla locale dont les survivants s'étaient cachés temporairement dans les environs. Quelles qu'eussent été les pertes communistes, elles n'avaient pas été suffisamment graves pour mettre les régiments hors d'action pendant longtemps.

Bien que les Nord-Vietnamiens et leurs alliés vietcongs aient eu moins de pertes dans la vallée de la Drang, l'opération Broyeur portait bien son nom. Les paysans avaient été écrasés. 15 hameaux furent nivelés. Environ 1 000 maisons furent pulvérisées ou incendiées dans les trois hameaux que je pus atteindre facilement, parce qu'ils étaient situés le long de la route 1. Le capitaine qui me conduisait était le conseiller du chef de district. Il avait vu la plupart des 12 autres hameaux du lieu de la bataille et avait constaté qu'ils avaient été aussi radicalement détruits que les autres. Les cratères des bombes, dont certaines de 250 kilos, et qui mesuraient trois mètres de profondeur sur six de large, défiguraient tout le paysage.

Comme l'ARVN, l'armée américaine n'acceptait aucune responsabilité pour les blessés civils. Les pertes avaient été importantes mais en comparaison moins sévères que les dégâts matériels. Les personnes âgées, les femmes et les enfants s'étaient pour la plupart enfuis ou réfugiés dans les abris que le Vietcong leur avait appris à creuser sous leurs maisons. Cependant, on estimait à environ une centaine le nombre des tués à Tam Quan, un village au nord de la plaine qui avait été jusque-là le quartier général saigonnais du district avant de tomber dans les mains des communistes. Les médecins et les chirurgiens de l'Air Cav et de l'ARVN soignèrent des centaines de blessés légers parmi les civils qui vinrent à eux. Les blessés graves qui survécurent assez longtemps pour qu'on les remarque posaient un autre problème. Le personnel médical de l'Air Cav ne pouvait rien faire pour eux que leur donner les premiers soins et les évacuer vers l'hôpital de province de Qui Nhon. De même que les hôpitaux militaires du gouvernement de Saigon étaient réservés à l'ARVN, les Américains ne prenaient en charge que les soldats et civils des États-Unis, ainsi que les Coréens et les Philippins qui travaillaient pour eux au Vietnam. Des exceptions étaient parfois faites pour les Vietnamiens, mais en nombre très limité.

Environ 90 blessés civils graves des hameaux de Bong Son furent ainsi évacués vers l'hôpital de Qui Nhon. La Société protectrice des animaux l'aurait fait fermer aux États-Unis si cela avait été un établissement vétérinaire. L'AID avait entrepris la rénovation du vieil hôpital français en 1963, mais la corruption habituelle avait empêché l'achèvement des travaux. Les toilettes n'étaient pas terminées. Il n'y avait ni douche ni baignoire. Les patients qui pouvaient marcher faisaient leurs besoins dans la cour. On manquait de personnel, et la plupart des médecins et des infirmières vietnamiens de service étaient paresseux et corrompus et n'accordaient leurs soins qu'aux patients qui payaient. Les pauvres ne pouvaient compter que sur leur famille pour les soigner et chasser les mouches. Les interventions chirurgicales et les soins médicaux intensifs étaient assurés par deux chirurgiens et un anesthésiste de Nouvelle-Zélande, en mission médicale financée par leur gouvernement. Mais dans de telles conditions le travail de trois personnes, aussi dévouées soient-elles, peut être héroïque, mais ne peut faire de miracles. Le spectacle de ces blessés, vieillards, femmes et enfants, entassés dans cet hôpital minable après l'opération Broyeur était effroyable.

Je demandai au général de division Stanley Larsen, chef du corps d'armée américain qui avait été constitué sur la côte centrale et les hauts plateaux, quels étaient ses projets, après l'opération militaire, pour la pacification de la plaine de Bong Son. Larsen « le Suédois » était un homme affable dont les idées étaient conformes à la hiérarchie militaire de cette époque. Il allait bientôt recevoir sa troisième étoile de général de corps d'armée. Nous discutions tandis qu'il me ramenait à bord de son avion. Il me répondit qu'il n'avait pas de projet de pacification. Après que la phase de poursuite de l'opération serait achevée, il allait retirer l'Air Cav et chercher un autre champ de bataille. Les unités vietnamiennes seraient également évacuées.

Sa réponse me surprit. Il ne m'était pas venu à l'esprit qu'un général américain puisse perdre autant de ses hommes et infliger de telles horreurs pour s'en aller tranquillement ensuite. Pourquoi s'était-il attaqué à ces hameaux s'il n'avait pas l'intention d'y rester pour accomplir quelque chose de permanent ? demandai-je. Larsen répondit qu'il n'avait pas assez de soldats américains pour constituer des équipes de pacification. Le maximum qu'il pût accomplir était de déstabiliser le Vietcong et les Nord-Vietnamiens en les malmenant avec des attaques ponctuelles, comme celle de Broyeur, tandis que la puissance des forces américaines augmentait aussi vite que possible. Alors, pourquoi ne pas utiliser l'ARVN ? Larsen reconnut qu'il en avait discuté avec son homologue, le général de brigade Vinh Loc, commandant du 2ᵉ corps de l'armée sud-vietnamienne à Pleiku. Loc lui avait répondu qu'il n'avait pas de soldats à gaspiller non plus. Il ne pouvait envoyer dans la région de Bong Son qu'un seul régiment.

Je découvris plus tard la véritable explication de l'attitude de Larsen : il n'était pas intéressé par la pacification. Comme la plupart des généraux d'armée, il avait adopté la théorie de la guerre d'usure préconisée par Harkins et Westmoreland, avec des affrontements répétés pour affaiblir et éventuellement détruire la guérilla et les Nord-Vietnamiens. J'avais entendu ces généraux américains parler de guerre d'usure mais je n'en avais pas saisi l'implication pour le peuple du Sud Vietnam. Est-ce que Larsen comprenait que le Vietcong et les Nord-Vietnamiens allaient revenir immédiatement dans ces hameaux ? demandai-je. « Alors, nous y retournerons et tuerons encore plus de ces fils de putes », dit-il.

La plaine de Bong Son était connue pour ses très belles palmeraies de cocotiers. La plupart des paysans vivaient de la vente du copra, d'où l'huile de noix de coco était extraite, ainsi que de la vente des noix fraîches. La 3ᵉ brigade de Moore et l'Armée de l'air sud-vietnamienne avaient été protégées par les canons des destroyers de la 7ᵉ flotte. Les obus de la Marine suivent des trajectoires horizontales. Ainsi, dans l'un des hameaux que j'avais traversés, le long de la route 1, des centaines de cocotiers avaient été brisés en deux par des obus de 125 mm. Le chef de district et son conseiller américain me dirent que le régiment que le général Vinh Loc allait envoyer aurait de la chance s'il réussissait à défendre sa base. L'hostilité dont la population avait fait preuve dans le passé allait paraître dérisoire à côté de ce qui allait se produire. C'est à peine si les enfants de Tam Quan souriaient et, lorsqu'on les interrogeait, ils vous regardaient fixement sans répondre. Le général Vinh Loc ne savait peut-être pas comment trouver des hommes pour la pacification, mais, avec la complicité d'un de ses parents qu'il venait de nommer chef de province, il sut tirer avantage de cette accalmie temporaire le long de la route 1, qu'il devait aux soldats de Moore et aux parachutistes de l'ARVN. Les deux magouilleurs disposaient d'intermédiaires chinois qui achetaient le copra aux paysans pour le revendre à Qui Nhon. Bien que Vinh Loc fît régulièrement ce commerce, il pourrait gagner encore plus tant que la région serait sûre. Mais il faudrait qu'il partage ses bénéfices avec le Vietcong.

Des milliers de réfugiés campaient en plein air, au bord de la route et dans le village de Bong Son. Des milliers de gens qui avaient perdu leur maison vivaient toujours dans leur hameau grâce à la charité provisoire des parents ou des amis. Ces nouveaux sans-abri de la plaine de Bong Son grossissaient le ruisseau qui nourrissait le fleuve des Sud-Vietnamiens déracinés. Le nombre de réfugiés dans le pays dépassait les 500 000 et ce chiffre augmentait chaque mois. Les représentants de l'AID à Qui Nhon, leur personnel vietnamien et quelques travailleurs fournis par le chef de district distribuaient du blé et de l'huile. Ils avaient aussi quelques coupons de tissu et des trousses de couture à donner, mais les stocks s'épuisèrent rapidement. Lors d'une distribution dans un des hameaux, plusieurs représentants de la guerre psychologique firent distribuer des tracts sur les atrocités des bombardements vietcongs à Saigon. Une vieille femme se lamentait parce que les avions avaient démoli sa maison et que les « gros fusils » avaient brisé quarante-sept des cinquante cocotiers qui constituaient son gagne-pain. Le capitaine qui conseillait le chef de district avait le même sens de l'ironie que Vann. Il prit un tract, avec des photographies montrant des Américains victimes du terrorisme vietcong, et dit :

« Je parie que ces gens-là regardent ces photos en se disant : Bravo le Vietcong ! »

VII

L'ultime étape

Des Marines incendiant pour la première fois avec des torches plusieurs hameaux vietnamiens de la région de Da Nang, le 3 août 1965, telle fut l'image filmée par CBS que des millions d'Américains choqués découvrirent en regardant leur journal télévisé. « Si telle est notre politique, écrivit Vann à Bob York, je ne veux en aucun cas y être associé. J'attends que Lodge arrive et nous donne la direction à suivre. »

Environ une année plus tard, John Vann eut l'occasion de quitter le Vietnam. On lui offrit le poste de chef de la division Asie dans l'équipe de McNamara au Pentagone. Dan Ellsberg était intervenu en sa faveur et McNamara avait accepté. Cette responsabilité avait des possibilités d'avenir et offrait l'occasion de faire partie de cette élite intellectuelle et militaire qui constituait le gouvernement en second de l'exécutif. Après août 1965, les Marines avaient essayé d'imposer le silence médiatique sur les incendies d'habitations. Mais Westmoreland et la plupart des autres généraux étaient plus tolérants. Les opérations « Zippo », du nom du célèbre briquet du soldat américain, sur les hameaux vietnamiens, étaient devenues si habituelles que les spectateurs de télévision aux États-Unis n'étaient même plus scandalisés. Vann n'en parlait plus dans ses lettres à York. Il ne devait jamais aller au Pentagone, mais il allait se servir de la proposition qui lui avait été faite pour assurer sa promotion au poste qu'il convoitait : directeur de la pacification dans la zone du 3e corps d'armée.

Ellsberg avait pris dans la vie de Vann la place que Ramsey avait occupée, et ils devinrent amis intimes. Vann et Ellsberg constituaient un couple singulier de deux hommes compliqués, venus de deux mondes différents, dont les besoins complémentaires trouvaient en l'autre leur justification. Alors qu'Ellsberg n'avait que cinq ans, sa mère avait décidé qu'il serait un grand pianiste. Elle le faisait travailler quatre heures par jour après l'école, et huit heures le samedi. Pour qu'il ne risque pas de s'abîmer les mains, elle lui avait interdit tout sport. Si elle le trouvait en train de lire, elle lui prenait le livre et allait le cacher pour l'empêcher de s'intéresser à autre chose qu'à la musique. Son père, d'origine juive russe, était un petit ingénieur qui gagnait péniblement sa vie, d'abord à Chicago où Dan était né, puis à Detroit. Alors que Dan avait quinze ans, son père s'endormit un jour au volant de la voiture familiale. Ellsberg, blessé à la tête, resta dans le coma pendant trente-six heures et eut le genou brisé. Son père ne fut que légèrement blessé, mais sa mère et sa sœur furent tuées dans l'accident. Ellsberg continua encore un peu de temps le régime qu'elle lui avait imposé, puis il abandonna complètement le piano. Plus tard, lorsque devenu célèbre il figura dans le *Who's Who,* il devait faire une omission révélatrice : le nom de sa mère n'y figurait pas.

Il entra à Harvard en 1948, l'année où la guerre froide devint une sinistre réalité avec la prise du pouvoir à Prague par le Parti communiste tchèque, et avec le blocus de Berlin par Staline. Harvard était à l'époque le lieu privilégié où les intellectuels ambitieux commençaient à considérer les diplômes universitaires comme un moyen d'accéder à de hautes responsabilités dans le nouvel État américain. La Seconde Guerre mondiale avait suscité chez eux le désir d'agir au sein du gouvernement. La guerre froide ne fit qu'encourager cette tendance, et les intellectuels comprirent qu'ils pourraient apporter des connaissances et un savoir dont manquaient les juristes, banquiers et hommes d'affaires qui avaient jusque-là monopolisé les plus hauts postes. L'historien Arthur Schlesinger Jr et l'économiste John Kenneth Galbraith, qui devaient tous les deux collaborer plus tard avec Kennedy, étaient professeurs à Harvard. McGeorge Bundy, qui allait être le premier universi-taire à occuper le poste d'assistant spécial du président pour les affaires de sécurité nationale, d'abord avec Kennedy, puis avec Lyndon Johnson, se préparait à y enseigner aussi. L'intellectuel qui devait plus tard surpasser tous ses pairs, Henry Kissinger, avait vu ses études retardées par son engagement dans la Seconde Guerre mondiale et était étudiant de troisième année à Harvard quand Ellsberg y entra pour de brillantes études d'économie. Après une année en Angleterre au King's College de Cambridge, il prit une décision qui éclairait sa personnalité d'un jour nouveau.

Dans le monde où il entrait, il n'était pas nécessaire de prouver ses aptitudes militaires. Il aurait pu satisfaire ses obligations en faisant son service réglementaire de six mois dans l'armée pour être versé ensuite dans la réserve. Au lieu de cela, il choisit de s'engager pour deux ans dans les Marines et s'entraîna à exceller en tout. Pour obtenir la distinction de tireur d'élite de l'une ou de l'autre main, avec le pistolet calibre 45, il fortifia ses mains et avant-bras de pianiste en s'obligeant à tenir le lourd engin en l'air pendant des heures tout en lisant. On lui avait dit que le percuteur du calibre 45 pouvait projeter à quelques mètres de distance un crayon enfoncé dans le canon vide. Ellsberg dessina un rond sur le mur dans lequel il s'entraînait à viser toutes les nuits. Il apprit à tirer si doucement sur la gâchette que l'arme ne variait absolument pas de la ligne de tir. D'autres lieutenants de la 2ᵉ division de Marines durent abandonner le commandement de leur compagnie à des capitaines, mais Ellsberg conserva la sienne parce que c'était celle qui obtenait le plus de récompenses du bataillon et se révélait être la meilleure lors des manœuvres.

Son service militaire se terminait à la mi-1956 et il s'apprêtait à retourner à Harvard pour assouvir le rêve de tout intellectuel comme membre de la célèbre Society of Fellows, lorsque Nasser s'empara du canal de Suez. Le bataillon d'Ellsberg fut assigné à la 6ᵉ flotte de la Méditerranée. Il écrivit alors à l'un de ses professeurs de Harvard pour lui dire que la Society of Fellows devrait attendre et il renouvela de six mois son engagement dans les Marines. Il fut très désappointé qu'Eisenhower n'intervienne pas dans l'affaire de Suez.

En 1959, il quitta Harvard pour la Rand Corporation, cet institut civil de recherches que l'Armée de l'air avait établi à Santa Monica, en Californie. Il allait s'y consacrer à ce qu'il pensait être la tâche la plus importante de l'époque : éviter une guerre nucléaire en empêchant une attaque surprise de l'Union soviétique. Il avait accès, par un code spécial, à tout document top secret pour pouvoir analyser les renseignements fournis par les avions espions U-2 et toutes autres sources. Il étudia toutes les procédures des États-Unis qui permettaient de faire partir pour la Russie les avions chargés de bombes à hydrogène, ainsi que la commande de lancement des missiles intercontinentaux, et il écrivit des rapports ultra-secrets pour améliorer les méthodes. Au Pentagone, il eut connaissance des documents les plus farouchement gardés sur les plans de guerre nucléaire de la nation.

Ellsberg fut stupéfait de ce qu'il apprit : les Soviets n'étaient pas en mesure de lancer une attaque surprise. Quant au soi-disant avantage considérable qu'ils avaient en missiles intercontinentaux, ce *missile gap* que Kennedy devait exploiter, probablement de bonne foi, dans sa campagne électorale contre Nixon en 1960, ce n'était qu'une fable. L'humiliation de la crise des missiles de Cuba, qui devait entraîner les Soviétiques dans la construction intensive d'engins nucléaires, n'avait pas encore eu lieu. Les services de renseignements américains leur attribuaient 4 missiles intercontinentaux et 200 bombardiers à grand rayon d'action. En face, les généraux et amiraux américains avaient préparé une guerre éclair thermonucléaire avec un nombre considérable de missiles basés à terre ou embarqués sur des sous-marins ou des milliers d'avions. Le plan de l'état-major général permettait de tuer environ 325 millions de gens en Union soviétique et en Chine. Si l'on y ajoutait quelques attaques en Europe de l'Est, les retombées radioactives dans les pays de la périphérie comme la Finlande, le Pakistan et le Japon, plus le nombre de victimes que les Russes réussiraient à infliger aux États-Unis avant d'être rayés de la carte, le nombre total de morts atteindrait 500 millions. Ellsberg pensa qu'en comparaison les chefs militaires américains feraient de l'holocauste de Hitler une petite faute vénielle. Il attribuait ce plan à une mentalité de « chien enragé » qui prévalait dans le commandement militaire, en particulier chez les généraux de l'Air Force qui ne juraient que par la guerre aérienne totale. Ellsberg ne voyait d'autre solution qu'un contrôle plus ferme et plus intelligent par les civils.

Les intellectuels obtinrent leur revanche en 1960 avec l'élection de Kennedy lorsque, comme l'écrivit Henry Kissinger, « les professeurs virent leur responsabilité passer pour la première fois du domaine de conseiller à celui d'exécutant ». Kennedy désirait lui aussi exercer un contrôle plus strict sur les militaires. Les connaissances d'Ellsberg et sa réputation de spécialiste constituaient les valeurs fondamentales nécessaires pour un gouvernement d'intellectuels, et le firent monter au sommet. Rand l'envoya à Washington pour occuper un poste permanent dans la nouvelle administration. Il rédigea de nombreux mémorandums pour McGeorge Bundy et McNamara où il recommandait une série de modifications stratégiques, dont plusieurs furent adoptées. Lorsque éclata en octobre 1962 la crise des missiles de Cuba, il fit partie des cellules de crise du Pentagone et du département d'État. En 1964, il avait acquis un tel poids qu'il fut choisi comme assistant spécial de John McNaughton, l'ancien professeur de droit de Harvard devenu le second de McNamara pour les affaires internationales. Il quitta Rand et entra au service du gouvernement avec la plus haute position dans l'échelle administrative, le grade GS 18[1].

Plus Ellsberg réussissait dans sa vie professionnelle, et plus sa vie privée se dégradait. Sa femme lui dit qu'elle ne l'aimait plus et demanda le divorce. Ils avaient deux enfants. La dissolution de son mariage plongea Ellsberg dans un profond découragement. Il s'était complètement impliqué dans la guerre au Vietnam par son travail avec McNaughton, et il aurait probablement participé de toute façon au combat tôt ou tard, poussé par le même romantisme et le même désir de faire ses preuves qui l'avaient amené à prolonger son temps dans les Marines. Mais son abattement moral le poussa à rechercher tout de suite un affrontement dans un nouveau conflit violent. Au milieu de l'année 1965, il essaya de se faire affecter au Vietnam comme commandant d'une compagnie de Marines. On l'avertit qu'en raison de ses titres civils éminents ses supérieurs l'affecteraient sûrement à un travail d'état-major, ce qui ne l'intéressait pas du tout. Il demanda alors à Lansdale de le prendre dans son équipe, et Lansdale, toujours sensible à la vitalité et à l'intelligence, fut heureux de l'accueillir. McNaughton n'essaya pas de le retenir. Il commençait à être un peu agacé par Ellsberg, que le besoin de se vanter de ses connaissances rendait parfois indiscret, un défaut que sa détresse sentimentale ne faisait qu'aggraver. La réserve est une question de survie dans toute administration, et l'indiscrétion pouvait ruiner une carrière au Pentagone de McNamara.

Vann était un *must* dans la liste des gens à voir qu'Ellsberg emporta au Vietnam. Après une première visite à Hau Nghia avec Lansdale, il y retourna à la mi-octobre pour passer trois jours à parler avec Vann et visiter la province. Ce voyage convertit Ellsberg et en fit un enthousiaste passionné pour la stratégie de révolution sociale de Vann.

L'égocentrisme, qui irritait souvent les collègues d'Ellsberg dans cet univers férocement compétitif du gouvernement intellectuel, s'atténua dans ses relations avec Vann. Ces années au Vietnam firent ressortir l'amour de l'aventure, la compassion et la sensibilité qui faisaient aussi partie de la personnalité complexe d'Ellsberg. A trente-quatre ans, son allure souple, son sourire souvent ironique dans un visage mince, ses yeux gris-bleu pétillants de curiosité, son humour persifleur en faisaient un personnage très

---

1. GS : *Government Service*. Les fonctionnaires du gouvernement fédéral ont des grades numérotés. Le 18 équivaut dans la hiérarchie militaire à un général de haut rang.

sympathique. Aucun esprit de compétition n'opposait les deux hommes. Pour Ellsberg, Vann était le prototype de l'homme d'action. Pour Vann, Ellsberg était l'homme le plus brillant qu'il eût rencontré. Son infériorité de pauvre petit Sudiste transparaissait lorsqu'il exprimait son estime pour la réussite académique d'Ellsberg. A ceux qui n'étaient pas des amis communs, il parlait toujours de lui comme « le Dr Dan Ellsberg ». Convertir un tel homme à ses idées flattait Vann. Il espérait qu'un jour Ellsberg réussirait à les promouvoir, et lui par la même occasion. Après tout, Ellsberg était de la même race intellectuelle supérieure que ceux qui approchaient le pouvoir à Washington. Mais l'amitié de Vann pour Ellsberg allait au-delà des calculs intéressés. Il aimait bien sa compagnie et Ellsberg était toujours prêt à aller partout où Vann l'emmènerait.

Ce fut le cas en particulier en décembre 1965. Vann à ce moment-là avait été promu conseiller pour les affaires civiles auprès du général Jonathan Seaman, commandant les forces américaines du 3e corps d'armée. Vann avait commencé à explorer méthodiquement tout le territoire. Mais jusque-là il ne s'était agi que de provinces voisines de Saigon. Cette fois-ci il allait en être autrement.

Avec Ellsberg, qui avait demandé de l'accompagner, ils avaient prévu de partir le samedi matin de bonne heure pour se rendre en voiture d'abord à Xuan Loc, en plein centre des plantations de caoutchouc, à quatre-vingt-quinze kilomètres au nord-est de Saigon. Ils devaient y arriver à midi, déjeuner rapidement en parlant avec les conseillers, puis repartir pour faire les cent trente kilomètres jusqu'à Ham Tan, un village perdu près de la côte, chef-lieu de la province. Ils y passeraient la nuit, puis rentreraient à Saigon le dimanche par la même route.

Le vendredi soir, ils parlèrent de leur expédition à un jeune attaché d'ambassade dont le travail consistait à visiter le pays pour s'informer des comportements politiques et des conditions de sécurité. Comme presque tous les officiels américains, il ne circulait qu'en avion ou en hélicoptère. Mais comme il n'était pas sorti de Saigon depuis longtemps, il demanda à Vann et à Ellsberg de l'emmener.

Jusqu'à Biên Hoa tout alla bien. Ensuite ils se retrouvèrent seuls. Le jeune diplomate regarda avec étonnement les poteaux des clôtures des anciens hameaux stratégiques d'où pendaient quelques morceaux de fil de fer barbelé coupés, les avant-postes incendiés, les bandes de terre qui coupaient l'asphalte de la route, là où les forces de Saigon avaient remblayé les tranchées creusées par le Vietcong pour empêcher la circulation.

« John, je n'ai pas le droit de faire cela, dit-il. Nous ne devons pas être sur les routes. Nous avons des ordres de ne pas être faits prisonniers. Je ferais mieux de prendre un hélicoptère. »

Vann s'arrêta à un camp de l'armée vietnamienne et le confia aux conseillers américains. Ils le retrouvèrent à leur première étape, Xuan Loc, où il s'était rendu par hélicoptère. Il avait l'air tout penaud. Au cours du déjeuner, les conseillers américains traitèrent Vann et Ellsberg avec le respect qu'ont les militaires pour les audacieux. Ils ne cessèrent de poser des questions sur ce qu'ils avaient vu sur la route. La réception et l'atmosphère regonflèrent le jeune civil.

« Et puis merde, leur dit-il, je continue avec vous. »

Ils repartirent dans l'engin de reconnaissance blindé que Vann avait pris à cause de ses quatre roues motrices, qui permettaient si nécessaire de quitter la route et de rouler sur tout terrain. Il était au volant, Ellsberg à côté de lui et l'attaché d'ambassade sur le siège arrière.

Ils étaient à peine sortis de Xuan Loc que la route s'enfonça dans une des plus épaisses forêts qu'Ellsberg ait jamais vue au Vietnam. Il savait exactement comment se comporter suivant ce que lui avait appris Vann au cours des précédentes expéditions. Il vérifia qu'il avait une grenade à portée de main, chargea sa mitraillette et se mit en position pour pouvoir immédiatement tirer par la fenêtre. Vann ne garda qu'une main sur le volant et plaça son M-16 automatique pour être prêt à tirer de son côté. Mais Ellsberg se demanda comment ils allaient pouvoir le faire : depuis qu'elle n'était plus entretenue, la forêt avait gagné sur la route au point de ne laisser le passage qu'à un seul véhicule. La végétation était si dense qu'Ellsberg craignait que son arme ne soit arrachée par les branches s'il essayait de la sortir. Puis, la route se mit à tourner sans aucune visibilité. Ellsberg se dit que sa fille de sept ans, avec une arme automatique, pourrait monter seule une embuscade contre un régiment entier à travers cette jungle.

Plus les conditions s'aggravaient, et plus Vann et Ellsberg devenaient bavards. C'était très important pour eux, d'autant qu'ils aimaient le contrôle de soi et la stimulation des sens que procure la présence du danger.

Le jeune diplomate resta muet pendant un certain temps. Ils avaient quitté Xuan Loc depuis vingt minutes lorsqu'il retrouva sa voix pour demander :

« John, comment est la sécurité sur cette route ?

— Très mauvaise, répondit Vann.

— Alors je crois que je ferais mieux de rentrer. »

Vann trouva une place pour tourner et repartit pour Xuan Loc en jurant. Il ne retrouva son calme que lorsqu'il eut repris la route de la forêt, cette fois-ci les deux mains sur le volant pour négocier plus vite les virages et rattraper le temps perdu.

« Eh bien, tu vois, dit-il à Ellsberg, je ne pense pas qu'il ait assez de couilles pour revenir une seconde fois.

— Mais, bon Dieu, John, pourquoi aussi lui as-tu dit cela sur la sécurité ? demanda Ellsberg en souriant.

— Qu'est-ce que tu voulais que je dise d'autre ? »

Vann éclata de rire, lâcha le volant de ses deux mains pour désigner la jungle menaçante des deux côtés :

« Regarde-moi ça ! »

A Ham Tan, ils s'arrêtèrent devant le bâtiment qu'occupaient les conseillers militaires, entrèrent et se présentèrent. Un des jeunes officiers remarqua le véhicule de reconnaissance dehors. Il regarda Vann et Ellsberg, puis le véhicule, puis de nouveau les deux hommes et demanda :

« Vous êtes venus là-dedans ? »

Ils répondirent « oui » du ton le plus neutre possible.

« Mais est-ce que la route est ouverte ? demanda un autre officier stupéfait.

— En tout cas, elle l'est maintenant », répondit Vann.

Ils avaient été les premiers Américains à utiliser cette route depuis un an.

Le sexe, comme le danger, était un autre point commun qui rapprochait Vann et Ellsberg. Ramsey n'y avait jamais témoigné beaucoup d'intérêt, alors que c'était une préoccupation majeure de Vann. C'est pourquoi Vann lui avait prétendu que la chasse aux filles à Saigon n'était qu'un amusement momentané pour célibataires outre-mer, mais que lui était un homme sérieux qui avait une famille, se préoccupait de Mary Jane et de l'éducation de ses enfants. Ellsberg n'avait pas cet insatiable besoin de femmes qu'avait Vann, mais la vie sexuelle était importante pour lui et il ne s'en cachait pas. Quand Vann le découvrit, il interpréta l'attitude de son ami comme une invitation à lui confier les détails de ses exploits amoureux, ce qu'il fit avec plaisir. Il pouvait se permettre aussi d'être plus franc sur son passé. Il confia à Ellsberg que son mariage n'était que formel, qu'il respectait Mary Jane mais n'avait aucun sentiment pour elle, et qu'ils n'avaient plus rien en commun. Il raconta également à Ellsberg l'histoire du viol et comment, en dépit de sa victoire sur le détecteur de mensonges, l'accusation lui interdirait à jamais une promotion au grade de général.

Le fait qu'ils occupaient à Saigon deux maisons voisines renforça leur amitié. Même si Vann à l'automne de 1965 passait la majeure partie de ses nuits en campagne, son contrat avec l'AID lui donnait droit à une maison à Saigon. Il partageait une villa, non loin de celle de Westmoreland, avec un autre ami qu'il s'était fait pendant cette guerre, le colonel George Jacobson. Vann l'appelait « le parfait officier d'état-major », sans y mettre de dérision puisque Jacobson avait fait toute la guerre de France et d'Allemagne dans une unité blindée de reconnaissance. C'était un homme grand et bien bâti de cinquante ans, avec une moustache et une voix de baryton. Il avait une dignité innée, de la chaleur humaine et un comportement très attentionné. Il avait commencé à gagner sa vie comme magicien professionnel jusqu'à son engagement dans l'armée dès le début de la Seconde Guerre mondiale. Pendant les vingt-quatre ans de sa carrière, il s'était appliqué à étudier le caractère et la tournure d'esprit de ses supérieurs pour éviter les accrochages inutiles sur des maniaqueries ou des préjugés. Lorsqu'il se présentait des difficultés dont il ne fallait pas importuner le patron, ou qu'il ne voudrait pas entendre, Jacobson les réglait lui-même ou les mettait de côté comme momentanément insolubles. Il se servait ensuite du crédit que lui donnait sa délicatesse efficace pour essayer d'amener son patron à se pencher sur d'autres problèmes importants qu'il serait peut-être en mesure de résoudre.

En 1965, Jacobson avait décidé qu'il s'était suffisamment battu et s'était fait détacher par l'armée à l'AID pour la pacification. Il était donc officiellement le supérieur direct de Vann et officieusement son protecteur auprès de la hiérarchie. Leurs relations étaient faciles, parce qu'ils étaient complémentaires : Vann était son contact direct avec la réalité dans la campagne. Une autre raison personnelle faisait que les deux hommes s'entendaient bien en partageant la maison. Jacobson était plus modéré et moins obsédé que Vann sur les femmes, mais il n'en considérait pas moins que la chasse au sexe opposé était le meilleur des passe-temps. Ellsberg avait la chance de ne partager avec personne la maison voisine. Sa position dans l'administration lui donnait droit à une villa pour lui tout seul. Il donna une clé à Vann et la libre disposition des lieux, ce qui l'arrangeait bien lorsqu'il avait un rendez-vous à un moment qui aurait pu gêner Jacobson.

Avant 1965, la présence des femmes et des enfants au Vietnam avait renforcé les conventions bourgeoises parmi les officiels américains de haut et de moyen rangs. Le privilège de vivre dans un pays pauvre d'Asie avec un nombre considérable de très belles femmes avait été jusque-là réservé aux soldats et aux jeunes officiers et civils. Quelques hommes occupant des postes de responsabilité s'étaient bien entendu laissés aller à quelques parties fines. Mais, pour protéger leur carrière, ils avaient dû se montrer très discrets, comme Vann en 1962 et 1963 lorsqu'il faisait ses frasques à Saigon ou sur la plage du cap Saint-Jacques. Quand les familles furent évacuées au début de 1965, pour « dégager le pont », suivant la formule de Dean Rusk, en prévision des bombardements du Nord, les conventions partirent avec elles. Les Américains devinrent des mâles sexuellement privilégiés. Un haut fonctionnaire civil très connu hébergeait ouvertement sa maîtresse dans sa villa et l'emmenait aux cérémonies officielles où étaient présents le corps diplomatique et les femmes des dignitaires vietnamiens. Sa conduite était à la fois désapprouvée et enviée. Il faut dire que sa maîtresse vietnamienne était d'une particulière beauté. Lorsque son affectation prit fin, il retourna aux États-Unis auprès de sa femme. Sa maîtresse continua à monter dans la hiérarchie des lits américains jusqu'à ce qu'elle trouve un amoureux qui l'emmène avec lui à Paris lorsque son temps fut terminé.

Maintenant, il était considéré comme parfaitement normal qu'une maîtresse passe pour la femme de ménage, ou qu'on emmène le soir une femme chez soi, ou qu'on s'intéresse de très près après les heures de travail à une secrétaire vietnamienne, qui ne pouvait refuser sans risque de perdre son emploi. Ce comportement était considéré comme parfaitement acceptable même pour ceux dont la famille était à l'abri relativement proche de Bangkok ou des Philippines, et à qui ils allaient rendre visite tous les mois. Vann, quant à lui, avait préféré invoquer les dangers de la guerre pour laisser Mary Jane et sa progéniture aussi loin que possible au Colorado. Après tout, ces hommes qui travaillaient dur avaient bien droit à un peu de détente. Comme le disait Ellsworth Bunker, un homme direct spécialiste de remarques salaces : « Ça baise tant que ça peut dans le coin, mais je pense que c'est dans l'intérêt de l'effort de guerre ! »

Dans ce climat, Vann pouvait se laisser aller à son penchant naturel avec un abandon qu'il n'aurait pu se permettre aux États-Unis ou dans n'importe quelle autre affectation à l'étranger sans compromettre sa carrière. Ellsberg n'était pas le seul des amis de Vann à avoir remarqué qu'il pouvait faire l'amour chaque jour à deux ou trois jeunes femmes différentes. Ces joutes sexuelles à répétition, qui auraient épuisé la plupart des hommes, semblaient lui donner du tonus. Après son dernier rendez-vous amoureux de la soirée, il s'installait à son bureau pour travailler la nuit à lire des rapports ou à en rédiger, avec une excellente concentration, jusqu'aux petites heures du jour.

En plus de ces incalculables ébats occasionnels, Vann entretenait des liaisons durables avec deux femmes vietnamiennes qui pendant des années, grâce à son adresse, ne surent jamais que l'autre existait. Il avait repéré Lee, la première, un vendredi après-midi de novembre 1965. Elle se tenait sur le trottoir de sa maison familiale, dans une des principales artères de Saigon, et attendait un taxi pour se rendre aux cours de l'après-midi et du soir qu'elle donnait dans une petite école d'anglais. Il arrêta sa voiture à quelques mètres d'elle et descendit pour enlever de la semelle de sa chaussure le chewing-gum qu'il venait juste d'y coller. C'était un de ses trucs. Il fut très surpris, après qu'il lui eut proposé de la déposer et qu'elle eut accepté, de découvrir qu'elle parlait couramment anglais. Il avait pensé que c'était une étudiante. Elle était habillée très simplement et ses longs cheveux noirs tombaient sur ses épaules. Dans cinq jours elle aurait vingt et un ans, deux ans de plus que sa sœur Patricia. Il en avait quarante et un. En la conduisant à son école, il lui demanda si elle accepterait de dîner avec lui le dimanche soir suivant. Elle avait vu son alliance et elle répondit oui. Il faudra, précisa-t-elle, qu'il vienne la prendre à la sortie de l'école parce que sa famille n'apprécierait pas qu'elle sorte avec un Américain et que les voisins jaseraient.

Lorsqu'ils se retrouvèrent le dimanche soir, l'alliance avait disparu, et elle ne devait plus jamais la revoir. Après le dîner et la soirée dans une boîte de nuit à la mode, elle lui demanda combien il avait d'enfants. Aucun, répondit-il, sa femme ne pouvait pas en avoir. De toute façon il était séparé d'elle depuis quatre ans et cherchait quelqu'un dont il tomberait amoureux et qu'il épouserait. Elle lui demanda son âge. Il répondit trente-six. Elle avait l'intention de prendre un jour de congé le mercredi suivant pour son anniversaire. Il lui affirma qu'il se libérerait aussi. Ce jour-là ils allèrent à la piscine de Cholon, réservée aux officiers américains. Quand il la vit en bikini, il comprit qu'il avait eu beaucoup de chance de la rencontrer. Après le dîner, ils firent l'amour dans la chambre de la maison qu'il partageait avec Jacobson.

Lee appartenait à une famille qui avait été très prospère dans la Cochinchine française. Son grand-père, ancien ministre des Finances dans les années Bao Dai, puis sous Diêm, avait dirigé quelque temps la Banque nationale. Son père avait servi à la Sûreté générale avant 1954 puis était entré dans une banque. Son père et sa mère avaient gardé leur citoyenneté et leur passeport français. Sur la suggestion de son père, elle avait étudié l'anglais en seconde langue dans les écoles françaises de Saigon. Elle avait également suivi les cours offerts par l'Association américano-vietnamienne. Elle parlait à la maison un vietnamien francisé et dut plus tard apprendre à écrire et à parler la langue de son pays. Son père voulait qu'elle aille à l'université de Saigon ou en France pour étudier la pharmacie ou la médecine. Mais, si Lee était très intelligente, ce n'était pas une intellectuelle et elle en avait assez des études livresques. Elle voulait son indépendance financière et avait l'esprit entreprenant. A l'époque, l'enseignement de l'anglais était devenu une industrie prospère. Il semblait que chaque jeune homme qui pouvait réussir à ne pas faire son service dans l'ARVN et chaque jeune fille qui pouvait payer les cours souhaitait apprendre l'anglais pour obtenir un travail avec les Américains. Quand Lee rencontra Vann, elle avait près de cinquante étudiants à plein temps et gagnait très bien sa vie.

Bien que Lee fût fort plaisante à regarder, elle n'avait pas cette silhouette mince des femmes typiques vietnamiennes qui faisait tourner les têtes des Américains. Elle était grassouillette avec une forte poitrine et un visage rond qui rappelait celui de Mary Jane quand Vann l'avait rencontrée pour la première fois. Vann avait un faible pour les femmes « bien rembourrées », comme disait Lee. Mais elle était aussi pour Vann un défi physique. Il raconta à Ellsberg qu'il pouvait chaque soir lui faire l'amour autant de fois qu'il voulait, elle était toujours prête à recommencer. En outre, sa connaissance de l'anglais, son intelligence et sa personnalité affirmée en faisaient une agréable compagne.

Leur aventure amoureuse évolua en une affaire sérieuse lorsque Vann se vit confier vers la fin de 1965 la direction du nouveau programme d'entraînement d'équipes de Vietnamiens pour le travail de pacification. Il partageait son temps entre Saigon et le camp de Vung Tau, d'où il lui arrivait souvent de rentrer par air à Saigon le soir. Il allait chercher Lee à l'école après son dernier cours. Ils dînaient tard chez lui où il avait le même cuisinier que Jacobson, faisaient l'amour, puis il la raccompagnait chez elle et rentrait pour étudier ses dossiers. Pendant les week-ends il l'emmenait dîner dans un restaurant français ou chinois, puis dans une boîte de nuit ; le dimanche ils allaient quelquefois se baigner au cap Saint-Jacques. Vann avait demandé à un capitaine ami de l'ARVN de lui fabriquer un jeu de plaques d'immatriculation françaises pour sa voiture, et Lee n'avait pas peur des grenades posées à côté de son siège. Elle était prête à poursuivre jusqu'au mariage, une aventure amoureuse avec un Américain captivant car elle avait décidé dès son adolescence de ne pas épouser un Vietnamien. Elle estimait que, sauf de très rares exceptions, ils avaient tendance à traiter leur femme grossièrement et à en faire des victimes. Son père avait confirmé cette impression : il avait pris une deuxième femme et partageait son temps entre les deux maisons. Lee n'avait pas l'intention de connaître le sort de sa mère.

Au bout d'un certain temps, elle commença à se demander si Vann ne la trompait pas. Certains jours, il venait la chercher de bonne heure pour pouvoir faire l'amour en fin d'après-midi. Puis il la ramenait à l'école pour ses cours du soir. Souvent il prenait une douche, mettait un pantalon élégant, une chemise blanche et une cravate. La chemise et la cravate suffisaient pour dîner dans un restaurant de Saigon, où, même avec l'air conditionné, le port d'une veste était pénible. A peu près un mois après leur première rencontre, il avait déjà altéré un peu sa première version en ne semblant pas du tout gêné de confesser l'existence de ses enfants. Il reconnut ensuite être plus vieux qu'il ne lui avait dit. Mais il la désirait tellement, expliqua-t-il, qu'il ne pouvait pas s'empêcher de mentir. Elle lui pardonna son âge et ses enfants. Il l'assura à nouveau que Mary Jane et lui étaient séparés et qu'il allait demander le divorce dès sa prochaine permission. Et chaque fois que la chemise blanche et la cravate éveillaient les soupçons d'un rendez-vous avec quelqu'un d'autre, il la dupait une fois de plus en prétendant qu'il avait une réunion importante nécessitant une tenue plus soignée.

Les soupçons de Lee étaient justifiés. Au printemps de 1966, Vann avait commencé une nouvelle aventure avec la jeune femme qui devait devenir sa seconde maîtresse vietnamienne et, plus tard, la mère de leur enfant. Il consacrait à ses ébats amoureux le même esprit de ressources que dans ses joutes professionnelles. Il savait jouer le bon Samaritain qui se trouve là par hasard un jour de pluie et offre la protection de sa voiture, l'Américain méticuleux qui s'arrête par une après-midi ensoleillée pour retirer le chewing-gum collé à sa chaussure, ou le passant nonchalant qui se trouve par hasard à l'endroit où se réunissent régulièrement les jeunes filles vietnamiennes. Un des terrains de chasse était en particulier l'Association américano-vietnamienne où se donnaient les cours d'anglais. C'est là qu'il trouva Annie, le soir du samedi 2 avril 1966.

C'était une jeune fille romantique de dix-sept ans qui faisait ses études au lycée de Dalat. Elle y avait rencontré beaucoup de garçons de son âge mais aucun ne lui avait témoigné un intérêt particulier. Elle était de retour à Saigon pour les trois mois de vacances scolaires et avait décidé d'en profiter pour améliorer son anglais.

Vann savait repérer du premier coup d'œil les âmes solitaires. Il s'avança vers elle, lui dit qu'elle était belle et bien habillée. Il lui expliqua qu'il était venu pour voir un de ses amis, un capitaine américain, volontaire pour donner des cours (le capitaine en question existait bien, mais il n'était bien entendu qu'un prétexte). Vann dit qu'il aurait bien voulu avoir quelqu'un comme elle pour lui apprendre le vietnamien. (Il était incapable d'apprendre aucune langue étrangère car il n'avait pas du tout l'oreille musicale. Il avait dû abandonner pour cette raison les cours de vietnamien.) Elle sourit et lui répondit qu'elle aimerait bien avoir un ami américain pour lui apprendre l'anglais. Elle accepta de se laisser raccompagner chez elle.

Dans la voiture, elle écouta la version vietnamienne de l'histoire que la jeune Allemande en larmes avait racontée à Mary Jane dix ans plus tôt. Mais la complainte qu'entendit Annie sur la séparation-d'avec-son-épouse-et-la-recherche-d'une-autre-femme-à-aimer-pour-l'épouser était moins mensongère que celle qu'il avait servie à Lee. Il ne jugea plus nécessaire de mentir sur ses enfants. Il lui demanda un rendez-vous. Elle refusa car elle avait trop de travail en ce moment. « Très bien, j'attendrai », dit-il. A la sortie de son cours suivant, il était de nouveau là prêt à la reconduire chez elle. Elle lui donna son numéro de téléphone. Il l'appela plusieurs fois jusqu'à ce qu'elle ait accepté une invitation à dîner dans un restaurant français près de la rivière. Elle en garda le souvenir d' « un homme idéal, très aimable, très tendre, très gentil et toujours très patient ». Après dîner, il l'emmena chez lui et lui suggéra d'entrer pour voir où il vivait. Pas maintenant, dit-elle.

Il fut très surpris lorsque, après un bon nombre de restaurants français et chinois, elle accepta enfin d'aller dans son lit. Cela se passait cette fois-ci chez Ellsberg, car Jacobson avait des invités ce soir-là. A cause de la facilité avec laquelle elle s'était laissé embarquer dans sa voiture la première fois, Vann en avait déduit qu'elle avait de l'expérience en ce domaine, mais qu'elle était timide. Or, elle était vierge.

Elle retourna au lycée de Dalat en juillet, mais elle n'était plus capable d'étudier sérieusement. Vann était devenu sa préoccupation majeure. Elle lui écrivait des lettres enflammées, auxquelles il répondait. Elle eut même la surprise de le voir un week-end débarquer en avion à Dalat. Ses parents commencèrent à comprendre que quelque chose ne tournait pas rond quand ses notes, jusque-là honorables, dégringolèrent brusquement. Elle rentra à Saigon en septembre pour les funérailles de sa grand-mère et refusa de retourner à Dalat. Elle annonça qu'elle allait chercher du travail à Saigon. Son père fut accablé. C'était son aînée et il avait de l'ambition pour elle. Elle appartenait à une famille aisée, d'origine chinoise du côté paternel et vietnamienne par sa mère. Son père avait étudié les sciences économiques et la finance en France et en Grande-Bretagne. Il avait vécu douze ans à l'étranger, surtout en France, avant de revenir au Vietnam après la Seconde Guerre mondiale, pour être quelque temps conseiller économique de Bao Dai. Puis il était entré dans l'import-export et les assurances. Annie avait passé la première partie de son baccalauréat à Dalat, et son père voulait, dès qu'elle aurait réussi la seconde partie, l'envoyer à Paris pour étudier la médecine ou la pharmacie.

Vann l'encouragea à quitter l'école et à s'installer à Saigon. Tout ce qu'il disait ou faisait renforçait sa conviction qu'il lui rendait son amour. A bien des points de vue, elle était un vivant contraste avec Lee. Elle était bien faite et mince. Elle n'était pas sexuellement agressive et elle n'avait pas l'humour railleur de Lee. Elle n'avait pas non plus une connaissance aussi parfaite de l'anglais. Annie était une jeune femme tendre et retenue, d'une douceur gaie. En revanche, Lee attirait Vann car c'était une aventure nouvelle chaque fois qu'il lui faisait l'amour, et parce qu'elle était une des rares femmes avec qui il pût vraiment parler. Mais, pour un homme comme Vann, les relations avec une femme de la personnalité de Lee comportaient toujours un élément de menace. Il tenait à Annie justement à cause de ses qualités inverses.

Lorsque le brusque changement d'Annie alerta son père sur ce qui se passait, il se renseigna sur Vann et apprit que c'était un coureur de jupons avec famille et enfants. Il attendit que Vann et Annie rentrent un soir à la maison. Lorsque Vann sortit de la voiture, il s'avança vers lui et le gifla.

« Vous n'avez pas honte ? cria le père. Vous n'avez aucun sens des responsabilités ? Vous ne savez pas que vous pourriez être poursuivi en justice pour séduire une mineure ? »

Vann n'essaya pas de se défendre. Il dit qu'il souhaitait s'expliquer.

« Il n'y a rien à expliquer, reprit le père. Tenez-vous à l'écart de ma fille. »

Il gifla Annie et lui ordonna de rentrer à la maison.

Vann se conduisit alors comme il n'aurait jamais osé le faire aux États-Unis. Il continua à voir Annie et à faire l'amour avec elle. Il veilla seulement à éviter une nouvelle paire de claques en la déposant à quelque distance de sa maison. Quand il appelait au téléphone pour lui fixer un rendez-vous et que le père répondait, Vann se faisait insulter sans succès. Le père d'Annie avait trop honte pour adopter la seule marche à suivre efficace : se plaindre à l'ambassadeur Cabot Lodge. Il essaya de raisonner sa fille. Il lui expliqua que Vann n'avait aucune intention de l'épouser et qu'il était de toute façon trop vieux pour elle. Il exploitait simplement sa crédulité. Elle était en train de ruiner son avenir, se privant elle-même d'une carrière et de la chance d'avoir plus tard un mari décent et une famille

La raison n'eut aucun effet. Le père prit alors des mesures physiques. Comme toutes celles des classes sociales supérieures de Saigon, sa maison était entourée d'un mur. Le père d'Annie ferma la porte à clé et lui reprit la sienne pour qu'elle ne puisse plus sortir la nuit. Annie enjamba le mur. Vann l'attendait au-dehors pour l'aider à descendre. Dans sa rage et son désespoir, le père se mit à battre sa fille chaque fois qu'elle rentrait. Cela ne l'empêchait pas, dès qu'elle avait pu fixer un nouveau rendez-vous, par message ou téléphone, de refaire le mur et de recevoir une nouvelle raclée. Sa résignation apparente cachait en fait un caractère obstiné chez une jeune femme habituée à faire ce qu'elle voulait. Mais surtout elle vivait dans l'extase d'une rêverie romantique. Le défi que Vann avait lancé à son père était une preuve de plus de sa dévotion pour elle.

Vann revint de sa permission aux États-Unis et dit à Lee qu'il avait essayé de persuader Mary Jane de divorcer mais qu'elle ne voulait pas et imposait des conditions prohibitives. Il allait se ruiner en pension alimentaire pour elle et les enfants. Lee dit qu'elle attendrait et que Mary Jane pourrait peut-être changer d'avis. Bien entendu, cette conversation avec Mary Jane n'avait jamais existé. S'il l'avait demandé, elle aurait de toute façon refusé, mais il n'en avait même pas parlé. Il était plus important que jamais de garder pour les Américains l'image de la respectabilité du mariage et de la famille, dont l'apparence enrichissait son dossier personnel. En même temps, Mary Jane était importante pour lui parce qu'elle lui servait d'excuse. Un mariage indissoluble en Amérique facilitait la liberté sexuelle au Vietnam.

Annie tomba enceinte vers la fin de 1966 et annonça qu'elle voulait garder l'enfant. Vann expliqua que sa carrière serait compromise si on savait qu'il était le père d'un enfant illégitime, et il parla d'avortement. Elle accepta de mauvaise grâce. L'opération fut physiquement et émotionnellement très dure pour elle et elle avertit Vann qu'elle ne recommencerait pas. Il ne l'encouragea pas à adopter des méthodes contraceptives. Lee, de son côté, avait déjà avorté deux fois pendant son aventure avec Vann avant de pratiquer la contraception de sa propre initiative. Il semble que Vann ait cru pouvoir persuader Annie de se faire avorter une seconde fois si elle était à nouveau enceinte. Pour lui, la grossesse était purement une affaire de femmes. Son attitude semblait être une nouvelle manifestation du besoin de se servir et d'abuser des femmes dont sa mère Myrtle était responsable.

Le fils de Myrtle remporta une piètre victoire sur sa mère à l'automne de 1966. Un après-midi de septembre, la police de Norfolk la trouva étendue à demi inconsciente sur la plage. Elle vivait non loin de là dans une chambre meublée. Elle puait l'alcool et tenait encore dans sa main une bouteille de vin pleine qu'elle avait probablement achetée dans la journée. La police estima qu'elle était ivre une fois de plus et la boucla dans la cellule réservée aux alcooliques. Ce n'est qu'à 4 heures du matin que quelqu'un découvrit qu'elle était dans le coma et souffrait peut-être d'autre chose que d'une cuite. Elle mourut à l'hôpital le soir même. Un sadique lui avait probablement tapé dessus pendant qu'elle buvait, lui avait fracturé le crâne, brisé la cheville et infligé des contusions multiples. Son alcoolisme n'avait fait qu'empirer au cours des années avec des saouleries de plus en plus fréquentes et de plus en plus longues. A soixante et un ans, elle était trop affaiblie pour que les médecins aient pu la sauver.

Finalement, à part ce qu'elle pouvait mendier ou filouter, le fils pour lequel elle avait été la plus cruelle avait été sa seule aide financière. Chaque mois, pendant des années, Vann lui avait envoyé un chèque, au grand dam de Mary Jane que Vann maintenait à la portion congrue. Il augmenta les versements au début de 1960 lorsque Myrtle divorça du quartier-maître pour qui elle avait quitté Frank Vann. Le marin était un dur. Il creva l'œil gauche de Myrtle en lui lançant une bouteille de bière pendant une bagarre, et elle dut porter un œil de verre. Lorsqu'il avait pris sa retraite, ils s'étaient installés dans l'Arkansas. Puis le marin fut arrêté pour trafic d'alcool et vol. Myrtle en profita pour le quitter et retourner à Norfolk, où elle s'empressa de boire le peu d'argent qu'elle avait obtenu du divorce. Au moment de sa mort, Vann lui envoyait 200 dollars par mois.

Il paya aussi pour son enterrement. Il ne voulait pas qu'elle descende dans la tombe dans une de ces boîtes en bois blanc qu'on utilisait dans les fermes de sa jeunesse en Caroline du Nord. Quand son premier frère, Frank J[r], lui annonça la mort de Myrtle, il répondit qu'il prenait aussitôt l'avion pour organiser des funérailles honorables et pour être sûr qu'elle ait un cercueil décent. Il paierait pour tout.

Vann arriva à Norfolk le matin, à temps pour voir sa mère avant que le cercueil ne fût fermé. Après la cérémonie, il conclut sa douteuse victoire sur sa mère par une annonce inattendue. Myrtle avait gardé le nom de son marin de mari après son divorce. Le premier geste de Vann fut de la réintégrer dans la famille. Le nom qui serait gravé sur la pierre tombale, qu'il payait également, était celui qu'elle n'avait plus porté depuis dix-sept ans : Myrtle Lee Vann. Dorothy Lee protesta : si sa mère avait voulu changer son nom et reprendre celui de Vann elle l'aurait fait. Dorothy était convaincue qu'elle avait gardé le nom du marin parce qu'elle tenait toujours à lui, en dépit de leur séparation. Frank J^r et Gene se rangèrent à l'avis de John. Ils ne supportaient pas que le nom de cet individu figure sur la tombe de leur mère.

John annonça alors ce qu'il avait l'intention de faire graver sur la pierre. Là encore Dorothy Lee estima que c'était pure hypocrisie, mais elle ne protesta pas en sachant que ce serait inutile. Frank J^r et Gene se seraient contentés du nom avec les dates de la naissance et de la mort. Mais Vann voulait faire de Myrtle morte la mère qu'elle avait refusée d'être pour lui de son vivant. Et il fit graver sur la pierre :

« Myrtle Lee Vann... Mère bien-aimée de John, Dorothy, Frank et Gene. »

Tandis que Myrtle descendait vers sa fin, John Vann montait dans la hiérarchie administrative au Vietnam, non sans les habituelles dangereuses anicroches. Sa nomination à la tête du programme de l'AID pour mettre en place des équipes de pacification le fit entrer en conflit avec la CIA, au point de risquer d'être réexpédié aux États-Unis plus tôt que prévu.

Le nouveau programme était le plus gros effort pour pacifier les campagnes depuis les hameaux stratégiques de Diêm. Un grand camp avait été construit à Vung Tau pour y former des commandos vietnamiens de 40 hommes chacun, appelés « Équipes d'action politique ». Au début de 1966, la CIA y avait déjà entraîné 16 000 Vietnamiens. Le camp était assez vaste pour en former 5 000 à la fois pour constituer une force totale de 45 000 hommes. Ils seraient habillés du pyjama noir des paysans et seraient appelés « cadres » pour imiter les communistes vietnamiens.

Le patron de la CIA à Saigon, Gordon Jorgenson, et son adjoint Tom Donohue croyaient à tort que les équipes déjà en place causaient des torts considérables au Vietcong. Dès leur formation, les pacificateurs étaient mis à la disposition des chefs de district et de province pour être utilisés contre la guérilla. Mais les hommes de la CIA ne les accompagnaient pas dans leurs opérations. Pour juger de leur efficacité, ils s'en remettaient aux officiels de Saigon dans les provinces, qui, désireux avant tout de toucher l'argent de la CIA et d'être militairement protégés, les bluffaient systématiquement.

La CIA considérait la pacification comme une vaste opération destinée à identifier et éliminer les cadres de la guérilla locale. Vann ne remettait pas en cause cet aspect répressif et le jugeait inévitable. Mais il estimait que ce n'était pas suffisant. Il pensait qu'il devait s'accompagner d'un changement économique et social pour se gagner la coopération de la paysannerie, et souhaitait donc que les équipes soient renforcées jusqu'à des groupes de 80 personnes incluant des spécialistes pour un meilleur gouvernement local, pour la santé, l'éducation et la modernisation de l'agriculture. Une telle évolution pour atteindre ces objectifs aurait naturellement entraîné un changement dans le programme de formation donné au camp de Vung Tau

L'ironie du sort voulut que la CIA se trouvât en conflit avec l'officier qu'elle avait elle-même choisi pour être à la tête du côté vietnamien du programme, le lieutenant-colonel Tran Ngoc Chau. C'était lui qui y avait fait entrer Vann, dont il allait devenir le meilleur ami vietnamien. Tran Ngoc Chau était un des très rares officiers de l'ARVN qui avait combattu contre les Français avec le Viet Minh, où il était resté près de quatre ans. Il appartenait à une honorable famille de mandarins de Huê, qui avaient connu la disgrâce habituelle de leur classe en collaborant avec les colonisateurs, pas toujours de bonne grâce d'ailleurs. Pendant la Seconde Guerre mondiale, Chau et deux de ses frères rejoignirent le Viet Minh, où Chau gravit rapidement la hiérarchie pour devenir commandant de bataillon. Mais il avait un caractère trop affirmé pour supporter l'oubli de soi et la discipline de groupe que le Parti communiste vietnamien exigeait de ses cadres, tout en étant trop ambitieux pour ne pas vouloir poursuivre son ascension. Ses deux frères n'eurent pas de difficulté à s'incorporer pour devenir membres du Parti. Chau ne put s'y résoudre. Il déserta et s'engagea dans l'armée de Bao Dai sous autorité française.

Les amis américains de Chau constataient ses qualités et ne s'intéressaient pas aux raisons qui l'avaient fait quitter les communistes. Ils considéraient qu'elles étaient politiques et de principe, et non pas dues à son tempérament et à son caractère. Pour Vann, Dan Ellsberg, qui devait aussi devenir son ami, et pour Bumgardner et d'autres, Chau était le modèle même du « bon » Vietnamien. C'était un gagneur. Comme Vann, il pouvait se montrer étonnamment candide, quand il n'essayait pas de manipuler les autres. En jugeant d'après les standards de Saigon, il était honnête, intéressé par son avancement et sa réputation, mais pas par l'argent. Il était sincère dans son désir d'améliorer la vie des paysans, même si le système qu'il servait ne permettait pas de matérialiser ses aspirations. Ses quatre années passées avec le Viet Minh et son esprit vif et subtil lui permettaient de discuter de la guérilla, de la pacification, de l'attitude de la population rurale et des défauts de la société de Saigon avec perspicacité et intelligence. Le problème avec les gens de Saigon, disait-il, est que ce sont des « Vietnamiens étrangers »

Chau et Vann s'étaient rencontrés la première fois en 1962 à Ben Tre, lorsque Diêm avait nommé Chau chef de Kiên Hoa, la province la plus troublée du nord du delta. Pendant la première année, les relations entre Vann et Chau avaient été tumultueuses, surtout parce que Chau, flatté de l'attention et de la promotion qu'il devait au président, était un de ses fidèles partisans à l'époque. Mais les deux hommes s'étaient quittés avec un sentiment d'estime mutuelle, et leur amitié grandit après le retour de Vann en 1965. A Kiên Hoa, Chau avait également établi des contacts directs avec la CIA. Il n'avait pas eu plus de succès que les autres chefs de province, puisque c'était dans ses hameaux stratégiques que le Vietcong avait recruté près de 2 500 volontaires après la bataille de Bac. Mais il constituait néanmoins une exception car il avait essayé très sérieusement de pacifier sa province. C'est surtout ce qui avait attiré sur lui l'attention de la CIA, qui avait alors financé plusieurs programmes expérimentaux que Chau avait mis sur pied, en particulier celui qui consistait à éliminer les membres du gouvernement clandestin vietcong avec des unités spéciales, semblables aux équipes de tueurs de la CIA, appelées les « contre-terroristes ». C'est pourquoi, à la fin de 1965, lorsque Gordon Jorgenson, chef de la CIA à Saigon, eut besoin d'un directeur vietnamien pour le projet d'équipes de pacification qu'il devait constituer en liaison avec l'AID, Chau était le choix logique. Chau fit alors entrer Vann dans le circuit en demandant qu'il soit son conseiller américain.

En mars 1966, un compromis fut finalement trouvé sur la nature et la taille des équipes de pacification, dont l'effectif fut fixé à 59 personnes, mais ce fut au prix de telles controverses que Jorgenson et Donohue se demandèrent pourquoi ils avaient eu une si haute opinion de Chau. De son côté, Vann s'était gagné l'amitié de Donohue en dépit de leurs différences, tandis que Jorgenson en avait assez de ce foutu perturbateur. Il fallait un arbitre, William Porter, le second de l'ambassadeur Lodge, qui supervisait tout le programme de pacification comme l'avait demandé le président Johnson. Jorgenson se plaignit à Porter que Vann était un irresponsable qui désorganisait un merveilleux programme pour s'en assurer personnellement le contrôle. Porter, cinquante et un ans, dont trente aux Affaires étrangères, ne connaissait pas le Vietnam et l'Asie ; il avait fait carrière au Moyen-Orient et son dernier poste était celui d'ambassadeur en Algérie. Il était vraisemblable qu'il se serait rallié à l'opinion du chef de la CIA si Vann n'avait pas appris qu'il se passait des choses curieuses au camp de Vung Tau.

Richard Holbrooke, le novice de 1963, qui avait voulu disparaître sous la table quand Halberstam avait frappé du poing dans le restaurant en réclamant le peloton d'exécution pour Harkins, était devenu l'assistant de Porter, car il était un des rares diplomates à avoir l'expérience de la pacification sur le terrain. Lorsqu'un jour Vann entra dans son bureau pour raconter son histoire, Holbrooke ne voulut pas y croire. C'était trop stupéfiant.

Le programme d'entraînement des commandos de la CIA avait été « détourné », raconta Vann, par un adhérent d'une obscure secte politique vietnamienne qui s'en servait de couverture pour diffuser les doctrines anticommunistes, mais aussi anti-Saigon de la secte. Le coupable était le commandant du camp, responsable du programme d'instruction, le capitaine de l'ARVN Lê Xuan Mai. Il avait été employé par la CIA dans les années cinquante. Non content de diffuser sa propagande chez les stagiaires par le biais des cours d'instruction politique, il incorporait dans chaque équipe des cellules secrètes de quatre de ses partisans endoctrinés. Et il faisait tout cela impunément sous le nez des chefs de la CIA et de leurs assistants, dont aucun dans le camp ne parlait vietnamien. En outre, personne, pas plus Jorgenson ou quiconque sous ses ordres, n'avait eu la curiosité de se faire traduire ce qu'on y enseignait. Chau l'avait découvert et avait alerté Vann.

Holbrooke vérifia cette histoire et, lorsqu'il eut découvert qu'elle était exacte, il arrangea un rendez-vous avec Porter. Vann l'avait déjà rencontré une fois auparavant pour exposer son point de vue sur les désaccords en cours, et cela s'était mal passé pour lui. Porter avait été circonvenu au préalable par Jorgenson qui n'en avait dit que du mal. Le second rendez-vous avait été fixé en fin de journée. Porter sortit de son bureau et annonça à Holbrooke qu'il rentrait chez lui. Vann le suivit tout en commençant à lui parler.

Le lendemain, Porter revint à l'ambassade stupéfait et amusé. Il raconta comment Vann ne l'avait pas lâché d'une seconde, l'avait suivi dans l'ascenseur, puis jusqu'à sa voiture sans cesser de lui parler. Il lui avait demandé s'il pouvait monter avec lui car il avait encore des choses à lui dire. Porter avait accepté et Vann s'était assis à côté de lui sur le siège arrière tout en continuant ses explications. A un moment, la limousine s'était trouvée immobilisée dans un des nombreux embouteillages de Saigon. Vann avait brusquement dit : « Merci beaucoup, monsieur l'ambassadeur », avait ouvert la portière et avait disparu dans la foule. Porter commença alors à mieux comprendre les qualités de l'homme en dépit de ses excentricités.

L'amitié et l'admiration de Dan Ellsberg pour Vann comptèrent beaucoup dans cette affaire à l'issue hasardeuse. Lansdale avait laissé Ellsberg agir à sa guise, car sa seconde mission au Vietnam était manifestement un échec en 1966. Il était revenu pour assumer un rôle totalement dérisoire : réformer au sommet le régime de Saigon en utilisant la persuasion et le magnétisme des idéaux de la révolution américaine. Westmoreland, le général en chef, pouvait se faire écouter de Ky, de Thiêu et des autres responsables, car il disposait des ressources qui leur permettaient de s'enrichir. Lodge, l'ambassadeur, était aussi un interlocuteur valable car il détenait le pouvoir qu'ils pouvaient manipuler pour satisfaire leurs ambitions politiques personnelles. Lansdale n'avait rien à négocier, et les autorités de Saigon se fichaient de lui et de ses sermons. D'autant plus que sa mission officielle de liaison entre l'ambassade et le ministère de la Reconstruction rurale n'avait plus de raison d'être depuis la décision de Johnson de confier à Porter la supervision des programmes de pacification. Lansdale se trouvait par conséquent dans la position vague et condamnée à l'échec de conseiller pour les questions de pacification auprès de l'ambassade. La seule chose positive qu'il ait pu faire dans des circonstances aussi douteuses était de se servir du prestige qu'il avait toujours pour influencer l'opinion dans un sens ou dans un autre. La mission de son équipe permettait à Ellsberg d'aller mettre son nez dans la querelle sur la pacification et dans le fonctionnement du camp de Vung Tau. Et il ne s'en priva pas ! Ses rapports à Lansdale étaient des exposés clairs et pittoresques des thèses de Vann qui convainquirent Lansdale et impressionnèrent Porter.

En dépit du grotesque de cette situation, il fallut des mois, jusqu'à juin 1966, pour se débarrasser de Mai, le chef de secte du camp. Jorgenson se refusait à accepter de perdre la face, en reconnaissant que le chef de la CIA et tous ses services de renseignements s'étaient laissé berner par un de leurs fidèles employés. De toute façon, il avait suffisamment d'indépendance comme chef de la section de Saigon pour mener les choses à sa guise.

Vann commençait à craindre d'être un homme repéré. En avril, il avait été promu responsable des plans et des projets, avec autorité pour superviser tous les autres programmes de contre-insurrection ainsi que l'entraînement des équipes de pacification. Néanmoins, il craignait que les amis de Jorgenson ne se plaignent de lui suffisamment fort à Washington pour compromettre ses espoirs d'avancement. Quand il apprit par des rumeurs que c'était effectivement le cas, il commença à rechercher une autre possibilité que le retour redouté au Colorado.

Au même moment, McNamara, dans sa volonté de mieux contrôler les forces armées, avait créé une petite équipe civile au Pentagone pour lui fournir des analyses impartiales sur la stratégie et les programmes d'armement. Ce Bureau d'analyse était animé par une équipe de petits prodiges intellectuels du genre d'Ellsberg. D'ailleurs les deux responsables, Alain Enthoven, qui avait été à la Rand Corporation avec lui, et son adjoint Fred Hoffman étaient ses amis. Jusque-là, le Bureau d'analyse avait négligé l'Asie pour se concentrer sur la stratégie nucléaire et l'Alliance atlantique. Maintenant McNamara voulait qu'il étudie la conduite de la guerre au Vietnam. Il cherchait un non-conformiste, ayant l'expérience du terrain et la capacité intellectuelle nécessaire pour faire une analyse quantitative, basée essentiellement sur les statistiques. Un de leurs amis, qui avait rencontré Vann à Saigon, pensa qu'il serait parfait pour ce poste.

En mai, Hoffman écrivit à Vann et lui suggéra de profiter de sa prochaine permission pour venir au Pentagone parler de l'éventualité de prendre la tête de la section Asie qui était en formation. Vann répondit favorablement, et Ellsberg envoya une lettre de recommandation de trois pages extrêmement élogieuse et convaincante. Ce nouveau travail offrirait à Vann une possibilité d'approcher McNamara et lui permettrait de continuer à se consacrer au sujet qui lui tenait tant à cœur. Membre de cette élite au service du pouvoir de Washington, il pourrait ensuite retourner un jour au Vietnam avec des responsabilités accrues. Et puisque Mary Jane et les enfants étaient installés au Colorado, il n'aurait pas besoin de les faire venir à Washington.

Il s'entretint avec Hoffman et Enthoven en juin et fit de son mieux pour leur donner l'impression qu'ils attendaient de lui. Enthoven insista sur le fait que la totale liberté dont McNamara faisait bénéficier le Bureau d'analyse obligeait ceux qui en faisaient partie à être d'une parfaite loyauté à l'égard du secrétaire à la Défense, s'ils devaient un jour être en désaccord avec sa politique. Vann promit discrétion absolue et silence. Il considérait le poste qu'on lui offrait comme sa meilleure chance, surtout lorsque, après son retour au Vietnam, un de ses amis lui écrivit que le chef de l'AID pour l'Asie du Sud-Est commençait à douter de lui, à la suite des plaintes de la CIA, et envisageait de le mettre sur une voie de garage dans une position de bureaucrate sans autorité.

Le fait qu'Enthoven, avec l'accord de McNamara, lui eût offert ce poste était un hommage et montrait combien la réputation de Vann, son respect de la vérité, son courage moral et sa volonté de servir étaient reconnus au sein du système. Mais lorsque Enthoven se décida enfin à faire une offre sérieuse vers la fin septembre, l'intérêt initial de Vann pour le poste avait considérablement faibli. Une optique différente et une publicité quelque peu embarrassante (à laquelle Vann avait contribué) avaient rendu justice à sa position et ridiculisé Jorgenson et la CIA. Puis Jorgenson était parti et la dispute passée n'était qu'une vieille histoire pour le nouveau chef de la CIA, même si quelque aigreur subsistait. La position de Vann au Vietnam s'était donc renforcée au point qu'il pouvait tenir tête aux plaintes que certains formulaient contre lui à Washington. Au début d'octobre, à son retour de l'enterrement de Myrtle, il monta d'un cran dans l'échelle administrative et fut nommé directeur adjoint des opérations de l'AID pour le 3ᵉ corps d'armée.

Vann savait que Washington envisageait une réorganisation importante de l'effort de pacification parce que le président et McNamara n'étaient pas satisfaits des résultats. Ils avaient le choix entre donner toute la responsabilité au général Westmoreland, ou garder les militaires et les civils indépendants, mais en unifiant les agences civiles, AID, CIA et USIS, sous l'autorité de Porter. Une position de direction à l'intérieur de ce groupement serait une plus grande responsabilité que simple directeur régional de l'AID. Vann gardait un œil sur ce poste, d'autant que maintenant il disposait d'un avocat particulièrement bien placé en la personne d'Ellsberg. Comme l'équipe de Lansdale allait être dissoute, Ellsberg travaillait maintenant pour Porter dont il allait devenir l'adjoint. C'est la qualité de ses rapports à Lansdale, tout imprégnés de l'odeur de la guerre, qui lui avait valu cette position. Vann lui avait appris que le risque physique était largement payé par la richesse de l'information recueillie et par la satisfaction émotionnelle qu'il en tirait, et Ellsberg ne cessait de sillonner seul le pays ou en compagnie de Scotton et de Bumgardner quand Vann n'était pas disponible. Ils l'avaient accepté parmi eux, comme membre de cette petite élite d'Américains, comme Vann, passionnés et audacieux.

John Vann savait aussi qu'au cours de telles réorganisations la tendance naturelle de l'administration est de choisir des personnalités qui ne soient pas controversées pour les postes de responsabilité. Pour augmenter ses chances, il joua la comédie du regarde-qui-a-besoin-de-moi : il écrivit à Enthoven au Pentagone qu'il serait très heureux d'être à la tête de son nouveau département d'Asie, et les formalités officielles commencèrent pour cette nouvelle affectation. Bien entendu il veilla à ce que tous ceux qui avaient du poids à Saigon soient au courant de cette éventualité attrayante, et il demanda en même temps à Washington que son emploi temporaire soit transformé en poste permanent. Comme il l'écrivit à un ami de Denver : « Je me sers d'Enthoven pour faire du chantage à l'AID. »

Porter appréciait probablement suffisamment Vann pour prendre de toute façon la décision courageuse. Washington choisit la seconde solution, celle du regroupement des agences civiles sous le même parapluie, et annonça la création de l'Office des opérations civiles (OCO) à la fin septembre 1966. Porter, avec l'accord de Lodge, offrit à Vann le choix entre le 3ᵉ et le 4ᵉ corps d'armée, où la guerre stagnait. Il préféra donc le 3ᵉ pour des raisons professionnelles et personnelles. Son bureau de Biên Hoa n'était qu'à une demi-heure de voiture de Saigon. Il y occuperait une position centrale avec accès facile à la cour du pouvoir de l'ambassade et de Westmoreland, proche des « touristes » éminents qui viendraient jeter un coup d'œil à cette guerre, ainsi que de ses relations dans la presse où sa nomination ne passa pas inaperçue. Ward Just, du *Washington Post,* écrivit dans un article de première page que Porter avait choisi « un des Américains légendaires ».

Cette position de choix ne gênerait en rien sa vie privée avec Annie et Lee et ne le priverait pas de la variété sans égale des nuits de Saigon. Son rayon d'action s'étendait aux onze provinces entourant la capitale. Il installa son quartier général dans un cantonnement modeste que l'AID avait fait construire à proximité de la base aérienne de Biên Hoa et du quartier général du 3ᵉ corps de l'ARVN. Le commandement des forces américaines, quatre divisions, plus une force australienne de 4 500 hommes et un petit contingent de Néo-Zélandais, était installé sur une grande base nouvelle à Long Binh, à quelque distance de là.

Sa position à la tête des opérations civiles du 3ᵉ corps était la première responsabilité importante que Vann eût à assumer depuis la 7ᵉ division et il en était enthousiasmé. Dans sa lettre d'affectation officielle, Porter indiquait qu'il était « le civil américain le plus élevé en grade de la région » et qu'en tant que tel « il dirigerait, superviserait et coordonnerait toutes les activités civiles américaines ». Son affectation officielle à la division Asie de Washington lui parvint en même temps que la décision de Porter. Vann écrivit à Enthoven, pour lui exprimer ses regrets et lui dire que sa nomination par Porter avait été une surprise ; pour ménager l'avenir il ajouta que son expérience au 3ᵉ corps le préparerait encore mieux pour un poste ultérieur au Pentagone. Les conseillers civils d'une province commenceraient enfin à travailler en équipe sous l'autorité d'un responsable, qui pouvait appartenir à n'importe laquelle des agences, et qui les représenterait tous dans les relations avec les autorités vietnamiennes. Toutefois, comme les conseillers militaires dépendaient d'un autre commandement, les éléments de sécurité indispensables à la pacification, Forces régionales et milice, continueraient à être sous une autorité différente.

Les imperfections et les faiblesses de l'Office d'opérations civiles, dont Vann était conscient, n'atténuaient en rien sa joie d'être l'équivalent civil le plus proche d'un commandant en chef sur le terrain. En comptant les membres de son état-major, les conseillers et leurs adjoints, il avait sous ses ordres 330 Américains, près de 100 Philippins et Sud-Coréens, et plus de 550 employés vietnamiens. Le général Seaman, qui avait de l'affection pour lui, le reçut à son mess, lui donna libre accès à son état-major avec les avantages d'un personnage important, en particulier l'utilisation à volonté d'un des hélicoptères H-23, destiné à l'observation et aux liaisons. Grâce à ce petit biplace, Vann put rendre visite aux onze provinces du corps d'armée en une semaine en décembre. Il passa une demi-journée dans chacune avec les conseillers civils, expliqua **son** plan d'action, les interrogea et choisit les responsables. La semaine suivante, il exposa à Seaman et à son état-major la nouvelle organisation du programme de pacification et les objectifs qu'il voulait atteindre. Puis il fit la même chose avec les commandants de division et leurs états-majors. Quelle joie de s'adresser de nouveau à des hommes aux épaulettes ornées d'étoiles ! « Je n'ai pas besoin de dire à quel point je suis ravi de mon nouveau boulot », écrivit-il à York.

Vann n'en perdait pas de vue pour autant son objectif final. « Malheureusement, écrivit-il dans la même lettre du 23 décembre à York, je ne peux t'annoncer aucun progrès marquant depuis notre discussion du printemps. Je suis toujours optimiste sur ce qui peut être fait, mais je continue à être déprimé par le peu qui est réellement accompli. » Des événements importants se déroulaient au même moment. Le général Westmoreland disposait maintenant de 385 000 soldats américains au Sud et avait bien engagé la seconde phase de sa guerre d'usure : la préparation de la victoire finale. Vann ne voyait pas en quoi cette violence pourrait contribuer à l'établissement à Saigon d'un gouvernement et d'une société durables. « J'ai très peur que nous ne découvrions jamais si nous aurions pu gagner au Sud Vietnam, écrivit-il dans une autre lettre. Il me semble absolument certain que nous allons continuer l'escalade jusqu'à obliger les Nord-Vietnamiens à négocier, et qu'à la table des discussions nous abandonnerons tout ce que nous avons acquis au prix des vies humaines américaines et vietnamiennes, sans compter les milliards de dollars du contribuable. » Le John Vann que je vis cette année-là était bouillonnant de colère en constatant la souffrance inutile infligée à la paysannerie vietnamienne, la corruption encouragée par les Américains, la négligence de l'ARVN, et la transformation hideuse de ce pays dans lequel il s'était tellement investi et avec tant d'émotion.

Le flot des déracinés, grossi par les ruisseaux de sans-abri comme celui que j'avais vu dans la plaine de Bong Son, avait augmenté jusqu'à atteindre plus de 2 millions de réfugiés. Les pertes civiles, la majorité due à des « actions amies », s'élevaient, suivant une évaluation prudente, à environ 25 000 morts par an, une moyenne de 68 hommes, femmes et enfants par jour. Environ 50 000 non-combattants étaient sérieusement blessés chaque année. Les villages abandonnés et les champs de riz incultes étaient devenus un paysage familier dans les campagnes. Plus du tiers des rizières de la côte centrale étaient en friche. Les zones de liberté de tir, qu'on appelait avec euphémisme « zones spécifiques d'attaque », proliféraient si rapidement sur la carte à coups de lignes rouges qu'il n'était plus possible d'en suivre le nombre et l'étendue. Les B-52 du Strategic Air Command, qui opéraient sous le nom de code d'« Arc lumineux », ne devaient bombarder que les bases communistes suspectes dans les régions relativement inhabitées, car leur puissance de feu était voisine de celle d'un engin nucléaire tactique. Les *jets* à huit réacteurs avaient été transformés en monstrueuses plates-formes de lancement de 20 tonnes de bombes volantes. Une formation de six B-52, volant à

10 000 mètres d'altitude, pouvait pratiquement tout détruire dans un périmè-tre d'un kilomètre de large sur trois kilomètres de long. Chaque fois que l'Arc lumineux frappait à l'aube dans les environs de Saigon, toute la ville était réveillée par les tremblements.

Mais les B-52 ne lâchaient qu'un tiers du tonnage total. Les deux autres tiers étaient réservés aux chasseurs-bombardiers qui, eux, frappaient où ils voulaient. A la fin de 1966, ils effectuaient 400 sorties par jour. Toutes les vingt-quatre heures, en comptant les B-52, 825 tonnes de bombes étaient déversées sur un territoire grand comme un tiers de la France. Du hublot d'un avion ou par la porte ouverte d'un hélicoptère, on pouvait voir les grandes taches brunes des cratères qui défiguraient la beauté du paysage vietnamien.

Mais les avions ne lâchaient pas que des bombes. En 1966, des C-123 détruisirent près de 350 000 hectares de forêts et de cultures avec des herbicides chimiques. La pulvérisation des défoliants, commencée dès 1962, était une autre des erreurs de John F. Kennedy, qui avait cédé à la cruauté de Diêm et à la passion de McNamara pour les solutions technologiques. Avec l'arrivée des troupes américaines en 1965, la défoliation avait suivi, comme tout le reste, une progression géométrique. A partir de 1967, 600 000 hec-tares de forêts et de terres cultivables furent détruits par an pour priver les soldats communistes de nourriture et de caches. Les fuites des pulvérisateurs des C-123, la dérive du vent et la vaporisation des herbicides à haute température firent dépérir aussi les arbres fruitiers et des secteurs de cultures qui n'étaient pas directement visés. 70 millions de litres d'herbicides furent ainsi déversés sur 20 % des forêts du Sud. Le poison le plus communément employé contenait des quantités infimes de dioxine, une des substances les plus dangereuses, qui finissait par s'accumuler, se déposait dans la vase des ruisseaux et infiltrait tout l'écosystème. Après la guerre, des tests scientifi-ques montrèrent que les Vietnamiens du Sud avaient dans le corps des quantités de dioxine triples de la moyenne générale.

Le tonnage d'obus de mortiers et de canons égalait à peu près celui des bombes des avions. Quand l'ARVN en tirait 1 000, l'artillerie américaine en utilisait dix fois plus contre le Vietcong et l'armée régulière nord-vietna mienne. Le rythme de la consommation dépassait de loin celui que les services de logistique avaient établi d'après l'expérience de la Seconde Guerre mondiale et de la Corée. Le général DePuy fut récompensé par Westmoreland au printemps 1966 avec le commandement de la 1re division d'infanterie, et une deuxième étoile pour la part efficace qu'il avait prise dans la guerre d'usure. Il avait tiré tellement d'obus dans la région des plantations de caoutchouc que Seaman avait dû commencer à le rationner : « La solution au Vietnam, c'est plus de bombes, plus d'obus, plus de napalm, jusqu'à ce que l'autre craque et abandonne », dit un jour DePuy à Ellsberg au cours d'un déjeuner sous sa tente.

Le *Manuel de l'armée au combat 27-10,* qui interprète les conventions de La Haye et de Genève en engageant légalement l'armée américaine, stipule que les officiers « doivent mener les hostilités en respectant les principes d'humanité et de chevalerie ». Au cours de l'opération Broyeur à Bong Son, les responsables américains au Vietnam avaient détourné les yeux, et les paysans furent abandonnés à l'AID. Un médecin militaire de l'Aviation, le général de division James Humphreys, détaché auprès de l'AID comme responsable de la santé publique au Vietnam, essaya humainement de faire le maximum. Il demanda deux avions de transport et cinq hélicoptères pour évacuer les blessés civils vers l'hôpital de la province et pour transférer ceux qui avaient besoin d'un traitement spécial dans les hôpitaux civils de Saigon. Les blessés graves qui n'avaient pas eu la bonne fortune d'être embarqués dans un hélicoptère militaire moururent avant d'avoir reçu des secours et, pour ceux qui furent transportés en ambulance jusqu'à Saigon, le long voyage sur les chemins défoncés suffisait pour les achever. Dans un pays où opéraient des escadrilles entières d'avions de transport, 2 000 hélicoptères en 1966 et plus de 3 000 en 1967, le général Humphreys se vit répondre que les nécessités militaires empêchaient qu'on détournât deux avions et cinq hélicoptères pour l'évacuation des civils.

Humphreys avait projeté de faire construire trois hôpitaux militaires américains réservés aux blessés civils. Il avait calculé que leur nombre atteindrait bientôt 75 000 par an. (Ils devaient être 85 000 en 1968.) Le sénateur Edward Kennedy, la seule personnalité politique de Washington qui n'ait cessé de s'intéresser à la triste condition des civils vietnamiens à la commission du Sénat sur les réfugiés dont il était membre, fit le nécessaire pour que Humphreys puisse exposer son plan au président à la conférence de Guam de mars 1967. Lyndon Johnson donna son approbation.

Les hôpitaux auraient pu être construits en trois mois. Mais la bureaucratie des services de santé de l'armée ne voulut pas en prendre la responsabilité et saborta l'opération en la retardant sans cesse. Une équipe d'enquête de médecins américains renommés, menée par le vice-président de l'Association médicale américaine, fut envoyée par l'AID au Sud Vietnam au cours de l'été 1968. Elle s'opposa également au projet, car elle craignait, en particulier, que l'armée n'incorpore plus de médecins pour ces nouveaux hôpitaux. Le harcèlement de Kennedy contraignit, en octobre 1967, l'armée à réserver 300 lits dans les hôpitaux existants pour les blessés civils, chiffre qui fut porté à 500 en décembre. Les deux premiers établissements prévus par Humphreys furent finalement prêts au printemps 1968 et le troisième dans le courant de l'année. Ils traitèrent environ 10 % des blessés civils avant d'être fermés en 1971. Humphreys et son successeur réussirent à constituer des équipes médicales avec des militaires américains et d'autres provenant de combattants alliés, australiens et sud-coréens. L'AID envoya également des volontaires recrutés aux États-Unis pour des périodes de deux mois. Mais tous ces efforts ne réussirent jamais à faire des hôpitaux de province guère plus que de vulgaires charniers.

Vann était convaincu que cette prolifération des réfugiés et le nombre concomitant de pertes civiles n'étaient pas la conséquence accidentelle des coups assenés à l'ennemi, mais résultaient d'une politique délibérée du haut commandement. Chaque fois que nous en parlions, il devenait aussi furieux qu'il l'avait été lorsqu'un conseiller de la 25e division lui avait déclaré que, si les paysans voulaient vivre avec les communistes, alors « il fallait qu'ils s'attendent à être bombardés ». Dans ces cas-là, son cou et son visage devenaient rouges de rage et la conversation se terminait en un torrent d'injures.

Il y a toutes les chances pour que Westmoreland n'ait pas eu l'intention de provoquer un mouvement de population aussi massif et des pertes civiles aussi élevées. Il avait plutôt commencé sa guerre à outrance en pensant simplement, comme DePuy, qu'il fallait « cogner » sur l'ennemi jusqu'à ce qu'il meure. Mais il semble évident que, lorsqu'il eut constaté les effets parallèles de sa stratégie, il ait décidé d'en tirer ce qu'il croyait être un avantage, et qu'il était conscient, ainsi que tous les responsables au-dessus et en dessous de lui, de ce qu'il faisait. Westmoreland était un homme très courtois et il était très ouvert avec la presse au cours de ces premières années de guerre. Lorsqu'un correspondant arrivait à la fin de son séjour au Vietnam, il ne partait pas sans avoir le privilège de passer une journée avec Westmoreland pour l'accompagner en hélicoptère et rendre visite aux diverses unités. Cela fut mon cas juste avant de retourner au bureau de Washington du *New York Times* en août 1966. C'est ainsi que j'ai pu demander au général s'il n'était pas préoccupé par le grand nombre de pertes civiles provoquées par les bombardements d'artillerie et aériens. Il me répondit :

« Bien sûr, Neil, c'est un problème. Mais cela prive ainsi l'ennemi de l'aide de la population, n'est-ce pas ? »

La destruction ne se limitait pas à ces aspects physiques, mais avait également des conséquences sur la structure matérielle et morale du pays. La construction de la machine à tuer était devenue une fin en soi. Ce petit pays à l'économie purement agraire se transforma en un immense chantier, grâce aux constructions décidées par Westmoreland : quatre nouvelles bases aériennes (l'Aviation en voulait cinq) en plus des trois déjà existantes à Tan Son Nhut, Biên Hoa et Da Nang ; six nouveaux ports en eau profonde avec 28 quais de débarquement pour les cargos ; quatre dépôts d'intendance ; 26 bases permanentes pour les troupes combattantes et les renforts ; 75 pistes d'aviation capables d'accueillir les quadrimoteurs de transport C-130 Hercules (il y en avait déjà 19 en 1965) ; 26 hôpitaux pour 8 280 lits ; le quartier général de Westmoreland, un bâtiment préfabriqué d'un étage près de Tan Son Nhut, équipé de bureaux à air conditionné pour 4 000 personnes. Tout cela était interconnecté avec les plus récents systèmes électroniques et un réseau téléphonique direct de 13 900 circuits.

Chacune des bases aériennes était un monde en soi. Elle se composait d'une piste d'atterrissage de trois kilomètres de long, avec des dizaines de milliers de mètres carrés d'aires de manœuvre et d'accès (d'abord en plaques d'aluminium, puis en béton), des hangars, ateliers de réparation, bureaux et centres d'opération, baraquements, mess et autres accessoires. Au début, la plupart des camps de base étaient des villages. Long Binh par exemple, quartier général de Seaman au nord-est de Saigon, devint une véritable cité d'une superficie de 65 hectares pour 43 000 Américains avec un des quatre plus grands dépôts d'intendance, ainsi que le quartier général de l'armée américaine au Vietnam, l'unité administrative et de commandement dépendant de Westmoreland.

Le port de Cam Ranh, à trois cents kilomètres au nord-est de Saigon, est considéré comme le plus beau port naturel du monde après Sydney, en Australie. Les Français y avaient déjà établi une petite installation avec piste d'atterrissage. La région a toujours été faiblement peuplée car les montagnes de forêts d'Annam y descendent jusqu'à la mer, ne laissant qu'une bande de terrain sablonneux. Les Américains firent venir par mer de la côte Est des États-Unis en contournant le cap Horn de gigantesques pontons flottants pour créer le plus grand des nouveaux ports, avec dix postes de déchargement pour les plus gros navires. Le terrain sablonneux se couvrit de magasins, entrepôts de munitions et réservoirs de carburant, et d'une piste d'aviation de trois kilomètres. C'est là que fut logiquement installé le second des quatre grands dépôts d'intendance, les deux autres étant situés plus au nord, à Qui Nhon et à Da Nang.

Le programme de constructions que Westmoreland fit rapidement réaliser se traduisit par 950 000 mètres carrés d'entrepôts, 500 000 mètres carrés de dépôts de munitions, des réservoirs pour emmagasiner 500 millions de litres de carburant, 39 millions de mètres cubes de terre draguée, 4 000 kilomètres de revêtement routier et 175 000 hectares de sol enlevés à la culture.

Cette panoplie comportait également l'importation des bienfaits de la civilisation américaine. Cela commençait avec des camps de repos pour la troupe, équipés de baraques de bois sur fondation de ciment, avec une ventilation adéquate, l'eau chaude dans les douches et des toilettes confortables. Les généraux et colonels de Long Binh bénéficiaient de résidences de caravanes à air conditionné entourées de pelouses et de fleurs entretenues par les Vietnamiens. Pour nourrir des centaines de milliers d'hommes dans un pays tropical à quinze mille kilomètres de chez eux avec trois repas par jour de fruits frais, légumes, viande et produits laitiers semblables à ceux des militaires aux États-Unis, il fallait un nombre considérable de congélateurs et de réfrigérateurs. En décembre 1965, la firme américaine Foremost Dairy fut financée par l'armée pour construire à Saigon une usine de traitement du lait. Deux autres furent ensuite installées par une autre société. Pour être sûre que les hommes aient assez de crème glacée, l'armée mit également en place 40 petites installations à travers tout le pays. Les combattants en opération devaient se contenter en général des rations de guerre C habituelles, mais, chaque fois que c'était possible, ils recevaient par hélicoptère des rations A composées de plats cuisinés dans les camps de base et transportées dans des containers isolants pour les garder chauds.

Les officiers supérieurs dans leurs quartiers généraux ayant donné l'exemple, tous ceux qui le pouvaient équipaient leurs logements, mess et bureaux d'air conditionné. Compte tenu des autres besoins militaires, la production locale d'électricité fut rapidement débordée, au point qu'il fallait couper le courant un jour sur deux dans certains secteurs de Saigon. Comme les générateurs électriques de campagne se révélèrent très vite insuffisants, l'armée en acheta dans le privé (1 300 très puissants au Japon et aux États-Unis). Elle transforma de vieux pétroliers de la Seconde Guerre mondiale en générateurs flottants et construisit des usines de production d'électricité à haut voltage dans les principales bases.

Le confort exigeait également la construction de tout un univers climatisé de loisirs : P. Ex., cinémas, bowlings et clubs abondamment pourvus en soda, bière, whisky, milk-shakes, beaucoup de cubes de glace pour garder tout cela frais, sans compter les hamburgers, les hot dogs et les steaks à des prix défiant toute concurrence. Les P. Ex. n'étaient plus seulement des cantines où se procurer cigarettes, matériel de rasage et bonbons. Ils étaient devenus de grands magasins qui offraient au soldat un assortiment complet de tous les accessoires agréables de la vie à laquelle il était habitué : radios, magnétophones, hi-fi, montres, pantalons de sport et sweat-shirts pour porter pendant sa permission, s'il n'avait pas été tué pendant les six premiers mois de son année au Vietnam. On y trouvait également des cosmétiques pour les femmes vietnamiennes amies. Si le soldat voulait un ventilateur électrique, un grill, une cafetière électrique, un poste de télévision, un appareil d'air conditionné ou même peut-être un petit réfrigérateur qu'il ne trouvait pas en magasin, il pouvait commander sur catalogue. La théorie officielle considérait que, en donnant au militaire américain accès au paradis de la consommation, on réduirait en même temps les achats sur le marché local et par conséquent l'inflation dans le pays.

Cette thèse n'était pas complètement fausse. L'inflation fut contenue à 50 et 60 % par an, surtout en accroissant les importations financées par l'AID pour l'économie sud-vietnamienne (650 millions de dollars en 1966) et en expédiant des millions de tonnes de riz américain dans un pays qui en exportait encore en 1964. Mais compte tenu de l'ampleur de la catastrophe morale et sociale, les quelques points que cette théorie permettait de gagner sur l'inflation ne faisaient pas une grosse différence. Les Vietnamiens du Sud se retrouvaient dans un monde complètement sens dessus dessous. Des centaines de milliers d'entre eux commencèrent à gagner leur vie en se mettant au service de ces étrangers prodigues. Compte tenu de leurs familles, des centaines de milliers d'autres vivaient des Américains par procuration. Les services d'hygiène de Saigon s'effondrèrent parce que les éboueurs les quittèrent en masse et se précipitèrent pour travailler sur les chantiers de l'armée à un salaire beaucoup plus élevé que celui que pouvait leur donner la municipalité.

En 1966, au moment où la construction battait son plein, les grandes firmes américaines de travaux publics, qui travaillaient en consortium pour le compte de l'armée, employaient 50 000 Vietnamiens. Le génie en avait 8 500 en 1967, sans compter des milliers d'autres dans des organismes divers. Les militaires avaient également besoin d'aides domestiques, garçons ou femmes de ménage, pour laver le linge, cirer les chaussures, nettoyer les bâtiments, aider aux cuisines, servir dans les clubs et les mess. Par exemple, rien qu'à Long Binh ils étaient 20 000.

Il en fallait encore d'autres pour distraire ces étrangers. Les journaux de Saigon publièrent en bandes dessinées la nouvelle hiérarchie sociale établie d'après l'ordre d'importance pour les Américains. En tête venaient les prostituées, puis leurs souteneurs et en troisième position les chauffeurs de taxi qui transportaient les militaires US d'un lieu de plaisir à un autre. Ils ne voulaient d'ailleurs pas de clients vietnamiens parce qu'ils ne pouvaient pas les arnaquer. La culture du GI s'épanouit dans des bars dénommés A-Go-Go ou Chicago ou Les Bunnys (du nom des créatures de *Playboy*). Les tailleurs à bon marché et les bordels, prétendus « bains turcs » ou « salons de massage », proliférèrent à Saigon et dans toutes les grandes villes ou dans les bicoques construites à la hâte à l'extérieur des camps. Rien qu'à Saigon, 56 000 prostituées étaient officiellement recensées, sans compter bien entendu les amateurs. Les serveuses de bar en constituaient l'élite. Elles touchaient un pourcentage sur l'eau colorée, appelée « thé de Saigon », que les soldats devaient payer pour s'offrir leur compagnie et danser sur une musique de rock and roll assourdissante. Le sexe était payé à part. Les filles des bars et leurs sœurs moins chanceuses des bordels et des trottoirs étaient des créatures pathétiques. Elles se pavanaient avec un maquillage et dans des robes qu'elles ne savaient pas porter et se gonflaient les seins avec des injections de silicone pour mieux attirer les Américains amateurs de poitrines opulentes. Certaines s'occidentalisaient en se faisant opérer pour débrider leurs yeux, une coutume qui avait aussi beaucoup de succès chez les jeunes femmes de la bonne société de Saigon.

La plupart des prostituées venaient de la campagne, car un autre effet indirect de la destruction matérielle des zones agricoles fut d'aider à satisfaire les besoins des Américains en travail et en loisir. Les réfugiés vinrent s'entasser dans les clapiers des bicoques déjà surpeuplées des quartiers populaires des grandes villes et édifièrent de nouveaux taudis autour des centres urbains. On les reconnaissait tout de suite à leur construction originale, qui montrait à quel point les Vietnamiens savent s'adapter. Les réfugiés allaient fouiller dans les tas d'ordures des Américains pour y ramasser les boîtes vides de bière et de soda qu'ils découpaient, aplatissaient et clouaient sur des morceaux de bois pour se faire des cloisons métalliques.

Mais ils n'avaient pas tous eu la chance de trouver du travail chez les riches étrangers, ou de se faire entretenir par un membre de la famille qui en avait, ou d'avoir une sœur assez âgée pour se vendre. Le Sud Vietnam avait aussi ses mendiants. Dans la rue Catinat de Saigon, des habitués, en général mutilés, occupaient jour après jour le même bout de trottoir, saluaient les passants et semblaient subsister avec d'infimes aumônes. Les veuves, les orphelins et les amputés demandant la charité aux Américains étaient devenus un élément permanent de la vie urbaine. Les enfants, noirs de crasse dans un pays où les pauvres attachent une valeur traditionnelle à la propreté personnelle, les jambes couvertes d'éraflures, criaient : « Hey, toi ! » ou

« Hey, GI » et hurlaient des obscénités si on ne leur donnait rien. Ils se constituèrent très vite en gangs de voleurs.

Les ordures, rarement ramassées, s'entassaient à Saigon. Tard dans la nuit, après le couvre-feu, quand tout était calme, le sommet des tas semblait remuer lorsqu'on passait à côté : le bruit des pas avait dérangé les rats qui s'enfuyaient en débandade. Un jour, je vis une inscription en vietnamien écrite à la craie en larges traits sur le trottoir devant un tas d'ordures. Je demandai au journaliste vietnamien qui m'accompagnait de me la traduire. Elle disait :

« Voilà le résultat de l'aide américaine. »

Messieurs les généraux saigonnais et leur madame la générale, ainsi que messieurs les colonels et leurs épouses, toute la bourgeoisie chinoise de Cholon et des escrocs de moindre envergure se gobergeaient dans un gargantuesque festin de corruption. Le président Thiêu et sa femme avaient ramassé tellement de millions qu'ils s'étaient acheté une banque pour gérer les revenus de leur trafic financier. Ce n'était pas un hasard si la plupart des bâtiments de Saigon que les Américains louaient comme logements, bureaux ou entrepôts se trouvaient être la propriété de familles du régime ou de leurs relations. Les 24 millions de dollars de loyers que l'armée des États-Unis payait en 1966 étaient une manne providentielle pour les propriétaires qui se trouvaient comme par hasard disposer des locaux. Les Chinois et les riches Vietnamiens réclamaient à grands cris et avec force pots-de-vin l'autorisation de construire de nouveaux bâtiments d'habitation et hôtels pour la location aux Américains. Mais pour toutes ces constructions nouvelles il fallait des permis pour le ciment, la ferraille du béton et autres matériaux en principe rationnés pour l'effort de guerre et le logement des réfugiés. Les centaines de millions de dollars injectés dans l'économie vietnamienne pour lutter contre l'inflation facilitaient les dessous de table pour financer les licences d'importation.

Compte tenu de la soif du soldat américain, les concessions pour la distribution de la bière japonaise ou philippine étaient aussi particulièrement lucratives. En plus des 40 usines de crème glacée, l'armée américaine se fit expédier 40 usines de fabrication de glace pour que tous les mess et clubs ne manquent pas de glaçons à mettre dans leurs verres. Et cependant il semblait qu'ils n'en aient jamais eu assez. Le général de brigade Pham Quoc Thuan, commandant la 5e division de l'ARVN dans la région des plantations de caoutchouc, s'empressa de satisfaire leurs besoins. Il fit construire une usine par ses soldats du génie et se lança dans le commerce au point d'être connu comme le « général de glace ».

Bao Dai, ses complices Binh Xuyen et leurs copains s'étaient trouvés très satisfaits de s'enrichir avec les commissions qu'ils prenaient sur la prostitution et les réjouissances annexes. Mais leurs successeurs allaient grossir encore ce pactole avec la colonie de putains attirées par les forces armées de la plus puissante nation du monde, dont les soldats étaient infiniment plus riches que les troufions, les légionnaires et les mercenaires nord-africains du corps expéditionnaire français. D'autre part, il suffisait d'avoir un peu d'esprit d'entreprise pour ne pas se contenter de ce racket traditionnel et simpliste qu'était la prostitution, alors que de nouvelles possibilités s'ouvraient avec le style particulier de la guerre américaine, par exemple le commerce du cuivre, denrée qui se faisait mondialement rare à cause de la consommation extravagante de munitions. Le ramassage des douilles était devenu très lucratif pour ceux qui les revendaient à l'étranger à prix d'or.

En outre, les Américains offrirent l'occasion d'une nouvelle source de profit infiniment plus sinistre : la drogue. Les opiomanes étaient nombreux en Asie du Sud-Est et, comme Vann l'avait remarqué en 1965, les soldats de l'ARVN s'étaient mis également à la marijuana et à l'alcool pour échapper à leur situation sans espoir. Mais l'usage de l'héroïne était rare chez les indigènes. Les Américains étaient différents. La plupart de ceux qui furent envoyés au Vietnam apportèrent avec eux le besoin de marijuana et d'héroïne qui s'était développé aux États-Unis depuis la fin des années cinquante.

Les gangsters corses qui avaient traditionnellement exporté l'opium pour être transformé en héroïne à Marseille puis vendu en Europe et aux États-Unis n'étaient pas en mesure de faire face aux besoins soudains de cet important marché américain ; ils n'étaient pas assez nombreux et manquaient d'un réseau suffisamment étendu. En revanche, le gratin des gangsters chinois de Cholon pouvait prendre ce commerce en main. Ils regorgeaient d'argent, disposaient d'un réseau de frères, de cousins et de parents à travers l'Asie du Sud-Est, sans compter toute une bande de subalternes à leurs ordres pour assurer la distribution dans le Sud. Les Corses continuèrent à se procurer ce qu'ils pouvaient d'opium pour l'envoyer à Marseille, mais la plus grosse quantité était achetée par d'autres et transformée en héroïne dans des laboratoires secrets en Birmanie ou en Thaïlande. La marijuana, jusque-là cultivée en petite quantité par les paysans de la région, devint l'objet d'une culture intensive et commença à arriver par tonnes au Vietnam. Les aviateurs d'An Khe apprirent rapidement que dans le proche hameau de bicoques surgi de nulle part ils pouvaient acheter toute « l'herbe » qu'ils voulaient et de l'héroïne à bas prix qui, parce qu'elle était plus pure, les ferait planer plus haut que celle qu'ils achetaient très cher aux États-Unis. Pour protéger un marché aussi profitable et aussi délicat, de gros pots-de-vin étaient nécessaires, mais les trafiquants chinois n'avaient pas besoin d'arroser chaque général de Saigon : ils se contentaient de ceux qui avaient la puissance de les protéger en contrepartie de leur commission.

A l'exception des bataillons aéroportés et des Marines que Westmoreland utilisait dans ses opérations, les troupes régulières de Saigon évitèrent soigneusement de se battre après 1965. « Je considère que les performances de l'ARVN n'ont jamais été aussi scandaleuses », écrivit Vann à York le 23 décembre 1966. Tout en reconnaissant qu'il était ravi de ses nouvelles responsabilités de directeur de l'Office des opérations civiles pour le 3e corps, il ne constatait aucun progrès notable dans le déroulement de la guerre. Il mentionna les statistiques des opérations des trois divisions vietnamiennes (5e, 18e, 25e) du corps d'armée sur une période de cinq jours : en dehors de 5 237 patrouilles, seulement 13 prises de contact avec l'ennemi. « J'en ai fait plus moi-même en moins de temps », commenta Vann.

Comme Westmoreland continuait à réclamer plus de troupes américaines pour sa guerre d'usure, on fit pression sur lui pour qu'il mette fin à l'inefficacité de l'ARVN. Au début de 1967, Lyndon Johnson accepta de lui donner 470 000 Américains. En mars, le général informa Washington qu'il lui en faudrait encore 80 576 pour constituer une « Force principale minimale » de 550 500 hommes « dès que possible, en tout cas avant le 1er juillet 1968 ». Mais il ajouta qu'il aurait préféré un supplément de 207 838 Américains pour une « Force optimale » d'environ 678 000. Le président l'exhorta à « s'assurer en retour du bon rendement des troupes sud-vietnamiennes ».

Le général répondit en renouvelant sa demande de renforts américains tout en prenant ses dispositions pour se protéger contre l'accusation de ne pas s'occuper des soldats vietnamiens. Westmoreland fit rédiger par son état-major un programme, reproduit dans une épaisse brochure marquée « Secret », pour améliorer l'équipement et l'entraînement des forces de Saigon auxquelles il adjoignit 300 conseillers militaires supplémentaires. Il donna également des instructions pour que les conseillers mettent en valeur, chaque fois que c'était possible, « les éléments positifs de la combativité de l'armée du Sud-Vietnam », et minimisent ses défaillances. Il fit des discours pour vanter leurs mérites. Suivant son officier de relations publiques, le général voulait « améliorer l'image de l'ARVN ».

Pour la plupart, les soldats de l'armée régulière réussirent à s'en tirer ; en revanche, les hommes des troupes territoriales, Garde civile et milice, continuèrent à être écrasés dans les avant-postes et les embuscades : 11 953 d'entre eux furent tués en 1966, deux fois plus que les 6 053 Américains ; en 1967, ils furent 12 716, à peu près autant que les forces des États-Unis.

Avec son penchant pour l'humour macabre, Vann aurait apprécié l'ironie s'il avait appris, au moment où il écrivait à York que rien n'avait changé, que celui qui s'était opposé à lui trois ans et demi plus tôt, Victor Krulak, était aussi frustré et furieux que lui. La qualité particulière de son intelligence et son talent professionnel avaient finalement mis le général des Marines à l'unisson de cette guerre. Il se distinguait maintenant des autres hauts responsables militaires américains en comprenant la mentalité des gens de Hanoi.

De même qu'un bon avocat est contraint de considérer chaque cas comme unique, l'entrée des Américains dans la guerre de 1965 obligea Krulak à envisager différemment le conflit du Vietnam. La guerre d'usure de Westmoreland et de DePuy, qu'il avait acceptée sans réserve au temps de Harkins, n'avait maintenant plus de sens pour lui, compte tenu en particulier de la configuration du terrain et de la population dans les cinq provinces de l'extrême nord de la côte centrale (le 1er corps) où étaient déployés ses Marines. Krulak s'y était trouvé en août 1965 lors d'un de ses nombreux voyages en tant que commandant en chef des Marines du Pacifique. Il avait été témoin de la bataille que ses combattants avaient menée, en perdant 51 hommes, contre le 1er régiment vietcong. Il avait étudié les rapports sur la bataille de Moore et la destruction d'un autre bataillon aéroporté dans la vallée de la Drang en novembre. Tout cela l'avait obligé à remettre tout en question. En décembre 1965 son opinion était faite. Il avait déjà, au cours du printemps, fait part de ses remarques dans une série de mémorandums et de lettres à McNamara et autres responsables, et n'avait jamais obtenu les réponses qu'il souhaitait. Il décida de rassembler l'ensemble de ses théories dans un document qui attirerait l'attention dont il avait besoin. Il était évident que Hanoi n'allait pas céder devant l'escalade des bombardements aériens sur le Nord et que les combats sur le terrain avaient atteint le point de non-retour. Krulak voulait qu'on reprenne le contrôle de la guerre pour progresser vers la victoire alors qu'il en était encore temps.

Il se mit au travail dans son bureau établi sur la colline qui domine Pearl Harbor. Il lui fallut une semaine pour écrire au crayon sur de grandes feuilles de papier rayé son texte qui devait faire dix-sept pages dactylographiées. Il y exposait en détail chacun de ses arguments avec des diagrammes pour en illustrer les points importants. On y trouvait beaucoup des traditionnelles idées fausses des Américains sur les Vietnamiens ainsi que l'ignorance de leur histoire. Mais que Krulak ait pu s'y retrouver aussi bien dans la dynamique de cette guerre particulière, en dépit de ce bric-à-brac mental, montre bien l'originalité de son esprit.

La guerre d'usure échouerait, écrivit Krulak, parce que c'était le jeu de l'ennemi. Prenant comme exemple le combat de la Drang qui avait fait 233 victimes américaines en quatre jours, il prévint que les communistes vietnamiens « cherchaient à user les forces US avec des attaques violentes et rapprochées, presque au corps à corps, pour réduire l'efficacité des forces de soutien », c'est-à-dire l'artillerie et l'aviation. Les responsables de Hanoi considéraient que, s'ils tuaient et blessaient suffisamment de soldats américains dans une période donnée, « ils mineraient notre volonté nationale au point de nous amener à cesser notre aide au gouvernement de Saigon ». Vo Nguyên Giap « avait pensé, au cours de la première guerre, que si le coût en vies humaines et en argent était suffisamment élevé, ce serait à Paris que les Français perdraient la guerre. Il avait eu raison. Il est vraisemblable qu'il pense aujourd'hui la même chose au sujet des États-Unis ».

Krulak traduisit mathématiquement sa thèse de la guerre d'usure pour prouver que Hanoi pouvait sacrifier dans ce jeu macabre beaucoup plus d'hommes que les États-Unis. Les communistes vietnamiens avaient à leur disposition au Nord et avec les Vietcongs du Sud une réserve de puissance militaire d'environ 2 600 000 combattants. Si on s'en tenait au pourcentage officiel des pertes de 1 Américain ou soldat du Sud tué pour 2,6 Vietcongs ou Nord-Vietnamiens, chiffres que Krulak estimait « optimistes », il faudrait que 10 000 Américains et 165 000 Saigonnais meurent « pour réduire le potentiel de l'ennemi d'un modeste 20 % ».

Krulak exposa son plan pour la victoire, et l'ironie faisait que Vann l'aurait apprécié, tant il resssemblait au sien. Le commandant des Marines voulait lui aussi adopter une stratégie de pacification pour gagner le soutien de la paysannerie sud-vietnamienne avec un programme généreux de réforme agraire et autres avantages sociaux et économiques. C'était la seule chance de succès. Pour y arriver, les États-Unis devaient accroître leur influence au point de prendre le pouvoir sur le régime de Saigon. La guerre d'usure n'était qu'un des « aspects annexes » de la véritable lutte. Même si les unités combattantes du Vietcong et du Nord « s'en allaient aujourd'hui sur une autre planète, nous n'aurions pas gagné la guerre pour autant, car c'était le peuple vietnamien qui était le prix du combat ». Sans l'appui que leur apportaient la guérilla locale et le gouvernement vietcong clandestin, l'armée communiste ne pourrait pas exister. Les États-Unis devaient par conséquent utiliser leurs troupes pour assurer la protection de la population en gagnant « la confiance et la loyauté du peuple ».

Mais les combattants nord-vietnamiens et vietcongs ne devaient pas être pour autant abandonnés à la paix des forêts dans leurs repaires de montagne. Il fallait les traquer en se servant de tous les renseignements recueillis et « les attaquer sans relâche avec l'aviation », de préférence dans les régions peu peuplées où « nous aurions un avantage considérable tout en économisant les forces dont nous avons besoin pour protéger les régions libérées ». Mais les États-Unis ne devaient surtout pas faire le jeu de l'ennemi en réagissant « à ses initiatives ou en allant le provoquer simplement pour se battre ». Le choix de la stratégie devait être fonction des conséquences. La pacification et les réformes sociales et économiques offraient « l'ébauche de la victoire », tandis que la guerre d'usure était « la voie de la défaite ».

Celui qui s'exprimait ainsi n'était pas un petit lieutenant-colonel renégat du Sud qui accrochait par leurs boutons de veste les généraux du Pentagone ou un conseiller de province colportant des théories insensées. Il s'agissait cette fois d'un général, le troisième dans l'ordre hiérarchique du corps des Marines, dont l'influence avait de toute façon toujours été supérieure à son rang. En outre, ses deux supérieurs étaient ses alliés. Le premier, l'amiral Ulysses S. Grant Sharp, qui avait commandé un destroyer pendant la Seconde Guerre mondiale, était maintenant commandant en chef du Pacifique. Le second, le général Wallace Greene, svelte avec une voix rocailleuse et une diction lente, commandait l'ensemble du corps des Marines. Greene et Krulak s'étaient connus alors que Krulak était lieutenant du 4e régiment de Marines à Shanghai où Greene était capitaine. Dans les années soixante, Greene n'avait pas plus hésité que les autres chefs militaires sur la guerre du Vietnam. Il voulait même mobiliser les réservistes et y envoyer 500 000 hommes le plus vite possible, mais il ne voulait pas qu'ils soient utilisés comme Westmoreland le faisait. Le corps des Marines avait une conception dont la tradition remontait à leur intervention en Amérique centrale et aux Caraïbes. Pour eux, des conflits comme celui du Vietnam étaient des guerres de pacification et non pas des affrontements de grandes unités combattantes. C'est pourquoi Greene, lorsqu'il reçut une copie du mémorandum, l'approuva aussitôt.

L'obstacle était Westmoreland. Greene avait déjà essayé en vain de l'amener à une conception plus juste de la pacification en avril 1965. De son côté, l'amiral Sharp avait tenté de le persuader. Le plan de Krulak consistait à le court-circuiter, et à exploiter les relations qu'il avait eues avec McNamara pendant les années Kennedy pour convertir à sa thèse le secrétaire à la Défense. Sharp et Greene l'approuvèrent. Krulak prit l'avion pour Washington en janvier 1966 et vit McNamara, qui fut très impressionné par les calculs de Krulak : 20 % du potentiel de Hanoï coûterait 175 000 vies humaines. « Je crois qu'il faut que vous en parliez au président », dit-il. Mais en attendant il lui suggéra de voir Averell Harriman à la direction des affaires politiques pour discuter d'un autre point controversé qu'avait soulevé Krulak dans son mémorandum au sujet des bombardements au Nord Vietnam. Il soutenait que c'était absurde d'essayer d'arrêter le ravitaillement en armes et munitions soviétiques et chinoises pendant qu'elles étaient acheminées vers le Sud par les routes et les voies ferrées du Nord Vietnam. Pour être efficace, disait-il, il fallait que les bombardements aériens empêchent le matériel d'entrer au Nord en minant et en bombardant Haiphong et les autres ports, ainsi que les voies ferrées à la frontière de la Chine.

« Vous voulez la guerre avec l'Union soviétique et la Chine ? » demanda Harriman pendant qu'ils déjeunaient dans sa résidence de Georgetown. Il brandissait en parlant une lourde cuillère d'argent devant le nez proéminent de Krulak qui se sentait fort mal à l'aise. McNamara ne tint pas sa promesse d'une rencontre avec le président. Krulak ne s'était pas rendu compte sur le moment qu'il avait peut-être pu attirer un instant l'attention du secrétaire à la Défense, mais sans pouvoir la retenir, car McNamara était trop captivé par Westmoreland et les autres généraux pour se soucier de logique et de mathématique élémentaire.

Greene essaya de convaincre les autres membres de l'état-major général des forces armées d'adopter le point de vue du corps des Marines pour qu'ils donnent l'ordre à Westmoreland d'adopter cette stratégie nouvelle. Aucun de ses pairs ne le suivit. Ils ne contestèrent pas les chiffres mais réagirent comme Westmoreland. Les généraux de l'armée, Earle Wheeler, qui présidait l'état-major, et Harold Johnson, prirent le parti de leur général sur le terrain. Le général John McConnell, représentant l'Armée de l'air, et l'amiral McDonald, de la Marine, ne virent aucune raison de se rallier aux thèses de Greene contre l'avis de l'Armée. D'ailleurs, l'Aviation et la Marine jouaient un grand rôle au Vietnam grâce à la guerre d'usure.

A la différence de Vann, Krulak était assez haut placé dans le système pour pouvoir faire appel à l'instance suprême. Il dut attendre plusieurs mois pour obtenir une audience du président que Greene lui obtint finalement pendant l'été de 1966. Krulak envoya une copie de son mémorandum à la Maison-Blanche, suffisamment en avance pour que Johnson ait le temps d'en prendre connaissance. La première question du président lui montra qu'il ne l'avait pas lu. « Combien cela va nous coûter pour gagner ? » Krulak commença à lui expliquer. Johnson le laissa parler pendant quarante minutes. Il posa quelques questions, mais Krulak eut l'impression que tout ce qu'il disait passait très au-dessus de sa tête. Lorsque Krulak en vint à la nécessité de miner Haiphong, Johnson lui donna l'impression « de s'être piqué les fesses sur un clou ». Il se leva brusquement, entoura de son bras les épaules de Krulak, lui dit qu'il était un grand général et le raccompagna jusqu'à la porte.

Krulak n'avait pas l'habitude de se laisser coincer. Il était résolu à faire démontrer par les Marines les mérites de sa stratégie. Westmoreland n'aurait alors plus d'autre choix que de l'étendre à l'ensemble du Vietnam. La région du 1er corps d'armée attribuée aux Marines convenait géographiquement parfaitement à son plan. Dans les cinq provinces vivaient près de 2 millions de personnes, dont 98 % sur la bande côtière de quarante kilomètres de large qui représentait moins du quart de la superficie totale. Tout le reste était constitué par les épaisses forêts tropicales des montagnes de la Cordillère annamite qui servaient de refuge au Vietcong et à l'armée du Nord infiltrée, mais qui ne produisaient pas assez de riz pour les faire vivre. Les Marines avaient établi trois bases, près de Chu Lai, de Da Nang et autour du terrain d'aviation de Phu Bai, juste en dessous de Huê. De là ils avaient prévu de rayonner pour que tout le littoral ne forme plus qu'une seule zone pacifiée. Ainsi, les milliers de réguliers vietcongs qui occupaient la montagne n'auraient plus aucune importance. Ils dépériraient sur place sans la nourriture, les renforts et les renseignements que leur procurait la paysannerie locale, et Hanoi devrait acheminer du Nord tout le ravitaillement, vivres compris, pour chaque soldat de son armée.

Le commandant des Marines au Vietnam choisi par Greene, Lewis Walt, était le plus jeune général de division du corps. Fils d'un éleveur du Kansas, héros deux fois décoré de Guadalcanal pendant la Seconde Guerre, il avait toujours à cinquante-deux ans l'allure de l'avant-centre de football qu'il avait été dans sa jeunesse, sûr de lui, de grande taille, les épaules larges, et des mains de bagarreur. En théorie il était sous le contrôle opérationnel de Westmoreland, mais en pratique aucun Marine ne peut être soustrait à l'autorité de son corps. Walt partageait sur la pacification les conceptions de Greene et de Krulak, qui fit quarante-cinq voyages au Vietnam pendant les quatre ans de son commandement. Walt et lui se parlaient fréquemment au téléphone sur la ligne directe et confidentielle qui les reliait. Greene était informé de tout et lui prodiguait ses encouragements.

Lew Walt consacra un tiers de son activité à se battre contre l'armée nord-vietnamienne et les unités vietcongs pour les chasser de zones peuplées et pour leur donner une sévère punition dans les montagnes de l'intérieur à chaque fois que les renseignements qu'il avait reçus lui assuraient l'avantage, comme l'avait prescrit Krulak. Mais il investissait l'essentiel de ses efforts dans une campagne méthodique pour débarrasser les villages des rebelles vietcongs et des cadres politiques, en ne se contentant pas de les tuer ou de les faire prisonniers. Un an avant que l'AID n'unisse les divers organismes civils et que Vann ne prenne ses fonctions au 2ᵉ corps, Walt avait déjà fait appliquer les divers programmes de pacification sous l'autorité des Marines. Il avait intégré des pelotons de ses hommes dans chaque section des Forces populaires de Saigon, placée sous l'autorité du sous-officier américain avec le Vietnamien pour adjoint, et le schéma se répétait à tous les échelons. Les bataillons combinaient leur action militaire (7 000 patrouilles et 5 000 embuscades de nuit par mois en avril 1966) avec le programme d'action civique auprès des paysans.

Walt et Krulak eurent très vite à livrer bataille autant avec les autorités de Saigon et de Washington que leurs fantassins avec l'ennemi. Westmoreland harcelait Walt pour qu'il abandonne toute cette activité de pacification et de recherche des Vietcongs locaux et des cadres politiques et la laisse aux civils et à l'armée sud-vietnamienne. Il voulait que les bataillons de Marines partent dans la montagne pour attaquer directement l'ennemi dans le cadre de sa guerre d'usure. La pression fut d'abord verbale avec suggestion d'opérations spécifiques, suivie de menaces d'ordres écrits, puis de plaintes à McNamara et autres responsables de Washington : ce n'était pas en dorlotant les paysans qu'on allait gagner la guerre, les Marines étaient timorés et laissaient tout le fardeau des combats à l'armée, etc. La pression s'étendit jusqu'à la bureaucratie : pour ses statistiques, Westmoreland mesurait l'efficacité de ses commandants par le nombre de jours passés sur le terrain, et ne crédita donc les Marines que du temps passé en opérations de combat. Les jours et les nuits consacrés à la pacification n entraient pas dans les ordinateurs.

Krulak dut mener une guerre défensive contre les autorités pour diminuer la pression sur Walt et empêcher Westmoreland de contraindre les Marines à mener la guerre à sa façon. Il se rendit à Washington en mai 1966 et trouva un McNamara prêt à l'écouter, en raison du respect qu'il avait pour lui, mais définitivement fermé à ses arguments. Sa stratégie était trop lente, lui dit le secrétaire à la Défense, et il faudrait trop d'hommes pendant trop longtemps pour gagner la guerre. De retour à Hawaii, Krulak lui écrivit une lettre de cinq pages dactylographiées à simple interligne pour essayer de lui expliquer que l'obsession des Marines n'était pas « de distribuer des savonnettes ou de crapahuter dans la brousse à la recherche des rebelles, au détriment des attaques contre les unités de l'armée du Nord ». La question de savoir qui tenait quoi dans les montagnes « n'avait pas de sens puisque de toute façon il ne s'y trouvait rien qui vaille quelque chose ». Krulak ajouta une liste de routes et de villages qui étaient maintenant en sécurité et d'autres signes montrant que les Marines commençaient à contrôler ce qui méritait de l'être. Ces indices, tout en étant « difficiles à quantifier », étaient une meilleure mesure des progrès accomplis que le nombre de cadavres de Westmoreland. « Le chiffre brut des morts VC est un indice douteux de réussite, car, si ces morts s'accompagnent de la dévastation de régions amies, nous aurons finalement fait plus de mal que de bien. »

Comme Vann l'avait déjà découvert, les hommes responsables de la politique américaine n'étaient pas préoccupés outre mesure par les ravages commis. En juillet 1966, Paul Nitze, secrétaire à la Marine, vint à Saigon. Il se fit enguirlander par Westmoreland, qu'il admirait, et, sur le chemin du retour, s'arrêta à Hawaii pour engueuler Krulak qui bouillait de colère en écoutant le sermon. Il rentrait justement du Vietnam et venait d'envoyer une lettre de remerciements à Walt : « J'ai constaté un progrès partout dans votre secteur. » Il avait attiré l'attention de Walt sur une remarque qu'avait faite un général de l'armée, disant que les États-Unis étaient en train de « gagner militairement » au Vietnam. Krulak avait précisé que cette déclaration « n'avait aucun sens » parce qu' « on ne peut pas gagner uniquement militairement. Ou bien on gagne complètement, ou pas du tout ».

Mais en réalité les Marines n'avaient pas, à l'été de 1966, fait autant de progrès dans la pacification que Krulak le pensait. L'organisation clandestine vietcong avait été durement touchée, mais restait néanmoins intacte dans le territoire contrôlé par les Américains. Les représentants officiels de Saigon dans les villages et les hameaux étaient toujours assassinés de temps en temps dans les faubourgs de Da Nang. Il est vrai que Walt n'était pas aidé en haut lieu. L'ambassadeur Lodge avait commis l'erreur d'autoriser le général Ky à renvoyer, à la suite d'une prise de bec politique, le général vietnamien commandant le 1er corps. Le plus ambitieux des chefs bouddhistes, Thrich Tri Quang, qui avait abattu Diêm, avait sauté sur l'occasion pour se mettre en valeur et il s'était ensuivi trois mois de désordres, manifestations, grèves, avec une semaine de guerre civile entre les militaires favorables au chef bouddhiste et les hommes de Ky. A cette occasion, Huynh Van Cao, la vieille connaissance de Vann, se racheta. Il avait été obligé d'accepter le commandement du 1er corps dont les autres généraux ne voulaient pas. Le chef de la police de Ky lui donna l'ordre d'attaquer la pagode bouddhiste de Da Nang, centre de la rébellion. Lancer une attaque contre une pagode était un sacrilège que Cao refusa de commettre. Le chef de la police envoya alors un de ses sbires lui mettre le canon de son revolver sur la tempe. Cao était prêt à mourir. A ce moment, un conseiller américain entra dans la pièce et lui sauva ainsi la vie. Cao fut obligé de démissionner sur les ordres de Ky. Il fit ensuite de la politique comme représentant de la communauté catholique, une vocation qui lui convenait beaucoup mieux que la carrière des armes.

En dépit de cette fâcheuse aventure, Walt avait accru son contrôle sur la région. Si la majorité des paysans du Centre Vietnam soutenait la cause de Hô Chi Minh, les communistes y avaient tout de même beaucoup d'ennemis. Les paysans ne vénéraient pas tous l'indépendance au point de résister à ce régime mixte de contraintes et de cajoleries que les Marines imposaient. Avec du temps et de la patience Walt aurait très bien pu maîtriser, au moins temporairement, toute la bande côtière. Dans ce cas, le nombre, aussi élevé qu'il ait pu être, d'unités régulières que Hanoi aurait pu maintenir dans les montagnes en les ravitaillant directement du Nord, n'aurait eu aucune incidence sur l'issue. Car ces troupes auraient été écrasées par les Marines dès qu'elles se seraient risquées dans la plaine. Walt, promu général de corps d'armée, disposait à la mi-66 de 55 000 hommes, répartis en deux divisions, la 1re à Chu Lai et la 3e dans la région de Da Nang avec une escadre aérienne en soutien. Mais, même si à la fin de l'année son effectif allait passer à 70 000 hommes, le général Lew Walt n'en aurait jamais assez pour mener en même temps une bataille frontale contre les unités communistes et la campagne de pacification.

Les responsables de Hanoi réglèrent le problème, et c'est Westmoreland qui sans le savoir tira pour eux les marrons du feu. Au cours de l'été 1966, ils firent franchir la zone démilitarisée à la division 324 B. Les unités de reconnaissance des Marines entrèrent en contact avec les troupes nord-vietnamiennes en juin dans la province de Quang Tri, à proximité de Cam Lo, où l'ancienne route française, la route 9 qui traverse la chaîne de montagnes vers le Laos, commence à gravir les collines. Au mois de juillet, les renseignements fournis par les prisonniers et les documents saisis par les Marines leur apprirent que leurs patrouilles affrontaient les éléments avancés d'une force d'au moins 5 000 hommes et peut-être d'une division de 12 000 combattants. Westmoreland se précipita dans le piège avec autant d'impatience que le lieutenant de Moore dans la vallée de la Drang. Il s'envola pour Da Nang et encouragea Walt à attaquer les Nord-Vietnamiens avec 8 000 Marines. L'adversaire résista assez pour que le combat soit violent, puis se retira. Ils revinrent en août un peu plus à l'ouest dans les montagnes, et Westmoreland y envoya à nouveau Walt.

La zone démilitarisée et la région nord du 1er corps étaient un champ de bataille idéal pour les Vietnamiens et leur permettaient d'exercer une pression sur les Américains pour épuiser leur résistance, de la même façon qu'ils s'étaient acharnés contre les Mongols, les Mings et plus récemment les Français. Leurs lignes de ravitaillement étaient beaucoup plus courtes à proximité de la ligne de démarcation, et, lorsqu'une unité devait rompre le combat, elle pouvait facilement se mettre à l'abri de l'autre côté de la zone démilitarisée ou au Laos tout proche. D'autre part, le terrain convenait parfaitement à leur stratégie. Le long de la côte, se répartissaient en quantités égales collines, dunes de sable, marécages et rizières. A vingt kilomètres de la mer commençaient la jungle et les premiers contreforts, puis les montagnes les plus sauvages de la terre : un mélange préhistorique de pics solitaires, de crêtes abruptes, de vallées sinueuses et de ravins cachés. On pouvait dissimuler une armée entière dans un seul secteur de cette immensité. Les épais fourrés de bambou ou d'herbes géantes alternaient avec des forêts tropicales à l'épais feuillage toujours vert au sommet de troncs de vingt mètres de haut, protégeant un sous-bois si dense que la visibilité était réduite à cinq ou dix mètres.

Pendant la saison des pluies il y règne un froid glacial avec une température qui tombe à 5 ou 6 degrés dans l'humidité de la nuit, donnant ainsi un avantage supplémentaire au soldat vietnamien. La mousson du nord-est qui y sévit d'octobre à mai est très différente de celle du sud-ouest de mai à octobre sur le delta du Mékong. Au sud, elle prend la forme de pluies torrentielles l'après-midi et de brouillard épais mais en général irrégulier. Au nord-est, la mousson enveloppe le pays d'un crachin froid et continu qui dure parfois deux à trois jours sans interruption, fréquemment accompagné d'un épais brouillard empêchant l'appui aérien rapproché et le réglage des tirs d'artillerie. La région du 1er corps était justement celle où la mousson du nord-est était la plus forte et où les pluies étaient les plus abondantes, 320 centimètres à Huê contre 190 à Saigon.

Lew Walt était pris entre Westmoreland, qui le harcelait pour qu'il attaque l'armée nord-vietnamienne, et Krulak, qui le poussait à résister. Wally Greene essaya de l'aider lors d'une de ses visites d'inspection au mois d'août. Comme d'habitude, la conversation sérieuse avec Westmoreland se déroula seul à seul après le dîner, car il n'était pas question de discuter de leurs désaccords en présence d'autres membres du commandement américain. Greene fit remarquer à Westmoreland que la tactique de guerre d'usure n'avait pas plus de sens que sa stratégie. Il avait lu un rapport d'une unité qui avait dû combattre pour se frayer son chemin jusqu'au sommet d'une crête pour avoir à se battre à nouveau en redescendant. Ce n'était pas une utilisation rationnelle du soldat américain. Mais il ne réussit pas mieux cette fois-ci que les autres. Ces généraux des Marines ne comprenaient pas que, pour Westmoreland, reconnaître qu'ils avaient raison serait le priver de la guerre qu'il voulait mener, avec vastes mouvements de troupes, massifs barrages d'artillerie, sous un ciel rempli d'hélicoptères, de chasseurs-bombardiers et du tonnerre des B-52.

En septembre 1966, Westmoreland annonça qu'il avait donné l'ordre au génie de transformer une petite piste d'aviation en terre battue à l'extrême nord-ouest en un terrain en plaques d'aluminium susceptible de recevoir des transporteurs C-130. Il ordonna à Walt d'y envoyer un bataillon. Par une autre de ces ironies de la guerre, Krulak avait entendu parler de ce lieu vingt-neuf ans plus tôt. Son commandant de bataillon à Shanghai était allé en Indochine chasser le tigre et lui avait parlé à son retour de cette petite vallée pittoresque de montagne appelée Khe Sanh. Il en avait rapporté des photos, que Krulak avait gardées, sur lesquelles on voyait les indigènes locaux et des planteurs de café français serrés autour de la dépouille du tigre.

Krulak revint au Vietnam pour essayer de convaincre Westmoreland d'abandonner son plan. Ils se retrouvèrent à Chu Lai à bord du bimoteur du commandant en chef. Krulak soutint qu'un seul bataillon ne suffirait pas. Il en faudrait au moins un autre pour occuper les collines qui dominaient la vallée où les Français avaient tracé la première piste. En outre, un nombre important d'hélicoptères serait nécessaire pour ravitailler tout le monde.

Ainsi des hommes et des moyens matériels importants seraient détournés de la campagne de pacification pour un objectif tout à fait inutile.

Ce n'était pas l'avis de Westmoreland, qui entreprit d'expliquer ce qui justifiait ce terrain d'aviation isolé à dix kilomètres du Laos et à vingt-cinq kilomètres de la zone démilitarisée. Une de ses utilisations éventuelles pouvait être de servir de base de départ sur la route 9 qui traversait la vallée, s'il recevait un jour l'autorisation d'entrer au Laos pour couper la piste de ravitaillement Hô Chi Minh. Il faut préciser ici que le président, McNamara, Rusk et d'autres membres du gouvernement étaient opposés à une action sur le Laos de peur d'entraîner la Chine dans la guerre. D'ailleurs Westmoreland lui-même ne semblait curieusement pas y attacher une importance prioritaire, bien que le fait de priver le Vietcong des renforts du Nord eût pu sembler une condition *sine qua non* à sa guerre d'usure. Il devait expliquer plus tard dans ses Mémoires qu'il ne pensait pas disposer de suffisamment de troupes américaines pour mener cette opération avant 1968, et il s'était installé à Khe Sanh en 1966 pour s'assurer de la position en attendant.

Tandis que Westmoreland parlait, Krulak se rendit compte que son motif primordial pour envoyer les Marines à Khe Sanh était l'espoir que cette base isolée dans la montagne servirait d'appât et y amènerait des milliers de soldats nord-vietnamiens qui seraient pulvérisés par la puissance de feu américaine. Krulak retourna à Hawaii, le génie et un bataillon de Marines allèrent à Khe Sanh, et Westmoreland, plus déterminé que jamais à faire céder Walt, accrut la pression sur lui. Cinq bataillons supplémentaires de Marines furent consacrés sans relâche dans le nord à rechercher le contact avec l'armée adverse.

Krulak demanda instamment à Walt de s'opposer à cette folie. A la fin de la première semaine d'octobre, il lui envoya un câble titré : « SPECAT (Catégorie spéciale). EXCLUSIF POUR GEN WALT DE GEN KRULAK, CORPS MARINES. » Il s'agissait d'un de ces messages particulièrement délicats entre généraux, qui utilisent dans ce cas les circuits spéciaux des services de renseignements pour préserver le secret. « Si j'étais l'ennemi », imaginait Krulak pour expliquer qu'il considérerait la pacification, et sa réussite possible démontrée par les Marines, comme « la plus grande menace à mes espérances sur la péninsule indochinoise ». Pour écarter cette menace, il suffisait de détourner les Marines en « appliquant la doctrine de Mao : beaucoup de bruit à l'est pour attaquer à l'ouest ». La division 324 B a une mission de diversion. « En outre, le champ de bataille du nord est le choix de l'ennemi et lui est favorable. » La fureur de Krulak était perceptible dans sa conclusion. « Notre opération à Cam Lo convient probablement parfaitement à l'armée nord-vietnamienne. Je suis convaincu qu'ils sont ravis qu'un de nos bataillons soit à Khe Sanh et que cinq autres soient en train de se débattre dans la jungle hostile au lieu de travailler à la pacification... Nous pouvons nous attendre à ce que l'ennemi s'accroche à nous dans la province de Quang Tri aussi longtemps que possible. »

Westmoreland et les communistes vietnamiens avaient mis Walt hors jeu. Son rôle était réduit à la simple obéissance à un supérieur hiérarchique. Si

Walt continuait à résister, comme Krulak l'y poussait, Westmoreland le ferait relever. Un départ sur des questions de principe ne lui permettrait pas d'influencer la stratégie, sans compter que son acte de défi ne serait pas compris. Lyndon Johnson n'était pas le seul Américain à avoir confiance en William Westmoreland. Le général était très populaire auprès de la presse et du public. Il avait déjà une fois été en couverture de *Time* et, à la fin de 1966, avait été désigné « l'homme de l'année » par le magazine. Walt ne semble pas avoir perçu avec autant de perspicacité que Krulak que, si Westmoreland menait la guerre à sa façon, les Marines allaient mourir à partir de maintenant au profit de l'ennemi. Il semble qu'il ait estimé pouvoir continuer plus modestement la pacification tout en menant une guerre d'usure le long de la ligne de démarcation.

Walt céda et fit remonter sa 3ᵉ division vers le nord, où Westmoreland lui fit établir une série de points d'appui fortifiés le long de la zone démilitarisée. Des batteries d'artillerie de l'armée, avec des canons de 175 mm, les « Long Toms », vinrent renforcer le dispositif en prenant sous leur feu toute la ligne de démarcation jusqu'à Khe Sanh et la frontière du Laos. Westmoreland expliqua dans ses Mémoires que « ce système de points d'appui renforcés était destiné à obliger l'ennemi à utiliser des couloirs déterminés où l'aviation et l'artillerie pourraient concentrer toute leur force avant que les unités d'infanterie n'attaquent ». Westmoreland constitua une division provisoire, plus tard surnommée l' « Americal », pour prendre la responsabilité du secteur sud du 1ᵉʳ corps. Il voulait ainsi renforcer les Marines trop dispersés, mais surtout contrecarrer le monopole qu'ils exerçaient dans cette région. Le programme de pacification de Walt ne fut pas abandonné, il se recroquevilla comme un vieux parchemin.

Krulak surveillait tout cela de Pearl Harbor dans le même état d'esprit que Vann en 1963. Il voyait approcher la catastrophe sans pouvoir l'empêcher. Dans le système, on écoutait un homme de son grade et avec son passé, mais lui apporter une réponse conforme à la raison était une autre question. Greene ne pouvait rien faire de plus et il ne pouvait plus compter sur l'appui de l'amiral Sharp, commandant en chef du Pacifique. Sous la pression de l'état-major général qui soutenait les incessantes demandes de renforts que Saigon adressait à McNamara, Sharp avait cédé. Westmoreland voyait avec satisfaction l'escalade des combats le long de la zone démilitarisée : « Nous allons continuer à les saigner, dit-il, jusqu'à ce que Hanoi admette le fait que nous avons rendu leur pays exsangue pour plusieurs générations. »

Dix jours après cette fanfaronnade de Westmoreland, le 24 avril 1967, une patrouille de cinq Marines de Khe Sanh tomba dans une embuscade dans un buisson de bambous sur la colline 861, au nord-ouest de la piste. Un seul survécut. Le premier et le plus cruel des combats de Khe Sanh, la « bataille des Collines », venait de commencer.

Krulak avait eu raison en insistant pour que les Marines occupent les collines qui dominaient la cuvette Les Vietnamiens, eux, l'avaient compris. Un régiment de la division 325 C avait profité du brouillard et des nuages bas de la mousson pour occuper la colline 861 ainsi que les deux autres plus en retrait, la 881 sud et la 881 nord. Un second régiment de la division se trouvait en réserve au-delà. On découvrit plus tard que les troupes du génie nord-vietnamien avaient probablement travaillé sur ces collines pendant trois mois avant l'arrivée de l'infanterie sans être repérées par les Marines. Walt avait d'ailleurs réduit l'effectif du bataillon de Khe Sanh à une seule compagnie, parce que pendant des mois ses hommes n'avaient jamais trouvé un seul adversaire. Westmoreland voulait garder sa piste d'aviation. Il fallait donc que les Marines chassent les Vietnamiens des collines. Ils ne connaissaient pas l'importance des forces qu'ils allaient affronter et ignoraient la nature du terrain que leurs ennemis avaient préparé.

Pendant trois jours, deux compagnies de Marines, celle qui était stationnée à Khe Sanh et une autre envoyée immédiatement en renfort, s'efforcèrent de s'emparer de la colline 861. La contrée était constituée d'un enchevêtrement de crêtes avec des sommets dominants.

Sur la colline 861, les Vietnamiens laissèrent les Marines grimper jusqu'à quinze ou vingt mètres d'eux, puis déclenchèrent une fusillade nourrie depuis les positions qu'ils avaient creusées dans le sol. Les obus des mortiers de 82 cachés sur d'autres crêtes s'écrasèrent sur les Américains en faisant beaucoup de victimes. Ils contre-attaquèrent avec des salves d'obus explosifs et de phosphore blanc des mortiers et des obusiers de la base, le mitraillage et les rockets des hélicoptères Huey, les bombes et le napalm de l'escadre aérienne. Les Vietnamiens s'arrêtèrent momentanément sans être découragés. Quand les Marines essayèrent de se replier, ils les suivirent en les harcelant du feu de leurs armes automatiques. Les Marines ne purent même pas évacuer leurs blessés car, chaque fois qu'ils demandaient un hélicoptère de secours, les Vietnamiens arrosaient d'obus le lieu d'atterrissage.

Les deux compagnies de Marines avaient attaqué séparément. Le commandant de bataillon qui était à la tête de l'opération donna l'ordre à la compagnie de Khe Sanh, attaquant par la face nord-ouest de la colline 861, de faire sa jonction avec lui. Le capitaine lui répondit qu'après trois jours de combat il ne disposait plus d'assez d'hommes valides pour porter les morts et les blessés jusque-là. Les Marines, formés avec le sens mystique de la camaraderie, ont horreur d'abandonner leurs morts. Le commandant réitéra son ordre de départ. Le capitaine lui répondit qu'ils n'étaient de toute façon pas assez nombreux pour les blessés, et qu'il était hors de question pour un Marine de les laisser sur place. Il ajouta qu'il allait se cacher dans un banc de brouillard proche pour se protéger des mortiers et « combattre jusqu'au dernier » contre l'infanterie vietnamienne, qui n'allait sûrement pas tarder à intervenir.

L'officier d'artillerie protégea la compagnie cachée dans le brouillard en l'encerclant d'un tir d'obus, comme le sergent Savage l'avait fait pour sauver la section perdue de Moore, jusqu'à ce qu'une troisième compagnie envoyée d'urgence en renfort à Khe Sanh puisse s'infiltrer jusqu'à eux à l'aube. Avec des ponchos, ils confectionnèrent des civières pour les blessés et les morts et rassemblèrent toutes les armes et équipements. La colonne se mit en marche à travers l'obscurité dans la pluie et le brouillard qui épaississait dans le froid de la nuit. Seuls les hommes de tête et d'arrière-garde ne portaient pas de fardeaux. Les pluies avaient transformé les pistes en bouillasse glissante. La température, élevée pendant les journées de cette fin de la saison des pluies, avait fait gonfler les cadavres. A chaque instant pendant cette marche de nuit, un porteur de civière glissait dans la boue et le corps tombait du poncho pour rouler en bas de la pente. La colonne s'arrêtait. On récupérait le cadavre et la marche reprenait. Lorsque enfin les Marines atteignirent un lieu sûr à l'aube, ils n'avaient abandonné personne derrière eux.

La seconde compagnie se dégagea aussi avec l'aide des renforts. Les deux unités épuisées furent relevées, et les forces de Khe Sanh furent gonflées à deux bataillons, tandis que toute l'artillerie et les chasseurs-bombardiers écrasaient et incendiaient la colline 861 sans arrêt pendant un jour et une nuit. Un bataillon remonta à l'assaut. Les Vietnamiens étaient partis, probablement vers la colline suivante, la 881 sud, juste après leur premier engagement et avant le bombardement. Ils avaient laissé la plupart de leurs morts. A part cela, comme le précisa le rapport, « le champ de bataille avait été nettoyé par l'ennemi ; il n'y restait aucun équipement ou aucune information de valeur ». Les Marines recensèrent 25 blockhaus sur la colline, 400 trous individuels et des emplacements de mortiers sur le versant arrière. La couverture des blockhaus était constituée par une couche de deux mètres d'épaisseur faite de bambous, de terre et d'herbe comprimées, et offrait une protection suffisante contre les impacts directs d'obus. La vue de ces installations aurait dû rendre les officiers des Marines méfiants.

Après un nouveau bombardement d'une journée et d'une nuit par les Américains, un bataillon fut lancé à l'attaque de la colline 881 sud. Il tomba en plein dans un piège. Une fois de plus, les Vietnamiens s'abstinrent de tirer jusqu'à ce que l'assaillant soit à quinze ou vingt mètres d'eux pour que la première rafale fût la plus meurtrière possible. Les tireurs isolés, grimpés dans les arbres qui avaient résisté au bombardement, sélectionnaient les opérateurs radio et les servants de mitrailleuses pour les abattre avec précision d'une seule balle dans la tête ou dans la poitrine. Au même moment, les salves d'obus de mortiers s'abattaient sur les Marines. Les Nord-Vietnamiens n'avaient apparemment pas peur de faire tirer leur artillerie tout près d'eux et même pratiquement sur leur position.

Les Marines sont des troupes d'assaut sans égal et ils foncèrent avec l'agressivité naturelle de leur corps. Ils découvrirent que plus ils progressaient à l'intérieur de la position ennemie, plus ils rencontraient de résistance et plus leur situation devenait difficile. Très vite ces hommes, bien qu'ils fussent toujours en état de combattre, ne purent plus ni avancer ni reculer. Le feu des ouvrages retranchés devant eux devenait de plus en plus meurtrier. En même temps, les Vietnamiens avaient réoccupé les blockhaus que les Marines avaient dépassés et leur coupaient la retraite.

L'avertissement de Krulak expliquant que les communistes vietnamiens

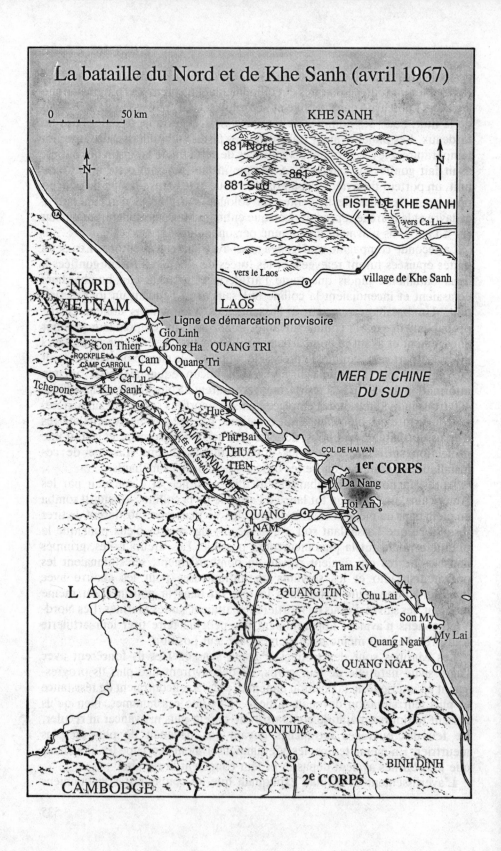

La bataille du Nord et de Khe Sanh (avril 1967)

0 50 km

KHE SANH

881 Nord

881

881 Sud

PISTE DE KHE SANH

vers Ca Lu

vers le Laos

LAOS

village de Khe Sanh

NORD VIETNAM

Ligne de démarcation provisoire

Gio Linh

Con Thien   Dong Ha   QUANG TRI

ROCKPILE   Cam   Quang Tri

CAMP CARROLL   Lo

Ca Lu

Tchepone   Khe Sanh

MER DE CHINE
DU SUD

Hue

CHAINE ANNAMITE

VALLÉE DA SHAU

Phu Bai

THUA
TIEN

COL DE HAI VAN

1er CORPS

Da Nang

Hoi An

LAOS

QUANG
NAM

Tam Ky

QUANG TIN   Chu Lai

Son My

My Lai

Quang Ngai

QUANG NGAI

KONTUM

CAMBODGE

2e CORPS

BINH DINH

recherchaient « des attaques violentes et rapprochées » pour « réduire l'efficacité » de l'aviation et de l'artillerie, semblait maintenant très au-dessous de la vérité. Pendant que Westmoreland envisageait de grandes installations portuaires et de vastes dépôts pour sa guerre d'usure, les Vietnamiens avaient appris de meilleures façons de combattre les Américains. Sur la colline 881 sud les Américains ne trouvèrent pas le double des installations de la colline 861, mais dix fois plus : environ 250 blockhaus étonnamment robustes. Les plus petits, apparemment pour deux ou trois hommes, étaient coiffés d'un toit fait de deux rangées de poutres recouvertes d'un mètre et demi de terre. Ceux de la taille au-dessus, pour quatre hommes, avaient une meilleure protection et servaient, avant la bataille, de cantonnement confortable, avec des rayonnages de rangement, des nattes sur le sol et un système de drainage pour les maintenir au sec. Les plus grands abris, notoirement postes de commandement, étaient protégés par quatre à huit rangées de poutres avec plus d'un mètre de terre tassée. Tous les éléments de ce complexe fortifié étaient reliés entre eux par un réseau téléphonique qui permettait à tous de se parler pendant le combat et aux observateurs de régler avec précision le tir des mortiers enterrés plus loin à l'arrière.

Le bombardement nuit et jour de la colline, qui avait semblé si destructeur pour les spectateurs américains, n'avait pas eu plus d'effet qu'un feu d'artifice. Les rockets avaient éclaté dans les branches supérieures des arbres qui protégeaient les abris. Le napalm avait brûlé la végétation. Les tirs d'obusiers avaient donné mal à la tête aux Vietnamiens dans leurs bunkers : ils supportaient péniblement les explosions et souffraient souvent de saignements du nez ou des oreilles. Mais les bombes n'avaient tué ou blessé personne.

Pour obtenir ce résultat, les chasseurs-bombardiers n'avaient pas lâché de bombes de 350 kilos et très peu de 500 et 1 000 kilos. Ils avaient presque uniquement utilisé des engins de 125 et 250 kilos du type « œil de serpent ». Ils sont équipés de larges ailerons de queue qui se déploient après le lancement pour ralentir la descente, ce qui permet de les lancer à basse altitude sur une lente trajectoire parabolique, et donne au pilote le temps de s'éloigner suffisamment avant l'explosion. Les avions à réaction peuvent mieux atteindre leur but avec une attaque à l'horizontale et à basse altitude, et le temps favorisait l'utilisation de ces projectiles. Les aviateurs de la Marine et de l'Air Force sont entraînés pour voler partout et dans n'importe quelle condition. Avec une moitié ou l'autre du pays toujours sous l'effet de la mousson, ils sont souvent confrontés à un plafond bas. Fin avril et début mai à Khe Sanh, le plafond était d'environ 300 mètres ou moins. Pour lâcher avec précision des bombes de gros tonnage, les avions auraient dû pratiquement descendre en piqué et remonter très vite à une altitude suffisante. Une telle approche était très dangereuse lorsque les nuages étaient bas. Les Vietnamiens étaient parfaitement au courant de cette pratique de l'aviation américaine et leurs abris étaient suffisamment solides pour résister à une bombe de 125 ou 250 kilos, sauf si elle touchait droit au but, ce qui était très rare.

Ces fortifications des forêts tropicales servaient aussi bien les objectifs offensifs que défensifs des Vietnamiens. Dans les débuts de la bataille, comme à la colline 861, ils pouvaient faire des sorties et utiliser leurs éléments des ailes pour encercler l'adversaire. Ils connaissaient parfaitement le terrain pour y avoir vécu secrètement pendant la dernière phase de la construction des fortifications. Plus tard, comme pendant l'assaut de la 881 sud, ils attendirent tranquillement la fin du bombardement dans leurs abris.

A la fin, les bombardements obtinrent le résultat recherché. Les Vietnamiens qui avaient reçu l'ordre de tenir leur position ou de s'exposer lors d'une contre-attaque étaient condamnés à mourir, comme ce fut le cas pour des centaines d'entre eux pendant les deux semaines et demie que dura la bataille des Collines. Mais, en planifiant avec soin, en se fortifiant à l'avance, et en imposant un champ de bataille qui amenait les Américains à devenir les propres victimes de leurs méthodes standards de combat, les Vietnamiens allaient réussir ce qui était le plus important pour eux : prolonger la bataille et faire durement souffrir tout fantassin américain qui les affronterait. Simplement pour dégager la couverture de végétation des arbres, puis les troncs eux-mêmes et les broussailles du sous-bois afin que les soldats puissent voir les blockhaus à attaquer, il fallut des journées entières de bombardement avec l'artillerie et les engins de 125 et 250 kilos. Et, en dépit de cette préparation intensive sur la colline 881, les Marines ne purent découvrir les abris vietnamiens que quand ils étaient dessus, et il restait toujours suffisamment d'arbres pour les tireurs isolés.

Lew Walt se souciait de la vie de ses hommes. Il prit l'avion pour Khe Sanh dès qu'il apprit la bataille sanglante de la colline, et se fit accompagner par un peloton de fantassins pour aller sur place se rendre compte par lui-même de ce qui s'était passé. Il se souvenait de l'automne 1944 et de son attaque de Pielelu, la première île du Pacifique où les Japonais s'étaient abstenus de lancer de folles attaques suicidaires pour se retrancher dans des trous et des abris de béton et de corail. Il était donc en mesure de comprendre les limites d'un bombardement conventionnel contre des blockhaus comme ceux qu'il voyait maintenant et l'imprudence stupide d'y envoyer l'infanterie pour s'en emparer. Il ordonna à tous les Marines de se retirer de la colline et à l'Aviation de pilonner avec des bombes de 500 à 1 000 kilos avec fusées à retardement, qui ne faisaient exploser l'obus que quand il avait pénétré dans la terre. Ainsi même les coups manqués avaient une efficacité car les ondes de choc à l'intérieur du sol endommageaient les blockhaus, et le retard permettait au pilote de s'éloigner à temps.

Mais Walt intervenait trop tard : il y avait déjà eu 99 morts. Près de la moitié avaient été tués dans la folle attaque, et cette fois-ci les Marines avaient été obligés d'abandonner leurs morts pour sauver les vivants. Quand ils y retournèrent deux jours plus tard pour rechercher les corps et occuper cette terre désolée, défoncée de cratères de bombes et jonchée d'arbres déchiquetés, ils trouvèrent 50 des blockhaus intacts. Cette fois-ci encore, les Vietnamiens n'étaient plus là. Les survivants du 18e régiment nord-vietnamien qui avait supporté le choc de la bataille avaient fait retraite jusqu'à la colline 881 nord où, à l'insu des Américains, ils avaient été relevés par des troupes fraîches du 95e régiment, gardées jusque-là en réserve.

Lew Walt avait aussi fait bombarder la colline 881 nord, mais les engins de 1 000 kilos ne pouvaient rien contre le temps épouvantable qui régnait. La compagnie de tête attaqua la colline le jour même où leurs camarades occupaient la 881 sud. Ils essuyèrent le feu de tireurs isolés qu'ils pensèrent pouvoir aisément maîtriser. Mais ils n'avaient pas compté sur la tempête tropicale qui s'abattit sur eux avec des vents de soixante kilomètres à l'heure et une pluie aveuglante. Le commandant donna l'ordre de la retraite. C'était trop dangereux de laisser ses hommes plonger tête baissée dans on ne savait quoi.

Les Vietnamiens prirent avantage de cette pause pour lancer cette même nuit une contre-attaque avec deux compagnies. Ils réussirent à pénétrer dans le périmètre d'une des unités de Marines et à s'installer dans des blockhaus jusqu'ici inoccupés. Là, avec armes automatiques et grenades, ils vendirent chèrement leur vie pendant un combat à mort qui dura toute la journée. Il y eut encore bien d'autres victimes dans les jours suivants. Lorsque, après deux semaines et demie, le combat des collines se termina, les corps de 155 Marines avaient été recensés à Khe Sanh, et 425 avaient été blessés. C'étaient jusqu'à présent les plus lourdes pertes des Marines en une seule bataille de cette guerre.

Aussi rapidement qu'ils l'avaient laissé décliner à l'ouest, les Vietnamiens déplacèrent le combat à l'est, le long de la zone démilitarisée, en attaquant la base des Marines de Con Thien avec deux bataillons au début du mois de mai. Le bombardement fut une véritable abomination, pire que les assauts de l'infanterie, les embuscades des convois de ravitaillement et les raids des commandos de sapeurs qui, vêtus seulement de leurs caleçons, rampaient à travers les barbelés pour lancer des charges d'explosifs dans les blockhaus ou par-dessus les murettes des positions d'artillerie. Le bombardement était pire, parce que, en plus du danger de mort, il était insupportable pour les nerfs. 4 200 salves furent tirées avec tout l'arsenal de fabrication soviétique dont les Vietnamiens disposaient : canons de 85, de 100 et de 122 mm, mortiers de 120 dont les éclats se dispersaient sur un très large rayon, rockets Katyusha de 122 mm et de trois mètres de long. En juillet, ils ajoutèrent des canons de 152 mm dont les obus pénétraient à plus d'un mètre dans le sol.

Les Marines essayèrent par tous les moyens de faire taire leur adversaire. Les « Long Toms » de Westmoreland et les canons des croiseurs et des destroyers de la 7e flotte tirèrent des centaines de milliers d'obus. Les bombardiers en piqué Skyhawks A-4 et Crusaders F-8, ainsi que les B-52 et les Intruders A-6 de la Navy et des Marines, qui transportaient chacun sept tonnes d'explosifs, en lâchèrent par vagues des dizaines de milliers de tonnes. Ils n'obtinrent qu'un répit provisoire de ces artilleurs asiatiques qui avaient appris les leçons de ce génie français du XVIIᵉ siècle en artillerie et en siège de places fortes qu'était Vauban, et qui s'étaient entraînés à creuser et à se camoufler contre les héritiers français du grand homme qui en avaient oublié l'enseignement.

Les Vietnamiens construisirent des maquettes de fausses positions d'artillerie pour tromper les photographes du ciel. Ils firent exploser des charges inoffensives pour simuler les éclairs des coups de canon et duper les observateurs. Ils cachèrent leurs vrais canons, mortiers et lance-fusées dans des fosses profondes et des tunnels, d'où ils tiraient à intervalle irrégulier pour remettre le camouflage en place après chaque coup. La fin de l'après-midi était le moment le plus favorable lorsque l'éclair des gueules des canons était le moins visible. Pour les mortiers lourds, ils creusaient fréquemment un puits profond dans la pente d'une colline face aux positions des Marines. Une ouverture était pratiquée au fond du puits. Ainsi, l'arme et les hommes étaient protégés par la masse de terre au-dessus d'eux et envoyaient leur salve à travers le trou camouflé. Les emplacements de canons et mortiers finirent bien entendu par être découverts et les armes et les servants étouffés sous les bombes et les obus. Mais les arsenaux d'Union soviétique, de Chine et des pays de l'Est produisaient en suffisance pour les réapprovisionner en matériel, et Hanoi était en mesure de remplacer les hommes à volonté. La moitié des pertes des Marines fut ainsi due à ces bombardements.

Lorsque, après deux années au Vietnam, Lew Walt retourna aux États-Unis, il savait comment se comporter devant une fortification de blockhaus. Mais les Américains devaient réapprendre chaque fois la leçon au prix d'épreuves et de pertes de vies humaines. Car le système militaire des années soixante favorisait l'ignorance et non la connaissance. En effet, Westmoreland avait institué la rotation annuelle parce qu'il pensait que ce serait bon pour le moral des hommes ; il en résultait que les militaires de tous grades, du colonel au simple soldat, quittaient le Vietnam au moment où ils commençaient à acquérir quelque expérience. La mutation était même plus rapide, tous les six mois, pour les responsables au niveau du bataillon ou du régiment, là justement où la pratique était le plus nécessaire. L'officier passait en général les six autres mois dans un bureau d'état-major avec une promotion. Il n'y eut que peu d'exceptions, et rares furent les officiers supérieurs volontaires qui réussirent à prolonger au-delà de six mois leur commandement sur le terrain. Parfois même la rotation était plus rapide lorsque l'officier était blessé ou malade.

La bureaucratie du bureau du personnel considérait le Vietnam comme un exercice de formation et justifiait la règle des six mois comme un moyen de préparer le plus d'officiers possible pour la « Grande Guerre » future contre les Soviets en Europe et autres feux de brousse locaux. Mais la véritable raison, valable aussi pour les Marines, et qui expliquait le terme dérisoire de « poinçonnage des tickets » qui était donné à cette pratique, en était le système de promotion automatique. Pour obtenir le grade de colonel, un lieutenant-colonel devait faire figurer sur son dossier qu'il avait commandé un bataillon. Le colonel, pour avoir sa première étoile de général, devait avoir été à la tête d'une brigade ou d'un régiment. Maintenir plus de six mois un officier supérieur au commandement qu'il exerçait était considéré comme préjudiciable pour ses camarades. Le même système était valable pour les officiers généraux, mais sur une rotation de dix-huit mois. En fait, peu d'entre eux allaient au-delà d'une année à la tête d'une division ou d'un corps d'armée, tant étaient nombreux ceux qui faisaient la queue pour obtenir une étoile supplémentaire. Walt était une exception, car il était le plus ancien des Marines. Les Vietnamiens pouvaient donc compter que leurs adversaires américains continueraient à se comporter toujours sur le même modèle.

Pendant ce même été de 1966 où ils avaient entraîné Westmoreland dans le piège de la zone démilitarisée, les Vietnamiens ouvrirent un second front sur les hauts plateaux de la Cordillère annamite où Moore s'était battu. Ils entraînèrent les Américains plus au nord dans la partie supérieure de la province de Kontum, à proximité du terminus de la piste Hô Chi Minh, où les montagnes étaient les plus accidentées. En 1967, les responsables de Hanoi furent en mesure d'établir un troisième front dans la zone du 3e corps le long de la frontière du Cambodge. Les Chinois avaient passé un accord avec le prince Sihanouk pour faire parvenir aux Vietnamiens, par le port de Sihanoukville, des milliers de tonnes d'armes, munitions, médicaments et autres (plus de 26 600 tonnes à la fin de 1969). L'armée cambodgienne en prélevait une infime fraction, tandis que Sihanouk et ses généraux touchaient leur commission. Une des femmes de Sihanouk possédait d'ailleurs la firme de transports qui acheminait le matériel depuis le port jusqu'aux dépôts vietnamiens.

Les statistiques des pertes américaines montrent invariablement à quel point la stratégie de Westmoreland avantageait l'ennemi, qui imposait son choix du terrain le plus favorable. Près des quatre cinquièmes de tous les Américains tués au combat à partir de 1967 (77 %) le furent dans dix seulement des quarante-quatre provinces du pays. Et 52 % des pertes totales furent concentrées dans la zone du 1er corps, essentiellement le long ou à proximité de la zone démilitarisée ; les autres étaient localisées dans les régions montagneuses près de la frontière du Cambodge.

Dans son bureau de la montagne au-dessus de Pearl Harbor, Krulak souffrait chaque matin lorsque son secrétaire posait devant lui la liste des pertes. Après ses fréquentes visites aux unités, il se souvenait des noms et des visages et connaissait la plupart des commandants de compagnie et de section, ainsi que quelques simples soldats ou grandes gueules. Ses trois fils l'avaient suivi dans le corps des Marines. L'aîné, un pasteur, avait choisi d'y être aumônier militaire, les deux plus jeunes étaient commandants de compagnie. L'épreuve n'en était que plus amère pour lui. Il arriva même qu'ils soient tous les trois ensemble au Vietnam. Le plus jeune servit deux fois dans le 1er corps, fut blessé deux fois et décoré de l'Étoile d'argent pour sa bravoure et de trois Étoiles de bronze.

Si John F. Kennedy n'était pas mort, pensait Krulak, la guerre se serait peut-être déroulée différemment. La fascination qu'il éprouvait pour la guerre contre-insurrectionnelle et les leçons qu'il aurait apprises dès 1965 lui auraient permis de comprendre l'importance des propos que Krulak avait tenus en vain dans le bureau ovale de la Maison-Blanche. Ce président-là aurait obligé les généraux de l'armée à mener intelligemment cette guerre.

Si Krulak avait raison à propos de Kennedy et si sa rêverie avait quelque fondement, c'était encore un de ces nombreux ratages du Vietnam. Dans cette guerre, 14691 Marines devaient être tués, trois fois plus qu'en Corée, une lourde perte en vies humaines, comparativement plus lourde que les 24511 qui avaient péri pendant la Seconde Guerre mondiale. Krulak savait, bien avant que ce soit terminé, que de toute façon ils mourraient tous pour rien.

Tandis que les communistes vietnamiens concentraient la lutte à l'est de la zone démilitarisée en mai 1967, John Vann était engagé dans un combat avec la bureaucratie pour aider Robert Komer à mettre sur pied la nouvelle organisation de pacification, intitulée bizarrement « Soutien des opérations civiles et du développement révolutionnaire », avec le diminutif encore plus curieux de CORDS[1]. Ce fut l'une des rares occasions de sa carrière où Vann remporta une victoire contre l'administration, essentiellement parce que Westmoreland comprit qu'il n'était pas dans son intérêt de résister et de s'opposer à ses supérieurs. Le culot de Komer brisa ensuite toute résistance.

La police militaire qui protégeait le quartier général de Westmoreland ne pouvait croire au début que cet homme de quarante-cinq ans, légèrement chauve, avec un nœud papillon et une veste à trois boutons, était le premier général civil. Mais Komer les en persuada à sa manière, comme il devait en convaincre les autres. Westmoreland avait mis à sa disposition une voiture de prestige, une Chrysler Imperial noire dont il n'y avait que trois exemplaires à Saigon, les deux autres étant réservés à Westmoreland lui-même et à son adjoint le général Creighton Abrams. Quand Komer, qui était assis derrière le chauffeur et le garde du corps vietnamiens, arriva à la grille dans cet équipage, le MP de service l'arrêta de la main et s'avança vers la porte arrière dont Komer descendit la vitre.

« Qui êtes-vous, monsieur ? demanda le policier militaire.

— Je suis le grand manitou de la pacification, répondit Komer en déclinant son identité.

— Bien, monsieur. Je vais aller voir. »

Le MP se dirigea vers le poste de garde, consulta sa liste de personnalités puis appela quelqu'un au téléphone.

Les deux Vietnamiens commencèrent à parler entre eux. Komer devina qu'ils commentaient l'incident et qu'il était en train de perdre la face, ce qu'il n'accepterait jamais de faire avec d'autres personnes beaucoup plus importantes à Saigon. Komer savait parler fort, avec ou sans son éternelle pipe à la

---

1. « Civil Operations and Revolutionary Development Support », ou CORDS (qui signifie également « cordes » ou « liens »).

bouche. Il s'était esclaffé de satisfaction en 1966, alors qu'il se battait pour la pacification à la Maison-Blanche, lorsque Lodge l'avait surnommé « lampe à souder », à cause de la chaleur qu'il dégageait en défendant ses projets. Ce matin-là, tandis que le MP le mettait dans une situation embarrassante, il se rappelait un article que Ward Just, le correspondant du *Washington Post,* avait publié quelques jours plus tôt. Il y disait que Komer pensait avoir été coriace à Washington mais qu'il allait découvrir que les choses étaient très différentes dans cette volière militaire de Saigon. Il sous-entendait par là que Komer n'était qu'un petit poulet au milieu de faucons et que les généraux et colonels de l'état-major de Westmoreland allaient n'en faire qu'une bouchée.

Komer était décidé à prouver que le journaliste était mauvais prophète. En attendant qu'on le laisse passer, il avait remarqué que le MP s'était mis au garde-à-vous et avait salué une limousine vert olive qui se trouvait devant lui. Elle portait des plaques rouges avec deux étoiles de général de division.

Dès qu'il fut arrivé à son bureau, il apostropha son assistant, le colonel Robert Montague :

« Ça suffit comme ça ! Il me faut quatre étoiles sur ma voiture. Westy en a quatre, ainsi que son adjoint Abe. Il m'en faut quatre aussi. Débrouillez-vous ! »

Montague prit le téléphone. Le chef d'état-major de Westmoreland, le général de division Walter Kervin, s'épargna l'humiliation de discuter avec Komer et lui envoya un de ses adjoints, un général d'aviation.

« Monsieur, nous avons un problème, dit-il à Komer. Nous ne pouvons pas mettre une plaque à quatre étoiles sur votre voiture.

— Et pourquoi donc ? »

Le général expliqua que, suivant le règlement, seul un militaire du grade de général d'armée y avait droit.

« Ce règlement a été fait quand personne ne savait qu'on aurait à mener une guerre comme celle-là. Mettez-moi quatre étoiles ! »

Le général aviateur eut l'audace de suggérer qu'il fallait prendre le règlement au sérieux. Il eut droit à une autre engueulade de Komer et se retira en disant :

« Oui, monsieur. »

Il revint une heure plus tard

« Monsieur, je crois que nous avons trouvé une solution à votre problème.

— Laquelle ?

— Nous allons vous faire une plaque spéciale, avec un aigle au centre et les étoiles aux quatre coins. Comme celle du secrétaire de l'Armée de terre. »

Il regarda Komer en souriant avec hésitation.

« Très bien. Alors mettez-la.

— Bien, monsieur », répondit l'aviateur en souriant franchement cette fois.

Si les MP de la grille d'entrée étaient toujours intrigués par cette plaque bizarre, ils n'hésitèrent plus à laisser rapidement le passage en saluant au garde-à-vous. Très vite ils n'eurent même plus besoin de regarder la plaque avec l'aigle et les étoiles, ils savaient que l'homme au nœud papillon était Komer.

Lorsque au printemps de 1966 Lyndon Johnson l'avait nommé l'œil de la Maison-Blanche dans cette « autre guerre » du Vietnam, Robert Komer ne connaissait pratiquement rien de l'Asie de l'Est. C'était une des régions du globe qu'il n'avait jamais étudiée ni visitée pendant ses vingt-deux ans de carrière au gouvernement depuis ses débuts en Italie pendant la Seconde Guerre mondiale comme caporal dans les services de renseignements. Komer, fils d'une famille prospère du Middle West, avait été brillamment diplômé de Harvard en 1942 et y était retourné après la guerre à l'Institut des sciences économiques pour découvrir finalement que c'était le renseignement qui l'intéressait et non pas le monde des affaires. Comme analyste au Bureau des synthèses de la CIA, il avait dirigé des équipes en Europe de l'Ouest, au Moyen-Orient et en Union soviétique. Après l'élection de John F. Kennedy, il avait été demandé par McGorge Bundy pour faire partie de l'équipe du Conseil national de sécurité comme l'homme de la Maison-Blanche pour le Moyen-Orient. L'Afrique avait été ajoutée à ses responsabilités, et il était devenu l'adjoint de Bundy.

Komer avertit le successeur de Kennedy qu'il ne connaissait rien du Vietnam, mais cela ne préoccupait pas Lyndon Johnson. Il partageait la conviction de l'époque qu'un Américain brillant, particulièrement lorsqu'il avait été formé par les grandes universités de la côte Est, pouvait faire n'importe quoi. Son complexe d'infériorité culturelle de Texan ne faisait qu'augmenter sa confiance dans les hommes qui avaient reçu une telle formation. Il s'adressait souvent à Komer en lui disant respectueusement : « Vous, de Harvard. » Mais pour plaire à Johnson, Komer avait d'autres atouts que sa formation universitaire : ses qualités d'audace, de franchise brutale et de travailleur ambitieux. Il n'aurait pas hésité à fracasser à coups de marteau le moule sacré de la bureaucratie.

L'essentiel de ce qu'il devait apprendre sur le Vietnam et la pacification, il allait le tenir de Vann et de ceux qui avaient été influencés par lui, comme Ellsberg et Richard Holbrooke. Dès sa nomination par Johnson en 1966, Komer avait recueilli ses premières informations auprès d'Ellsberg qui faisait partie comme lui de la confrérie des intellectuels du gouvernement. Holbrooke, après avoir quitté Porter et l'ambassade de Saigon, avait été recruté par Komer pour être son adjoint à la Maison-Blanche. Les deux hommes lui avaient parlé de Vann et avaient insisté sur sa valeur. Holbrooke fit venir Vann à Washington pour s'entretenir avec Komer lors de sa permission de juin 1966. Ils parlèrent ensemble pendant trois heures. Komer le trouva « redoutable à cause de l'étendue de ses connaissances et profondément aigri par l'inutilité de sa campagne de persuasion ». Il avait été frappé par la dualité du jugement de Vann : la victoire était un mirage si on continuait à mener la guerre comme on le faisait maintenant, mais, « si nous changeons de méthode pour la faire comme il faut, nous pouvons gagner ». Toujours prêt à cultiver des contacts puissants et influents, Vann avait continué à voir Komer chaque fois qu'il venait au Vietnam et lui envoyait lettres et rapports.

Bien que les faiblesses inhérentes à tout homme d'État américain aient empêché le président Johnson de concevoir la situation de la façon fondamentalement différente que Vann et Krulak préconisaient, il souhaitait vraiment un programme de pacification complémentaire de la guerre d'usure de Westmoreland. La première tentative, en novembre 1966, d'unifier les diverses agences civiles était déjà efficace. Vann avait commencé à regrouper ses conseillers du 3e corps en une équipe de travail homogène. Mais il avait été considérablement gêné par les rivalités constantes entre l'AID, la CIA et les services d'information, ainsi que par la décision de maintenir les conseillers militaires sous l'autorité de Westmoreland. Au printemps de 1967, l'attentisme du général en chef se révéla payant pour lui. Le président décida de lui donner toute la responsabilité de la pacification. Mais en même temps il envoya Komer au Vietnam pour l'organiser sous ses ordres. A cette armée civile, sous le nom de CORDS, manquait l'élément essentiel de la prise en charge complète par les Américains de l'aspect saigonnais et en particulier du programme de réformes sociales, tel que l'avait conçu Vann. Sinon toute la structure du commandement et de l'organisation était largement due à ses conceptions.

Pour des raisons de protocole Johnson fit bénéficier Komer du rang d'ambassadeur, mais ses responsabilités n'avaient rien de diplomatique. Il ne faisait pas non plus partie de l'état-major de Westmoreland. Bob Komer était *le* commandant adjoint de la pacification. La distinction était importante sur le plan militaire, parce que cela signifiait qu'il exerçait directement l'autorité sur tous ceux qui travaillaient pour lui et qu'il n'avait à rendre compte qu'au commandant en chef. Il occupait la troisième position dans la hiérarchie des forces américaines au Vietnam, derrière Westmoreland et son adjoint Creighton Abrams.

Vann l'avait prévenu que, s'il arrivait avec une autorité moindre, il serait bouffé par les vautours de l'état-major. C'était donc le plan que Komer avait soumis au président, qui l'avait accepté. Il avait en même temps fait comprendre à Westmoreland que c'était son intérêt. S'il échouait, c'est lui qui essuierait les reproches du président qui l'avait désigné. « Westy, c'est ma tête qui tombera », ajouta-t-il. Mais s'il réussissait, c'était le commandant en chef qui en bénéficierait puisque Komer était son adjoint. Il ajouta une petite subtilité pour toucher la vanité de Westmoreland, très imbu de ses qualités d'organisateur. Il lui rappela qu'ils avaient tous les deux été à l'Institut des sciences économiques de Harvard où le général avait étudié pendant qu'il était au Pentagone.

Cette subtilité était inutile, car Westmoreland était disposé à satisfaire les volontés du président du moment que cela ne lui coûtait rien. S'il manquait de sagacité dans la conduite de la guerre, sa clairvoyance dans les méandres de la bureaucratie politique était une des raisons de son ascension rapide. Il comprit tout de suite la situation. Son autorité s'étendait maintenant à tout le programme de pacification, sans qu'il en eût à assumer le fardeau. Il pouvait continuer sa guerre d'usure, en abandonnant le reste à Komer. C'est pourquoi il n'hésita pas à lui attribuer la grosse Chrysler noire.

La structure de l'organisation CORDS était un exemple unique de commandement mixte civil et militaire. Un nouveau responsable de la pacification fut nommé à la tête de chacun des quatre corps. Leurs relations avec le général américain étaient les mêmes que celles de Komer avec Westmoreland, et ils rendaient compte directement à Komer. A l'intérieur du corps et dans chaque province, les conseillers militaires et civils constituaient une seule équipe sous l'autorité du responsable local, qui pouvait être aussi bien un militaire qu'un représentant des agences civiles.

Vann eut la chance que le nouveau commandant des forces américaines du 3e corps, le général de division Fred Weyand, fût assez conscient de son propre conformisme pour apprécier les hommes de valeur originaux qui lui apportaient des idées nouvelles qu'il n'aurait pas eues lui-même. Autrement, Komer aurait dû trouver pour Vann une autre affectation qui n'eût peut-être pas été de son goût. Westmoreland avait en effet prévenu Weyand que Vann était un véritable gant de crin qu'il n'était pas obligé d'accepter. Weyand pensait différemment. Il avait eu des débuts difficiles dans l'armée, d'abord au début de la Seconde Guerre mondiale dans l'artillerie côtière, une arme sans aucun avenir à l'époque de la guerre moderne et de l'aviation. Il avait servi ensuite dans les services de renseignements sur le théâtre d'opérations de Birmanie, jusqu'à ce qu'il passât dans l'infanterie au moment où les chars de Kim Il Sung franchissaient le 38e parallèle en Corée. Il s'y vit confier un bataillon en janvier 1951 et participa à la contre-offensive qui devait repousser les Chinois jusqu'à la ligne de démarcation. « C'était l'époque où on commandait un bataillon depuis la section de tête », se souvenait-il avec nostalgie. Sa réussite en Corée, qui lui avait valu l'Étoile d'argent et l'Étoile de bronze, fut l'étincelle qui illumina sa carrière. Ensuite il lui fut possible d'avoir, pour pouvoir progresser, les affectations dont avait besoin un officier qui n'était pas sorti de West Point : adjoint militaire du secrétaire de l'Armée, commandant d'une unité combattante de Berlin, et pendant deux ans au poste délicat d'officier de liaison avec le Congrès. Son allure physique l'avantageait : c'était un bel homme d'un mètre quatre-vingt-dix, très poli. Il était ouvert et honnête tout en étant très habile, simple et amical. Il n'attendait pas que les jeunes officiers ou les soldats le saluent, il les saluait le premier.

Weyand et Vann s'étaient déjà rencontrés environ un an plus tôt, alors que Vann faisait une de ses enquêtes périodiques pour essayer d'obtenir des informations sur le lieu où Ramsey était prisonnier des Vietcongs. Weyand venait d'arriver à Hau Nghia avec la 25e division d'infanterie qu'il commandait, et les derniers rapports de Ramsey sur la région lui avaient fourni de nombreuses informations pratiques. Mais il ne savait rien de précis sur les forces vietcongs de la région, ni personne d'autre d'ailleurs.

Fred Weyand considéra qu'il avait beaucoup de chance lorsqu'il découvrit

Vann. Ils apprirent à se connaître mieux au cours des visites suivantes et après que Vann eut été nommé directeur des opérations civiles, vers la fin de 1966. Il s'arrêtait souvent au quartier général de Weyand le samedi ou le dimanche pour une partie de volley-ball et restait la nuit pour pouvoir parler plus longuement avec le général.

Certains officiers considéraient avec méfiance John Vann comme une sorte de lieutenant-colonel renégat. Mais Weyand avait vérifié ce qu'il lui disait et avait constaté qu'il avait plus souvent raison que tort. En outre, il admirait son courage moral. Il était fasciné par la quantité de détails que Vann recueillait auprès des innombrables amis et connaissances qu'il s'était faits chez les Vietnamiens de Saigon, par ses incursions sur des routes peu sûres et par les nuits qu'il passait dans les hameaux et les avant-postes. Weyand ne pouvait pas se le permettre et il ne connaissait personne d'autre qui le fît.

Bruce Palmer, l'ancien patron de Vann en Allemagne, prit la tête du 2e corps en mars 1967 et Weyand devint son adjoint. Puis Westmoreland décida, au grand regret de Palmer, de le faire venir auprès de lui pour diriger les services administratifs de l'armée US au Vietnam, et Weyand prit le commandement du corps. Lorsque Westmoreland l'avait prévenu que Vann n'était pas un individu commode, Weyand en était parfaitement conscient. Mais ce qu'il obtiendrait en contrepartie avait plus d'importance pour lui.

Quand il devint directeur du CORDS pour le 2e corps, Vann n'eut pas besoin de déménager des faubourgs de Biên Hoa où il était déjà installé. Il avait seulement plus de travail et de responsabilités et fit construire un bâtiment de plus pour abriter ses services. Weyand lui demanda s'il pouvait faire quelque chose de spécial pour lui. Vann lui répondit :

« Oui, je voudrais bien avoir un aide de camp. »

Weyand voulut savoir s'il pensait à un jeune officier en particulier.

« Non, répondit Vann, n'importe quel lieutenant ou adjudant conviendra, à condition qu'il vienne avec son hélicoptère. »

Jusqu'à présent il avait toujours obtenu de Seaman ou de Palmer un petit Raven H-23 chaque fois qu'il le désirait, mais disposer pour soi seul d'un pilote et d'un hélicoptère était une prérogative digne d'un général. Le nouvel aide de camp se présenta peu après avec sa machine volante à deux places et son cockpit de Plexiglas en forme de bulbe. Vann avait déjà une petite piste en ciment à côté de son bureau, et il s'arrangea pour loger le pilote dans un camp militaire juste de l'autre côté de la route. Dans les onze provinces du 2e corps, aucun lieu n'était à plus d'une heure de vol. Vann commandait maintenant à 800 Américains, sur place et dans les équipes de province, la plupart militaires. Si l'on y ajoutait les employés philippins, sud-coréens et vietnamiens, il avait environ 2 225 personnes sous ses ordres. Des soldats américains, lieutenants-colonels, commandants, capitaines, lieutenants et sergents recevaient à nouveau des ordres de Vann. « Je suis retourné dans le bercail de l'armée, et c'est moi qui commande », écrivit-il à ses amis.

Au mois de février, il avait lu une lettre de Ramsey. Elle avait été écrite sur du papier de soie en caractères minuscules avec un stylo à bille et avait été sortie du camp de prisonniers de la jungle par le deuxième classe Charles Crafts, un des deux soldats américains libérés par le Vietcong, en un geste de propagande à l'occasion de la fête du Têt 1967. La lettre de Ramsey était adressée à ses parents dans le Nevada, et Crafts l'avait cachée dans son étui à lunettes et remis aux officiers de renseignements de l'armée qui l'interrogèrent à sa libération. Vann fut convoqué à l'ambassade chargée de faire parvenir la lettre aux parents. Il était resté en relation avec eux, leur communiquant le peu d'informations qu'il pouvait obtenir. Il leur avait même proposé à un moment de les aider financièrement, mais ils avaient répondu qu'ils n'en avaient pas besoin. Il leur écrivit aussitôt pour les rassurer. L'ambassade garda le document original pour qu'il figure dans le dossier de Ramsey et en envoya une photocopie à la famille.

Ramsey, fils unique, y disait à ses parents : « C'est la pensée de vous revoir et le souvenir de la maison qui me maintiennent maintenant la tête hors de l'eau. » Il espérait survivre, « mais nous devons être réalistes ». Il voulait que cette lettre témoigne que « je suis encore vivant le 13 janvier » pour que ses parents puissent toucher sa solde jusqu'à cette date « sans difficulté excessive » s'il venait à mourir. Il avait eu un accès de paludisme ordinaire puis un deuxième d'une variété appelée *falciparum,* « considérée comme mortelle à 90 % dans cette région. Si j'ai pu en réchapper, j'ai tout à fait confiance de pouvoir survivre à n'importe quelle autre maladie moins grave de la région. Les soins médicaux du Vietcong sont tout à fait convenables, compte tenu des conditions de vie dans la jungle... Vous n'avez pas non plus à vous inquiéter des bombardements américains ». Le camp était rempli de trous profonds et ils étaient en train de creuser un abri souterrain pour loger les prisonniers. Un camp semblable avait été récemment touché par les B-52 et « une seule personne avait été légèrement blessée ».

Vann pouvait lire entre les lignes, mais surtout le récit des deux prisonniers libérés lui donna une version plus réaliste de la captivité de Ramsey. Il n'arrivait pas à imaginer, et personne d'autre ne le pouvait, ce qu'était le purgatoire de son ami.

Les deux Vietcongs qui l'avaient interrogé dans le premier camp où on l'avait emmené, près de la frontière du Cambodge, avaient dès le départ décidé qu'il était un espion de la CIA. Pour eux, un Américain parlant le vietnamien qui voyageait en civil armé d'un AR-15 en portant sur lui beaucoup d'argent ne pouvait être qu'en mission clandestine d'espionnage. Il avait en effet, lorsqu'il avait été pris, 31 000 piastres sur lui, destinées à régler la facture d'un entrepreneur local pour la construction d'un bâtiment. Ses interrogateurs en déduisirent qu'il allait payer les salaires de tueurs de la CIA. Ramsey s'en défendit, mais ses tentatives pour expliquer ce qu'il faisait réellement ne firent que les irriter davantage. Pour eux ce travail de l'AID n'était qu'une couverture, et un agent de là CIA était l'espèce d'Américain la plus répugnante. Le rôle de l'agence de renseignements qui avait supervisé depuis 1950 les services de sécurité de Saigon, la part qu'elle avait prise dans la campagne violemment anticommuniste menée par Diêm, et son rôle dans le programme de hameaux stratégiques et autres activités que le Vietcong considérait comme criminelles, l'enveloppaient d'une aura diabolique à leurs yeux.

Ses geôliers considéraient apparemment la torture physique comme inefficace. En revanche, il en allait autrement de la torture morale. Ils montèrent les gardes contre lui. Pour laisser éclater leur haine de ce qu'il représentait pour eux et pour s'amuser le soir, ils montèrent des sketches satiriques qui devinrent de plus en plus élaborés. Ramsey y était montré comme l'archétype de l'agresseur américain qui « avait le sang de milliers de Vietnamiens sur les mains ». Le sketch se terminait par un triomphe : l'inauguration d'un monument célébrant le décès de cet agent de la CIA sous couvert d'humanitarisme. Ramsey était exécuté et enterré sous le sépulcre qu'on arrosait de son sang. Chacun des gardes participant au spectacle proposait son choix personnel pour mettre fin à ses jours : fusillé après un procès public, ou lynché ou battu à mort par les paysans. Le camp dans la forêt tropicale était de petite taille et Ramsey ne pouvait éviter de tout voir et de tout entendre. Il était enfermé dans une grande cage en bois, séparé des trois autres prisonniers américains avec lesquels il ne pouvait pas parler ni avoir le moindre contact. Un garde était installé au-dessus de sa cage pour le surveiller, et une lampe de kérosène restait allumée toute la nuit pour qu'il puisse être également sous le contrôle du poste de garde voisin.

Les deux interrogateurs sondèrent le sentiment de culpabilité de Ramsey à propos des morts civils et des hameaux rasés comme celui qu'il avait vu au moment de sa capture. Ils répétaient toujours la même rengaine sur les atrocités. L'un d'eux était un vieil officier vietcong, irascible et aigri, que, comme l'apprit plus tard Ramsey, les autres prisonniers appelaient Grandpa. Il l'invectivait, l'accusant de toutes sortes d'actes abominables, criant que les crimes d'un civil étaient bien pires que ceux d'un soldat qui au moins portait un uniforme pour une mission précise. L'autre, surnommé Alex, était plus jeune mais d'un grade supérieur. Il était moins violent mais ses menaces n'en donnaient que plus le frisson : il prétendait avoir le droit de tuer lui-même un prisonnier. Il affirma avoir choisi ceux qui avaient été fusillés en 1965 pour venger l'exécution, sur la place du marché de Saigon, d'un jeune Vietcong qui avait essayé de faire sauter la voiture de McNamara lors d'une de ses visites au Vietnam. Il espérait, dit-il, ne pas avoir à désigner Ramsey ou un autre des Américains en représailles pour une autre occasion semblable.

La cabane des interrogatoires était située à l'intérieur du camp et les gardes entendaient tout des séances, la colère de Grandpa et d'Alex lorsque Ramsey protestait en disant qu'il n'était pas en mesure de leur donner les noms des agents secrets vietnamiens de la CIA et les autres informations qu'ils réclamaient. L'obstination de Ramsey ne faisait qu'aggraver la haine des gardes. Ils remirent une pétition au quartier général régional, qui devait être voisin de la prison, pour obtenir l'autorisation d'élever le monument et de l'exécuter. Lorsque leur demande fut refusée, ils s'adressèrent à d'autres autorités. Quelques-uns des sketches furent diffusés par la radio vietcong de la région de Tay Ninh, attirant ainsi des visiteurs venus voir le monstre Ramsey dans sa cage.

La peur, l'isolement, la culpabilité et l'avilissement qui s'aggravaient de mois en mois amenèrent Ramsey au bord de l'hystérie. Les gardes le traitèrent avec encore plus de brutalité lorsqu'ils se rendirent compte qu'il commençait à ne plus se contrôler ; ils espéraient probablement que, s'il devenait fou, il n'aurait plus d'utilité et pourrait donc être exécuté, à moins qu'il ne les aide en se suicidant. Alex et Grandpa étaient prêts à prendre le risque de le tuer, avec la chance qu'au dernier moment il craque et leur communique les informations secrètes sur la CIA qu'à leur avis il détenait. S'il continuait à refuser de parler, ils l'avaient prévenu que « ce n'était pas le moyen de rester en vie ».

La difficulté qu'il éprouvait à dormir la nuit affaiblissait encore ses nerfs. Les Américains ont besoin de plus de vitamines et de protéines que celles du régime alimentaire vietnamien. Dans ces camps de la forêt tropicale, la nourriture aussi bien pour les gardiens que pour les prisonniers était déjà insuffisante pour des Vietnamiens et manquait en particulier de protéines et de vitamine B 1. Le corps de Ramsey devint couvert de furoncles. Sa couchette grossière était faite de madriers recouverts de lattes de bambou sur lesquelles était posée une mince paillasse de joncs qui n'empêchait pas les planchettes d'être douloureuses. Il souffrait également des muscles des jambes à cause du béribéri dû au manque de vitamine B 1. La lumière de la lampe était très gênante. Elle était placée dans une boîte métallique ouverte sur un côté pour mieux éclairer. Lorsqu'ils entendaient un avion, les gardes masquaient la lumière en tirant sur une liane qui refermait la lampe. Le claquement du battant quand on le manœuvrait empêchait également de dormir. Ramsey commença à avoir des cauchemars et à pousser des cris quand il réussissait à s'assoupir. Les gardes menacèrent alors de le tuer s'il ne se taisait pas, et il en vint à avoir peur de céder au sommeil.

En août 1966, après sept mois de tortures, ses inquiétudes s'aggravèrent encore. Les gardiens dirent qu'il fallait qu'ils se débarrassent de lui de toute façon parce qu'il était trop faible pour marcher jusqu'au nouveau camp. Le Vietcong avait en effet décidé de déplacer les prisonniers parce que les troupes américaines commençaient à s'infiltrer dans leur région. Ramsey résolut de réagir. Il demanda la permission, qui lui fut accordée, de travailler comme les autres prisonniers et se mit à faire des exercices physiques dans sa cellule. Lorsque les représentants de la « Croix-Rouge » vietcong vinrent demander, pour la « Radio de libération », des déclarations condamnant la guerre, Ramsey accepta de parler. Il remplit son texte de slogans qui auraient semblé tout à fait ridicules à un Américain et l'enregistra au magnéto avec des trémolos dans la voix, en espérant le rendre ainsi inutilisable pour la diffusion. Alex et Grandpa ne remarquèrent rien. Ils se montrèrent plus coulants et le laissèrent parler aux autres prisonniers et faire de la gymnastique avec eux.

Le pénible trajet de quatorze jours, à la fin octobre, dans la jungle de la province au nord de Saigon ajouta les tourments physiques aux épreuves morales. Le nouveau camp était considéré par les Vietcongs comme un bivouac provisoire jusqu'à ce qu'ils puissent conduire les prisonniers plus au nord, sur les hauts plateaux à l'intérieur du Cambodge. Mais ils y restèrent un an. Pour mieux se cacher, les Vietnamiens avaient choisi un des endroits les plus inhospitaliers de tout le pays, si inaccessible que les guides se perdirent vers la fin du trajet. La région était coupée d'innombrables ravins qu'il fallait traverser sur des troncs d'arbres recouverts de mousse glissante. Les pistes étaient trop accidentées pour que les porteurs emportent suffisamment de nourriture pour les besoins du camp. La mauvaise qualité du sol et les pluies abondantes et précoces de 1967 empêchèrent les prisonniers et leurs gardiens de cultiver quelques légumes. Les gardes partaient à la chasse au cochon sauvage et autre gibier potentiel et revenaient toujours bredouilles. Un nid de rats qu'ils découvrirent un jour leur fournit un peu de viande fraîche et de protéines. Mais en général ils n'avaient rien d'autre à manger que du manioc bouilli dans l'eau salée, du riz de mauvaise qualité, des pousses de bambou, et encore en quantité insuffisante.

Ramsey fit une crise de paludisme une semaine après son arrivée et eut pendant dix-neuf jours plus de quarante de fièvre. Pendant quatre jours, il ne put rien manger et n'absorba qu'une soupe de riz le reste du temps. Le soir de Noël, alors qu'il aidait ses camarades prisonniers à préparer la célébration, le *faciparum,* cette forme aggravée de paludisme, le frappa brusquement accompagné de troubles cérébraux. Le docteur du camp, constatant son pouls très faible, lui injecta un stimulant cardiaque, mais les responsables discutèrent pour savoir s'ils devaient se démunir de leur maigre stock de quinine au profit de Ramsey, car eux aussi souffraient bien entendu du paludisme. Un cadre supérieur inspectait le camp à ce moment-là. Estimant qu'un agent de la CIA pouvait avoir une valeur d'échange dans l'avenir, il demanda qu'on essaie de le garder en vie. Ramsey sortit d'un coma qui avait duré soixante heures dans la cabane qui servait d'hôpital. Sa peau était absolument blanche à la suite des doses excessives de quinine que le docteur avait imposées pour le faire émerger des ténèbres.

Les pluies torrentielles de la mousson inondèrent les abris souterrains où les prisonniers étaient censés dormir. Ils n'étaient pas non plus au sec dans leurs cabanes dont les toits de chaume saturés d'eau étaient transformés en passoires. Le sol était tellement imprégné que les racines ne maintenaient plus les arbres, qui tombèrent et écrasèrent des cabanes du camp. Personne ne fut blessé, mais le spectacle était terrifiant. Des sangsues grosses comme le pouce proliféraient et s'attaquaient aux jambes qui ensuite s'infectaient. Périodiquement Ramsey avait des crises de paludisme qui duraient une semaine ou plus. Le docteur l'avait mis à un régime spécial de bouillon de poulet et de protéines pendant une courte période après sa grande crise. Assez régulièrement, il recevait, ainsi que les autres prisonniers, des vitamines en pilules, mais rien ne pouvait vraiment compenser la malnutrition. Le béribéri refit son apparition. La peau de Ramsey perdit son élasticité et ses cheveux commencèrent à tomber. Sa cuisse gauche doubla de volume et ses pieds et ses jambes enflèrent également. La douleur était atroce.

Un des prisonniers du camp, un commandant qui avait été captif plus longtemps que Ramsey, mourut des effets combinés du béribéri, du paludisme et de la mauvaise alimentation. Tout le monde dans le camp avait entendu ses râles de mourant. Ramsey avait voulu se donner du courage en même temps qu'il en donnait à ses parents lorsqu'il leur avait écrit au début de l'année. Il savait que sa vie était comparable à la flamme d'une bougie dans le vent.

Ses geôliers l'auraient sorti de là et auraient considérablement accru ses chances de survie s'il avait accepté de dire publiquement ce qu'il pensait vraiment maintenant de cette guerre. Mais son sens de l'honneur lui interdisait de s'en servir comme d'une arme contre ses concitoyens. Ce qu'il croyait n'était pas en mesure d'atténuer ses souffrances. Il ne pouvait que le confier en secret à ses parents. « Nous espérons tous que la paix est proche et je souhaite personnellement que nos chefs ne se fassent pas d'illusions... et qu'ils ne nourrissent pas d'autre ambition que le départ, en sauvant suffisamment la face pour nous permettre de nous replier sans perte excessive de prestige militaire. Toute autre solution serait prendre ses désirs pour des réalités et toute tentative dans ce sens ne ferait que mêler la folie du passé avec la déraison de l'avenir. »

Vann aimait beaucoup Komer et son affection pour l'homme ne devait cesser de grandir, mais à la fin de l'été 1967 il écrivit à Ellsberg : « Komer m'a beaucoup déçu. » Ellsberg était retourné fin mai à la Rand Corporation, à Santa Monica, sauvé par une hépatite qui l'avait empêché d'être tué ou blessé. Il était découragé parce qu'il n'avait convaincu personne détenant quelque pouvoir d'adopter les mesures radicales que Vann et lui estimaient nécessaires. Il était en outre découragé par les échecs successifs de sa vie privée. Le traumatisme de son divorce avait été encore aggravé par la complication et l'insuccès d'une aventure avec une Eurasienne, maîtresse d'un restaurateur corse de Saigon. Il en avait été de même avec une journaliste de radio, Patricia Marx, parce qu'ils s'étaient querellés à propos de la guerre, à laquelle Patricia était opposée. Ellsberg était tellement déprimé à la fin de 1966 qu'il avait prévu de s'engager dans l'infanterie pour participer aux combats dans le nord. L'hépatite l'avait abattu avant qu'une balle ne le fasse. Mais il n'avait pas abandonné la guerre pour autant. Dès qu'il aurait recouvré la santé, il voulait provoquer de nouvelles études sur le Vietnam à la Rand et influer sur la politique suivie par des mémorandums et des entretiens avec le réseau d'amis et de relations qu'il avait dans les hautes sphères de Washington.

La nomination de Vann comme chef du CORDS pour le 3e corps avait fait sur lui l'effet d'une cure d'amphétamines, qui se dissipa très vite au cours de l'été 1967. La réalité l'assaillait à nouveau de tous côtés. L'armée sud-vietnamienne ne remplissait pas son rôle de protection pour les équipes de pacification dans les hameaux. Les Forces régionales et la milice étaient toujours aussi lamentables en dépit de l'entraînement que Vann leur faisait suivre. Les Vietnamiens qu'il avait recrutés et entraînés étaient la plupart du temps des opportunistes ou des vauriens qui s'étaient engagés pour éviter d'être incorporés dans l'armée. Et même si les équipes de pacification avaient été composées d'anticommunistes fanatiques ou de saints, ils n'auraient pas pu compenser tous les dégâts faits par la plupart des chefs de district ou de province dont ils devaient suivre les ordres.

Le problème avec Komer venait de ce qu'il croyait que toutes ces notions tape-à-l'œil de gestion qu'il avait apprises à Harvard avaient une efficacité en soi. Il ne se rendait pas compte que les limites étaient fixées par la valeur ou l'absence de valeur de ce qu'il gérait. En dépit de sa brillante intelligence non conformiste, il croyait lui aussi à cette illusion « du poids des armes et de la masse des hommes ». En février 1967, après un de ses premiers voyages d'inspection au Vietnam, il avait dit au président : « En dépit des gaspillages et des dépenses, il est néanmoins indiscutable que nous sommes en train de gagner la guerre dans le Sud. Nous écrasons l'ennemi sous notre poids et notre masse. » En passant de la Maison-Blanche à Saigon pour mettre cette force au service de la pacification avec cette efficacité dont il était si fier, il n'avait pas modifié son jugement : les États-Unis gagneraient cette guerre uniquement par leur puissance. Il n'avait pas compris qu'on pouvait appliquer la force en la doublant et « multiplier l'erreur au carré », comme disait Sir Robert Thompson, le stratège britannique de la contre-révolution, en parlant du comportement américain au Vietnam.

Komer fit néanmoins des attaques dans la bonne direction. Westmoreland le surprit envoyant un télégramme confidentiel au président, lui demandant d'exiger du général en chef qu'il remplace les commandants incompétents de l'ARVN. Le secrétaire de Komer commit l'erreur de confier le message au service des transmissions de l'état-major au lieu de le faire parvenir par le circuit secret de la CIA, et ainsi il n'alla pas plus loin que le bureau de Westmoreland, qui convoqua Komer pour une petite conversation. Komer comprit qu'il valait mieux à l'avenir s'abstenir de jouer les don Quichotte. De toute façon, il n'avait jamais été d'accord avec la thèse de Vann qui estimait que la prise de contrôle et la réforme du régime de Saigon étaient les conditions *sine qua non* de la victoire. Komer faisait partie de ces Américains à l'étranger qui ne pouvaient supporter la pensée de se conduire en « impérialistes » dans le sens employé au XIXᵉ siècle. La liberté d'action que le gouvernement américain laissait à Ky, à Thiêu et aux autres généraux de Saigon lui semblait un signe de vertu, et le penchant « colonialiste », de Vann une erreur. Finalement, l'énergie de Komer, son enthousiasme, son style, son brillant sens de l'organisation, les coups d'épée qu'il donna dans les nœuds gordiens de la bureaucratie n'aboutirent à rien d'important. Le service de pacification unique en son genre qui alliait civils et militaires fonctionnait admirablement, mais dans le vide. Rien ne changea, sauf pour le pire, chez les Vietnamiens du Sud.

La qualité de leur amitié et le sentiment qu'il parlait à quelqu'un apte à le comprendre incitèrent Vann à faire partager franchement à Ellsberg sa désillusion à propos de Komer et son découragement de la voie que les États-Unis suivaient au Vietnam. Il lui écrivit le 19 août 1967 : « Nous sommes sur la route de la ruine et il faut changer de direction, et le faire vite. Très franchement, je n'ai jamais été aussi découragé que maintenant en voyant la communauté américaine agir avec des objectifs contradictoires et dans toutes les directions. Nous avons désespérément besoin d'un ambassadeur fort, dynamique, impitoyable et du type colonialiste qui ait l'autorité nécessaire pour balayer les généraux, les chefs de mission et autres connards qui ne suivent pas une politique clairement établie impliquant, et c'est un minimum, que les États-Unis aient le pouvoir de choisir et de foutre à la porte les responsables vietnamiens. »

Lodge avait renoncé à sa carrière d'ambassadeur et était retourné aux États-Unis en avril avant que la guerre ne ternisse sérieusement sa réputation. Son successeur, Ellsworth Bunker, était encore moins enclin que lui à se conduire comme le proconsul que souhaitait Vann.

Le président avait rejeté une proposition de Westmoreland qui voulait être le seul chef du théâtre d'opérations avec un adjoint civil qui ferait fonction d'ambassadeur. La confrontation de Truman avec MacArthur pendant la guerre de Corée avait convaincu Lyndon Johnson qu'il était très imprudent de laisser un général devenir le Chef suprême. Johnson pensait que Westmoreland allait épuiser la volonté de combattre des communistes vietnamiens avec sa guerre d'usure et il voulait compléter ce succès par son corollaire politique : légitimer l'autorité de ses protégés sud-vietnamiens avec la forme juridique d'un gouvernement constitutionnel.

Le processus était facilité par les concessions apparemment favorables que Ky avait été obligé de faire pendant les troubles politiques de 1966 : l'élection d'une assemblée constituante en septembre, puis celle d'un président, d'un vice-président et d'une assemblée nationale. La nouvelle constitution était prête en mars 1967 et en septembre devaient être élus le président, le vice-président et le Sénat, puis l'Assemblée législative en octobre. Les communistes et les « neutralistes », assimilés à des procommunistes parce qu'opposés à la présence américaine et au régime de Saigon, n'avaient pas le droit de vote.

Ellsworth Bunker était l'homme idéal pour ce processus de démocratisation. Sa réussite de pacificateur en république Dominicaine pendant la crise de 1965 lui servirait de répétition pour son nouveau rôle à Saigon. Il y avait montré qu'il pouvait travailler habilement avec l'autorité militaire, et en particulier avec le commandant en chef Bruce Palmer, et se servir de l'intimidation des canons américains pour éliminer les diverses factions politiques locales et mettre en place un gouvernement favorable aux États-Unis. Il arriva à Saigon juste à temps pour exercer ses talents, car, au mois de mai, Thiêu bouleversa brusquement les plans de Ky en annonçant qu'il serait candidat à la présidence. Bien que d'autres civils de la scène politique de Saigon aient eu l'intention de se présenter également, il avait été prévu à l'avance que l'armée continuerait à mener le pays et que le président serait donc un militaire.

Bunker invita Thiêu, Ky et Cao Van Vien, chef de l'état-major interarmes vietnamien, à venir déjeuner à sa résidence et les avertit qu'il ne tolérerait pas de conflits de pouvoir, et qu'ils devaient, avec les autres généraux, régler ce problème entre eux. Il ne voulait probablement pas laisser la décision à Thiêu, mais c'est ce qui se produisit en limitant les rivalités à des intrigues et des bagarres verbales au sein du groupe de généraux. Car Thiêu était plus fort que Ky à ce jeu, et, bien qu'un certain nombre de ses collègues l'aient jugé aussi égocentrique que Ky et aussi insensible, il possédait la vertu d'être parfaitement prévisible qui manquait à son concurrent. Un homme intéressé par le pouvoir et ayant la volonté d'amasser des richesses aussi discrètement que possible avait moins de chances de s'opposer aux mêmes ambitions chez ceux qui obtenaient ses faveurs. Ky fut contraint de se contenter de la vice-présidence.

Si Bunker était arrivé au Vietnam plus jeune, il aurait peut-être été capable de se faire une opinion plus personnelle. Son père, cofondateur et président d'une raffinerie de sucre, l'avait initié au travail en le faisant décharger des sacs de 50 kilos et en lui imposant tous les travaux manuels de l'usine avant de lui confier des responsabilités. L'héritier devint un homme d'affaires prospère et fit de sa société la seconde plus importante d'Amérique avec des intérêts à Cuba, Porto Rico, Mexico et en Amérique latine, et acquit une fortune considérable. Il était tout aussi réaliste en politique. Alors que tous les autres capitalistes récitaient le catéchisme républicain selon lequel Franklin Roosevelt était un traître à sa classe sociale et son New Deal un produit du bolchevisme, Bunker décida que Roosevelt était un homme intelligent et que le pays avait besoin du New Deal. Il devint un militant du Parti démocrate.

En 1951, le secrétaire d'État de Truman, Dean Acheson, convainquit Bunker, son ancien collègue de l'université de Yale, que le métier d'ambassadeur en Argentine, alors sous l'autorité du dictateur fasciste honni des Américains Juan Peron, serait plus intéressant que d'être président d'un conseil d'administration. Puis il fut ambassadeur en Italie. Lorsque la présidence devint républicaine avec Eisenhower, le nouveau secrétaire d'État John Foster Dulles, lui aussi un ancien condisciple, jugea que Bunker valait mieux que d'être président de la Croix-Rouge et l'envoya comme ambassadeur en Inde, où il montra de rares qualités d'homme d'État en se gagnant la confiance de cet aristocrate hautain indo-anglais qu'était le Premier ministre Jawaharlal Nehru. Puis, en 1962, le président Kennedy le chargea d'éviter une petite guerre dans le Pacifique Sud en persuadant les Hollandais de rendre à l'Indonésie la moitié ouest de la Nouvelle-Guinée, dernier vestige de leur empire.

Ellsworth Bunker avait soixante-treize ans lorsqu'il arriva à Saigon. Il était devenu un peu bizarre, un millionnaire économe qui gardait comme veste de sport le veston des costumes dont le pantalon était hors d'usage. Ses chaussures venaient du meilleur faiseur d'Angleterre mais étaient toutes craquelées parce qu'il les faisait ressemeler jusqu'à la corde. Il se faisait envoyer en avion par la valise diplomatique du sirop d'érable de sa ferme du

Vermont. Il avait encore toute sa vivacité physique et intellectuelle, ce grand échalas de Yankee d'un mètre quatre-vingt-cinq, toujours très droit. Les cheveux blancs, le visage mince, les yeux bleus derrière des lunettes à monture d'écaille soulignaient son assurance de patricien, accentuée encore par sa réserve naturelle et sa discrétion. Les Saigonnais l'avaient très vite baptisé « Monsieur Réfrigérateur », sans savoir que sa réserve apparente cachait un don de raconter des histoires et un humour exceptionnels dans le privé.

Mais, et c'était là le problème, après trente-quatre ans dans le commerce du sucre et tout ce que cela impliquait comme idées préconçues sur l'Amérique latine, et après sa seconde et plus gratifiante carrière au service du gouvernement, l'intelligence de Bunker s'était figée. Il lui était impossible de ne pas voir le Vietnam dans la perspective des Caraïbes et de l'Amérique centrale. De même qu'il ne pouvait pas, après tant de temps et tant de succès au sein d'un système si prospère, mettre en doute les jugements de généraux comme Westmoreland. C'était la différence avec Lodge qui était devenu de plus en plus préoccupé par la confiance absolue des autres dans la guerre d'usure, mais dont le doute était si personnel qu'il ne l'avait jamais exprimé dans ses rapports. Le général Patton, dont il avait été l'ami dans les années trente, lui avait expliqué que l'erreur des généraux européens avait été de mener la Première Guerre mondiale comme un conflit du XIXe siècle avec mousquets et canons qu'on chargeait par la gueule. Chaque guerre était différente, disait-il. Pour Lodge, Westmoreland semblait refaire la Seconde Guerre mondiale au Vietnam. Bunker, lui, n'avait aucune raison de partager les mêmes doutes.

Vann essaya de parler à Bunker. Mais il était très intimidé. Alors qu'un patricien extraverti comme Lodge encourageait l'audace de Vann, la réserve de Bunker renforçait son sentiment d'infériorité sociale. A la fin de l'été 1967, Vann sut qu'il n'y avait rien à espérer du nouvel ambassadeur. Son ami George Jacobson, avec qui il avait partagé la maison, occupait des fonctions importantes à l'ambassade. Il était « très alarmé », écrivit Vann à Ellsberg le 19 août, de voir à quel point Bunker était devenu le prisonnier intellectuel de Westmoreland. L'ambassadeur était impressionné par la rapidité avec laquelle le général en chef répondait à toutes ses demandes, la confiance qu'il communiquait dans ses déclarations officielles et ses entretiens privés, et la déférence qu'il montrait à l'égard du vieil homme. « Westy est le foutu pire subordonné que Bunker ait jamais eu », selon les termes de Jacobson que Vann citait dans sa lettre. Westmoreland avait tellement convaincu Bunker qu'il était en train d'écraser le Vietcong et l'armée nord-vietnamienne, et que les forces de Saigon avaient fait de « substantiels progrès », que Jacobson ne « pouvait plus se permettre d'exposer un point de vue opposé » dans ses rapports à l'ambassadeur. Il avait prévenu Vann de « modérer » ses critiques de l'ARVN devant Bunker.

John Vann avait en outre des problèmes personnels. Annie fut à nouveau enceinte au début d'avril 1967 et refusa de recommencer à avorter. Elle dit à Vann qu'elle ne pourrait en endurer une seconde fois le traumatisme et que ceux qui s'aiment devaient en supporter les conséquences, c'est-à-dire le bébé. Vann essaya de la persuader d'accepter l'avortement. Il ressortit l'argument dont il s'était servi la première fois : un enfant illégitime ferait du tort à sa carrière. Elle lui répondit que sa grossesse lui offrait la chance de faire ce qu'il avait annoncé : puisqu'il disait être légalement séparé de Mary Jane, transformer cette séparation en divorce pour pouvoir épouser la femme qu'il aimait. Elle eut droit à la rengaine qu'il avait composée pour Lee en prétextant qu'il était financièrement ligoté à Mary Jane.

Sans s'en rendre compte, les parents d'Annie se firent les alliés de Vann. Le père avait appris le premier avortement de sa fille et l'avait accepté à contrecœur, parce qu'il espérait que cela la guérirait de Vann, ou en tout cas lui apprendrait à prendre des précautions à l'avenir. Les parents furent furieux lorsqu'elle leur annonça qu'elle était à nouveau enceinte, mais que cette fois-ci elle voulait garder l'enfant. Ils firent pression sur elle pour qu'elle avorte et abandonne Vann. Elle n'avait que dix-huit ans et allait gâcher toute sa vie. Aucun Vietnamien respectable ne l'épouserait pour lui donner l'amour convenable et la vie familiale qu'elle devait souhaiter. Mais ils découvrirent la volonté farouche de l'enfant qu'ils avaient choyée. Annie leur répondit qu'elle aimait Vann et que Vann l'aimait. Et même si John la quittait maintenant à cause de sa carrière, elle garderait l'enfant.

Vann essaya bien d'abandonner Annie, mais le père ne le laissa pas faire. Il lui téléphona à son quartier général de Biên Hoa et lui demanda un rendez-vous pour discuter de ce problème. Vann le dupa une fois de plus et ne le rappela pas. Le père d'Annie vint alors directement à son bureau. Il le contraignit à accepter la solution que voulait Annie. Si Vann promettait de lui louer une maison et d'assurer correctement ses besoins et ceux de son enfant, il ne porterait pas plainte à l'ambassade. Vann devrait aussi se plier à une cérémonie en présence de toute la famille pour donner à leur union un semblant de respectabilité. Vann accepta, tout en estimant qu'il était victime d'un chantage, et qu'il n'avait rien à se reprocher.

Annie fixa la date de la cérémonie au 15 juillet 1967, le jour de ses dix-neuf ans. Elle se déroula dans la maison familiale, dans le quartier européen de Saigon, et fut un mélange de fiançailles et de mariage traditionnels vietnamiens, avec l'échange des alliances à la mode occidentale. Vann avait revêtu dignement un costume avec cravate. Annie lui avait dit ce qu'il devait apporter et comment jouer son rôle. Il lui offrit deux boucles d'oreilles en or, une pour les fiançailles et une pour le mariage, suivant la coutume. Il lui donna également une petite boîte remplie de joaillerie pour montrer qu'elle allait s'allier à un homme prospère. Mais il n'avait pas apporté le plus important cadeau, car Annie avait pensé qu'un étranger comme lui n'aurait pas compris. Elle l'avait donc acheté elle-même et placé sur l'autel familial. C'était une boîte peinte de couleurs brillantes contenant des feuilles de bétel et des noix d'arec que mâchonnent les vieilles paysannes à cause de leur effet légèrement stimulant. Mais ce sont également les symboles vietnamiens de l'union et de la fidélité, et aucun mariage ne se déroule sans qu'on les dépose sur l'autel. Il était décoré de l'urne de cuivre soigneusement polie, éclairé par les bougies, à côté d'offrandes de fruits, d'alcool de riz et de thé, dans l'odeur des bâtonnets d'encens. Vann passa l'anneau au doigt d'Annie, prit un bâton d'encens, s'agenouilla à ses côtés devant l'autel et s'inclina en marque de respect pour les ancêtres. Avant le repas de cérémonie, le père le présenta aux seuls membres de la famille, car il n'y avait pas d'autres invités.

Vann n'eut pas à payer de loyer pour la nouvelle demeure qui fut portée au compte du contribuable américain. Il partageait une maison de Biên Hoa avec Wilbur Wilson, un autre collègue de l'AID. Or ils avaient droit à des habitations séparées. Peu de temps après la cérémonie, Vann contacta un responsable de l'AID à Saigon, à qui, confidentiellement, il confessa son problème. Son interlocuteur se montra tolérant. La position de Vann aurait peut-être souffert si son secret avait été dévoilé, mais la paternité d'enfants illégitimes américano-asiatiques était devenue une autre des conséquences banales de cette guerre. Il y en eut des milliers, qui furent presque toujours abandonnés avec leur mère lorsque l'homme repartit pour les États-Unis. D'autre part, l'AID avait intérêt à protéger Vann, qui était devenu son expert en pacification et dont les résultats sur le terrain étaient les plus remarquables, ce qui lui avait valu d'être titularisé par Washington après avoir été engagé à titre temporaire. Il n'avait plus à se préoccuper de retourner à Martin Marietta, au Colorado, si jamais il était obligé de quitter le Vietnam. La maison de Biên Hoa fut donc mise au nom de l'autre occupant et on en loua une pour Vann à Gia Dinh, dans la banlieue nord de Saigon.

Le rang de Vann permit à Annie d'avoir une maison confortable d'un étage avec trois chambres à coucher au premier, un salon, une salle à manger et une cuisine au rez-de-chaussée, et un garage attenant. Le tout était entouré par un mur de briques surmonté de fil de fer barbelé. L'AID remit la maison à neuf et fournit le mobilier de base. Annie y emménagea au mois d'août. Vann lui donna de l'argent pour la vie courante et pour embaucher une domestique. Afin d'être en règle avec la bureaucratie, il lui fit signer un contrat établissant qu'elle était la cuisinière et la femme de ménage.

Pas plus Annie que Lee ne se rendirent compte de la présence de l'autre rivale. Pour Lee, rien n'était changé. Vann et Wilbur Wilson continuèrent de partager la maison de Biên Hoa où Lee couchait souvent dans la chambre de Vann. Wilson était un célibataire ascétique dont les relations avec les femmes se limitaient à quelques remarques polies et bougonnes au bureau. Mais en général il évitait leur compagnie et ignorait Lee quand elle se baladait dans la maison en robe de chambre. Elle s'amusait beaucoup de voir qu'un homme aussi porté sur les galipettes que Vann eût choisi de partager une maison avec un type qui, comme elle le disait, « vivait comme un moine », dans cette débauche sexuelle du Vietnam américain.

Lee était sa maîtresse en titre, celle qu'il emmenait dans les réceptions diplomatiques de Saigon et autres mondanités maintenant que l'attitude officielle était devenue plus tolérante. En revanche, après son impulsion imprudente qui l'avait poussé à aller chercher Annie au lycée de Dalat, il avait pris soin de ne pas l'afficher à Saigon. Les sorties dans les restaurants et les boîtes de nuit avaient été restreintes au minimum nécessaire pour la séduire. Après sa seconde grossesse et l'arrangement avec son père, on ne la vit plus jamais en public avec lui. Seuls ses amis intimes comme Ellsberg et George Jacobson, Wilson et sa secrétaire américaine connaissaient son existence. Lee, plus raffinée avec sa parfaite connaissance de l'anglais, en faisait le choix naturel pour jouer un rôle public. Vann était relativement généreux avec elle. Elle pouvait disposer en permanence de la Toyota que Vann avait achetée en 1967, et qui était devenue superflue, car il préférait la Ford Mustang que l'AID avait mise à sa disposition.

Bien que l'argent ne fût pas la motivation primordiale de Lee, elle tira tout de même quelque profit de cette affaire. Elle obtint la concession d'une boutique de souvenirs au club des officiers de Saigon, sans que Vann eût à intervenir ou à corrompre quelqu'un. Le seul fait d'être sa maîtresse lui fournit les contacts nécessaires. Elle vendit son école d'anglais et s'amusa beaucoup plus à tenir sa boutique et à gérer un restaurant appartenant à un Corse. Elle s'efforçait aussi de rendre le plus de services possible à Vann. Elle lui faisait régulièrement ses commissions et lui servait d'hôtesse pour veiller à ce que tout soit en ordre lorsqu'il donnait une réception à sa résidence de Biên Hoa.

Vann put parler seul à seul avec McNamara pour la première fois en juillet lorsque le secrétaire à la Défense vint marchander avec Westmoreland sur le nombre de renforts qu'il demandait. Le jour de cette rencontre fut, comme l'écrivit Vann à Ellsberg, « à marquer d'une pierre blanche ». Nicholas Katzenbach, qui avait remplacé George Ball comme sous-secrétaire d'État, le questionna pendant deux heures et demie. David McGiffert, le sous-secrétaire à l'Armée, vint à Biên Hoa pour dîner chez lui et parler tard dans la nuit, puis passa la journée du lendemain à inspecter avec lui le 3e corps. Vann ne s'entretint avec McNamara que pendant une demi-heure, mais le fait même que le ministre de la Défense nationale eût demandé l'opinion de Vann était à lui seul une indication. Robert McNamara, et c'était tout à son honneur, commençait à avoir peur.

L'échec de la guerre aérienne sur le Nord Vietnam lui avait en premier ouvert les yeux. Les bombes du « Tonnerre roulant » n'avaient pas arrêté ni même réduit d'une façon substantielle le flot d'hommes et de matériel allant du Nord au Sud, pas plus qu'elles n'avaient émoussé la volonté des Vietnamiens. Au contraire, elles avaient endurci leur détermination et les avaient stimulés pour construire un système de transports de plus en plus efficace chaque année et de moins en moins vulnérable aux attaques aériennes. La piste Hô Chi Minh, que les cartographes de la CIA avaient dessinée au début de 1965, n'était qu'un maigre lacis de pistes de montagne et de voies boueuses, datant de l'époque coloniale, dont certaines parties seulement étaient carrossables, et uniquement pendant la saison sèche. Huit ans plus tard, elle était constituée de milliers de kilomètres de routes dures, recouvertes de pierres concassées et de latérite, ou renforcées de rondins, avec des ponts pour franchir les ravins et les rivières. Elles serpentaient du Nord à travers les montagnes du Laos jusqu'au Sud avec doubles ou triples ramifications et voies de détournement.

Pendant près de deux ans de la Seconde Guerre mondiale, les forces aériennes américaines et britanniques avaient essayé en vain d'arrêter les colonnes de ravitaillement allemandes pour l'Italie qui passaient par quelques cols de montagne des Alpes. L'opération « Strangle » en Corée, pour interdire le flot de troupes et de munitions qui descendaient vers le sud par routes et voies ferrées, avait été également un fiasco. Les responsables de l'Aviation sont de tous les militaires ceux qui ont la mémoire la plus courte lorsqu'il s'agit de reconnaître les limites de leurs appareils, ce qui amènerait les chefs politiques à remettre en question la prodigalité en argent et en personnel dont ils bénéficient.

L'amiral Grant Sharp, commandant en chef de la zone du Pacifique, était probablement un excellent marin, mais il croyait aussi en la puissance aérienne, et la campagne de destruction du Nord Vietnam était sa guerre, puisque Westmoreland n'avait autorité que sur le Sud. Dans l'élan d'enthousiasme de mars 1965, l'amiral décrivit comment ses avions allaient « couper toutes les lignes de communication », routes, rails et voies d'eau, dans la bande côtière du Nord Vietnam qui s'étend du 20e parallèle à la zone démilitarisée. L'Aviation allait bombarder tous les points stratégiques, ponts, bacs et cols. Vingt-quatre heures sur vingt-quatre les attaques se succéderaient, la nuit à la lueur des fusées, pour empêcher les Vietnamiens de réparer les dégâts. « Tous les objectifs choisis sont très difficiles ou impossibles à contourner, précisa Sharp dans un télégramme à l'état-major suprême. L'offensive contre le réseau de voies de communication amenuisera le tonnage arrivant à ces entonnoirs et nous offrira un vaste choix de nouveaux objectifs comme les convois de renforts, les dépôts de matériel et le personnel immobilisé de chaque côté des points détruits. »

A partir de 1965, les appareils de l'US Air Force et de la Navy ne détruisirent pas plus de 20 à 25 % des véhicules de transport venus du Nord. Les Vietnamiens réussirent aussi à maintenir leurs voies ferrées en état de marche, même si parfois ils devaient établir des navettes par camion sur des portions de lignes endommagées. En admettant qu'on considère ce chiffre de destructions comme en deçà de la vérité et qu'on y ajoute 10 %, il n'en reste pas moins que les deux tiers du ravitaillement en armes, munitions et autres parvinrent toujours à destination, un « taux de rendement » très satisfaisant pour les spécialistes en logistique. Les pertes en hommes par attaques aériennes furent inférieures à 20 ou 25 %, car ils progressaient vers le Sud à travers les régions les plus difficiles pour mieux éviter les avions. Un groupe d'infiltration était capable de n'avoir que 10 à 20 % de pertes, la plupart dues à la maladie ou à la désertion.

Les aviateurs ne furent jamais capables de mener une campagne d'interdiction efficace, parce qu'ils étaient confrontés à un dilemme insoluble. Les problèmes de temps et de distance se combinaient avec les conditions climatiques et les défenses antiaériennes ainsi qu'avec l'ingéniosité et la détermination de ces petits êtres humains au sol qu'ils s'efforçaient de tuer. Ce qui s'était déjà produit en Italie et en Corée fut amplifié dramatiquement au Vietnam, car les dimensions du défi y étaient plus grandes. Le facteur temps et distance était insurmontable, pour la simple raison pratique que le nombre des avions était limité, ainsi que le temps qu'ils pouvaient rester en l'air. En 1967, alors que l'offensive de l'amiral Sharp était à son summum, les États-Unis étaient en mesure de lancer sur le Nord Vietnam et le Laos 300 attaques aériennes par jour pour une durée d'environ une demi-heure. Le réseau de voies de communication de l'ennemi commençait à la frontière de Chine, et il était impossible de surveiller suffisamment de routes et de voies ferrées et d'attaquer pendant assez longtemps pour obtenir un impact décisif. Beaucoup de camions échappèrent à la destruction simplement parce qu'il n'y avait pas d'avion dans le ciel pendant leur marche vers le Sud. Les conditions climatiques de l'Indochine aggravèrent encore ce problème en obligeant les appareils à attendre sur les pistes ou sur les ponts des porte-avions, alors qu'ils auraient dû prendre l'air. Mais il est vrai que c'était également un handicap pour les Vietnamiens qui pendant longtemps ne purent utiliser les routes de la piste Hô Chi Minh durant la mousson du Laos, de mai à octobre.

Les Vietnamiens amoindrirent encore la puissance aérienne américaine avec l'excellente défense aérienne qu'ils mirent en place grâce à l'armement soviétique : radars, batteries de DCA et missiles sol-air SA-2. Ils distribuèrent également des armes automatiques à chaque paysan capable de tirer correctement sur un appareil en vol. Les pilotes américains étaient alors obligés, afin de ne pas se faire descendre, d'attaquer à plus haute altitude, donc avec moins de précision. Pour esquiver les missiles, ils étaient contraints de perdre du temps. Ainsi, les défenseurs n'avaient pas besoin d'abattre des chasseurs-bombardiers pour en réduire le nombre. Des appareils qui auraient dû normalement attaquer les transports au sol étaient détournés de leur mission pour neutraliser les sites de lancement de missiles et les batteries de DCA, afin de protéger les autres bombardiers. Plus de 40 % des sorties en opération sur le Nord Vietnam et le Laos furent consacrées à ces missions de protection et d'escorte.

Mais c'est avec leur cervelle et leurs mains que les Vietnamiens contrèrent le mieux l'offensive aérienne. Ils disposaient de 300 000 hommes et femmes pour travailler à plein-temps à réparer les routes, les voies ferrées et les ponts et agrandir sans cesse le réseau de communications. En outre, 200 000 paysans étaient disponibles après les travaux des champs. Les Chinois fournirent près de 40 000 techniciens spécialisés et artilleurs de DCA pour maintenir ouvertes les deux voies ferrées de la frontière à Hanoi. Les Russes procurèrent les bulldozers pour refaire les routes. Mais les principaux outils de terrassement étaient d'un type plus familier aux Vietnamiens : la pioche, la pelle, et une brouette qui roulait mieux que le modèle américain car elle était équipée de roues de bicyclette sur les côtés. Et lorsqu'il n'y avait pas de brouettes, on les remplaçait par deux paniers au bout d'une perche portée en équilibre sur l'épaule.

Pour un Américain, une route ou une voie de chemin de fer est une ligne allant d'un point A à un point B en ne faisant de détours que lorsque le terrain l'exige. Comme les Vietnamiens voulaient que leur réseau ne fût pas obstrué, ils construisirent six, huit ou dix routes différentes pour aller de A à B, avec souvent des pontons flottants qu'ils déplaçaient à l'aube pour les remettre en place au crépuscule. Quand les avions coupaient une route avec des cratères de bombes ou détruisaient un pont, les camions utilisaient un autre itinéraire qui avait été réparé entre-temps. Bien entendu, les véhicules étaient camouflés avec des branchages et s'arrêtaient dans des parkings pour se cacher en cas d'alerte aérienne. De longues portions de route étaient également dissimulées à l'observation aérienne. Les arbres de chaque côté étaient attachés au sommet pour supporter des treillis de bambou recouverts de feuillage et de buissons fraîchement coupés.

Mais la punition du ciel était sévère. Conduire un camion pendant de longs mois, année après année, avec 20, 25, peut-être 30 % de risque de mortalité, se terminait rarement par une retraite avec pension. Quant aux équipes d'entretien des routes, leur affectation était aussi dangereuse que celle d'un fantassin. Pour maintenir les voies ouvertes, les hommes et les femmes devaient rester à proximité des points les plus souvent touchés, et les bombes qui manquaient les camions et les ponts n'épargnaient pas les terrassiers. Il leur était impossible de faire leur travail et en même temps de se mettre à l'abri pour échapper aux tapis de bombes des B-52. Le cimetière commémoratif des morts pour la piste Hô Chi Minh couvre seize hectares de terrain et abrite les tombes de 10 306 Vietnamiens, hommes et femmes, dont on connaît les noms. Des milliers d'autres sont restés sur place, combattants inconnus dans la confusion de cette guerre.

Mais punir n'est pas gagner. Chaque double contournement ou triple dérivation dans cet enchevêtrement de voies, dont même le centre des transports de Hanoi n'arrivait pas à suivre la prolifération, se traduisait par des kilomètres de plus que les pilotes américains devaient couvrir. La piste Hô Chi Minh reste le plus étonnant exemple des exploits vietnamiens. En ligne droite, 400 kilomètres environ séparent le départ de la piste au col de Mu Gia, au Nord Vietnam, et l'arrivée au Sud à la frontière commune entre le Vietnam, le Laos et le Cambodge. Lorsque la piste fut finie, cette portion comportait 15 400 kilomètres de routes carrossables et secondaires.

L'amiral Sharp et l'état-major interarmes persuadèrent McNamara et le président qu'on pouvait arrêter la progression des camions en leur supprimant le carburant. Il n'y avait qu'à bombarder les réservoirs du port de Haiphong et les différents dépôts de la zone Hanoi-Haiphong. Walt Rostow, qui avait remplacé McGeorge Bundy en 1966 comme conseiller de Johnson pour les affaires de sécurité nationale, fut enthousiasmé par cette idée qui lui rappelait son expérience de la Seconde Guerre mondiale et du bombardement stratégique de l'Allemagne.

Le ciel était clair au-dessus de Haiphong, ce 29 juin 1966, lorsque les pilotes incendièrent tous les réservoirs du port. En un mois, près de 80 % de la capacité connue de stockage de pétrole et d'huile du Nord Vietnam fut détruite. Et pourtant, d'après ce qu'on sait, aucun camion n'a jamais manqué de carburant. Bien plus, le nombre de véhicules fournis par la Russie soviétique et par la Chine n'a cessé d'augmenter pendant toute l'année 1966 pour atteindre le double de 1965. Les Vietnamiens, qui ne produisaient pas de pétrole et ne le raffinaient pas eux-mêmes, avaient prévu ces raids et avaient depuis longtemps réparti le carburant et l'huile dont ils avaient besoin dans des réservoirs souterrains et dans des dépôts cachés. Très vite d'ailleurs, les Russes firent leurs livraisons en barils pour qu'ils puissent être aussitôt dispersés dès l'arrivée du bateau. Pour faciliter le ravitaillement des camions, les Vietnamiens construisirent deux pipe-lines le long de l'itinéraire avec des ramifications dont l'une entrait au Sud Vietnam à l'ouest de Huê. L'une des statues commémoratives du mémorial de la piste Hô Chi Minh représente une femme actionnant une pompe à essence.

Krulak avait astucieusement prévu ce qui se passait lorsque, dans son rapport stratégique de décembre 1965, il avait prévu qu'essayer d'empêcher les colonnes d'hommes et de ravitaillement vers le Sud, c'était « comme si on luttait contre un alligator en lui mordant la queue ». Que Sharp, tous les amiraux et généraux d'Aviation aient donné leur bénédiction à cette entreprise chimérique montre comment l'obsession et l'ambition peuvent fausser le jugement. Le nombre des « pertes en camions » était le barème de l'efficacité de la guerre aérienne. Année après année, Sharp et tous les plus hauts gradés de l'Aviation firent acheter des avions à réaction qui coûtaient au contribuable de 1 à 4 millions de dollars pièce (de 4 à 6 millions d'aujourd'hui) et engagèrent des aviateurs courageux en qui des centaines de milliers de dollars de formation et la confiance de la nation avaient été investis. Pour faire quoi ? Pour détruire des camions russes de 2,5 tonnes et des chauffeurs vietnamiens qui n'avaient que leur courage et qui s'étaient formés sur le tas à esquiver les avions. Le nombre de camions détruits n'équilibrait pas celui des avions abattus. Les véhicules revenaient à environ 6 000 dollars pièce et étaient produits en abondance par l'industrie lourde de la Russie, de l'Europe de l'Est et de la Chine. Cela ne coûtait pas cher de remplacer les camions et obligeait les Vietnamiens à accroître leurs moyens de transport. Dans son rapport à l'état-major de la fin de 1967, Sharp reconnut très honnêtement qu'après un an de bombardements il y avait autant de camions en décembre qu'en janvier précédent. Il y en avait même probablement plus. D'après les observations recueillies, leur nombre au Laos en 1967 indiquait une augmentation de 165 % par rapport à l'année précédente, et McNamara estima qu'en 1967 les Vietnamiens disposaient de 10 000 à 12 000 véhicules circulant sur la piste du Nord au Sud.

La solution ne consistait pas à faire, à coups de mines et de bombes, le blocus de Haiphong et des autres ports du Nord, comme Krulak et Greene l'avaient pensé et comme maintenant Sharp et ses collègues de l'état-major le réclamaient. Cela semblait être pourtant la réponse au problème, puisque, à part la nourriture et les hommes, tout le matériel de guerre venait par mer de Russie et des autres alliés communistes. Mais la Chine était disposée à l'époque à autoriser les Russes à transiter leur matériel par voie de terre en utilisant les chemins de fer chinois. Si les ports avaient été bloqués, les Vietnamiens auraient été approvisionnés par le rail et la route depuis la frontière chinoise, comme ils devaient le faire après que Nixon eut tardivement interdit l'accès des ports en 1972. Dès le printemps de 1967, tous les arrangements avaient été faits pour ce transit terrestre

Les espérances insensées investies dans les raids contre les réserves de carburant de l'été 1966 troublèrent à ce point McNamara qu'il commença à discerner la vérité. Il avertit Johnson en octobre que la seule façon d'obtenir des résultats décisifs serait de s'attaquer aux habitants du Nord Vietnam. « Bombarder suffisamment le Nord, conclut-il, pour avoir un impact définitif sur la structure politique, économique et sociale de Hanoi, demanderait un effort dont nous sommes techniquement capables, mais qui ne serait toléré ni par notre peuple ni par l'opinion mondiale. En outre, nous courrions le risque sérieux d'une guerre ouverte avec la Chine. »

Dan Ellsberg contribua à éclairer McNamara sur ses illusions. Il se souvient de l'épisode comme étant « le summum de sa carrière de fonctionnaire ». Cela se passa ce même octobre 1966 à bord d'un « McNamara Special », cet avion à réaction de transport sans hublot KC-135 que l'Armée de l'air avait aménagé pour les voyages à longue distance des personnalités et que le secrétaire à la Défense utilisait couramment. Le nouveau secrétaire d'État Nicholas Katzenbach était également du voyage pour sa première visite au Vietnam et Ellsberg avait été désigné pour l'escorter.

L'avion comportait des compartiments séparés avec couchettes pour que les voyageurs arrivent reposés, et un espace aménagé de bureaux pour y travailler ou prendre les repas. McNamara était assis en face de son adjoint pour les affaires étrangères, John McNaughton. Intentionnellement, Ellsberg avait emporté un porte-documents rempli de ses meilleurs rapports, plus de deux cents pages en tout, y compris un récit très descriptif des trois jours qu'il avait passés avec Vann à Hau Nghia à l'automne précédent. Dès que l'avion eut décollé, Ellsberg sortit un document et le remit à McNaughton en lui suggérant que ce serait une lecture intéressante pendant le voyage. McNaughton y jeta un coup d'œil rapide puis le passa à McNamara qui commença à lire. Ellsberg sortit un autre document dans lequel McNaughton se plongea à son tour.

Les deux hommes lisaient très vite, et Ellsberg vida rapidement sa serviette. McNaughton prit Ellsberg à part pour lui dire que le secrétaire à la Défense voulait une copie de son mémorandum sur Hau Nghia, le meilleur qu'ait écrit Ellsberg, riche de détails sur la dépravation morale et la bouffonnerie du régime de Saigon. McNamara avait une autre requête à faire : il priait Ellsberg de ne pas montrer ce texte au général Wheeler.

L'insatisfaction, dès qu'elle a pris naissance, acquiert une impulsion spécifique, et maintenant ce n'était plus seulement l'échec de la campagne d'attaques aériennes qui préoccupait McNamara. Il comprenait soudain les réalités qu'il avait ignorées pendant des années. Le rapport qu'il fit au président Johnson à son retour marquait la rupture. Un an plus tôt, McNamara pouvait accepter le choc des 230 Américains morts en quatre jours au combat dans la vallée de la Drang et exhorter néanmoins le président à soutenir la guerre de Westmoreland et à lui « fournir tout ce dont il avait besoin en hommes et en matériel ». Aujourd'hui, il voulait serrer la vis à Westmoreland, pour mettre fin à « ce spectre d'une escalade apparemment sans fin du déploiement des forces américaines ». Il fallait dire au général qu'il n'aurait que 470 000 hommes et pas un de plus. En ce qui concernait la guerre aérienne au Nord Vietnam, McNamara n'avait plus le cœur au chantage de la pause, suivi de l'ultimatum et de l'escalade. Il voulait que Johnson essaie de persuader les communistes vietnamiens de négocier en arrêtant les bombardements sur tout le Nord, ou, si le président trouvait cette décision trop magnanime, en tout cas sur tout le rectangle nord-est de la région de Hanoi-Haiphong jusqu'à la frontière de Chine. Les généraux de l'état-major interarmes avaient très clairement fait entendre qu'ils se révolteraient si le président prenait une mesure de cet ordre.

McNamara commençait à admettre la réalité et, plus il progressait, plus il était troublé. C'est probablement pour cela qu'il avait accepté de faire venir Vann à la tête de la division Asie de son Bureau d'analyse. Vann ayant choisi de rester au Vietnam, il engagea un jeune statisticien, Thomas Thayer, qui avait passé deux ans et demi à Saigon pour le compte du Pentagone. Par lui, McNamara eut une profusion de ce qu'il comprenait le mieux, les chiffres, mais les vrais, ceux dont il n'avait pas été prêt à tenir compte quand Krulak les lui avait mis sous les yeux. L'expérience de Thayer au Vietnam lui avait appris ce qui était important, et il était suffisamment intelligent pour vérifier ses statistiques avec les critiques des combattants lucides dont les analyses étaient celles du champ de bataille. Il interrogea Hal Moore après qu'il eut quitté le commandement de la 3e brigade de l'Air Cav pour venir à Washington comme adjoint de McNaughton. Moore était convaincu que, si les Vietnamiens avaient frappé avec tant d'audace et de persévérance sur la Drang et avaient résisté avec autant de sauvagerie à Bong Son, c'était parce qu'ils étaient résolus à apprendre à se mesurer aux Américains. Maintenant ils savaient ! Au point qu'ils les obligeaient à se battre à leur façon à eux. Ils menaient l'armée et les Marines par le bout du nez.

Au printemps de 1967, quand l'insatiable général de Saigon réclama plus de troupes, un minimum de 550 000 pour le milieu de 1968, ou 678 000 si le président voulait accélérer la victoire, Thayer était prêt. Avec l'équipe d'analystes qu'il avait réunie au Bureau spécial de l'Asie du Sud-Est, ses recherches étaient assez avancées pour démontrer que la guerre d'usure de Westmoreland était une absurdité. Le mémorandum remis à McNamara l'exhortait à s'opposer à tout effectif supérieur au plafond de 470 000 hommes.

Une étude de cinquante-six engagements qui avaient eu lieu en 1966 et qui impliquaient aussi bien de simples sections que des bataillons entiers montrait que le Vietcong et l'armée nord-vietnamienne avaient eu l'*initiative* de l'action dans 85 % des combats, soit en attaquant les unités américaines soit en se battant depuis des positions fortifiées. 80 fois sur 100, l'ennemi avait créé un élément de surprise en sa faveur. Dans seulement 5 % des cas, le commandement américain avait eu « une connaissance relativement exacte des positions et de la force de l'ennemi », avant que l'attaque ne commence. Thayer confirma ses résultats avec la masse de rapports soumis par les officiers combattants après l'action, et en les comparant à ce qui s'était produit en 1965 et début 1966. Dans 88 % des cas, le Vietcong et l'armée nord-vietnamienne avaient ouvert le feu les premiers.

Pour que la guerre d'usure lui soit favorable, un chef militaire doit être en mesure d'obliger l'ennemi à combattre, comme le général Grant l'avait réussi avec Lee à Richmond au cours de la dernière année de la guerre civile [1], ou comme les armées américaines et britanniques y avaient contraint la Wehrmacht de Hitler après le débarquement de Normandie. Les conclusions de Thayer prouvaient que Westmoreland était incapable d'obliger son ennemi à se battre, car les Vietnamiens avaient une maîtrise écrasante de l'initiative, et contrôlaient le nombre de leurs pertes. Bien plus, comme Westmoreland insistait pour livrer bataille où et quand ils se montraient, c'étaient les Vietnamiens qui décidaient des pertes américaines. Ils pouvaient les augmenter ou les diminuer en fonction de leur volonté de sacrifier leurs propres troupes.

Si on négligeait ce facteur de l'initiative des combats et qu'on donnât à Westmoreland tous les soldats américains qu'il réclamait, l'analyse de Thayer montrait que sa stratégie n'avait de toute façon aucun sens. Même avec 678 000 Américains pour perpétuer le massacre et même si les Vietnamiens avaient deux fois plus de pertes, Hanoi ne perdrait par semaine que 400 hommes de plus que ce que ses réserves lui permettaient de remplacer. Conclusion : « Il nous faudrait alors dix ans pour les écraser. »

Robert McNamara, l'extraordinaire technocrate devenu à court de solutions, accomplit en mai 1967 un acte de courage moral remarquable. Il remit au président des États-Unis un mémoire disant qu'il ne pourrait pas gagner la guerre du Vietnam et qu'il devait négocier une paix désavantageuse.

Le texte en avait été écrit par John McNaughton, qui partageait l'angoisse de McNamara en même temps que la responsabilité du bain de sang. En fait,

---

1. A la fin de la guerre de Sécession, Richmond, capitale de la Confédération, était défendue par Robert Lee, général en chef des armées sudistes. Le général nordiste Ulysses Grant l'obligea à quitter la ville, dont il s'empara le 3 avril 1865. Six jours plus tard, Lee capitulait à Appomattox, mettant ainsi fin à la guerre.

ils ne dirent pas crûment que la guerre ne pourrait être gagnée ; c'eût été de mauvaise politique dans les circonstances de l'époque. Mais cette conclusion était évidente après les mesures qu'ils préconisaient et la paix qu'ils envisageaient. Ils voulaient que le président abandonne l'objectif officiel, gravé dans le bronze, de la défaite des communistes vietnamiens, qu'il établisse « un Sud Vietnam indépendant non communiste » et qu'il prenne des directives secrètes fixant de nouveaux « objectifs minimaux ». Cela revenait à un règlement de la situation politique dans le Sud permettant aux États-Unis de se désengager progressivement. Cette « limitation des obligations des États-Unis... causerait probablement une " fuite vers la sortie " en Thaïlande, au Laos et à l'intérieur du Sud Vietnam », reconnaissaient les auteurs, mais le mal en « serait moindre que les difficultés de toute autre approche de la situation ». Ils exhortaient le président à avancer dans cette direction en n'accordant à Westmoreland que 30 000 hommes de plus et en arrêtant les bombardements du Nord au-dessus du 20e parallèle, c'est-à-dire en les limitant aux routes d'infiltration à proximité de la zone démilitarisée.

Mais McNamara n'était plus en mesure d'exercer une influence sur la marche des événements qu'il avait déclenchés. Lyndon Johnson avait déjà investi dans la guerre du Vietnam 11 000 vies américaines et sa place dans l'histoire. Il écoutait d'autres hommes comme Komer, Rostow et Rusk, qui n'avaient pas les mêmes conceptions que McNamara, dont il continuait néanmoins à se servir comme repoussoir pour les militaires. Il n'avait aucune intention d'accorder à Westmoreland les 678 000 hommes de sa « Force optimale », car cela l'eût obligé à mobiliser les réservistes, mettant ainsi en danger sa législation sur la Grande Société et exaspérant profondément l'opposition publique à la guerre. Et il ne voulait pas non plus accorder les 550 000 soldats de la « Force minimale », car Westmoreland n'avait pas réussi à le convaincre, lors de son précédent voyage à Washington, qu'ils étaient essentiels pour la victoire. Le président en était venu à considérer les demandes de renforts de Westmoreland plus comme un marchandage que comme un besoin réel. Il envoya à nouveau McNamara au Sud Vietnam en juillet, lorsque Vann eut l'occasion de le voir seul pour la première fois, pour marchander avec le général. Westmoreland reconnut finalement qu'il pourrait se contenter de 55 000 hommes de renforts, ce qui lui en donnerait 525 000 au milieu de 1968.

Faire les commissions pour le président ne signifiait pas avoir sa confiance. Lyndon Johnson commença à prendre ses distances avec son secrétaire à la Défense.

Au mois de juillet, McNamara perdit son ami et confident John McNaughton et sa famille dans une collision entre un petit avion privé et un appareil de lignes commerciales au-dessus d'un aéroport de Caroline du Nord. Il dut ressentir durement cette perte, car il commença à laisser voir son émotion. Il y avait déjà cédé en décrivant au président, dans son rapport de mai, le bombardement du Nord Vietnam : « Ce n'est pas une image séduisante que celle de la plus grande puissance mondiale tuant ou blessant grièvement 1 000 non-combattants par semaine, en essayant de soumettre brutalement une petite nation moins évoluée, pour un résultat dont la valeur est hautement contestable. »

Mais il n'était pas tourmenté seulement par l'effusion de sang. Un de ses assistants qui avait travaillé à ses côtés en 1967 se souvient combien McNamara avait maintenant honte de tous les conseils erronés qu'il avait donnés à deux présidents au cours des années antérieures, honte de ce qu'il considérait comme un échec du rôle le plus important de sa vie. Au mois de juin, il commanda la rédaction des « Dossiers du Pentagone », cette enquête ultra-secrète de l'engagement des États-Unis en Indochine depuis ses origines à l'époque française. Il en résulta quarante-trois volumes d'archives de la guerre de plus de 7 000 pages d'histoire et de documents. Leslie Gelb, qui dirigea le travail, reçut de lui une liste d'une centaine de questions dont il voulait qu'on étudie la réponse. L'une des premières de McNamara condamnait comme inutile tout ce à quoi il avait contribué : « Hô Chi Minh était-il un Tito asiatique ? »

Peut-être parce qu'il y avait attaché peu d'importance dans le passé, il voulait maintenant connaître tous les détails des assassinats et des destructions. A l'automne de 1967, Jonathan Schell, un journaliste de vingt-quatre ans du *New Yorker,* venait de terminer son enquête sur l'activité de la Force d'intervention Oregon, que Westmoreland avait envoyée au printemps dans la province de Quang Ngai, au sud de la zone du 1er corps, pour remplacer les Marines. Schell y avait passé plusieurs semaines de l'été, la plupart du temps sur le siège arrière d'un petit avion de reconnaissance L-19, position idéale pour avoir une vue panoramique des ravages.

Les destructions infligées à la société rurale et aux civils de cette région étaient déjà importantes deux ans plus tôt, comme j'avais pu le constater en novembre 1965 en trouvant cinq hameaux de la côte rasés avec des centaines de morts par bombes de l'Aviation et des navires de guerre. Au cours de l'année 1966, les Marines avaient monté dans la province des opérations d'une grande brutalité contre la résistance qu'ils rencontraient chez les Vietcongs et les paysans déterminés qui les soutenaient, en plus des troupes nord-vietnamiennes venues en renfort de la Cordillère annamite. La stratégie de pacification que Krulak et Walt avaient essayé de mettre en place avait freiné les commandants locaux des Marines. Mais cette inhibition avait disparu au printemps de 1967 avec l'arrivée de la Force Oregon. L'armée ne s'intéressait pas à la sécurité des villages et à la protection du terrain. La machine était libérée de toute contrainte et les ravages s'accrurent suivant une progression géométrique.

Deux ans plus tôt, j'avais appris qu'au moins une dizaine d'autres villages avaient été autant rayés de la carte que les cinq que j'avais vus le long de la côte et que 25 autres avaient été gravement endommagés. En 1967, Schell devait découvrir que 70 % des 450 villages de la province avaient été complètement anéantis. A l'exception de quelques hameaux le long de la route 1, où les patrouilles circulaient tant bien que mal, la destruction systématique se développait à un rythme accéléré. Jour après jour, de son petit avion, Schell assistait au spectacle des bombardements par l'artillerie et par les rockets lancés par les hélicoptères de combat, et à la progression des flammes des maisons incendiées par l'infanterie américaine. Il faisait le compte des ruines précédentes d'après les traces des habitations détruites, vérifiait soigneusement ses calculs avec les pilotes de L-19, les officiers de la Force Oregon, les membres de l'équipe locale du CORDS et les officiels saigonnais.

Un certain nombre de paysans étaient retournés dans les ruines, bien que la plupart des communautés aient été interdites dans la zone de liberté de tir, et vivaient dans des abris souterrains. Ils préféraient risquer leur existence dans leurs rizières défoncées et affronter la menace de se faire tirer dessus plutôt que d'accepter la certitude de la faim, de la crasse et de la maladie dans les camps de réfugiés. Depuis l'arrivée de la Force Oregon, les hôpitaux civils accueillaient une moyenne de 30 blessés civils par jour. Un médecin britannique volontaire qui travaillait dans la province de Quang Ngai depuis plus de trois ans confia à Schell son estimation : le total des victimes civiles, morts et blessés compris, s'élevait pour la province à 50 000 par an. Tom Thayer, en ne se basant que sur les admissions dans les hôpitaux, était parvenu au chiffre de 33 000.

Schell parla de ce qu'il avait vu à Jerome Wiesner, administrateur de l'Institut de technologie du Massachusetts (MIT). Wiesner avait fait profiter l'armée de ses talents depuis qu'il avait contribué à perfectionner le radar dans son laboratoire pendant la Seconde Guerre mondiale. Il avait été conseiller scientifique de Kennedy et était un ami personnel de McNamara. Il s'arrangea pour que Schell le rencontre au Pentagone.

McNamara n'avait pas l'habitude de mettre à la porte des visiteurs lorsqu'ils lui étaient envoyés par des amis. Il aimait donner l'impression d'une grande ouverture d'esprit. Mais en général le visiteur constatait très vite que le secrétaire à la Défense commençait à s'agiter et à regarder la pendule. Un assistant entrait pour lui apporter un message ou le téléphone sonnait pour une communication importante, et le visiteur devait quitter la pièce par discrétion. Lorsqu'il revenait, McNamara était debout derrière son bureau et personne ne pouvait se permettre d'importuner plus longtemps un haut responsable aussi surchargé de travail.

Schell ne fut pas interrompu. Il eut tout de même l'impression de s'imposer à un homme très occupé, mais McNamara n'essaya pas de le faire presser. Il l'écouta attentivement avec un visage impassible et lui posa quelques questions. Quand Schell eut terminé, il lui fit indiquer sur une carte les secteurs de la province qu'il lui avait décrits.

« Est-ce que vous pouvez mettre tout cela par écrit ? » lui demanda McNamara.

Schell lui répondit que c'était griffonné à la main. McNamara fit venir un de ses assistants et lui demanda de faire le nécessaire pour que Schell puisse dicter son texte. Schell se retira en remerciant le secrétaire à la Défense.

McNamara ne lui avait pas demandé la longueur de son article, qui avait en réalité la taille d'un opuscule. Schell passa les trois jours suivants à dicter son manuscrit sur un magnétophone dans le bureau d'un général momentanément absent. Les cassettes étaient envoyées au fur et à mesure au pool dactylographique du Pentagone. L'assistant de McNamara s'arrangea également pour que Schell puisse prendre ses repas au mess réservé aux officiers et civils de haut rang. Il y eut plusieurs conversations qui lui parurent « très bizarres ». Il partit au bout des trois jours avec un exemplaire dactylographié pour *The New Yorker*. McNamara ne le contacta jamais pour lui dire ce qu'il était advenu de l'exemplaire du Pentagone. Lorsque Schell le rencontra par hasard quinze ans plus tard dans un aéroport, McNamara lui sembla un « homme tellement perturbé » qu'il jugea indécent de l'interroger.

Robert McNamara avait envoyé le texte directement à Saigon à l'ambassadeur Bunker qui le montra à Westmoreland et, avec l'accord du général, ordonna une enquête confidentielle. « Les descriptions des destructions faites par l'auteur sont outrées, mais pas au point de discréditer ses déclarations, conclut le rapport... Les chiffres qu'il donne sont effectivement exacts... Mais d'importantes raisons civiles et militaires expliquent l'étendue des destructions dans cette région. La population est totalement hostile au gouvernement sud-vietnamien et sympathise sans réserves avec le Front de libération du Nord. » Le Vietcong refuse de se soumettre à l'autorité américaine, fortifie les villages et organise la résistance de la population tout entière. « Pour le Vietcong, il n'y a pas de distinction : le Vietcong *c'est* le peuple vietnamien » (l'accent sur *c'est* était dans le texte original). Le rapport reflétait la vision bornée si caractéristique des officiels américains en essayant de trouver une explication satisfaisante à tout ce que Schell avait écrit.

Moins de quatre mois après cet exercice de l'état-major pour se disculper, au matin du 16 mars 1968, survint le massacre du village de Son My dans la province de Quang Ngai. Ce fut dans le hameau de My Lai que le pire fut commis, sous les ordres du sous-lieutenant William Calley, chef de section de la 23ᵉ division d'infanterie appelée maintenant « division Americal », anciennement Force Oregon. L'enquête criminelle conduite par la Police militaire devait conclure que 347 personnes avaient péri à My Lai. Dans un autre hameau, 90 Vietnamiens sans armes furent tués le même jour par une autre compagnie. Sur le monument érigé après la guerre, figurent les noms de 504 habitants du village de Son My.

Certains militaires refusèrent de participer au massacre, mais leur attitude ne refréna pas les autres. Des soldats américains et de jeunes officiers tuèrent des vieillards, des femmes, des jeunes garçons, des jeunes filles et des bébés. Un soldat manqua par deux fois un tout petit enfant couché sur le sol ; comme ses camarades se moquaient de sa maladresse, il se rapprocha et tira à bout portant une troisième fois avec son pistolet. Les soldats battaient les femmes à coups de crosse. Ils les violèrent, les sodomisèrent avant de les abattre. Ils tuèrent les buffles, les cochons et les poulets et jetèrent les cadavres dans les puits pour empoisonner l'eau. Ils lancèrent des charges d'explosif dans les abris creusés sous les maisons, dans lesquels la plupart des habitants s'étaient réfugiés. Ceux qui réussirent à en sortir étaient immédiatement abattus. Toutes les habitations furent incendiées avec des torches.

Le lieutenant Calley emmenait pour les abattre ses victimes dans un fossé d'irrigation qui fut bientôt rempli de cadavres. Il fut le seul officier ou soldat à être inculpé pour avoir personnellement tué 109 Vietnamiens. Pour le meurtre prémédité d'au moins 22 victimes, y compris des bébés, la cour martiale le condamna aux travaux forcés à perpétuité. Le président Nixon intervint en sa faveur. Calley ne fut interné que trois ans, la majeure partie aux arrêts dans son appartement de Fort Benning, avec droit de visite pour sa petite amie.

Les officiers de la cour martiale avaient appliqué correctement la justice. Nixon se couvrit de honte en les désavouant. Certes Calley était un sadique, mais sa personnalité seule n'explique pas le massacre. La seule différence de Calley et ses complices avec les autres était qu'ils avaient tué des centaines de Vietnamiens désarmés en une seule matinée à bout portant avec leurs pistolets, leurs fusils et leurs mitrailleuses. S'ils en avaient tué tout autant sur un plus grand espace et en plus longtemps avec l'anonymat des obus, des bombes, des rockets, du phosphore et du napalm, ils se seraient comportés suivant les règles normales de l'armée américaine. Les soldats et les jeunes officiers avaient constaté le peu de cas que leurs supérieurs faisaient des Vietnamiens. Ils n'avaient aucune raison d'attacher plus d'importance à la vie de ces paysans. Rendus plus brutaux par le cycle de violence stupide de la guerre totale de Westmoreland, remplis de haine parce que leurs camarades étaient tués ou blessés par les mines et les pièges placés par les Vietcongs et leurs alliés paysans, ils considéraient tout naturellement les Vietnamiens de la campagne comme une vermine à exterminer. Le massacre de Son My et de My Lai était inévitable. Mais les responsables en étaient les autorités civiles et militaires du gouvernement des États-Unis qui avaient laissé les généraux mener ainsi une telle guerre.

McNamara essaya encore de convaincre le président. Cela se passa le 31 octobre 1967 à la Maison-Blanche au cours du « déjeuner du jeudi », traditionnellement consacré au Vietnam. Il y mit toute sa ferveur et confirma le lendemain son désaccord dans un mémorandum. Il y prédisait le cours de la guerre pour les quinze mois suivants si Johnson s'en tenait à sa stratégie jusqu'à la fin de son mandat, en janvier 1969. Alors Johnson aurait sur la conscience la mort au combat de « 24 000 à 30 000 » Américains. (Il y en eut en réalité plus de 31 000.) En contrepartie, le président n'aurait rien à offrir de substantiel. L'opinion publique réclamerait le retrait des troupes. En même temps, les chefs militaires et les faucons du Congrès feraient pression pour miner les ports et bombarder les populations du Nord Vietnam et pour étendre la guerre en envahissant les sanctuaires communistes au Cambodge, en coupant la piste Hô Chi Minh au Laos et en envahissant le Nord au-delà de la zone démilitarisée.

En mai, McNamara avait souhaité que le président incite Hanoi à négocier en limitant les bombardements au 20e parallèle. Maintenant il demandait qu'on cesse complètement toute attaque aérienne sur la totalité du Nord

Vietnam dès la fin de l'année. Le soir du jour où fut remis ce texte gênant, se tint à Washington une réunion secrète d'anciens hommes de gouvernement et conseillers proches. McNamara prit la parole pour dire qu'il craignait que tout ce que lui et Dean Rusk avaient fait depuis 1961 pour accroître l'effet de guerre ne conduise à un échec.

Le changement de McNamara rendait Johnson perplexe. Rusk, que le secrétaire à la Défense avait inclus dans ses sinistres remarques, ne partageait certainement pas son point de vue, pas plus qu'aucun des conseillers dont Johnson respectait l'opinion. Le groupe auquel McNamara s'adressait, qu'on surnommait « les Sages », était une véritable constellation de tous les hommes d'expérience tant militaire que de gouvernement ; il incluait Dean Acheson et Omar Bradley, le seul général à cinq étoiles survivant de la Seconde Guerre mondiale. Ce même soir, ils écoutèrent le compte rendu par Earle Wheeler des opérations et de la guerre aérienne de Westmoreland, ainsi que le bilan du programme de pacification de Komer par George Carver, le spécialiste du Vietnam à la CIA.

Walt Rostow envoya à Johnson un rapport sur cette réunion avant que les Sages n'arrivent à la Maison-Blanche le lendemain matin pour recommander une ligne de conduite. « J'ai trouvé les comptes rendus très impressionnants, écrivait Rostow, particulièrement celui de Carver qui a établi la balance exacte entre les progrès que nous avons faits et les problèmes qui restent à résoudre... Pas un mot n'a été prononcé qui n'eût pu être soumis directement à la presse. Peut-être pourriez-vous envisager une réunion au sommet de ce genre, que vous présideriez, et dont vous pourriez rendre compte ensuite à la télévision... »

Au cours de la discussion, puis du déjeuner avec le président, un des Sages, George Ball, qui s'était dans le passé opposé à la guerre et qui était maintenant à la tête d'une grande banque de New York, dit qu'il n'était plus partisan de partir du Vietnam. Les comptes rendus avaient été « très rassurants ».

Le président prit la précaution de demander des commentaires écrits sur le mémorandum de McNamara du 1er novembre à Rostow, à Maxwell Taylor et à deux de ses confidents, Abe Fortas, président de la Cour suprême, et Clark Clifford, un des plus clairvoyants juristes de Washington et certainement le plus influent. Ils furent tous d'accord pour conseiller à Johnson de ne tenir aucun compte des remarques de McNamara.

Dans son commentaire « ultra-secret », Rostow dit qu'il n'était pas nécessaire de cesser les bombardements pour engager les négociations. Il rappela que c'était au moment où le Nord était le plus durement touché que les premiers contacts secrets avec l'adversaire avaient commencé. Ils avaient porté sur un échange de prisonniers et devaient avoir pour résultat de faire libérer deux soldats américains en décembre 1967. Ramsey et d'autres auraient pu en profiter plus tard si l'administration s'y était vraiment intéressée. Rostow voyait dans ce premier contact bien plus qu'un simple échange de prisonniers. A son avis, Hanoi avait abandonné tout espoir de s'emparer du Sud Vietnam dans un avenir proche. Pour essayer de sauver le

Vietcong de la destruction, les dirigeants du Nord sondaient les Américains pour voir quelle sorte de statut légal ils pourraient négocier pour les communistes du Sud « en temps de paix ». Rostow établissait un parallèle avec les négociations de Panmunjon sur la guerre de Corée. « Nous sommes dans une situation similaire : c'est-à-dire que leurs opérations militaires ne sont pas destinées à leur apporter la victoire, mais à améliorer leur position pour la négociation qui, d'une certaine façon, a déjà commencé. »

A la fin de novembre, McNamara apprit par une indiscrétion de presse qu'il était nommé président de la Banque mondiale. Johnson avait décidé que son secrétaire à la Défense, qui avait été au Pentagone depuis près de sept ans, avait les nerfs détraqués par le fardeau de la guerre. L'homme était victime d'une « déficience émotionnelle » qui avait amoindri sa valeur, dit-il à son attaché de presse. Et pourtant Johnson aimait McNamara qui, en dépit de sa dévotion pour les Kennedy, l'avait toujours servi avec une loyauté discrète. Mais le président ne pouvait plus se permettre de le garder. L'aile pacifiste du Parti démocrate avait lancé un mouvement « Vider Johnson », et devait plus tard lui opposer le sénateur Eugene McCarthy à la convention du Parti démocrate de 1968 pour l'élection présidentielle.

Mais la plus sérieuse menace, aux yeux de Johnson, venait de Robert Kennedy, sénateur de l'État de New York, qui attendait le moment propice pour se mettre en avant. Si McNamara craquait complètement et démissionnait pendant l'année électorale, Kennedy pourrait utiliser cet atout. Le président se doutait que McNamara, dans son angoisse morale, se confiait à son ami Robert. Il avait raison. Des rumeurs circulaient à Washington, où j'étais alors affecté au bureau du *New York Times,* laissant entendre que McNamara était maintenant opposé à la guerre. J'ai demandé à Robert Kennedy si c'était vrai. Il me le confirma et m'exposa en détail les sentiments de McNamara. J'ai hésité à le croire à ce moment-là, tant un tel retournement semblait trop bien convenir à l'ambition de Robert Kennedy de reprendre l'héritage de son frère.

Pendant le mois de novembre, sans en parler à l'intéressé, Johnson prépara discrètement l'affectation à la Banque mondiale de son secrétaire à la Défense. Ils en avaient déjà discuté ensemble dans le passé. Robert McNamara attachait beaucoup d'importance à se comporter en homme de bien. Lorsqu'il avait fait la guerre au Vietnam, il avait vraiment pensé que c'était pour la bonne cause. La Banque mondiale, ou plus précisément la Banque Internationale pour la Reconstruction et le Développement, avait pour rôle de relever l'économie des pays en voie de développement. Le président en avait déduit que, s'il lui donnait cette chance, McNamara partirait discrètement et garderait le silence.

L'intuition de Johnson se révéla encore plus juste qu'il n'avait pensé. McNamara ne pouvait moralement pas utiliser cet extraordinaire courage dont il avait fait preuve en respectant le secret de l'État, pour dénoncer en public les erreurs de ce même État. Jamais, pendant les années de guerre qui suivirent, il n'en parla ouvertement. Le sentiment de culpabilité et de honte qu'il ressentait avait également contribué à ce qu'il ne puisse plus se confronter avec son action dans le passé. Au point que, lorsque furent publiés les Dossiers du Pentagone qu'il avait lui-même commandés, il se refusa à les lire.

Le général Vô Nguyên Giap, ministre de la Défense du Nord Vietnam, expliqua comment et pourquoi les responsables de Hanoi avaient attiré les Américains le long de la frontière sud de leur pays. L'article, sous le titre « Grande victoire, tâche gigantesque », parut en septembre 1967 dans le *Quan Doi Nhan Dan*, le journal quotidien de l'armée, et fut diffusé sur les antennes de Radio-Hanoi. La CIA le traduisit et le communiqua aux services d'information du gouvernement. Giap citait les combats le long de la ligne démilitarisée et sur les hauts plateaux comme un des principaux exemples de la stratégie nord-vietnamienne.

Alors que ses idées préconçues étaient remises en question, Westmoreland ne prêta pas plus d'attention à ce que disait l'ennemi qu'il ne l'avait fait pour Krulak et York. C'est une caractéristique historique des généraux de son espèce que, quoi qu'on puisse mettre à leur disposition, soldats entraînés, armes perfectionnées, renseignements précis, conseils judicieux, informations de première main sur la stratégie de l'ennemi, tout est finalement gaspillé. L'ennemi ne peut avoir qu'un comportement stupide, tandis qu'eux se conduisent en chefs perspicaces. Westmoreland avait mentalement résolu le problème des « batailles de la frontière » avant que ne paraisse l'article de Giap. A la fin d'août 1967, il avait reçu la presse à son quartier général de Saigon pour affirmer qu'il avait infligé de telles pertes à ses adversaires que l'essentiel des attaques du Vietcong et de l'armée nord-vietnamienne « était limité à la périphérie du Sud Vietnam ».

Un reporter intervint :

« Mais l'ennemi nous a attirés à la frontière et est en train de nous saigner.

— Il ne nous a pas attirés, répondit le général. En revanche, comme il ne peut monter de grosses opérations que de là, cela nous permet de lui faire beaucoup plus de mal qu'il ne nous en fait. »

La question de savoir qui faisait le plus souffrir l'autre était définitivement réglée pour Westmoreland. Son service d'information a gardé les comptes rendus de ses contacts avec la presse. Ils reflètent bien sa pensée car il y parle spontanément dans un jeu de questions et de réponses, et ce qu'il y dit n'est pas plus optimiste que ses rapports officiels. Il était d'ailleurs plus prudent avec les journalistes. Il l'était d'ailleurs infiniment plus avec les journalistes qu'avec le président en annonçant l'imminence de la percée finale : le « tournant décisif » de la guerre d'usure. Ce serait lorsque la machine commencerait à tuer les Vietcongs et les Nord-Vietnamiens plus vite que les renforts ne pourraient y suppléer, et marquerait ainsi la ligne qui sépare l'affaiblissement de l'ennemi de sa défaite totale. Quand Westmoreland avait rencontré le président à la Maison-Blanche, en avril, pour réclamer une nouvelle fois des renforts, il lui avait dit qu'il « semblait que, le mois dernier, nous ayons atteint le tournant décisif partout au Sud, à l'exception des deux provinces du nord ». En revanche, un mois plus tard à la presse il s'était contenté de dire : « Nous avons peut-être atteint le point crucial, mais, franchement, nous n'en sommes pas sûrs. » En août il avait été plus positif, tout en restant prudent : « La puissance des forces armées communistes a baissé, pas spectaculairement et sans qu'on puisse le prouver avec des chiffres, mais tout semble indiquer que... Nous avons des preuves que nous avons atteint le point crucial. » Trois mois plus tard, en novembre 1967, il avait les preuves mathématiques que l'ennemi était en perdition.

La conférence de presse la plus élaborée de toute la guerre eut lieu au « Pentagone d'Extrême-Orient », le nouveau quartier général à air conditionné pour 4 000 officiers et soldats que Westmoreland venait de faire construire près de Tan Son Nhut. Westmoreland s'adressa lui-même aux journalistes, ainsi que ses chefs d'état-major et un colonel du service de renseignements spécialisé dans le moral de l'ennemi. Tout ce qu'ils disaient serait attribué, suivant la coutume, à de hautes personnalités militaires des États-Unis.

Cette opération faisait suite à un ordre du président de lancer une campagne de relations publiques. Le soutien de la nation à cette guerre commençait à être miné par l'image pathétique des fantassins américains et des Marines mourant dans les forêts tropicales des collines de nulle part, au milieu de rizières défoncées par les bombes, dans les ruines de cabanes de torchis et de roseaux dans lesquelles aucun n'aurait souhaité vivre, et à plus forte raison mourir, sans objectif clair et sans solution en vue. Les sondages d'octobre 1967 montraient que le nombre d'électeurs partisans du retrait était passé de 15 à 30 %. Johnson, qui se souvenait avec quelle rapidité l'opinion publique avait basculé pour la guerre de Corée, était sérieusement préoccupé. La minorité qui s'opposait à la guerre pour des raisons morales avait aussi suffisamment grossi pour organiser d'inquiétants mouvements de masse. 50 000 manifestants marchèrent sur le Pentagone le 21 octobre. McNamara les avait regardés du toit et les avait écoutés chanter :

> « Hey, hey, hey !
> L.B.J.
> Combien en as-tu tué
> aujourd'hui ? »

Le secrétaire à la Défense n'avait pas l'habitude de la foule et ce spectacle l'avait rendu encore plus nerveux.

Dean Acheson et les autres Sages conseillèrent au président de lancer une campagne d'information. Ils pensaient que, s'il réussissait à communiquer au public les progrès dont ils avaient eu connaissance au cours de leurs réunions secrètes, il pourrait ralentir l'érosion de l'appui de la nation. McGeorge Bundy, président de la Fondation Ford et membre du groupe des

Sages, conclut : « Mettez l'accent sur " la lumière au bout du tunnel " au lieu de parler de batailles, de morts et de danger. »

Westmoreland n'avait pas besoin de mentir pour venir en aide au président. Dans un procès célèbre qui eut lieu après la guerre, le général poursuivit en justice la station de télévision CBS pour l'avoir accusé d'avoir monté une machination pour tromper le président sur la force réelle de l'ennemi. Le général ne gagna pas son procès, mais il n'avait pas comploté pour autant. « C'était une hallucination collective », expliqua Vann à Ellsberg. Sur les traces de son prédécesseur Paul Harkins, Westmoreland, ainsi que tout le système militaire dont il était si représentatif, avait considéré que la conquête était prédestinée lorsque Johnson lui avait annoncé en juillet 1965 qu'il disposerait de 200 000 combattants. Il présidait à l'accomplissement personnel de cette prophétie avec la même absence de doutes que Harkins, balayant ou faisant rentrer dans le rang quiconque laissait entendre qu'il allait peut-être pleuvoir pendant le défilé. Quand le général de division Joseph McChristian, qui commandait son service de renseignements au printemps 1967, l'informa qu'il sous-estimait de 200 000 hommes la force de l'ennemi dans le Sud, il le remplaça aussitôt par un officier conformiste. Quand le spécialiste du Vietcong à la CIA, Samuel Adams, descendant des premiers pionniers de la guerre d'Indépendance, sonna l'alarme cet été-là, il le réduisit aussi au silence. Les officiers d'état-major du général trafiquaient les chiffres de morts ennemis et les rapports de désertion et de baisse du moral chez l'adversaire de façon à réunir les preuves de cette victoire imminente que Westmoreland allait annoncer aux journalistes au cours de la conférence de presse de novembre.

Le général s'y montra particulièrement fier du travail qui avait été accompli au Sud Vietnam dans la construction des ports, terrains d'aviation, arsenaux, toute « cette infrastructure matérielle indispensable dans ce pays sous-développé ». Même si le programme était encore incomplet, en deux petites années « la base essentielle d'appui avait été constituée ». Il disposait en parlant toute une série de tableaux et de graphiques en couleur sur un grand panneau. C'est ainsi qu'il montra que la capacité portuaire avait été multipliée par six, passant de cinq postes à quai de débarquement en eau profonde, en septembre 1965, à 32 en septembre 1967. De même, le nombre de terrains d'aviation s'était accru en deux ans de 22, dont trois pour les avions à réaction, à 68, y compris huit bases de jets. Il reconnut qu'il avait pris un peu de retard, mais pas beaucoup, sur le calendrier de son plan en trois phases qu'il avait soumis à McNamara et au président en juillet 1965. Mais cela venait, expliqua-t-il, de ce qu'il avait dû attendre l'automne de 1966, quand il avait disposé de 350 000 hommes, pour avoir « assez de troupes, d'infrastructure et de logistique, pour faire progressivement pression sur l'ennemi ».

Les diagrammes et les graphiques préparés par son service de renseignements prouvaient que la puissance du Vietcong avait faibli pendant cette guerre d'usure : leur effectif maximal de 124 000 hommes en 1963 s'était réduit à 102 000 l'été dernier. D'autres graphiques en couleur des pertes subies par l'ennemi prouvaient que le chiffre en avait plus que doublé depuis

1965 et s'était encore augmenté de moitié depuis 1966. Pendant la mousson, d'avril à octobre 1966, la moyenne mensuelle de tués avait été de 4 903 pour monter jusqu'à 7 315 pendant la saison des pluies 1967. La guerre d'usure avait marqué le déclin de l'ennemi, qui totalisait 285 000 communistes vietcongs et nord-vietnamiens au Sud au dernier trimestre de 1966 pour n'être plus maintenant que 242 000. Harkins avait toujours été persuadé que le moral des troupes ennemies se détériorait sous les coups qu'il lui portait et que beaucoup de soldats communistes étaient malades et affamés. Son successeur pensait de même. Certaines unités des hauts plateaux « meurent presque de faim, dit-il, et juste au nord de Saigon des unités ont des problèmes de riz ». Parmi les 163 bataillons vietcongs et nord-vietnamiens, près de la moitié, 76 en tout, n'étaient « pas en état de combattre », à cause des pertes subies, d'un moral bas, des désertions, de la faim et des maladies.

La guerre de pacification aussi était gagnée, comme elle l'avait été pour son prédécesseur. Les paysans vietnamiens, « ces gens du peuple de l'Orient », comme les appelait Harkins, qui respectaient toujours la force, avaient compris qui était le gagnant et avaient changé de camp. Komer en avait obtenu la preuve avec un ordinateur. Il avait élaboré une procédure très complexe, le « Système d'évaluation des hameaux », pour nourrir chaque mois la machine de milliers d'informations diverses. L'ordinateur les digérait et les étudiait pour annoncer finalement qui contrôlait chacun des hameaux stratégiques.

Komer, comme Krulak, était trop avisé pour rester borné jusqu'à la fin de sa vie. Des années plus tard, il devait écrire une étude très perspicace de ce qui n'avait pas marché et rejetait à juste titre la faute sur l'administration. Mais à l'époque il était prisonnier de cette outrecuidance que McNamara avait personnifiée. Sa présence dans la salle de conférences renforçait la crédibilité de Westmoreland, qui informait les journalistes de ce qu'avait découvert l'ordinateur suivant des « méthodes scientifiques et des critères très précis ». Le Vietcong contrôlait 17 % de la population. 16 autres pour 100 étaient dans « une catégorie contestée ». Ainsi, 67 % des 16,9 millions d'habitants du Sud Vietnam vivaient sous le contrôle du gouvernement de Saigon dans les cités ou, à la campagne, dans la « relative sécurité » des hameaux stratégiques. Harkins avait déjà en 1963 invoqué ce chiffre de 67 %. Sa réapparition miraculeuse n'était pas une coïncidence. Ou bien les dirigeants du système d'évaluation des hameaux étaient assistés d'officiers d'état-major avec calculettes et crayons, ou bien les conseillers civils bardés de diplômes universitaires qui faisaient marcher l'ordinateur savaient à l'avance ce qu'ils cherchaient et obtenaient toujours la réponse désirée. De toute façon, la même volonté animait le crayon et programmait la machine.

Même si Johnson avait un peu perdu de sa crédibilité, celle de Westmoreland était intacte. Le président fit venir le général à Washington pour un discours important et une série de conférences de presse et d'émissions télévisées. Acheson et d'autres Sages auraient préféré l'ambassadeur Bunker. Mais Johnson connaissait l'impact sur le public d'une rangée d'étoiles et d'un uniforme. A la tête des services d'information USIS au Sud Vietnam,

Barry Zorthian, un publiciste dont la perspicacité n'allait pas jusqu'à douter de la stratégie de Westmoreland, pensait lui aussi que le moment était venu pour que le général lance une offensive destinée à regonfler le moral des civils de l'arrière. Il avait été frappé par son talent de relations publiques et par sa crédibilité lorsqu'il s'était adressé au Congrès au mois d'avril précédent. Son discours avait remporté un franc succès qu'il avait conclu par un final grandiose. Il s'était mis au garde-à-vous, avait salué les deux personnalités, le vice-président Hubert Humphrey et John McCormak, *speaker* de la Chambre des représentants[1], puis s'était retourné et, toujours au garde-à-vous, avait salué l'assistance de sénateurs et de députés. Les applaudissements l'avaient accompagné jusqu'à ce qu'il quitte l'hémicycle.

Zorthian pensait également que le général était assez content de pouvoir s'adresser au peuple américain. Il avait discerné chez lui une ambition que l'armée ne suffisait plus à satisfaire. Westmoreland n'était impliqué dans aucune faction politique et, sur ce plan, son comportement était irréprochable. Il se plaçait simplement dans une position telle que, plus tard, s'il en avait envie, il pourrait profiter de cette tradition américaine qui avait commencé avec George Washington et avait plus récemment envoyé un autre général, Dwight Eisenhower, à la Maison-Blanche.

Johnson fit également venir Bunker pour participer avec Westmoreland à la fameuse émission-interview du dimanche matin sur NBC *Meet the Press*. Komer fut convoqué aussi pour, de son côté, promouvoir la cause officielle au cours d'autres interviews. Mais c'était Westmoreland qui occupa le centre de la scène, en particulier dans son discours au *National Press Club* de Washington le 21 novembre 1967.

« Nous avons atteint un point important où nous commençons à voir la fin », dit-il. Le commencement de la fin était le début de la phase III, celle de la victoire, qui accélérerait l'offensive à outrance avec l'attaque en 1968. Pour l'ensemble du pays, il résuma ce qu'il avait déjà dit à la presse de Saigon, expliquant comment il avait construit ses ports et ses terrains d'aviation, atteint le point de non-retour en augmentant les pertes ennemies au-delà de leur capacité, et chassé les réguliers vietcongs et l'armée nord-vietnamienne jusqu'aux frontières du nord. Il s'abstint toutefois de préciser le moment exact de sa phase finale pour la victoire, comme il l'avait fait en 1965 avec McNamara et Johnson lorsqu'il leur avait dit qu'il faudrait « un an ou un an et demi ». Mais il le fit comprendre : « Nous avons déjà commencé certains objectifs de la phase III », puis passa rapidement à une nouvelle étape, qui n'existait pas dans le plan de 1965, « la phase IV ou finale », l'extermination complète de tous les Vietnamiens communistes. « Cette période marquera la conclusion de notre plan pour affaiblir l'ennemi et raffermir nos amis jusqu'à ce que notre présence devienne progressivement superflue. » Il devait préciser ce point après le discours en réponse à une

---

1. Le Congrès est composé du Sénat (deux représentants par État élus pour six ans), toujours présidé par le vice-président des États-Unis, et de la Chambre des représentants (députés) élus pour deux ans, présidée par le *speaker*.

question d'un journaliste qui fut également retransmise à la télévision : « Je crois tout à fait concevable que, d'ici à deux ans ou moins », la phase IV sera suffisamment avancée pour commencer à rapatrier les troupes américaines, « au début simplement comme un signe, mais avec l'espoir d'une progression que nous faisons tout pour accélérer ».

Westmoreland conclut son discours en exhortant ses compatriotes à avoir confiance en lui :

> Nous progressons. Nous savons que vous voulez que nous arrivions rapidement et honorablement à la phase finale.
> C'est ce que veulent vos enfants. Et c'est ce que je veux aussi.
> Tout cela est à portée de notre main. Les espérances de l'ennemi sont ruinées.
> Avec votre aide nous vous donnerons une victoire qui aura des répercussions non seulement au Sud Vietnam, mais chez toutes les nations du monde qui veulent émerger de l'ombre.

Vann quitta Saigon le 14 novembre 1967 pour huit semaines, la plus longue permission qu'il eût jamais prise. Son découragement était devenu tel que, pour la première fois au Vietnam, son travail lui pesait. Il pouvait échapper à ce sentiment de frustration pendant la journée en allant sur le terrain. Mais, le soir, la masse de paperasse qui l'attendait sur son bureau à Biên Hoa l'accablait. Vann supportait le travail administratif lorsqu'il sentait que cet effort renforçait sa cause. Maintenant tout cela ne semblait plus avoir de sens, d'autant que le fardeau était considérablement alourdi par la nouvelle organisation CORDS et ses responsabilités accrues.

Ces corvées l'irritaient d'autant plus qu'elles interféraient avec sa vie sexuelle. Il trouvait chaque soir trois piles de dossiers sur son bureau marqués respectivement « Très urgent », « Urgent », et ceux qui pouvaient attendre quelques jours, « Indispensable ». Il devenait de plus en plus intolérant et aigri de ce surcroît de travail. Vers 10 h 30 ou 11 heures du soir, après avoir à nouveau regardé sa montre, il criait qu'il ne pouvait plus supporter une lettre ou un dossier de plus. Si Lee ne l'attendait pas à Biên Hoa, il annonçait qu'il partait pour Saigon ou pour la maison d'Annie à Gia Dinh. Ses collègues essayaient de lui démontrer sans succès que le Vietcong allait commencer à s'intéresser à cette Ford Mustang bleue qui quatre à cinq fois par semaine roulait la nuit sur la route de Biên Hoa. Il risquait aussi de se faire tirer dessus par ces gaillards nerveux et à la gâchette rapide du régiment de blindés américain qui patrouillaient toutes les nuits avec leurs tanks ou leurs M-113. Annie ne savait jamais quand il arriverait, en général deux ou trois fois par semaine, la réveillant à minuit ou 1 heure, et même parfois à 4 heures du matin.

Sa permission commença par l'Europe, officiellement pour expliquer la guerre au personnel des ambassades de Paris et de Rome, en réalité pour passer plusieurs jours sur la Côte d'Azur et à Paris avec Lee qui l'y avait précédé. Puis il s'envola pour Washington où il resta quelques jours surveillé par Komer pendant que Westmoreland et Bunker étaient en ville. Vann réussit tout de même à avoir quelques entretiens à la direction de l'AID, au Pentagone et au département d'État, qui contredisaient ce que Westmoreland et Bunker étaient en train d'exposer. Il alla à Littleton pour passer les fêtes de Thanksgiving avec Mary Jane et les enfants, et essaya d'obtenir un rendez-vous avec le président par l'intermédiaire du rédacteur en chef du *Denver Post*.

Il n'alla pas plus loin que le bureau de Walt Rostow, au sous-sol de la Maison-Blanche. L'entretien commença à 14 heures le 8 décembre. Rostow était un homme expansif et enthousiaste. Il accueillit chaleureusement Vann et s'assit à côté de lui sur le canapé. Deux autres personnes étaient présentes : l'adjoint de Rostow, William Leonhart, et George Christian, du service de presse du président. Vann avait décidé de mettre de l'eau dans son vinaigre. Il commença par exposer tous les aspects positifs auxquels il pouvait penser, comme les réalisations et l'organisation du CORDS. Rostow était tout sourire. Il donna une claque amicale sur le genou de Vann en disant « Magnifique ! ». Puis Vann passa à des sujets moins agréables. Rostow se leva du canapé, s'assit derrière son bureau et se mit à feuilleter des dossiers. Il interrompit Vann. En dépit des points faibles qu'il prétendait avoir décelés, ne croyait-il pas que le pire de la guerre pour les États-Unis serait terminé dans six mois ?

« Oh, foutre non ! monsieur Rostow, s'exclama Vann perdant toute retenue. Je suis d'un naturel optimiste. Je pense qu'on peut résister beaucoup plus longtemps que ça ! »

Rostow termina l'entretien en disant qu'un homme avec une telle disposition d'esprit ne devrait pas travailler pour le gouvernement des États-Unis au Vietnam. Il était 14 h 30. Rostow avait un autre rendez-vous.

La fille vietnamienne de Vann naquit le lendemain de Noël alors qu'il était à nouveau à Littleton pour les fêtes avec Mary Jane et sa famille américaine. L'enfant était attendu pour le début janvier, peu de temps après le retour de Vann à Saigon, mais Annie avait glissé dans l'escalier de la maison de Gia Dinh et la chute avait accéléré le processus. Sa grand-mère maternelle était venue pour s'occuper d'elle. Elles prirent un taxi pour se rendre chez les parents d'Annie, qui l'amenèrent aussitôt à la clinique Saint-Paul tenue par des religieuses. L'obstétricien, un vieux docteur français, délivra l'enfant à 11 h 30 le 26 décembre 1967. Pour respecter l'accord avec Vann, le nom du père fut laissé en blanc sur le certificat de naissance. Mais Annie y fit tout de même allusion en donnant à sa fille le nom vietnamien de Thuy *Van* d'après celui d'une jeune fille heureuse d'un poème vietnamien célèbre. Vann avait laissé à Annie une adresse à Littleton où elle pourrait lui écrire. Il avait prétendu qu'il n'habiterait pas chez lui à cause de sa séparation légale d'avec Mary Jane et lui avait donné l'adresse d'un soi-disant oncle. En réalité, c'était celle d'une ancienne secrétaire de Martin Marietta avec qui il était resté ami. Le père d'Annie lui envoya aussitôt un télégramme. Mary Jane une fois de plus n'était au courant de rien.

Après s'être arrêté à Santa Monica pour voir Dan Ellsberg, Vann fut de retour à Biên Hoa le 7 janvier 1968. Il y trouva un Fred Weyand, le général commandant le 3ᵉ corps, bien préoccupé. Le plan de campagne de Westmoreland pour 1968 était basé sur l'hypothèse que le Vietcong et l'armée nord-vietnamienne n'étaient pas capables de résister à des attaques soutenues à l'intérieur du Sud Vietnam. C'est d'ailleurs pourquoi les provinces centrales du 3ᵉ corps devaient être transférées à l'armée sud-vietnamienne le 1ᵉʳ juillet. L'offensive devait commencer par un spectaculaire largage de parachutistes dans la brousse impénétrable de la province de Phuoc Long, à cent soixante-quinze kilomètres au nord-est de Saigon, une région tellement perdue que le Vietcong y avait caché Ramsey et les autres prisonniers. Si Weyand mettait ses troupes en position pour cette opération et d'autres en projet le long de la frontière du Cambodge, la majeure partie de ses 43 bataillons serait bloquée dans les forêts tropicales au moment de la fête du Têt fin janvier.

Weyand ne partageait pas les théories de Westmoreland sur la guerre. Son manque d'enthousiasme pour l'autosatisfaction du haut commandement était dû, pour une grande part, à l'influence de Vann. Comme lui, il ne considérait pas que l'ennemi était impotent, avec la moitié de ses effectifs « inapte au combat ». Il est vrai que les bataillons de 600 à 700 hommes de la grande époque de 1965 avaient été réduits par deux ans de résistance contre les Américains et que les chefs devaient lutter pour les maintenir à 400 ou 500 hommes. D'autre part, la politique de Westmoreland de déporter la paysannerie locale dans les ghettos urbains et les camps de réfugiés pour « priver l'ennemi de l'aide de la population » avait amoindri les possibilités de recrutement de partisans dans le Sud. Des trois divisions communistes sur le territoire du 3ᵉ corps, une, la 7ᵉ, était une unité régulière de l'armée nord-vietnamienne. Les deux autres, la 5ᵉ et la 9ᵉ vietcong, comportaient environ la moitié de renforts du Nord. Mais le système fonctionnait bien et un effectif de 400 à 500 hommes par bataillon était un chiffre respectable, d'autant plus impressionnant que les communistes arrivaient à le maintenir en dépit des lourdes pertes et du taux élevé de désertions suscitées par les dangers et les épreuves du combat contre l'armée moderne des États-Unis.

Le commandement communiste avait également amélioré considérablement l'armement de ses troupes. L'un après l'autre, les 29 bataillons étaient retournés pendant l'été et l'automne de 1967 dans leurs sanctuaires du Cambodge où les attendaient les armes transportées par les Chinois jusqu'à Sihanoukville. Ils abandonnèrent leurs anciennes armes, en général prises aux Américains, et s'équipèrent en fusils d'assaut automatiques AK-47, en bazookas B-40 qui servaient à la fois contre les tanks et comme canons portatifs, et avec le reste de l'arsenal d'origine soviétique.

Weyand se plaignait aussi de ce que les officiers de renseignements de Westmoreland n'aient pas tenu compte de la menace que faisait peser la guérilla locale avec ses compagnies de district, ses sections de village et ses pelotons de hameau. Après avoir étudié de son côté ce problème, il avait découvert qu'ils constituaient l'équivalent en fantassins de presque 40 bataillons qui s'ajoutaient aux forces régulières.

Weyand était opposé au plan de Westmoreland depuis l'automne précédent. « C'est un plan superbe, mais ça ne marchera pas », avait-il dit au colonel qui était venu du quartier général de Saigon pour lui expliquer. Sa préoccupation majeure, qu'il exposa à Vann dès son retour, était que, alors qu'il devait se porter à la frontière du Cambodge, l'ennemi semblait faire mouvement à l'inverse vers l'intérieur du Sud Vietnam. Ses informations montraient clairement que les trois divisions, ainsi que les trois régiments de la Force principale vietcong, commençaient à quitter leurs bases de la frontière pour s'infiltrer dans les provinces peuplées plus proches de Saigon. Weyand craignait que, dès qu'il aurait dégagé le terrain, les troupes communistes ne fassent leur jonction avec la guérilla locale. Ainsi se trouveraient sans protection les équipes de pacification travaillant dans les hameaux, les nouvelles unités de conseillers civils, et tous les projets dans lesquels Vann et lui-même avaient tant investi.

Weyand envisageait d'aller voir Westmoreland à Saigon, et Vann l'y encouragea. Il commença par rencontrer Creighton Abrams, le second du général en chef, qui l'écouta avec attention, lui dit que son argument était solide et l'emmena voir Westmoreland. Weyand exposa à nouveau les informations qu'il avait et qu'il résuma sur une carte. « Je vois d'ici tous ces gars qui avancent vers le centre du pays, dit-il en désignant la région de Saigon-Biên Hoa. Je ne sais pas ce qu'ils ont dans la tête, mais il y a une attaque en vue. » Puis il proposa de retarder le commencement de la campagne 1968 dans le 3e corps.

Westmoreland s'efforçait toujours de laisser une certaine latitude à ses commandants sur le terrain. Weyand avait réuni beaucoup de preuves, et, après tout, il ne demandait pas d'annuler l'opération, mais simplement de la retarder. Le général en chef accepta. Il avait une plus grosse affaire sur les bras à ce moment-là. Les communistes vietnamiens semblaient décidés à faire de Khe Sanh un second Diên Biên Phu.

Hanoi était en train de faire progresser deux divisions d'infanterie, chacune renforcée d'un régiment d'artillerie, dans les contreforts qui encerclaient la piste d'aviation de la vallée de Khe Sanh et dans les collines auxquelles les Marines s'étaient accrochés après l'effroyable carnage d'avril et mai 1967. La division viet 325 C, dont deux des régiments avaient participé au combat des Collines, était de retour. La 304e, une ancienne formation régulière du Viet Minh, portait le nom de Diên Biên Phu sur ses fanions. L'opinion des généraux des Marines sur la pertinence d'occuper Khe Sanh n'avait pas changé depuis que l'un d'eux avait dit en 1966 : « Quand vous êtes à Khe Sanh, vous n'êtes vraiment nulle part ! » Le commandant des Marines du Vietnam, Robert Cushman, qui avait succédé à Walt, avait évité les discordes et appliqué les ordres de Westmoreland. Quant à Krulak, qui commandait toujours depuis Hawaii les forces des Marines du Pacifique, il était de moins en moins en mesure d'influer sur les événements et ne cachait sa colère qu'aux journalistes. Il faut dire que Lyndon Johnson venait de lui refuser le commandement suprême du corps des Marines, probablement à cause de la rancœur qu'il avait soulevée contre lui en s'opposant à la stratégie de Westmoreland. En décembre, tandis que les nuages traversaient rapidement le ciel et que le brouillard et le crachin de la mousson du nord-est enveloppaient Khe Sanh et masquaient l'activité ennemie, Cushman renforça son unité locale de vigiles avec un second bataillon.

La confrontation prévue était à la fois nerveusement éprouvante et bienvenue pour Westmoreland. Il y voyait les prémices de la réussite à grande échelle du piège qu'il avait exposé à Krulak en 1966 et qui faisait des Marines de Khe Sanh un appât pour l'ennemi. Il n'avait jamais cessé de croire, et l'avait souvent dit publiquement, qu'à un moment de la guerre Hanoi referait un second Diên Biên Phu. L'ambition de Hanoi était la chance de Westmoreland : un Diên Biên Phu inversé. Il allait noyer les divisions communistes sous une cascade de bombes et d'obus dans une opération appelée symboliquement « Niagara ». Tous les moyens d'information seraient mis en œuvre pour situer exactement les positions de l'ennemi et de son artillerie lourde autour de Khe Sanh : reconnaissance sur le terrain, photographie aérienne, observation aux infrarouges, radar, interception radio, détecteurs électroniques répandus au sol par les avions sur le trajet des voies d'accès.

Westmoreland n'avait pas l'intention de ne compter que sur l'Aviation et l'artillerie pour l'apogée de cette bataille. Pendant qu'au fil des jours les raids des défenseurs de la base dans les lignes ennemies rencontraient de plus en plus de résistance et que Cushman renforçait la garnison d'un troisième bataillon, Westmoreland donna l'ordre à la totalité de la division First Cav de quitter la côte centrale pour faire mouvement vers le nord du 1er corps. Avec cette redoutable unité, il serait en mesure d'intervenir rapidement et massivement si le besoin s'en faisait sentir. Il réorganisa le 1er corps en instituant un nouveau commandement militaire, avec Creighton Abrams à la tête, qui couvrait le tout, y compris les Marines de Cushman pour mieux les contrôler. Mais il avait une autre préoccupation. Il craignait que les communistes vietnamiens ne doublent leur assaut sur Khe Sanh par une invasion de type conventionnel au-delà de la zone démilitarisée pour s'emparer des deux provinces les plus au nord et y instaurer leur régime dans cette « zone libérée ». C'est pourquoi, à la fin janvier, il avait concentré dans le 1er corps 40 %, y compris les Marines, de toute l'infanterie et les unités blindées de l'ensemble du Sud Vietnam.

Au début de l'après-midi du 20 janvier, un lieutenant de l'armée nord-vietnamienne se présenta à la clôture de barbelés qui entourait le périmètre de la piste de Khe Sanh. Il portait un AK-47 dans une main et un drapeau blanc dans l'autre. Il expliqua qu'il commandait une compagnie de DCA et voulait déserter parce qu'on lui avait refusé une promotion. Il fut très coopératif au cours de son interrogatoire et décrivit le plan élaboré qui avait été conçu pour s'emparer de la base. Tout devait commencer cette nuit même avec la prise de deux avant-postes américains, dans les collines, qui devaient servir de positions de mortiers et de canons pour soutenir d'autres attaques de diversion contre le périmètre. L'assaut principal par un régiment de la 304ᵉ division aurait lieu pendant les fêtes du Têt, alors que les États-Unis et Saigon avaient prévu un cessez-le-feu de trente-six heures et que les communistes avaient annoncé sept jours d'arrêt des tirs pendant toute la durée des fêtes.

Les événements de la nuit et du lendemain semblèrent corroborer les déclarations du lieutenant. Peu de temps après minuit, un bataillon de l'armée nord-vietnamienne attaqua un des avant-postes et fut repoussé après avoir franchi le périmètre de défense. Il ne se passa rien à l'autre poste qu'avait désigné le lieutenant, mais un tir de barrage préalable par les Marines avait peut-être mis les attaquants en déroute. Puis, à 5 h 30 du matin, les artilleurs vietnamiens annoncèrent le début de l'opération. Toutes les catégories de canons, lance-rockets et mortiers ouvrirent le feu sur la piste d'aviation et les principales positions des Marines dans la vallée. Des centaines de rockets de 122 mm strièrent le ciel depuis les pentes de la colline 881 nord, qui avait été si chèrement reconquise au printemps et que les Marines avaient abandonnée parce qu'ils la jugeaient trop éloignée pour la défendre. Le plus grand dépôt de munitions de la base sauta dès le début. Les explosions ininterrompues secouaient les abris souterrains de mini-tremblements de terre tandis que les obus incendiaires aggravaient le désastre. Un projectile pénétra dans une cache de gaz lacrymogène dont les nuages se répandirent sur la piste, droguant les Marines qui n'avaient pas pris leur masque à gaz.

Westmoreland ouvrit les vannes de « Niagara ». Toutes les trois heures, six B-52 basés à l'île de Guam et en Thaïlande rasèrent l'objectif avec 162 tonnes de bombes. Entre-temps, les chasseurs-bombardiers attaquaient tous les quarts d'heure. Les avions à réaction de l'Armée de l'air, de la Navy et des Marines tournaient en rond à 10 000 mètres d'altitude au-dessus de Khe Sanh en attendant leur tour d'intervenir. 46 obusiers protégés de sacs de sable autour de la piste et les canons de 175 de Camp Carroll et de Rockpile, à vingt kilomètres de là, ne contribuèrent pas peu à ce déluge. L'artillerie des Marines tira 159 000 salves. Westmoreland envoya par avion des renforts et un bataillon de Rangers vietnamiens pour que le drapeau de Saigon soit aussi présent. Il eut bientôt 6 680 hommes dans les fortifications de la piste et dans les postes avancés. Les Marines montrèrent le peu de confiance qu'ils avaient dans leurs alliés vietnamiens en les plaçant devant pour pouvoir tirer sur eux en même temps que sur les Nord-Vietnamiens, si les Rangers ne tenaient pas le coup. Et, comme d'habitude, rien ne put réduire au silence l'artillerie, les rockets et les mortiers communistes, et rien n'empêcha les mitrailleuses ennemies de tirer sur les avions de transport qui atterrissaient dans la vallée et sur les hélicoptères qui essayaient de ravitailler les avant-postes et d'évacuer les blessés. Le temps est si mauvais à Khe Sanh au cœur de la saison des pluies qu'on a de la chance, les jours favorables, d'avoir un plafond de 150 mètres pendant quelques heures. En dépit de l'effort considérable des services de renseignements, les avions bombardaient la plupart du temps d'après des coordonnées cartographiques des lieux où quelqu'un soupçonnait que se trouvait l'ennemi et l'artillerie aussi tirait aveuglément.

C'est à l'endroit où le général commandant en chef a planté son fanion que les journalistes se concentrent. La nation suit. Les images des journaux, des magazines et des programmes de télévision montrèrent à tout le pays les visages hagards et barbouillés de noir des Marines en danger. Leur ferme résistance, payée de la mort de 205 d'entre eux, ne pouvait effacer la tristesse de Khe Sanh ni dissiper l'anxiété du public pour cette garnison américaine assiégée dans ce lieu perdu et désolé.

Cette anxiété était partagée par un homme qui aurait dû être mieux informé que le citoyen moyen. Lyndon Johnson avait fait installer une maquette de Khe Sanh au sous-sol de la Maison-Blanche pour que Walt Rostow puisse lui décrire le cours de la bataille. Il demanda à Earle Wheeler que l'état-major interarmes lui prépare un mémorandum pour expliquer comment Khe Sanh pourrait être défendu.

Le général Weyand et John Vann étaient trop directement concernés par la menace qui pesait sur le 3e corps pour être préoccupés par Khe Sanh. Plus la date de la fête du Têt approchait et plus Weyand avait l'impression que « quelque chose se préparait, une putain de saloperie, et pas quelque part à la frontière du Laos, mais en plein dans notre dos ». Le Vietcong attaqua sur toute l'étendue de son commandement avant la fin du mois de janvier. Ils s'emparèrent de Bau Trai alors que le chef de province en avait évacué les troupes de l'ARVN et firent un raid sur Biên Hoa.

Vann avait écrit à York que les communistes semblaient « faire un effort maximal pour montrer leur force militaire juste avant le cessez-le-feu du Têt ». Mais l'adversaire contredit sa théorie. Les attaques diminuèrent d'intensité. Et cependant les prévisions des services de renseignements étaient de plus en plus inquiétantes. Les services d'espionnage électronique dans leurs monomoteurs « loutres de mer », avec leur système d'écoute et de repérage directionnel, avaient prévenu Weyand et Vann que les trois divisions communistes se déployaient en arc de cercle au nord et au nord-ouest de Saigon. Deux régiments de la 5e division vietcong n'étaient qu'à dix kilomètres de Biên Hoa, « pointés comme une dague », disait Vann. Toutes les informations recoupées annonçaient une grande offensive sur la base aérienne de Biên Hoa, une des deux plus importantes, avec Tan Son Nhut, pour la défense des 3e et 4e corps.

Apparemment, des attaques contre le quartier général de Weyand et pour libérer les communistes prisonniers de guerre dans un camp voisin étaient également prévues. Weyand fit venir des bulldozers aux grandes lames acérées pour dégager toute la végétation autour de ses bâtiments. Le camp de prisonniers situé au milieu d'une plantation de caoutchoutiers à moins d'un kilomètre de là fut aussi dégagé de tous les arbres qui l'entouraient.

Pour être en mesure de répondre massivement à une attaque de nuit Weyand plaça son escadron de blindés en alerte permanente.

Le cessez-le-feu de trente-six heures décrété par les États-Unis et le régime de Saigon commençait à 18 heures le 29 janvier, veille du Têt, sauf dans les deux provinces du nord où Westmoreland craignait pour Khe Sanh. Le colonel George Jacobson, qui avait partagé la maison de Vann et qui était toujours coordinateur de la Mission, donna une réception ce soir-là sur la pelouse de sa résidence de Saigon. Elle était située derrière la nouvelle ambassade sur le boulevard Thong Nhat, à quelques blocs du palais d'un luxe criard où Thiêu avait succédé à Diêm. Le nouveau siège de la puissance américaine était une forteresse rectangulaire de cinq étages entourée des quatre côtés d'un mur de béton pour protéger des explosions de bombes, d'obus et de rockets. Le bâtiment était situé loin de la rue à l'intérieur de l'enceinte, dans laquelle la maison de Jacobson, une ancienne demeure française de l'entre-deux-guerres, avait été incluse.

Vann se rendit à la réception en compagnie de Lee. Il fut frappé par le bizarre contraste qui y régnait à côté de l'atmosphère du quartier général de Weyand à juste une trentaine de kilomètres de là. D'après les dernières informations recueillies, le général s'y attendait à être attaqué dans la nuit du 30 au 31. Les officiers du centre d'opérations organisèrent une séance de paris sur l'heure précise avec un choix par tranches de quinze minutes. Tout l'argent fut misé sur le 31 janvier entre 0 heure et 5 heures du matin.

Jacobson avait fait venir un orchestre. L'ambassadeur Bunker était là avec de nombreux représentants du gratin américain et saigonnais. Un cordon de feux d'artifice de sept mètres de long accroché dans les arbres fut allumé pour éloigner les esprits mauvais de la nouvelle année. C'était un cadeau de Nguyên Van Loc, le Premier ministre du gouvernement que Thiêu avait formé depuis son élection comme président en septembre. Quant à Ky, élu vice-président, ce n'était qu'un bélier qui attendait qu'on lui arrache les cornes. Avec 492 900 Américains pour défendre son pays, le régime se sentait suffisamment en sécurité pour autoriser les traditionnels feux d'artifice du Têt, une coutume interdite depuis des années afin que le Vietcong ne profite pas de ces explosions pour couvrir le son de ses canons. Vann s'entretint avec l'ambassadeur et découvrit qu'il n'avait pas entendu parler des attaques préliminaires sur Bau Trai et Biên Hoa. Le quartier général de Westmoreland, qui en avait été informé, n'avait apparemment pas jugé utile de l'en prévenir. Mais rien de ce que put lui dire Vann ne sembla alarmer l'ambassadeur, dont la sérénité devait venir de sa conviction que le général en chef avait la situation bien en main.

Le lendemain 30 janvier, premier jour du Têt, Weyand à Bien Hoa avança l'habituel *briefing* de 17 heures à 15 heures, pour être prêt à l'action. Suivant son intuition d'ancien officier de renseignements, il affirma que les attaques contre la base aérienne, son quartier général et le camp de prisonniers commenceraient vraisemblablement à 3 heures du matin le lendemain. Un rapport du quartier général de Westmoreland accrut la tension : un certain nombre d'installations réparties sur le 1er et le 2e corps avaient été attaquées à l'aube.

En dépit de cela et des renseignements reçus, Vann avait peine à croire que le Vietcong engagerait une grosse offensive pendant les premiers jours de la fête du Têt. Bien qu'il y ait eu des violations dans le passé, les cessez-le-feu avaient dans l'ensemble toujours été respectés suffisamment longtemps pour permettre la célébration de la fête. Ce qui ne l'empêcha pas d'être prudent. Il fit envoyer à toutes les équipes du CORDS un message téléscripté les informant des renseignements reçus et donnant l'ordre d' « alerte maximale, particulièrement pendant les heures d'obscurité durant la période du Têt ». Lorsque le secrétaire chargé de la transmission lui eut dit que le message serait retardé de plusieurs heures s'il fallait le coder, Vann répondit : « Envoyez-le en clair. » Puis il partit avec sa Ford Mustang pour Saigon, alla chercher Lee qu'il emmena dîner au restaurant et retourna avec elle à Biên Hoa. Ils firent l'amour et s'endormirent peu après minuit. C'était inhabituellement tôt pour Vann.

Les Marines de garde réveillèrent l'ambassadeur Bunker juste après 3 heures du matin dans sa chambre à coucher au premier étage de sa villa en lui disant : « Saigon est attaqué ! » Les Vietcongs donnaient l'assaut au bâtiment de l'ambassade à quatre rues de là et la résidence pouvait être atteinte d'un instant à l'autre. Un véhicule de transport blindé attendait devant la porte et les Marines avaient ordre de conduire Bunker au domicile du chef de la sécurité de l'ambassade, où on pensait qu'il serait moins en danger. Il n'avait pas à discuter, précisèrent-ils, et il n'avait pas le temps de s'habiller. Il pouvait juste enfiler une robe de chambre par-dessus son pyjama.

Le bureau du sous-sol de la villa était rempli de la fumée des documents secrets qu'on y brûlait. Le petit coffre-fort qui s'y trouvait avait été forcé par les Marines pour détruire tout ce qu'il contenait au cas où les gardes qui allaient rester seraient tués et que la résidence tombe aux mains de l'ennemi. Dans la précipitation, le feu avait fait deux trous dans le porte-documents en cuir de luxe que l'ambassadeur avait laissé sur son bureau en allant se coucher.

Ellsworth Bunker n'était pas le genre d'homme à résister à des Marines accomplissant leur devoir. Il monta dans le M-113 qui partit aussitôt en pleine nuit dans le grondement de ses chenilles, emportant l'ambassadeur des États-Unis en pyjama et robe de chambre à travers les rues de la capitale d'un pays où 67 % de la population était censée vivre dans la sécurité de la puissance américaine. Les détonations des feux d'artifice du Têt allumés par des inconscients couvraient celles des armes à feu. 15 bataillons vietcongs, environ 6 000 hommes de troupe communistes, étaient entrés dans Saigon et sa banlieue. Bunker avait pris son porte-documents brûlé pour le garder en souvenir de cette nuit-là.

Khe Sanh avait été le plus grand leurre de cette guerre. Les communistes vietnamiens n'avaient eu aucune intention d'en faire un second Diên Biên Phu. Leur objectif était Westmoreland et non pas la garnison encerclée. Le siège n'avait été qu'un piège pour détourner le général en chef du but véritable. Les responsables de Hanoi savaient très bien qu'ils ne pourraient répéter avec les Américains ce qu'ils avaient réussi avec les Français, dont le corps expéditionnaire était à l'image de l'armée coloniale polyglotte d'une nation européenne affaiblie par la défaite et l'occupation de la Seconde Guerre mondiale. Les Vietnamiens pouvaient progressivement arriver à les surclasser. Ainsi Giap avait plus d'artillerie à Diên Biên Phu que les Français, qui ne disposaient pratiquement pas d'avions de transport, de chasseurs ni de bombardiers. Le général Henri Navarre n'avait aucun moyen de ravitailler ou de renforcer sa garnison située dans les montagnes à trois cents kilomètres du point d'appui le plus proche, Hanoi.

En revanche, les États-Unis pouvaient opposer une force de frappe trop redoutable pour que les Vietcongs puissent espérer renouveler leur précédente victoire. Pour venir à bout de 6 000 combattants aussi tenaces que les Marines, soutenus par toute la puissance de feu américaine, il aurait fallu être prêt à subir un nombre de pertes insensé, très supérieur aux milliers de Vietnamiens qui devaient y mourir simplement pour maintenir un faux-semblant de menace. De toute façon l'opération se serait soldée par un échec, car l'encerclement aurait toujours pu être brisé. Khe Sanh n'était qu'à quarante-cinq kilomètres de Dong Ha, sur l'estuaire de la rivière Viet, avec une route parfaitement utilisable jusqu'à la base d'artillerie de Ca Lu à quinze kilomètres à l'arrière du camp retranché. Si l'Air Cav ne réussissait pas à libérer Khe Sanh, Westmoreland pouvait y envoyer d'autres divisions. Il en était de même partout, et les Nord-Vietnamiens savaient bien que cette équation militaire serait toujours en faveur des Américains. Pour la retourner en leur faveur, il leur fallait réussir un coup de maître qui aurait le même effet démoralisant sur leurs adversaires que Diên Biên Phu l'avait été pour les Français. Ce fut l'offensive du Têt de 1968.

Pour cette bataille, la plus acharnée de l'histoire de leur nation, ils remontèrent de cent soixante-dix-neuf ans dans le passé jusqu'à l'audacieux Nguyên Huê qui avait vaincu les Mandchous à Dong Ha pendant les fêtes du Têt. Le plan qu'ils conçurent dépassait, dans son ampleur et son audace, l'imagination des étrangers et de ceux qui étaient à leur service. A travers tout le Vietnam du Sud, dans la plupart des villes et des cités, des dizaines de milliers de combattants communistes lancèrent une « attaque panoramique », suivant les termes du chef des opérations de Westmoreland. Le gros d'une division nord-vietnamienne, guidée par la guérilla locale, s'abattit sur Huê et occupa la presque totalité de la cité et de la citadelle impériale. La bannière à l'étoile d'or fut de nouveau hissée sur la porte du Zénith, comme en 1945 lors de l'abdication de Bao Dai. Au cours des premières heures de l'aube de ce 31 janvier, les cantonnements et postes militaires, les postes de police, les centres administratifs, les prisons et les stations de radio furent simultanément attaqués dans plus de la moitié des capitales des quarante-quatre provinces, ainsi que des villes, des centres de district et des bases de l'ARVN isolés dans la campagne. Tan Son Nhut, Biên Hoa et de nombreuses autres bases aériennes furent également l'objet d'assauts ou de bombardements pour empêcher le support aérien ou l'envoi de renforts par hélicoptères aux garnisons en danger.

A Saigon, le Vietcong s'efforça aussi de s'emparer du palais, d'où Thiêu était absent pour célébrer le Têt en famille, du quartier général de la Marine, du siège de l'état-major mixte et de la station de radio. A l'exception de l'ambassade, d'une exceptionnelle valeur de propagande, et des bases aériennes, les troupes communistes s'efforcèrent d'éviter les Américains pour concentrer leurs efforts sur leurs alliés de Saigon. Le but était d'abattre le régime et de fomenter une révolte, sur le modèle de celle d'août 1945, parmi la population des zones urbaines occupées par les combattants communistes. Hô Chi Minh et son gouvernement espéraient annihiler le soutien à la guerre américaine, contraindre les États-Unis à entamer des négociations dans des conditions défavorables et commencer le processus d'évacuation des occupants. Khe Sanh était un des rares endroits du Sud Vietnam où, à part quelques ridicules bombardements, il ne devait rien se passer.

Mais cette ruse à elle seule n'expliquait pas l'ampleur de la surprise. La façon dont les Américains avaient mené cette guerre avait créé un vide au Sud Vietnam. Le déplacement massif de population était dû à la politique de Westmoreland et à l'attirance économique qu'exerçaient sur les Vietnamiens appauvris par la guerre la construction de nouvelles bases et autres extravagances de la machine militaire. On n'a jamais su exactement combien devinrent des réfugiés. Le sous-comité d'Edward Kennedy les évaluait à 3 millions à la fin de 1967. Un Sud Vietnam rural avec une majorité écrasante de 85 % de campagnards, quand Vann y arriva en 1962, était devenu essentiellement urbain. Le nombre d'habitants de Saigon était passé de 1,4 million en 1962 à 3,5 et 4 millions, changement considérable pour une population globale de 17 millions de Sud-Vietnamiens. Samuel Huntington, professeur à Harvard et consultant du département d'État, parlait de « modernisation et d'urbanisation par mobilisation obligatoire... Sans s'en rendre compte les États-Unis sont passés complètement à côté de la solution aux guerres de libération nationale ».

L'entassement d'un aussi grand nombre de gens dans et autour des villes donnait une apparence trompeuse : celle d'un contrôle plus grand du gouvernement de Saigon, alors qu'en réalité il n'y en avait jamais eu aussi peu à cause du désordre économique et social ainsi que d'une corruption sans précédent. La police n'avait aucune envie de se risquer dans ces nouveaux bas-fonds. Elle craignait les gangs de voyous et les déserteurs de l'ARVN qui peuplaient ces taudis. Le pillage était si universel qu'il n'y avait guère plus de sécurité dans des secteurs moins mal famés. L'histoire officielle de l'offensive du Têt, suivant la version intellectuellement honnête de l'armée du Sud Vietnam, reconnaît que les assassinats et autres actes de terrorisme étaient fréquents dans le quartier nord-est de Saigon et que la guérilla établissait des barrages dans des rues isolées de Cholon et y attaquait les postes de police.

« Les soldats ennemis ont atteint les portes de la ville », reconnaissait le rapport.

Annie et sa grand-mère s'étaient liées d'amitié avec les voisins de la maison louée pour Vann dans la banlieue de Gia Dinh. Ils lui indiquèrent les habitations d'un certain nombre de familles connues comme sympathisantes de la rébellion ou dont des membres proches étaient au Vietcong. A la fin janvier, la fille de Vann avait cinq semaines. Quand Annie se réveilla tôt le matin du 31 pour nourrir sa fille, elle entendit dans la rue des cris : « Partons d'ici ! » Elle se précipita dehors avec sa grand-mère et vit des gens se ruer hors de leurs maisons avec tout ce qu'ils pouvaient emporter pour fuir la fusillade imminente. Un groupe de Vietcongs avait pris position dans une pagode bouddhiste à quelques centaines de mètres de là. Depuis des semaines, avec la complicité des bonzes, ils avaient creusé un abri sous la pagode et y avaient entreposé armes et munitions.

La majorité des bataillons vietcongs qui pénétrèrent à l'ouest de Saigon pour attaquer Tan Son Nhut traversèrent le quartier de Tan Binh. Vann avait appris l'été précédent que le chef de ce district encaissait la paie pour 582 membres des Forces régionales et populaires alors qu'ils n'étaient que 150. Une de ces unités censée défendre l'ouest de Saigon était appelée le « bataillon chinois ». Sur la liste des effectifs figuraient les noms de boutiquiers chinois qui n'avaient jamais quitté leurs affaires de Cholon. William Westmoreland croyait maîtriser tout le Sud Vietnam. Il n'y possédait que les quelques îlots américains où se trouvaient ses soldats.

Vann fut réveillé à exactement 3 heures du matin par les premiers coups de tonnerre des rockets de 122 mm et des obus de mortier de 82 qui tiraient sur la base aérienne de Biên Hoa. Il s'habilla en toute hâte et dit à Lee qu'il lui fallait aller au camp du CORDS et qu'elle ne pouvait pas venir avec lui. De toute façon la maison était l'endroit le plus sûr pour elle. Elle n'avait qu'à rester dans la chambre et se cacher dans le placard si un Vietcong entrait. Il courut à sa voiture avec Wilbur Wilson, son adjoint, qui s'était aussi réveillé et habillé rapidement.

Des sapeurs vietcongs, qui avaient réussi à s'infiltrer dans la base, firent exploser un dépôt de munitions de Long Binh. L'onde de choc éteignit toutes les lumières et fit voltiger les meubles dans la baraque préfabriquée où Weyand avait installé son centre d'opérations. Le général s'en tira indemne, mit son casque et son gilet pare-balles comme les autres officiers rescapés et alluma des lampes à pétrole. Weyand n'avait pas pu s'endormir ce soir-là et était venu une heure plus tôt pour attendre l'attaque. Les hélicoptères de combat qu'il avait mis en état d'alerte décollèrent aussitôt à la recherche des positions de mortiers ou de lance-missiles ennemis, tandis que d'autres attendaient l'arrivée de l'infanterie. Dans la nuit, toute de confusion, éclairs et vacarme, le quartier général de Weyand était la cible des rockets et des obus, et il semblait que les Vietcongs cherchaient à le détruire par les bombes plutôt que de s'en emparer par une attaque au sol. Les générateurs fournissaient assez de courant pour les postes radio, les téléphones et les téléscripteurs et Weyand apprit, consterné, ce qui se passait à Saigon et dans toutes les installations entourant la capitale.

Une unité US qui se trouvait à proximité se mit à tirer à l'aveuglette avec des mitrailleuses de 50. Les grosses balles qui traversaient les parois de la baraque nuisaient pour le moins à la concentration. Weyand envoya un colonel avec deux MP pour leur dire de cesser le feu. En quelques minutes ils étaient de retour : « Les Vicis sont juste de l'autre côté de la rue ! » annonça le colonel dont la jeep avait été réduite en morceaux.

Ils étaient tombés sur les deux compagnies vietcongs qui avaient pour mission de libérer le camp de prisonniers. On leur avait dit qu'il était situé dans la plantation de caoutchouc, mais, comme Weyand avait fait raser les arbres, ils ne s'y retrouvaient plus. Ils tournaient en rond dans un ensemble d'habitations de veuves et d'orphelins de soldats de l'ARVN juste en face du quartier général.

Les M-113 et l'infanterie envoyés aussitôt par Weyand alignèrent rapidement les corps fauchés des Vietcongs.

Une autre unité avait pénétré dans les blockhaus de l'extrémité est de la base de Biên Hoa et progressait vers les hangars. Les pilotes des hélicoptères piquèrent sur eux à la mitrailleuse et aux rockets. Des M-113 se joignirent à la chasse pour les tuer ou les faire fuir. Partout les unités vietcongs se trouvèrent opposées dans un combat inégal avec toujours plus d'engins blindés et de fantassins américains.

Weyand sauva l'aérodrome de Tan Son Nhut en envoyant une colonne de blindés qui fonça à toute allure vers la capitale. Pour éviter des embuscades, en particulier sur la route 1 qui risquait d'être coupée, le commandant de l'unité survolait le convoi en hélicoptère avec des fusées éclairantes pour le guider dans les détours à travers la campagne.

Pendant toute la nuit et la matinée qui suivit, Weyand mit en mouvement des milliers de combattants US, craignant toujours de manquer d'unités motorisées. Ce ne fut jamais le cas. Il s'était préparé beaucoup mieux qu'il aurait pu le penser pour une bataille qu'il n'aurait jamais pu prévoir. Jamais les communications par air ou par terre avec Saigon ne furent coupées et il déclencha suffisamment de contre-attaques victorieuses pour priver les communistes de l'élan dont ils avaient besoin pour s'emparer de la ville.

Vann était tellement préoccupé de battre le rappel de toutes ses équipes du CORDS dans les provinces qu'il ne put se soucier d'Annie et de sa fille que dans l'après-midi. Il prit son hélicoptère pour Gia Dinh pour découvrir que sa maison était au centre de la bataille entre les Vietcongs de la pagode et les Forces régionales. Il demanda au pilote de tourner très bas autour de la villa, et, ne voyant aucun signal, pensa qu'Annie était cachée à l'intérieur. Il se fit déposer au quartier général de la province et partit seul à pied armé de son M-16 à travers les rues ennemies. Le pilote avait instruction de continuer à tourner en rond au-dessus de la maison pour être prêt à son signal à plonger au sol pour embarquer les femmes et l'enfant. Vann trouva la maison vide et personne ne répondit à ses appels. Les balles des armes automatiques faisaient éclater les fenêtres du premier étage. En retournant au quartier général, il tomba brusquement sur un Vietcong qu'il abattit aussitôt.

Les parents d'Annie avaient été plus rapides que lui. Dès les premières lueurs de l'aube, ils étaient partis pour Gia Dinh dans leur voiture, qu'ils durent abandonner au barrage que la police avait établi près du marché central. Ils firent à pied les deux kilomètres qui les séparaient de la maison, où ils trouvèrent Annie, la grand-mère et la domestique prêtes à partir. Annie avait préparé un biberon de rechange, enveloppé le bébé dans une couverture tandis que la grand-mère et la bonne rassemblaient quelques objets personnels.

Il leur fallut presque toute la journée pour rejoindre la maison des parents d'Annie à Saigon. La plupart des rues étaient encombrées de gens qui essayaient de fuir les combats. Ils furent arrêtés sans cesse à des barrages de la police, qui craignait de voir s'infiltrer des Vietcongs, et durent à chaque fois montrer leurs papiers et laisser fouiller la voiture. Les soldats des Forces régionales tiraient en l'air pour essayer de contrôler la foule.

Vann arriva à leur maison peu de temps après eux. Il était soulagé qu'Annie et l'enfant soient indemnes, mais Annie se rendit compte qu'il était aussi contrarié qu'elles ne soient pas restées à Gia Dinh pour être délivrées par lui.

« J'ai essayé de vous sauver et j'ai failli être tué, dit-il.

— Mais, John, j'avais le bébé et je ne pouvais pas attendre », répondit-elle.

Comme pour Peter, à l'hôpital des enfants de Boston neuf ans plus tôt, Vann voulait être le héros du jour, et il le fut. Il raconta à ses amis qu'il avait enlevé Annie et le bébé au milieu de la fusillade. Annie se garda bien de le contredire.

Bien que le général Weyand ne fût pas homme à se vanter, il était convaincu, comme Vann d'ailleurs, que Saigon serait tombé s'il n'avait pas refusé d'envoyer ses troupes à la frontière du Cambodge. « Ç'aurait été un désastre complet, parce que je ne doute pas un instant qu'ils auraient pris Saigon », devait-il dire. Il n'y avait que huit bataillons d'infanterie de l'ARVN dans la zone métropolitaine au moment de l'attaque, et encore chacun était à moins de 50 % de son effectif à cause des permissions du Têt, et quelques-uns étaient encore plus faibles. Les deux meilleures unités, des bataillons de parachutistes, se trouvaient encore en ville par un coup de chance. Un officier d'état-major avait été tellement absorbé par une partie de mah-jong la veille qu'il en avait oublié de commander les avions de transport qui devaient les emmener au 1er corps au nord, comme contribution de l'armée sud-vietnamienne au renforcement de la zone de Khe Sanh. La seule unité de combat américaine en ville était un bataillon de MP, car Westmoreland avait laissé la défense de Saigon à l'ARVN au mois de décembre. Ainsi, la 199e brigade d'infanterie légère US avait été retirée et mise sous les ordres de Weyand.

Les 15 bataillons vietcongs désignés pour l'assaut initial étaient en majorité des unités de la région, parce qu'elles connaissaient mieux les environs de Saigon. Un des bataillons de sapeurs était même constitué de 250 hommes qui vivaient en ville où ils conduisaient des taxis et des pousse-pousse. Les Vietcongs locaux avaient ordre de s'emparer de leurs objectifs et de tenir jusqu'à ce que les bataillons de la force régulière viennent à leur secours. La plupart des attaques avortèrent, car, pour préserver l'effet de surprise, les ordres précis ne furent donnés aux unités que soixante-douze ou quarante-huit heures avant, empêchant ainsi les reconnaissances préalables, indispensables pour une armée rurale opérant pour la première fois dans un milieu urbain. Les bataillons de l'ARVN, même diminués, réagirent bravement après l'épouvante du début. Ils étaient le dos au mur ; la plupart d'entre eux avaient leurs femmes et leurs enfants à Saigon. Les troupes de la Force régionale, réparties en ville et dans les banlieues, se conduisirent en général bien elles aussi. Cependant, si les forces américaines n'étaient pas intervenues aussitôt, les troupes régulières communistes seraient arrivées sur les talons des premiers combattants et les défenseurs, surclassés en nombre et en puissance de feu, n'auraient pas été en mesure de résister à leur assaut. Et les quelques milliers de bureaucrates d'état-major américains et vietnamiens, mal organisés, mal entraînés et insuffisamment armés, auraient constitué une gêne plutôt qu'une aide.

Fred Weyand et, dans une certaine mesure, John Vann, qui l'avait encouragé à conserver ses troupes, avaient peut-être sauvé Saigon. Mais ils n'avaient pas pu sauver la guerre. Westmoreland l'avait perdue. Et la dernière initiative du général Weyand avait ironiquement pour résultat de prolonger un conflit qui ne pouvait plus être gagné. Plus de 20 000 Américains étaient morts au Vietnam et plus de 50 000 blessés avaient dû être hospitalisés, lorsqu'une petite camionnette Peugeot et un taxi déglingué tournèrent le coin de la rue Mac Dinh Chi et du boulevard Thong Nhat, à 2 h 45 dans la nuit du 31 janvier ; une section de sapeurs sauta à terre et perça un grand trou dans le mur d'enceinte du périmètre de la nouvelle ambassade des États-Unis.

La « Machine verte », comme le soldat américain appelait à juste titre son armée cette année-là, avait réclamé et obtenu 841 264 appelés jusqu'à Noël 1967, et 33 000 autres allaient l'être en janvier 1968. La guerre coûtait maintenant 33 milliards de dollars par an, provoquant une inflation qui commençait à sérieusement ébranler l'économie des États-Unis. Les campus des collèges et des universités étaient en ébullition. Avant 1967, les fils de la bourgeoisie blanche avaient réussi en grande majorité à éviter la guerre grâce à l'échappatoire des sursis universitaires. Mais en 1967 les besoins de la Machine verte étaient tels qu'on enrôlait de force un grand nombre de jeunes en cours d'études. Cette menace d'être appelés pour combattre dans une guerre, objet d'une répulsion morale de plus en plus grande, transforma en manifestants des jeunes gens qui autrement se seraient peu préoccupés des malheurs d'un peuple asiatique et de la transformation en chair à canon de paysans, d'ouvriers américains et de représentants des minorités ethniques. Les étudiantes se joignirent au mouvement en nombre égal et avec la même passion.

La majorité des Américains, peuple aussi crédule que les autres, avaient toléré cette souffrance uniquement parce que les autorités, en qui ils avaient confiance, leur avaient donné l'assurance que ce sacrifice était nécessaire pour le salut de la nation et que la victoire était à portée de main. Maintenant, la société américaine était éprouvée au point que sa volonté en était ébranlée. Le coût humain et financier de la guerre d'usure était si élevé que, lorsque l'offensive du Têt en démontra l'échec, il en résulta inévitablement un effondrement psychologique et une crise politique de proportions historiques. Westmoreland avait provoqué le même genre de catastrophe que MacArthur lorsqu'il avait envoyé l'armée américaine dans les montagnes de Corée du Nord pendant l'hiver de 1950, mais sur une échelle amplifiée considérablement par le gaspillage extravagant du fiasco vietnamien.

Il importait peu au public américain que la section de sapeurs n'ait pas réussi à s'emparer du bâtiment de l'ambassade, bien qu'ils aient eu suffisamment de rockets B-50 et d'explosifs pour le faire. Apparemment, les communistes avaient été désorientés par la mort de leurs chefs dès le début de l'attaque et s'étaient contentés d'occuper le terrain autour. Ils avaient tenu et tiré pendant six heures et demie jusqu'à ce qu'ils soient tous tués ou blessés. Vers la fin de la bataille, un MP jeta par une fenêtre un masque à gaz et un revolver à George Jacobson pour qu'il puisse abattre un sapeur blessé qui montait l'escalier de sa résidence pour se protéger des gaz lacrymogènes. Jacobson, officier à la retraite, estimait qu'un diplomate n'avait pas besoin d'arme et il était resté prisonnier toute la nuit au premier étage de sa maison avec juste une grenade qu'il avait trouvée dans un tiroir.

Il importait peu au public américain que les communistes vietnamiens n'aient pas réussi à renverser le régime de Saigon et à fomenter une révolte dans la population. Les dirigeants de Hanoi avaient sous-estimé la rapidité avec laquelle la puissance militaire américaine viendrait au secours du gouvernement de Saigon et ils n'avaient pas compris la mentalité des nouveaux citadins par force. Si certains aidèrent activement les forces communistes, si la majorité était suffisamment hostile aux Américains et au régime pour ne pas signaler que des dizaines de milliers de communistes en armes s'infiltraient au milieu d'eux, en réalité ces gens étaient trop troublés par la perte de leur maison et de leurs terres, et par la destruction de la famille et des valeurs morales, pour s'engager dans une cause quelconque ou pour se rebeller contre quiconque.

Ce qui comptait pour les Américains, c'était que cet ennemi vaincu puisse attaquer n'importe où et le faire avec plus de brutalité que jamais dans le passé. La victoire n'était pas « en vue ». La guerre du Vietnam ne serait jamais gagnée. Rien n'avait été accompli, sauf une débauche de vies et d'argent perdus et le déchirement de la société américaine. Toutes les assurances qu'on leur avait données n'étaient que les mensonges et les vantardises d'individus stupides.

Tout ce que les Américains voyaient tandis que l'offensive se déroulait ne faisait que renforcer cette impression. Le Vietcong s'était terré dans le quartier ouest de Saigon et à Cholon et résistait maison par maison, comme il le faisait dans d'autres villes. Interdire l'utilisation des armes lourdes et de l'aviation aurait entraîné des pertes plus élevées en vies de soldats américains et vietnamiens, alors que l'infanterie supportait tout le choc. Mais si aucune restriction, même minime, ne fut imposée, ce ne fut pas pour sauver des vies de combattants, mais par une sorte de réflexe d'appliquer aux centres urbains la puissance de feu pour « les frapper à mort » qui avait si brutalement écrasé la campagne vietnamienne.

Les combats continuèrent à Saigon pendant quinze jours. Sur leur télévision en couleur, les Américains voyaient chaque soir en images ce pays qu'ils étaient censés secourir en train de brûler et de voler en éclats. « Bien qu'on manque de statistiques précises, déclare l'histoire officielle de l'ARVN sur l'offensive du Têt dans l'ensemble du pays, il y eut approximativement 14 300 civils tués, 24 000 blessés et 627 000 sans-abri. » Dans Saigon et sa banlieue, environ 6 300 civils moururent, 11 000 furent blessés, 206 000 sans abri et 198 000 maisons détruites. Ce spectacle renforça l'opposition à la guerre, devenue une préoccupation morale majeure, en l'élargissant, au-delà des étudiants et des intellectuels, à un large secteur de la classe moyenne même sans enfants en âge d'être appelés. La logique de la démence se résumait dans cette explication d'un commandant américain à un journaliste devant des tas de briques et de cendres : « Il était nécessaire de détruire la ville pour la sauver. »

Westmoreland y joua son rôle en faisant comme toujours le jeu de l'ennemi. Il se rendit à l'ambassade au matin du 31, inspecta les dégâts et donna une conférence de presse au milieu des cadavres des sapeurs vietcongs et des MP. Il annonça que ce raid et toute l'offensive n'étaient qu'une diversion pour l'attaque principale à Khe Sanh et le long de la zone démilitarisée. L'homme qui pensait avoir monté un piège était incapable de comprendre que c'était lui qui avait été piégé. Il continua à envoyer des soldats américains au nord jusqu'à ce que la moitié de ses bataillons de combat soient dans le 1er corps. Il s'était fait installer un lit pliant dans le centre d'opérations de son Pentagone d'Extrême-Orient pour suivre jour et nuit ce qui se passait à Khe Sanh. Son chef d'état-major était si préoccupé de son manque de sommeil qu'il demanda à Katherine, la femme de Westmoreland, de venir des Philippines pour que le général puisse passer quelques nuits dans son lit à la résidence.

Tandis que les communistes vietnamiens maintenaient le général en chef hypnotisé par Khe Sanh, ils prolongeaient le combat pour la prise de Huê, prélevant discrètement un régiment dans chacune des deux divisions encerclant le camp retranché pour les envoyer à travers la montagne renforcer les troupes qui attaquaient l'ancienne capitale impériale. A la différence de Saigon, Huê est une petite ville, qui comptait environ 140 000 habitants en 1968. La solution la moins coûteuse pour une cité d'une telle signification historique et politique eût été de reprendre immédiatement l'offensive en chassant les troupes nord-vietnamiennes avant qu'elles aient consolidé leur position. Westmoreland disposait de la force nécessaire pour le faire avec deux brigades de l'Air Cav cantonnées à une vingtaine de kilomètres au nord de Huê, mais il avait peur de les engager parce qu'il pensait en avoir besoin pour libérer Khe Sanh. Il abandonna donc le champ de bataille à l'armée sud-vietnamienne et à deux bataillons de Marines.

Il s'écoula vingt-cinq jours avant que le drapeau du Vietcong soit amené et que la bannière aux raies rouges et jaunes de Saigon flotte à nouveau sur la porte du Zénith. Le palais des empereurs et les autres monuments officiels étaient gravement endommagés. Les habitations étaient détruites ou si sérieusement atteintes que 90 000 habitants de Huê étaient sans abri dans leur propre ville. Le Vietcong local profita de l'occupation pour régler ses comptes. Les fonctionnaires de tous grades, en activité ou à la retraite, les policiers et tous ceux qui avaient des relations avec le régime ou qui sympathisaient avec lui furent ramassés et tués, la plupart fusillés, d'autres pendus, d'autres enterrés vivants. Il est impossible d'en établir le chiffre avec précision, mais le bilan le plus prudent se situe aux environs de 3 000. Ces massacres furent aussi stupides que cruels. Ils justifièrent la crainte d'un bain de sang si les communistes gagnaient la guerre au Sud.

A la fin de mars 1968, l'effet du Têt se fit sentir aux États-Unis Le sénateur Eugene McCarthy faillit battre Lyndon Johnson aux élections primaires du New Hampshire pour la nomination du candidat présidentiel du Parti démocrate, ce qui ne s'était jamais produit pour un président sortant. Alors Robert Kennedy fonça et annonça qu'il serait aussi candidat à la présidence. Ce n'était pas uniquement de l'opportunisme de sa part, car il était sincèrement hostile à la guerre. Avec sa popularité et le fantôme de son frère vénéré pour l'aider, il semblait assuré de s'approprier l'opposition pacifiste de McCarthy et d'infliger à Johnson l'humiliation finale.

Westmoreland s'était finalement détruit lui-même en laissant Wheeler se servir de lui dans sa tentative infructueuse d'essayer d'obliger le président à mobiliser les réservistes pour lui obtenir 206 756 hommes supplémentaires. L'ambassadeur Bunker, qui avait perdu ses illusions sur Westmoreland et était furieux de s'être laissé berner pour un échec aussi lamentable que le Têt, lui déconseilla vivement de demander des renforts. Il lui expliqua qu'il était maintenant politiquement impossible au président de faire appel aux réservistes, même si Johnson l'avait voulu, ce qui était très improbable. Bunker n'avait pas encore saisi toute l'étendue de la victoire psychologique que les communistes vietnamiens avaient remportée aux États-Unis, mais il sentait que leur offensive avait brisé la volonté de l'administration comme celle des citoyens. Il était certain que rien de ce que Westmoreland ou lui-même diraient ne serait plus crédible à Washington. Dean Rusk, d'habitude le plus réservé des hommes, ne cessait de lui téléphoner pour l'interroger. Westmoreland n'eut pas à suivre les conseils de l'ambassadeur. Le président annonça brusquement le 22 mars que Westmoreland rentrait aux États-Unis pour devenir chef d'état-major de l'armée. « Westy a été viré avec de l'avancement », commenta plus tard Bunker avec son sourire pincé.

L'ambassadeur ne se trompait pas dans son jugement sur l'administration. Après avoir muté McNamara à la Banque mondiale, le président avait dit : « Le seul homme dont je n'aie pas à me préoccuper dans cette guerre est Dean Rusk. Il est dur comme une pomme de pin de Géorgie. » Mais la pomme de pin du comté de Cherokee, en Géorgie, avait craqué. Le secrétaire d'État avait commencé début mars à faire circuler parmi les hauts responsables de l'administration une des propositions qui avait provoqué le renvoi de McNamara : suspendre définitivement le bombardement du Nord Vietnam, à l'exception du couloir d'infiltration au sud du 19e parallèle, en vue de faciliter l'ouverture de négociations. Rusk ne comptait pas que Hanoi y réponde favorablement, du moins pas tout de suite. Comme il ne connaissait pas les Vietnamiens, il n'avait pas compris la portée d'un discours du ministre des Affaires étrangères du Nord, Nguyên Duy Trinh, diffusé avec soin avant l'offensive du Têt. Dans le passé, les dirigeants de Hanoi avaient dit qu'ils « pourraient » négocier avec les États-Unis si le bombardement cessait. Mais fin décembre 1967 la formule de Trinh était devenue : le gouvernement « engagera des conversations », en cas d'arrêt inconditionnel C'était exactement ce que voulait Rusk. Clark Clifford, l'enthousiaste faucon belliqueux, dégrisé par le Têt et ses responsabilités de nouveau secrétaire à la Défense, approuva la proposition. En outre, bien que le président ne se fût pas engagé, c'est tout de même avec son autorisation que Rusk faisait circuler son texte. Quelque chose avait aussi craqué chez Lyndon Johnson

Les Sages l'aidèrent à prendre son parti. Johnson réunit une seconde fois ses conseillers le 26 mars 1968 à la Maison-Blanche. Ils avaient été convoqués la veille au département d'État pour préparer cette réunion. Ce qu'ils y entendirent était très différent de ce qui s'était dit en novembre. La plupart des hommes présents avaient aussi changé. Le mémoire préparé par McGeorge Bundy l'expliquait ainsi : « Lorsque nous nous sommes réunis la dernière fois, nous avions des raisons d'espérer. » Cyrus Vance était nouveau dans le groupe, mais il avait travaillé avec Johnson depuis ses débuts de sénateur. Il lança un avertissement : « A moins que nous ne fassions rapidement quelque chose, l'opinion publique de notre pays nous imposera de retirer nos troupes. »

Par une de ces étranges ironies de la guerre, il revint à Dean Rusk de prononcer la sentence de mort d'une aventure dont il portait la responsabilité initiale. Il prit la parole pour dire au président :

« Nous ne sommes plus en mesure d'accomplir la tâche que nous avons engagée dans le temps qui nous reste et nous devons commencer à nous en dégager. »

Le président de la Cour suprême, Abe Fortas, qui faisait partie de la minorité belliqueuse, essaya de le contredire. Acheson le remit en place :

« Le problème n'est pas celui que pose Fortas. Il est de savoir si nous sommes en mesure de réussir ce que nous essayons de faire au Vietnam. Je ne le pense pas... Sommes-nous en mesure de maintenir militairement les Nord Vietnamiens hors du Sud Vietnam ? Je ne le pense pas. Ils peuvent se faufiler partout, pourchasser sans fin les hommes de Saigon et les écraser. »

Cinq jours plus tard, le 31 mars 1968, le président Lyndon Johnson annonça à la nation dans une émission télévisée l'arrêt partiel des bombardements au Nord et qu'il renonçait à se représenter comme président pour conserver l'unité du pays.

Trois jours plus tard, le 3 avril 1968, les Vietnamiens surprirent une fois de plus le président et son secrétaire d'État. Radio-Hanoi annonça qu'ils allaient négocier avec les Américains.

John Vann ne pouvait accepter la fin de la guerre. Il ne pouvait admettre que le Têt en eût écrit la dernière page. Et tout son comportement dans les années à venir devait en être modifié.

Le Têt lui fournissait des raisons valables pour continuer. Car la victoire politique et psychologique des communistes vietnamiens avait été payée par la destruction du Vietcong. A l'exception de l'extrême nord dans le 1er corps et dans certaines régions des hauts plateaux, c'étaient les Vietcongs du Sud qui avaient combattu pendant le Têt, parce qu'ils pouvaient mieux manœuvrer dans les villes. Des dizaines de milliers avaient ainsi péri au cours de la première offensive, puis de la seconde lancée par Hanoi dans les centres urbains au mois de mai pour maintenir la pression sur l'administration Johnson. Cette bande armée de paysans du Sud que les survivants du Viet Minh avaient levée pendant l'hiver de la terreur de Diêm, devenue des régiments et des divisions après la bataille de Bac, était aussi déchirée que le pays qu'ils auraient conquis si les Américains ne leur avaient pas volé leur victoire de 1965. A la fin juin 1968, Vann estimait que les forces communistes vietcongs dans le 3e corps avaient eu plus de 20 000 morts.

Le recomplètement était presque entièrement fait de Nord-Vietnamiens. Le gouvernement clandestin du Vietcong n'était pas en mesure de compenser aussi rapidement les pertes, et le mouvement de guérilla était de plus en plus démoralisé. Les combattants vietcongs ne se rendaient pas compte à quel point leur sacrifice avait brisé la volonté des États-Unis. Ils ne voyaient que la mort de leurs camarades dans des missions devenues au mois de mai tellement illusoires sur le plan militaire qu'elles en étaient suicidaires.

Si le Têt devait anéantir les réputations d'hommes comme Komer et Westmoreland, le réalisme pessimiste de Vann y trouva sa justification. Sa crédibilité au sein de l'administration et auprès des journalistes grandit encore. Un ami lui envoya un exemple de remarques faites dans les hautes sphères du Pentagone et du département d'État : « Rien de ce que John a dit ne s'est révélé exagéré. » Le Têt replongea Vann dans son élément. Il avait dit un jour à Ellsberg qu'il rabâchait toujours la même chose sur les faiblesses de l'ARVN et du régime de Saigon « parce que tous les autres étaient béats de satisfaction. S'ils avaient été découragés, je leur aurais dit : " Allons, il y a de l'espoir, voilà ce que nous pouvons faire " ». Il était atterré par le déclenchement sans limites de la puissance de feu américaine sur les cités et les villes. En revanche, des soldats de l'ARVN et de l'armée des États-Unis à la gâchette sensible prenaient maintenant le risque de circuler sur les routes la nuit, et les balles des fantassins de n'importe quel camp plongeaient Vann encore plus dans son élément. Il parcourut tout son secteur, encourageant ses équipes du CORDS, les réorganisant et les préparant à rendre coup pour coup. Dès la troisième semaine de février, il envoya des instructions à toutes ses équipes :

> Maintenant le moment est venu, à proprement parler, de séparer les hommes des gamins. J'ai souvent été déçu de trouver des conseillers qui pleuraient sur eux-mêmes et se tordaient mentalement les mains... Faites sortir de derrière leurs barbelés vos homologues et leurs hommes, qu'ils soient agressifs et qu'ils attaquent jour et nuit. L'ennemi n'a jamais été aussi vulnérable qu'aujourd'hui.

Komer ne garda aucune rancune à l'égard de Vann. Il était assez généreux pour accepter l'apologie d'un autre même à son propre détriment. Il demanda en avril à la direction de l'AID à Washington que Vann fût promu au plus haut grade des services étrangers, ce qui fut aussitôt accepté. Komer n'était pas prêt non plus à abandonner la guerre, et lui aussi estimait que la destruction du Vietcong permettait un rebondissement. Sa réticence à accepter les conséquences logiques du Têt était symptomatique de l'attitude de beaucoup de hauts responsables de la structure du pouvoir aux États-Unis. Ils avaient atteint leur maturité dans un système qui avait presque toujours réglé les problèmes internationaux suivant leurs vues, et ils avaient du mal à admettre que cette fois-ci ils ne réussiraient pas. La pensée de tout ce qu'ils avaient investi dans cette guerre les incitait encore plus à résister. Quand s'estompa le choc du Têt, ils cherchèrent d'autres solutions.

Pour Vann, les pertes lourdes de la guérilla fournissaient le tournant qui amènerait la victoire aux États-Unis et au gouvernement de Saigon. Il devint vite convaincu que l'armée nord-vietnamienne ne pourrait pas reprendre le fardeau que le Vietcong avait assumé et gagner seule la victoire. Il jugeait que la menace à long terme contre le régime du Sud Vietnam venait du Vietcong et de son action politique et militaire. L'armée nord-vietnamienne ne constituait qu'une force matérielle qui pourrait être maîtrisée. Le mouvement de guérilla était maintenant si affaibli qu'il pourrait être encore plus facilement jugulé lui aussi.

Les pertes du Vietcong impressionnaient surtout Vann, non pas tant par le nombre, car avec du temps on pouvait toujours remplacer de simples soldats, mais par la disparition des officiers et sous-officiers. Ces hommes avaient l'expérience du passé. Avant le Têt, le mélange de Vietnamiens du Nord et du Sud avait bien fonctionné parce que ceux du Nord étaient de simples soldats et que le commandement était toujours assumé par des gens du Sud. Or, la majorité d'entre eux avaient été tués pendant le Têt et l'offensive de mai. Leurs remplaçants étaient venus du Nord. A la fin de juin, ils représentaient 70 % des officiers et sous-officiers des bataillons dans le secteur du 3e corps. C'étaient des militaires de type trop conventionel pour s'adapter aux combats de guérilla, concluait Vann, et ils ne maîtriseraient jamais les rapports politiques nécessaires avec la paysannerie du Sud. Les différences régionales ne pourraient pas être surmontées. Vann écrivit à Bob York : « En fait, les Nord-Vietnamiens sont aussi étrangers dans ce pays que nous les Américains et ils n'obtiendront le soutien et l'aide de la population que par la peur. »

Sur ce postulat, Vann conçut un nouveau plan pour gagner la guerre. Il préconisa de « calmer l'opinion publique américaine » avec une « réduction échelonnée » des forces des États-Unis, qui transféreraient progressivement à l'ARVN la responsabilité du combat avec l'armée nord-vietnamienne et ce qui restait du Vietcong. En mai 1968, 536 000 Américains étaient en service au Vietnam, et ce chiffre devait s'élever en un an à 543 000 à cause de l'augmentation symbolique que Johnson avait incluse dans sa déclaration du 31 mars pour apaiser les généraux. Vann estimait qu'un retrait substantiel pourrait être rapidement effectué en adoptant une vie plus austère et en éliminant un grand nombre de camps de base ainsi que « l'incroyable juxtaposition de quartiers généraux et la prolifération d'innombrables unités et activités de bien-être » auxquelles avait tenu Westmoreland. « Je considère comme tout à fait possible de réduire notre engagement ici à 200 000 hommes pour le milieu de l'année 1971 », écrivit-il en avril 1968 à Edward Kennedy, l'une des premières personnalités politiques à laquelle il essaya de vendre son plan, car il était choqué par les déclarations pacifistes de Robert Kennedy.

L'offensive du Têt rendait également son plan plus réalisable, se persuada Vann, parce que le choc avait dû secouer un certain nombre de membres du gouvernement de Saigon, qui réaliseraient qu'ils ne pourraient plus continuer à tolérer une telle corruption et incompétence du régime. Les communistes avaient sans le vouloir créé une atmosphère permettant à la pression américaine d'avoir enfin de l'effet. Une réduction progressive des effectifs américains « fournirait le stimulant nécessaire au gouvernement du Sud Vietnam » pour progresser sérieusement dans cette direction, écrit-il à Kennedy.

John Vann ne voulait pas évacuer tout le personnel militaire américain. Il souhaitait conserver une force résiduelle d'environ 100 000 hommes, essentiellement des conseillers, du personnel technique et des unités d'aviation et d'hélicoptères en support des troupes de Saigon. L'armée sud-vietnamienne avait enfin reçu des fusils M-16 en quantité et bientôt les Forces régionales en recevraient aussi. Vann estimait qu'une ARVN mieux armée, mieux dirigée, et avec le soutien des B-52 et des chasseurs-bombardiers de l'Air Force et de la Navy, serait en mesure de contrôler l'armée nord-vietnamienne.

Il ne réussit pas à convaincre Dan Ellsberg. Ils avaient eu de longues discussions sur l'offensive du Têt et les plans de Vann alors qu'en juillet John se trouvait aux États-Unis pour trois semaines de convalescence. Lee l'avait trouvé inconscient dans une mare de sang dans la salle de bains de Bien Hoa la nuit du 30 mai. Transporté par hélicoptère à l'hôpital, il y avait été opéré d'une déchirure de l'œsophage, après avoir perdu sept litres de sang.

L'offensive du Têt avait été pour Ellsberg une raison de désespoir et non d'espérance de renouveau. Le choc l'avait amené à un réexamen complet de la guerre, un processus intellectuel compliqué par les émotions tumultueuses qu'il avait connues au Vietnam. Il avait commencé une psychanalyse pour essayer de surmonter un blocage de l'écrivain qui gênait considérablement son travail à la Rand Corporation, et il pratiquait la liberté sexuelle si à la mode en Californie à cette époque. Un spécialiste australien de la pacification qui travaillait au Vietnam était venu en mai à la Rand. Il y avait parlé des « opportunités » qu'offrait aux États-Unis et au régime de Saigon l'affaiblissement du Vietcong. « Aujourd'hui mon attitude, écrivit Ellsberg à Vann, est que le Vietcong a raison de parier que le gouvernement du Sud Vietnam et les États-Unis négligeront ces opportunités, et que des fanatiques comme vous, comme moi (dans le passé) et nos amis ont toujours eu tort de l'imaginer autrement. »

Vann y vit un présage favorable pour que des personnalités éminentes de Washington prennent en considération ses propositions. Dès son arrivée chez Mary Jane à Littleton, en juillet, il appela au téléphone Harry McPherson, un des collaborateurs directs du président Johnson. Ils s'étaient déjà rencontrés au Vietnam en 1967, et McPherson avait été tellement impressionné par l'optimisme de Vann qu'il avait rédigé un compte rendu écrit de sa conversation pour le président.

Après son discours du 31 mars, Lyndon Johnson se trouvait paralysé, bloqué par la même résistance qui affectait Komer et bien d'autres. Il cherchait à sauver à Paris, où Harriman et Vance avaient commencé les négociations avec les Nord-Vietnamiens, ce que son général avait perdu à Saigon. Il avait laissé Westmoreland traîner au Vietnam dans un intérim sans pouvoir, alors que le nouveau commandant en chef Creighton Abrams ne prenait officiellement ses fonctions qu'à la mi-juin. Johnson voulait négocier un retrait simultané de l'armée nord-vietnamienne et des forces américaines, en se persuadant que c'était un compromis valable. Mais si les communistes étaient prêts à discuter des conditions du départ des Américains, ils n'étaient nullement intéressés par un retrait simultané. Ils s'installèrent tranquillement pour les années de marchandage qu'ils prévoyaient, jusqu'à ce que le cours de la guerre et l'hostilité croissante de l'opinion américaine imposent l'issue finale. A la fin octobre, ils négocièrent verbalement des promesses vagues de désescalade le long de la zone démilitarisée et autour de Saigon et des principales villes, contre l'arrêt total de tout bombardement au Nord et l'admission à la table de la conférence de Paris de représentants du Front national de libération.

Cette concession des États-Unis mettait le régime de Saigon et le Vietcong à égalité. Pendant que traînait en longueur la valse des chaises autour de la table de Paris, 14 589 Américains étaient tués au combat pendant l'année 1968, la moitié plus que l'année précédente. Bien que Lyndon Johnson ne fût pas intéressé par un retrait des troupes américaines avant la fin de son mandat, qui n'eût pas convenu à sa stratégie de négociations, il avait besoin d'encouragements lorsqu'il reçut en juillet la note de McPherson sur sa conversation avec Vann. Il fut heureux que quelqu'un lui dise que le temps travaillait pour les États-Unis et le régime de Saigon, et il lut à une réunion de son cabinet le compte rendu de ce qu'avait dit Vann. Vann fut ravi de cet honneur.

Il faillit néanmoins être viré brutalement du Vietnam à la même époque. Le journaliste de l'Associated Press Peter Arnett entra un soir dans le bureau de Biên Hoa un mois après le retour de Vann. Il écrivait un article de fond sur l'éventualité d'un retrait futur des troupes américaines. Vann connaissait Arnett depuis six ans et lui expliqua franchement sa position. Il autorisa le journaliste à citer son nom pour les remarques optimistes, comme par exemple les conséquences de l'offensive du Têt sur le Vietcong. Il présumait que, comme d'habitude, Arnett le protégerait sur tout le reste en le paraphrasant ou en le citant anonymement. Cette fois-ci, Arnett ne respecta pas les règles, sans en informer Vann. L'image qu'il donna de la machine de guerre américaine était sarcastique et souvent goguenarde. Parmi les citations directes, figurait en particulier le passage où Vann expliquait qu'il ne serait pas difficile de rapatrier les 100 000 premiers militaires.

> Les premiers 100 000 Américains ne coûteront rien. Ce seront les gratte-papier, les blanchisseurs, les maçons qui construisent des clubs d'officiers à travers tout le pays. Tous ces emplois externes qui pompent un personnel inutile.

L'Associated Press diffusa l'article sur ses téléscripteurs à la fin de la première semaine de septembre. Komer en fut informé par téléphone à 7 heures du matin, alors qu'il était encore chez lui. Il appela aussitôt Vann :

« Espèce de con, cria-t-il. Tu t'es foutu dans la merde. »

Vann savait pourquoi Komer était furieux, car on l'avait déjà prévenu.

« Bob, laissez-moi vous expliquer...

— C'est pas la peine de me dire ce qui s'est passé. Je passe mon temps à te dire de fermer ta gueule. »

Vann insista. Komer ne l'avait jamais entendu aussi penaud.

« Écoutez-moi, Bob... »

Komer le laissa parler, puis l'insulta à nouveau et raccrocha.

A 8 h 30 très précises, au moment où le général en chef Creighton Abrams s'asseyait à son bureau du quartier général de Saigon, l'interphone sonna chez Komer.

« Bob, je veux vous voir tout de suite. »

Abrams était un officier de blindés, le plus féroce, d'après Patton, que les Allemands aient affronté dans la 3ᵉ armée, et son tempérament était à l'image des redoutables machines qu'il vénérait. Il considérait qu'aucun journaliste n'avait le droit de citer John Vann sans son autorisation, et que cet article était un affront personnel.

« Vous avez vu... », commença-t-il au moment où Komer entrait et refermait la porte.

Komer l'interrompit pour essayer de dominer la situation.

« Je l'ai vu et c'est impardonnable. J'ai appelé Vann, je lui ai rivé son clou et je l'ai menacé de sanctions.

— Je m'en fous que vous l'ayez menacé. Je ne supporterai pas cela. »

Abrams était congestionné, avec les yeux proéminents. Dans sa colère, sa voix devint plus aiguë au point qu'il en suffoquait.

« Ce n'est pas parce que Vann a critiqué l'armée. Ce n'est pas parce qu'il m'a critiqué personnellement. J'en ai rien à foutre de cette merde. Ce que je ne peux admettre, c'est que cet enfoiré l'ait fait en citation directe, entre guillemets. »

Komer resta silencieux. Il estimait qu'à ce stade cela ne servirait à rien d'essayer d'expliquer. Lorsque Abrams se fut suffisamment défoulé, il assena la sentence.

« Je veux que cet individu soit foutu à la porte.

— Voyons, Abe, nous ne pouvons pas faire cela.

— Foutez-le à la porte. C'est un ordre ! »

Il était devenu si rouge que Komer eut peur qu'il n'ait une attaque.

« Écoutez, Abe. Il a déconné. Ce n'est pas la première fois. Et je suis persuadé que ce n'est pas la dernière. Il est très enclin à ce genre d'accident avec la presse, et ça remonte loin, à la bataille de Bac en 1963. On ne peut plus rien y faire. John Vann est l'homme le plus indispensable que j'aie sur mes quatre régions. En fait, si j'en avais trois autres du même calibre, on pourrait raccourcir la guerre de moitié. Je ne vais pas abandonner mon meilleur gars simplement parce qu'il a dit quelque chose à un journaliste. »

Abrams regarda Komer avec incrédulité et cria d'une voix perçante :

« Vous n'avez rien compris ! Je vous ai dit de le foutre à la porte ! Et je répète : c'est un ordre ! »

Le tank était en marche et il fallait un gros bazooka pour l'arrêter. Komer savait qu'Abrams avait peur de la presse : il avait vu les journalistes écharper Westmoreland après l'offensive du Têt et craignait qu'ils ne se retournent maintenant contre lui. Jusqu'à présent les relations avaient été bonnes, car il venait de prendre le commandement ; il avait l'air d'un général différent des autres avec sa silhouette ramassée et fruste. En outre, il avait compris la leçon des malheurs de Westmoreland et ne disait que des banalités à la presse.

« Si vous me donnez l'ordre formel de renvoyer Vann, je le ferai, dit Komer. Mais je vais vous dire ce qui va se passer. Je ne serai pas dans mon bureau pour parler avec John depuis plus de cinq minutes que chaque journaliste de Saigon sera au téléphone pour me demander pourquoi John Vann a été viré. Et en moins d'une heure la moitié des journalistes des États-Unis me demanderont aussi au téléphone. Et quand ils me poseront directement la question : " Est-ce à votre demande qu'il est viré ? ", je répondrai : " Non, j'ai reçu l'ordre de le faire. " Et quand ils me demanderont : " L'ordre de qui ? ", je répondrai : " Du général Abrams, personnellement. " Ils me demanderont alors : " Est-ce que vous, Bob Komer, êtes d'accord avec cette décision ? ", je leur dirai que vous l'avez prise en dépit de ma violente protestation. Le renvoi de John Vann va devenir une telle cause célèbre pour ses amis — et là Komer cita le nom de tous les reporters qui connaissaient Vann, en commençant par Halberstam — que je n'ai pas envie de payer les pots cassés. Je vous préviens que ça va être quelque chose, Abe ! Vous allez devoir affronter une seconde guerre, pire que celle de l'armée nord-vietnamienne ! »

Sans un mot de plus, Komer tourna les talons et sortit sans s'occuper des insultes que lui lançait Abrams.

Le général ne parla plus jamais de cette affaire. Komer punit Vann en le laissant tirer la langue pendant vingt-quatre heures avant de le rappeler. Il lui dit qu'il avait peut-être réussi à lui éviter le peloton d'exécution, mais que ce n'était pas sûr. Il voulait qu'il reste contrit le plus longtemps possible. Ce n'est que beaucoup plus tard qu'il lui offrit le plaisir de lui raconter toute l'histoire.

Le résultat allait justifier le risque encouru. Vann découvrit que le nouveau président élu était sur la même longueur d'ondes que lui. Depuis son retour au Vietnam en 1965, son penchant pour les hommes politiques américains était devenu plus éclectique. Il avait tendance à fermer les yeux sur un comportement qu'il aurait autrement trouvé critiquable du moment que l'homme politique en cause soutenait la guerre et servait John Vann et ses théories.

Un de ses partisans les plus enthousiastes était un certain Sam Yorty, dont les qualités de relations publiques et ses positions racistes lui avaient valu d'être pendant douze ans maire de Los Angeles. La tolérance de ses électeurs pour son absentéisme lui avait permis de faire de nombreux voyages en Asie du Sud-Est et autres lieux. Lors d'une de ses visites au Vietnam en novembre 1965, Vann et lui s'étaient rencontrés pour la première fois et ils s'étaient revus souvent depuis. Yorty envoya une copie de l'article d'Arnett à un de ses amis, le républicain Richard Nixon, qui le remercia dans une lettre datée de quelques jours avant l'élection de 1968. Lorsque Vann reçut une copie de la lettre, Richard Nixon était devenu président des États-Unis.

Un processus d'élimination avait permis ce succès. Robert Kennedy avait été tué en juin à Los Angeles par un fanatique arabe. Au mois d'août, la convention démocrate de Chicago avait refusé l'investiture d'Eugene McCarthy, pour le remplacer par Hubert Humphrey, vice-président de Johnson, qui fit une campagne marquée par la blessure du Vietnam. La méfiance générale à l'égard de Nixon lui compliqua la victoire sur le plus faible de ses opposants. Il gagna de justesse en donnant au public l'impression qu'il avait un plan secret pour finir la guerre.

Nixon reconnut plus tard qu'il n'en avait aucun. Sa lettre à Yorty fit comprendre à Vann qu'il n'envisageait pas du tout d'arrêter la guerre. Il avait l'intention de faire exactement ce que Vann voulait : gagner du temps avec l'opinion publique en rapatriant des troupes tout en faisant continuer le conflit par l'armée de Saigon. Après avoir dit qu'il trouvait les idées de Vann « très intéressantes » et avoir signalé l'article à son équipe de conseillers, Nixon expliqua les points communs avec ses propres théories :

Comme vous le savez certainement, ma position est de désaméricaniser la guerre aussi vite que possible. L'administration Johnson semble avoir reconnu cette nécessité uniquement comme une conséquence de l'offensive du Têt, et même maintenant ne semble pas faire suffisamment confiance aux Vietnamiens et à leur capacité d'assumer une part plus grande du fardeau de la guerre.

Vann se mit aussitôt à la rédaction d'une lettre de six pages et demie adressée à Yorty mais à l'intention de Nixon. Il y décrivit en détail son plan de désengagement progressif et s'offrit à servir temporairement la nouvelle administration comme conseiller du gouvernement pour superviser la mise en œuvre de cette stratégie. « Les vieux problèmes de corruption, de népotisme et de mépris des besoins ruraux sont toujours présents », reconnut Vann qui précisa toutefois qu'il avait changé d'avis sur leur importance. Ils n'étaient plus aussi cruciaux maintenant à cause des modifications dues à l'offensive du Têt. Avec un sens brillant de l'autopromotion, il joignit une copie du rapport de McPherson à Johnson sans oublier de mentionner qu'il « avait été lu par le président au cours d'un conseil de cabinet ». Pendant qu'il y était, il s'auréola d'une gloire qu'il ne pouvait s'empêcher de s'attribuer. Une fois de plus il se retrouva dans le trou de Ralph Puckett sur la colline de Corée la nuit de novembre 1950 lors de l'attaque chinoise Cette nuit-là, dit-il, il avait compris quelle folie c'était de troquer des soldats américains contre des ressortissants « d'une Asie surpeuplée ». D'autre part, se servir des soldats vietnamiens pour le combat calmerait l'opinion publique américaine, car ils coûtent beaucoup moins cher, précisait Vann. La plus grande part des 33 milliards de dollars dépensés annuellement pour la guerre étaient absorbés par les forces américaines. « Je pense que nous pourrions avoir le même succès au Sud Vietnam pour 5 milliards en 1975. »

Yorty fit parvenir la lettre au président élu, mais Vann ne reçut aucune réponse à sa proposition d'un poste de conseiller dans l'administration Nixon. Sa vitalité exubérante et la poursuite de son étoile l'amenaient parfois à des excès d'imagination et il se voyait déjà à Washington. Il rêva même un jour qu'il serait récompensé de ses services au Vietnam par le poste de secrétaire à l'armée, et qu'il réglerait ainsi ses comptes avec l'institution dont il pensait avoir été rejeté. Même s'il n'eut pas le poste souhaité, Vann contribua néanmoins à la définition de la stratégie de Nixon grâce à sa lettre, à l'article d'Arnett et à Henry Kissinger, nommé assistant spécial du président pour les affaires de sécurité nationale, et à qui les idées de Vann étaient familières depuis que Vann s'était proposé pour participer à la campagne présidentielle de Nelson Rockefeller en tant qu'expert du Vietnam. Mais la convention nationale républicaine avait choisi Nixon au lieu de Rockefeller comme candidat à la présidence. A cette occasion, Kissinger s'était fait communiquer les doubles des lettres de Vann à Edward Kennedy et autres hommes politiques.

La stratégie de Nixon allait être dotée d'un titre un peu plus accrocheur que le terme de « désaméricanisation » employé dans la lettre à Yorty et devenir la « vietnamisation ». Kissinger devait rendre à Vann un hommage disproportionné à l'importance de sa contribution en lui disant : « C'est votre politique. » Même s'il n'avait pas été invité à Washington, Vann était pour le moment très satisfait. Il croyait avoir enfin trouvé un moyen de gagner la guerre qui le placerait sur le même plan que les hommes de pouvoir maîtres de la victoire et des tableaux d'avancement.

Il devint la pierre de touche de l'optimisme et du progrès pour tous les partisans d'une autre voie. Komer confia Vann à son successeur William Colby lorsqu'il partit du Vietnam pour l'ambassade de Turquie en novembre 1968. Colby avait quitté l'état-major de la CIA pour retourner à Saigon aussitôt après l'offensive du Têt à la demande de Komer qui le voulait comme adjoint et avait le même respect que son patron pour Vann. Il semblait bien que le CORDS réussissait la pacification du Sud Vietnam. Sous la pression de Johnson, le régime de Saigon avait promulgué une nouvelle loi de mobilisation générale qui abaissait l'âge de l'appel sous les drapeaux. Ainsi, 200 000 Vietnamiens de plus vinrent grossir les rangs de l'ARVN, et surtout des Forces régionales pour la pacification.

Komer et Colby, encouragés par Vann, réussirent à persuader le président Thiêu de soutenir de son autorité un programme spécial destiné à éliminer les cadres du gouvernement vietcong clandestin. On choisit de le baptiser « Phoenix », traduction approximative du vietnamien *Phung Hoang* désignant un oiseau mythique capable de voler partout. Toutes les organisations rivales de renseignements et de police de Saigon durent mettre en commun leurs informations pour constituer des dossiers et des listes noires et mieux identifier les cadres. Les équipes de tueurs de la CIA, appelées pudiquement « unités de reconnaissance provinciale », étaient chargées de l'action, aidées souvent par les Forces régionales. En principe les cadres vietcongs ne devaient pas être tués, mais arrêtés, car un prisonnier qui parle peut en désigner d'autres. Mais en pratique les unités de reconnaissance tiraient d'abord, craignant de rencontrer de la résistance dans les zones suspectes. Ceux qui étaient arrêtés avaient en général été dénoncés, ou pris dans un contrôle de police, ou capturés au combat et identifiés plus tard comme cadres vietcongs. S'ils ne voulaient pas courir le risque de la mort ou de la prison, ils avaient toujours la possibilité de déserter. Komer avait fixé un quota pour tout le Sud Vietnam. Il voulait que 3 000 cadres clandestins soient « neutralisés » chaque mois.

L'offensive du Têt avait considérablement affaibli les forces armées dont la guérilla avait besoin pour protéger ses cadres et pour disputer à Saigon l'autorité sur les villages. Vann en avait eu la confirmation pendant les derniers mois de 1968 qu'il avait passés au 3e corps, et après qu'il eut été transféré au 4e corps en février 1969 comme chef de la pacification pour le delta du Mékong. Il avait résisté à cette mutation mais Komer y tenait beaucoup. Il considérait que l'équipe du CORDS mise en place par Vann dans le 3e corps était assez dynamique pour être confiée maintenant à quelqu'un d'autre. Et le delta était important parce que c'était de là que le Vietcong tirait depuis toujours l'essentiel de ses ressources en hommes et en argent. Vann avait fait traîner les choses mais avait dû finalement céder à la pression de Colby.

Il découvrit que, dans le delta, la plupart des 2 100 hameaux considérés comme communistes, contre 2 000 contrôlés par Saigon, n'étaient tenus en fait que par une demi-douzaine de Vietcongs. Les unités ennemies qui, dans le passé, avaient toujours été sur le qui-vive pour punir les intrusions des forces de Saigon, comportaient maintenant plus de héros morts que de combattants vivants. Les Sud-Vietnamiens aussi avaient senti le changement, et l'atmosphère était à l'inverse des jours de panique et d'intimidation de 1965 quand les commandos vietcongs faisaient irruption dans les villes pour chasser pendant des heures sur les toits et sur les pistes les représentants de Saigon. Maintenant, les chefs de province et de district étaient prêts à s'attaquer à l'ennemi lorsqu'ils y étaient poussés par des Américains comme Vann. Son recrutement méthodique de Forces régionales pour constituer des garnisons et la mise en place dans les villages d'équipes d'administrateurs lui permirent rapidement de s'infiltrer dans des zones du delta où il n'y avait eu aucune présence de Saigon depuis Diêm.

Les autorités du régime virent scintiller l'or sur les ailes de Phoenix, en extorquant par chantage les innocents et en se faisant payer pour laisser en liberté ceux qu'ils devaient arrêter. Pour atteindre plus rapidement les quotas, ils élevèrent à titre posthume à la dignité de chefs de hameau ou de village d'obscurs rebelles tués dans une embuscade. Mais le Phoenix n'en était pas moins un prédateur. Après tant d'années de guerre, l'identité de la plupart des cadres vietcongs était connue de leur entourage. La CIA fit le reste. Des milliers furent tués ou disparurent dans les prisons de Saigon. En 1971, Colby en fit le compte pour l'ensemble du Sud Vietnam : 28 000 capturés et prisonniers, 20 000 tués et 17 000 déserteurs.

Le Vietcong n'avait bien entendu pas disparu, et les combats n'avaient pas cessé, mais la guérilla était contrainte à une relative pause. Elle réussit à conserver quelques places fortes au sud du Mékong dans la péninsule de Ca Mau et quelques bases plus petites dans le nord du delta. Encore fallut-il pour cela que Hanoi y infiltrât quatre régiments nord-vietnamiens. La plupart des cadres vietcongs qui survécurent durent se cacher dans les marais et la jungle, ou prétendre être des officiels de Saigon. De grands secteurs connurent pour la première fois une tranquillité qui n'était troublée que par des tirs épisodiques. Les ponts furent réparés, des routes et des canaux depuis longtemps interdits furent rouverts à la circulation. Les paysans qui étaient restés sur leur terre ou qui y retournèrent s'en trouvèrent bien. La télévision avait été l'un des cadeaux de la technologie américaine que les États-Unis avaient apporté dans leurs bagages, pour diffuser des programmes américains enregistrés pour la troupe et créer un réseau d'émetteurs consacré à la propagande pour le régime. De son hélicoptère, Vann pouvait remarquer les antennes qui se dressaient maintenant sur les toits des maisons.

Il se fit des amis qu'il n'aurait jamais eus dans le passé. « Vous et moi... compagnons peu vraisemblables », écrivit à Vann à l'automne de 1969 l'un d'entre eux, Joseph Alsop, le célèbre éditorialiste. Ils s'étaient déjà rencontrés deux ans plus tôt à la demande d'Alsop et sous la pression de Komer, car Vann avait d'abord refusé de le voir. Il le considérait avec le même mépris qu'avaient pour lui Halberstam et les autres journalistes de ses amis d'alors. Komer lui avait dit qu'il ne pouvait pas refuser de parler à Alsop et qu'il lui en donnerait l'ordre formel s'il persistait dans son refus. Vann se laissa fléchir, et Alsop put satisfaire sa curiosité. « Je ne suis pas sûr que nous voyions la situation au Vietnam sous le même angle », écrivit Alsop, employant une litote qui lui était peu familière, dans la note de remerciement qu'il lui envoya. Deux ans plus tard, les espoirs qu'il avait mis en Westmoreland n'étaient plus qu'un souvenir, mais il continuait à rechercher des preuves que les États-Unis pourraient remporter la victoire. L'angle de vision de Vann avait changé et il était donc le critère dont Alsop avait besoin.

A l'automne de 1969, Alsop passa presque une semaine à faire le tour du delta et écrivit plusieurs articles glorifiant l'aventure de se trouver sur « le terrain de John Vann ». Si Vann, qui « dans un passé lointain avait été ultra-pessimiste sur le Vietnam », disait maintenant que les États-Unis et Saigon pouvaient ensemble gagner la guerre, alors cela devait être vrai. « Dans peu de temps d'ici, m'a dit John Vann, j'ai confiance que 90 % de la population du delta sera sous le ferme contrôle du gouvernement. » John Vann est « un merveilleux chef, infiniment patriote, intelligent et courageux ». La sincérité de leur amitié venait d'Alsop qui, lorsqu'il la donnait à quelqu'un, le faisait avec générosité. Vann la lui retourna, en apparence du moins, heureux de la publicité et de la respectabilité qu'elle lui apportait, en étant conscient que Joe était « le journaliste du président ».

La respectabilité lui ouvrit les portes du bureau présidentiel. Au début décembre 1969, Colby reçut un télégramme l'informant que le président souhaitait voir John Vann le 22 décembre à 11 heures. John devait se trouver à ce moment-là aux États-Unis pour sa permission de Noël et avait demandé un rendez-vous avec Henry Kissinger. Un autre de ses nouveaux amis, Sir Robert Thompson, le stratège britannique de la contre-révolution, suggéra de transférer à l'échelon supérieur le rendez-vous avec l'assistant spécial du président.

L'opinion de Sir Robert sur les chances des États-Unis au Vietnam avait varié au cours des années et dépendait de l'auteur des thèses exprimées. Il ne s'était pas trompé dans son analyse sur Westmoreland. Mais comme beaucoup de gens impliqués dans les affaires de l'État, ses facultés critiques ne s'étendaient pas à ses propres conceptions. Richard Nixon avait étudié toutes les œuvres de Thompson et l'avait invité à la Maison-Blanche. Thompson lui dit que la stratégie de vietnamisation pourrait mettre en place les conditions de la victoire en deux ans. (Il devait être plus prudent dans le livre qu'il publia en 1969 en parlant de trois à cinq ans.) Nixon l'engagea alors comme conseiller et l'envoya au Vietnam pour confirmer son jugement. Thompson, qui avait lui aussi besoin d'un critère de base, choisit Vann pour valider ses thèses.

Vann l'accompagna dans le delta pendant trois jours. Ils écoutèrent ensemble à la radio l'allocution du 3 novembre 1969 de Nixon qui marquait le tournant sur le Vietnam. Nixon avait déjà donné l'ordre de rapatrier 60 000 Américains pour apaiser l'opinion publique. On s'attendait donc cette fois-ci à ce qu'il annonce un programme de retrait rapide du reste et peut-être un cessez-le-feu. Au lieu de cela, il fit appel à « la grande majorité silencieuse de mes concitoyens » pour qu'ils soient patients et qu'ils le soutiennent pendant qu'il continuait la guerre jusqu'à « une paix honorable ». Les retraits se poursuivraient, mais à un rythme modéré pour permettre la consolidation des forces de Saigon. Vann exulta, car cela signifiait, comme il l'écrivit à un ami, que Nixon avait décidé « de dire aux manifestants pacifistes d'aller se faire foutre ». Encouragé par ces journées passées avec Vann, Thompson rendit compte à Nixon que le camp de Saigon était en « position de gagner ».

Le président était debout à côté de son bureau et regardait par la fenêtre le jardin de roses lorsque Vann entra. L'heure du rendez-vous avait été changée et reportée à 12 h 05. Nixon se retourna et s'avança vers Vann que Kissinger lui présenta en termes chaleureux. Le président avait fait place nette sur son bureau, en signe habituel de courtoisie pour les visiteurs, et il semblait sincèrement désireux d'écouter ce que Vann avait à lui dire. Il avait prévenu les responsables républicains du Congrès en automne : « Je n'ai pas l'intention d'être le premier président des États-Unis à perdre une guerre ! » Il parla avec Vann pendant près d'une heure. Après l'avoir écouté sur la pacification dans le delta, il l'interrogea sur les changements qu'il avait constatés dans la guerre au cours des années, pour chercher à savoir comment Vann en était arrivé à ses opinions présentes. « Il sembla admettre avec confiance les jugements que j'ai portés sur la situation actuelle favorable », écrivit Vann dans son rapport sur l'entretien. Il assura le président que, avec l'armement lourd et la puissance aérienne des États-Unis, l'ARVN serait en mesure de résister à l'armée nord-vietnamienne lorsqu'un jour elle devrait l'affronter. Le pire qui puisse se produire, ajouta-t-il, serait que le régime de Saigon « soit obligé d'abandonner une fraction de son territoire et de sa population dans le cas d'une invasion massive, mais elle pourrait être maîtrisée car l'ennemi serait obligé d'allonger ses lignes de ravitaillement et deviendrait ainsi vulnérable au bombardement par l'aviation et l'artillerie ». Le président remercia Vann pour ses services rendus et lui dit de retourner au Vietnam pour y continuer le bon travail qu'il y faisait. Il lui offrit un stylo et une balle de golf avec son autographe en souvenir de leur rencontre.

Le succès ne dompta pas John Vann pour autant Il faillit à nouveau se faire renvoyer pour avoir essayé de sauver de la prison son meilleur ami vietnamien, Tran Ngoc Chau. Après son accrochage avec la CIA et avec le ministre de Ky sur les équipes de pacification, Chau estima qu'il avait gâché ses chances de promotion dans l'ARVN. Il prit un congé de l'armée et reporta ses ambitions sur la politique. Il fut élu député de Kiên Hoa aux élections d'octobre 1967. Il réussit bien et devint secrétaire général de l'Assemblée nationale. L'offensive du Têt le lança dans des manœuvres de grande envergure. Il essaya de devenir l'intermédiaire dans les négociations de paix, en utilisant l'un de ses frères, resté loyal à Hô Chi Minh, comme liaison secrète avec l'autre camp. Son frère Tran Ngoc Hiên était un agent important des services d'espionnage de Hanoi et était installé au Sud depuis 1965, soi-disant comme représentant en produits pharmaceutiques. Pour servir son plan, Chau s'en était pris à son ancien ami et allié politique de l'armée, le président Nguyên Van Thiêu, et l'avait indirectement attaqué en dénonçant son homme de paille à l'Assemblée, le riche pharmacien Nguyên Cao Thang, dont le rôle était de graisser la patte des députés pour qu'ils votent suivant le vœu de Thiêu. Chau n'était pas motivé seulement par l'ambition. Le Têt l'avait convaincu que c'était une erreur d'infliger au peuple vietnamien une guerre « sans issue », et il pensait que le Sud Vietnam n'avait une chance de survivre qu'à condition de négocier la paix.

Le frère de Chau fut arrêté au printemps de 1969. Alors qu'il passait un point de contrôle, un policier astucieux remarqua que l'accent du Centre Vietnam de Tran Ngoc Hiên ne concordait pas avec le lieu de naissance qui figurait sur sa carte d'identité. Pour éviter de courir le risque de révéler sous la torture son important réseau d'espionnage, Hien, avec l'intelligence d'un bon agent de renseignements, dévia l'intérêt de ses interrogateurs en se servant de Chau. Il renvoya la balle à Thiêu en parlant à la police de ses rendez-vous avec son frère. Les contacts secrets entre membres d'une même famille étaient courants au Sud Vietnam, mais ils étaient illégaux.

Vann n'approuvait pas les manœuvres clandestines de négociation de Chau, et l'ambassadeur Bunker l'avait déjà averti de se tenir en dehors de cette affaire ; c'était au cours de l'été précédent, lorsque Vann était intervenu pour essayer de désamorcer la querelle entre Thiêu et Chau. Bunker estimait le président pour la stabilité de son régime. Il soupçonnait Chau d'être communiste et même peut-être un agent de Hanoi, en tout cas un dangereux troublion qui essayait de se faire une place dans un futur gouvernement de coalition avec l'autre camp. L'ambassadeur avait convoqué Vann pour lui « passer un savon poli mais carabiné », suivant les termes de Vann.

« John, avait dit Bunker, vous vous mêlez de politique. C'est mon travail. Vous, vous vous occupez de la pacification du delta, et moi, je m'occupe de la politique du Sud Vietnam. Que cela ne se reproduise plus. »

Lorsque Vann rentra à Saigon au début de janvier 1970, après sa permission et son entretien enthousiaste avec le président Nixon, Thiêu, qui avait lentement mûri sa vengeance, se préparait à arrêter et emprisonner Chau pour ses rendez-vous secrets avec son frère. Il avait acheté un certain nombre de députés pour que soit levée son immunité parlementaire. Vann adressa une requête, par l'intermédiaire de Colby, demandant qu'on fasse sortir Chau du pays par un avion américain et qu'on lui accorde asile aux États-Unis en remerciement des services passés. Chau ne pouvait pas quitter légalement le pays, car Thiêu lui avait retiré son passeport. Ev Bumgardner, revenu à Saigon comme adjoint de Colby, appuya cette demande. Mais Bunker refusa.

John Vann ne pouvait supporter l'idée d'abandonner Chau. Ce n'était pas uniquement par amitié. Chau représentait toujours pour Vann le « bon Vietnamien », tel qu'il l'avait rêvé au début, symbole de cette société propre et tournée vers le progrès que lui-même, Bumgardner, Ramsey, Scotton et Dan Ellsberg avaient voulu créer au Vietnam du Sud. Il savait que Chau n'était pas communiste, encore moins un de leurs agents. Il importait peu que Chau ait essayé de se servir de Hiên de même que Hiên essayait de se servir de Chau dans cette guerre où le frère exploite son frère. Bumgardner raisonnait de la même façon. Vann manigança alors un plan pour faire passer Chau au Cambodge. De là il pourrait aller en France ou aux États-Unis. Vann savait piloter un hélicoptère car il avait pris des leçons en volant. Il se proposait de conduire Chau vers le plus proche village de pêcheurs cambodgien sur la côte du golfe du Siam, et de descendre juste au ras de la mer pour que Chau monte dans un petit canot pneumatique pour pagayer jusqu'au village.

Vann réussit à se procurer un de ces canots gonflables automatiquement dont l'Air Force dote ses pilotes. Bumgardner conduisit Chau en voiture jusqu'à l'aire d'atterrissage d'hélicoptère près du dépôt d'ordures de Newport, le port militaire que Westmoreland avait construit sur la rivière de Saigon. Vann les y attendait pour emmener Chau à Can Tho, sur le Mékong. Le Dr Merrill Shutt, qui travaillait avec Vann comme officier de santé du 4e corps, hébergea Chau dans son appartement.

Si Chau avait laissé le plan se dérouler jusqu'au bout, la carrière de Vann au Vietnam aurait certainement été terminée. Thiêu aurait été tellement furieux d'être frustré de sa vengeance qu'il aurait exigé l'expulsion de Vann. Sa police avait suivi Bumgardner et Chau jusqu'à Newport et avait vu l'Américain revenir seul. Il n'était pas difficile d'en conclure ce qui s'était passé. Après avoir hésité et réfléchi pendant plusieurs jours, Chau en vint à la conclusion que s'enfuir reviendrait à reconnaître implicitement l'accusation de communiste portée par Thiêu. Mais s'il restait, récusait l'accusation et se laissait mettre en prison, il deviendrait un martyr et préserverait son avenir politique. Vann et lui eurent des discussions orageuses dans l'appartement de Can Tho. Vann lui dit que c'était de la folie, que Thiêu était là pour longtemps, parce que les États-Unis le soutenaient, et que par conséquent Chau resterait interminablement en prison. Mais Chau choisit sa destinée. Il demanda à Vann de le ramener à Saigon, où il resta caché quelque temps. Puis il se rendit à son bureau de l'Assemblée nationale, dans l'ancien opéra de Saigon de l'époque française, pour y attendre que la police vienne l'arrêter [1].

Bunker convoqua à nouveau Vann à l'ambassade lorsqu'il apprit qu'il avait

1. Tran Ngoc Chau, arrêté en 1970, fut emprisonné pendant quatre ans et demi à Saigon par le président Thiêu. Arrêté à nouveau par les communistes en avril 1975, il passa encore deux ans et vingt jours en prison et dans un camp de rééducation. Il réussit à s'échapper avec sa famille parmi les *boat people* et vit actuellement en Californie.

caché Chau. Le vieil homme se montra glacial, autant qu'il pouvait l'être lorsqu'il était furieux.

« Si cela avait été quelqu'un d'autre que vous, John, vous seriez déjà hors du pays. Je vous avais pourtant prévenu, et voilà que cela recommence. Il n'y aura pas de troisième fois. Si cela se reproduit, vous partirez, en dépit du remarquable travail que vous avez accompli, et Dieu sait si vous avez bien travaillé. »

George Jacobson n'avait jamais vu John Vann intimidé par quiconque auparavant. Il le vit sortir du bureau de Bunker blanc comme un linge en disant :

« Cela n'entre pas dans mes plans d'être renvoyé maintenant. »

Il semble que Vann n'ait jamais pensé qu'il pouvait lui aussi être victime du syndrome d'autosatisfaction prophétique qu'il avait tourné en dérision chez Harkins et Westmoreland. Dan Ellsberg se moquait de lui à propos de sa rencontre avec Nixon. « Tu as enfin trouvé quelques bonnes nouvelles à annoncer au président », lui dit-il. Mais Vann n'appréciait pas cette ironie.

Ils étaient néanmoins restés de très bons amis personnels. Ils pouvaient discuter sur la guerre pendant des heures lorsque Vann était aux États-Unis, sans que cela affectât leur amitié, mais ils étaient à des pôles diamétralement opposés. La vie personnelle d'Ellsberg s'améliorait nettement. Il allait épouser en 1970 Patricia Marx, la femme avec laquelle il s'était tant querellé à propos de la guerre à Saigon.

En ce qui concernait le conflit, sa métamorphose était complète. Il avait étudié les dossiers du Pentagone, toujours ultra-secrets, cette enquête en quarante-trois volumes que McNamara avait commandée et qui avait été terminée en janvier 1969. Ellsberg, étant ce qu'il était, les avait lus intégralement, et avait été convaincu que la cause américaine en Indochine était maintenant et avait toujours été perverse et vaine. La politique de vietnamisation était par conséquent « un prolongement sanglant, désespéré, superflu et donc immoral de l'engagement des États-Unis dans cette guerre », écrivit-il à la Fondation Carnegie pour la paix internationale. Les opinions peuvent changer mais la passion est une constante du caractère humain. Ellsberg, qui avait été dans le passé un des disciples les plus ardents de Vann pour la poursuite de la guerre, y mettait maintenant la même ferveur pour l'arrêter. Ellsberg discuta des dossiers avec son ami. Il lui dit que lui aussi changerait peut-être d'avis s'il avait le temps de les lire. Mais il ne lui avoua pas que, pendant l'automne de 1969, il avait commencé à faire sortir, par petits paquets, la copie des dossiers qui se trouvait à la Rand Corporation, à passer les services de sécurité de l'entrée sans être inquiété et qu'il était en train de les photocopier.

Vann en était venu à considérer ses voyages aux États-Unis comme une série de triomphes. Lee lui avait appris à mieux s'habiller. Elle l'avait persuadé d'acheter à Hong Kong des costumes sombres sur mesure et de porter des cravates sobres à rayures. Il ne revit pas le président mais rendait compte régulièrement à Melvin Laird, le secrétaire à la Défense de Nixon. Laird était un partisan enthousiaste de la vietnamisation et déversait à profusion le matériel pour les forces de Saigon : artillerie de toute sorte, transports blindés, des centaines de tanks, des escadrilles de chasseurs-bombardiers à réaction, plus de 500 hélicoptères Huey et Chinook. Vann appelait aussi souvent le bureau du chef d'état-major pour parler avec Westmoreland, qui espérait impatiemment une issue de la guerre qui justifierait son action passée. Bruce Palmer, vice-chef d'état-major, était également sur la liste de Vann. Palmer avait été découragé par l'offensive du Têt. Il reprenait maintenant confiance grâce à l'optimisme de Vann.

Bien que la plupart des journalistes qu'il avait connus dans le passé aient été en désaccord avec ses conclusions sur la guerre, il gardait une certaine crédibilité auprès de la presse à cause de ce qu'il avait emmagasiné dans le passé et parce qu'il était toujours aussi franc sur les fautes de Saigon. Même si les rapports étaient plus tendus, son amitié subsistait avec Halberstam, qui était en train d'écrire *On les disait les meilleurs et les plus intelligents*[1], son réquisitoire sur la génération de responsables américains qui avaient fait intervenir les États-Unis au Vietnam. Il démontra à Vann que la société américaine était déchirée au service d'une guerre étrangère qui n'avait aucune importance pour elle ; Vann devrait faire attention aux désordres et autres coûts que ce conflit imposait au pays. « Cela ne m'intéresse pas », répondit Vann.

John Vann ne revoyait plus certains de ses anciens amis du Vietnam. En particulier Bob York qui, bien qu'il eût reçu sa troisième étoile, avait, désabusé, quitté l'armée en 1968.

Vann était heureux de rendre visite à sa tante Mollie Tosolini. Il lui téléphonait quand il se trouvait dans la région de New York pour venir dans sa grande maison de Long Island. Elle aimait le voir arriver avec son attaché-case et son allure de diplomate. Ils évoquaient ensemble Norfolk et il lui disait combien il aurait souhaité qu'elle fût sa mère. Il lui parlait de toutes ces personnalités de Washington qui écoutaient attentivement le fils de Myrtle. « Toi et moi, tante Mollie, lui disait-il, nous avons réussi. »

Son installation à Can Tho ne troubla pas son paradis secret. Bien plus, elle accrut encore l'amusement d'avoir deux femmes qui s'ignoraient mutuellement. Il avait fait louer par le CORDS une maison de Can Tho remise à neuf et meublée où il installa Annie et sa fille, et où il couchait les nuits où il n'était pas dans la province ou à Saigon. Mais sa résidence officielle était dans le bungalow affecté à Wilbur Wilson et situé à l'intérieur du cantonnement du CORDS, surnommé Palm Springs car les bâtiments étaient construits autour d'une piscine. Il s'y était attribué une des chambres où il gardait des vêtements dans l'armoire, des objets de toilette dans la salle de bains et des photos au mur pour donner l'impression qu'elle était occupée. Quand Lee venait à l'occasion à Can Tho, c'est là qu'ils couchaient.

---

1. Paris, Laffont-Hachette, 1974

Dans ce jeu, Annie ne constituait pas un danger, car elle était toujours aussi ingénue et ne posait jamais de questions. En revanche, Lee était d'un tempérament curieux et commençait à comprendre que John la trompait. Il avait donné des instructions à son chauffeur, à son interprète et à son pilote pour parer à toutes ses questions. Les secrétaires et les autres membres américains et vietnamiens de son bureau du CORDS le protégeaient aussi. Lee lui téléphonait souvent de Saigon. Ils veillaient tous à ce qu'elle n'obtienne pas accidentellement le numéro de la maison d'Annie lorsqu'il était absent. Lee ne soupçonna jamais que son infidélité pût aller au-delà d'ébats occasionnels. La chambre du bungalow était en cela très utile.

Vann se présenta également avec Lee devant ses ancêtres en 1970. Elle l'avait fait venir dans sa chambre quand elle était à Saigon, et elle aurait perdu la face vis-à-vis de sa famille s'il n'avait pas fait un geste pour elle. Elle insista donc pour qu'il y ait une cérémonie de fiançailles pour son vingt-sixième anniversaire dans la maison de son grand-père, qui avait servi dans les gouvernements de Bao Dai et de Diêm pour diriger ensuite la Banque nationale. Elle mentit à son grand-père en lui disant que Vann était divorcé. Comme il ne s'agissait que de fiançailles, la cérémonie fut plus simple que celle d'Annie. John offrit la boucle d'oreille et quelques autres bijoux. Le grand-père le présenta officiellement à l'oncle et à la tante de Lee, ainsi qu'aux autres membres de la famille. Il rendit honneur aussi à l'esprit de la grand-mère dont le portrait ornait l'autel des ancêtres. Vann joignit les mains et s'inclina pendant que Lee priait. Puis tout le monde s'assit pour un dîner au champagne. Cette fois-ci non plus il n'y avait aucun invité américain.

La « désaméricanisation » de Richard Nixon coûtait cher en vies américaines. En 1969, 11 527 soldats des États-Unis périrent au Vietnam. En 1970, il y en eut 6 065 de plus. En tout, près de 21 000 furent tués pendant la présidence de Nixon et près de 53 000 blessés, plus d'un tiers de l'ensemble des pertes de la guerre.

Le retrait des troupes eut un avantage qui n'avait pas été prévu. Il empêcha la désintégration de l'armée US au Vietnam. Les fantassins qui se battaient avec Hal Moore dans la vallée de la Drang et à Bong Son n'auraient pas reconnu les troupes de 1969. Les hommes s'évadaient dans la marijuana et l'héroïne et d'autres étaient tués à cause de leurs camarades camés avec les drogues qui enrichissaient les trafiquants chinois et les généraux de Saigon. Les unités combattantes étaient au bord de la mutinerie, et les soldats se rebellaient contre l'inanité de leur sacrifice en assassinant leurs supérieurs avec une balle accidentelle ou une grenade dans le dos. Les premiers signes de démoralisation étaient déjà très nets au moment du départ de Westmoreland à la mi-68. Ils s'aggravèrent encore sous le commandement de Creighton Abrams qui, tout en essayant de nouvelles tactiques, poursuivit la guerre à outrance de son prédécesseur. Il continua à envoyer les soldats américains contre les lignes fortifiées meurtrières de l'armée nord-vietnamienne. Ce fut en particulier le cas, en mai 1969, avec l'exemple célèbre des 55 hommes de la 101ᵉ division aéroportée qui furent massacrés en essayant de s'emparer des blockhaus de la vallée A Shau dans la montagne à l'ouest de Huê, que les hommes baptisèrent « la colline hamburger ». Le vocabulaire du soldat américain montrait bien la futilité de cette guerre. Un homme n'était pas tué il était « shooté » ou « foutu en l'air ».

L'armée sud-vietnamienne ne se comportait pas aussi bien que Vann s'en était persuadé. Le distingué saboteur Phan Truong Chinh s'était enfin vu retirer le commandement de la 25ᵉ division à la veille du Têt, mais ce n'était pas pour des raisons d'incompétence. Il s'agissait tout simplement d'un de ces remaniements périodiques motivés par les relations personnelles, les pots-de-vin et la politique. Ainsi Lam Quang Tho, le chef de province de My Tho en 1963, ce « putain de trouillard » dont Vann estimait qu'il avait saboté la bataille de Bac, avait été nommé par Thiêu général à la tête d'une division. L'échec de Westmoreland pour réformer les forces de Saigon et les doter d'un commandement efficace se traduisait par des pertes élevées maintenant que l'ARVN était lancée dans la bataille contre l'armée du Nord et les réguliers vietcongs. 28 000 Vietnamiens furent tués pendant l'année du Têt, 22 000 en 1969 et 23 000 en 1970.

Les chefs de province et de district avec lesquels Vann travaillait n'avaient pas non plus les qualités qu'il eût espérées après le choc de l'offensive du Têt. Le président Thiêu avait nommé en 1970 son cousin, le lieutenant-colonel Hoang Duc Ninh, chef de la province de Bac Lieu dans le delta du Mékong. La rapacité de Ninh était sans limites. Il prélevait une taxe sur tout ce qui était vendu dans sa province, de l'essence aux cigarettes. Il faisait payer les fournitures du gouvernement. Il faisait voler par ses soldats l'essence qu'il avait déjà vendue, pour pouvoir la revendre une seconde fois. La liste de ses effectifs était enjolivée par une multitude de soldats fantômes. Pour obtenir une affectation sans danger, il fallait l'acheter. Ses batteries d'artillerie maintenaient tout le pays éveillé par d'incessants tirs de harcèlement pour qu'il puisse barboter des milliers de cartouches d'obus en cuivre. Il utilisait le programme Phoenix pour extorquer des sommes considérables à des innocents pour leur éviter la prison, et à d'authentiques Vietcongs pour les en faire sortir. Aucune occasion de faire de l'argent n'échappait à son imagination. Il alla même jusqu'à faire des brèches dans la digue côtière construite avec des fonds américains pour empêcher l'eau de mer d'envahir les rizières ; il vendait ensuite à des pêcheurs le droit de mettre leurs filets sur les ouvertures pour attraper du poisson quand la marée montait. Bien entendu les rizières des paysans pauvres étaient détruites. Ninh était aussi cynique qu'il était cupide. Warren Parker, un ancien lieutenant-colonel à la retraite qui était maintenant le principal conseiller de Vann de la province, essaya de freiner Ninh en le prévenant qu'une corruption de cette envergure pourrait causer un scandale dans la presse. « Je n'ai pas peur des journalistes américains ou vietnamiens », répondit Ninh. Chaque fois qu'il parlait en public, il ne manquait jamais de mentionner « mon cousin, le président ».

Komer avait mis en route un programme secret pour combattre la corruption, et Colby l'appliqua avec son esprit méthodique habituel. Des dossiers furent établis sur toutes les personnalités officielles du régime les plus vénales. Colby remettait ces dossiers au Premier ministre de Thiêu en demandant que les coupables soient renvoyés et punis. Puis l'ambassadeur Bunker insistait auprès de Thiêu lui-même. Que ce système se soit poursuivi pendant des années illustre bien l'inefficacité du cérémonial administratif des Américains et la corruption des autorités de Saigon. A lui seul le dossier de Ninh, épais de trente pages à simple interligne, donnait la mesure de ses activités. Bunker tenait la comptabilité de ses entrevues avec Thiêu pour des cas semblables : il y en eut soixante-dix-huit. Pratiquement personne ne fut sanctionné, et Ninh fut promu colonel en 1971. Il arrivait parfois qu'un des coupables fût déplacé, mais les Américains découvrirent très vite que ce n'était qu'un truc. L'individu passait quelque temps dans une administration puis était nommé dans une autre province. La corruption était un plateau tournant dont aucun officiel de Saigon n'était éjecté. Ils tournaient tous avec.

Le John Vann du passé savait qu'un gouvernement de Saigon moralement dépravé et son armée commandée par des incompétents voleurs étaient condamnés à l'échec. Il s'était mis en rage contre ceux qui gaspillaient des vies américaines et vietnamiennes dans le faux espoir de perpétuer cette situation. Le John Vann du passé se serait illusionné lui-même et les autres sans restriction pour satisfaire ses obsessions. Les déceptions n'avaient jamais affecté son intégrité professionnelle. Il avait toujours conservé intacte cette vérité fondamentale de la guerre, et la volonté de s'y conformer en avait fait une personnalité moralement et intellectuellement supérieure aux autres grands acteurs de ce conflit. Il ne s'était jamais dupé lui-même ou ceux qu'il servait. Ses croisades à Hau Nghia contre la corruption et pour une stratégie de réformes sociales avaient peut-être été chevaleresques et illusoires, mais elles étaient sincèrement inspirées par la certitude que ce serait une erreur vouée à l'échec de mener cette guerre pour maintenir le *statu quo*.

C'est pourquoi la solution proposée par le nouveau John Vann pour lutter contre la corruption de Ninh était incroyable : il proposa de lui confier le commandement d'un régiment. Il alla voir un contact qu'il avait au palais présidentiel, Hoang Duc Nha, le plus jeune frère de Ninh. Nha avait logé chez Thiêu pendant ses années de lycée avant d'aller au collège aux États-Unis. Thiêu le considérait comme un fils et l'avait pris avec lui comme commissaire à l'information, en fait pour le conseiller sur la façon de se comporter avec les Américains. Vann l'invita à dîner au restaurant français La Cave. Il lui dit que les talents militaires de son frère étaient gaspillés comme chef de province et qu'il devrait être nommé à la tête d'un régiment. Nha fut très flatté de cette haute opinion de son frère. Vann s'en expliqua plus tard avec Warren Parker : « Il pourra moins voler s'il est dans un régiment. » La démarche échoua. Ninh resta à Bac Lieu pour continuer à s'enrichir. Lorsque plus tard il se vit confier un commandement spécial interprovinces, beaucoup plus important que celui d'un régiment, l'ampleur de ses malversations s'accrut en proportion. Il vendait les barrages d'artillerie aux garnisons attaquées par les communistes : pas d'argent, pas de tir

Dan Ellsberg et David Halberstam n'étaient pas les seuls de ses anciens amis à constater que Vann avait perdu sa boussole. Le colonel Sam Wilson n'était pas homme à devenir un dissident pacifiste. En dépit de son succès d'organisateur à Long An et de sa contribution dans la fondation du CORDS, il ne croyait plus à la victoire des États-Unis lorsqu'il quitta le Vietnam en 1967. Mais il se tut et continua dans l'armée, car c'était sa vie. Il commandait l'école militaire de Fort Bragg où Vann venait régulièrement faire des exposés lorsqu'il était en permission. Wilson regardait avec fascination Vann avec son micro arpentant l'estrade de long en large. Il cherchait à captiver son auditoire en mêlant anecdotes, statistiques, opinion personnelle et émotion pour le convaincre. Cela ne marchait pas avec Wilson. Rien de ce que disait Vann ne pouvait le persuader que quoi que ce soit d'essentiel avait changé au Vietnam. Wilson estimait que Vann s'était tellement investi dans cette guerre qu'il se forçait à croire qu'il allait la gagner. « John, vous êtes là-bas. Moi pas. Et j'aimerais être d'accord avec vous, lui dit Wilson après une de ses interventions. Mais au fond de moi quelque chose me dit que je ne le peux pas », ajouta-t-il en se frappant sur l'estomac.

Le John Vann que ses anciens amis avaient connu avait disparu pour se fondre dans la guerre. Le Sud Vietnam était devenu, d'année en année, un lieu de plus en plus idéal pour lui. La guerre le satisfaisait si pleinement qu'il ne pouvait plus la considérer comme distincte de lui-même. Il avait finalement infléchi la vérité de cette guerre, comme il l'avait dans le passé fait avec d'autres vérités mineures.

Vann gagna ses étoiles grâce à Fred Weyand et à un général de Saigon suffisamment vénal pour penser qu'il pourrait tirer profit des talents de Vann et qui était prêt à se laisser manipuler. La décision de Nixon d'envoyer les armées américaines et vietnamiennes au Cambodge à la fin avril 1970 accéléra les choses.

Le caractère de Norodom Sihanouk, souverain héréditaire du Cambodge, provoqua la destruction de son pays. Très malin, il aimait les intrigues à son profit. Bien que lui et ses copains aient touché de substantielles compensations pour l'utilisation du port de Sihanoukville, et que les communistes vietnamiens aient, à la différence de Saigon, publiquement reconnu la frontière du Cambodge et assuré Sihanouk qu'ils quitteraient son territoire dès que la guerre serait terminée, le prince ne voulait plus attendre. Quand Nixon commença à bombarder secrètement avec ses B-52 les sanctuaires vietnamiens dans son pays en mars 1969, Sihanouk les encouragea tacitement. Il incita également ses partisans de droite à réclamer que les Vietnamiens évacuent le pays. Il en résulta ironiquement une série d'événements qui provoquèrent le renversement de Sihanouk par son Premier ministre, le général Lon Nol. Nixon intervint alors, espérant qu'une guerre au Cambodge détournerait les énergies de Hanoi de la bataille au Sud Vietnam. Il encouragea Lon Nol, qui ne disposait que d'une petite troupe mal commandée, à entrer en guerre contre les Vietnamiens, une entreprise extravagante qui compromettait la sécurité des Cambodgiens, et que Lon Nol fut assez stupide pour entreprendre. En même temps, Nixon cherchait à gagner du temps pour la vietnamisation en ordonnant aux troupes US et de Saigon de détruire les sanctuaires vietnamiens et de s'emparer du maximum d'armes et de ravitaillement qui y étaient entreposés.

Le Cambodge allait devoir endurer les conséquences les plus cruelles de la guerre américaine en Indochine. Sihanouk vira à gauche, alla s'installer à Pékin et forma un front national avec Pol Pot et d'autres chefs du mouvement communiste cambodgien, jusque-là insignifiant. Ces Khmers rouges n'avaient jamais été soutenus par les Vietnamiens qui avaient trop besoin de leurs bases pour remettre en cause leurs accords avec Sihanouk, qui avait jusque-là persécuté ses communistes. Hanoi se trouva contraint de former et d'équiper une armée communiste cambodgienne pour combattre Lon Nol, et Sihanouk utilisa son nom et son prestige pour dresser les masses populaires.

Des centaines de milliers de Cambodgiens devaient mourir dans la guerre civile qui éclata, tandis que les États-Unis soutenaient Lon Nol avec de l'armement et une abondante force aérienne, en particulier des B-52. Les Vietnamiens perdirent le contrôle de l'armée Khmer rouge qu'ils avaient formée et que la Chine reprit en main. Les responsables de Hanoi découvrirent vite qu'ils avaient créé un monstre qui se retournerait un jour contre eux. Pol Pot et ses adhérents devinrent les propagandistes fanatiques d'une forme extrémiste de communisme. Après leur victoire en 1975, ils allaient imposer leur loi au Cambodge avec un mysticisme homicide semblable à celui de Hitler. Ils évacuèrent de tous leurs habitants Phnom Penh et toutes les autres villes pour les déporter dans la campagne, abolirent la religion nationale bouddhiste, massacrèrent les bonzes, tuèrent systématiquement tous les cadres intellectuels, y compris les médecins. Les survivants étaient internés dans des camps de travail pour creuser des canaux d'irrigation et cultiver les rizières. D'une population totale d'environ 7 millions de Cambodgiens, on estime que plus de 1 million ont péri de famine, travaux forcés, maladies et exécutions constantes à coups de pioches et de haches.

Même si l'on ne pouvait pas prévoir ces conséquences en 1970, le fait de jeter une nouvelle nation dans la fournaise semblait à beaucoup moralement odieux. Le Laos avait déjà été sacrifié à cette aventure vietnamienne. Les secteurs traversés par la piste Hô Chi Minh n'étaient pas les seuls à recevoir des bombes américaines. Les villes et villages du nord, sous domination communiste, étaient également ravagés. La CIA avait entraîné les Meo, population tribale des montagnes laotiennes, à combattre les communistes du Pathet Lao. Un quart des tribus avait été tué, alors qu'on envoyait des gosses de douze ans dans la bataille. Trois membres de l'équipe de Kissinger, William Watts, Roger Morris et Anthony Lake, qui avaient servi au Vietnam comme assistants de Lodge ou consul à Huê, démissionnèrent pour protester contre la guerre au Cambodge. Kissinger aurait probablement été révoqué s'il s'y était également opposé avec vigueur, mais il approuvait ce que Nixon faisait. Lake fit une dernière tentative en se basant sur des raisons humanitaires. « Personne n'a le monopole de la compassion, Tony », lui répondit Kissinger.

Dans le passé, John Vann avait désapprouvé ces opérations au-delà de la frontière qui n'étaient qu'une diversion au problème réel. « Si nous attaquons de l'autre côté, il y aura toujours un autre sanctuaire au-delà de celui que nous aurons détruit », avait-il dit en décembre 1967 à l'éditorialiste du *Washington Post*. Mais dans la nouvelle perspective, il approuvait avec enthousiasme l'attaque de Nixon au Cambodge, car il y voyait un gain de temps appréciable pour la guerre au Vietnam.

S'il avait connu les conséquences de cette aventure sur Ramsey, sa réaction aurait probablement été plus mitigée. Il pensait que Ramsey était mort de maladie ou d'un raid de bombardement. Il n'avait pu obtenir d'autres informations depuis la lettre de février 1967 et il veillait à ne pas laisser deviner ses soupçons aux parents de Ramsey, à qui il écrivait une ou deux fois par an pour leur remonter le moral.

Ramsey était au Cambodge, enchaîné à un arbre dans un coin perdu de la brousse où ses gardiens l'avaient emmené avec sept autres prisonniers pour échapper aux Américains franchissant la frontière. Il était si faible avec des rations réduites des deux tiers, la diarrhée et une nouvelle attaque de béribéri, qu'il ne pouvait même plus lever les bras au-dessus de sa tête pour ajuster le morceau de plastique qui constituait son seul abri. Il avait survécu à ce qu'il appelait le « Trou d'enfer », à Binh Duong, avait été déplacé dans des cantonnements à cheval sur la frontière, puis avait échappé aux B-52 à l'automne de 1969, pour être traîné dans un nouveau camp à quelques kilomètres à l'intérieur du Cambodge. Il avait subi trois nuits et trois jours consécutifs d'attaques de l'Aviation américaine sur les collines et les vallées des alentours, quinze raids en une seule nuit avec le vacarme des explosions, la terre qui tremble, et le feu d'artifice des balles traçantes, puis, trois semaines plus tard dans la surprise de la nuit et de la pluie torrentielle, les bombes qui explosent au sommet de la petite colline proche de la prison du camp, avec les assourdissantes explosions, les débris d'arbres déchiquetés projetés à travers le camp. Il avait enduré tout cela pour se retrouver dans cette cachette avec ses gardiens qui l'y avaient entraîné pour échapper par la fuite à la progression de l'infanterie américaine, aux tirs de barrage d'artillerie, au mitraillage des hélicoptères et à l'explosion des rockets. Pendant cinq semaines il était resté enchaîné à son arbre, libéré juste quelques instants pour faire ses besoins ou se laver peu et rarement, jusqu'à ce que les gardiens estiment que la situation était assez sûre pour réintégrer le camp.

Ramsey, privé des pilules contre la malaria, avait la fièvre. A cause du manque de nourriture, il souffrait sans cesse de vertiges et de troubles de la vue. La nuit, la lune lui semblait rouge sang. Il dut marcher pendant quinze heures pour rejoindre le camp. Les gardiens étaient obligés de le diriger dans l'obscurité. Il tomba six fois pendant les quatre cents derniers mètres [1].

Ngô Dzu, le général de l'ARVN qui allait contribuer à ce que Vann gagne ses étoiles, n'avait jamais prévu qu'il commanderait un jour un corps d'armée. Le visage rond et agréable avec un air malicieux, il avait tous les titres habituels pour être officier de l'armée sud-vietnamienne : catholique, fils d'un fonctionnaire des finances de l'administration coloniale, élevé par des prêtres français à l'école de Huê. Dzu était intelligent et ne répugnait pas au travail, en dépit d'une faiblesse cardiaque. Ce n'était pas un homme courageux, mais il n'était pas particulièrement cupide ni intrigant. Il n'avait pas la réputation d'être un foudre de guerre et n'avait pas suffisamment cultivé le copinage politique ou la corruption pour espérer atteindre les sommets hiérarchiques. Au cours des années précédentes, il avait servi dans les bureaux jusqu'à devenir chef d'état-major adjoint des opérations. A ce titre, il avait supervisé les plans de l'attaque du Cambodge. Le général de brigade Nguyên Viêt Thanh, commandant le 4e corps, un être exceptionnel que Vann aimait parce qu'il n'était pas corrompu, fut tué dans une collision d'hélicoptères deux jours après le début de l'offensive. Le général en chef Creighton Abrams fit pression sur Thiêu pour qu'il soit remplacé par celui qui connaissait le mieux les plans, et c'est ainsi que Ngô Dzu prit le commandement du 4e corps.

Vann le convainquit qu'il ne devait pas se contenter de superviser l'opération du Cambodge, mais qu'il pouvait aussi se mettre en valeur en continuant la pacification du delta, et lui soumit un certain nombre de projets que Dzu adopta sans discuter. Ils passaient leurs soirées ensemble dans la maison du général à Can Tho pour mettre au point les détails des opérations, et le lendemain se retrouvaient sur le terrain. Dzu avait laissé sa femme et ses onze enfants à Saigon et appréciait ces occupations du soir, d'autant plus qu'il aimait travailler avec un Américain direct et simple qui le respectait en tant qu'individu. C'est ainsi qu'il passa beaucoup plus de temps avec Vann qu'avec son conseiller officiel, le général de division Hal McCown, le supérieur de Vann, commandant les forces américaines du delta. C'était exactement ce que souhaitait Vann, qui avait une raison précise de séduire Ngô Dzu.

Dans l'histoire des États-Unis, aucun civil n'avait jamais assumé la position d'un général et commandé des militaires sur le champ de bataille. Komer avait été un général civil, mais n'avait eu aucune autorité sur l'armée américaine et les unités d'aviation. Vann avait l'intention d'être l'exception. Comme McCown devait finir son temps au printemps de 1971, Vann voulait inciter Dzu à demander qu'il le remplace et devienne son conseiller en chef.

1. Douglas Ramsey : après la signature des accords de Paris (27 janvier 1973), il fut libéré à Loc Ninh en février. Lorsqu'il eut péniblement récupéré sa santé, il reprit sa carrière de diplomate spécialisé dans les problèmes économiques et s'occupa en particulier d'un programme d'aide aux réfugiés vietnamiens aux Philippines. Il a pris sa retraite dans le Nevada en 1988.

Vann espérait alors pouvoir convaincre Abrams qu'il devrait avoir également autorité sur toutes les activités américaines du 4ᵉ corps, y compris l'Aviation et autres éléments d'appui. Son objectif allait plus loin que le contrôle des militaires dont l'effectif était en régression. Il avait conçu le plan, grâce à l'emprise qu'il exerçait sur Dzu, d'étendre officieusement son pouvoir sur toutes les unités de l'ARVN. En fait, John Vann voulait devenir le général commandant en chef du delta du Mékong.

Ce plan avorta lorsque Thiêu, en août 1970, déplaça ses commandants de corps. Vann avait réussi à donner de Dzu une si bonne image qu'Abrams insista pour qu'il garde le 4ᵉ corps, mais Thiêu, pour des raisons personnelles, ne voulait pas le laisser dans le delta. Il l'envoya à Pleiku à la tête du 2ᵉ corps. Il ne restait plus à Vann qu'à trouver un moyen pour s'y faire transférer également et prendre la place du général américain qui y était le conseiller en chef, homologue de Dzu.

Ce schéma audacieux fut rendu possible par le retour au Vietnam à l'automne de 1970 de l'ami et admirateur de Vann, le général Fred Weyand. Grâce à lui, Vann put acquérir une gloire qu'il n'aurait jamais connue dans le delta. Weyand était retourné aux États-Unis en août 1968 et avait échappé à deux reprises à la mise au placard. Westmoreland, devenu chef d'état-major de l'armée, n'avait pas récompensé Weyand comme il l'aurait mérité après avoir sauvé Saigon pendant l'offensive du Têt. Au lieu de lui donner à l'état-major une de ces positions propices à l'avancement, il l'avait nommé à la tête du bureau responsable de la Garde nationale et des réservistes. Lodge l'en avait tiré, lorsqu'il avait été nommé par Nixon négociateur aux pourparlers de paix en janvier 1969, en le faisant venir à Paris comme conseiller militaire de la délégation. Ce poste prit fin lorsque Lodge, désillusionné, démissionna. Nixon n'avait pas fait d'autre proposition à ses adversaires que celle de Johnson, le retrait mutuel des troupes, et Lodge n'avait pas progressé plus que Harriman et Vance. La mort de Hô Chi Minh en septembre 1969 n'affaiblit pas la position vietnamienne. Le gouvernement collectif que le vieil homme avait mis en place pour lui succéder continua comme s'il était encore parmi eux. Pour des raisons de relations publiques, Nixon remplaça Lodge par un autre homme d'État d'expérience, David Bruce, mais il comptait en réalité sur les entretiens secrets que Kissinger avait entamés à Paris avec Lê Duc Tho, chef de la délégation. A l'été de 1970, Weyand se retrouva donc à Washington à un autre poste sans avenir. Mais, à la différence de Westmoreland, le général Creighton Abrams avait pris bonne note de la réussite de Weyand pendant le Têt, peut-être parce qu'elle n'avait pas eu d'incidences sur sa carrière. Les deux hommes avaient, d'autre part, appris à s'estimer mutuellement pendant les années où Abrams avait été l'adjoint de Westmoreland. Ils étaient tous deux complémentaires, le calme Weyand ayant de l'estime pour le bouillant Abrams, sans se laisser pour autant désarçonner. Le nouveau général en chef avait besoin d'urgence d'un adjoint à l'automne de 1970. A sa grande surprise, Weyand reçut un ordre de mission pour Saigon, et Vann eut ainsi un parrain parmi les grands décideurs, au moment où il en avait justement le plus besoin.

Vann rencontra secrètement Dzu à Dalat au début de 1971. Comme le général américain, homologue de Dzu au 2ᵉ corps, devait finir son temps en mai, Vann demanda à Dzu de confirmer simplement, si on le lui demandait, qu'il voulait que Vann soit avec lui. Ensuite Vann réglerait le problème de son côté. Dzu ne pouvait rien souhaiter de meilleur et fut ravi de ce complot.

Weyand n'était pas homme à se battre contre des moulins à vent bureaucratiques. Qu'il ait accepté d'être l'avocat de Vann montre à quel point la stature de John avait grandi et à quel point les circonstances de la guerre avaient changé. Lorsque Weyand soumit le cas de Vann à Abrams en avril 1971, le moment approchait avec une inquiétante rapidité où les troupes de Saigon auraient à tenir tête à une offensive massive des Nord-Vietnamiens avec une aide américaine limitée à des conseillers, des hélicoptères et la puissance aérienne de l'Aviation et de la Marine. Le retrait des troupes décidé par Nixon avait réduit de moitié le nombre de militaires engagés au Vietnam, à près de 270 000 hommes, comparés aux 543 500 d'avril 1969.

La percée au Cambodge avait permis de gagner un peu de temps. Mais l'extension de la guerre avait déclenché un tel feu d'artifice de protestations aux États-Unis que Nixon n'avait eu d'autre choix que d'accélérer le retrait des troupes. En avril 1972, il devrait rester moins de 70 000 hommes au Sud, pratiquement uniquement conseillers et personnel d'appui et d'aviation. Les communistes vietnamiens reconstruisaient et agrandissaient leurs bases sur la frontière cambodgienne, car les mouvements pacifistes américains avaient obligé Nixon à évacuer les troupes américaines du Cambodge au bout de quelques mois, tandis que l'armée nord-vietnamienne et la guérilla khmer rouge chassaient la petite armée de Lon Nol à l'intérieur des terres.

Hanoi avait compensé la perte de Sihanoukville comme port de ravitaillement en agrandissant la toile d'araignée de la piste Hô Chi Minh. L'arrêt des bombardements du Nord par Johnson en 1968 n'avait pas diminué les raids sur le corridor qu'empruntait la piste au sud-est du Laos, et les attaques aériennes s'intensifièrent en 1969 et 1970 avec les C-119 et les C-130 équipés de canons Bofors de 40 mm et de Vulcains ultra-rapides de 20 mm qui pouvaient cracher 2 500 salves à la minute. Mais ils n'arrivèrent pas à détruire suffisamment de camions pour changer notablement la situation. Dans l'espoir de reculer l'affrontement décisif d'au moins deux ans, Abrams envoya l'ARVN au Laos le long de la route 9 depuis Khe Sanh pour s'emparer du nœud routier de Tchepone et couper la piste. Le résultat fut de mauvais augure et plus de 3 000 soldats de Saigon furent tués dans la débâcle. La confrontation ne pouvait plus être retardée.

Toutes ces circonstances étaient favorables à Vann. Il n'aurait plus à se chamailler avec des généraux outrecuidants qui, à la tête d'une division, ne s'intéressaient qu'à leur troisième étoile. Le nombre des Américains dans le 2ᵉ corps avait fondu au point que le quartier général des forces US de la région était réduit à une assistance militaire avec un général de division à sa tête. L'opinion d'Abrams sur Vann s'était suffisamment modifiée et il avait l'esprit assez ouvert pour écouter Weyand quand il lui parla de son ami. Mais la question se posait de savoir comment des militaires réagiraient aux ordres que leur donnerait un lieutenant-colonel renégat devenu civil. Weyand se souvenait que le problème s'était posé en 1967 dans le 3e corps lors de la mise en place du CORDS. Il avait remarqué que le doute s'était dissipé dès que Vann en avait pris la tête. Les bons officiers avaient accepté son autorité, et Weyand assura Abrams qu'il en serait de même au 2e corps.

L'argument majeur de Weyand en faveur de Vann était son influence sur Dzu et son expérience unique des forces de Saigon. Abrams et les responsables au sommet étaient persuadés que la prochaine offensive de l'armée nord-vietnamienne aurait deux objectifs principaux. Le premier serait tout naturellement la région de la zone démilitarisée. Le second serait les hauts plateaux à l'extrémité de la piste Hô Chi Minh dans la zone du 2e corps que commandait Dzu. Le maximum devait dont être fait pour pacifier la région et préparer l'ARVN pour la grande bataille prochaine Quel Américain était mieux qualifié pour ce travail que Vann?

Le 15 mai 1971, le lieutenant-colonel renégat quitta Can Tho pour devenir le général commandant en chef sur les hauts plateaux de la Cordillère annamite et sur les anciens réduits viet-minhs des rizières de la côte centrale. Par respect pour cette nouvelle dignité, il ajouta une cravate à sa chemise à manches courtes et son pantalon de sport qui constituaient son uniforme de travail. On ne pouvait pas l'appeler « général », bien qu'il fît fonction de général de division et qu'il portât deux étoiles virtuelles sur ses épaules; on l'appela donc « directeur ». Le « commandement » d'assistance qu'il diri geait fut rebaptisé « groupe » pour éviter des controverses et pour tourner la question légale de savoir si un civil pouvait exercer un commandement. Seul un militaire avait le droit d'appuyer son pouvoir sur une cour martiale, la puissance juridique chargée de faire respecter les ordres. Pour les mêmes raisons, Vann se vit attribuer un « adjoint pour les fonctions militaires ». Vann avait espéré que ce serait un général de division, ce qui lui aurait permis de s'attribuer moralement une troisième étoile. Il dut se contenter d'un général de brigade.

En fait, le nombre de ses étoiles importait peu, Vann était enfin le patron. D'ailleurs une lettre d'Abrams le lui avait confirmé. Le langage en était un peu imprécis, toujours pour des raisons administratives, mais John Vann était décidé à veiller à ce qu'elle soit interprétée à sa façon.

Le civil général ne devait pas attendre longtemps pour faire ses preuves. Quand il partit pour sa permission de Noël en décembre 1971, il s'arrangea avec Weyand et George Jacobson, qui avait succédé à Colby comme patron du CORDS, pour qu'ils lui envoient un message d'alerte en janvier afin qu'il ait une excuse pour interrompre sa permission. Il s'attendait à ce que l'armée nord-vietnamienne attaque en février, et il voulait être prêt.

Pour la première fois en six ans qu'il rentrait aux États-Unis pour voir sa famille, il ne coucha pas à la maison de Littleton. Il y prenait ses repas avec Mary Jane et la famille et y vint bien entendu pour les fêtes de Noël, mais il

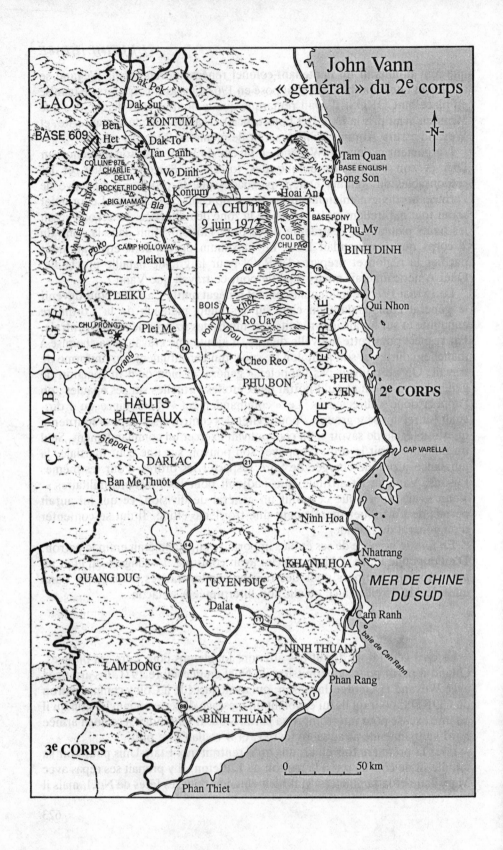

John Vann
« général » du 2ᵉ corps

LAOS

Dak Pek
Dak Sut
KONTUM
Ben Het
BASE 609
Dak To
Tan Canh
COLLINE 875
CHARLIE
DELTA
ROCKET RIDGE
BIG MAMA
Kontum
Bla
Vo Dinh

VALLÉE D'AN LAO

Tam Quan
BASE ENGLISH
Bong Son

Hoai An

CAMP HOLLOWAY
Pleiku

PLEIKU

CHU PRONG

Plei Me

LA CHUTE
9 juin 1972

COL DE
CHU PAO

BASE PONY

Phu My

BINH DINH

14

19

BOIS
PONT
Khoï
Drou
Ro Uay

Qui Nhon

14

Cheo Reo

PHU BON

PHU
YEN

2ᵉ CORPS

Drang

HAUTS
PLATEAUX

Srepok

DARLAC

Ban Me Thuôt

21

Ninh Hoa

CÔTE CENTRALE

CAP VARELLA

14

KHANH HOA

Nhatrang

MER DE CHINE
DU SUD

QUANG DUC

TUYEN DUC

Dalat

11

Cam Ranh

baie de Can Rahn

NINH THUAN

LAM DONG

Phan Rang

1

9B

BINH THUAN

3ᵉ CORPS

0   50 km

Phan Thiet

habitait dans la maison voisine de Mary Allen et Doris Moreland, la mère et la sœur de Mary Jane, toutes deux veuves, et qui étaient venues s'installer à Littleton.

John Paul et Mary Jane avaient divorcé, sur sa demande à elle, en octobre 1971. Logiquement il n'y avait pas plus de raisons pour que Mary Jane divorce en 1971 plutôt qu'à n'importe quel autre moment de leurs vingt-cinq ans de mariage. Il n'avait jamais cessé de l'entretenir avec les enfants, même chichement, et elle n'avait pas de projet de remariage. Elle était au courant de l'existence de sa fille vietnamienne depuis 1968 lorsque, probablement délibérément, il avait laissé traîner dans la maison de Littleton une lettre d'Annie qui en parlait. Mary Jane avait aussitôt réagi en proposant d'adopter la petite fille si Vann abandonnait la guerre et rentrait au foyer. Le poids accumulé de colère et de frustration, et aussi probablement l'impression que le divorce était la seule façon de lui tenir tête, l'avaient finalement conduite à le demander. Il s'y était d'abord opposé car ce genre de mariage avec Mary Jane lui convenait parfaitement. Puis il avait décidé qu'il serait mieux avec sa liberté légale en échange d'un partage de la maison et d'une modeste pension alimentaire pour elle et les deux garçons, Tommy, dix-sept ans, et Peter, six ans, qui vivaient toujours avec leur mère.

Mais il souhaitait toujours être marié. Il envisageait d'épouser Annie, sans pour autant abandonner Lee qui fut profondément mortifiée et déçue lorsqu'il lui parla de ses nouveaux projets de mariage et de l'existence de sa fille. Mais il réussit progressivement à lui faire admettre de n'occuper que la seconde place comme maîtresse en titre. Pendant ce temps, Annie continuait à tout ignorer de Lee.

Ses relations avec Dan Ellsberg étaient devenues de plus en plus compliquées. Il était furieux contre lui après la publication des dossiers du Pentagone en juin 1971, l'insultant auprès d'amis communs et criant qu'Ellsberg, qui était poursuivi en justice par l'administration Nixon pour entente délictueuse, vol et non-respect du statut d'espionnage, devait être jeté en prison pour trahison. Ce n'était pas la violation des règles de sécurité qui irritait Vann, mais les attaques d'Ellsberg contre la guerre. Cependant en même temps il ne voulait pas renoncer à leur amitié. « Je ne peux pas dire que je sois d'accord avec la façon dont tu exprimes ton point de vue, mais en tout cas tu as foutu un sacré bordel », écrivit-il à Ellsberg à l'automne. Six enquêteurs différents de quatre agences gouvernementales étaient venus le questionner à Pleiku, dit-il, et il avait veillé à ce qu'ils « aient fait le voyage pour rien ». Il mentait. Il semble bien qu'il ait coopéré avec les enquêteurs. Il fit également parvenir à Kissinger des suggestions sur la façon dont l'administration devrait procéder contre Ellsberg.

En se rendant à Littleton pour sa permission de Noël, Vann atterrit à Los Angeles et appela Ellsberg au téléphone, et ils eurent une longue conversation. Ellsberg décrivit à Vann la stratégie que ses avocats allaient mettre en place pour le défendre au cours de son procès. Plus tard lorsque Vann se rendit à Washington pour sa tournée habituelle de contacts, il s'arrêta au Pentagone dans le bureau de Fred Buzhardt, alors conseiller juridique du département de la Défense, qui devait plus tard être l'un des avocats de Nixon dans l'affaire du Watergate. Buzhardt rassemblait des informations pour l'accusation contre Ellsberg. Vann passa une heure et demie avec lui et lui dévoila la stratégie de défense d'Ellsberg avec ses suggestions pour la réduire à néant.

Néanmoins, Vann n'avait pas l'intention que l'affaire se termine par la trahison d'un ami. Après qu'il eut reçu de Weyand et Jacobson le message convenu qui le rappelait au Vietnam, il s'arrêta à nouveau à San Francisco sur la voie du retour. Il passa plusieurs heures avec Ellsberg pour parler de la guerre et du procès. Ellsberg demanda à Vann de témoigner en sa faveur, car il serait exceptionnellement crédible pour le jury. « Je dirai tout ce que tu veux », répondit Vann. Il avait certainement l'intention de tenir sa promesse, mais n'avait pas la moindre idée de ce qu'il dirait jusqu'à ce qu'il soit sur le fauteuil des témoins[1].

John Vann avait l'intention de vaincre l'ennemi comme il avait vu Walton Walker écraser les Nord-Coréens dans le périmètre de Pusan. Il n'allait pas sacrifier son infanterie comme Westmoreland qui l'envoyait contre des positions fortifiées perdues dans la brousse. Les rôles étaient inversés. S'ils voulaient gagner, les communistes vietnamiens devraient venir à lui, et, lorsqu'ils sortiraient de leurs montagnes, ils viendraient se briser sur ses places fortes. L'objectif apparent de l'offensive de l'armée nord-vietnamienne dans le 2e corps était Kontum, garnison et centre commercial avec une population d'environ 25 000 habitants, capitale de la province et ville la plus importante au nord des hauts plateaux. Kontum était protégé quarante kilomètres au nord par la base de Tan Canh sur la route 14. Parallèlement à la route, courait à l'ouest une ligne de crêtes et de collines, baptisée Rocket Ridge, que l'armée US avait truffée de positions fortifiées prêtes à arroser la route, et qui avaient été remises à l'ARVN. Ainsi, avant de pouvoir atteindre Kontum, les communistes vietnamiens devraient s'emparer de Tan Canh et affronter le déluge de feu sur la route 14.

Hanoi avait rassemblé 35 000 hommes sous les ordres d'un de ses meilleurs généraux, Hoang Minh Thao, un protégé de Giap qui devait devenir chef d'état-major de l'armée vietnamienne, et qui commandait le secteur des hauts plateaux depuis 1966. Il disposait de deux divisions d'infanterie de l'armée régulière, infiltrées du Nord au début de l'année, et de l'équivalent d'une troisième sous forme de régiments indépendants. L'infanterie était assistée par d'autres unités de sapeurs et du génie et soutenue par des régiments d'artillerie, équipés de canons de 105 pris aux Américains, de canons de 130 soviétiques, de mortiers de 120, de rockets et de toute une panoplie d'armes antiaériennes.

1. Daniel Ellsberg : après un interminable procès, le juge finit par rendre une ordonnance de non-lieu au moment où éclatait le scandale du Watergate et pour des raisons identiques. L'administration Nixon avait en effet fait cambrioler le bureau de son psychiatre et enregistré illégalement ses conversations téléphoniques.

Thao avait rassemblé ses troupes à l'ouest de Tan Canh, à l'endroit où se rejoignent les trois frontières du Vietnam, du Laos et du Cambodge. Ce repaire séculaire des Annamites avait été transformé en un bastion, la base 609, un lieu de terreur pour les soldats de Saigon, comme il l'avait été pour leurs prédécesseurs américains. Sur la colline 875 voisine et les contreforts proches de la base 609, 287 hommes de la 173e brigade aéroportée et de la 4e division d'infanterie étaient morts avec plus de 1 000 blessés en novembre 1967, tandis que Westmoreland chantait victoire à Washington. Toute la région avait été le théâtre de tant d'embuscades que seuls quelques intrépides des Forces spéciales et les patrouilles aéroportées de l'ARVN osaient s'y aventurer.

L'offensive ne commença pas en février comme l'avait escompté Vann, qui crut à tort l'avoir empêchée par les dizaines de missions de bombardement des B-52 le long des lignes d'approche ainsi que par les raids incessants des avions à réaction tactiques. En réalité, les chefs de Hanoi voulaient coordonner les attaques dans le 2e corps avec celles prévues dans d'autres régions et les préparations prenaient du temps.

Cette fois-ci, les Nord-Vietnamiens ne prirent pas de précautions. Le son se propage facilement dans les montagnes la nuit et les lumières se voient de loin. Les conseillers des bases d'artillerie de l'ARVN entendaient les bulldozers ennemis élargir les anciennes pistes françaises et tailler de nouvelles routes, tandis qu'ils voyaient les phares des camions transportant le ravitaillement et les munitions et traînant les canons en position de tir. La 2e division nord-vietnamienne s'approchait de Tan Canh par le nord-ouest, et la 320e avançait vers la ligne des crêtes le long de la route 14, tandis que l'infanterie allait se camoufler dans le grand massif montagneux que les Américains avaient baptisé, certainement pas par affection, « Big Mama » (la grosse mama).

Le 30 mars 1972, se déclencha l'assaut général que les Américains appelèrent l'« offensive de Pâques », dont la fête avait lieu trois jours plus tard. Elle commença au nord lorsque les troupes, précédées de chars, surgirent de la zone démilitarisée pour s'attaquer à Camp Carroll, au nord de Khe Sanh, et aux autres positions du 1er corps anciennement tenues par les Marines et maintenant confiées à l'ARVN. Simultanément, plusieurs des positions de Vann en bordure de la route 14 étaient assiégées. Quelques jours plus tard, l'assaut fut donné à un endroit auquel personne ne s'attendait. Les vieilles connaissances de Vann du temps du 3e corps, les 5e et 9e divisions vietcongs et la 7e nord-vietnamienne, sortirent du Cambodge, s'emparèrent du quartier général de Loc Ninh dans les plantations de caoutchouc, sur la route 13, et s'avancèrent jusqu'à An Loc, à quatre-vingt-dix kilomètres au nord de Saigon. Là encore, les chars ouvraient la marche.

Au début, le plan de Vann fonctionna à merveille. Thao essaya de désorganiser la ligne de Rocket Ridge en s'attaquant à la position la plus forte, la base Delta, tenue par une brigade aéroportée. Thao y rencontra Vann qui arriva sur Delta à l'aube du 3 avril, accompagné de trois hélicoptères Huey et de deux Cobras armés de dizaines de rockets, d'un canon de 7,62 à tir ultra-rapide et d'un lanceur automatique de grenades de 44 mm. Les attaquants venaient juste d'écraser les parachutistes dans le secteur nord de la base et progressaient pour s'emparer du reste. Vann se trouvait là pour évacuer l'équipage d'un appareil qui avait été abattu quatre jours auparavant en venant ravitailler Delta. En un instant, il n'eut plus à sauver simplement un équipage mais une base entière.

Il envoya les Cobras écharper les fantassins communistes qui arrivaient au secours de leurs camarades déjà entrés dans le périmètre de défense de Delta. Il prit le commandement de l'artillerie, des bombardiers et des chasseurs-bombardiers venant des bâtiments de guerre au large de la côte et des escadrilles basées en Thaïlande. Pendant que les parachutistes de Saigon contre-attaquaient, Vann annihila toute tentative des Nord-Vietnamiens d'envoyer des renforts.

Le lieutenant Huynh Van Cai, l'assistant de Vann qui l'accompagnait dans ce vol, savait ce qu'était un combat après avoir été huit mois chef de section d'infanterie, mais il n'en avait jamais vu un du ciel. Il était fasciné par la scène qui se déroulait sous lui : les hommes qui se précipitaient en avant projetés dans les airs par les bombes et les obus et déchiquetés par les balles.

Les Nord-Vietnamiens infiltrés dans le périmètre furent liquidés dans l'après-midi. Mais il allait falloir tout de même évacuer la base qui manquait de munitions, d'eau et de matériel médical. Vann annonça qu'il s'occuperait lui-même du ravitaillement. Le commandant du bataillon aéroporté, en dépit de l'urgence de sa situation, prévint par radio que Vann allait se faire tuer. Les Nord-Vietnamiens avaient installé autour de Delta des mitrailleuses et un canon de DCA. Le commandant de la brigade et son conseiller américain, le commandant Peter Kama, le grand Hawaïen qui avait été l'un des capitaines de Vann à My Tho, lui dirent aussi que c'était d'une imprudence folle. « J'ai l'habitude », répondit Vann.

L'hélicoptère qu'utilisait Vann était le dernier modèle produit par la Bell Corporation pour l'armée. Le Ranger était un petit appareil bien profilé avec un avant en tête de requin qui combinait vitesse et maniabilité, ce qui convenait parfaitement à Vann. Il comportait deux sièges avant pour le pilote et le copilote et un espace à l'arrière, avec portes coulissantes, pour le chargement ou deux passagers. Vann occupait toujours le siège du copilote pour mieux contrôler le vol ou prendre les commandes si le pilote était touché. Le lieutenant Cai était également à bord. En arrivant au 2e corps, Vann avait décidé qu'un adjoint vietnamien parlant bien l'anglais lui serait plus utile qu'un Américain et le dispenserait d'un interprète. Dzu lui avait assigné Cai, fils d'un commerçant, qui avait été mobilisé après l'offensive du Têt parce qu'il avait été tellement affecté par la mort de sa mère qu'il avait échoué à ses examens d'entrée à l'école de pharmacie et qu'il était trop pauvre pour acheter une exemption. Cai était honnête, courageux et totalement dévoué à Vann. Partout où Vann allait, il y était aussi.

Vann contrôla le chargement de ravitaillement au poste de commandement de la brigade aéroportée. Il avait repéré au cours de son vol préalable la position des mitrailleuses de DCA et indiqua à son pilote Paul Arcement, un intrépide adjudant-chef de Louisiane, l'itinéraire à suivre le long de la cime des arbres pour éviter d'être une cible. Dès que le Ranger fut au-dessus du périmètre de défense de Delta, Vann et Cai basculèrent par-dessus bord les caisses de munitions, grenades, mines, bonbonnes d'eau et médicaments pour les parachutistes. Puis Arcement vira brusquement vers le ciel et repartit en rasant la cime des arbres pour un nouveau chargement.

Quand les officiers du centre d'opérations de Pleiku comprirent ce qui se passait, ils alertèrent le général Dzu. Le bunker souterrain de l'état-major était rempli d'officiers qui écoutaient les messages radio, tandis que le petit Ranger venait recharger et repartait pour Delta, défiant chaque fois le tir des mitrailleuses. Il fit six allers retours dans la journée, jusqu'à ce que tombe la nuit.

« Aucun général vietnamien n'aurait fait cela, conclut Dzu. Et aucun général américain non plus ! »

Delta eut assez de ravitaillement pour tenir toute la nuit, et le lendemain matin d'autres bataillons aéroportés vinrent les délivrer.

L'autorité que Vann avait sur Dzu était la raison majeure de sa conviction qu'il pourrait battre l'armée nord-vietnamienne. Dzu avait à son égard une dette exceptionnelle depuis que, l'été précédent, Vann l'avait sauvé d'une accusation de trafic d'héroïne. Le général de l'ARVN que Dzu avait remplacé avait cherché à se venger d'avoir perdu sa place en concoctant un dossier pour prouver que Dzu était un trafiquant de drogue. Il le remit à un parlementaire américain de passage qui annonça officiellement à une commission du Congrès de Washington que Ngô Dzu était un des patrons du commerce de l'héroïne au Sud Vietnam. L'accusation venait au moment où le trafic des stupéfiants avec les soldats américains était devenu un scandale public et où Thiêu avait été pressé d'agir par l'ambassadeur Bunker. Thiêu pensa que Dzu serait un parfait bouc émissaire à donner en pâture aux hommes politiques et à l'opinion publique des États-Unis. Il était prêt à le limoger et à le déshonorer.

John Vann n'accepta pas d'être privé de celui sur qui il avait tant investi. Dzu lui jura que la drogue n'était pas une de ses ressources illicites, et Vann le crut. Comme Vann l'expliqua à George Jacobson, les narcotiques constituaient un racket si jalousement gardé que les généraux de haut rang et leurs partenaires chinois ne laisseraient jamais un personnage aussi mineur que Dzu grignoter leurs bénéfices. Vann sauva Dzu en organisant une campagne de presse pour réfuter les accusations. Il prépara une déclaration pour Dzu et lui apprit à répondre aux questions. Il organisa une conférence de presse télévisée et une série d'interviews. Dzu était stupéfait de l'aisance avec laquelle Vann rassemblait les journalistes et ébahi qu'un Américain le protégeât ainsi. « Il s'est conduit comme s'il était mon frère », dit-il. Sa dette de reconnaissance à l'égard de Vann ne fit que renforcer sa conviction qu'il pourrait progresser dans sa carrière grâce aux talents de son protecteur. Il ne fit pas toujours ce que Vann voulait, mais il en fit assez pour que ceux de ses collaborateurs qui ne l'aimaient pas se moquent de lui en en faisant l' « esclave de John Paul Vann ».

La victoire de Vann dans l'opération Delta accrut sa confiance jusqu'à un sentiment de quasi-infaillibilité. Il rédigea sur quatre pages et demie un *Mémorandum pour mes amis*. Il en fit envoyer des copies à Sir Robert Thompson et à Joseph Alsop et à des personnalités de Washington comme Melvin Laird. Il y prophétisait un désastre pour l'armée nord-vietnamienne sur tous les fronts du Sud, pas uniquement grâce à lui, et annonça que lorsque l'offensive serait terminée la position des communistes vietnamiens serait affaiblie au Laos et au Cambodge. Si en décembre 1969 il avait prévenu Nixon que Saigon serait peut-être « obligé d'abandonner une fraction de son territoire » en cas d'offensive générale, il renonçait maintenant à toute prudence et s'engageait publiquement à ne pas céder un pouce de terrain. « Le combat va être difficile et beaucoup de soldats tomberont, mais nous garderons nos positions essentielles, y compris Tan Canh. » Saigon conservera également « les bénéfices difficilement acquis de la pacification » sur la côte centrale où Vann avait concentré ses efforts depuis l'été de 1971 en liquidant le Vietcong et en affermissant le contrôle du régime sur les districts insoumis du nord. « D'après ce qui s'est passé jusqu'à présent, je suis prêt à accepter le défi des événements à venir à partir d'aujourd'hui. » Le mémorandum était daté du 12 avril 1972. Le défi avait été lancé trois jours plus tôt.

Les ennuis commencèrent où on ne les attendait pas, dans la province de Binh Dinh, le long de la côte centrale, que Vann s'était vanté d'avoir pacifiée dans son mémorandum. L'endroit de l'attaque semblait sans importance : une ancienne petite base de l'Air Cav, appelée Zone Pony, à soixante-dix kilomètres au nord-ouest de Qui Nhon, tenue maintenant par un bataillon de Forces régionales. La base, bombardée et attaquée le 9 avril, tomba le lendemain. Les attaquants, que Vann n'arriva pas à identifier exactement, contredisaient sa conviction que les soldats nord-vietnamiens étaient aussi étrangers au Sud que les Américains. Il s'agissait en fait d'un régiment de la 3ᵉ division l' « Étoile jaune », ce même amalgame de Nord-Vietnamiens et de Vietcongs que Moore avait combattu au même endroit en 1966. L'Étoile jaune était le véritable phœnix de la région, renaissant de ses cendres plus souvent que les officiers de renseignements ne l'auraient souhaité.

Un puis deux bataillons du 40ᵉ régiment de l'ARVN, soutenus par une compagnie de M-113, descendirent du nord pour reprendre Pony et empêcher l'ennemi de progresser au sud vers le quartier général de district de Hoai An, où Vann arriva le 11 avril pour passer la nuit. Il y retrouva le chef de province qu'il connaissait depuis des années, le colonel Nguyên Van Chuc, un excentrique officier du génie, adepte du yoga, avec l'énergie d'un Américain ambitieux. Se trouvait également là le commandant du 40ᵉ régiment, un homme que Vann estimait beaucoup, le colonel Tran Hiêu Duc, qui avait participé avec enthousiasme à la campagne de pacification et semblait un bon organisateur. Vann avait d'ailleurs demandé à Dzu et obtenu récemment une promotion pour lui. Ils passèrent la nuit à écouter les rapports et à mettre sur pied un plan de contre-attaque. Vann redonna courage aux officiers vietnamiens et à leurs conseillers américains et repartit avec optimisme le lendemain matin.

Mais Duc ne voulait pas se battre. Il ne fit aucune tentative pour reprendre Pony ni même tenir les collines le long de la vallée. Au lieu de cela il laissa ses bataillons se replier. Son conseiller américain, le colonel David Schorr, ne réussit pas à l'aiguillonner, pas plus que Chuc qui avait le contrôle de toutes les troupes territoriales et de l'ARVN dans la province. Vann revint deux fois à Hoai An en se posant sous le feu des mortiers, également sans succès. Il y avait 29 sections de Forces provinciales dans le secteur. Toutes étaient en train de déserter.

La situation n'était pas meilleure dans le reste de la province, où la pacification était supposée avoir progressé rapidement et qui devenait brusquement hostile. Trois bataillons de sapeurs venus du Nord commencè rent à semer le désordre, guidés par le Vietcong local. Les ponts sautèrent çà et là et de nombreux avant-postes furent attaqués partout. Les Forces régionales et provinciales désertèrent l'une après l'autre.

Le 18 avril, une semaine après le conseil de guerre optimiste, Duc ne tenait plus aucune position dominante. Il annonça cette nuit-là qu'il abandonnait Hoai An : « Nos troupes peuvent décrocher à n'importe quel moment. Réclame instructions. Si les troupes partent avant instructions, nous partirons avec. » Pendant la journée, Duc avait laissé les communistes occuper une hauteur à sept cents mètres de son quartier général d'où ils le bombardaient au mortier en toute tranquillité. L'endroit empestait l'odeur des cadavres de soldats que personne ne voulait enterrer.

Quand toute tentative de persuader Duc de rester eut échoué, Vann demanda à Dzu d'autoriser le repli le 19 avril à midi. Il préférait encore que Duc se retire en ordre plutôt que de déguerpir n'importe comment. Les Nord-Vietnamiens interdisaient les voies secondaires menant à la route 1, mais pas suffisamment pour empêcher une percée. Les transports blindés devaient ouvrir la colonne suivis par les camions, les jeeps et l'infanterie à pied. Les 40 blessés des deux bataillons et des Forces locales seraient transportés dans les blindés. Deux Cobras suivaient la colonne en mitraillant et en bombardant les abords tandis qu'un Huey survolerait le tout pour régler le tir d'artillerie et les attaques des chasseurs-bombardiers.

Vann ne pouvait descendre des hauts plateaux pour superviser l'évacuation, car il commençait à avoir des ennuis à Rocket Ridge. Les Nord-Vietnamiens avaient changé de tactique et s'attaquaient maintenant au centre de la ligne de défense. Ils avaient partiellement réussi à s'emparer de la base Charlie en alternant barrages d'artillerie et assauts d'infanterie jusqu'à ce que les parachutistes de l'ARVN manquent tellement de munitions qu'ils soient forcés d'évacuer en laissant leurs blessés. Des 471 officiers et hommes du bataillon la moitié seulement purent se replier, avec un grand nombre de blessés en état de marcher. Comme il ne pouvait pas se déplacer, Vann expliqua par radio le plan de retraite de Hoai An au lieutenant-colonel Anderson à bord du Huey de surveillance.

Une demi-heure environ avant l'heure de repli de midi, deux salves de mortiers explosèrent à proximité du point de rassemblement du convoi. La plupart des blessés n'avaient pas été encore chargés dans les véhicules blindés. Duc sauta dans le plus proche avec son état-major et prit aussitôt la route. Les autres M-113, camions et jeeps se précipitèrent à sa suite. Le chef de district, un commandant de l'ARVN, sauta dans sa jeep et jeta à terre son adjoint pour y mettre son réfrigérateur. Des soldats du Nord attendaient en embuscade dans un hameau proche, mais le M-113 de Duc et la jeep de son chef de district réussirent à passer.

Le colonel Schorr, conseiller de Duc, aurait pu partir avec lui, mais il ne voulait pas abandonner le commandant Hackett et le lieutenant Eisenhower qui brûlaient consciencieusement les documents secrets et détruisaient les postes de radio. Il les attendit pour s'échapper à travers les rizières vers l'est et la route 1. Tout autour d'eux, les soldats de l'ARVN se débarrassaient de leurs armes, casques et équipement militaire, ôtaient leurs uniformes et leurs bottes pour se transformer en simples paysans et courir pieds nus et en caleçon. Les conseillers américains n'allèrent pas bien loin, car Schorr reçut une balle dans la jambe tirée par les Nord-Vietnamiens qui les poursuivaient. Pendant qu'Eisenhower le pansait, Hacker et deux éclaireurs, anciens déserteurs vietcongs devenus gardes du corps des conseillers, essayaient de se défendre contre leurs poursuivants. Avec tous ces soldats sud-vietnamiens déshabillés, Hacker avait du mal à distinguer les amis des ennemis. Il commença alors à tirer sur tout Vietnamien qui approchait avec une arme et sans l'uniforme de l'ARVN. Les soldats du Nord se mirent à ramper vers eux, tandis que leurs camarades les couvraient de leur tir.

Le colonel Anderson dans son hélicoptère Huey écoutait tout ce qui se passait sur le terrain car il avait branché sa radio sur la fréquence de l'appareil portatif de Schorr. Les Cobras ne devaient pas arriver avant midi, trop tard pour les conseillers en danger. Si Anderson essayait de les sauver et était abattu, ils seraient tous tués ou faits prisonniers, lui, son copilote et l'équipage.

Les unités combattantes de l'Aviation furent les seules de l'armée des États-Unis qui ne se désagrégèrent pas sous la pression de la guerre. Près de 6 000 pilotes et membres d'équipage d'hélicoptères périrent, mais les aviateurs ne craquèrent jamais. Était-ce la communion entre le pilote et sa machine volante acrobatique, ou bien le partage égal des risques entre l'officier pilote et les simples soldats de l'équipage, toujours est-il que les hommes des hélicoptères ne perdirent jamais leur esprit de discipline et leur courage. De même que les parachutistes français avaient été les paladins de la première guerre, les aviateurs américains devinrent les sombres chevaliers de la seconde. Presque tous les aviateurs de carrière firent deux séjours au Vietnam au lieu d'un. Anderson en était à son second. C'était un grand et solide gaillard de la côte ouest, commandant le 7e groupe de la 17e cavalerie aérienne. Il appela Schorr à la radio et lui demanda sa position. Puis il informa par l'intercom son copilote et l'équipage qu'ils allaient descendre.

Anderson ouvrit le feu dès qu'ils commencèrent à piquer jusqu'à quinze ou vingt mètres de la rizière pour pouvoir repérer la petite bande. L'hélicoptère vibrait des coups sourds du recul des mitrailleuses de 50 qu'Anderson avait fait installer à la place des petites de 7,62 originalement prévues sur les Hueys. Il était content maintenant d'avoir monté ces gros engins que ses tireurs manœuvraient avec dextérité. S'ils s'en tiraient, pensa Anderson, ce serait à cause d'eux. Il s'immobilisa au-dessus d'une digue pendant qu'Eisenhower aidait Schorr à monter à bord et que Hacker et les deux gardes du corps se réfugiaient à l'intérieur. Deux soldats de l'ARVN en caleçon couvert de boue sortirent de la rizière et vinrent les rejoindre. Pendant ce temps, les mitrailleurs fauchaient les Nord-Vietnamiens à vingt-cinq mètres de là.

Lorsqu'ils se retrouvèrent à la zone d'atterrissage d'English, près de Bong Son, ils comptèrent les trous dans le fuselage. Il n'y en avait que neuf. Le chef d'équipage, qui faisait fonction de mitrailleur, avait reçu plusieurs morceaux de shrapnel dans la jambe lorsqu'une balle avait atteint une caisse de munitions et fait exploser une cartouche de 50.

Pendant les douze jours qui suivirent, la région subit le même sort pitoyable que Hoai An. Tout le nord de la province de Binh Dinh, avec ses 200 000 habitants, tomba aux mains des communistes. En dépit de la bataille sur les hauts plateaux, Vann se rendit à plusieurs reprises sur la côte pour les exhorter au combat, comme s'il était possible de commander aux vagues de cesser de déferler. Les Forces régionales et provinciales désertèrent par milliers. Les deux derniers bataillons du 40e régiment n'essayèrent même pas de défendre leur base d'English. Les policiers militaires de l'ARVN laissaient les blessés mourir sur la piste tandis qu'ils vendaient à des déserteurs les places sur les hélicoptères vietnamiens envoyés pour l'évacuation, et partageaient le profit avec les pilotes.

Pendant ce temps, une catastrophe encore plus grande se préparait sur les hauts plateaux. Sur les encouragements de Vann, Dzu avait investi l'équivalent d'une division, environ 10 000 hommes, dans la défense de Tan Canh. Comme la ville était la position la plus avancée au nord, il s'agissait là d'un pari très risqué. Si la ligne de défense de Rocket Ridge tombait et que la route 14 conduisant vers le sud et Kontum était coupée, les unités autour de Tan Canh, avec leur artillerie, leurs tanks et tout leur équipement seraient encerclées et isolées. Et si les défenses de Tan Canh cédaient, il serait impossible avec des troupes aussi instables que celles de l'ARVN d'organiser une retraite en ordre par une simple route de montagne. La division serait désintégrée. Et dans ce cas, plus grave encore, les forces nécessaires à la défense de Kontum seraient perdues.

L'adjoint militaire de Vann, le général de brigade George Wear, lui dit qu'il allait au-devant d'une catastrophe. C'était aussi l'opinion de son chef d'état-major, le colonel Joseph Pizzi. La prudence aurait été d'organiser un champ de bataille en profondeur pour épuiser les attaquants en se retirant progressivement sur des lignes successives de défense et en leur faisant à chaque fois payer très cher leur avance. Mais cela aurait signifié l'abandon de Tan Canh et du quartier général voisin de Dak To, avec l'espoir de les reprendre plus tard. Vann n'était pas en humeur d'écouter ces suggestions : « Il faudra que ces enfants de salauds se battent ou crèvent », dit-il en parlant de l'ARVN. Wear et Pizzi insistèrent. Vann leur promit de soulever la question lors de sa prochaine rencontre avec le général Abrams.

En en revenant, il leur annonça que la réponse était non et que Tan Canh et Dak To devaient être conservés pour des raisons politiques. En réalité, Vann avait trompé Wear et Pizzi et n'avait pas exposé leur thèse avec conviction car il s'était déjà engagé en privé à ne pas abandonner les deux villes. Quand Abrams vint à Pleiku, Wear développa avec émotion sa thèse au cours d'une rencontre avec le général en chef, Vann et Dzu. Il dit à Abrams que la position de Tan Canh était « un désastre en suspens ». Vann, qui aimait bien Wear et essayait de lui faire obtenir sa seconde étoile, suggéra avec irritation qu'ils en discutent en privé après. Abrams aussi était mécontent. Il considérait ces craintes comme défaitistes.

Ce jeu de hasard sur Tan Canh était rendu encore plus douteux à cause de la personnalité du commandant de la division, le colonel Le Duc Dat, que Vann avait essayé de faire limoger pour corruption lorsqu'il était chef de province au 3e corps en 1967. Dat était vulnérable à l'époque en dépit de ses hautes relations, car le pouvoir du général Ky faiblissait tandis que celui du président Thiêu grandissait, et il n'avait pas pu faire le rétablissement nécessaire pour s'adapter aux nouvelles circonstances. Il s'était rattrapé ensuite et était devenu commandant en second de la 22e division en 1970. Deux ans plus tard, Vann, pour éviter que Dat ne prenne la place du commandant en chef dont il avait réussi à se débarrasser à cause de sa paresse, avait essayé d'imposer un candidat à lui. Mais Dzu n'avait pas pu s'opposer à la promotion de Dat à cause de ses relations trop élevées pour lui. Dat, un homme mince, vif et émotif, fumait à la chaîne les cigarettes anglaises Craven A. Il n'en avait jamais sur lui. Lorsqu'il en voulait une, il claquait des doigts et un assistant venait lui en apporter et lui tendait du feu.

Le 20 avril, le quartier général avisa Dzu qu'on lui retirait la seconde brigade aéroportée. Dzu et Vann devraient tenir la ligne Rocket Ridge, affaiblie au centre par la perte de la base Charlie le 14, avec la brigade restante et un groupe de Rangers. La brigade et l'état-major de la division aéroportée étaient envoyés dans le 1er corps pour défendre Huê. En dépit de l'optimisme du mémorandum du 12 avril de Vann qui prédisait un effondrement des communistes sur tous les fronts, l'armée nord-vietnamienne était en train de conquérir la totalité de la province de Quang Tri dans le 1er corps, au sud de la zone démilitarisée, et menaçait maintenant Huê.

Si l'ancienne capitale impériale tombait, Thiêu tomberait aussi. C'est pourquoi on avait dû faire des choix difficiles. Le petit groupe de Rangers dont on avait fait cadeau à Dzu était la seule unité disponible. Toutes les autres unités de réserve étaient engagées soit dans le 1ᵉʳ corps, soit sur le front du Cambodge qui menaçait Saigon.

Le 21 avril, alors que Vann était à Saigon pour une conférence stratégique avec Abrams, la base Delta, le point le plus au sud de la ligne Rocket Ridge, tomba. La pression des Nord-Vietnamiens était plus forte que la résistance des forces aéroportées. La situation devenait aussi sinistre à Tan Canh. Le plan de Vann, qui prévoyait que les ennemis allaient s'écraser sur ses places fortes, n'avait simplement pas prévu que l'ARVN se contenterait de s'installer et d'attendre dans ses trous et ses blockhaus. Il avait voulu que les soldats de Saigon fassent des sorties, établissent le contact pour que l'artillerie et l'Aviation s'abattent sur les Nord-Vietnamiens en mouvement, qu'ils s'établissent sur les positions clés et qu'ils contre-attaquent et reprennent le terrain perdu. Au lieu de cela, Dat se contenta d'occuper certaines positions élevées autour de la ville et s'assit par terre. Il ne voulait pas bouger ni même envoyer des renforts ou relever un de ses bataillons attaqués. L'infanterie de la 2ᵉ division nord-vietnamienne isolait progressivement ses positions de défense en s'insinuant entre elles, se rapprochant ainsi de plus en plus du bunker de commandement de Dat.

Quand son conseiller, le colonel Phillip Kaplan, lui disait qu'il devait manœuvrer et se battre, Dat lui expliquait que les soldats nord-vietnamiens étaient supérieurs à ceux du Sud et qu'on ne pouvait rien faire contre eux. Si on essayait de manœuvrer, ils vous encerclaient et vous détruisaient. Kaplan, un solide officier parachutiste qui avait servi sous Bob York en république Dominicaine, essayait de se dominer du mieux qu'il pouvait et continuait à lui faire la leçon. Il ne se rendait pas compte que l'attitude de Dat, un homme du Nord lui aussi, originaire d'une famille aisée du Tonkin et qui avait passé son baccalauréat au lycée Albert-Sarraut de Hanoi, n'avait rien à voir avec le fait que ses adversaires étaient aussi du Nord. Elle reflétait le complexe d'infériorité inné vis-à-vis du Viet Minh de tout Vietnamien ayant combattu avec les Français. Dat se conduisait comme la plupart des autres commandants de l'ARVN dans les mêmes circonstances : il s'abritait dans son bunker en présumant que ses troupes tiendraient assez longtemps pour que la puissance aérienne des États-Unis persuade l'ennemi de se retirer.

Une défense efficace de Tan Canh imposait un échange violent de coups et de contrecoups dans un terrain difficile, une bataille que l'ARVN était incapable de mener. Vann avait jeté cette armée, qu'il essayait d'utiliser pour réaliser ses objectifs, dans un affrontement trop dur pour elle. Il essaya d'aiguillonner Dat pour qu'il devienne le chef qu'il aurait voulu. Ils se trouvaient un soir dans la salle du blockhaus devant une carte recouverte d'inquiétantes indications. Vann donnait des coups sur la carte, décrivant sèchement de sa voix nasillarde et rauque ce que Dat devait faire pour survivre.

« Colonel Dat, vous allez être le premier commandant de division de l'ARVN à perdre votre unité, parce que vous allez être débordé et détruit, si vous ne...

— Oh non, ça n'arrivera pas », répondit Dat.

Cela commença à arriver au matin du dimanche 23 avril 1972. Un bataillon d'infanterie de l'ARVN était aux prises avec les Nord-Vietnamiens à peu de distance du cantonnement de Tan Canh. Le bombardement, qui avait augmenté régulièrement depuis vendredi, avait atteint maintenant le rythme d'une salve par minute de mortiers, d'artillerie et de rockets. La précision en était suffisamment grande pour indiquer que de petits groupes d'ennemis s'étaient infiltrés à quelques centaines de mètres et servaient d'observateurs. Phil Kaplan fut informé qu'un char avait été touché à l'entrée principale. Il quitta le bunker avec son adjoint pour aller se rendre compte, en progressant dans un fossé pour éviter le bombardement. Un soldat de l'ARVN qui parlait anglais lui dit qu'il avait vu un missile voler en l'air et frapper le char. Le missile antitank téléguidé, arme redoutable à cause de sa précision même à longue distance, avait été inventé dans les années cinquante par un officier de l'Aviation française. Les Russes en avaient développé une version plus puissante appelée le Sagger. On n'en avait encore jamais vu au Vietnam. Comme Kaplan continuait à interroger le soldat, un autre Sagger les survola avec son sifflement aigu et alla percuter un autre char quelque soixante mètres plus loin à l'intérieur de l'enceinte.

Un peu plus tard dans la matinée, ce fut le tour du poste de commandement. Quelque chose, probablement un autre Sagger, pénétra le mur de sacs de sable à un point faible près d'une bouche d'aération et alla exploser dans la pièce radio, mettant le feu aux poutres du plafond. Le bois, imprégné de créosote ou d'un autre produit similaire, commença à dégager une intense fumée. Personne n'avait pensé à se munir d'extincteurs et il n'y avait pas de poste d'eau dans le blockhaus. Kaplan se préparait à jeter le contenu d'un réservoir en plastique destiné à faire le café quand il se rendit compte que c'était idiot. Les hommes allaient bientôt suffoquer et s'écraser mutuellement en se précipitant vers la sortie. « Tout le monde dehors ! » cria-t-il.

L'état-major de la 22e division devint bientôt un amas de sacs de sable fumant, tandis que les poutres incendiées s'écroulaient l'une après l'autre. Un poste de commandement annexe fut installé dans une petite casemate à proximité et les blessés furent évacués par hélicoptère dans l'après-midi. Kaplan n'avait eu qu'une estafilade superficielle et le colonel Dat était indemne, mais le commandant John Wise avait été sérieusement blessé à la tête et au bras. Une dizaine de membres de l'état-major avaient également été gravement atteints, sans compter une quarantaine de soldats qui se trouvaient dans l'enceinte. Vann arriva aussitôt de Pleiku pour superviser l'évacuation, rendue difficile pour les blessés et les équipages par l'incessant bombardement. Vann ne chercha pas à se protéger. Avant qu'il ne reparte pour Pleiku, Kaplan lui dit que, si les choses empiraient, les conseillers se rassembleraient pour être évacués sur un autre terrain d'hélicoptères situé à l'ouest du périmètre que les Cobras avaient utilisé comme parking dans le passé.

Pendant toute la journée de dimanche, les Nord-Vietnamiens continuèrent à tirer avec les Saggers contre les tanks stationnés dans l'enceinte. Sur les huit opérationnels le matin, il n'en restait plus qu'un dans l'après-midi. Le soir venu, Dat prit une chaise, s'assit, et dit à Kaplan : « Demain, nous serons envahis. »

A 10 heures du soir, ils furent informés que des Forces provinciales dans un hameau situé au nord-ouest près de la route 14 entendaient des chars. Puis, un bataillon situé sur une hauteur qui surplombait la route annonça par radio que lui aussi entendait les blindés et voyait les phares de la colonne. Kaplan demanda aux opérations aériennes de lui envoyer un C-130 Spectre qui était équipé de détecteurs infrarouges. « Il y a onze tanks sur la route », lui annonça le pilote. Ils s'avançaient vers l'est de Dak To. Le capitaine Richard Cassidy, conseiller du district, se précipita à l'entrée du cantonnement de Dak To. Il aperçut à cinq cents mètres de là la lumière des phares camouflés de véhicules militaires. Le Spectre lâcha une fusée éclairante et Cassidy vit la colonne de tanks arrivant vers lui en zigzaguant. « Ils nous tirent dessus », hurla-t-il. Mais les tanks n'avaient pas ouvert le feu. Cassidy n'avait pas de craintes à avoir. Les blindés avaient ordre de négliger son cantonnement et ils passèrent devant sans tirer un coup de feu.

Les Nord-Vietnamiens étaient engagés dans une opération qu'ils appellent : « frapper le serpent à la tête. » C'est une vieille tactique souvent utilisée dans la guerre, mais qui semble toujours nouvelle lorsqu'elle est exécutée par surprise. Les forces communistes ne s'occupaient pas des bases Cinq et Six, ni de tous les bataillons des alentours, et fonçaient directement sur le quartier général de Dat. Les quinze tanks, et non onze, qui descendaient vers le sud étaient des T-54 soviétiques des années cinquante, appartenant à la 2ᵉ division. Ils étaient venus par la piste Hô Chi Minh en février, en tirant des remorques chargées de munitions et de bidons de diesel. Ils avaient attendu au Laos pendant un mois et étaient entrés au Vietnam deux semaines plus tôt. Les derniers jours avant l'attaque, ils étaient restés cachés au-dessus de Tan Canh dans des ravins à proximité des pistes qui conduisaient à la route 14.

Le scepticisme irrationnel dont faisait preuve Vann à l'égard de la présence de tanks nord-vietnamiens sur son territoire contribua à l'effet de surprise. Il était pourtant logique que, si l'ennemi employait des chars d'assaut dans le 1ᵉʳ corps et en avait fait descendre d'autres jusqu'au 3ᵉ il n'y avait pas de raison qu'il ne fît pas la même chose dans le 2ᵉ corps. De nombreux témoignages le confirmaient : des prisonniers et des déserteurs avaient parlé de tanks, des patrouilles de l'ARVN avaient trouvé des traces de chenilles au Laos et dans la vallée à l'ouest de Rocket Ridge, un autre bataillon de T-54 faisait partie de la 320ᵉ division nord-vietnamienne et était déjà entré au Sud Vietnam.

Mais sa manie de vérifier personnellement tous les rapports était devenue une forme de présomption chez Vann, au point qu'il avait tendance à ne tenir aucun compte de ce qu'il n'avait pu confirmer lui-même. Chaque fois qu'on lui avait mentionné des tanks, il avait pris son hélicoptère pour les chercher et n'en avait trouvé aucun. Il en avait déduit que ces rapports n'étaient basés que sur les exagérations d'hommes effrayés et qu'il s'agissait en fait de PT-76, petits véhicules amphibies utilisés souvent par les Nord-Vietnamiens et que leur léger blindage rendait inoffensifs. Pourtant, deux jours plus tôt, trois T-54 avaient été utilisés au cours de l'attaque finale sur la base Delta, mais Vann était alors à Saigon et n'avait pas suffisamment prêté attention au rapport à son retour. Lorsque Kaplan l'informa par radio que le bombardier Spectre avait confirmé la présence de tanks, il répondit avec son humour macabre et un réflexe d'autodéfense : « Eh bien, si c'est ça, félicitations ! Car ce sont les premiers que quelqu'un ait jamais trouvés dans le 2e corps. »

Surmonter l'effet de surprise ne signifie pas forcément gagner la bataille L'ARVN avait tout le temps nécessaire pour arrêter les chars et toutes les munitions pour les détruire. Les T-54 avançaient seuls sans être accompagnés d'infanterie, ce qui les rendait très vulnérables à des adversaires équipés d'armes antichars, particulièrement la nuit qui permet aux fantassins de se déplacer sans être vus et de monter des embuscades. En dépit de son scepticisme, Vann avait veillé à ce que les troupes de la 22e division et les forces du district de Dak To soient équipées avec des centaines de M-72, ce bazooka amélioré en service à l'époque. Les hommes avaient été entraînés à s'en servir et chaque compagnie comportait des équipes spécialisées. Un des canons sans recul de 106 de la division, mortel pour les blindés, se trouvait le long de la route avec les munitions adéquates. L'artillerie de la division était également disponible et il restait encore à Dat des tanks stationnés à quelques kilomètres de là pour remplacer ceux que les Saggers avaient détruits.

Les forces de la milice provinciale qui tenaient le premier pont que les tanks nord-vietnamiens devaient franchir avaient des bazookas. Ils reçurent l'ordre de monter une embuscade. Ils s'enfuirent. Lorsque Kaplan dit à Dat de faire déployer les équipes antichars de l'ARVN, Dat répondit :

« D'accord, on va le faire. »

Mais les hommes restèrent terrés dans leurs trous.

Lorsque Kaplan lui dit de faire venir les autres chars, Dat répondit :

« J'en ai déjà donné l'ordre. »

Mais les chars ne bougèrent pas. Quant au canon de 106 posté sur le bord de la route 14, il ne tira pas une seule salve.

Pendant ce temps, le bombardier Spectre avait essayé de faire le travail à la place de l'ARVN. D'astucieux techniciens avaient monté sur le C-130 un obusier de 105. Le canon tirait avec une grande précision car il était commandé par l'ordinateur de contrôle, lui-même informé par les détecteurs. A trois reprises le pilote annonça qu'il avait « touché » un tank. Mais comme le Spectre n'avait pas été prévenu à l'avance, il ne disposait pas de munitions antichars, seulement d'explosifs ordinaires. Le T-54 est un engin robuste. Les trois hommes d'équipage durent souffrir plus qu'une simple migraine, mais un seul char fut abandonné. La milice fit prisonnier le conducteur, un Tonkinois de dix-huit ans, et le conduisit au poste de commandement local. Un petit groupe de Nord-Vietnamiens intervint alors, chassa la milice et remit le char en route pour rejoindre les autres er direction du poste de commandement de Dat

Kaplan fit intervenir les batteries d'artillerie, avec le Spectre pour régler le tir. Les tanks se dispersèrent dès les premières salves. Les observateurs nord-vietnamiens, qui avaient pendant toute la journée fait tirer sur le cantonnement, déclenchèrent une contre-batterie. Les artilleurs de l'ARVN se précipitèrent aux abris dès les premiers obus.

« Colonel, il faut que l'artillerie intervienne ! cria l'adjoint de Kaplan à Dat.

— Mais elle tire, colonel ! » répondit Dat.

John Vann écrivit son testament en se rendant à Tan Canh au matin du 24 avril 1972. La dernière fois qu'il avait rendu visite à Norfolk à son frère aîné, Frank J^r lui avait demandé s'il n'avait pas peur de mourir au Vietnam. « Bon Dieu, non », avait-il répondu. Il s'était tiré de tant de mauvais pas qu'il était convaincu que la guerre ne réclamerait jamais son dû. Mais après le début de l'offensive il avait commencé à se poser des questions. La défense antiaérienne de l'ennemi devenait si dangereuse, écrivit-il à Dan Ellsberg, qu'il pourrait bien ne pas s'en tirer cette fois-ci.

Il avait dit plusieurs fois à Annie qu'il avait pris ses dispositions pour assurer l'avenir de sa fille si quelque chose lui arrivait. En réalité il n'avait rien fait pour la petite Vietnamienne. Il ne possédait d'ailleurs pas grand-chose. La double pension qu'il versait à sa femme et à ses enfants à Littleton l'empêchait de mettre de l'argent de côté. Il avait une police d'assurance-vie d'environ 85 000 dollars, et, s'il laissait une veuve, elle toucherait une pension de l'armée et de l'Agence pour le développement international. Mais dans la situation actuelle Annie n'aurait pas droit à la pension et au mieux ne toucherait qu'une part infime de son assurance. Préoccupé par l'offensive, Vann n'avait même pas accompli, au consulat de l'ambassade, pendant un de ses voyages à Saigon, la démarche préliminaire de déclaration d'intention d'épouser Annie. Elle vivait actuellement avec sa fille dans une maison de Nha Trang sur la côte, résidence officielle de Vann au quartier général du 2e corps. Son plus récent testament, rédigé au moment de son opération de 1968, alors que sa fille n'avait que six mois, laissait tout à Mary Jane et à ses enfants américains. Enregistré officiellement au Colorado, il était le seul valable.

Quand il alla se coucher à Pleiku vers 2 heures du matin ce jour-là, il était clair qu'il ne pourrait plus rien faire pour arrêter les tanks et qu'il aurait besoin d'un peu de sommeil pour la journée qui s'annonçait. Il fut réveillé à 6 h 30 pour apprendre que Kaplan le réclamait immédiatement à Tan Canh. Il s'habilla en toute hâte et fonça avec son pilote dans son petit Bell Ranger qui décolla aussitôt pour Tan Canh. Peut-être réussirait-il à évacuer les conseillers d'une enceinte que les tanks envahissaient. Peut-être pas.

Vann portait toujours dans sa poche de chemise un petit calepin à spirales de sept centimètres sur dix pour prendre des notes. Il le sortit pendant le vol, l'ouvrit à la page portant le titre imprimé : « DERNIÈRES VOLONTÉS ET TESTAMENT », inscrivit l'heure, 07 00, et la date dans le coin supérieur droit, puis en dessous : « Ma femme, ..., et ma fille, ..., se partageront également mes biens. Tout ce que je possède au Sud Vietnam devra être vendu et le produit également donné à ma femme... [1]. » Il signa « John Paul Vann » et remit le calepin dans sa poche. Il pensait apparemment que, si on le trouvait sur son corps, il aurait pourvu aux besoins d'Annie et de sa fille vietnamienne.

Il ne dit pas au pilote, l'aspirant Robert Richards, ce qu'il avait écrit Richards, un paysan maigre et sympathique de Géorgie du Sud, était un ancien sous-officier devenu officier parce que l'armée en 1966 avait un besoin urgent de pilotes d'hélicoptères. Il avait appris à manœuvrer comme un dingue pendant son premier séjour au Vietnam aux commandes d'un appareil de reconnaissance dans la 1re division d'infanterie et, depuis 1970, volait régulièrement dans le delta avec Vann, qui l'avait choisi pour son adresse dans les situations périlleuses et parce qu'il prenait des risques que refusaient les autres. Les hommes ordinaires ne peuvent compter que sur leur bravoure pour affirmer leur valeur. Mais depuis le début de l'offensive, Vann avait drainé son courage en plus de temps que Richards n'en mettait à se regonfler. Avant, il aimait boire le soir pour le plaisir. Maintenant il puisait ses forces dans le whisky. Vann savait combien ses nerfs étaient en lambeaux.

« On y arrivera, Bob, lui dit-il. On y arrive toujours. »

Les nuages rapides de la mousson prochaine, la brume matinale et la fumée des incendies provoqués par les bombardements cachaient Tan Canh. Richards descendit en dessous des nuages. Un autre Ranger, piloté par le capitaine Dolph Todd, se trouvait juste derrière l'appareil de Vann. Todd s'était porté volontaire la veille pour être le soutien de Vann ce jour-là. Il aimait les vols périlleux, mais ne savait pas cette fois-ci ce qui l'attendait.

Vann parla à la radio avec Kaplan, McClain et sept autres conseillers. Kaplan avait perdu tout espoir d'arriver à susciter une résistance quelconque et avait donné l'ordre à son équipe d'abandonner la casemate juste avant l'aube. Il vérifia avant de partir que deux de ses hommes avaient pris des émetteurs radio portatifs pour pouvoir communiquer avec les hélicoptères. Dat et son état-major avaient commencé à suivre les Américains hors de l'abri, puis au bout de quelques minutes étaient retournés à sa sécurité apparente. Pour neutraliser leurs opposants tandis que les chars défilaient, les Nord-Vietnamiens avaient intensifié le bombardement jusqu'à trois et quatre salves de mortier, d'artillerie et de rockets à la minute. Vann, Richards et Todd apprirent par la radio qu'ils couraient le risque supplémentaire de sauter sur une mine en atterrissant. En effet, les conseillers les informèrent qu'ils se trouvaient au milieu du champ de mines qui protégeait le côté ouest du périmètre.

---

1. Pour des raisons évidentes de sécurité et de respect de la vie privée, l'auteur ne dévoile pas le nom de famille d'Annie, de sa fille, pas plus que celui de Lee. De même qu'il ne donne aucune indication sur ce qu'elles sont devenues.

Le plan original d'évacuation de Kaplan s'était révélé irréalisable. La zone de parking des Cobras, où Vann devait venir les chercher, était maintenant sous le feu de deux T-54 postés à l'entrée et l'infanterie nord-vietnamienne arrivait derrière. Un troisième char avait avancé juste en dessous d'un château d'eau en béton et menaçait également leur position. Kenneth Yonan, un capitaine de vingt-trois ans sorti de West Point, était monté au sommet du réservoir avec son homologue vietnamien pour diriger l'attaque des jets contre les tanks, geste rendu inutile par les nuages et la brume. Il était là-haut prisonnier du char et on ne devait plus jamais le revoir.

Le sergent Walter Ward, sous-officier d'administration, trouva un moyen de traverser le champ de mines et de s'éloigner ainsi du tank du château d'eau. Sur les 1 200 officiers et soldats vietnamiens du quartier général, 900 étaient dans les transmissions, le génie et autres services annexes. Lorsque les T-54 se pointèrent à l'entrée de l'enceinte, ils furent pris de panique et s'enfuirent à travers les barbelés et le champ de mines qui entouraient Tan Canh. Nombreux furent ceux qui sautèrent sur leurs propres engins. Ward suggéra de marcher dans les pas de ceux qui s'en étaient sortis indemnes pour être sûrs de ne pas mettre le pied au mauvais endroit. Les conseillers s'arrêtèrent à une ancienne route qui passait dans une dénivellation du terrain au milieu du champ de mines. Kaplan pensait que ce repli cacherait partiellement l'hélicoptère lorsqu'il se serait posé. Les Américains se couchèrent par terre, entourés de soldats de l'ARVN terrorisés.

Vu du ciel, l'endroit ne semblait pas abrité du tout pour Bob Richards. Il ne voyait que le tube du canon de 100 mm sur la tourelle du tank posté sous le château d'eau et pointé directement vers l'endroit où étaient couchés les conseillers et où il allait atterrir. « J'arrive pour me poser et je regarde ce gros fils de pute et je me dis, ce coup-ci je vais pas y arriver, et ça sera ma fête ! »

Mines ou pas, Richards se posa en casse-cou, les patins heurtant brutalement la terre et le rotor à l'extrémité du longeron de queue cognant le sol. Todd arriva juste après. Kaplan envoya trois de ses conseillers se hisser dans chacun des appareils. Il ne voulait pas risquer de les surcharger. Kaplan et McClain, comme officiers supérieurs, étaient tenus d'attendre le prochain voyage avec le capitaine qui portait la radio. Richards avait les yeux fixés sur le gros canon en décollant. A sa grande surprise, il ne tira pas et personne d'autre non plus.

Deux des soldats sud-vietnamiens qui se trouvaient dans le champ de mines s'agrippèrent aux antennes radio de chaque côté de l'hélicoptère lorsqu'il décolla, et deux autres se cramponnèrent aux patins. Vann vit qu'il se passait la même chose avec l'appareil de Todd. Il avait d'abord prévu de transporter les conseillers au camp des Forces spéciales de Ben Het à une vingtaine de kilomètres à l'ouest, un des rares îlots encore tenus par les forces de Saigon le long de la frontière laotienne et qui ne fût pas sous la menace d'une attaque imminente. Une fois en l'air, les Rangers pouvaient supporter le poids de la surcharge, mais Vann craignait que les soldats de l'ARVN ne lâchent prise pendant le long voyage et ne tombent vers une mort certaine. Il décida donc de déposer tout le monde au terrain de Dak To II, à deux kilomètres seulement. Il savait que les Nord-Vietnamiens allaient s'en emparer bientôt, mais un Huey était en route et il y arriverait avant les communistes. Vann fit débarquer ses passagers, appela le pilote du Huey et lui donna l'ordre de venir immédiatement et de transporter les conseillers à Pleiku.

Richards et Vann repartirent chercher Kaplan et les deux autres. Mais ils jouèrent de malchance. Ils volaient en rase-mottes parce que c'était plus sûr et que les nuages étaient bas. Un soldat nord-vietnamien les vit approcher. Il sortit de derrière un buisson avec son AK-47 et tira une rafale dans le cockpit. Richards redressa brutalement l'appareil qui piqua en arc de cercle vers les nuages protecteurs. Les balles s'enfoncèrent dans la carlingue, détruisirent le poste de radio et criblèrent le plancher sous Vann. Il aurait certainement été blessé, ou pire encore, sans la manœuvre acrobatique du pilote et le fait que les balles de l'AK-47 sont relativement petites et peu rapides. Elles vinrent se loger en biais dans le plancher alvéolaire en aluminium et perdirent leur force.

Vann appela Todd sur la radio de secours pour qu'il aille chercher les trois derniers conseillers et les amène à Pleiku où il devait se rendre lui-même. Pendant le vol, la jauge d'essence baissa à une rapidité inhabituelle. Lorsqu'ils se furent posés au quartier général du 2e corps, Richards vit que le carburant coulait par les trous du fuselage. Il secoua la tête. S'il y avait eu une seule balle traceuse dans la rafale tirée par l'AK-47, le Ranger aurait été transformé en une grosse boule de feu.

John Vann ne s'attarda pas. Il avait déjà bondi dans l'appareil de Todd dès que Kaplan et les deux autres conseillers en étaient descendus. Il repartit pour Tan Canh et son assistant vietnamien Cai sauta dans le siège arrière pour l'accompagner. Vann fit atterrir Todd près du terrain de Dak To II pour sauver un commandant américain, conseiller du bataillon de parachutistes local. Sur la piste d'aviation maintenant envahie par l'ennemi, les forces de Saigon étaient complètement paniquées. Le commandant américain et son interprète montèrent à bord et, tandis que Todd décollait, Vann chassait à coups de crosse les parachutistes vietnamiens qui se cramponnaient aux patins de son côté. Mais il y en avait autant du côté de Todd qui déséquilibrèrent l'appareil au point qu'une des pales heurta le sol. La machine s'écrasa après avoir basculé. Cai était coincé dessous. Vann le tira de là, sortit une radio portative de l'épave pour guider les chasseurs-bombardiers Cobra qui mitraillaient les Nord-Vietnamiens. Les communistes se rapprochèrent encore plus et Vann se défendit en les arrosant avec son fusil-mitrailleur. Un pilote de Huey réussit à se poser et à délivrer Vann, Cai, Todd et les deux autres, des fantassins viets qui continuaient à tirer sur l'appareil.

Vann déposa Cai au dispensaire de Kontum pour soigner sa blessure à l'épaule, prit un autre hélicoptère et repartit pour Tan Canh. Les dangers encourus lui rappelèrent son testament. Il s'arrêta à Vo Dinh où le capitaine Peter Kama, le Hawaiien, était conseiller de la brigade. Il déchira la feuille de son carnet, fit signer Kama comme témoin et lui laissa le testament.

John Vann n'aurait pas pu rester au centre d'opérations du 2ᵉ corps, dans le bunker de Pleiku, à écouter Dzu se lamenter. Il dirigea les attaques des jets contre les tanks, ordonna le bombardement des dépôts de munitions qui entouraient Tan Canh, fit évacuer les conseillers des bases voisines, alla en chercher deux autres à Dak To. Il fallait qu'il agisse, quel qu'en fût le résultat, dans ce désastre qu'il avait contribué à déclencher.

Les milliers de soldats de l'ARVN qui purent s'échapper prirent la fuite vers Kontum. Ils couraient si vite que les montagnards spectateurs les appelèrent les « soldats lapins ». Dat mourut. Il avait finalement quitté sa casemate, avait en vain supplié Dzu de lui envoyer un hélicoptère pour l'évacuer, puis était parti pour le terrain de Dak To II où il avait été blessé et s'était probablement suicidé d'un coup de pistolet. Kaplan et McClain avaient eu finalement de la chance que leur grade supérieur les eût contraint de partir les derniers, ainsi que Stewart. Trois des six conseillers déposés par Richards et Todd à Dak To II avaient été tués lorsque le Huey envoyé par Vann avait été abattu au décollage. Le sergent Ward, qui les avait conduits à travers le champ de mines, était parmi les survivants.

Si la poursuite avait été dans la tradition de l'armée nord-vietnamienne, le cours de la guerre aurait peut-être été changé. L'effondrement de Tan Canh en avait créé les conditions idéales, ce moment privilégié où l'ennemi est si démoralisé qu'il ne cesse de fuir sans même savoir pourquoi. Et même si les spéculations sur « ce-qui-aurait-pu-se-passer-si » sont dans la guerre toujours douteuses, la situation particulière au Vietnam offrait une occasion unique. Si les commandants nord-vietnamiens avaient refait le plein de leurs tanks dans cette nuit du 24 avril 1972, embarqué quelques bataillons d'infanterie dans les jeeps, les camions et les transports blindés dont ils s'étaient emparés puisque l'ARVN avait tout abandonné dans la région de Tan Canh, y compris 200 véhicules, et s'ils avaient foncé sur les quarante kilomètres de la route 14 jusqu'à Kontum, la ville aurait été à eux dans le courant de la matinée. Et s'ils n'avaient pas voulu courir le risque d'une opération éclair, ils auraient pu poursuivre l'ennemi en prenant tout leur temps, descendant tranquillement de Tan Canh et de Rocket Ridge en quelques jours, ou même en une semaine ou en dix jours, et Kontum « se serait désintégré », reconnut plus tard Vann.

Et si Kontum était tombé en 1972, la panique, toujours sous-jacente dans le camp de Saigon, aurait éclaté en une contagion incontrôlable à travers tout le 2ᵉ corps. Les hauts plateaux auraient été perdus et la plus grande partie de la côte centrale serait également devenue intenable. La province de Binh Dinh chancelait déjà après la chute des districts du nord. Les communistes auraient pu s'emparer du port de Qui Nhon et menacer les autres grandes villes côtières après que les divisions nord-vietnamiennes des hauts plateaux eurent fait leur jonction avec l'Étoile jaune à Binh Dinh. Les unités communistes n'auraient pas été arrêtées par le manque de ravitaillement car leurs adversaires en auraient abandonné assez pour leurs besoins.

L'administration Nixon pensait que la côte serait bien gardée par des mercenaires. Au prix de centaines de millions de dollars d'aide économique et militaire à la Corée du Sud, le gouvernement américain avait persuadé Séoul de laisser deux de ses divisions le long de la côte de Nha Trang à Qui Nhon. Mais les Coréens n'auraient pas tenu seuls si les troupes de Saigon s'étaient effondrées autour d'eux. Ils auraient réclamé d'être évacués. Ils reniaient déjà leur rôle de mercenaires en appliquant les instructions secrètes de Séoul de limiter les pertes. Ils ne maintenaient même pas ouverte la liaison directe par la route 19 entre les docks de Qui Nhon et les dépôts de Pleiku. Deux bataillons de la division nord-vietnamienne Étoile jaune bloquaient le passage au col d'An Khe à la mi-avril. Vann avait dû insulter les généraux coréens pendant deux semaines pour leur faire rouvrir la route. En attendant, il avait dû se contenter d'un ravitaillement par air ou par un itinéraire beaucoup plus long depuis Nha Trang qui pouvait, lui aussi, être coupé à tout instant.

Les négociations de Paris étaient également en balance. En janvier, Nixon avait rendu publics les entretiens secrets de Kissinger avec Lê Duc Tho pour démontrer l'obstination des communistes vietnamiens. C'est vrai qu'ils étaient obstinés. Ils avaient tranquillement laissé Nixon continuer son pari de retrait réciproque. Maintenant que la bataille se déroulait en leur faveur, ils étaient plus inébranlables que jamais pour exiger que les États-Unis évacuent unilatéralement et démantèlent le régime de Thiêu en échange d'un accord de paix. Nixon avait repris les raids de bombardement sur le **Nord** en réponse à l'offensive nord-vietnamienne et se préparait à miner Haiphong et les autres ports. Mais c'était le résultat dans le Sud qui comptait. Kissinger voulait négocier un compromis et, si les divisions communistes faisaient leur liaison entre les hauts plateaux et la mer, le Sud Vietnam serait coupé en deux et il ne resterait plus grand-chose à négocier.

Joe Pizzi, chef d'état-major de Vann, constatait la panique ambiante et savait que Pleiku s'évanouirait en un instant si Kontum tombait. La population de la ville avait fondu et était réduite à un quart de son effectif d'avant l'offensive, au fur et à mesure que les officiers de l'ARVN et les autres réexpédiaient leur famille et leurs biens à Saigon, à Nha Trang ou autre ville éloignée. Pour trouver une place dans un vol régulier d'Air Vietnam, il fallait payer un pot-de-vin de plusieurs centaines de dollars. Les hélicoptères et avions de l'Armée de l'air vietnamienne n'étaient jamais disponibles pour des missions militaires car les pilotes et les équipages passaient leur temps à transporter vers la côte des gens et des denrées contre argent comptant.

Pizzi découvrit un matin que les contrôleurs du trafic aérien vietnamiens avaient déserté en si grand nombre qu'il devenait difficile de faire fonctionner la tour de contrôle du principal terrain de Pleiku. Il mit au point un plan secret pour évacuer tous les Américains par hélicoptère et C-130 depuis la base US de Camp Holloway de l'autre côté de la ville. Vann approuva ce plan car il n'avait pas d'autre choix. Pizzi commença à réduire le nombre d'hommes à évacuer en transférant à Nha Trang tous les Américains dont la présence n'était pas absolument indispensable à Pleiku.

Vann avait chargé Cai de faire sortir discrètement l'essentiel de sa garde-robe et autres biens personnels par des vols administratifs vers Nha Trang. Il expédia également un petit coffre, peint en marron, fermé d'un cadenas dont il était seul à avoir la clé. Il l'appelait « la Boîte » et il ne s'en était jamais séparé jusque-là. Elle contenait des albums de photos de lui et de ses frères et sœurs à Norfolk, de lui faisant un saut périlleux dans le sable à Ferrum, ou en uniforme d'élève officier aviateur et de navigateur sur un B-29, ainsi que de Mary Jane et des enfants à Rochester, au Japon ou en Allemagne. Il y avait aussi ses papiers militaires, ses médailles et ses récompenses, et la boîte de cigarettes en argent que Halberstam, les autres journalistes et moi lui avions offerte en 1963 pour son courage moral et son intégrité professionnelle. On y trouvait aussi des photos de lui avec ses partenaires d'ébats sexuels.

« S'il m'arrive quoi que ce soit, dit-il en souriant, veillez bien à cette boîte.

— Qu'est-ce qu'il y a dedans ? demanda un de ses subordonnés qui le connaissait mal.

— Il y a moi », répondit Vann.

Les ennemis de Vann retardèrent l'attaque sur Kontum de vingt jours après la chute de Tan Canh, lui donnant ainsi le temps dont il avait besoin. Les armées, comme les êtres humains, ne peuvent donner que ce qu'elles ont en elles. Toute l'expérience passée de l'armée nord-vietnamienne s'opposait à la guerre de poursuite, et exigeait une planification élaborée et une préparation méthodique pour chaque phase de la campagne. Vann avait besoin de chaque journée gagnée.

Le général Dzu, son « esclave » comme disaient les autres Vietnamiens, lui claqua dans les mains comme Cao l'avait fait dix ans plus tôt. Pire encore, il intrigua contre lui, conspirant secrètement pour abandonner les hauts plateaux. Thiêu convoqua Dzu à Saigon deux jours après la débâcle de Tan Canh et lui donna l'ordre de tenir Kontum à tout prix. Ce même soir de son entretien avec Thiêu, Dzu alla voir le général Cao Van Viên, chef de l'état-major mixte. Il était dans un état d'agitation extrême. Kontum et Pleiku étaient indéfendables, expliqua-t-il. Il fallait les abandonner ainsi que Ban Me Thuot, plus au sud dans la montagne, et évacuer toutes les forces de Saigon sur la côte. Dzu voulait que Viên l'aide à persuader Thiêu de la sagesse de ce repli en masse. D'ailleurs, l'abandon des hauts plateaux faisait partie du plan américain, ajouta-t-il.

Viên lui répondit que personne ne lui avait parlé de cela et ordonna à Dzu de retourner à Pleiku et de trouver un moyen de défendre Kontum. Dzu ne parla pas à Vann de sa conversation avec Viên. Au bord de la crise de nerfs et sans pouvoir dormir, il téléphona tard dans la nuit à Thiêu et à Viên et demanda encore l'autorisation de se replier. Thiêu voulait le saquer sur-le-champ, mais Viên ne put trouver aucun autre général de l'ARVN pour le remplacer. Il fit appel à une demi-douzaine de généraux à deux ou trois étoiles disponibles pour leur offrir le 2ᵉ corps. Certains répondirent que leur astrologue avait étudié leur horoscope et avait trouvé que l'année n'était pas favorable. D'autres prétendirent qu'ils étaient en mauvaise santé. Aucun ne voulut admettre qu'il considérait la situation sur les hauts plateaux comme irrémédiablement perdue.

En même temps, Dzu combina un plan avec le chef de province de Kontum et plusieurs officiers supérieurs de la ville pour précipiter la retraite. Il faillit réussir, car Vann était lui-même troublé et découragé après Tan Canh. Mais il se reprit à temps pour arrêter la manœuvre de Dzu. Plus tard Viên devait trouver quelqu'un pour le remplacer : le général de brigade Nguyên Van Toan. Toan avait été mis sur la touche pour corruption abusive et à cause d'un scandale avec une prostituée. Vann lui avait proposé de racheter sa carrière et de gagner une nouvelle étoile s'il était volontaire pour prendre le commandement du 2ᵉ corps. Toan, personnage courageux, avait accepté et Viên lui avait fait la leçon en lui rappelant qu'il devait écouter Vann.

La rage de Vann décuplait sa force. Au cours d'une de ses discussions avec Ellsberg après l'offensive du Têt, il avait reconnu que, si le régime de Saigon ne changeait pas pendant que les États-Unis réduisaient leurs forces au Vietnam, « on se trouverait dans une putain de situation où nous serions cernés de toutes parts et obligés de nous battre pour survivre ». C'était exactement ce qui se passait maintenant pour lui. Les communistes vietnamiens menaçaient tout ce qui avait de l'importance pour lui. Il n'avait pas gagné ses étoiles pour les voir ternies par la défaite. Il n'avait pas prédit la victoire aux plus hautes autorités pour que ses prophéties ne soient que fanfaronnades et vanité. Un homme acculé est dangereux. Vann l'était.

Weyand lui dit qu'il pourrait avoir le général de brigade qu'il voudrait comme adjoint pour remplacer Wear évacué. Vann demanda John Hill. Lui se battait, affirma Vann. Ils étaient contemporains et s'étaient connus dans un camp d'entraînement après la guerre de Corée où Hill avait servi comme commandant de compagnie dans la 1ʳᵉ division de cavalerie. De petite taille, les épaules voûtées, John Hill était intelligent et ingénieux, et surtout il aimait se battre. Il avait passé l'essentiel de sa carrière dans l'infanterie motorisée avant de suivre la formation d'hélicoptère et d'être nommé général de brigade. Vann laissa Hill libre d'air dans le domaine où il excellait : l'organisation de l'aviation et de la puissance de feu. Chaque jour et sans relâche un Huey de commandement, baptisé « le zinc du patron », survolait la région de Kontum pour coordonner les attaques des Cobras et des chasseurs-bombardiers, les vols d'hélicoptères d'observation qui recherchaient les points de rassemblement des Nord-Vietnamiens pour servir d'objectif aux B-52, les missions de ravitaillement des C-130 et des Chinooks, les plans de tir de l'artillerie défensive. L'objectif de Hill était de s'assurer que tout soit parfaitement coordonné et qu'aucun effort ne soit gaspillé. Le colonel d'aviation de l'état-major de Vann voulait rester dans son bureau de

Pleiku. Hill le ficha à la porte et le remplaça par quelqu'un qui suivait de très près tous les mouvements des jets au-dessus de Kontum.

En 1965, Vann avait maudit les hauts dirigeants des États-Unis parce qu'ils refusaient « de prendre la direction complète de tout le fourbi vietnamien ». C'était précisément ce qu'il était en train de faire. Il avait laissé tomber le faux-semblant du commandant en titre du 2ᵉ corps et dominait entièrement Dzu. Il avait maintenant avec lui un officier vietnamien résolu à défendre Kontum. C'était une vieille connaissance, Ly Tong Ba, ancien commandant des M-113 de la bataille de Bac, victime de la colère de Vann dans cette journée capitale. Mais ils avaient travaillé ensemble lorsque Ba avait été chef de province dans le 3ᵉ corps, et Vann avait constaté que, si Ba n'était pas un modèle de combativité, ce n'était pas un escroc et qu'il était meilleur soldat que la plupart des officiers de l'ARVN. Leurs nouvelles relations montraient à quel point Vann s'était assimilé au système de Saigon : Ba n'avait pas de protecteur vietnamien et les autres officiers l'appelaient l' « homme de M. Vann ». A la fin de janvier 1972, Vann avait fait de Ba, maintenant colonel, le commandant de la 23ᵉ division chargée de la défense du sud des hauts plateaux. Un de ses régiments avait été envoyé pour défendre Kontum en avril et Vann qui ne souhaitait pas trop dégarnir le sud, voulait que Ba s'en contentât. Mais Ba protesta que le plan n'avait aucun sens. Il lui fallait plus d'hommes que cela pour résister. Vann céda et fit monter le reste de la division à Kontum.

Vann fit venir un conseiller en qui Ba avait confiance : le colonel Rhotenberry, un Texan simple et costaud, qui était revenu si souvent au Vietnam, où il avait fait quatre séjours, que Cao Van Viên l'appelait « Rhotenberry l'aventurier ».

Quand il descendit de la passerelle de l'avion de ligne à Tan Son Nhut au matin du 14 mai 1972, un bimoteur Beechcraft attendait Rhotenberry pour le conduire directement à Kontum où le premier assaut avait été donné à 5 h 30 du matin. Le dernier régiment de Ba y avait été transporté deux jours plus tôt. Vann survolait le champ de bataille dans son Ranger, ce qui permit à Rhotenberry de prendre quelques heures de sommeil. On le réveilla pour le prévenir que Vann venait le chercher pour l'emmener au poste de commandement que Ba avait installé dans un bunker des Forces spéciales à l'ouest de la ville.

Avec l'engagement de la dernière unité importante du 2ᵉ corps, les risques étaient considérables, et personne à Saigon, et guère plus chez les militaires américains, ne pensait que Kontum pourrait résister. L'adjoint de Ba déserta pendant les premières vingt-quatre heures de la bataille et se cacha dans Kontum dans l'espoir de pouvoir fuir. Vann était conscient des dangers, mais ce n'était pas le plus important pour lui. « Ma crédibilité est en jeu, dit-il à Rhot dans l'hélicoptère. C'est moi qui avais disposé les troupes à Tan Canh. J'ai dit qu'on pourrait se défendre, et elles ont craqué. Maintenant c'est ma carrière qui est en jeu parce que j'ai dit que nous pouvions défendre Kontum. Si nous échouons, 'e n'aurai plus aucune crédibilité et par conséquent d'avenir. »

Les communistes vietnamiens attaquèrent avec une ardeur que les années de guerre n'avaient pas affaiblie, mais ils durent affronter plus que ce qu'aucun être humain ne peut maîtriser. Kontum est situé dans la vallée de la Bla. Pour s'en emparer, l'armée nord-vietnamienne devait se masser sur les collines dominant la rivière et dans la vallée pour attaquer le long de routes constamment observées par les hélicoptères de reconnaissance. L'interception des communications radio et le repérage directionnel permettaient également de suivre leurs mouvements.

Les circonstances les rendaient d'autant plus vulnérables qu'on était arrivé à ce tournant de la guerre où l'expérience et la technologie avaient perfectionné l'emploi des bombardiers. Le Strategic Air Command avait appris pendant le siège de Khe Sanh que trois B-52 seulement, au lieu des six utilisés jusque-là pour augmenter les statistiques de sorties, avaient un effet destructeur suffisant. Un nouveau système radar, le « Combat Skyspot », permettait de frapper à une distance d'un kilomètre seulement des positions amies. Rhotenberry et Ba n'hésitèrent pas à la réduire à 700 mètres. Le périmètre de largage, large d'un kilomètre et long de trois, pouvait être changé trois heures avant le bombardement. Rhotenberry tenait un compte exact de l'horaire de chaque B-52 pour pouvoir modifier le moment et le lieu de l'attaque quand un assaut nord-vietnamien était imminent ou en cours.

Les trois semaines de délai coûtèrent aussi à l'armée nord-vietnamienne l'avantage que leur donnaient leurs tanks T-54. Ba eut le temps de former ses équipes en les entraînant à tirer avec leurs nouveaux bazookas sur des carcasses de chars. Le Pentagone put aussi pendant ce délai répondre aux demandes d'Abrams et envoyer d'urgence un modèle expérimental d'arme antichar montée sur hélicoptère, le TOW, un tube de lancement de missile téléguidé à trace optique. Deux Hueys ainsi équipés furent chargés dans un C-141 de transport en Arizona et envoyés directement à Pleiku. Les commandants nord-vietnamiens utilisaient leurs tanks pour lancer de nuit un assaut qui se continuait dans la journée. Les Hueys équipés du TOW foncèrent sur Kontum dès les premières lueurs, et tout T-54 en vue fut condamné. Un équipage fit entrer son monstre dans une maison pour essayer de se cacher. Le Huey l'atteignit en lançant un missile au travers d'une fenêtre.

Les bombardiers étaient l'arme personnelle de Vann. Il aurait pu laisser le contrôle des B-52 à son adjoint, le général Hill, et à Rhotenberry, mais il voulait le faire lui-même. Le général Toan et l'état-major vietnamien de Pleiku ne l'appelaient plus que « Monsieur B-52 ». Le Strategic Air Command envoyait à Creighton Abrams trois B-52 toutes les heures depuis la base de Guam ou du sud de la Thaïlande. A la mi-mai lorsque l'offensive sur Kontum commença, la situation s'améliorait sur les autres fronts. La garnison de l'ARVN à An Loc sur le front cambodgien de la plantation de caoutchouc résistait bien. Au nord du 1er corps, dans la province de Quang Tri, la pression faiblissait également sous l'impact de la puissance aérienne des États-Unis. Il semblait que Huê soit en mesure de tenir. Kontum était la dernière chance des communistes vietnamiens pour transformer une offensive aux objectifs importants mais limités en une réussite spectaculaire Comme c'était la préoccupation majeure d'Abrams, Vann pouvait avoir tous les bombardiers qu'il voulait Au plus fort ɑe la bataille, Vann intrigua tellement qu'il réussit à disposer pour lui seul de vingt et un des vingt-quatre vols journaliers de B-52 sur le territoire vietnamien.

Entre le 14 mai et la fin de la première semaine de juin, John Vann largua le contenu de 300 attaques de B-52 dans les environs de Kontum. Pour augmenter la marge de sécurité à proximité des positions amies, le Strategic Air Command avait donné instruction à ses bombardiers de voler l'un derrière l'autre et de viser le centre de la zone de largage. Mais cette formation ne couvrait pas une surface suffisante pour satisfaire Vann. Il fit modifier le système et manœuvrer les trois B-52 en échelon. Le premier bombardier volait le plus près possible des positions de l'ARVN pour couvrir le premier tiers du périmètre, le second visait juste au-delà pour atteindre le centre et le troisième encore plus loin pour couvrir le reste de la zone. Vann survolait les lieux juste avant l'arrivée des B-52, puis revenait à basse altitude après le raid dès que la fumée et la poussière s'étaient suffisamment dissipées pour pouvoir juger du résultat. Pour terminer la besogne, il lâchait des rafales de son M-16 dans les cratères de bombes. Il n'y a aucun danger, expliqua-t-il un jour à deux journalistes qui l'accompagnaient. Si quelqu'un « est encore vivant là-dedans, il est dans un tel état de choc qu'il lui faudra une demi-heure avant d'être capable d'appuyer sur la gâchette ». Un autre jour, il aperçut une cinquantaine de soldats nord-vietnamiens survivants qui erraient autour des cratères. Il appela par radio les Cobras pour les achever.

Larry Stern, du *Washington Post,* vint à Pleiku pour interviewer Vann et fut surpris par l'homme qu'il trouva. Il n'avait jamais vu quelqu'un d'aussi ardent et exalté. Il avait les yeux brûlants en décrivant comment il maniait ses bombardiers. « Lorsque le vent souffle du nord quand les B-52 transforment le terrain en paysage lunaire, on sait d'après la puanteur du champ de bataille que l'attaque a été efficace, lui dit Vann. Hors de Kontum, à chaque fois qu'on lâche des bombes, on fait voler des cadavres. »

Mais l'armée nord-vietnamienne résista aux B-52. Quatre régiments d'infanterie, renforcés de sapeurs, de défense antiaérienne et d'une dizaine des quarante T-54 du départ, pénétrèrent à l'est de Kontum en venant simultanément du nord et du sud de la ville les 25, 26 et 27 mai. Leur objectif était d'effectuer la liaison entre les deux colonnes puis d'attaquer vers l'ouest, d'écraser les réserves de Ba et de s'emparer de son poste de commandement. Ils faillirent réussir. Ils furent empêchés de faire leur jonction par une double rangée de blockhaus de chaque côté du terrain d'aviation. Les occupants des ouvrages fortifiés étaient également des Vietnamiens, et ceux-là firent honneur à la tradition de leur peuple. Ba et Rhotenberry regroupèrent leurs hommes et contre-attaquèrent. Lentement et désespérément, les soldats communistes durent abandonner et se replier en laissant des milliers de leurs camarades sur le champ de bataille à l'intérieur et dans la périphérie de Kontum.

Thiêu vint le 30 mai pour remonter le moral des troupes, bien qu'il y eût encore dans certains secteurs de la ville des tirs et des bombardements sporadiques. Vann emmena dans son Ranger le président de la République de Saigon jusqu'au poste de commandement de Ba, puis le ramena ensuite à Pleiku. Ba fit son compte rendu au président, qui épingla une étoile sur le revers de sa tenue de combat. L'armée sud-vietnamienne avait inventé un grade à une seule étoile pour imiter les Américains. Le titre officiel n'était pas général de brigade comme dans l'armée US, mais « aspirant général ». Quel que fût l'adjectif, c'était le général qui importait. Vann avait appris que Ba allait être récompensé et il avait mis par précaution une paire d'étoiles dans sa poche au cas où Thiêu les oublierait.

Vann ne comprit pas à quel point cette victoire était trompeuse. Il ne se rendit pas compte que, en ayant assumé le contrôle total à un moment de crise, il avait en même temps prouvé que le régime de Saigon n'avait pas la volonté nécessaire pour survivre. De même qu'il ne lui vint pas à l'idée qu'il avait joué le même rôle que Weyand et lui lors de l'offensive du Têt : retarder la fin. Une fois de plus, il avait été l'homme indispensable. Son adjoint le général Hill avait été frappé de voir à quel point Vann avait été nécessaire pour la victoire. « Tout général américain compétent aurait fait ce que j'ai fait, dit Hill, dénigrant injustement son propre rôle, mais sans Vann la bataille de Kontum n'aurait pas eu lieu, parce que, sans lui, Ba et les autres Vietnamiens de Saigon ne se seraient pas battus. »

L'homme qui était devenu si habile à manipuler les Vietnamiens pour le compte du gouvernement des États-Unis n'aurait pas approuvé l'usage que les hommes qu'il servait feraient de son triomphe. Nixon allait utiliser le répit que lui donnait la victoire de Kontum pour que Kissinger négocie un compromis qui condamnerait à mort le régime de Saigon lors de la crise suivante. Les accords de Paris du 27 janvier 1973 prévoyaient l'évacuation des conseillers et du reste des forces américaines qui soutenaient le régime de Saigon, laissant l'armée nord-vietnamienne libre de terminer sa tâche au Sud. Les exigences de la politique intérieure américaine imposaient cette solution. Le président allait affronter une réélection, et il avait épuisé toutes les possibilités de manipuler l'opinion publique sur la guerre. Les communistes vietnamiens n'accepteraient jamais un accord si les Américains ne consentaient pas à retirer toutes leurs troupes et à leur laisser le terrain libre. La farce du repli mutuel était terminée. Nixon et Kissinger se persuadèrent qu'ils ne condamnaient pas pour autant leurs filleuls de Saigon. Ils considéraient qu'ils tiendraient Hanoi en échec par la menace de la puissance aérienne des États-Unis.

Au matin du 7 juin 1972, deux jours après que le dernier soldat nord-vietnamien eut été tué à Kontum, John Vann s'adressa à un groupe de nouveaux conseillers. C'était le *briefing* classique pour les arrivants. Il leur dit qu'il avait été « souvent frappé par la croyance largement répandue » que le Vietnam avait « démesurément souffert » de la guerre américaine. « En fait si le Sud Vietnam ne mérite pas, en termes de valeurs américaines, ce qu'il a coûté aux États-Unis, en revanche, en termes de valeurs sud-vietnamiennes, ce peuple est aujourd'hui beaucoup plus avancé qu'il ne l'aurait été avec la paix et un gouvernement non communiste, ou bien avec la paix et un gouvernement communiste. En 1962 l'alphabétisation n'était que de 15 %, aujourd'hui elle est de 80 %. » La révolution sociale qu'il avait voulu ravir aux communistes en 1965 « a été réalisée, en partie par les mesures prises, mais essentiellement par les hasards de la guerre ». Il parla du miracle de l'équipement des rizières et de l'irrigation, des postes de télévision et des motocyclettes Honda. L'urbanisation forcée a également aidé la révolution sociale en créant une nouvelle classe de « consommateurs » au profit des paysans.

Au moment où il parlait, 39 000 soldats de Saigon avaient été tués.

Le 9 juin 1972, John Vann s'envola pour Saigon avec John Hill à qui le commandant en chef Creighton Abrams devait remettre la Légion du mérite pour sa contribution à la victoire. Vann y resta l'après-midi pour une conférence de stratégie avec Abrams, Weyand et les généraux américains conseillers des trois autres corps d'armée. Puis Vann et Hill retournèrent à Pleiku dans la soirée avec le nouvel adjoint de Vann, le colonel Robert Kingston, qui attendait sa promotion de général de brigade. Hill rentrait aux États-Unis après avoir retardé son départ de plusieurs semaines pour rester avec Vann dans la bataille. Vann s'attarda au mess de Pleiku pour le dîner d'adieux de Hill, arrosé de vin et de courtes allocutions. Vann dit qu'il partirait aussitôt après pour Kontum pour passer la nuit avec Rhotenberry et Ba. « J'ai été tous les jours à Kontum depuis que ça a commencé », dit-il, et il voulait garder le rythme. Il demanda au steward de lui faire un paquet de fruits et de beignets et emporta une bouteille de vin pour Rhotenberry et Ba.

Il exultait de joie lorsque l'hélicoptère décolla peu après 21 heures. Entre la cérémonie du matin et la conférence de l'après-midi, il avait célébré sa victoire en faisant l'amour à Lee puis à deux autres femmes vietnamiennes. Il avait commencé les démarches officielles pour épouser Annie lors d'un voyage précédent à Saigon et lui avait envoyé un petit mot par l'intermédiaire d'un ami qui retournait à Nha Trang cette nuit-là. Il avait complètement oublié le testament qu'il avait écrit le jour de la chute de Tan Canh. Peter Kama avait rejoint son unité à Huê avec le papier dans son portefeuille. Vann appela Rhotenberry par radio pour lui demander quelles étaient les conditions atmosphériques à Kontum. Le ciel au-dessus de la ville était clair en cette nuit du 9 juin, mais le temps avait été si lamentable avec pluie et brouillard les jours précédents que Rhotenberry n'avait pu s'empêcher de lancer une boutade après avoir annoncé qu'il faisait beau :

« Vous n'aurez pas besoin de chercher du pied pour trouver l'aire d'atterrissage !

— OK, répondit John. Je serai là dans un quart d'heure. »

Deux ruisseaux, le Khol et le Drou, traversent la route 14 à cinq kilomètres au sud du col de Chu Pao, près du hameau de Ro Uay. Les soldats de l'ARVN qui occupaient l'abri en sacs de sable à l'entrée du pont entendirent un hélicoptère approcher dans la nuit puis virent une boule de feu accompagnée d'une explosion. Un pilote de Cobra repéra les flammes de l'épave sous un bouquet de grands arbres que l'hélicoptère avait touché. Un Huey spécial, le « faucon de nuit », alluma ses projecteurs pour trouver un point pour se poser à proximité. Le lieutenant-colonel Jack Anderson qui le pilotait, celui qui avait évacué les conseillers de Hoai An, trouva Vann couché face contre terre. Il était mort instantanément du choc de l'accident et il avait de nombreuses fractures mais n'était ni couvert de sang ni brûlé. Il avait toujours ses bottes aux pieds. Des Rangers de l'ARVN qui étaient arrivés quelques minutes plus tôt d'une base voisine avaient pris leur pourboire pour se rembourser du danger d'aller le rechercher la nuit dans une région où ils s'étaient battus avec les Nord-Vietnamiens. Ils lui avaient subtilisé sa montre-bracelet et son portefeuille avant de porter son corps dans l'hélicoptère d'Anderson. « Je déteste être celui qui fait faire à John Vann son dernier voyage », dit-il à son copilote en s'envolant vers l'hôpital de Pleiku.

Doug Ramsey apprit la mort de Vann dans son septième et dernier camp au Cambodge. Les prisonniers étaient autorisés à écouter Radio-Hanoi et Radio-Libération, la voix du Vietcong. Les communistes vietnamiens lui rendirent un hommage indirect en chantant victoire. Ils accordèrent beaucoup plus d'importance à sa mort qu'à celle d'autres généraux américains dans le passé. « Vann a commis des crimes sans commune mesure », dit Radio-Libération, et sa disparition « constitue un coup accablant » pour les États-Unis et le régime de Saigon. Le journal de l'armée nord-vietnamienne publia un commentaire spécial, que diffusa Radio-Hanoi, sur le décès de « cet éminent conseiller en chef ». Les communistes prétendirent avoir abattu son hélicoptère. Radio-Hanoi annonça qu'un message avait été envoyé à l'unité antiaérienne pour féliciter les canonniers « de leur excellent tir ».

Mais les communistes vietnamiens n'avaient pas tué John Vann. Les soldats de l'ARVN au pont n'avaient entendu aucun tir avant l'écrasement, de même qu'il n'y avait aucune trace de balles sur le Ranger. La force de l'impact et la façon dont les lames du rotor avaient coupé les branches des arbres indiquaient que l'appareil s'était jeté dans le bouquet d'arbres à sa vitesse de croisière. L'étude technique du moteur et des autres composants devaient le confirmer.

L'explication de l'accident n'avait rien à voir avec le combat. Vann avait épuisé tout le courage de son pilote régulier, Bob Richards, avec l'opération de Tan Canh. Il avait été obligé de le laisser à Nha Trang en mai pour retrouver son équilibre nerveux. Puis Bob était parti en permission à Bangkok et avait déserté. Pour le remplacer, Vann avait recruté un aviateur de vingt-six ans, le lieutenant Ronald Doughtie. C'était un pilote capable et courageux, mais il n'avait pas l'expérience et le jugement de Richards. Si le temps était beau cette nuit-là sur Kontum, il était mauvais dans la région de Pleiku au sud du col de Chu Pao, avec des rafales de pluie et une forte brume qui gênait la visibilité. Les conclusions de l'enquête officielle indiquèrent que Doughtie avait dû se trouver brusquement dans un paquet de mauvais temps et, au lieu de passer immédiatement au pilotage avec instruments, avait essayé de continuer en visuel. Quand un pilote fait cela, il est pris de vertige. Il croit qu'il continue à voler droit, alors qu'en fait il tourne et descend rapidement dans ce que les aviateurs appellent la « spirale de la tombe ». Le fait qu'il soit entré dans le bouquet d'arbres à un angle de 45 degrés le confirme. C'est ce qu'avait pensé le colonel Anderson lorsqu'il avait regardé les branches déchiquetées des arbres à la lueur des projecteurs du Huey. Doughtie avait lui aussi été tué sur le coup, ainsi que le capitaine assis sur le siège arrière et à qui Doughtie donnait pendant le trajet une leçon de pilotage.

Anderson et d'autres aviateurs se demandèrent pourquoi Vann avait choisi de suivre la route 14 qui menait à Kontum. C'était la plus dangereuse. Il fallait voler relativement bas pour ne pas la perdre de vue et on y courait le risque supplémentaire de se faire tirer dessus au col de Chu Pao, où restaient encore quelques Nord-Vietnamiens équipés d'une mitrailleuse antiaérienne. Il existait un autre itinéraire sûr qui contournait à l'ouest le col en évitant ainsi les balles ennemies. En cas de mauvais temps, on n'avait qu'à suivre les instructions de vol du champ d'aviation de Kontum équipé de radar pour guider les C-130 de transport de ravitaillement qui volaient en général de nuit pour éviter les attaques. Un autre aviateur avait emprunté ce passage par l'ouest la même nuit que Vann, en partant juste après lui, et était arrivé sans problème.

Mais quand on connaissait John Vann, on ne se posait plus de questions. La route 14 était l'itinéraire le plus rapide, et Vann l'avait préféré par jeu. Dans son état d'exaltation, il avait été ravi de tenter ses ennemis du col en passant à toute vitesse dans la nuit. Doughtie ignorait ces risques ou ne les avait pas compris à cause de son inexpérience ; c'est pourquoi il n'avait pas résisté à Vann comme Richards l'aurait probablement fait.

Quatre mois après la mort de Vann, j'ai retrouvé le buisson d'arbres. J'étais allé sur les hauts plateaux pour interviewer Rhotenberry et Ba et ceux qui avaient mené cette dernière bataille avec lui, et je sentais que je ne pourrais pas partir sans avoir vu l'endroit où son hélicoptère s'était écrasé. J'avais lu les rapports officiels. Mais je savais qu'ils ne suffisaient pas à expliquer John Vann. Il y avait quelque chose de plus.

Les conseillers du CORDS à Pleiku m'emmenèrent en hélicoptère à la base de Rangers proche de l'accident. Leur conseiller se proposa de m'aider. Puis nous rencontrâmes un sous-lieutenant, un montagnard de la région, qui me dit savoir où cela s'était passé, et nous descendîmes la piste qui menait au hameau de Ro Uay.

C'était une journée chaude et ensoleillée avec quelques nuages blancs dans le ciel. On pouvait voir à des kilomètres à la ronde. Le bouquet d'arbres était situé à cinquante mètres de la route au nord-ouest du village et était le seul reste de forêt de tout le paysage. Les montagnards pratiquent l'agriculture élémentaire de la terre brûlée. Ils coupent et incendient les arbres et les broussailles, et y sèment leurs plantations jusqu'à ce que le sol soit épuisé en trois ou quatre ans. Puis ils vont dans un autre secteur de la forêt pour recommencer le même processus. Tous les autres arbres du voisinage étaient de petite taille, des arbustes poussés dans les champs abandonnés. Il semblait étrange que l'hélicoptère de Vann ait trouvé dans l'obscurité et la pluie cet unique vestige de futaie.

L'épave était disséminée alentour sur cinquante ou soixante mètres. La vitesse avec laquelle la machine avait heurté les arbres et l'explosion des réservoirs de carburant avaient pulvérisé le petit hélicoptère. Le seul fragment reconnaissable était la queue tordue. Les arbres étaient magnifiques avec leurs troncs majestueux surmontés d'un épais feuillage qui dispensait une ombre traversée par quelques rais de soleil. Je me demandais pourquoi les habitants de la tribu avaient laissé ce bouquet intact.

Près des arbres, des rondins de bois équarri étaient plantés verticalement dans le sol et je demandai ce que c'était au lieutenant montagnard :

« Hommes morts ici. Hommes morts ici », répéta-t-il avec un geste circulaire de la main.

Alors je vis plus près des troncs de grossières statuettes de bois plantées dans le sol. Je ne les avais pas remarquées avant, préoccupé que j'étais par l'épave de l'appareil. Elles étaient sculptées dans le bois à la façon primitive des montagnards, ce peuple ancien qui avait immigré en Indochine avant les Vietnamiens. Elles représentaient des personnages accroupis, le menton reposant sur les mains et le regard au loin. J'avais vu dix ans plus tôt des effigies semblables dans un autre hameau de la montagne pas très loin de celui-ci, et je savais maintenant pourquoi les arbres avaient été conservés. Ce fragment de forêt était le cimetière du hameau. Les hommes de la tribu avaient gardé les arbres dans leur état naturel pour protéger les tombes et fournir l'ombre propice à leurs rites funéraires.

Maintenant je savais ce qui s'était passé cette nuit-là. John Vann était venu le long de la route en batifolant dans le ciel, narguant la mort une fois de plus, sans se rendre compte que cette fois-ci elle l'attendait sous les arbres.

George Jacobson, l'ami de Vann, resta jusqu'au bout. A l'aube du 30 avril 1975, il quitta en hélicoptère le toit de l'ambassade des États-Unis pour se réfugier sur un bâtiment de la 7e flotte, tandis que les tanks nord-vietnamiens entraient dans Saigon. John Vann n'était pas destiné à fuir sur un bateau en mer. Mais il n'avait pas raté sa sortie. Il était mort convaincu qu'il avait gagné sa guerre.

Sources

Les papiers personnels de John Vann constituent une des principales sources de documentation de ce livre. L'auteur a eu à sa disposition tous les documents qui lui ont été confiés par sa famille ou par les autorités officielles :

— le journal qu'il tenait épisodiquement,

— toute sa correspondance avec ses amis,

— la totalité de son dossier militaire classé « confidentiel », ainsi que tous les rapports et mémorandums rédigés par lui,

— le texte de la plupart des conférences qu'il a données ou des entretiens qu'il a eus avec les autorités militaires et civiles, d'après leur enregistrement sur magnétophone.

Pour l'historique détaillé de la guerre, l'auteur s'est basé sur :

— essentiellement les « Dossiers du Pentagone » qu'il avait contribué à faire publier par le *New York Times*, après qu'ils eurent été subtilisés par Dan Ellsberg (trois mille pages d'histoire étayées par plus de quatre mille pages de documents),

— les rapports des Services de renseignements de l'armée des États-Unis,

— les rapports de l'armée du Sud Vietnam,

— les rapports secrets du Vietcong capturés au cours de la guerre,

— les articles publiés par tous les correspondants de guerre, dont l'auteur lui-même, et en particulier David Halberstam.

Enfin et surtout, l'auteur a personnellement recueilli, entre 1972 et 1988, les témoignages de 385 témoins, américains et vietnamiens, civils et militaires.

Index

INDEX

Table

PHOTOS

P. 1, photos 1 et 2 : Dorothy Lee Cadorette ; 3, 4 et 5 : Mary Jane Vann.
P. 2, photos 1 : Mert Perry ; 2 : Archives John Paul Vann ; 3 : Horst Faas/Associated Press ; 4 : Paul Avery.
P. 3, photos 1 : Mary Jane Vann ; 2 : Dick Swanson, Life Magazine/Time ; 3 : Matt Franjola.
P. 4, photos 1 : Armée américaine ; 2 : Maison-Blanche.

IMPRIMERIE SEPC À SAINT-AMAND (6-90)
D. L. : MAI 1990. N° 12189-7 (1428)